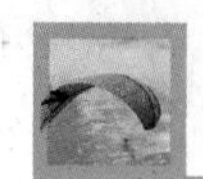

GILLES CHARRON ■ PIERRE PARENT

CALCUL DIFFÉRENTIEL

6e ÉDITION

Calcul différentiel
6e édition

Gilles Charron et Pierre Parent,
enseignants au Cégep André-Laurendeau

© 2007, 2003 **Groupe Beauchemin, Éditeur Ltée**
© 2000 Éditions Études Vivantes ■ Groupe Éducalivres inc.

Édition : France Vandal
Coordination : Dany Cloutier
Révision linguistique : Suzanne Delisle
Correction d'épreuves : Isabelle Roy
Conception graphique et infographie : Infoscan Collette Sherbrooke
Conception de la couverture : Infoscan Collette Sherbrooke
Impression : Imprimeries Transcontinental

La photo de la couverture, prise par Mme Dominique Parent, présente le massif du Mont-Blanc à Chamonix, vu du Brévent.

Les activités et les renseignements présentés dans ce manuel ont été soigneusement choisis et révisés pour assurer leur exactitude et leur valeur éducationnelle. Toutefois, l'éditeur n'offre aucune garantie ni ne se tient aucunement responsable de l'utilisation qui peut être faite de ce matériel. L'éditeur se dégage de toute responsabilité pour tout dommage spécifique, général ou exemplaire qui pourrait résulter entièrement ou en partie de la lecture ou de l'usage de ce matériel.

Beauchemin
CHENELIÈRE ÉDUCATION

7001, boul. Saint-Laurent
Montréal (Québec)
Canada H2S 3E3
Téléphone : 514 273-1066
Télécopieur : 514 276-0324
info@cheneliere.ca

Tous droits réservés.

Toute reproduction, en tout ou en partie, sous quelque forme et par quelque procédé que ce soit, est interdite sans l'autorisation écrite préalable de l'Éditeur.

ISBN 978-2-7616-4519-5

Dépôt légal : 2e trimestre 2007
Bibliothèque et Archives nationales du Québec
Bibliothèque et Archives Canada

Imprimé au Canada

2 3 4 5 6 ITIB 12 11 10 09 08

Nous reconnaissons l'aide financière du gouvernement du Canada par l'entremise du Programme d'aide au développement de l'industrie de l'édition (PADIÉ) pour nos activités d'édition.

Gouvernement du Québec – Programme de crédit d'impôt pour l'édition de livres – Gestion SODEC.

DANGER
LE
PHOTOCOPILLAGE
TUE LE LIVRE

Avant-propos

Cette sixième édition de *Calcul différentiel* se veut un changement dans la continuité. En effet, le présent ouvrage représente le fruit d'une évolution proposée par un grand nombre d'utilisateurs et utilisatrices, mais conserve certains aspects qui en ont fait son succès au fil du temps.

Du neuf pour la sixième édition

La **structure** du livre elle-même est légèrement modifiée par rapport à l'ancienne édition. L'ancien chapitre 8, intitulé «Analyse de fonctions» dans la précédente édition, a été intégré au chapitre 6 portant le titre «Analyse de fonctions algébriques». De plus, les fonctions exponentielles et logarithmiques sont étudiées avant les fonctions trigonométriques et les fonctions trigonométriques inverses.

L'**approche programme** prend une place plus importante et se reflète dans plusieurs aspects du livre. Certains concepts sont spécifiquement abordés de façon distincte pour chacune des disciplines du programme des sciences de la nature. À cette fin, les auteurs ont utilisé la terminologie ainsi que la notation propre à la physique, à la chimie, à la biologie et à l'économie. Certains exemples décrivent des situations concrètes rattachées à l'une ou à l'autre de ces disciplines. Finalement, ces autres disciplines, identifiées par des pictogrammes, sont également intégrées dans les exercices récapitulatifs et les problèmes de synthèse.

La présence de **problèmes types** en introduction de chapitre favorise l'approche par résolution de problème. Ces problèmes servent de situation initiale pour amorcer l'apprentissage de certaines notions. À partir d'un problème type qui sera résolu plus tard dans le chapitre, ou parfois même dans un chapitre ultérieur, les éléments théoriques sont présentés.

Les **outils technologiques** tels que Maple et la calculatrice à affichage graphique sont utilisés dans cette toute nouvelle édition. Comme le recours aux nouvelles technologies varie grandement d'un collège à un autre, le livre propose une utilisation souple de la technologie. Certains exercices et problèmes portant la mention «Outil technologique» suggèrent une résolution à l'aide d'un outil technologique, quel qu'il soit.

Un réseau de concepts et une **liste de vérification des apprentissages** sont donnés en fin de chapitre, tout juste avant les sections d'exercices récapitulatifs et de problèmes de synthèse. Ils visent à permettre à l'élève de prendre conscience de ses acquis avant de se lancer dans la partie pratique.

Plusieurs **perspectives historiques** et **bulles historiques** parsèment l'ouvrage. Ces textes mettent en relation les contenus des chapitres et les contextes des grandes découvertes en mathématiques. Les bulles offrent de brefs rappels sur l'origine ou l'utilisation de certains outils mathématiques.

La présentation visuelle de l'ouvrage a été améliorée et rehaussée par l'**utilisation pédagogique de la couleur.** Il est facile de retracer les exemples, les théorèmes et les définitions. De plus, la couleur facilite la compréhension de plusieurs graphiques, elle met en évidence les concepts importants et aide l'élève à faire des liens entre certains éléments.

Nous espérons que vous pourrez tirer le meilleur de *Calcul différentiel, 6e édition,* et que cet ouvrage deviendra pour vous un outil privilégié d'apprentissage.

Particularités de l'ouvrage

Plan du chapitre

Le plan du chapitre permet le repérage des contenus et apprentissages présentés. Afin de faciliter la consultation, les numéros de pages des différentes sections sont présents.

Introduction

L'introduction du chapitre permet de mettre en relation ses contenus dans une séquence générale d'apprentissage. De plus, la présentation d'un problème type du chapitre précise le type d'habileté à acquérir et son contexte d'utilisation. On tentera le plus possible de présenter un problème type concret et intégrateur dans le but de piquer la curiosité des élèves.

De plus, une illustration en couleurs en début de chapitre présente le plus souvent un des champs d'application du sujet à l'étude et fait ainsi le lien entre un contenu théorique et une application concrète.

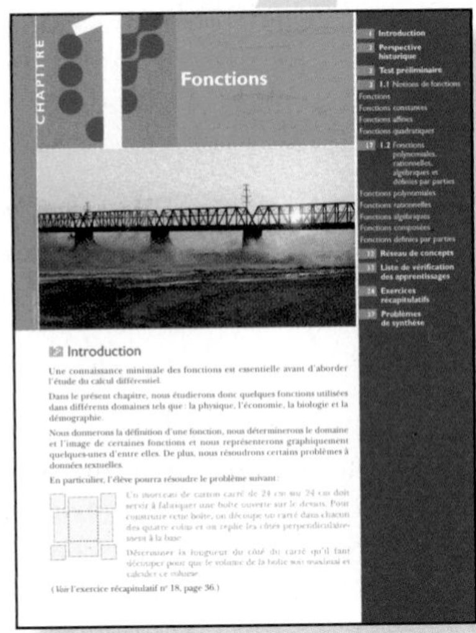

CHAPITRE 1

Fonctions

Introduction
Perspective historique
Test préliminaire
1.1 Notions de fonctions
Fonctions
Fonctions constantes
Fonctions affines
Fonctions quadratiques
1.2 Fonctions polynomiales, rationnelles, algébriques et définies par parties
Fonctions polynomiales
Fonctions rationnelles
Fonctions algébriques
Fonctions composées
Fonctions définies par parties
Réseau de concepts
Liste de vérification des apprentissages
Exercices récapitulatifs
Problèmes de synthèse

Introduction

Une connaissance minimale des fonctions est essentielle avant d'aborder l'étude du calcul différentiel.

(Voir l'exercice récapitulatif n° 18, page 36.)

Perspective historique

TROUVER LA TANGENTE AU XVIIe SIÈCLE

Perspective historique

Une perspective historique est présentée au début de tous les chapitres. Elle permet de mettre en évidence les contextes de découverte ou d'utilisation des contenus présentés. Les mathématiques sont ainsi considérées dans le cadre d'un cheminement intellectuel général, en relation avec les autres champs du savoir humain.

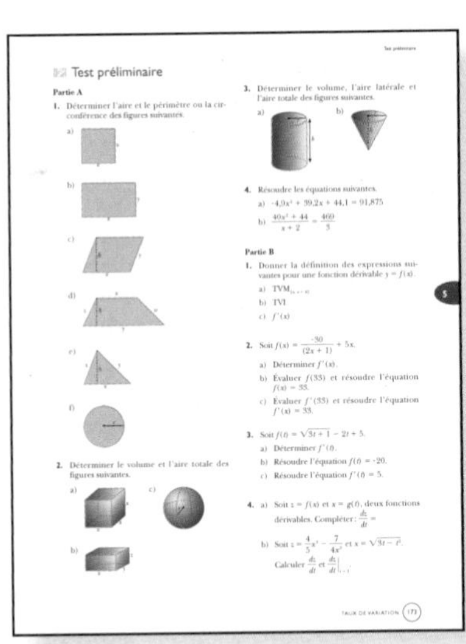

Test préliminaire

Partie A

1. Déterminer l'aire et le périmètre ou la circonférence des figures suivantes.

2. Déterminer le volume et l'aire totale des figures suivantes.

3. Déterminer le volume, l'aire latérale et l'aire totale des figures suivantes.

4. Résoudre les équations suivantes.

Partie B

1. Donner la définition des expressions suivantes pour une fonction dérivable $y = f(x)$

Test préliminaire

À la demande de plusieurs utilisateurs et utilisatrices, le test préliminaire demeure dans la nouvelle édition. Les élèves apprécient pouvoir évaluer leur niveau de connaissances préalables avant de poursuivre leur apprentissage.

4.1 Dérivée de fonctions constantes, de la fonction identité et de fonctions de la forme x^r, où $r \in \mathbb{R}$

Objectif d'apprentissage

À la fin de cette section, l'élève pourra calculer la dérivée de fonctions constantes, de la fonction identité et de fonctions de la forme x^r, où $r \in \mathbb{R}$.

Plus précisément, l'élève sera en mesure :
- de démontrer que la dérivée d'une fonction constante est égale à 0 ;
- de calculer la pente de la tangente à la courbe de fonctions constantes ;
- de démontrer que la dérivée de la fonction identité est égale à 1 ;
- de calculer la pente de la tangente à la courbe de la fonction identité ;
- de démontrer la règle permettant de calculer la dérivée de fonctions de la forme x^n, où $n \in \mathbb{N}$;
- de calculer la dérivée de fonctions de la forme x^r, où $r \in \mathbb{R}$;
- de calculer la pente de la tangente à la courbe de fonctions de la forme x^r, où $r \in \mathbb{R}$.

Dans cette section, nous démontrerons des théorèmes qui permettent d'obtenir sans calcul de limites la dérivée d'une fonction constante, la dérivée de la fonction identité et la dérivée de fonctions de la forme x^r, où $r \in \mathbb{R}$.

Objectifs d'apprentissage

Les objectifs d'apprentissage constituent un autre moyen, pour les élèves, d'entrevoir les notions qu'ils auront à maîtriser.

Ils sont en lien direct avec la liste de vérification des apprentissages, présentée en fin de chapitre.

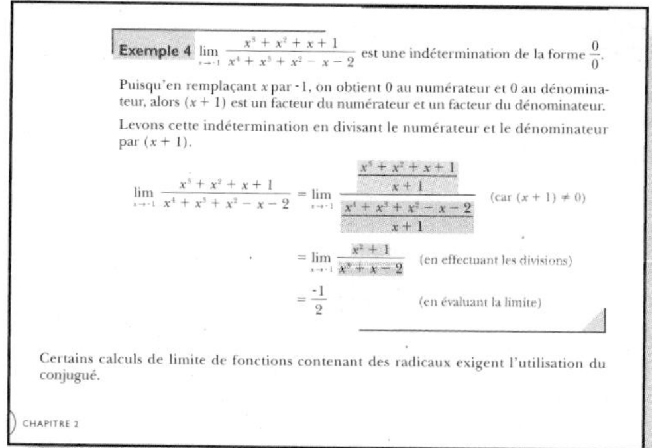

Exemple 4 $\lim\limits_{x \to -1} \dfrac{x^3 + x^2 + x + 1}{x^4 + x^3 + x^2 - x - 2}$ est une indétermination de la forme $\dfrac{0}{0}$.

Puisqu'en remplaçant x par -1, on obtient 0 au numérateur et 0 au dénominateur, alors $(x + 1)$ est un facteur du numérateur et un facteur du dénominateur.

Levons cette indétermination en divisant le numérateur et le dénominateur par $(x + 1)$.

$$\lim_{x \to -1} \frac{x^3 + x^2 + x + 1}{x^4 + x^3 + x^2 - x - 2} = \lim_{x \to -1} \frac{\dfrac{x^3 + x^2 + x + 1}{x + 1}}{\dfrac{x^4 + x^3 + x^2 - x - 2}{x + 1}} \quad (\text{car } (x + 1) \neq 0)$$

$$= \lim_{x \to -1} \frac{x^2 + 1}{x^3 + x - 2} \quad (\text{en effectuant les divisions})$$

$$= \frac{-1}{2} \quad (\text{en évaluant la limite})$$

Certains calculs de limite de fonctions contenant des radicaux exigent l'utilisation du conjugué.

CHAPITRE 2

Utilisation pédagogique de la couleur

La couleur permet une meilleure compréhension des graphiques et facilite le repérage des définitions, des théorèmes et des exemples.

Dans le texte courant, l'utilisation de la couleur met en évidence les concepts importants et aide l'élève à faire des liens entre certains éléments.

Exemples

Toujours aussi présents, les exemples préparent les élèves à voler de leurs propres ailes au moment des séries d'exercices. Afin de permettre une transition vers l'utilisation d'outils technologiques, le logiciel Maple et la calculatrice à affichage graphique sont utilisés dans la résolution de certains exemples.

Une nouveauté de cette sixième édition : certains exemples présentent une double démarche, identifiée par la présence de pointillés.

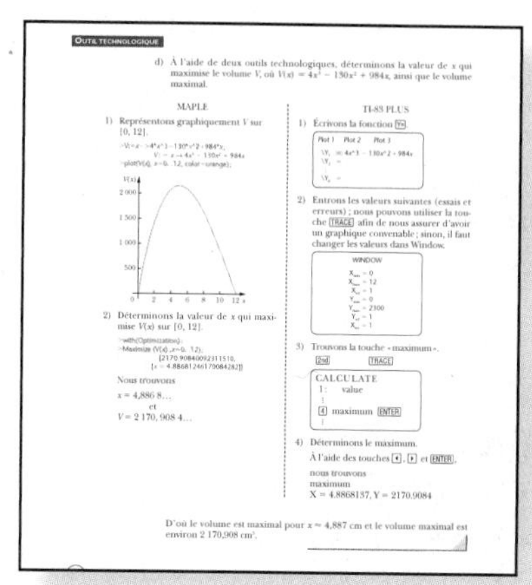

OUTIL TECHNOLOGIQUE

d) À l'aide de deux outils technologiques, déterminons la valeur de x qui maximise le volume V, où $V(x) = 4x^3 - 130x^2 + 984x$, ainsi que le volume maximal.

MAPLE

1) Représentons graphiquement V sur $[0, 12]$.

2) Déterminons la valeur de x qui maximise $V(x)$ sur $[0, 12]$.

Nous trouvons

$x = 4{,}886\,8\ldots$

et

$V = 2\,170{,}908\,4\ldots$

TI-83 PLUS

1) Écrivons la fonction Y=.

2) Entrons les valeurs suivantes (essais et erreurs) ; nous pouvons utiliser la touche TRACE afin de nous assurer d'avoir un graphique convenable ; sinon, il faut changer les valeurs dans Window.

3) Trouvons la touche « maximum ».

4) Déterminons le maximum.

À l'aide des touches ◄, ► et ENTER, nous trouvons maximum

X = 4.8868137, Y = 2170.9084

D'où le volume est maximal pour $x \approx 4{,}887$ cm et le volume maximal est environ $2\,170{,}908$ cm³.

3.1 Taux de variation moyen

Vitesse moyenne et pente de sécante

Il y a environ 400 ans...

La vitesse nous semble aujourd'hui un concept relativement simple. Pourtant, les Grecs ne croyaient pas qu'on puisse la mesurer. C'est avec le développement des notations algébriques et de la géométrie analytique, dans la seconde moitié du XVIIe siècle, que l'on en vint à voir la vitesse comme un taux de variation. Auparavant, parler quantitativement de la vitesse exigeait un détour par une proportion. Ainsi, lorsque **Galilée** (1564-1642) énonçait sa loi de la chute des corps, que nous écrivons $v = kt^2$, il disait plutôt que si un corps tombe en chute libre, alors le rapport des distances parcourues est comme le rapport des carrés des temps nécessaires à les parcourir.

Galilée (1564-1642)

© Bettmann/CORBIS

Bulles historiques

Plus succinctes que les perspectives historiques, les bulles historiques présentent un complément d'information sur un concept faisant l'objet d'une section du chapitre. Les élèves peuvent ainsi comprendre les relations entre les différentes facettes de la découverte ou de l'utilisation d'un objet d'étude.

Réseau de concepts

Déjà présents dans les autres ouvrages de la collection Charron-Parent, les réseaux de concepts permettent de schématiser les contenus du chapitre et surtout de les mettre en relation. Ainsi, ils facilitent l'étude et la mémorisation des connaissances.

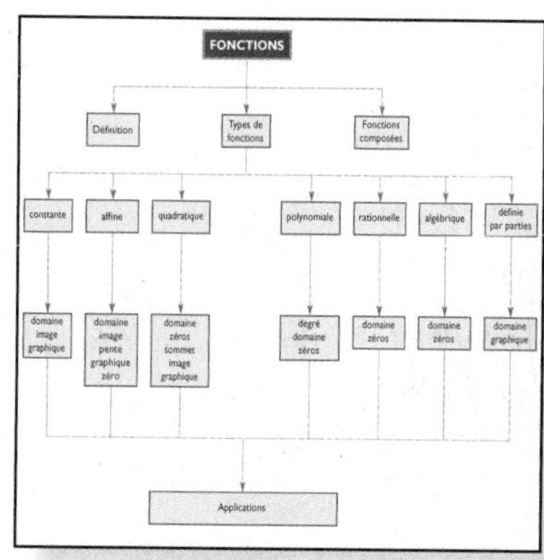

Liste de vérification des apprentissages

La liste de vérification des apprentissages énumère les connaissances à valider avant de se lancer dans la réalisation des exercices récapitulatifs et des problèmes de synthèse. La liste offre l'avantage de cibler les faiblesses de l'élève, qui devra alors revoir ces notions afin de réaliser ses apprentissages.

Liste de vérification des apprentissages

RÉPONDRE PAR **OUI** OU PAR **NON**.

	Après l'étude de ce chapitre, je suis en mesure :	OUI	NON
1.	de donner la définition d'une fonction ;		
2.	de déterminer le domaine de certaines fonctions ;		
3.	de représenter graphiquement des fonctions constantes ;		
4.	de représenter graphiquement des fonctions affines ;		
5.	de calculer la pente d'une droite ;		
6.	de déterminer les zéros de fonctions quadratiques ;		
7.	de déterminer les coordonnées du sommet de paraboles ;		
8.	de représenter graphiquement des fonctions quadratiques ;		
9.	de déterminer le degré de fonctions polynomiales ;		
10.	de déterminer les zéros de certaines fonctions polynomiales ;		
11.	de déterminer le domaine de fonctions rationnelles ;		
12.	de déterminer les zéros de certaines fonctions rationnelles ;		
13.	de déterminer le domaine de fonctions algébriques ;		
14.	de définir des fonctions composées ;		
15.	de déterminer le domaine de fonctions composées ;		
16.	de construire des fonctions définies par parties ;		
17.	de déterminer le domaine de fonctions définies par parties ;		
18.	de représenter graphiquement des fonctions définies par parties.		

Si vous avez répondu **NON** à l'une de ces questions, il serait préférable pour vous d'étudier de nouveau cette notion.

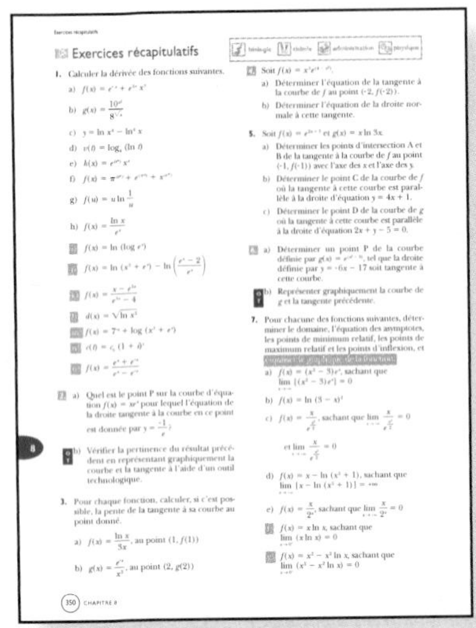

Fidèle à sa réputation en tant qu'ouvrage offrant le plus d'exercices, la nouvelle édition termine chacun des chapitres sous la forme d'une séquence qui comprend des exercices récapitulatifs et des problèmes de synthèse.

En accord avec l'approche programme qui cherche à intégrer les acquis de plusieurs disciplines, certains exercices et problèmes sont marqués d'un pictogramme qui les relie à une discipline particulière : administration, chimie, biologie ou physique.

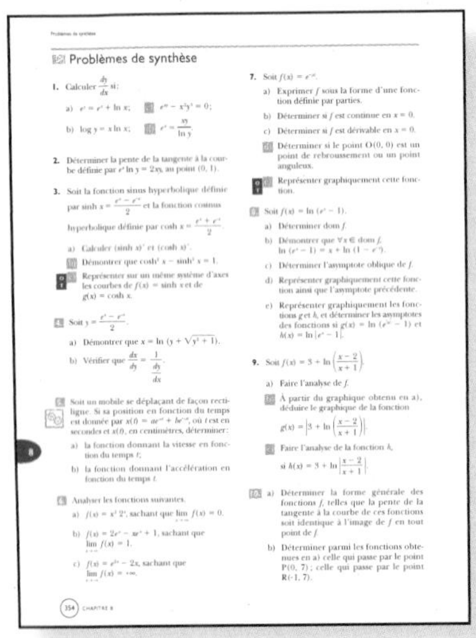

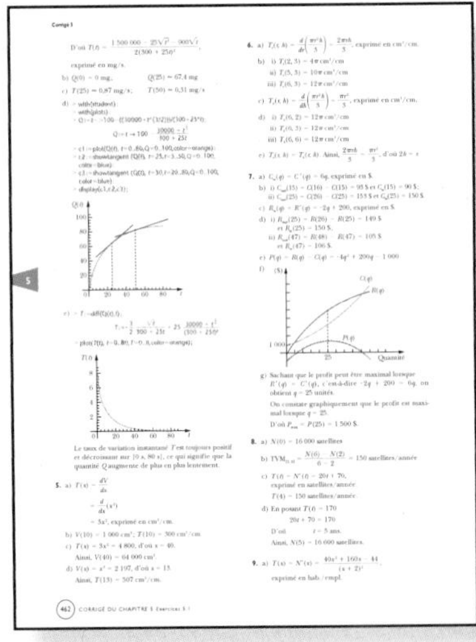

Le corrigé des exercices des chapitres se retrouve à la fin du livre afin de favoriser l'autonomie des élèves. On retrouve également à la fin du volume quelques réponses aux exercices récapitulatifs et aux problèmes de synthèse. Les réponses aux exercices récapitulatifs et aux problèmes de synthèse marquées d'un carré de couleur ne sont pas présentées en fin de volume. Par contre, les enseignants et les enseignantes qui utilisent le manuel ont accès aux solutions détaillées de ces questions.

Du nouveau ! Les élèves peuvent consulter le site Internet associé au livre afin de résoudre certains problèmes à l'aide d'outils technologiques tels que Maple et la calculatrice à affichage graphique ou symbolique. Le site propose aussi des pistes d'exploration des outils technologiques dans d'autres contextes que celui du problème ciblé.

Une nouveauté accompagne cette sixième édition : des exercices interactifs que l'élève peut faire en ligne, en tapant www.cheneliere.ca/charron-parent.

Remerciements

Nous tenons d'abord à remercier les nombreuses personnes-ressources qui ont collaboré à l'élaboration des éditions précédentes :

M. Michel Baril, Cégep de Chicoutimi
M. Jacques Carel, Cégep de Lévis-Lauzon
Mme Suzanne Cayer, Cégep de la Gaspésie et des Îles
M. Alain Chevanelle, Cégep de Drummondville
M. André Douville, Cégep de l'Abitibi-Témiscamingue
M. Webster Gaétant, Collège de Bois-de-Boulogne
M. Bernard Grenier, Centre d'études de Chibougamau
Mme Marthe Grenier, Collège Montmorency
Mme Suzanne Grenier, Cégep de Sainte-Foy
M. Rony Joseph, Cégep de Victoriaville
M. Michel Laramée, Collège Édouard-Montpetit
Mme Chantal Leclerc, Collège Gérald-Godin
M. Luc Morin, Cégep de Trois-Rivières
M. Robert Paquin, Collège Édouard-Montpetit
M. Alain Raymond, Cégep de Saint-Jérôme
M. André Roy, Cégep de Victoriaville
Mme Claudette Tabib, Collège Édouard-Montpetit

Nous soulignons l'excellent travail des consultants et des consultantes du réseau collégial qui ont permis, grâce à leurs commentaires éclairés, d'enrichir chacun des chapitres de cette nouvelle édition :

M. Robert Bradley, Collège Ahuntsic
M. Gilles Devault, Cégep de Trois-Rivières
Mme Marie-Paule Dandurand, Collège Gérald-Godin
Mme Christiane Lacroix, Collège Lionel-Groulx
Mme Nadia Laflamme, Cégep de Thefford
M. Jacques Lapointe, Collège Maisonneuve
Mme Diane Paquin, Collège Édouard-Montpetit
M. Jacques Paradis, Cégep de Sainte-Foy
Mme Bibiane Plourde, Cégep de l'Abitibi-Témiscamingue
M. André Sabourin, Collège Bois-de-Boulogne
M. Marc Simard, Collège André-Laurendeau
M. Alain Therrien, Collège André-Laurendeau et HEC
M. Normand Vanier, Cégep de Saint-Jérôme

Nous témoignons aussi notre gratitude aux enseignants et aux enseignantes du département de mathématiques du Cégep André-Laurendeau pour leurs commentaires et suggestions.

Finalement, nous remercions les personnes suivantes :

M. Louis Charbonneau, pour la rédaction des textes historiques ;
M. Dany Cloutier, pour son travail vigilant au cours de la production du volume ;
Mme Julie Fortin, pour avoir permis la réalisation du projet ;
Mme Dominique Parent, pour les nombreuses photographies qu'elle nous a fournies, dont celle de la couverture ;
Mme France Vandal, pour sa gestion efficace du projet.

Gilles Charron
Pierre Parent

Table des matières

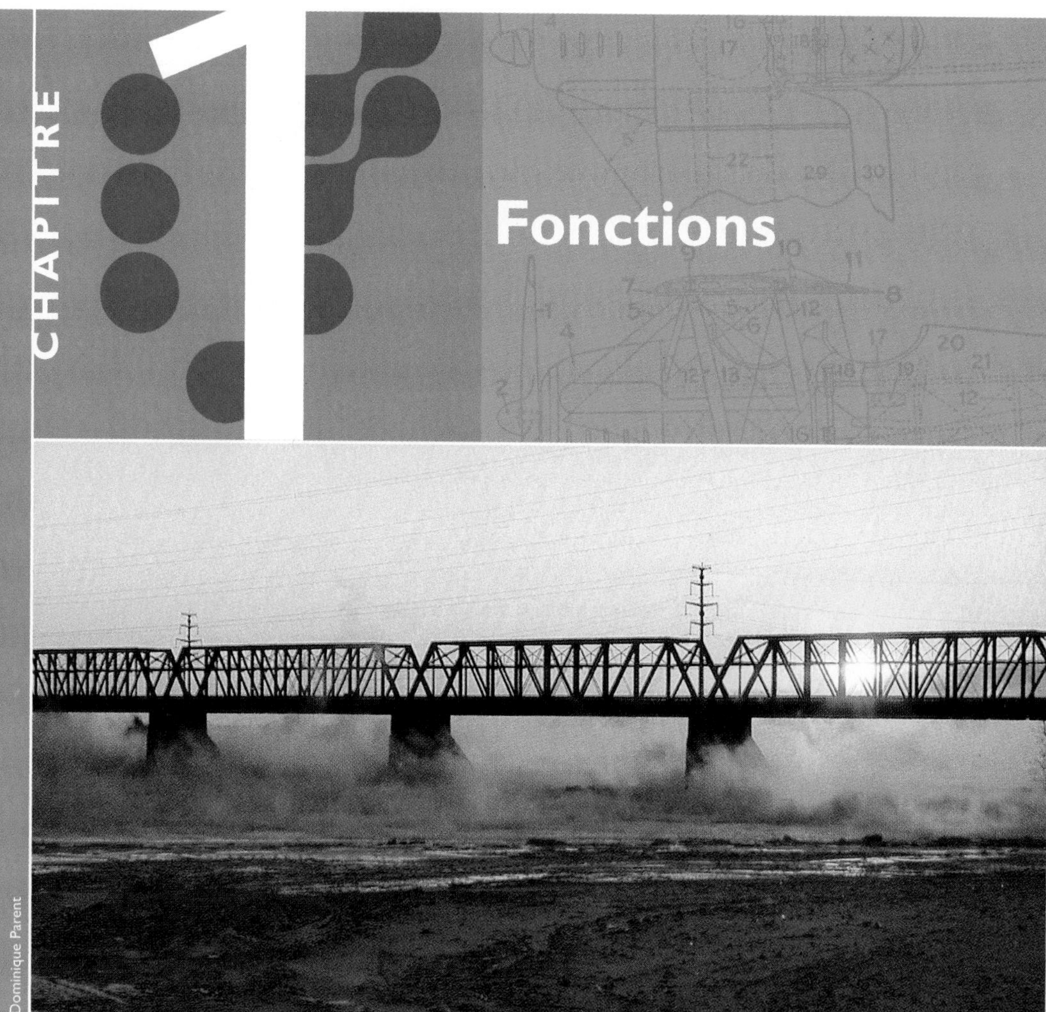

CHAPITRE 1

Fonctions

Dominique Parent

Introduction

Une connaissance minimale des fonctions est essentielle avant d'aborder l'étude du calcul différentiel.

Dans le présent chapitre, nous étudierons donc quelques fonctions utilisées dans différents domaines tels que : la physique, l'économie, la biologie et la démographie.

Nous donnerons la définition d'une fonction, nous déterminerons le domaine et l'image de certaines fonctions et nous représenterons graphiquement quelques-unes d'entre elles. De plus, nous résoudrons certains problèmes à données textuelles.

En particulier, l'élève pourra résoudre le problème suivant :

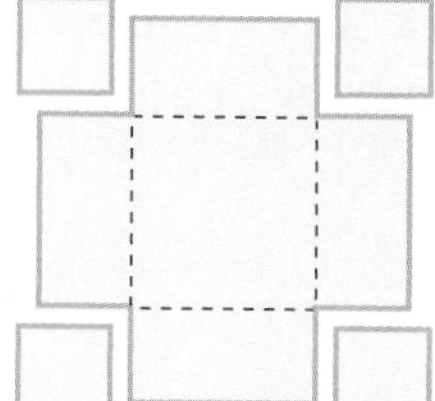

Un morceau de carton carré de 24 cm sur 24 cm doit servir à fabriquer une boîte ouverte sur le dessus. Pour construire cette boîte, on découpe un carré dans chacun des quatre coins et on replie les côtés perpendiculairement à la base.

Déterminer la longueur du côté du carré qu'il faut découper pour que le volume de la boîte soit maximal et calculer ce volume.

(*Voir* l'exercice récapitulatif n° 18, page 36.)

Perspective historique

À LA RECHERCHE D'UNE FORMULE : LA FONCTION

Vous avez sans doute déjà remarqué, comme l'ont aussi fait les mathématiciens de la Renaissance (XVIe siècle, l'époque de Jacques Cartier), que, lorsqu'on résout une équation du second degré de la forme « $ax^2 + bx + c = 0$ » à l'aide de la formule habituelle, on n'obtient aucune valeur réelle de la racine si « $b^2 - 4ac$ » est négatif. Mais ces expressions de la racine, avec un nombre négatif sous le radical, peuvent être très avantageuses dans les calculs. Ainsi, elles sont nécessaires à la résolution de certaines équations du troisième degré. Elles sont aussi très utiles dans le calcul de certains circuits électriques.

© Bettmann/CORBIS

Galilée (1564-1642)

Le développement de la notion de fonction présente certaines analogies avec l'apparition des nombres complexes. Lorsque **Galilée,** au début du XVIIe siècle, de fait peu après la fondation de Québec, cherche à déterminer quelle sera la distance parcourue par un objet soumis à une accélération constante, il veut trouver une relation entre le temps écoulé et la distance parcourue par l'objet. Aujourd'hui, nous dirions qu'il cherche à déterminer la fonction permettant de calculer la distance en fonction du temps. Le problème de Galilée est relativement simple car la vitesse de l'objet est proportionnelle au temps. Mais, que se passe-t-il si cette vitesse change suivant une règle plus complexe ?

L'étude du mouvement des objets et des changements en général mobilise beaucoup d'énergie aux XVIe et XVIIe siècles. La généralisation de l'utilisation des canons, la découverte que les mêmes lois régissent à la fois les mouvements des corps célestes et des objets sur la Terre suscitent un grand nombre de questions. La méthode mise au point par les mathématiciens de l'époque pour y répondre se nomme aujourd'hui le calcul différentiel et intégral.

Pierre Parent

Ce furent Newton et Leibniz, dans le dernier tiers du XVIIe siècle, qui explicitèrent les règles de ce calcul. Dans un premier temps, les relations que l'on cherchait semblaient devoir avoir une forme algébrique simple. C'est pourquoi, la première définition de *fonction,* donnée par Jean Bernoulli en 1718, est restreinte : *On appelle fonction d'une grandeur variable une quantité composée de quelque manière que ce soit de cette valeur variable et de constantes.* Pour Bernoulli, une fonction est une formule algébrique, éventuellement une série infinie.

Cette vision, qui correspond probablement à votre propre vision de ce que peut être une fonction, sera mise à rude épreuve lorsque les phénomènes soumis à des changements sortiront du domaine de la mécanique. Lorsqu'un objet se déplace, il nous semble intuitivement que sa position ou sa vitesse ne peuvent pas faire un saut instantané. Mais en est-il de même des changements instantanés dans le cas de phénomènes moins connus pour lesquels notre intuition se révèle défaillante ? Joseph Fourier, dans son étude sur la propagation de la chaleur dans les corps, en arrive à traiter des fonctions qui sautent d'une valeur à l'autre instantanément. Dès lors, sa définition de fonction (1822) se démarque de celle de Bernoulli un siècle plus tôt : *En général, la fonction* f(x) *représente une suite de valeurs, ou ordonnées, dont chacune est arbitraire. L'abscisse* x *pouvant recevoir une infinité de valeurs, il y a un pareil nombre d'ordonnées* f(x)*. Toutes ont des valeurs numériques actuelles, ou positives, ou négatives, ou nulles. On ne suppose point que ces ordonnées soient assujetties à une loi commune ; elles se succèdent d'une manière quelconque, et chacune d'elles est donnée comme le serait une seule quantité.*

La définition de Fourier, et les nombreux travaux qui en résultèrent par la suite au XIXe siècle, amenèrent les mathématiciens à définir la fonction comme on le fait au début de ce chapitre. Mais, il faut aussi savoir que ces mêmes travaux fournirent les bases théoriques de la mise au point des réseaux de communications actuels dans lesquels un même support, une fibre optique par exemple, permet le transfert simultané de plusieurs signaux par ailleurs indépendants.

Test préliminaire

1. Évaluer les expressions suivantes.

a) $(-4)^2$

b) -4^2

c) 5×3^2

d) $5(-2)^3 + 3(-3)^2$

2. Calculer, si c'est possible, les expressions suivantes en remplaçant successivement x par les valeurs données.

a) $\sqrt{x+1}$, pour $x = 3$ et $x = -2$

b) $(2x-2)^{\frac{1}{3}}$, pour $x = 5$ et $x = -3$

c) $\dfrac{\sqrt{x-7}}{\sqrt{4+x}}$, pour $x = 5$ et $x = 7$

d) $\sqrt{\dfrac{x-7}{4-x}}$, pour $x = 5$ et $x = 4$

3. Factoriser les expressions suivantes.

a) $x^2 + 4x$

b) $x^2 + 4x - 5$

c) $x^2 - 5x - 36$

d) $x^3 - 9x$

e) $6x^2 + 5x^3 - 6x^4$

f) $x^3 - 1$

g) $8x^3 + 27$

h) $2(x+2)^2(x-3)^2 - 4(x+2)(x-3)^3$

4. Résoudre les équations suivantes.

a) $(x-4)(5+3x) = 0$

b) $x^2 - 4 = 0$

c) $\dfrac{7+3x}{2x-4} = 0$

d) $x^3 + 8 = 0$

5. Résoudre les inéquations suivantes en donnant votre réponse sous la forme d'un intervalle.

a) $3x - 8 \geqslant 0$

b) $9 - 2x < 0$

c) $7 - 2x > 4x + 9$

d) $\dfrac{x}{4} - \dfrac{2}{7} \leqslant \dfrac{5}{14} - \dfrac{3x}{2}$

e) $-5 \leqslant 2x - 3 \leqslant 5$

f) $|4 - 3x| < 7$

1.1 Notions de fonctions

Objectif d'apprentissage

À la fin de cette section, l'élève pourra faire l'étude de certaines fonctions.

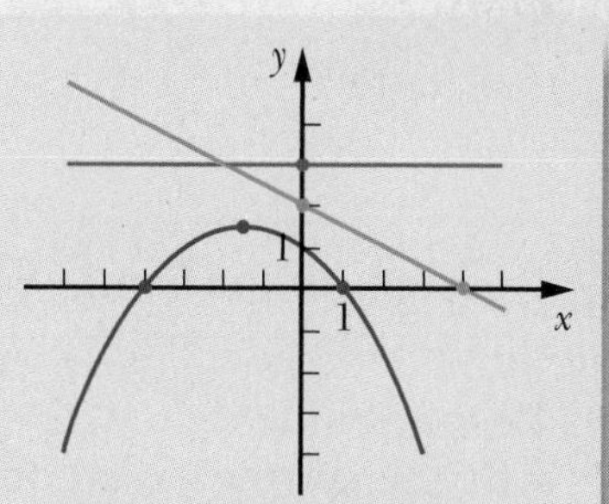

Plus précisément, l'élève sera en mesure:

- de donner la définition d'une fonction;
- de déterminer le domaine de certaines fonctions;
- de représenter graphiquement des fonctions constantes;
- de représenter graphiquement des fonctions affines;
- de calculer la pente d'une droite;
- de déterminer les zéros de fonctions quadratiques;
- de déterminer les coordonnées du sommet de paraboles;
- de représenter graphiquement des fonctions quadratiques.

Avant d'aborder l'étude de différents types de fonctions, rappelons la définition d'une fonction.

1

Fonctions

Il y a environ 100 ans...

© CORBIS

Georg Cantor (1845-1918) a développé la notion d'ensemble à la fin du XIXe siècle alors qu'il étudiait, dans le prolongement des travaux de Fourier (1768-1830), les valeurs pour lesquelles certaines séries de fonctions trigonométriques convergent. La définition ensembliste de *fonction* donnée ici date de cette même époque, si ce n'est pour la notation qui, elle, est beaucoup plus récente.

Définition 1.1 Une **fonction** f d'un ensemble A vers un ensemble B, notée $f: A \to B$, est une règle qui associe à chaque élément de D, où $D \subseteq A$, un et un seul élément de I, où $I \subseteq B$.

Nous appelons A l'ensemble de départ et B l'ensemble d'arrivée de la fonction f.

De plus, l'ensemble D des éléments de A qui possèdent une image s'appelle domaine de f noté dom f, et l'ensemble I des éléments de B qui sont des images s'appelle image de f notée ima f. Ainsi, dom $f \subseteq A$ et ima $f \subseteq B$.

Exemple 1 Soit f, une fonction de l'ensemble A vers l'ensemble B, définie par le graphique sagittal ci-dessous.

Graphique sagittal

Ensemble de départ: $A = \{1, -2, 5, 6, \pi\}$
Ensemble d'arrivée: $B = \{0, -4, 9, 12\}$
Domaine: dom $f = \{-2, 6\}$
Image: ima $f = \{-4, 12\}$

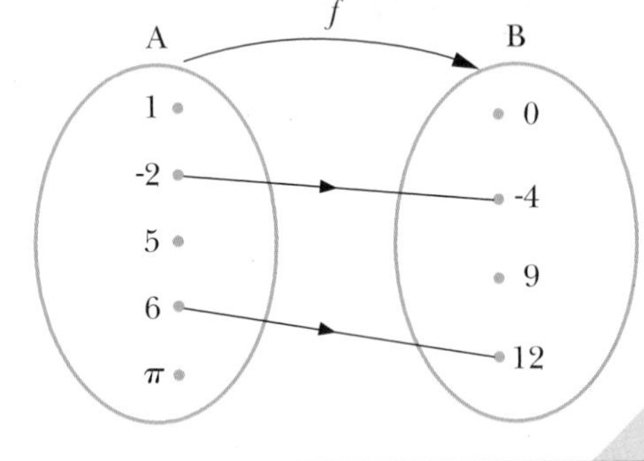

Nous exprimons en général une fonction de A vers B sous la forme $y = f(x)$, où x est la variable indépendante et y est la variable dépendante.

Le graphique cartésien est un moyen fréquemment utilisé pour représenter une fonction. Chaque couple (x, y), défini par la fonction f, est représenté par le point correspondant $P(x, y)$ du plan cartésien.

Lorsqu'il n'y a aucune indication particulière, nous considérons que les fonctions sont de $\mathbb{R}$ vers $\mathbb{R}$, noté $\mathbb{R} \to \mathbb{R}$.

Exemple 2 Soit la fonction f: $\mathbb{R} \rightarrow \mathbb{R}$, définie par $f(x) = x - 1$.

Construisons un tableau en donnant à x quelques valeurs et calculons les valeurs correspondantes pour $f(x)$.

x	...	-3	-1,5	0	2	4	...
$f(x)$	...	-4	-2,5	-1	1	3	...

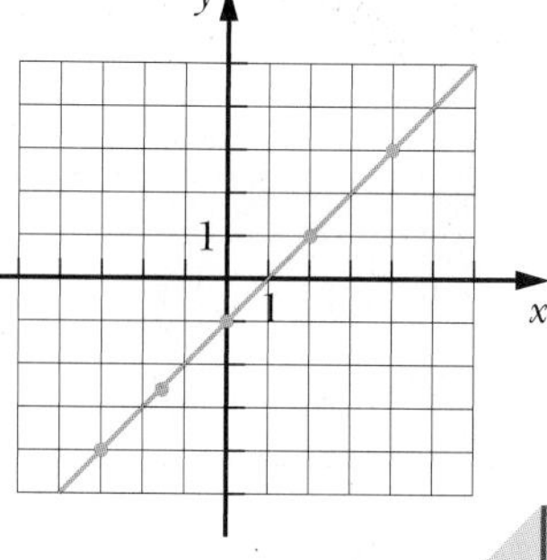

Après avoir situé les points qui représentent ces couples $(x, f(x))$ dans le plan cartésien, nous pouvons relier ces points puisqu'il n'y a aucune restriction aux valeurs que nous pouvons donner à x. Ainsi, dom $f = \mathbb{R}$.

Fonctions constantes

Définition 1.2

Une **fonction** est dite **constante** lorsque, pour toutes les valeurs de la variable indépendante, la variable dépendante conserve la même valeur.

En général, une fonction constante est exprimée sous la forme

$f(x) = c$ (ou $y = c$),

où c est une constante réelle.

Exemple 1 Un joueur de hockey a un salaire garanti de 985 000 $ par année, quel que soit le nombre de parties auxquelles il participe au cours d'une saison de 84 parties.

Soit f, la fonction donnant le salaire du joueur en fonction du nombre de parties jouées. Ainsi,

$f(n) = 985\,000$,

dom $f = \{0, 1, 2, \ldots, 82, 83, 84\}$ et ima $f = \{985\,000\}$.

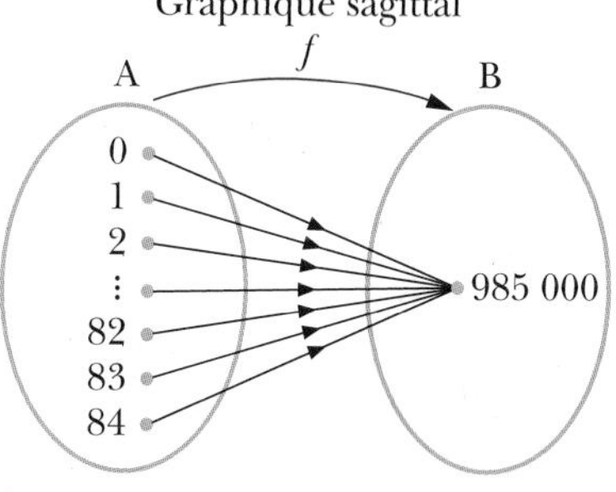

Exemple 2 Soit $f(x) = 6$.

Le graphique cartésien qui représente cette fonction est illustré ci-contre.

Dans ce cas, dom $f = \mathbb{R}$ et ima $f = \{6\}$.

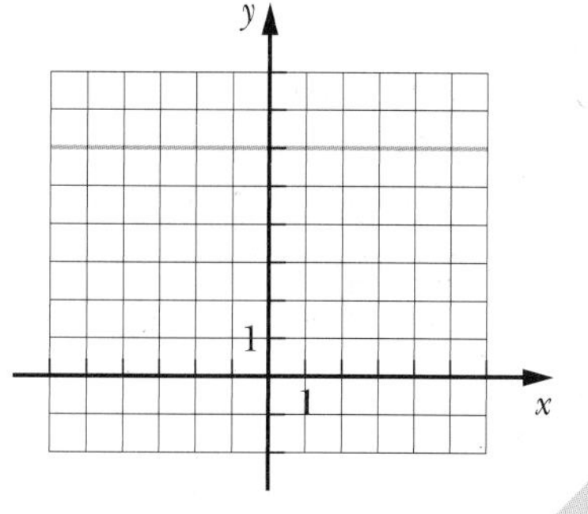

Le graphique cartésien d'une fonction constante $f(x) = c$, de domaine $\mathbb{R}$, est une droite horizontale passant par le point $(0, c)$.

1

Fonctions affines

Le métabolisme de l'alcool dans l'organisme

La concentration de l'alcool dans le sang décroît de façon linéaire jusqu'à ce que l'alcool soit entièrement métabolisé.

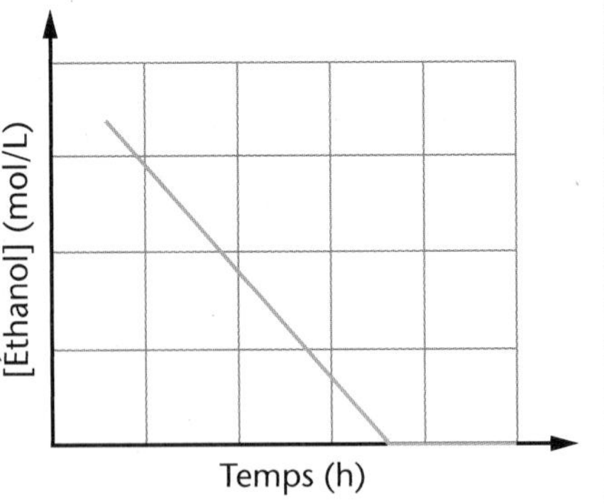

Des observations montrent que la plupart des individus mettent près de quatre heures à métaboliser 30 ml d'éthanol, soit la quantité présente dans environ deux consommations (bière, cocktail ou vin). La concentration de l'alcool consommé diminue à une vitesse constante jusqu'à ce qu'il n'en reste plus. Il faut donc jusqu'à deux heures pour transformer l'alcool contenu dans une consommation, quatre heures pour deux consommations, et ainsi de suite.

Dominique Parent

Définition 1.3 Une **fonction affine** est une fonction que nous pouvons exprimer sous la forme

$$f(x) = ax + b \quad (\text{ou } y = ax + b),$$

où a et b sont des constantes réelles et $a \neq 0$.

Définition 1.4 Une valeur x est **zéro** d'une fonction f quelconque si et seulement si $f(x) = 0$.

Graphiquement, les zéros d'une fonction quelconque correspondent aux valeurs de x pour lesquelles la représentation graphique de f rencontre l'axe des x.

Exemple 1 Soit la fonction f définie par le graphique ci-contre.

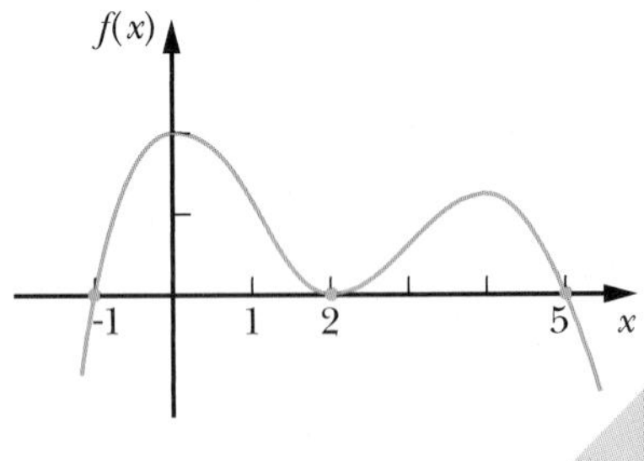

Les zéros de cette fonction sont -1, 2 et 5.

Le graphique cartésien d'une fonction affine est une droite.

Définition 1.5 Soit D, une droite.

Soit $P_1(x_1, y_1)$ et $P_2(x_2, y_2)$, deux points distincts de cette droite.

La **pente** de la droite D, notée a, est définie par le rapport suivant:

$$a = \frac{y_2 - y_1}{x_2 - x_1} \quad \left(\text{ou } a = \frac{\Delta y}{\Delta x}\right).$$

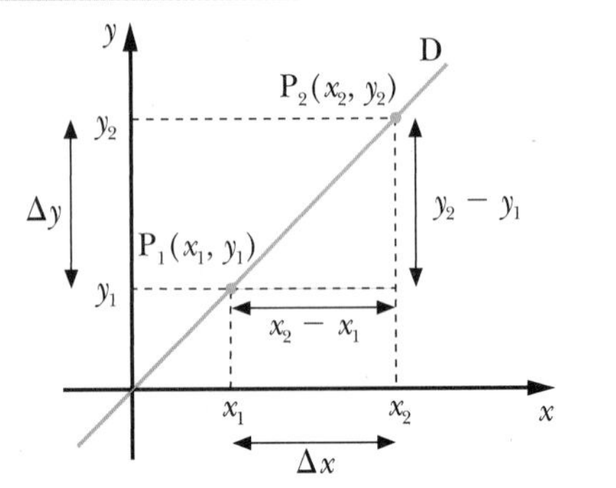

Exemple 2 Soit $y = 2x + 1$.

a) Représentons graphiquement cette fonction.

Pour représenter graphiquement cette fonction, il suffit de déterminer deux points de la courbe.

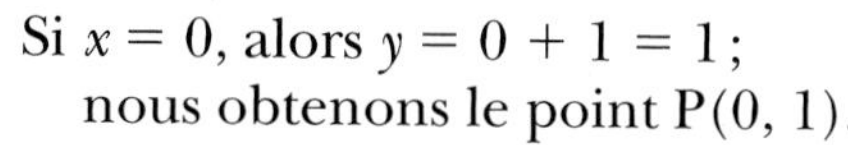

Si $x = 0$, alors $y = 0 + 1 = 1$;
nous obtenons le point P(0, 1).

Si $x = 3$, alors $y = 6 + 1 = 7$;
nous obtenons le point Q(3, 7).

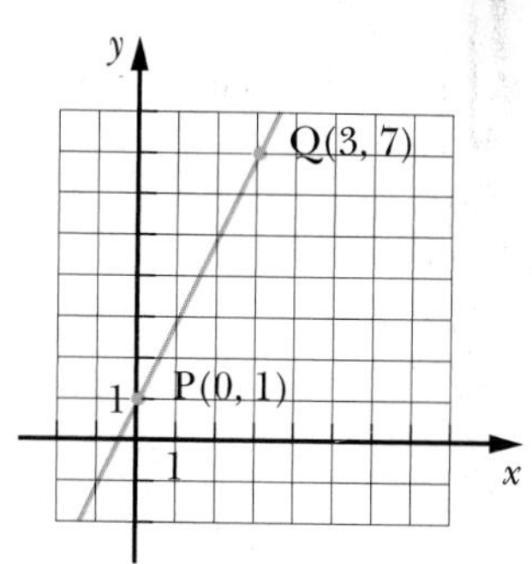

dom $f = \mathbb{R}$
ima $f = \mathbb{R}$

b) Calculons la pente de la droite $y = 2x + 1$ en utilisant les points trouvés P(0, 1) et Q(3, 7).

$$a = \frac{y_2 - y_1}{x_2 - x_1} = \frac{7 - 1}{3 - 0} = 2 \quad \text{(définition 1.5)}$$

c) Déterminons le zéro de cette fonction.

$2x + 1 = 0$ (définition 1.4)

D'où $x = \frac{-1}{2}$ est le zéro de f.

De façon générale, pour une droite définie par l'équation $y = ax + b$:

a) a correspond à la pente de cette droite;

b) b correspond à l'ordonnée à l'origine de cette droite; ainsi, la droite passe par le point $(0, b)$.

La représentation graphique d'une droite de pente a et passant par le point $(0, b)$ est:

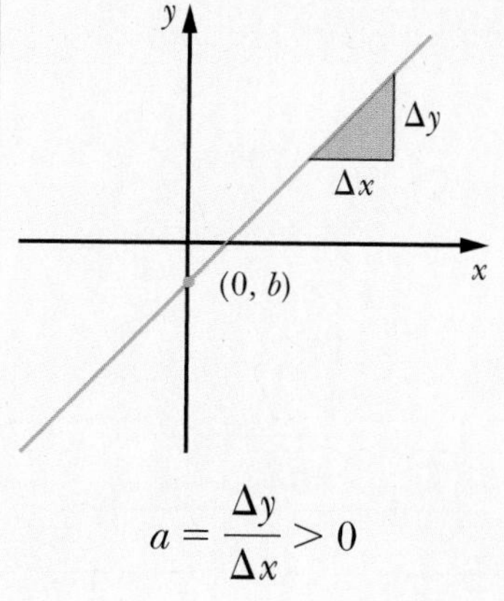

$$a = \frac{\Delta y}{\Delta x} > 0$$

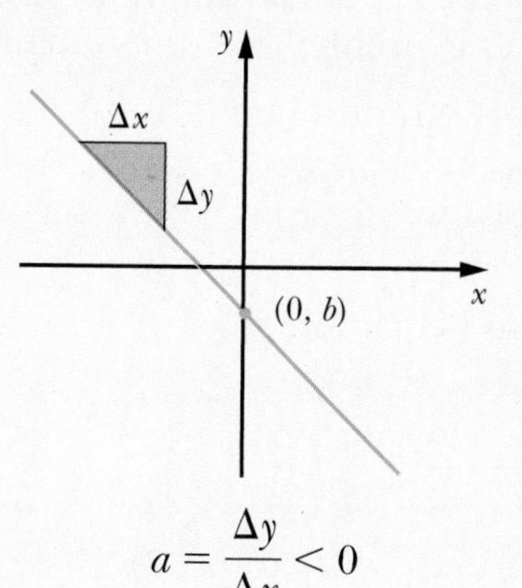

$$a = \frac{\Delta y}{\Delta x} < 0$$

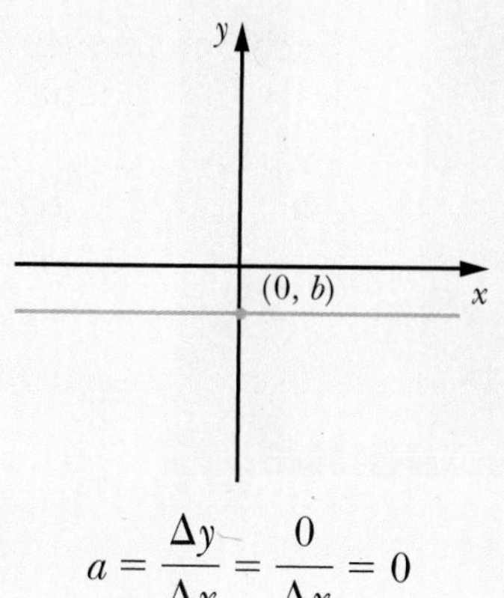

$$a = \frac{\Delta y}{\Delta x} = \frac{0}{\Delta x} = 0$$

Exemple 3 Déterminons l'équation de la droite qui passe par les points P(-2, 5) et R(6, -4).

Calculons d'abord la pente a de cette droite à l'aide de la définition 1.5.

$$a = \frac{-4 - 5}{6 - (-2)} = \frac{-9}{8}$$

Ainsi, $y = \frac{-9}{8}x + b \quad \left(\text{car } a = \frac{-9}{8}\right)$

Calculons ensuite b.

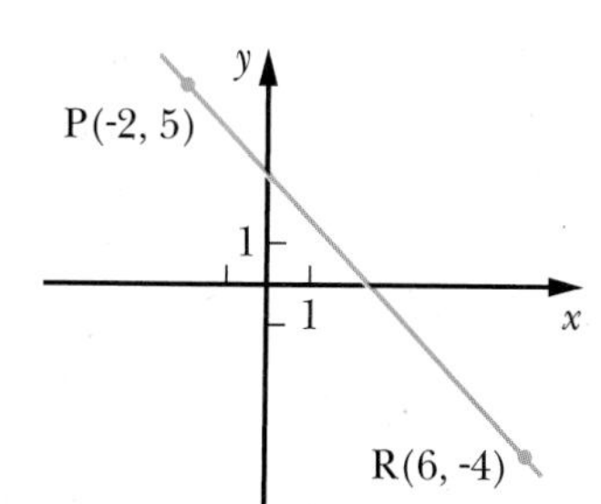

Puisque la droite passe par le point P(-2, 5), il suffit de remplacer x par -2 et y par 5 dans l'équation $y = \frac{-9}{8}x + b$ pour déterminer la valeur de b.

$5 = \frac{-9}{8}(-2) + b$, donc $b = \frac{11}{4}$.

D'où $y = \frac{-9}{8}x + \frac{11}{4}$ est l'équation de la droite.

Soit a_1 et a_2, les pentes respectives de deux droites D_1 et D_2.

D_1 est parallèle à D_2 ($D_1 // D_2$) si et seulement si $a_1 = a_2$.

D_1 est perpendiculaire à D_2 ($D_1 \perp D_2$) si et seulement si $a_1a_2 = -1$.

Il y a environ 300 ans...

Gabriel Daniel Fahrenheit (1686-1736) fut le premier à construire, en 1714, en utilisant du mercure, un thermomètre véritablement précis. Mais l'échelle de température qu'il mit alors au point était basée sur la division en 96 « degrés » (8 × 12) de l'écart entre la température à laquelle l'eau très salée gèle et la température du corps humain. **Anders Celsius** (1701-1744) proposa en 1742 de diviser en 100 degrés l'écart entre la température à laquelle l'eau distillée gèle et la température de l'eau bouillante.

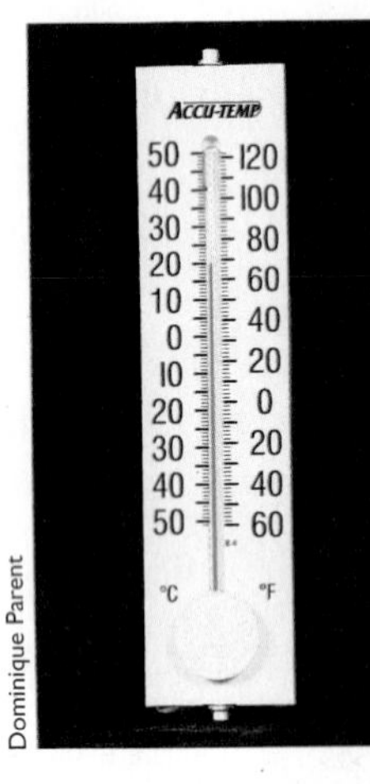

Dominique Parent

Exemple 4 Conversion Fahrenheit – Celsius.

Le point de congélation de l'eau est de 0 °C, ou 32 °F, et son point d'ébullition est de 100 °C, ou 212 °F. La fonction qui permet de transformer des degrés Celsius en degrés Fahrenheit est une fonction affine.

a) Représentons graphiquement les deux données ci-dessus et traçons la droite qui relie ces deux points.

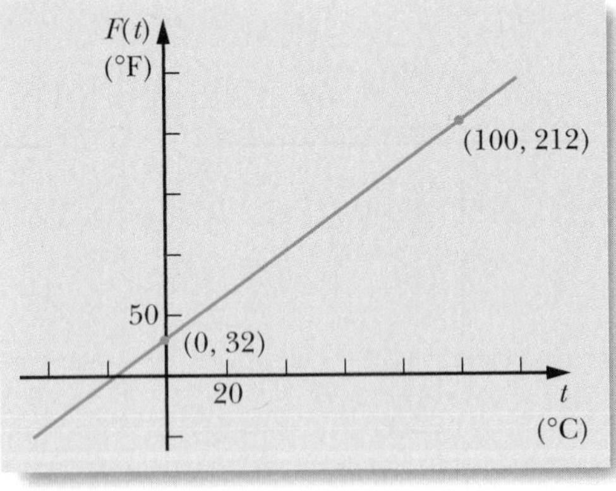

b) Déterminons l'équation de cette droite.

$$a = \frac{212 - 32}{100 - 0} = \frac{9}{5}$$

Puisque la droite passe par (0, 32), nous avons $F(t) = \frac{9}{5}t + 32$.

c) Transformons 20 °C en degrés Fahrenheit.

$F(20) = \frac{9}{5}(20) + 32 = 68$, donc 68 °F.

d) Transformons 20 °F en degrés Celsius.

$20 = \frac{9}{5}t + 32$ (car $F(t) = 20$)

D'où $t = -6{,}\overline{6}$, donc $-6{,}\overline{6}$ °C.

e) Déterminons le point de la droite trouvée en b) tel que l'abscisse est égale à l'ordonnée.

Il faut trouver t tel que $F(t) = t$.

$$\frac{9}{5}t + 32 = t$$

$$t = -40$$

D'où le point cherché est (-40, -40).

À ce point, la valeur de la température en degrés Celsius est la même que celle de la température en degrés Fahrenheit.

f) Une certaine marque d'antigel (éthylène glycol) gèle à -12 °C et bout à 388,4 °F. Déterminons le point de congélation en degrés Fahrenheit et le point d'ébullition en degrés Celsius.

$F(-12) = \frac{9}{5}(-12) + 32 = 10{,}4$, c'est-à-dire 10,4 °F;

$388{,}4 = \frac{9}{5}t + 32$, donc $t = 198$, c'est-à-dire 198 °C.

Vitesse

Exemple 5 Selon les physiciens, la vitesse v d'un objet se déplaçant selon un mouvement rectiligne uniformément accéléré (accélération constante) est donnée par $v(t) = at + v_0$,

où v_0 est la vitesse initiale de l'objet, a, l'accélération et t, le temps écoulé.

Si la vitesse initiale d'un objet est de 4,8 m/s et que son accélération uniforme est de 3 m/s²:

a) Déterminons $v(t)$.

$v(t) = 3t + 4{,}8$ (car $a = 3$ m/s² et $v_0 = 4{,}8$ m/s)

b) Calculons la vitesse de l'objet après 3,5 s.

$v(3{,}5) = 3(3{,}5) + 4{,}8 = 15{,}3$, donc 15,3 m/s.

c) Calculons le temps nécessaire pour que sa vitesse soit de 23,25 m/s.

$$v(t) = 23{,}25$$
$$3t + 4{,}8 = 23{,}25$$

D'où $t = 6{,}15$, donc 6,15 s.

Dominique Parent

Il y a environ 2 000 ans...

Les coniques, et en particulier la parabole, ont été longuement étudiées par les Grecs. Apollonius de Perga (250-175 av. J.-C.), en restant toujours dans un cadre purement géométrique, a particulièrement contribué à l'avancement de nos connaissances des coniques. Notre approche à l'aide de formules est beaucoup plus récente. Elle découle du développement de la géométrie analytique au XVIIe siècle.

Fonctions quadratiques

Définition 1.6

Une **fonction quadratique** est une fonction que nous pouvons exprimer sous la forme

$$f(x) = ax^2 + bx + c \quad (\text{ou } y = ax^2 + bx + c),$$

où a, b et c sont des constantes réelles et $a \neq 0$.

Le graphique cartésien d'une fonction quadratique est une parabole.

Soit la parabole définie par $f(x) = ax^2 + bx + c$.

a) La parabole est ouverte vers le haut si $a > 0$, et ouverte vers le bas si $a < 0$.

b) S'ils existent, les zéros réels x_1 et x_2 de la fonction sont donnés par

$$x_1 = \frac{-b + \sqrt{b^2 - 4ac}}{2a} \quad \text{et} \quad x_2 = \frac{-b - \sqrt{b^2 - 4ac}}{2a}$$

c) La parabole a comme axe de symétrie la droite verticale D d'équation $x = \frac{-b}{2a}$.

d) Les coordonnées du sommet S sont $\left(\frac{-b}{2a}, f\left(\frac{-b}{2a}\right)\right)$.

Nous retrouvons dans le tableau suivant les différentes représentations possibles d'une parabole, où

$$\text{D}: x = \frac{-b}{2a} \quad \text{et} \quad \text{S}\left(\frac{-b}{2a}, f\left(\frac{-b}{2a}\right)\right)$$

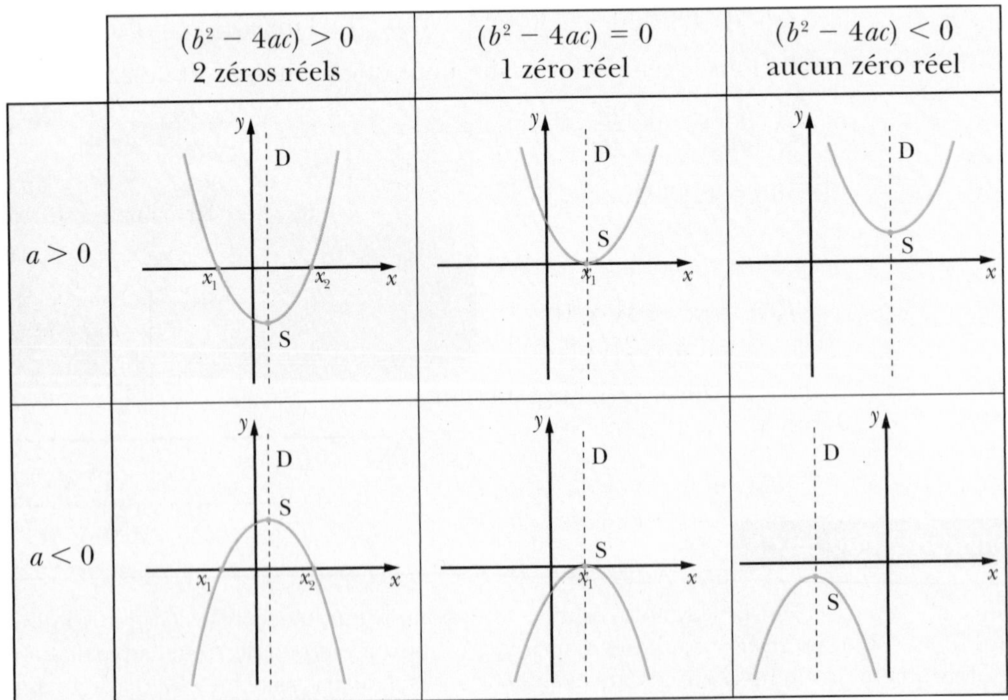

Exemple 1 Soit la parabole définie par $f(x) = 12x^2 - 36x + 7$.

Déterminons

a) les zéros de cette fonction ;

$$x_1 = \frac{-(-36) + \sqrt{(-36)^2 - 4(12)(7)}}{2(12)}$$

$$x_1 = \frac{36 + \sqrt{960}}{24}$$

$$x_1 = \frac{9 + 2\sqrt{15}}{6}$$

$$x_1 = 2{,}790...$$

$$x_2 = \frac{-(-36) - \sqrt{(-36)^2 - 4(12)(7)}}{2(12)}$$

$$x_2 = \frac{36 - \sqrt{960}}{24}$$

$$x_2 = \frac{9 - 2\sqrt{15}}{6}$$

$$x_2 = 0{,}209...$$

b) l'équation de l'axe de symétrie D ;

$$x = \frac{-b}{2a} = \frac{-(-36)}{24} = \frac{3}{2}$$

D'où $x = \frac{3}{2}$ est l'équation de D.

c) les coordonnées du sommet.

En calculant $f\left(\frac{3}{2}\right)$, nous obtenons -20

D'où $S\left(\frac{3}{2}, -20\right)$.

Représentation graphique

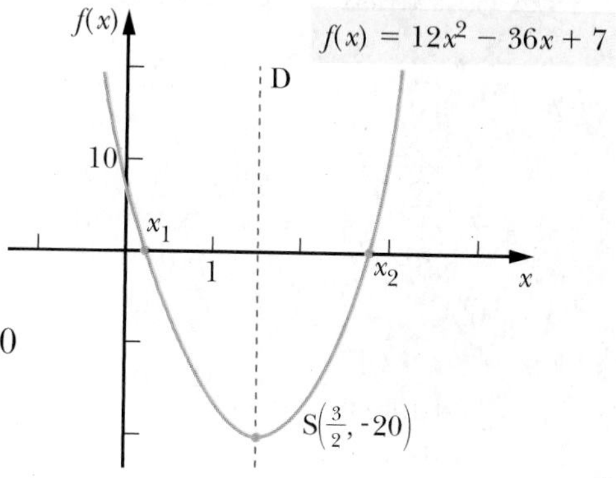

Dans certains cas, nous pouvons également factoriser $ax^2 + bx + c$ pour déterminer les zéros de cette expression.

Exemple 2 Soit $f(x) = -x^2 - 3x + 10$.

Déterminons

a) les zéros de cette fonction en factorisant ;

$$f(x) = -x^2 - 3x + 10$$
$$= (-x + 2)(x + 5) \quad \text{(en factorisant)}$$

Ainsi, les zéros de cette fonction sont $x_1 = 2$ et $x_2 = -5$.

b) l'équation de l'axe de symétrie D et le sommet S de cette parabole.

$$x = \frac{-b}{2a} = \frac{-(-3)}{2(-1)} = \frac{-3}{2},$$

et $f\left(\frac{-3}{2}\right) = \frac{49}{4}$.

Représentation graphique

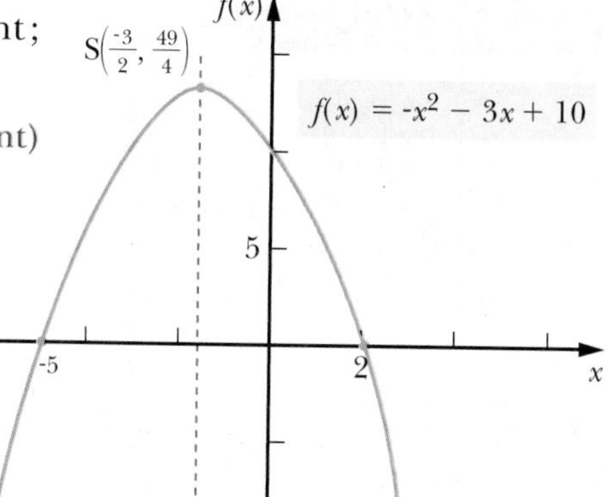

D'où $x = \frac{-3}{2}$ est l'équation de l'axe de symétrie et le sommet est $S\left(\frac{-3}{2}, \frac{49}{4}\right)$.

Physique Selon une loi de la physique, la position x d'un objet se déplaçant selon un mouvement rectiligne uniformément accéléré est donnée par

$x(t) = \frac{1}{2}at^2 + v_0t + x_0$, où a est l'accélération, v_0, la vitesse initiale de l'objet, x_0, la position initiale de l'objet et t, le temps écoulé.

Dominique Parent

Exemple 3 Du haut d'un édifice de 30 m, on lance un objet verticalement vers le haut à une vitesse initiale de 25 m/s. De plus, nous savons que a = -9,8 m/s², car $a = -g$, où g est l'accélération gravitationnelle qui est égale à 9,8 m/s².

a) Déterminons $x(t)$, la position de l'objet par rapport au sol.

$x(t) = -4{,}9t^2 + 25t + 30$ (car a = -9,8 m/s², v_0 = 25 m/s et x_0 = 30 m)

b) Calculons la hauteur de l'objet après 2 s et après 5,5 s.

$x(2) = -4{,}9(2)^2 + 25(2) + 30 = 60{,}4$, donc 60,4 m;

$x(5{,}5) = -4{,}9(5{,}5)^2 + 25(5{,}5) + 30 = 19{,}275$, donc 19,275 m.

c) Déterminons le temps nécessaire pour que l'objet soit à sa hauteur maximale.

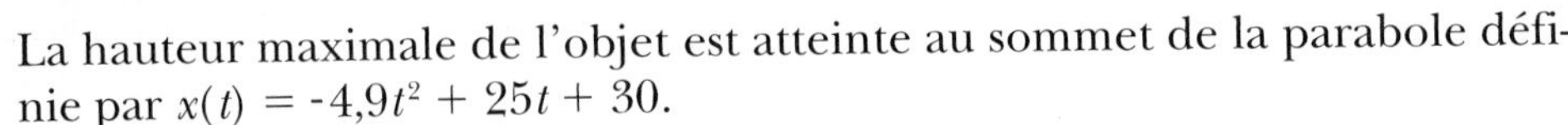

La hauteur maximale de l'objet est atteinte au sommet de la parabole définie par $x(t) = -4{,}9t^2 + 25t + 30$.

D'où $t = \frac{-25}{2(-4{,}9)} = \frac{25}{9{,}8} = 2{,}551...$, donc environ 2,55 s.

d) Calculons la hauteur maximale atteinte par l'objet.

$x\left(\frac{25}{9{,}8}\right) = -4{,}9\left(\frac{25}{9{,}8}\right)^2 + 25\left(\frac{25}{9{,}8}\right) + 30 = 61{,}887...$, donc environ 61,89 m.

e) Calculons le temps que prend l'objet pour atteindre le sol.

$$x(t) = 0$$

$$-4{,}9t^2 + 25t + 30 = 0$$

$$t_1 = \frac{-25 + \sqrt{25^2 - 4(-4{,}9)\,30}}{2(-4{,}9)}\ ;\ t_2 = \frac{-25 - \sqrt{25^2 - 4(-4{,}9)(30)}}{2(-4{,}9)}$$

$t_1 \approx -1$ (à rejeter) ; $t_2 \approx 6{,}1$

D'où environ 6,1 s.

OUTIL TECHNOLOGIQUE

Portion de parabole

f) Représentons graphiquement $x(t)$, où $t \in$ [0 s, 6,1... s].

```
>plot(-4.9*t^2+25*t+30, t=0..6.1);
```

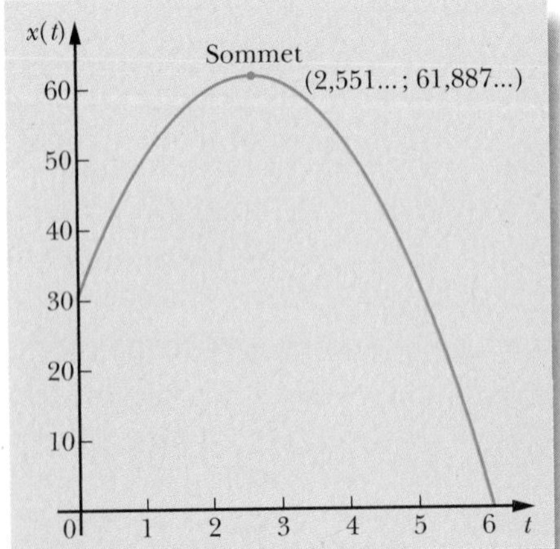

Dominique Parent

Exemple 4 Il en coûte 1 080 $ pour un voyage entre Montréal et Athènes si l'avion transporte 200 passagers. La société aérienne a calculé que chaque augmentation de 5 passagers lui permet de réduire le prix du billet de 13 $. Quel doit être le prix du billet pour que le revenu de la société soit maximal, si la capacité maximale de l'avion est de 345 passagers?

a) À l'aide du tableau ci-dessous, déterminons l'équation qui permet d'obtenir le revenu de la société.

Nombre de passagers	Prix du billet ($)	Revenu ($)
200	1 080	$200 \times 1\,080$
205	1 067	$(200 + 5)(1\,080 - 13)$
210	1 054	$(200 + 10)(1\,080 - 26)$
215	1 041	$(200 + 15)(1\,080 - 39)$
⋮	⋮	⋮
$(200 + 5n)$	$(1\,080 - 13n)$	$(200 + 5n)(1\,080 - 13n)$

Dans ce tableau, n représente le nombre d'augmentation de 5 passagers.

La fonction qui permet d'obtenir le revenu est:

$$R(n) = (200 + 5n)(1\,080 - 13n)$$
$$= -65n^2 + 2\,800n + 216\,000$$

$200 + 5n \leqslant 345$
$5n \leqslant 145$
$n \leqslant 29$

Puisque la capacité maximale de l'avion est de 345 passagers, n ne peut pas dépasser 29.

Ainsi, dom $R = \{0, 1, 2, 3, \ldots, 28, 29\}$.

De plus, pour ces valeurs de n, le prix du billet est positif.

b) Déterminons le nombre de passagers et le prix du billet pour que le revenu de la société soit maximal, et déterminons également ce revenu maximal en utilisant la fonction définie par

$$R(x) = -65x^2 + 2\,800x + 216\,000, \text{ où } x \in [0, 29].$$

Soit $S\left(\frac{-b}{2a}, R\left(\frac{-b}{2a}\right)\right)$,

c'est-à-dire $S\left(\frac{-2\,800}{-130}, R\left(\frac{-2\,800}{-130}\right)\right)$,

le sommet de cette parabole.

En évaluant, nous obtenons le point $S(21{,}538\ldots; 246\,153{,}846\ldots)$ qui est le sommet de la parabole.

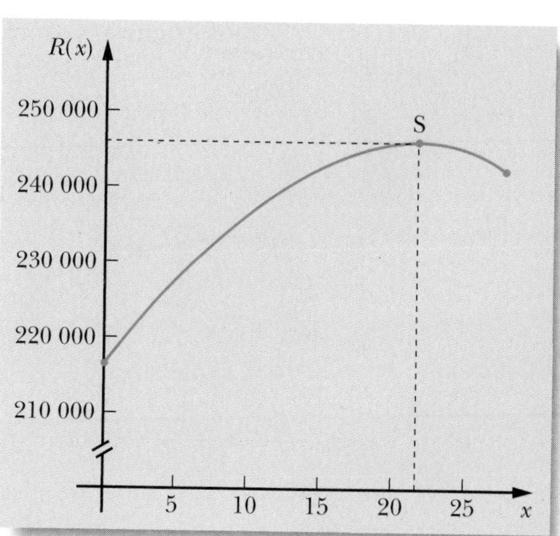

Puisque x doit être un entier (dans le contexte, il représente le nombre d'augmentations de 5 passagers), évaluons le revenu R pour $x = 21$ et $x = 22$, les entiers les plus près de 21,538…

$$R(21) = -65(21)^2 + 2\,800(21) + 216\,000 = 246\,135 \text{ \$}$$

$$R(22) = -65(22)^2 + 2\,800(22) + 216\,000 = 246\,140 \text{ \$}$$

Ainsi, $R(22) > R(21)$.

D'où le nombre de passagers est $200 + 5(22) = 310$, donc 310 passagers,
le prix du billet est $1\,080 - 13(22) = 794$, donc 794 \$ et
le revenu maximal est de $310(794) = 246\,140$, donc 246 140 \$.

Exercices 1.1

1. Parmi les graphiques sagittaux suivants, identifier ceux qui représentent une fonction et, dans ce cas, déterminer l'ensemble de départ, l'ensemble d'arrivée, le domaine et l'image de la fonction.

a)

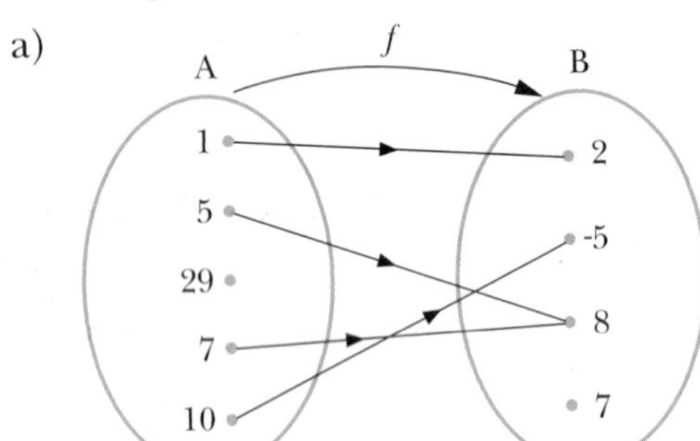

b)

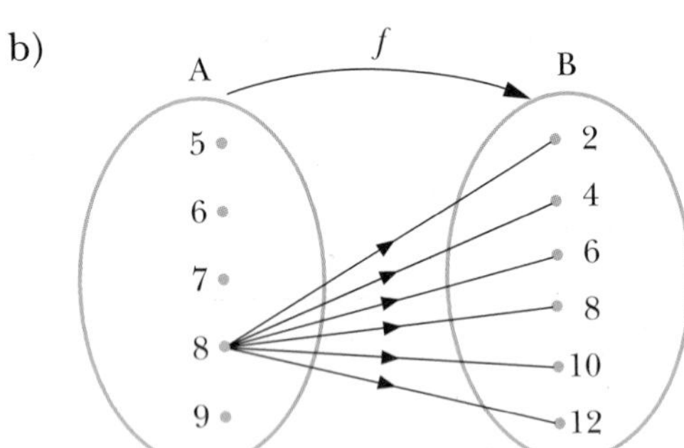

c)

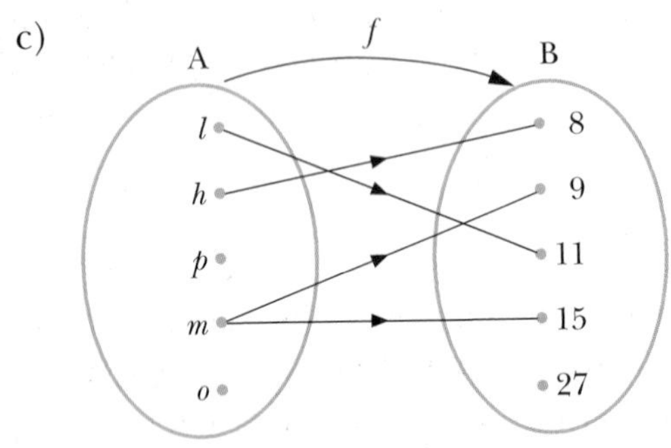

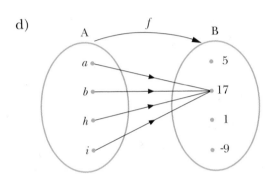

d)

A f B

a, b, h, i → 5, 17, 1, -9

2. Au jeu de Boggle, les concurrents doivent construire des mots de trois à seize lettres. Nous accordons un point pour chaque mot de trois ou quatre lettres, deux points pour chaque mot de cinq lettres, trois points pour chaque mot de six lettres, cinq points pour chaque mot de sept lettres et onze points pour chaque mot de huit lettres ou plus.

Dominique Parent

a) Déterminer la variable indépendante n et la variable dépendante p.

b) Tracer le graphique sagittal de cette fonction f: A → B, où

A = {0, 1, 2, …, 16} et B = {1, 2, 3, …, 11}.

c) Déterminer dom f et ima f.

3. Parmi les graphiques cartésiens suivants, identifier ceux qui représentent une fonction et, dans ce cas, déterminer le domaine et l'image de la fonction.

a) 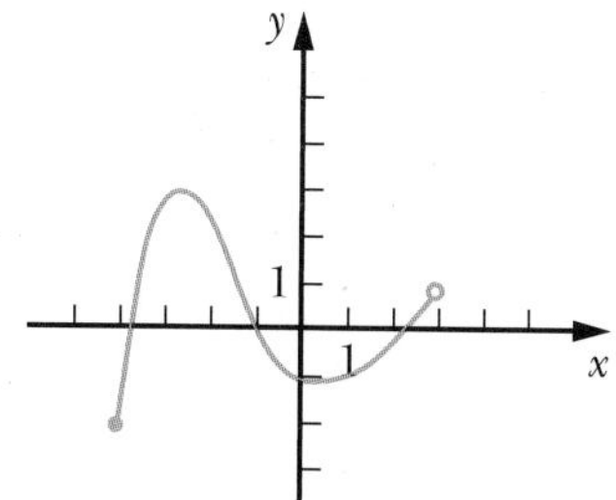

b) 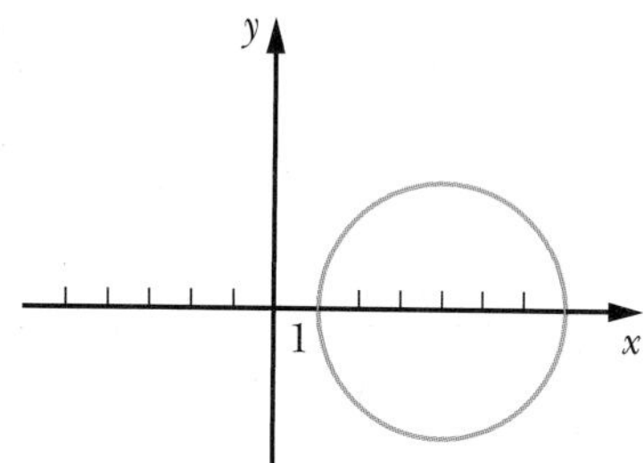

c) 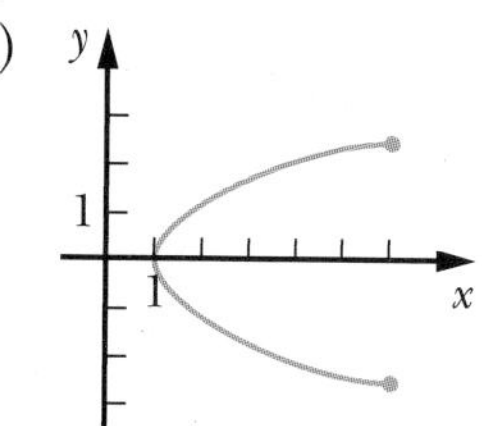

d) 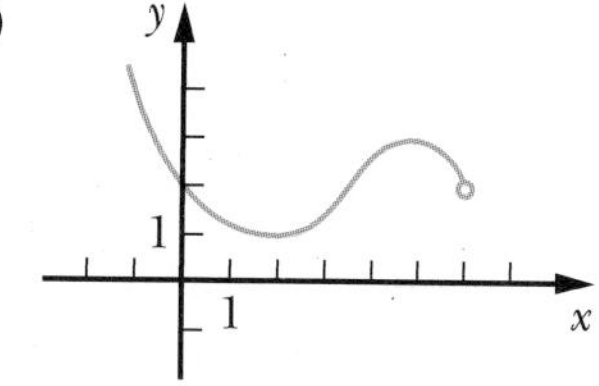

4. Tracer le graphique et déterminer le domaine et l'image des fonctions suivantes.

a) $g(x) = 3$

b) $f(x) = -2$, si $x \in [-5, 4[$ et $x \neq 2$

5. Déterminer l'équation de chacune des fonctions constantes suivantes, sachant que

a) le graphique cartésien est:

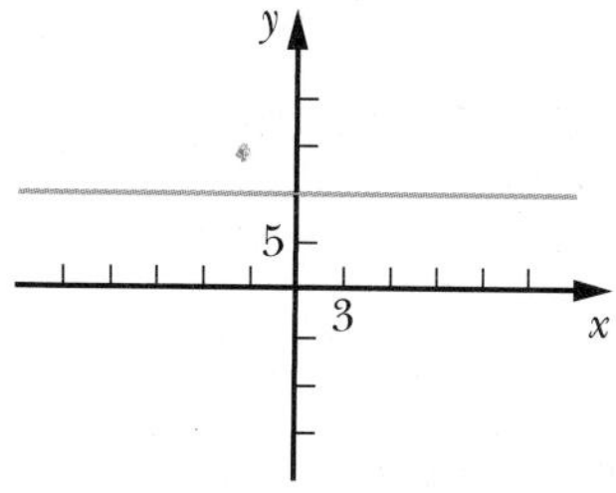

b) le graphique cartésien de la fonction passe par $P(1, 5)$.

c) $f(2) = -4$.

d) le graphique cartésien est:

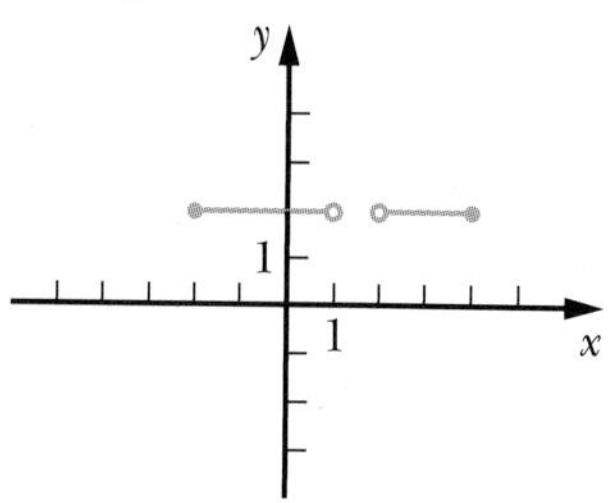

6. Calculer, si c'est possible, la pente a_i de chacune des droites D_i suivantes, où $i \in \{1, 2, 3, 4\}$.

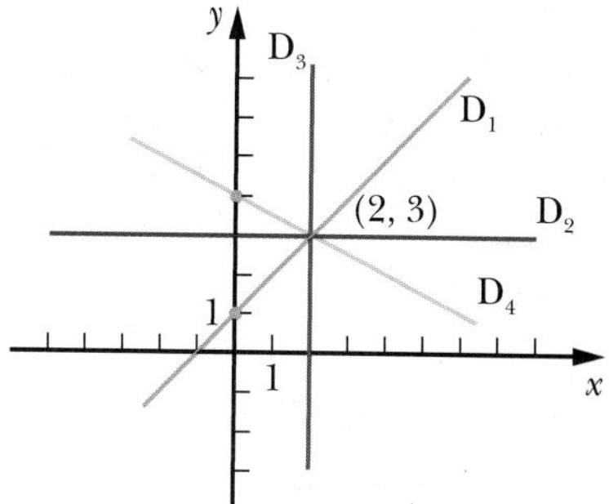

7. Parmi les droites ci-dessous, indiquer celle(s) dont la pente est

a) positive;

b) nulle;

c) négative;

d) la plus grande;

e) la plus petite;

f) non définie.

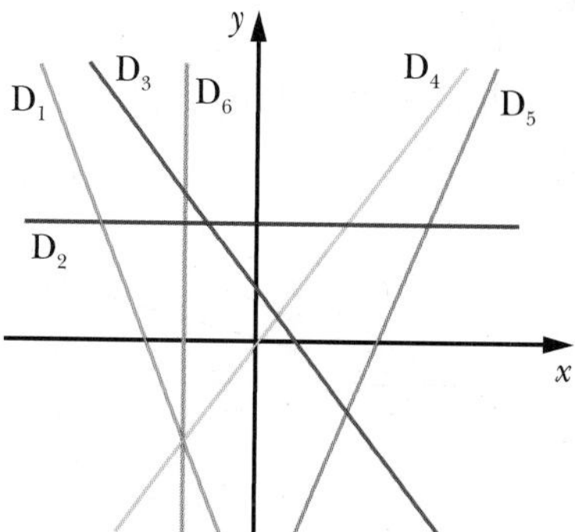

8. Pour chaque fonction, tracer le graphique en indiquant les points d'intersection avec les axes et calculer la pente de la droite.

a) $x(t) = 3(4 - t) - 8$

b) $3y - 2x = -9$

9. Déterminer l'équation de chacune des droites définies par les données suivantes:

a) pente $= -7$, passe par $P(2, 3)$;

b) passe par P(-2, 7) et R(5, -2) ;

c) passe par P(1, 3) et est parallèle à D: $y = -3x + 1$; (représenter graphiquement les deux droites)

d) passe par P(-5, 2) et est perpendiculaire à D: $6x - 3y = 1$. (représenter graphiquement les deux droites)

10. Déterminer si les points P(-3, 7), Q(2, -3), $R\left(\frac{50}{3}, \frac{-97}{3}\right)$ et $S\left(\frac{101}{2}, -100\right)$ sont situés sur une même droite.

11. Représenter graphiquement chacune des fonctions suivantes en indiquant, s'il y a lieu, les coordonnées des points d'intersection avec les axes, les coordonnées du sommet S, le domaine, l'image, l'axe de symétrie D et son équation.

a) $f(x) = 9 - x^2$

b) $g(x) = -x^2 - 2x - 1$

c) $v(t) = t^2 + 4t + 5$

d) $k(x) = x^2 - 8x + 5$

12. Soit les fonctions définies par

a) $f(x) = 5x - 3$ d) $f(x) = 4x - x^2$

b) $f(x) = (x + 1)^2 + 5$ e) $f(x) = 5x$

c) $f(x) = -5x + 3$ f) $f(x) = 2x^2$

Associer chacune des fonctions ci-dessus à sa représentation graphique.

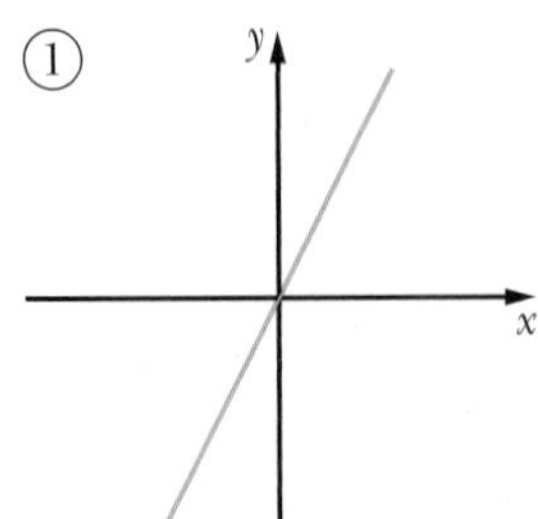

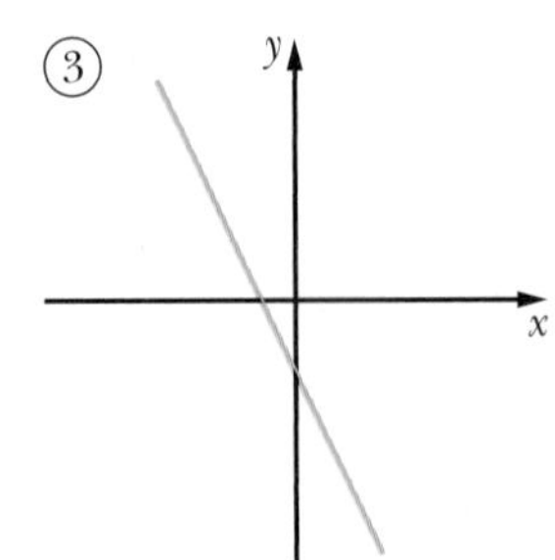

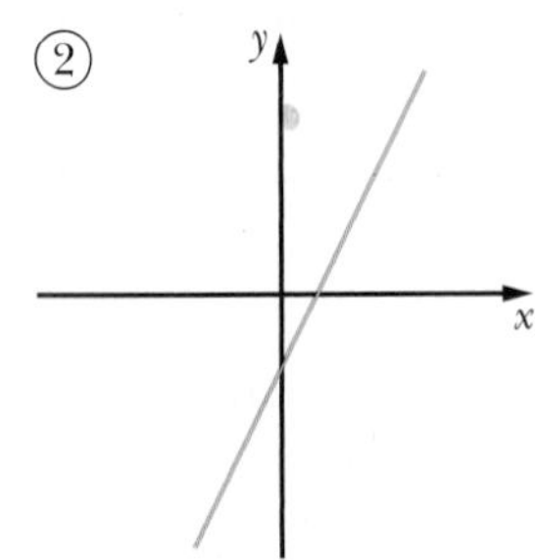

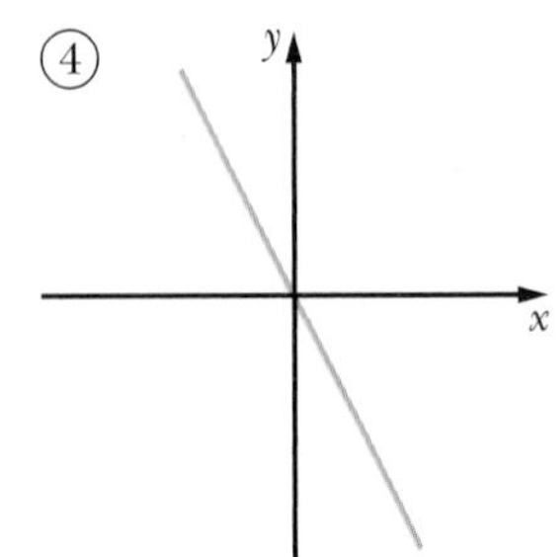

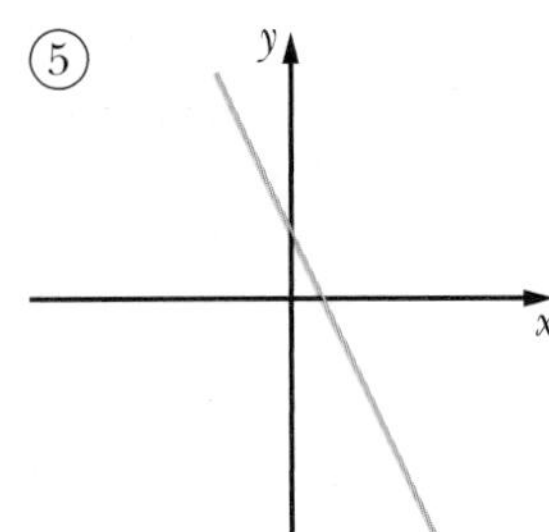

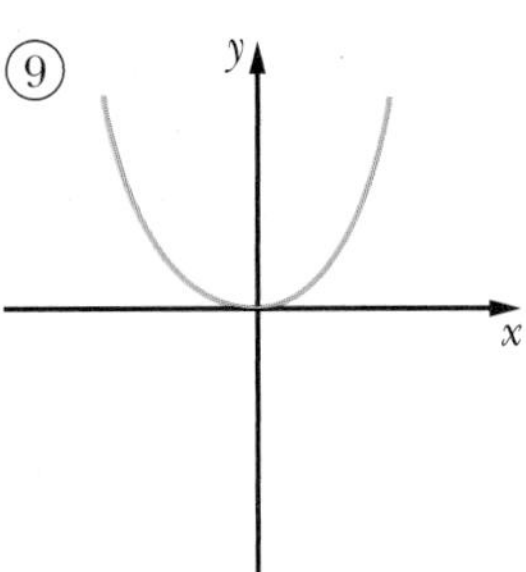

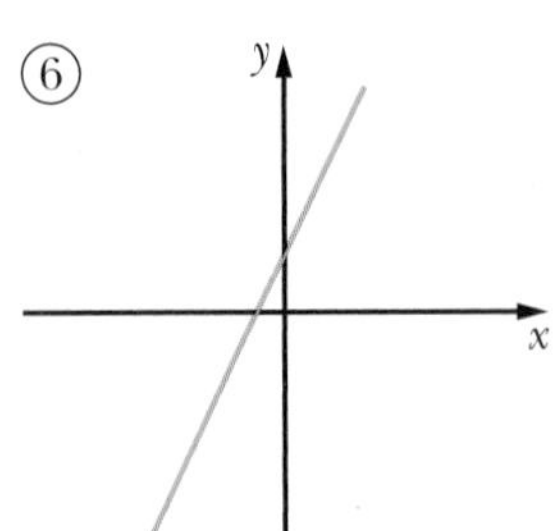

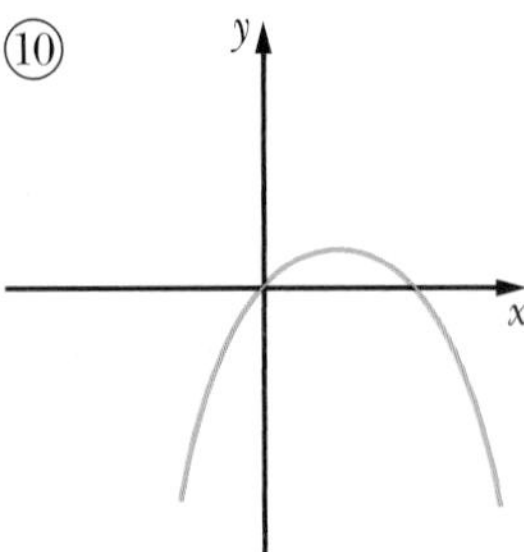

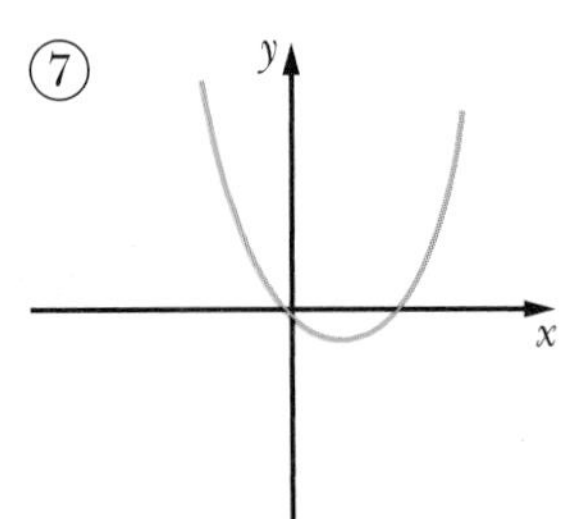

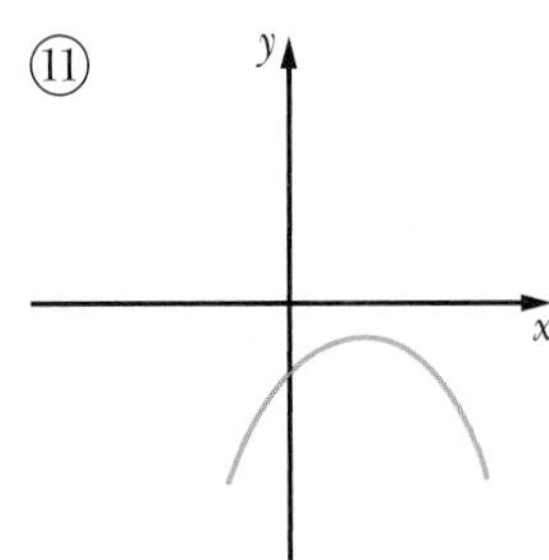

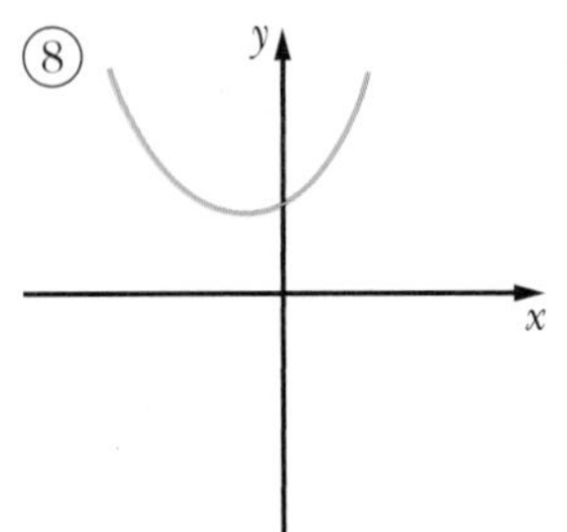

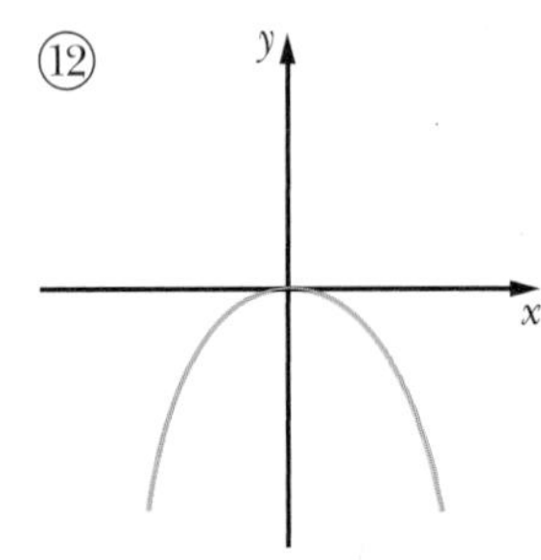

13. Une compagnie débourse 900 $ pour produire 100 articles et 1 125 $ pour en produire 250. Le coût en fonction du nombre d'articles produits est une fonction affine.

a) Déterminer l'équation qui représente les coûts C en fonction du nombre q d'articles produits.

b) Calculer le coût pour une production de 150 articles.

c) Déterminer le nombre d'articles produits si le coût est de 1 233 $.

d) Déterminer les coûts fixes (coûts qui ne dépendent pas du nombre d'articles produits) de cette compagnie.

14.  Soit une manufacture dont le profit P en fonction du nombre d'unités produites est donné par $P(q) = -q^2 + 104q - 430$, où q désigne le nombre d'unités produites $q \in \{0, 1, 2, ..., 104, 105\}$ et $P(q)$, le profit en dollars.

a) Déterminer la valeur de q qui maximise le profit.

b) Évaluer le profit maximal.

c) Représenter graphiquement $P(x) = -x^2 + 104x - 430$, où $x \in [0, 105]$.

15.  Du haut d'un pont, on lance verticalement une pierre vers le haut. La position de la pierre au-dessus de la rivière, t secondes après l'avoir lancée, est donnée par $x(t) = 60 + 25t - 4{,}9t^2$, où $x(t)$ est la distance en mètres. La vitesse de la pierre, en fonction du temps t, est donnée par $v(t) = 25 - 9{,}8t$, où t est le temps en secondes et $v(t)$ est la vitesse en mètres par seconde.

Dominique Parent

a) Représenter graphiquement $x(t)$ et $v(t)$; évaluer et interpréter $x(1)$ et $v(1)$.

b) Calculer la hauteur du pont duquel est projetée la pierre.

c) Calculer la vitesse initiale de la pierre.

d) Calculer la hauteur maximale atteinte par la pierre et la vitesse de la pierre à cet instant.

e) Calculer le temps que prend la pierre pour toucher la rivière et la vitesse de la pierre à cet instant.

1.2 Fonctions polynomiales, rationnelles, algébriques et définies par parties

Objectif d'apprentissage

À la fin de cette section, l'élève pourra reconnaître certaines fonctions et en déterminer le domaine.

Plus précisément, l'élève sera en mesure :

- de déterminer le degré de fonctions polynomiales ;
- de déterminer les zéros de certaines fonctions polynomiales ;
- de déterminer le domaine de fonctions rationnelles ;
- de déterminer les zéros de certaines fonctions rationnelles ;
- de déterminer le domaine de fonctions algébriques ;
- de définir des fonctions composées ;
- de déterminer le domaine de fonctions composées ;
- de construire des fonctions définies par parties ;
- de déterminer le domaine de fonctions définies par parties ;
- de représenter graphiquement des fonctions définies par parties.

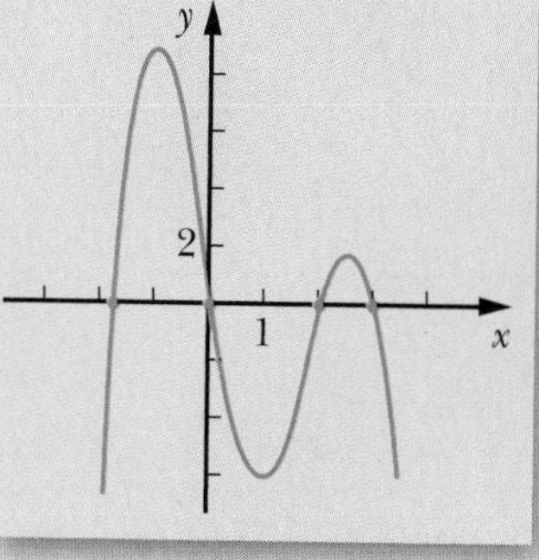

Fonctions polynomiales

Définition 1.7 Une **fonction polynomiale** de degré n, où n est un entier positif, est une fonction que nous pouvons exprimer sous la forme

$$f(x) = a_n x^n + a_{n-1}x^{n-1} + \ldots + a_1 x + a_0,$$

où $a_0, a_1, \ldots, a_n$ sont des constantes réelles telles que $a_n \neq 0$.

Remarque Si f est une fonction polynomiale, alors dom $f = \mathbb{R}$. De plus,

1) une fonction constante est une fonction polynomiale de degré 0;
2) une fonction affine est une fonction polynomiale de degré 1;
3) une fonction quadratique est une fonction polynomiale de degré 2.

Degré d'une fonction polynomiale

Exemple 1 Déterminons le degré des fonctions polynomiales suivantes.

a) $f(x) = -7x^6 + 5x^4 - 2$ est une fonction polynomiale de degré 6.

b) $g(x) = \dfrac{-2x}{3} - \dfrac{5x^3}{7} - 4\sqrt{5}x^5$ est une fonction polynomiale de degré 5.

c) $h(x) = (x - 4)^5(x^2 - 3x + 1)^2$ est une fonction polynomiale de degré 9.

d) $k(x) = 7\pi$ est une fonction polynomiale de degré 0.

Dans certains chapitres ultérieurs, il sera nécessaire de déterminer les zéros de fonctions polynomiales. Pour ce faire il faudra utiliser différentes techniques de factorisation ou des moyens technologiques.

Zéros d'une fonction

Exemple 2 Déterminons les zéros des fonctions suivantes, c'est-à-dire les valeurs de x où la courbe de la fonction f rencontre l'axe des x.

a) $f(x) = x^3 - x$

$$x^3 - x = 0$$
$$x(x^2 - 1) = 0 \quad \text{(mise en évidence)}$$
$$x(x - 1)(x + 1) = 0 \quad \text{(en factorisant une différence de carrés)}$$

D'où les zéros de cette fonction sont 0, 1 et -1.

b) $g(x) = 11x^3 - 6x^4 - 4x^2$

$$-6x^4 + 11x^3 - 4x^2 = 0$$
$$-x^2(6x^2 - 11x + 4) = 0 \quad \text{(mise en évidence)}$$
$$-x^2(3x - 4)(2x - 1) = 0 \quad \text{(en factorisant)}$$

D'où les zéros de cette fonction sont 0, $\dfrac{4}{3}$ et $\dfrac{1}{2}$.

c) $h(x) = 3(x + 1)^2(x - 2)^2 + 2(x - 2)(x + 1)^3$

$$3(x + 1)^2(x - 2)^2 + 2(x - 2)(x + 1)^3 = 0$$
$$(x + 1)^2(x - 2)[3(x - 2) + 2(x + 1)] = 0 \quad \text{(mise en évidence)}$$
$$(x + 1)^2(x - 2)(5x - 4) = 0 \quad \text{(simplification)}$$

D'où les zéros de cette fonction sont -1, 2 et $\dfrac{4}{5}$.

d) $v(t) = t^5 - 9t$

$$t^5 - 9t = 0$$
$$t(t^4 - 9) = 0 \quad \text{(mise en évidence)}$$
$$t(t^2 - 3)(t^2 + 3) = 0 \quad \text{(en factorisant une différence de carrés)}$$
$$t(t - \sqrt{3})(t + \sqrt{3})(t^2 + 3) = 0 \quad \text{(en factorisant une différence de carrés)}$$

D'où les zéros de cette fonction sont 0, $\sqrt{3}$ et $-\sqrt{3}$.

OUTIL TECHNOLOGIQUE

e) $k(x) = -9 - x^4 + 8x^2$

Entrée de la fonction

```
>k:=x->-9-x^4+8*x^2;
```

$$k := x \to -9 - x^4 + 8x^2$$

Trouver les zéros

```
>solve(k(x)=0);
```

$$-\frac{\sqrt{14}}{2} + \frac{\sqrt{2}}{2}, \frac{\sqrt{14}}{2} - \frac{\sqrt{2}}{2}, -\frac{\sqrt{14}}{2} - \frac{\sqrt{2}}{2}, \frac{\sqrt{14}}{2} + \frac{\sqrt{2}}{2}$$

Zéros sous la forme décimale

```
>evalf(%);
```

-1.163721913, 1.163721913, -2.577935475, 2.577935475

D'où les zéros de cette fonction sont -1,163..., 1,163..., -2,577..., 2,577...

Construction d'une boîte

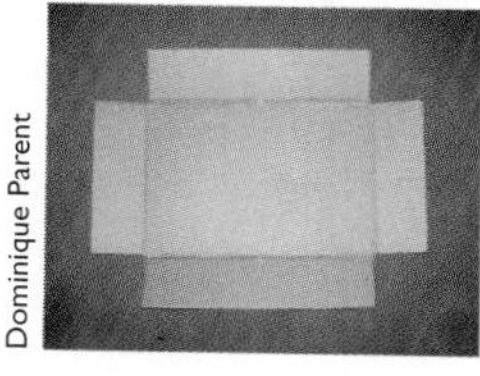
Dominique Parent

Exemple 3 Un morceau de carton rectangulaire de 24 cm sur 41 cm doit servir à fabriquer une boîte ouverte sur le dessus. Pour construire cette boîte, on découpe un carré dans chacun des quatre coins et on replie les côtés perpendiculairement à la base.

Déterminons la longueur du côté du carré qu'il faut découper pour que le volume de la boîte soit maximal et calculons ce volume.

Représentation de la situation

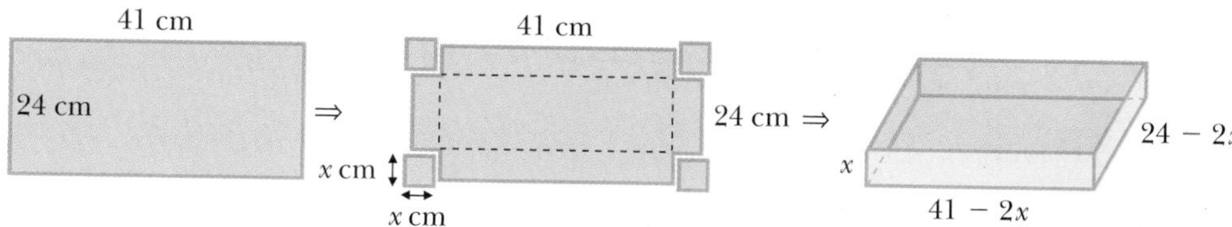

a) Constatons d'abord qu'avec ce carton, il est possible de construire une infinité de boîtes dont le volume sera différent. En voici quelques exemples.

Évaluons le volume de la boîte obtenue lorsque l'on coupe dans les quatre coins un carré de x cm sur x cm.

Puisque Volume = longueur × largeur × hauteur

pour $x = 1$, nous avons:
$V(1) = (41 - 2)(24 - 2)(1) = 858$, donc 858 cm^3.

pour $x = 3$, nous avons:
$V(3) = (41 - 6)(24 - 6)(3) = 1\,890$, donc 1 890 cm^3.

pour $x = 10$, nous avons:
$V(10) = (41 - 20)(24 - 20)(10) = 840$, donc 840 cm^3.

b) Déterminons la fonction donnant le volume de la boîte obtenue lorsque l'on découpe un carré de x cm sur x cm dans chacun des quatre coins du carton rectangulaire.

$$V(x) = (41 - 2x)(24 - 2x)x$$
$$= 4x^3 - 130x^2 + 984x$$

1

c) Déterminons le domaine de V.

Étant donné que la largeur du carton initial est de 24 cm, nous ne pourrons pas enlever des coins des carrés dont la longueur des côtés excédera 12 cm.

D'où dom $V = [0, 12]$.

OUTIL TECHNOLOGIQUE

d) À l'aide de deux outils technologiques, déterminons la valeur de x qui maximise le volume V, où $V(x) = 4x^3 - 130x^2 + 984x$, ainsi que le volume maximal.

MAPLE

1) Représentons graphiquement V sur $[0, 12]$.

```
>V:=x->4*x^3-130*x^2+984*x;
        V: = x → 4x³ − 130x² + 984x
>plot(V(x), x=0..12, color=orange);
```

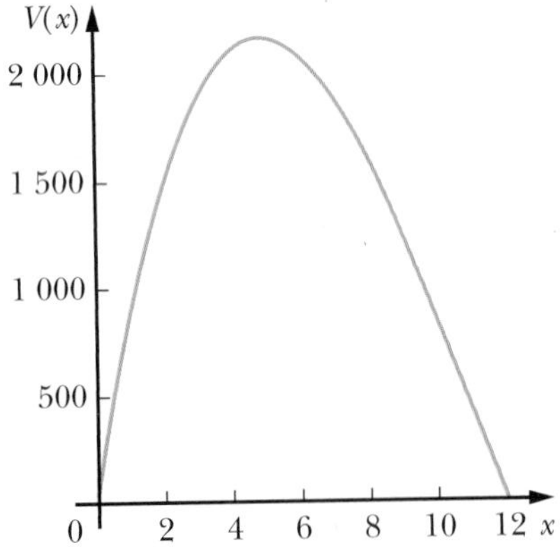

2) Déterminons la valeur de x qui maximise $V(x)$ sur $[0, 12]$.

```
>with(Optimization):
>Maximize (V(x) ,x=0..12);
        [2170.90840092311510,
        [x = 4.88681246170084282]]
```

Nous trouvons

$x = 4{,}886\,8\ldots$

et

$V = 2\,170{,}908\,4\ldots$

TI-83 PLUS

1) Écrivons la fonction [Y=].

Plot 1	Plot 2	Plot 3

\Y$_1$ = 4x^3 − 130x^2 + 984x
\Y$_2$ =
⋮
\Y$_6$ =

2) Entrons les valeurs suivantes (essais et erreurs) ; nous pouvons utiliser la touche [TRACE] afin de nous assurer d'avoir un graphique convenable ; sinon, il faut changer les valeurs dans Window.

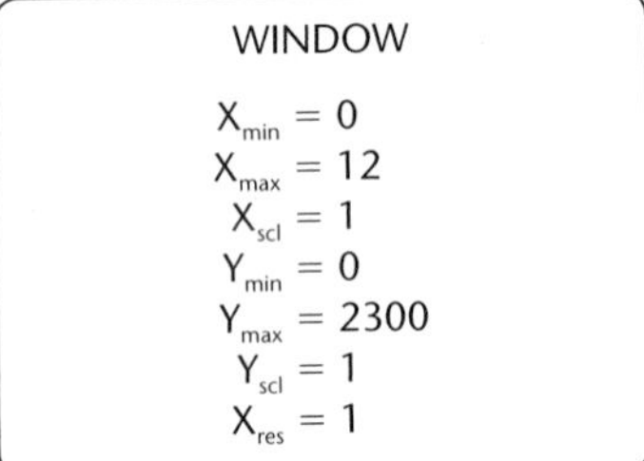

3) Trouvons la touche « maximum ».

[2nd] [TRACE]

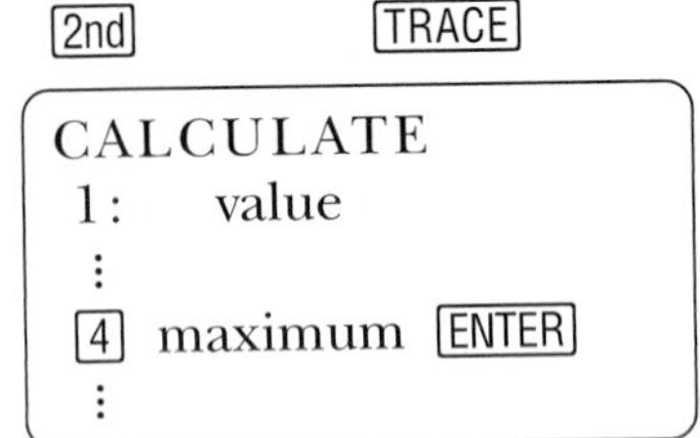

4) Déterminons le maximum.

À l'aide des touches [◄], [►] et [ENTER],

nous trouvons
maximum
X = 4.8868137, Y = 2170.9084

D'où le volume est maximal pour $x \approx 4{,}887$ cm et le volume maximal est environ $2\,170{,}908\ \text{cm}^3$.

Remarque Nous verrons dans le chapitre 7 (*Voir* exercice récapitulatif n° 5, page 307) comment déterminer algébriquement la valeur exacte de x qui maximisera le volume en utilisant la fonction dérivée.

Fonctions rationnelles

Définition 1.8

Une **fonction rationnelle** est une fonction que nous pouvons exprimer sous la forme

$$f(x) = \frac{P(x)}{Q(x)},$$

où $P(x)$ et $Q(x)$ sont des fonctions polynomiales telles que $Q(x) \neq 0$.

Puisque la division par 0 est impossible, la fonction rationnelle $f: \mathbb{R} \to \mathbb{R}$, où $f(x) = \dfrac{P(x)}{Q(x)}$ est définie pour les valeurs de x pour lesquelles $Q(x) \neq 0$.

Ainsi, $\text{dom } f = \{x \in \mathbb{R} \mid Q(x) \neq 0\}$, c'est-à-dire

$$\text{dom } f = \mathbb{R} \setminus \{x \in \mathbb{R} \mid Q(x) = 0\}.$$

Autrement dit, il faut exclure de $\mathbb{R}$ les valeurs qui annulent le dénominateur de la fonction f.

Exemple 1 Soit $f(x) = \dfrac{7x^2 + x}{x^2 + 2x - 35}$.

a) Déterminons le domaine de f.

Cherchons les valeurs de x pour lesquelles $(x^2 + 2x - 35) = 0$.

En factorisant $x^2 + 2x - 35 = (x + 7)(x - 5)$ ou en utilisant $\dfrac{-b \pm \sqrt{b^2 - 4ac}}{2a}$, nous obtenons $x = -7$ et $x = 5$.

Puisque ce sont les zéros du dénominateur, alors $\text{dom } f = \mathbb{R} \setminus \{-7, 5\}$.

b) Déterminons les zéros de f.

Cherchons les valeurs de x pour lesquelles $f(x) = 0$,

c'est-à-dire $7x^2 + x = 0$

$x(7x + 1) = 0$ (en factorisant)

Donc, 0 et $\dfrac{-1}{7}$ sont les zéros de f.

Exemple 2 Soit $f(x) = \dfrac{5x}{3x - 7} + \dfrac{6}{3 + 4x}$.

a) Déterminons le domaine de f.

$3x - 7 = 0$ si $x = \dfrac{7}{3}$, et $3 + 4x = 0$ si $x = \dfrac{-3}{4}$

D'où $\text{dom } f = \mathbb{R} \setminus \left\{\dfrac{-3}{4}, \dfrac{7}{3}\right\}$.

b) Déterminons les zéros de f.

$$f(x) = \frac{5x}{3x-7} + \frac{6}{3+4x} = \frac{5x(3+4x) + 6(3x-7)}{(3x-7)(3+4x)}$$

$$= \frac{20x^2 + 33x - 42}{(3x-7)(3+4x)}$$

Ainsi, $f(x) = 0$ si $20x^2 + 33x - 42 = 0$,

c'est-à-dire $x_1 = \dfrac{-33 + \sqrt{4\,449}}{40}$ et $x_2 = \dfrac{-33 - \sqrt{4\,449}}{40}$.

Fonctions algébriques

Définition 1.9 Une **fonction algébrique** est une fonction définie en termes de polynômes et de polynômes élevés à des puissances rationnelles.

Exemple 1

a) Les fonctions f, g, h et v suivantes sont des fonctions algébriques.

$$f(x) = \sqrt{3x+4} \qquad g(x) = \left(\frac{1+\sqrt{x}}{x^2+1}\right)^{\frac{3}{4}}$$

$$h(x) = x^2\sqrt{5+x^3} + 7x \qquad v(t) = \frac{7+\sqrt[3]{t}}{\sqrt[4]{t^2+5t+1}}$$

b) Les fonctions trigonométriques exponentielles et logarithmiques ne sont pas des fonctions algébriques.

Elles sont appelées fonctions transcendantes, par exemple :
$f(x) = \sin 2x$, $g(x) = 4^x$ et $h(x) = \ln(2x+3)$.

Puisque nous ne pouvons pas extraire une racine paire d'une valeur négative, nous conservons, pour dom f, toutes les valeurs de la variable indépendante qui rendent positive ou nulle l'expression sous la racine paire.

Par contre, nous pouvons sans restriction extraire une racine impaire, dans la mesure où l'expression sous la racine est définie.

Exemple 2 Déterminons le domaine des fonctions suivantes.

a) $f(x) = \sqrt{7-3x}$

Cherchons les valeurs de x pour lesquelles $(7 - 3x) \geqslant 0$.

$$7 - 3x \geqslant 0$$
$$7 \geqslant 3x$$
$$\frac{7}{3} \geqslant x$$

D'où dom $f = \left\{x \in \mathbb{R} \mid x \leqslant \dfrac{7}{3}\right\}$ que nous pouvons également écrire sous la forme dom $f = \left]-\infty, \dfrac{7}{3}\right]$.

b) $g(t) = \dfrac{7}{\sqrt[5]{4 - t}}$

Puisque $\sqrt[5]{4 - t}$ est définie $\forall\ t \in \mathbb{R}$, et que $4 - t = 0$ pour $t = 4$, alors dom $g = \mathbb{R} \setminus \{4\}$.

c) $f(x) = \dfrac{3x}{\sqrt[8]{x^2 + 1}}$

Puisque $(x^2 + 1) > 0\ \forall\ x \in \mathbb{R}$, alors dom $f = \mathbb{R}$.

d) $h(u) = \dfrac{3u + 1}{\sqrt[4]{(5u - 11)^3}}$

Cherchons les valeurs de u pour lesquelles $(5u - 11)^3 > 0$.

$$(5u - 11)^3 > 0$$
$$5u - 11 > 0$$
$$5u > 11$$
$$u > \frac{11}{5}$$

D'où dom $h = \left]\dfrac{11}{5}, +\infty\right.$.

Exemple 3 Déterminons dom f si $f(x) = \sqrt{\dfrac{x^2 - 3x - 4}{x - 2}}$.

Nous pouvons déterminer, à l'aide d'un tableau de signes, les valeurs de x telles que

$\sqrt{\dfrac{x^2 - 3x - 4}{x - 2}}$ soit définie, c'est-à-dire $\dfrac{x^2 - 3x - 4}{x - 2} \geqslant 0$ et $(x - 2) \neq 0$.

1re étape Déterminons les zéros du numérateur et du dénominateur de $\dfrac{x^2 - 3x - 4}{x - 2}$.

Numérateur	Dénominateur
$x^2 - 3x - 4 = 0$	$x - 2 = 0$
$(x - 4)(x + 1) = 0$ (en factorisant)	Ainsi, le zéro est 2.
Ainsi, les zéros sont -1 et 4.	

2e étape Construisons un tableau de signes où nous retrouvons :

a) sur la première ligne,
   – les zéros du numérateur ;
   – les zéros du dénominateur.

b) sur la deuxième ligne,
   – le signe de chaque facteur sur l'intervalle donné ;
   – 0 ou ∄ sous les valeurs de x de la ligne 1.

c) sur la dernière ligne, le signe (ou la valeur) de l'expression.

Le symbole ∄ signifie « non défini » ou « n'existe pas ».

x	$-\infty$	-1		2		4	$+\infty$
$\frac{(x-4)(x+1)}{x-2}$	$\frac{(-)(-)}{(-)}$	0	$\frac{(-)(+)}{(-)}$	$\nexists$	$\frac{(-)(+)}{(+)}$	0	$\frac{(+)(+)}{(+)}$
$\frac{x^2-3x-4}{x-2}$	$-$	0	$+$	$\nexists$	$-$	0	$+$

Le domaine de f est obtenu en choisissant les valeurs de x qui rendent l'expression de la dernière ligne positive ou nulle.

D'où dom $f = [-1, 2[\cup [4, +\infty$.

Formule de la distance entre deux points

La distance d entre les points $A(x_a, y_a)$ et $B(x_b, y_b)$ est donnée par

$$d = \sqrt{(x_b - x_a)^2 + (y_b - y_a)^2}.$$

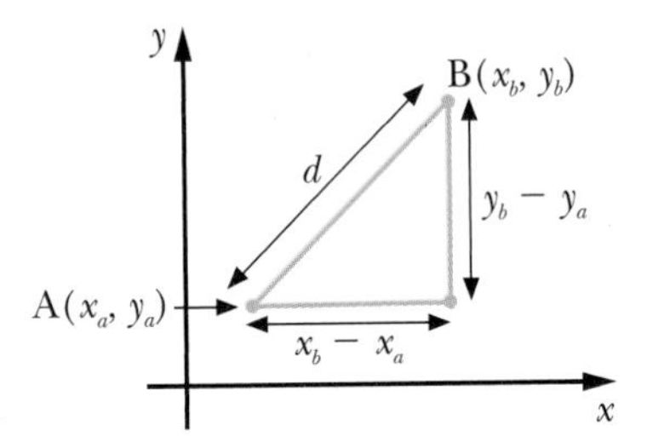

Exemple 4 Soit la parabole définie par $y = -x^2 + 2x + 3$. Déterminons le point $P(x, y)$ de la parabole le plus près de l'origine.

Représentation graphique de $y = -x^2 + 2x + 3$

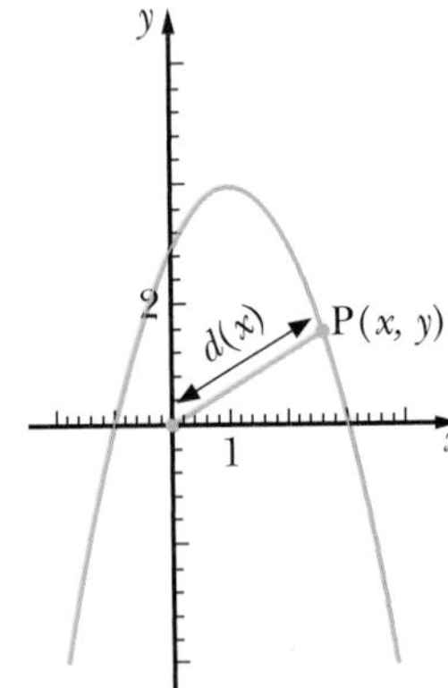

Soit $P(x, y)$, un point de la parabole. La distance d séparant $O(0, 0)$ et $P(x, y)$ est donnée par

$$d(x, y) = \sqrt{(x-0)^2 + (y-0)^2}$$
$$= \sqrt{x^2 + y^2}$$
$$d(x) = \sqrt{x^2 + (-x^2 + 2x + 3)^2} \quad (\text{car } y = -x^2 + 2x + 3)$$
$$= \sqrt{x^4 - 4x^3 - x^2 + 12x + 9}$$

OUTIL TECHNOLOGIQUE

À l'aide de deux outils technologiques, déterminons la valeur de x qui minimise la distance d, où $d(x) = \sqrt{x^4 - 4x^3 - x^2 + 12x + 9}$, ainsi que la distance minimale.

MAPLE

1) Représentons graphiquement d sur [-2, 4].

```
>d:=x->(x^4-4*x^3-x^2+12*x+9) ^ (1/2);
```

$$d := x \to \sqrt{x^4 - 4x^3 - x^2 + 12x + 9}$$

```
>plot(d(x) ,x=-2..4 ,y=0..6, scaling=constrained,
 color=orange);
```

TI-83 PLUS

1) Écrivons la fonction [Y=].

```
Plot 1   Plot 2   Plot 3
 \Y1 = (x^4 - 4x^3 - x^
       2 + 12x + 9)^.5
 \Y2 =
 \Y3 =
 \Y4 =
 \Y5 =
 \Y6 =
```

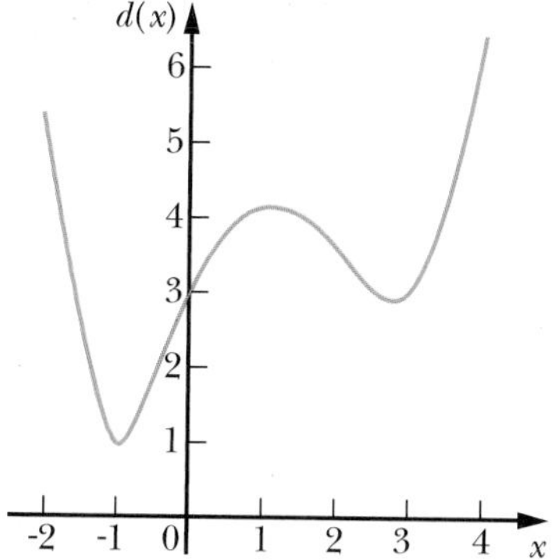

2) Déterminons la valeur de x qui minimise $d(x)$ sur [-2, 4].

```
>with(Optimization):
>Minimize(d(x));
          [0.969253149032940242,
         [x=-0.938537191230541246]]
```

Nous trouvons

$x = -0{,}938\,5...$

et

$d = 0{,}969\,2....$

2) Entrons les valeurs suivantes (essais et erreurs) ; nous pouvons utiliser la touche TRACE afin de nous assurer d'avoir un graphique convenable ; sinon, il faut changer les valeurs dans Window.

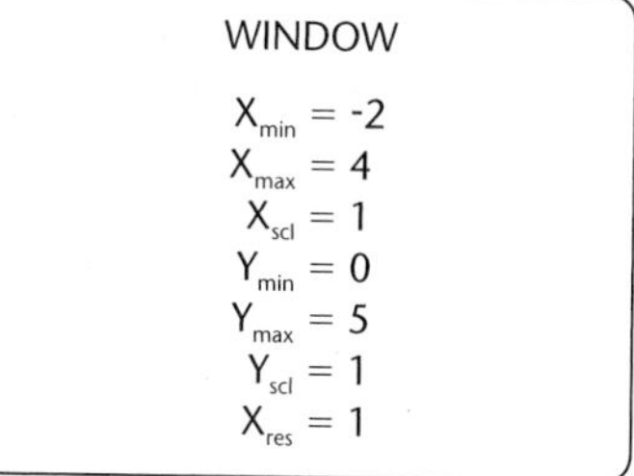

3) Trouvons la touche « minimum ».

2nd TRACE

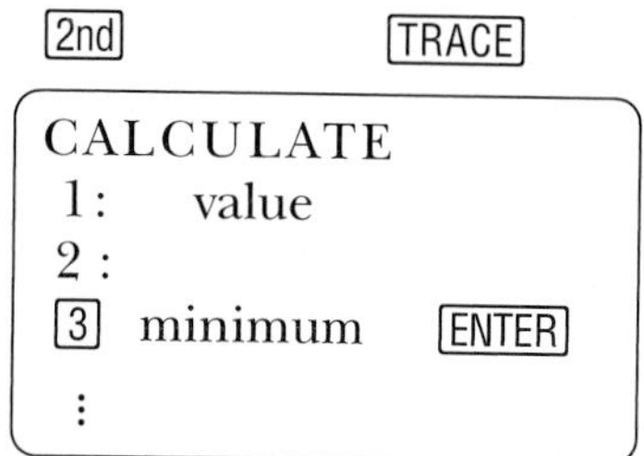

4) Déterminons le minimum.

À l'aide des touches ◄, ► et ENTER,

nous trouvons
minimum
X = -.9385351, Y = .96925315

D'où la distance est minimale pour $x \approx -0{,}939$ et la distance minimale est d'environ 0,969.

Nous verrons au chapitre 7, en utilisant la fonction dérivée, une autre façon de résoudre ce type de problème.

Fonctions composées

Définition 1.10 Soit deux fonctions, f et g. La **fonction composée,** notée $g \circ f$, est définie par $(g \circ f)(x) = g(f(x))$.

De façon schématique, nous avons

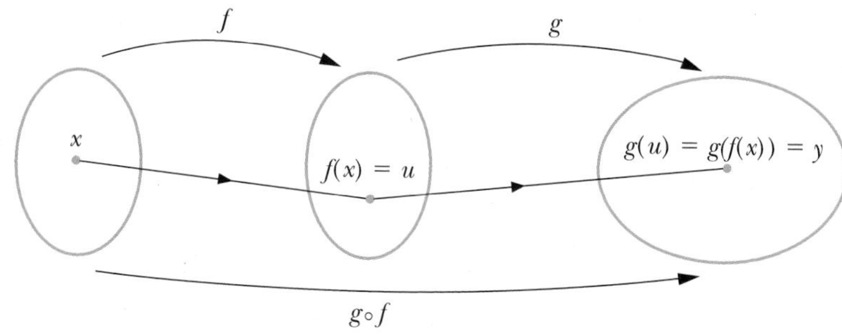

Le domaine de $g \circ f$ est l'ensemble des valeurs x du domaine de f telles que la valeur $f(x)$ appartient au domaine de g. Ainsi,

$$\text{dom}\,(g \circ f) = \{x \in \text{dom}\,f \mid f(x) \in \text{dom}\,g\}$$

Exemple 1 Soit $f: \text{A} \to \text{B}$ et $g: \text{B} \to \text{C}$, deux fonctions définies par le graphique sagittal suivant. Déterminons le domaine de $g \circ f$.

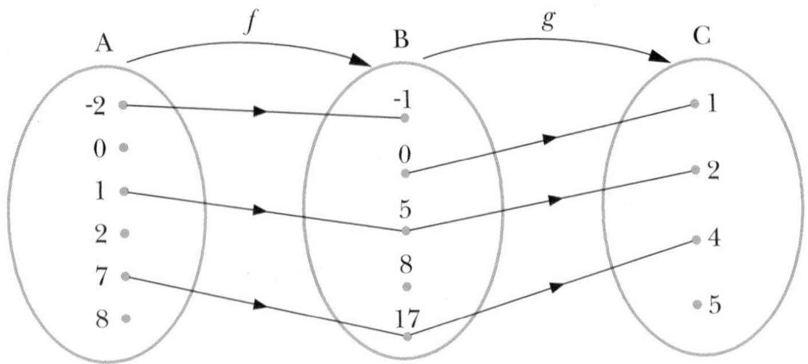

Dans ce cas, $\text{dom}\,f = \{-2, 1, 7\}$ et $\text{dom}\,g = \{0, 5, 17\}$.

$-2 \in \text{dom}\,f$, $f(-2) = -1$; puisque $-1 \notin \text{dom}\,g$, alors $-2 \notin \text{dom}\,(g \circ f)$.

$1 \in \text{dom}\,f$, $f(1) = 5$; puisque $5 \in \text{dom}\,g$, alors $1 \in \text{dom}\,(g \circ f)$.

$7 \in \text{dom}\,f$, $f(7) = 17$; puisque $17 \in \text{dom}\,g$, alors $7 \in \text{dom}\,(g \circ f)$.

Ainsi, $g \circ f: \text{A} \to \text{C}$, est une fonction telle que $\text{dom}\,(g \circ f) = \{1, 7\}$.

$15 - 3x \geqslant 0$
$-3x \geqslant -15$
$x \leqslant 5$

Exemple 2 Soit $f(x) = \sqrt{15 - 3x}$, où $\text{dom}\,f = -\infty, 5]$ et $g(x) = 2x^2 + 3$, où $\text{dom}\,g = \mathbb{R}$.

a) Déterminons $g \circ f$ et $\text{dom}\,(g \circ f)$

$$\begin{aligned}(g \circ f)(x) &= g(f(x)) \\ &= g(\sqrt{15 - 3x}) \\ &= 2(\sqrt{15 - 3x})^2 + 3 \\ &= 33 - 6x\end{aligned}$$

Même si $(33 - 6x)$ est définie, $\forall x \in \mathbb{R}$, le $\text{dom}\,(g \circ f)$ n'est pas nécessairement $\mathbb{R}$.

Par exemple, $g(f(6)) = g(\sqrt{-3})$ n'est pas définie.

$$\begin{aligned}\text{dom}\,(g \circ f) &= \{x \in \text{dom}\,f \mid f(x) \in \text{dom}\,g\} \quad \text{(définition 1.10)} \\ &= \{x \in -\infty, 5] \mid f(x) \in \mathbb{R}\}\end{aligned}$$

D'où $\text{dom}\,(g \circ f) = -\infty, 5]$.

b) Déterminons $f \circ g$ et $\text{dom}\,(f \circ g)$

$$\begin{aligned}(f \circ g)(x) &= f(g(x)) \\ &= f(2x^2 + 3) \\ &= \sqrt{15 - 3(2x^2 + 3)} \\ &= \sqrt{6 - 6x^2} \\ &= \sqrt{6(1 + x)(1 - x)}\end{aligned}$$

$$\begin{aligned}\text{dom }(f\circ g) &= \{x \in \text{dom } g \mid g(x) \in \text{dom } f\} && \text{(définition 1.10)}\\ &= \{x \in \mathbb{R} \mid 2x^2 + 3 \leq 5\} && (\text{car dom } f = -\infty, 5])\\ &= \{x \in \mathbb{R} \mid 2x^2 - 2 \leq 0\}\\ &= \{x \in \mathbb{R} \mid 2(x^2 - 1) \leq 0\}\\ &= \{x \in \mathbb{R} \mid 2(x-1)(x+1) \leq 0\}\end{aligned}$$

À l'aide du tableau suivant

x	$-\infty$	-1		1	$+\infty$
$(x-1)(x+1)$	$(-)(-)$	0	$(-)(+)$	0	$(+)(+)$
$2(x-1)(x+1)$	$+$	0	$-$	0	$+$

nous obtenons

$$\text{dom }(f\circ g) = \{x \in \mathbb{R} \mid -1 \leq x \leq 1\}$$

D'où dom $(f\circ g) = [-1, 1]$.

Fonctions définies par parties

Définition 1.11 Une **fonction définie par parties** est une fonction dont la règle de correspondance diffère selon les valeurs de la variable indépendante.

Exemple 1 Soit la fonction suivante définie par parties.

$$f(x) = \begin{cases} x - 4 & \text{si} \quad x \leq 0 \\ x^2 & \text{si} \quad x > 1 \end{cases}$$

a) Déterminons le domaine de f.

Le domaine de cette fonction est: dom $f = -\infty, 0] \cup]1, +\infty$.

b) Évaluons cette fonction pour différentes valeurs de $x \in$ dom f et représentons graphiquement cette fonction.

$f(-5) = -5 - 4 = -9$ (car $f(x) = x - 4$ si $x \leq 0$)
$f(-2) = -2 - 4 = -6$ (car $f(x) = x - 4$ si $x \leq 0$)
$f(0) = 0 - 4 = -4$ (car $f(x) = x - 4$ si $x \leq 0$)
$f(1{,}1) = 1{,}1^2 = 1{,}21$ (car $f(x) = x^2$ si $x > 1$)
$f(2) = 2^2 = 4$ (car $f(x) = x^2$ si $x > 1$)

Représentation graphique

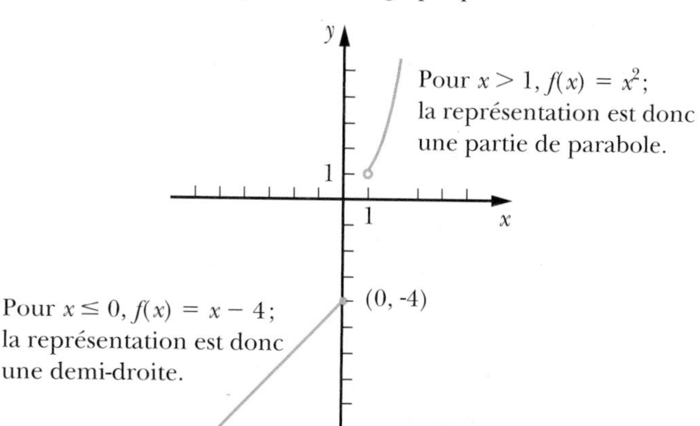
y
Pour $x > 1$, $f(x) = x^2$;
la représentation est donc
une partie de parabole.
1
1
x
(0, -4)
Pour $x \leq 0$, $f(x) = x - 4$;
la représentation est donc
une demi-droite.

Tarifs postaux

Dominique Parent

Exemple 2 Le tableau suivant donne les tarifs postaux en 2006 pour l'expédition par avion d'un colis partant du Canada vers une destination internationale (taxes non incluses), en fonction du poids de celui-ci.

Jusqu'à concurrence de			
250 g	**500 g**	**1 kg**	**2 kg**
7,30 $	14,05 $	27,55 $	43,05 $

a) Trouvons le coût d'expédition d'un colis de 300 g.

Le coût est de 14,05 $.

b) Trouvons le coût d'expédition d'un colis de 1,2 kg.

Le coût est de 43,05 $.

c) Déterminons la fonction T qui donne le coût d'expédition d'un colis en fonction de son poids x, où x est exprimé en grammes et $T(x)$, en dollars.

$$T(x) = \begin{cases} 7{,}30 & \text{si} \quad 0 < x \leqslant 250 \\ 14{,}05 & \text{si} \quad 250 < x \leqslant 500 \\ 27{,}55 & \text{si} \quad 500 < x \leqslant 1\,000 \\ 43{,}05 & \text{si} \quad 1\,000 < x \leqslant 2\,000 \end{cases}$$

d) Représentons graphiquement cette fonction.

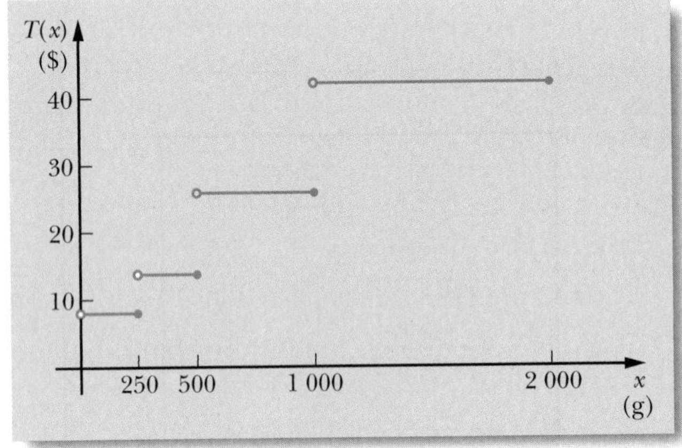

La fonction valeur absolue est un exemple d'une fonction définie par parties.

Définition 1.12

La **fonction valeur absolue** de x, notée $|x|$, est définie par

$$|x| = \begin{cases} x & \text{si} \quad x \geqslant 0 \\ -x & \text{si} \quad x < 0 \end{cases}$$

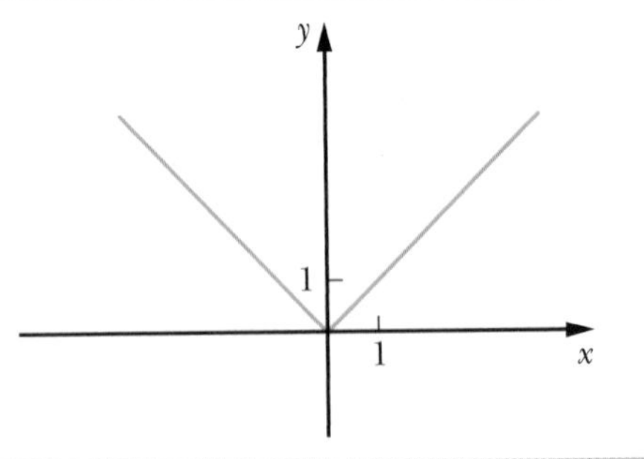

En généralisant la définition 1.12, nous obtenons:

$$|f(x)| = \begin{cases} f(x) & \text{si} \quad f(x) \geqslant 0 \\ -f(x) & \text{si} \quad f(x) < 0 \end{cases}$$

Exemple 3 Définissons par parties les fonctions suivantes selon les valeurs de x et représentons-les graphiquement.

a) $f(x) = |x + 2|$.

Représentation graphique

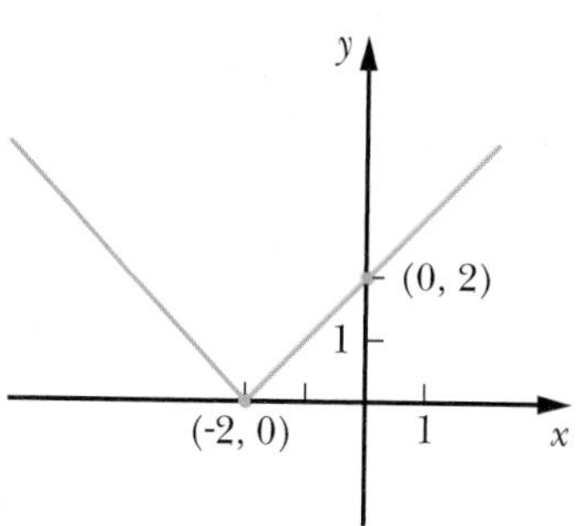

Nous savons que

$$|x+2| = \begin{cases} x+2 & \text{si } (x+2) \geqslant 0 \\ -(x+2) & \text{si } (x+2) < 0 \end{cases}$$

Donc,

$$f(x) = \begin{cases} x+2 & \text{si } x \geqslant -2 \\ -x-2 & \text{si } x < -2 \end{cases}$$

Ainsi, dom $f = \mathbb{R}$ et ima $f = [0, +\infty$.

b) $g(x) = 2 - |2x - 3|$.

Nous savons que

$$|2x-3| = \begin{cases} 2x-3 & \text{si } 2x-3 \geqslant 0 \\ -(2x-3) & \text{si } 2x-3 < 0 \end{cases}$$

Donc,

$$g(x) = \begin{cases} 2-(2x-3) & \text{si } x \geqslant \frac{3}{2} \\ 2-(-(2x-3)) & \text{si } x < \frac{3}{2} \end{cases}$$

Représentation graphique

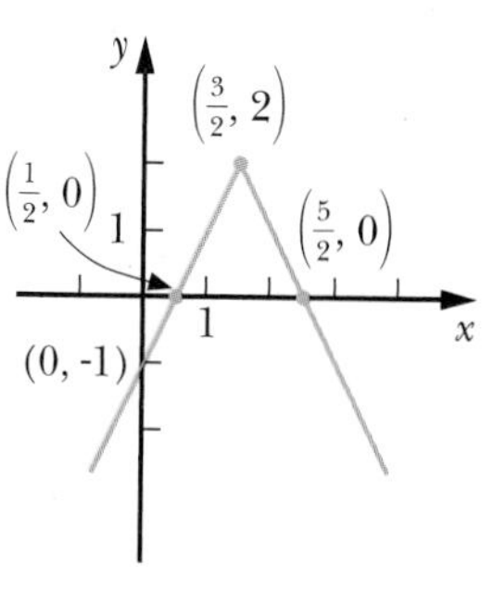

D'où

$$g(x) = \begin{cases} -2x+5 & \text{si } x \geqslant \frac{3}{2} \\ 2x-1 & \text{si } x < \frac{3}{2}. \end{cases}$$

Ainsi, dom $g = \mathbb{R}$ et ima $g = -\infty, 2]$.

La fonction partie entière est également un exemple d'une fonction définie par parties.

Définition 1.13 La **fonction partie entière** de x, notée $[x]$, correspond au plus grand entier plus petit ou égal à x; cette fonction est donc définie par

$$[x] = k \quad \text{si} \quad k \leqslant x < k+1, \text{ où } k \in \mathbb{Z}.$$

Exemple 4 Soit $f(x) = [x]$, où dom $f = \mathbb{R}$.

Évaluons cette fonction pour différentes valeurs de x et représentons graphiquement cette fonction.

Représentation graphique

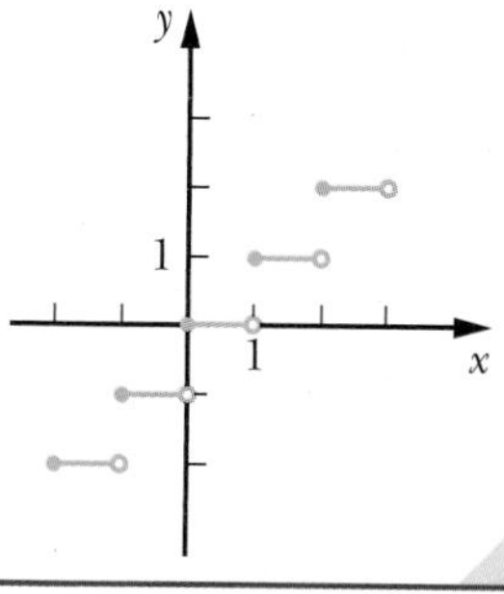

$[2{,}3] = 2$ (car $2 \leqslant 2{,}3 < 3$)

$[4] = 4$ (car $4 \leqslant 4 < 5$)

$[0{,}5] = 0$ (car $0 \leqslant 0{,}5 < 1$)

$[-3{,}7] = -4$ (car $-4 \leqslant -3{,}7 < -3$)

Remarque Une telle fonction est appelée fonction en escalier.

Exercices 1.2

1. Parmi les fonctions suivantes, repérer les fonctions polynomiales et en déterminer le degré.

a) $f(x) = \frac{3}{4}x^4 - \frac{5}{\sqrt{2}}x^3 + \pi$

b) $y = \frac{x^2 - 1}{x + 1}$

c) $g(t) = (4t^3 - 7t)^3(5t - 8t^2)$

d) $h(x) = (5x - 8x^2)(15x^3 - 7x)^{\frac{1}{3}}$

e) $f(u) = \sqrt{7} - 5u + 28u^2$

f) $y = \sqrt{x^2 - x + 1}$

2. Déterminer les zéros des fonctions suivantes.

a) $f(x) = 4x^3 - 2x^2$

b) $g(x) = 8(2x + 1)^3(3x - 2)^5 + 15(2x + 1)^4(3x - 2)^4$

c) $f(t) = t^3 + 7t^2 - 3t - 21$

d) $f(x) = \sqrt{15x^5 - 75x^3 + 60x}$

3. Déterminer le domaine des fonctions suivantes.

a) $f(x) = \frac{5x^3 - 1}{(2x - 4)(5 + 3x)}$

b) $g(x) = \frac{x^2 - 1}{x^2 + 1}$

c) $h(x) = \frac{7x}{x - 4} - \frac{5}{5x - x^2}$

d) $x(t) = t^2 + (8t - 5)^{-2}$

4. Déterminer le domaine des fonctions suivantes.

a) $v(t) = \sqrt{4t^2 + 7}$

b) $g(x) = \frac{5x}{\sqrt[7]{4x - 7}}$

c) $h(x) = \frac{1}{\sqrt{10 - 2x}} + \sqrt{5x - 12}$

d) $a(t) = \frac{22}{\sqrt{t^2 - 9}}$

e) $f(x) = \sqrt{-6x^2 + x + 12}$

f) $k(x) = \sqrt[8]{\frac{3 - x}{x^2 - 1}}$

5. Déterminer le domaine et les zéros des fonctions suivantes.

a) $f(x) = \frac{(3 - 2x)(5x + 7)}{(x - 5)(2 - 3x)}$

b) $g(x) = \frac{3}{x + 4} - \frac{5}{7 - 3x}$

c) $h(x) = \frac{(4 - x)(x - 6)}{\sqrt{x - 5}}$

d) $f(t) = \sqrt{4 - t} - \frac{t}{\sqrt{4 - t}}$

e) $k(x) = (x^2 - x - 2)^{\frac{3}{4}}$

f) $d(x) = (x^2 - x - 2)^{\frac{4}{3}}$

6. Soit $f(x) = 4 - 5x$, $g(x) = \sqrt{x + 1}$, $h(x) = 10 - 3x^2$ et $k(x) = \frac{1}{4 - 5x}$.

Déterminer:

a) $(f \circ g)(x)$ et dom $(f \circ g)$

b) $(g \circ f)(x)$ et dom $(g \circ f)$

c) $(k \circ g)(x)$ et dom $(k \circ g)$

d) $(g \circ g)(x)$ et dom $(g \circ g)$

e) $(g \circ (h \circ g))(x)$ et dom $(g \circ (h \circ g))$

7. Déterminer le domaine des fonctions suivantes.

a) $h(x) = \begin{cases} 3x^2 - 4 & \text{si } -3 < x < 4 \\ 5x + 9 & \text{si } 4 < x \leq 7 \end{cases}$

b) $f(x) = \begin{cases} x & \text{si } x < 1 \\ x^2 & \text{si } 1 < x \leq 2 \\ -1 & \text{si } x > 2 \text{ et } x \neq 3 \end{cases}$

c) $g(x) = \begin{cases} \frac{1}{x - 5} & \text{si } x \leq 0 \\ \frac{x - 3}{x - 4} & \text{si } x > 2 \end{cases}$

d) $s(t) = \begin{cases} \sqrt{t - 4} & \text{si } t < 5 \\ \frac{1}{\sqrt{6 - t}} & \text{si } t \geq 5 \end{cases}$

8. Soit $f(x) = \begin{cases} x^2 - 1 & \text{si} \quad x < -1 \\ 3x + 5 & \text{si} \quad -1 < x < 4 \\ 7 & \text{si} \quad x = 4 \\ 5 - 3x^2 & \text{si} \quad x > 4 \text{ et } x \neq 7. \end{cases}$

Évaluer, si c'est possible :

a) $f(-5)$; c) $f(0)$; e) $f(4)$;

b) $f(10)$; d) $f(-1)$; f) $f(7)$.

9. Déterminer le domaine et représenter graphiquement les fonctions suivantes.

a) $h(x) = \begin{cases} x - 3 & \text{si} \quad x \neq 4 \\ 6 & \text{si} \quad x = 4 \end{cases}$

b) $g(x) = \begin{cases} -2x + 1 & \text{si} \quad x < -1 \\ -2 & \text{si} \quad -1 \leq x < 1 \\ x^2 - 9 & \text{si} \quad x > 2 \end{cases}$

10. Définir les fonctions suivantes par parties, déterminer leur domaine et les représenter graphiquement.

a) $g(x) = |3x + 5|$

b) $f(x) = 5 - |2x - 4|$

c) $h(x) = \sqrt{x^2}$

11. Soit $f(x) = [x]$, $g(x) = [-x]$ et $h(x) = x - [x]$.

Évaluer chacune des fonctions précédentes en :

a) $x = 2$;

b) $x = -2$;

c) $x = 5{,}9$;

d) $x = -5{,}9$.

12.  Une compagnie qui demande à ses employés de travailler des heures supplémentaires leur assure un minimum garanti de 100 \$ si la durée du travail en temps supplémentaire est inférieure à quatre heures.

Dominique Parent

Par contre, si au cours de la journée, les employés travaillent quatre heures ou plus en surtemps, ils reçoivent 25 \$ de l'heure.

a) Évaluer le salaire s d'un employé qui fait du temps supplémentaire pendant 30 minutes ; 2,5 heures ; 4 heures ; 6 heures.

b) Déterminer la fonction s, en fonction de h, où h représente le nombre d'heures supplémentaires de travail.

c) Déterminer le domaine de cette fonction.

d) Représenter graphiquement cette fonction.

13. Un démographe estime que la population d'une ville est donnée par

$P(t) = 12\ 000\sqrt{t} + 40\ 000$, où t est en années et $0 \leq t \leq 20$.

Dominique Parent

a) Quelle sera la population de cette ville dans quatre ans et dans huit ans ?

b) Quand la population de la ville sera-t-elle de 80 000 habitants ?

14. Soit $f(x) = 1 - x^3$.

O/T a) Représenter graphiquement la fonction f sur $[0, 1]$ ainsi que le rectangle de base $[0, t]$ et de hauteur $f(t)$, où $t \in [0, 1]$.

b) Exprimer l'aire A du rectangle précédent en fonction de t, et déterminer dom A, selon le contexte donné.

c) Représenter graphiquement la fonction A.

d) Déterminer approximativement la valeur de t qui maximise A et déterminer approximativement l'aire maximale.

Réseau de concepts

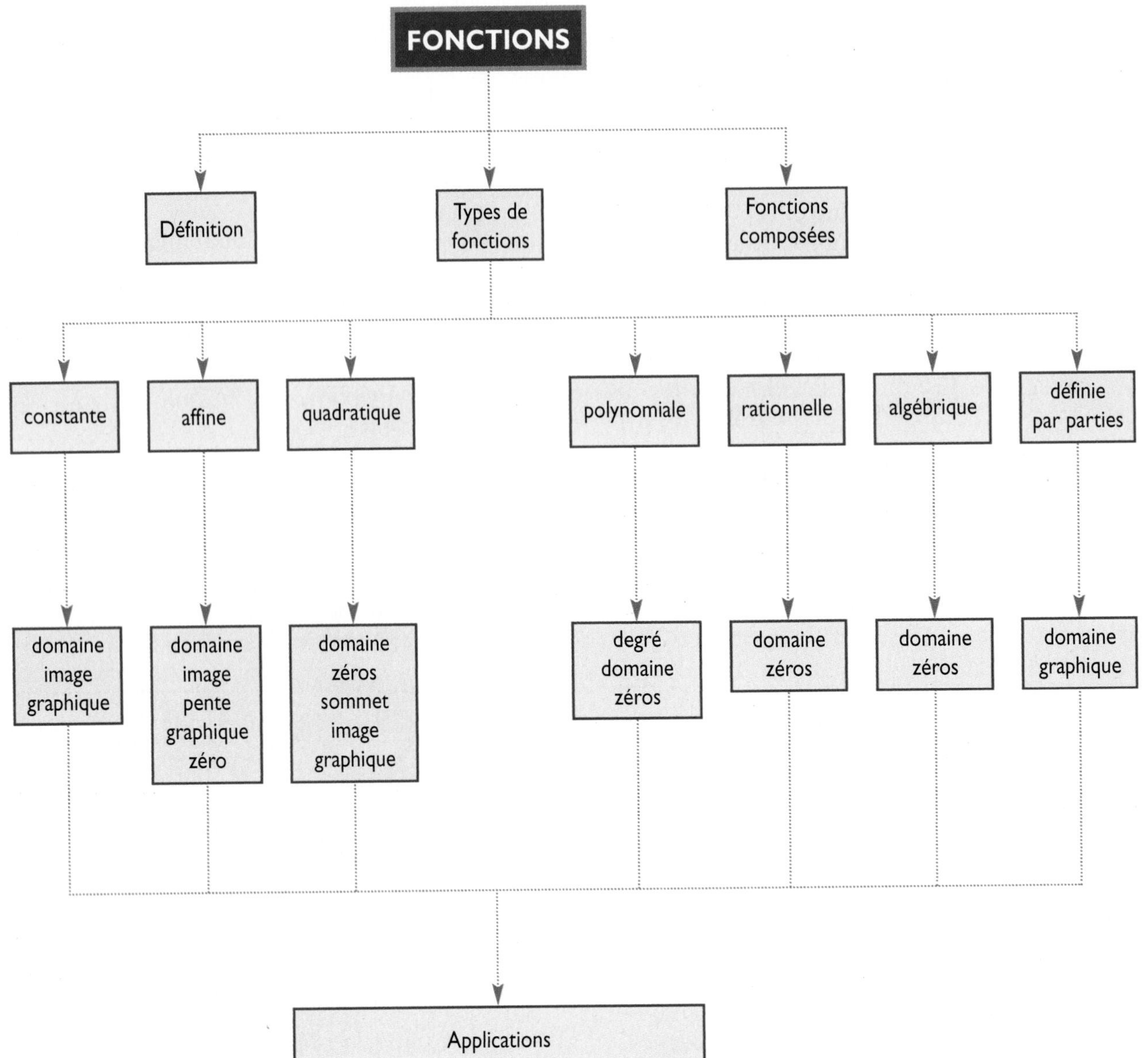

Liste de vérification des apprentissages

RÉPONDRE PAR **OUI** OU PAR **NON.**			
Après l'étude de ce chapitre, je suis en mesure:		**OUI**	**NON**
1.	de donner la définition d'une fonction;		
2.	de déterminer le domaine de certaines fonctions;		
3.	de représenter graphiquement des fonctions constantes;		
4.	de représenter graphiquement des fonctions affines;		
5.	de calculer la pente d'une droite;		
6.	de déterminer les zéros de fonctions quadratiques;		
7.	de déterminer les coordonnées du sommet de paraboles;		
8.	de représenter graphiquement des fonctions quadratiques;		
9.	de déterminer le degré de fonctions polynomiales;		
10.	de déterminer les zéros de certaines fonctions polynomiales;		
11.	de déterminer le domaine de fonctions rationnelles;		
12.	de déterminer les zéros de certaines fonctions rationnelles;		
13.	de déterminer le domaine de fonctions algébriques;		
14.	de définir des fonctions composées;		
15.	de déterminer le domaine de fonctions composées;		
16.	de construire des fonctions définies par parties;		
17.	de déterminer le domaine de fonctions définies par parties;		
18.	de représenter graphiquement des fonctions définies par parties.		

Si vous avez répondu **NON** à l'une de ces questions, il serait préférable pour vous d'étudier de nouveau cette notion.

Exercices récapitulatifs

 biologie  chimie  administration physique

1. Soit les fonctions:

$f_1(x) = \dfrac{3x - 1}{4}$

$f_2(t) = (5 - t)(3t + 1)$

$f_3(x) = \dfrac{3x^4 - 5x^2 + 4}{x^2}$

$f_4(u) = \sqrt{\dfrac{3u^2 + 1}{4 - u}}$

$f_5(x) = \dfrac{7}{x} + 1$

$f_6(t) = (t^2 - 1)^2$

Parmi les fonctions précédentes, déterminer celles qui sont des fonctions:

a) constantes;
b) affines;
c) quadratiques;
d) polynomiales;
e) rationnelles;
f) algébriques.

2. Déterminer le domaine des fonctions suivantes.

a) $f(x) = \dfrac{4}{3x + 2}$

b) $h(x) = \dfrac{3x + 2}{4}$

c) $k(x) = \dfrac{x}{x^2 - 2x + 1}$

d) $f(x) = \dfrac{5x + 1}{-2x^2 + 5x + 3}$

e) $u(x) = x^{-2} + 4x^2$

f) $f(x) = \dfrac{x}{|x^3 - 5x|}$

3. Déterminer les valeurs de x qui vérifient les inéquations suivantes.

a) $(x - 2)(x + 5) \geqslant 0$

b) $x^2 - 9 < 0$

c) $\dfrac{(3x - 5)^2(x + 4)}{(3x - 1)} \leqslant 0$

4. Déterminer le domaine des fonctions algébriques suivantes.

a) $f(x) = \sqrt[4]{3x + 8}$

b) $g(x) = \dfrac{x^2 - 7}{\sqrt{x^2 + 1}}$

c) $k(x) = \dfrac{\sqrt{x}}{\sqrt{4 - x}}$

d) $f(x) = \dfrac{\sqrt{5 - x}}{\sqrt{x - 5}}$

e) $g(x) = \dfrac{10}{(x - 5)\sqrt{x - 4}}$

f) $h(x) = (x^2 - x - 2)^{\frac{4}{3}}$

g) $f(x) = (x^2 - x - 2)^{\frac{3}{2}}$

h) $k(x) = (x^2 - x + 2)^{\frac{3}{2}}$

i) $f(x) = \sqrt{\dfrac{-x^2}{x^2 + 1}}$

j) $f(x) = \dfrac{x}{\sqrt{16 + x^2} - 5}$

5. Déterminer le domaine des fonctions définies par parties suivantes.

a) $f(x) = \begin{cases} \dfrac{4}{x + 5} & \text{si} \quad x < 0 \\ \dfrac{2x + 1}{x^2 - 5x + 4} & \text{si} \quad x > 0 \end{cases}$

b) $f(x) = \begin{cases} \dfrac{4}{x + 5} & \text{si} \quad -6 < x < 0 \\ \dfrac{2x + 1}{x^2 - 5x + 4} & \text{si} \quad 0 < x \leqslant 3 \end{cases}$

c) $g(x) = \begin{cases} \dfrac{-2}{x(x^2 - 1)} & \text{si} \quad x \leqslant 0 \\ \sqrt{x - 1} & \text{si} \quad x > 0 \end{cases}$

d) $h(x) = \begin{cases} \dfrac{3}{x - 3} & \text{si} \quad x < 0 \\ \sqrt{x + 3} & \text{si} \quad x \geqslant 0 \end{cases}$

e) $f(x) = \begin{cases} \sqrt{-x^2 + 5x - 6} & \text{si} \quad x < 0 \\ \dfrac{x^2 + 1}{x^2 - 2} & \text{si} \quad 0 \leqslant x \leqslant 2 \\ \dfrac{1}{\sqrt{3 - x}} & \text{si} \quad x > 2 \end{cases}$

6. Déterminer l'équation de la droite qui

a) passe par P(0, -4) et dont la pente est 0;

b) passe par P(1, 7) et qui est parallèle à la droite d'équation $2y - 12x = -4$;

c) passe par P(-3, 7) et qui est horizontale;

d) passe par P(-3, 7) et qui est verticale;

e) passe par P(3, -4) et qui est perpendiculaire à la droite passant par R(2, 7) et Q(5, -2).

7. Soit la représentation graphique suivante.

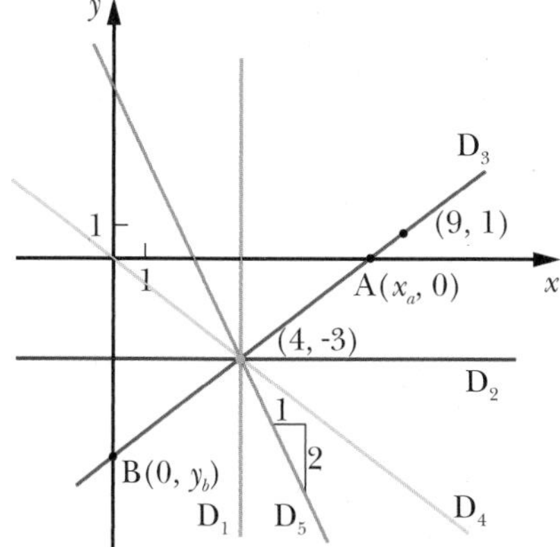

a) Déterminer l'équation des droites ci-dessus.

b) Déterminer les coordonnées des points A et B.

c) Déterminer l'équation de la droite passant par P(1, 2) et qui est parallèle à D_3.

d) Déterminer l'équation de la droite passant par P(9, 1) et qui est perpendiculaire à D_3; donner votre réponse sous la forme $ax + by + c = 0$, où a, b et $c \in \mathbb{Z}$.

8. a) Représenter sur un même graphique les fonctions suivantes:

$f(x) = x^2 - 4x - 5$ et $g(x) = -2x + 3$.

b) Déterminer les points d'intersection de ces courbes.

c) Déterminer l'équation de la droite qui passe par le point P(1, $f(1)$) et qui est parallèle à la droite définie par g.

9. Déterminer l'ensemble des valeurs de k pour lesquelles $4x^2 + kx + 9$

a) a deux zéros réels;

b) a un zéro réel;

c) n'a aucun zéro réel.

10. Déterminer le domaine des fonctions suivantes et les représenter graphiquement.

a) $g(x) = \begin{cases} \dfrac{x^2 - 4}{x - 2} & \text{si} \quad x \neq 2 \\ 1 & \text{si} \quad x = 2 \end{cases}$

b) $h(x) = \begin{cases} \dfrac{x^2 - 9}{x + 3} & \text{si} \quad x \neq -3 \\ -6 & \text{si} \quad x = -3 \end{cases}$

c) $f(x) = |2 + x| - 3$

d) $k(x) = \dfrac{|4 - 2x|}{x - 2}$

11. Soit $f(x) = \dfrac{1}{1 - x}$ et $g(x) = x^2$. Déterminer

a) $(f \circ f \circ f)(x)$ et dom $(f \circ f \circ f)$;

b) dom $(f \circ g)$ et dom $(g \circ f)$;

c) les valeurs de x telles que $(f \circ g)(x) = (g \circ f)(x)$.

12. Soit $f(x) = 3x + 2$ et $g(x) = ax + b$.

a) Déterminer la relation entre a et b telle que $(f \circ g)(x) = (g \circ f)(x)$.

b) Donner deux exemples de fonctions g telles que $(f \circ g)(x) = (g \circ f)(x)$.

13. Le tableau suivant donne les tarifs postaux en 2006 pour l'expédition par voie terrestre d'un colis partant du Canada vers les États-Unis (taxes non incluses), en fonction du poids de celui-ci.

Jusqu'à concurrence de			
250 g	**500 g**	**1 kg**	**2 kg**
5,35 $	7,20 $	12,10 $	17,80 $

Dominique Parent

a) Déterminer et représenter graphiquement la fonction T qui donne le coût de l'envoi d'un colis en fonction de son poids x, où x est exprimé en grammes et $T(x)$, en dollars.

b) Est-il préférable de faire un seul envoi ou deux envois si l'on doit expédier deux articles dont les poids respectifs sont

i) de 200 g et de 400 g;

ii) de 210 g et de 940 g?

Déterminer l'économie réalisée dans chaque cas.

14.  Une personne qui travaille pour une compagnie de location d'automobiles ayant 40 voitures à louer reçoit un salaire quotidien de 30 $; de plus, elle obtient une commission de 4 $ pour chaque automobile qu'elle loue.

a) Déterminer son salaire d'une journée si elle loue 10 automobiles ; 22 automobiles.

b) Si n représente le nombre d'automobiles louées, déterminer la fonction S qui donne le salaire quotidien en fonction du nombre d'automobiles louées, en précisant son domaine.

c) Combien d'automobiles doit-elle louer pour que son salaire quotidien soit de 78 $?

d) Si, au cours d'une semaine, cette personne travaille 5 jours, combien d'automobiles doit-elle louer, en moyenne, par jour pour que son salaire hebdomadaire soit de 570 $?

15.  Un automobiliste roulant à 36 km/h freine pour décélérer uniformément à raison de 4 m/s^2.

a) Déterminer la fonction donnant la vitesse de l'automobile en fonction du temps.

b) Déterminer sa vitesse après 1,3 s.

c) Déterminer le temps requis pour immobiliser l'automobile.

d) Déterminer la fonction donnant la position de l'automobile en fonction du temps, en posant $x_0 = 0$ m.

e) Déterminer la distance parcourue entre le moment où le conducteur commence à freiner et l'instant précis où l'automobile s'immobilise.

16. 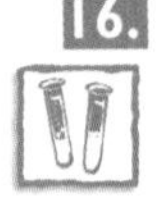 À des valeurs de pression de quelques centaines de kilopascals, on remarque que la solubilité des gaz obéit à la ***loi de Henry.*** Selon cette loi, à toute température maintenue constante, la solubilité d'un gaz est directement proportionnelle à sa pression partielle. Elle est exprimée par l'équation suivante :

$$c = kP$$

où c représente la concentration de la substance gazeuse en solution, k est une constante positive de proportionnalité qui dépend du soluté, du solvant et de la température du système, et P est la pression partielle du gaz en contact avec la surface de la solution.

Donner une représentation graphique possible de cette loi.

17.  À température et à pression constantes, le volume d'un échantillon de gaz est directement proportionnel au nombre de moles.

Le graphique ci-dessous illustre le volume d'un échantillon de gaz en fonction de la quantité.

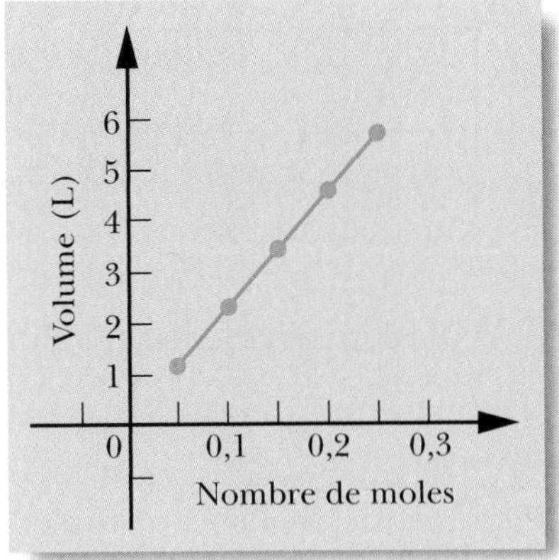

Déterminer approximativement l'équation de la droite représentée.

18. Un morceau de carton carré de 24 cm sur 24 cm doit servir à fabriquer une boîte ouverte sur le dessus. Pour construire cette boîte, on découpe un carré dans chacun des quatre coins et on replie les côtés perpendiculairement à la base.

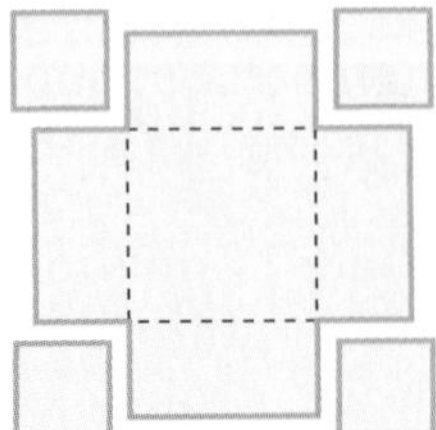

Déterminer la longueur du côté du carré qu'il faut découper pour que le volume de la boîte soit maximal et calculer ce volume.

Problèmes de synthèse

1. Soit $f(x) = x^2 - 3x - 10$ et $g(x) = -2x^2 - 19x + 2$.

a) Déterminer l'équation de la droite qui passe par les deux sommets.

b) Déterminer l'équation de la droite qui passe par les points d'intersection de f et de g.

2. Transformer les expressions suivantes sous la forme $a(x - h)^2 + k$ et déterminer les coordonnées du sommet S et l'équation de l'axe de symétrie.

a) $x^2 + 5x - 6$

b) $6x^2 - 11x + 7$

3. Exprimer les paraboles suivantes sous la forme $y = a(x - h)^2 + k$.

a)

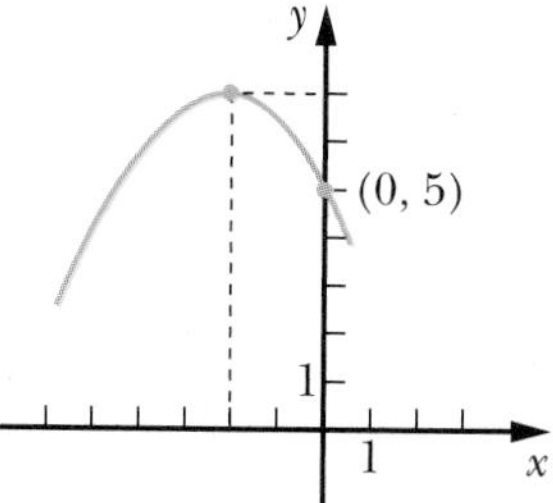

b)

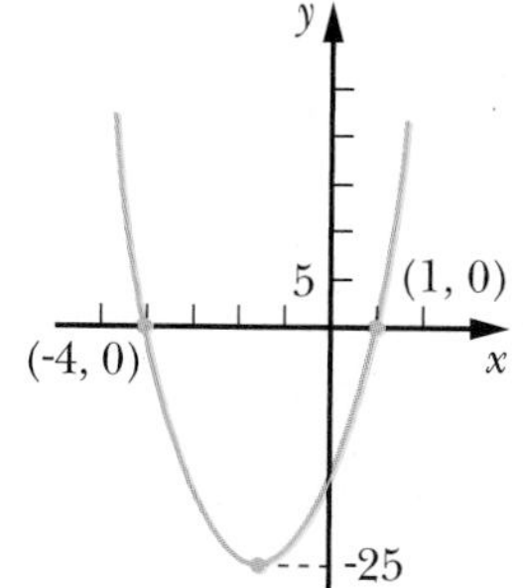

4. a) Soit $f(x) = x^2$ et $g(x) = ax + b$. Déterminer les valeurs de a et de b telles que $(f \circ g)(x) = (g \circ f)(x)$.

b) Soit $f(x) = 3x + 1$ et $g(x) = ax^2 + bx + c$. Déterminer la relation entre a, b et c telle que $(f \circ g)(x) = (g \circ f)(x)$.

5. Soit $f(x) = \dfrac{12}{x^2 - 1}$ et $g(x) = \sqrt{4 - x}$.

Déterminer

a) dom $(f \circ g)$; b) dom $(g \circ f)$.

6. Déterminer une fonction f non définie par parties, dont le domaine est

a) $\mathbb{R} \setminus \{-4, 5\}$

b) $\left]-\infty, \dfrac{7}{3}\right]$

c) $\left]\dfrac{-3}{2}, +\infty\right[\setminus \{0\}$

d) $[-4, 1]$

e) $[-5, 7[$

f) $[-1, 1] \cup [2, +\infty$

7. Déterminer l'équation de la parabole passant par les points P(0, -5), Q(1, -3) et R(-1, -1).

8. a) Déterminer l'équation de la droite D dont le seul point d'intersection avec le cercle, défini par $x^2 + y^2 = 10$, est le point P(3, 1).

b) Calculer l'aire du triangle délimité par la droite D et les axes.

9. Représenter graphiquement les fonctions suivantes.

a) $f(x) = \dfrac{x}{[x]}$, si $x \in [-3, 4]$

b) $h(x) = x - 5\left[\dfrac{x}{5}\right]$ si $-11 \leq x \leq 16$

c) $f(x) = |x^2 - 4|$

d) $g(x) = 3|x - 5| - 2|3 + x|$, si $-6 \leq x \leq 8$

10. Déterminer la distance entre le point O(0, 0) et la droite $3x + 4y - 8 = 0$.

11. En utilisant la représentation suivante :

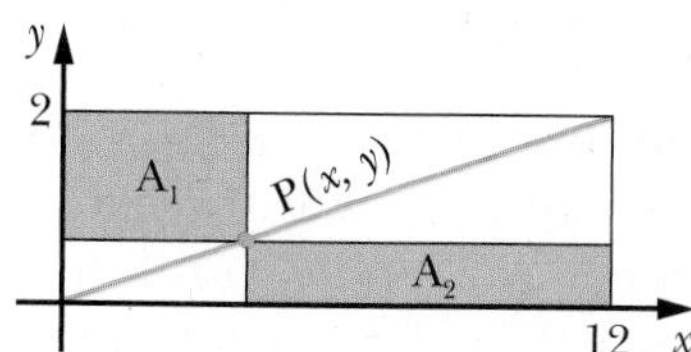

a) Exprimer la somme S des aires A_1 et A_2 en fonction de x.

b) Déterminer la valeur maximale de $A_1 + A_2$.

12. Associer à chacune des situations suivantes le graphique qui la représente le mieux.

a) On souffle un ballon et on le laisse se déplacer dans la classe. Le nombre de cm³ d'air dans le ballon est la variable dépendante.

Dominique Parent

b) On fait un voyage en montgolfière lors du festival, à Saint-Jean-sur-Richelieu. La température de l'air présent dans l'enveloppe de la montgolfière est la variable dépendante.

Dominique Parent

c) On place dans le congélateur un récipient rempli d'eau. La température de l'eau est la variable dépendante.

d) On place dans un four à micro-ondes un sac contenant des grains de maïs. Les grains de maïs éclatent. Le nombre de grains de maïs non éclatés est la variable dépendante.

Dominique Parent

e) Au printemps le gazon pousse lentement. Une tonte par semaine suffit. Après une application d'engrais, il pousse plus rapidement et il faut le tondre deux fois par semaine. À l'automne, on le tond une fois par semaine. Le nombre total de fois que l'on tond le gazon est la variable dépendante.

Dominique Parent

f) Une personne prend place dans le manège de la grande roue dans un parc d'amusement. La distance qui la sépare du sol est la variable dépendante.

Dominique Parent

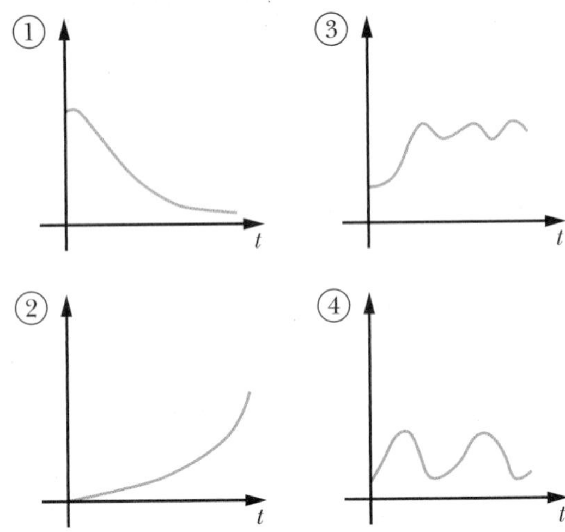

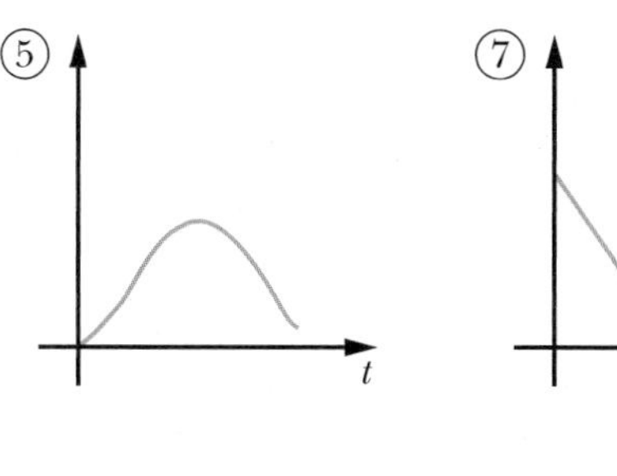

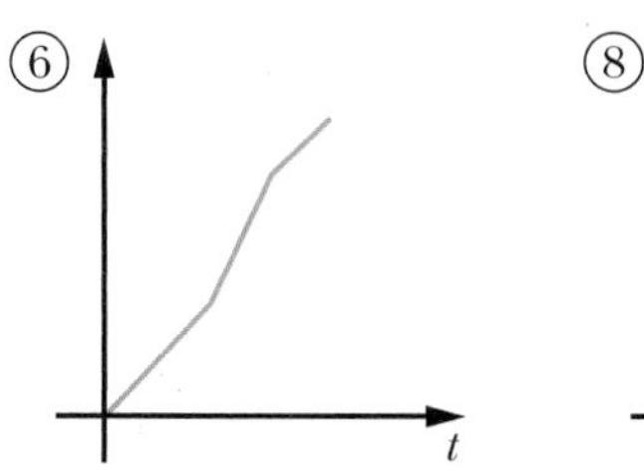

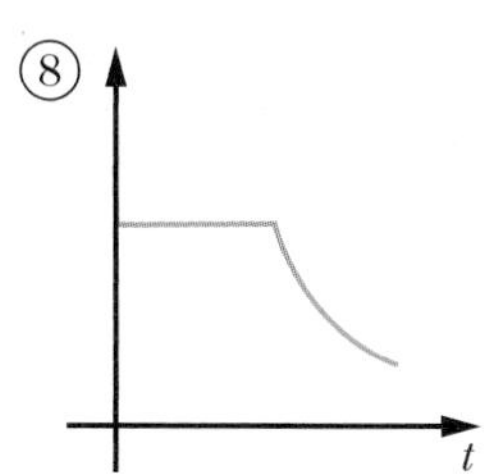

13.  En 2006, une caisse populaire offrait à ses membres un taux d'intérêt annuel de 4 % pour les dépôts à terme de 1 000 $ à 5 000 $, un taux d'intérêt de 4,5 % pour les dépôts supérieurs à 5 000 $ sans excéder 25 000 $, et un taux de 5 % pour les dépôts supérieurs à 25 000 $.

Dominique Parent

a) Déterminer la fonction T qui donne le taux d'intérêt en fonction de la somme x investie.

b) Représenter graphiquement cette fonction.

c) Déterminer la fonction I qui donne les intérêts annuels perçus en fonction de la somme x investie.

d) Représenter graphiquement cette fonction.

14.  Le tableau suivant donne les tarifs domestiques, en 2006, applicables à la consommation d'électricité en fonction du nombre de kilowattheures (kWh) consommés chaque jour.

La redevance d'abonnement quotidienne	0,406 4 $
Les 30 premiers kWh consommés chaque jour (basés sur une moyenne mensuelle)	0,050 2 $/ kWh
Le reste de l'énergie consommée	0,063 3 $/ kWh

Dominique Parent

a) Calculer le coût avant les taxes pour une consommation de 850 kWh pendant le mois de septembre.

b) Calculer le coût avant les taxes pour une consommation de 1 900 kWh pendant le mois de janvier.

c) Déterminer la fonction qui donne le coût avant les taxes de la consommation d'électricité en fonction du nombre de kilowatt-heures consommés pendant une période de 30 jours.

d) Représenter graphiquement cette fonction.

e) Déterminer le montant à payer dans la situation suivante.

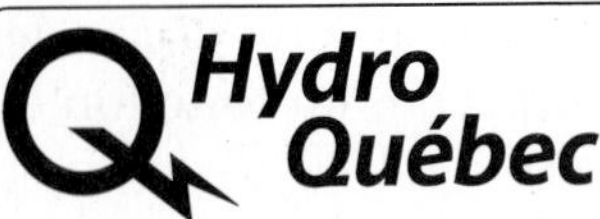

Pour la période

du			au			nombre
an	mois	jour	an	mois	jour	de jours
2006	01	25	2006	03	23	57

Calcul de la consommation

relevés				
nouveau –	précédent =	différence ×	multiplicateur =	consommation
0559	9847	712	10	7120 kWh

Votre compte sétablit ai nsi :

Au tarif domestique D pour ?? jour(s) :
Redevance d'abonnement : 0, 4064 \$ × ?? jour(s) .... \$
Consommation : 7120 kWh
Les 30 premiers kWh par jour : ?? kWh × 0,0502 \$ .... \$
Le reste de la consommation : ?? kWh × 0,0633 \$ .... \$
\$
T.P.S. 6 % ________ \$
\$
T.V.Q. 7,5 % ________ \$
Montant à payer ________ \$

15.  Dans le but d'augmenter le nombre de ses clients, une propriétaire de salle de cinéma de 500 sièges veut réduire le prix d'entrée, qui est actuellement de 6 \$. Selon son estimation, le nombre de clients serait de $(75 + 100x)$ par jour, où x est la réduction, en dollars, du prix d'entrée.

a) Si elle réduit le prix d'entrée de 1 \$, déterminer le nouveau prix d'entrée, le nombre de clients (selon son estimation) et son revenu.

b) Déterminer la fonction R qui donne son revenu en fonction de x.

c) Interpréter le nombre 75 dans l'expression $(75 + 100x)$.

d) Déterminer la réduction accordée si son revenu quotidien est de 1 125 \$. Si vous étiez propriétaire de cette salle, quelle option choisiriez-vous ?

e) Déterminer la valeur de x qui maximise le revenu, puis évaluer ce revenu maximal.

Introduction

Une présentation formelle et approfondie de la notion de limite alourdirait considérablement le présent manuel. En conséquence, considérant qu'une bonne compréhension intuitive vaut mieux qu'une mauvaise connaissance formelle, nous avons préféré donner ici un exposé informel de la notion de limite, laissant l'enseignante ou l'enseignant libre de suppléer à cette démarche intuitive par des définitions formelles, si elle ou il le juge à propos.

De plus, l'enseignante ou l'enseignant qui le désire peut faire l'étude des cas particuliers de limites dont le résultat est l'infini et de limites à l'infini en consultant, au moment jugé opportun, la section 6.4.

En particulier, l'élève pourra résoudre le problème suivant:

Soit un point P(x, y) sur la courbe définie par $y = x^2$. Soit $A(x)$, l'aire du triangle dont les sommets sont O(0, 0), R(1, 0) et P(x, y), où $x > 0$ et soit $B(x)$, l'aire du triangle dont les sommets sont O(0, 0), Q(0, 1) et P(x, y).

Évaluer, si c'est possible:

a) $\lim\limits_{x \to 0} \dfrac{A(x)}{B(x)}$; b) $\lim\limits_{x \to 0} \dfrac{B(x)}{A(x)}$; c) $\lim\limits_{x \to 4} \dfrac{A(x)}{B(x)}$.

(*Voir* le problème de synthèse n° 11, page 79.)

Perspective historique

VOUS DITES *CONTINU* ?

La matière, nous disent les physiciens, se compose d'atomes, eux-mêmes constitués de particules élémentaires. L'univers n'est donc pas physiquement continu. Si j'avais la capacité de me rapetisser indéfiniment, jusqu'à devenir du même ordre de grandeur qu'un atome, je n'aurais pas le choix, pour me déplacer, que de sauter d'un atome à un autre. Mais, intuitivement, mon mouvement ne serait-il pas, lui, continu? Entre deux atomes, mon déplacement ne serait pas saccadé. Puis-je alors dire que l'espace est continu? Y aurait-il des « atomes » d'espace? Y aurait-il des « atomes » de temps?

Ce genre de questions, les philosophes et les scientifiques se les posent depuis la nuit des temps. Chez les Grecs de l'Antiquité, les discussions prirent une tournure particulièrement dramatique. Pour le grand philosophe Aristote (384-322 av. J.-C.), une chose est continue si on peut la subdiviser à répétition, indéfiniment. Mais alors, que répondre à Zénon d'Élée qui remarquait, dans le paradoxe appelé « la dichotomie », que lorsque je me déplace vers un mur, je dois d'abord arriver à la moitié de la distance qui me sépare du mur, puis, à nouveau, à la moitié de la distance qui me sépare alors du mur, et ainsi de suite. Supposant l'espace continu, même si je m'approche de plus en plus du mur, il me restera toujours une moitié de distance à parcourir. Je n'atteindrai donc jamais le mur. Par contre, si je suppose l'espace non continu, en me déplaçant, j'arriverai à un moment donné à une distance du mur qui ne sera plus divisible. Alors, à l'étape suivante, je parviendrai nécessairement au mur. Puisque, en réalité, j'atteins le mur, cela ne voudrait-il pas dire que l'espace est effectivement discontinu?

Ce genre d'arguments fera l'objet d'une controverse pendant plusieurs siècles. On montrera finalement, au Moyen Âge, à l'aide des séries infinies, que puisque les temps pour parcourir les « moitiés d'espaces restants » deviennent de plus en plus courts à mesure qu'on approche du mur, au total, cela prend un temps fini pour y arriver.

En mathématiques, nous tenons pour acquis que l'espace géométrique est continu et donc qu'il peut se subdiviser à l'infini. Ainsi, lorsqu'on trace le graphique d'une fonction $y = f(x)$, on tient pour acquis que x prend successivement toutes les valeurs sur l'axe des x. Votre expérience avec les fonctions vous porte sans doute à croire que, sauf pour des cas assez rares (comme $y = f(x) = 1/x$) et artificiels (comme les fonctions escaliers), le graphique correspond à un tracé continu. De Descartes (1637) jusqu'au début du XIXe siècle, les mathématiciens pensèrent de même. L'expression symbolique, même infinie, permettant de calculer la valeur de $f(x)$ semblait un garant du fait que le graphique de la fonction puisse être tracé d'un trait continu, sauf peut-être en quelques points. On ne sentait donc pas vraiment le besoin de préciser davantage ce qu'était une fonction « continue ». Mais alors, l'intuition commença à être prise en défaut (*voir* le problème ci-dessous). C'est dans le contexte de la recherche d'une plus grande rigueur que le Français Augustin Cauchy (1789-1857) définira la continuité d'une fonction (1823):

Lorsque la fonction $f(x)$ admettant une valeur unique et finie pour toutes les valeurs de x comprises entre deux limites [comprendre ici les bornes d'un intervalle] *données, la différence*

$$f(x + i) - f(x)$$

est toujours entre ces limites une quantité infiniment petite, on dit que $f(x)$ est fonction continue de la variable entre les limites dont il s'agit. [i est vu ici comme un nombre dont la valeur se rapproche infiniment du zéro.]

PROBLÈME : La fonction correspondant à la somme infinie de fonctions continues est-elle elle-même une fonction continue?

© Bettmann/CORBIS

Niels Abel (1802-1829)

Cauchy a répondu d'abord intuitivement oui pour produire par la suite une démonstration. Mais le jeune mathématicien **Niels Abel** (1802-1829) oppose un contre-exemple à la démonstration de Cauchy. Vous pouvez vous rendre compte vous-même du bien-fondé du contre-exemple en traçant, sur votre calculatrice graphique ou, mieux encore, sur un traceur graphique d'un ordinateur, la fonction suivante:

$$y = \sin(x) - \frac{\sin(2x)}{2} + \frac{\sin(3x)}{3} - \frac{\sin(4x)}{4} + \ldots$$

Perspective historique (*suite*)

en ajoutant toujours davantage de termes. Vous remarquerez que, d'un graphique à l'autre, le graphique se rapproche du graphique suivant.

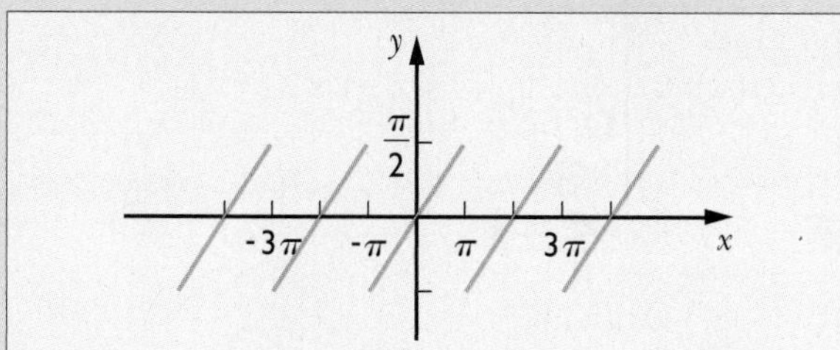

Le graphique précédent représente une fonction non continue même si $\sin(x)$, $\frac{\sin(2x)}{2}$, $\frac{\sin(3x)}{3}$, ... sont des fonctions continues.

2

Test préliminaire

Partie A

1. Simplifier les expressions suivantes.

a) $\dfrac{\frac{a}{b}}{\frac{c}{d}}$

b) $\dfrac{\frac{x^2-4}{5}}{\frac{x-2}{10x}}$

c) $\dfrac{\frac{x}{x-3}}{x^2-3x}$

d) $\dfrac{\frac{x-8}{8-x}}{x}$

e) $\dfrac{\frac{1}{2}-\frac{1}{x}}{x-2}$

f) $\dfrac{\frac{3}{x}-\frac{x}{3}}{\frac{1}{3}-\frac{1}{x}}$

2. Sachant que $A + B$ est le conjugué de $A - B$, et que $A - B$ est le conjugué de $A + B$, déterminer le conjugué des expressions suivantes.

a) $\sqrt{x} + 7$

b) $\sqrt{x+7} - \sqrt{7}$

c) $\sqrt{3x-5} - \sqrt{3x+4}$

3. Effectuer la multiplication des expressions suivantes par leur conjugué.

a) $\sqrt{x} - 5$

b) $\sqrt{x} + \sqrt{5}$

c) $\sqrt{x} - \sqrt{3x-5}$

d) $\sqrt{a+b} + \sqrt{c-d}$

4. Effectuer les divisions suivantes.

a) $\dfrac{x^3+x^2+x+1}{x+1}$

b) $\dfrac{x^4-x^3+x^2-3x+2}{x-1}$

5. Compléter:

a) $a^2 - b^2 = (a-b)$ ....

b) $x^3 - 8 = (x-2)$ ....

c) $27 + x^3 = (3+x)$ ....

d) $(x+h)^3 - x^3 = h$ ....

Partie B

1. Déterminer le domaine des fonctions suivantes.

a) $f(x) = 3x^2 - 4x + 5$

b) $g(x) = \dfrac{(x+4)}{(9-3x)(2x+5)}$

c) $h(x) = \dfrac{42}{x^2-x-12}$

d) $f(u) = \dfrac{1}{\sqrt{3u+7}}$

e) $x(t) = \sqrt{10-2t}$

f) $v(t) = \dfrac{\sqrt{t}}{(t^2-1)}$

g) $f(x) = \dfrac{4x^2+3x}{x^3-7x}$

h) $f(t) = \dfrac{\sqrt{t-2}}{\sqrt{5-t}}$

i) $f(x) = \dfrac{|5-x|}{|x|-5}$

j) $g(x) = \sqrt{-x^2 + x + 2}$

2. Soit $f(x) = \begin{cases} x & \text{si} \quad x < 1 \\ x^2 & \text{si} \quad 1 < x \leq 2 \\ -1 & \text{si} \quad x > 2 \text{ et } x \neq 3. \end{cases}$

a) Calculer, si c'est possible :
i) $f(0)$; ii) $f(1)$; iii) $f(2)$; iv) $f(3)$; v) $f(4)$.

b) Tracer le graphique de f et déterminer dom f.

3. Déterminer le domaine de f si

$$f(x) = \begin{cases} \dfrac{4}{x+3} & \text{si} \quad -4 \leq x < -1 \\ \dfrac{1}{x} & \text{si} \quad -1 < x \leq 1 \\ \dfrac{2x}{x^2-4} & \text{si} \quad x > 1 \text{ et } x \neq 5. \end{cases}$$

2.1 Notion de limite

Objectif d'apprentissage

À la fin de cette section, l'élève pourra calculer des limites.

Plus précisément, l'élève sera en mesure :
- d'estimer des limites, en utilisant des tableaux de valeurs appropriées ;
- d'utiliser la notation de limite ;
- de représenter graphiquement le résultat du calcul d'une limite ;
- d'énoncer un théorème sur l'existence de la limite en un point ;
- d'énoncer des théorèmes relatifs aux limites ;
- de calculer des limites à l'aide des théorèmes sur les limites ;
- de calculer des limites à l'aide du théorème « sandwich ».

y
h(x)
f(x)
g(x)
L
c a d x

Théorème « sandwich »

Il y a environ 300 ans...

© Bettmann/CORBIS
Archimède

L'idée intuitive de limite se manifeste tout au long de l'histoire des mathématiques. **Archimède** s'en sert dans ses nombreux calculs d'aire de surfaces courbes. Elle commence à prendre forme comme une notion indépendante chez D'Alembert (1717-1783). Ce n'est toutefois qu'au début du XIXe siècle, particulièrement chez Cauchy (*voir* la capsule historique), qu'on la définit clairement, avec la notation *lim*, et que sa place dans le calcul différentiel se précise.

Avant d'évaluer des limites à l'aide de théorèmes, présentons d'abord de façon intuitive la notion de limite.

Présentation intuitive de la notion de limite

Définition 2.1 Soit $x \in \mathbb{R}$ et $x \neq a$. Nous disons que x est **voisin** de a si $x < a$ ou $x > a$, et si x est le plus près possible de a.

Donnons d'abord un exemple d'une fonction f définie sur $\mathbb{R} \setminus \{a\}$, où nous évaluerons $f(x)$ pour des valeurs voisines de a.

2

Exemple 1 Soit $f(x) = \dfrac{x^3 - 3x^2}{x - 3}$, où dom $f = \mathbb{R} \setminus \{3\}$.

Puisque $f(3)$ est non définie, posons-nous la question suivante.

a) Quelles valeurs prend $f(x)$ lorsque les valeurs de x, où $x \in$ dom f, sont voisines de 3 ?

Valeurs voisines de 3

Par valeurs voisines de 3, nous entendons des nombres réels plus petits ou plus grands que 3, donc $x \neq 3$, mais qui sont le plus près possible de 3.

Établissons deux listes composées respectivement

1) de valeurs plus petites que 3 et de plus en plus près de 3, c'est-à-dire $x < 3$ et $x \to 3$, notée $x \to 3^-$

x: 2,9 2,99 2,999 2,999 9, etc.

2) de valeurs plus grandes que 3 et de plus en plus près de 3, c'est-à-dire $x > 3$ et $x \to 3$, notée $x \to 3^+$

x: 3,1 3,01 3,001 3,000 1, etc.

Trouvons maintenant les valeurs de $f(x)$ correspondantes lorsque $x \to 3^-$.

x	2,9	2,99	2,999	2,999 9	$\ldots \to 3^-$
$f(x) = \dfrac{x^3 - 3x^2}{x - 3}$	8,41	8,940 1	8,994 001	8,999 400 01	$\ldots \to 9$

Nous constatons que $f(x)$ semble s'approcher aussi près que nous le voulons de 9, en donnant à x des valeurs de plus en plus près de 3, par la gauche.

Ainsi, lorsque $x \to 3^-$, $f(x) \to 9$

Représentation graphique

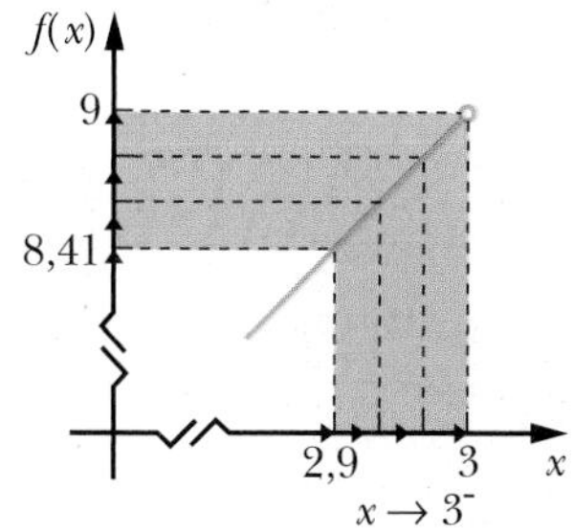

Notation

$$\lim_{x \to 3^-} f(x) = 9$$

Il y a environ 900 ans...

L'ajout d'une flèche sous le signe *lim,* pour indiquer de quelle valeur s'approche la variable indépendante, date du début du XXe siècle. On voit ici que même une notation aussi simple en apparence a pris plusieurs années pour atteindre sa forme définitive.

Trouvons maintenant les valeurs de $f(x)$ correspondantes lorsque $x \to 3^+$.

x	3,1	3,01	3,001	3,000 1	$\ldots \to 3^+$
$f(x) = \dfrac{x^3 - 3x^2}{x - 3}$	9,61	9,060 1	9,006 001	9,000 600 01	$\ldots \to 9$

2

Nous constatons que $f(x)$ semble s'approcher aussi près que nous le voulons de 9, en donnant à x des valeurs de plus en plus près de 3, par la droite.

Ainsi, lorsque $x \to 3^+$, $f(x) \to 9$

$$\lim_{x \to 3^+} f(x) = 9$$

Représentation graphique

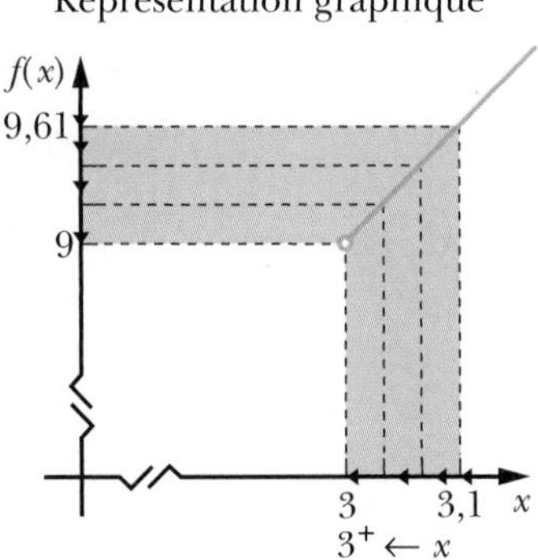

Comme nous pouvons nous approcher aussi près que nous le voulons de 9, en calculant $f(x)$, pour des valeurs de x, où $x \in$ dom f, telles que $x \to 3^-$ et $x \to 3^+$, nous écrivons

Notation

$$\lim_{x \to 3} f(x) = 9$$

b) Représentons graphiquement f.

Simplifions d'abord f.

$$f(x) = \frac{x^3 - 3x^2}{x - 3}$$

$$= \frac{x^2(x - 3)}{x - 3}$$

$$= x^2, \text{ si } x \neq 3$$

Ainsi, la représentation graphique de f est identique à celle de $g(x) = x^2$, sauf en $x = 3$.

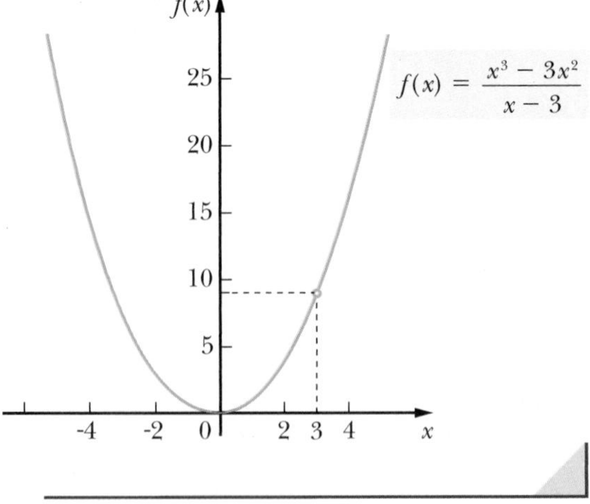

Énonçons maintenant un théorème donnant les conditions d'existence d'une limite.

THÉORÈME 2.1
Existence de la limite

$\lim_{x \to a} f(x) = b$ si et seulement si $\lim_{x \to a^-} f(x) = b$ et $\lim_{x \to a^+} f(x) = b$, où $b \in \mathbb{R}$.

Cela signifie que, lorsque x est voisin de a, la limite d'une fonction f existe si et seulement si la limite à gauche de f et la limite à droite de f existent et sont égales.

Exemple 2 Soit $f(x) = \dfrac{\sqrt{x} - 3}{x - 9}$.

a) Trouvons dom f.

dom $f = [0, +\infty \setminus \{9\}$

b) Estimons $\lim\limits_{x \to 9} f(x)$, à l'aide de tableaux de valeurs, où $x \to 9^-$ et $x \to 9^+$.

x	$f(x) = \dfrac{\sqrt{x} - 3}{x - 9}$
8,5	0,169 048...
8,9	0,167 132...
8,99	0,166 712...
8,999	0,166 671...
8,999 9	0,166 667...
⋮	⋮
↓	↓
9^-	$0,1\overline{6}$

Il semble donc que $\lim\limits_{x \to 9^-} f(x) = 0,1\overline{6}$.

x	$f(x) = \dfrac{\sqrt{x} - 3}{x - 9}$
9,5	0,164 414...
9,1	0,162 062...
9,01	0,166 620...
9,001	0,166 662...
9,000 1	0,166 666...
⋮	⋮
↓	↓
9^+	$0,1\overline{6}$

Il semble donc que $\lim\limits_{x \to 9^+} f(x) = 0,1\overline{6}$.

Puisque $\lim\limits_{x \to 9^-} f(x) = \lim\limits_{x \to 9^+} f(x) = 0,1\overline{6}$, alors $\lim\limits_{x \to 9} f(x) = 0,1\overline{6}$. (théorème 2.1)

c) Représentons graphiquement f.

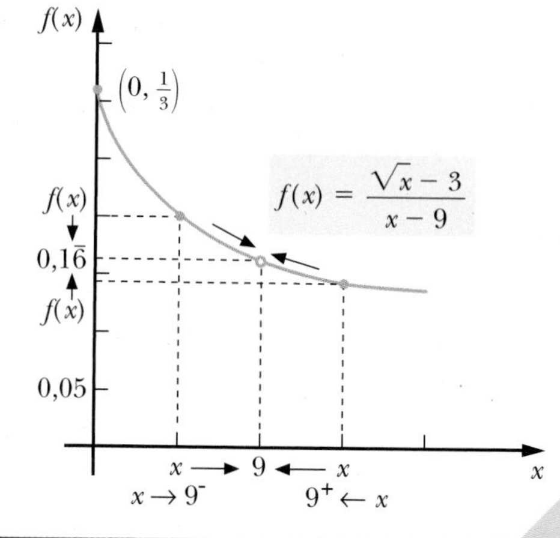

Exemple 3 Soit $f(x) = \dfrac{|2x^2 + 5x + 2|}{2x + 1}$.

a) Trouvons dom f.

dom $f = \mathbb{R} \setminus \{-0,5\}$

b) Estimons $\lim\limits_{x \to -0,5} f(x)$ à l'aide de tableaux de valeurs où $x \to -0,5^-$ et $x \to -0,5^+$.

x	-0,6	-0,51	-0,501	-0,500 1	... $\to -0,5^-$
$f(x) = \dfrac{|2x^2 + 5x + 2|}{2x + 1}$	-1,4	-1,49	-1,499	-1,499 9	... $\to$ -1,5

Il semble donc que $\lim\limits_{x \to -0,5^-} f(x) = -1,5$.

x	-0,4	-0,49	-0,499	-0,499 9	$\ldots \to$ -0,5$^+$
$f(x) = \dfrac{\lvert 2x^2 + 5x + 2\rvert}{2x + 1}$	1,6	1,51	1,501	1,500 1	$\ldots \to$ 1,5

Il semble donc que $\lim\limits_{x \to -0{,}5^+} f(x) = 1{,}5$.

2

Puisque

$\lim\limits_{x \to -0{,}5^-} f(x) \neq \lim\limits_{x \to -0{,}5^+} f(x)$, alors $\lim\limits_{x \to -0{,}5} f(x)$ n'existe pas. (théorème 2.1)

c) Représentons graphiquement f.

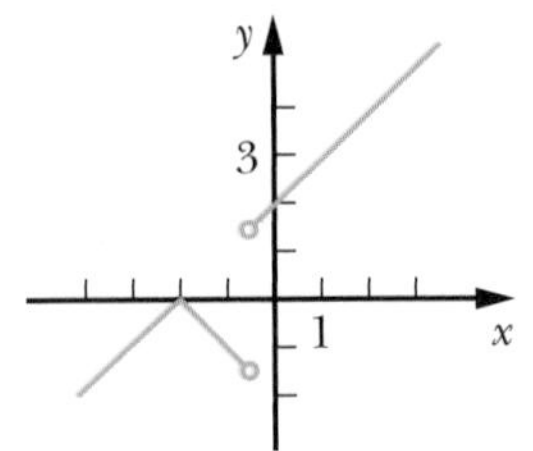

Remarque Les tableaux de valeurs peuvent fréquemment nous donner une idée de la valeur de la limite, mais dans certains tableaux nous obtenons des résultats desquels on ne peut rien conclure.

$1 + 3x > 0$

$3x > -1$

$x > \dfrac{-1}{3}$

Exemple 4 Soit $h(x) = \dfrac{\ln(1 + 3x)}{x}$, où dom $f = \left]\dfrac{-1}{3}, +\infty\right[\setminus \{0\}$.

Estimons, si c'est possible, $\lim\limits_{x \to 0^+} h(x)$ à l'aide d'un tableau de valeurs.

x	$h(x) = \dfrac{\ln(1 + 3x)}{x}$
0,1	2,623 642 6...
10^{-3}	2,995 559...
10^{-6}	2,999 995 5...
10^{-9}	0

Après avoir calculé les trois premières valeurs, il semble que $\lim\limits_{x \to 0^+} h(x) = 3$.

Cependant, en posant $x = 10^{-9}$, nous obtenons $h(10^{-9}) = 0$.

Nous ne pouvons donc rien conclure pour $\lim\limits_{x \to 0^+} h(x)$.

Une étude plus approfondie des notions de limite à gauche, de limite à droite et des conditions d'existence de la limite sera faite à la section 2.3.

Théorèmes sur les limites

Énonçons maintenant quelques théorèmes sur les limites que nous admettons sans démonstration. Ces théorèmes nous serviront à évaluer algébriquement des limites, plutôt que de les estimer à l'aide de tableaux de valeurs. De plus, ces théorèmes nous serviront à démontrer certaines règles de dérivation.

THÉORÈME 2.2

a) Limite d'une fonction constante

$$\lim_{x \to a} k = k, \text{ où } k \in \mathbb{R}$$

b) Limite de la fonction identité

$$\lim_{x \to a} x = a$$

2

Exemple 1

a) Soit $f(x) = 3$.

Alors, $\lim\limits_{x \to 2} f(x) = \lim\limits_{x \to 2} 3 = 3$ (théorème 2.2a)

Autrement dit, la limite d'une constante est égale à cette constante.

Représentation graphique

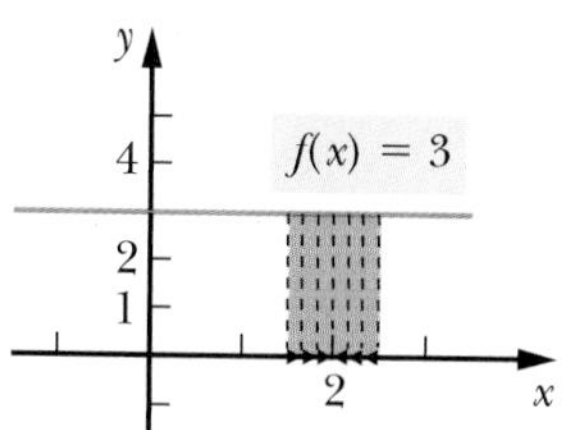

b) Soit $g(x) = x$.

Alors, $\lim\limits_{x \to 3} g(x) = \lim\limits_{x \to 3} x = 3$ (théorème 2.2b)

Représentation graphique

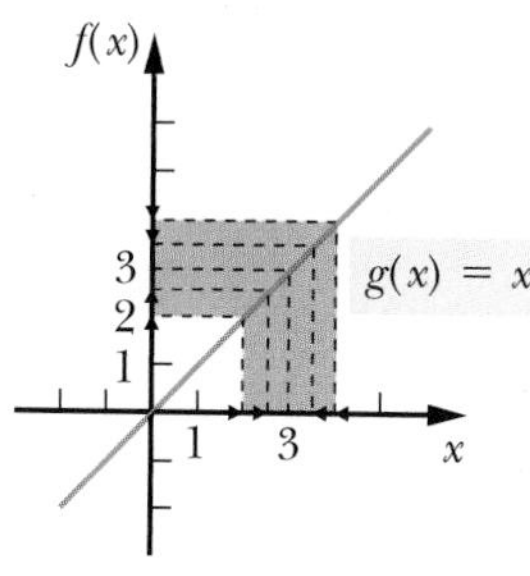

THÉORÈME 2.3

Si $\lim\limits_{x \to a} f(x) = \text{L}$ et $\lim\limits_{x \to a} g(x) = \text{M}$, où $\text{L} \in \mathbb{R}$ et $\text{M} \in \mathbb{R}$, alors:

a) Limite d'une somme de fonctions

$$\lim_{x \to a} [f(x) + g(x)] = \lim_{x \to a} f(x) + \lim_{x \to a} g(x) = \text{L} + \text{M}$$

b) Limite du produit d'une fonction par une constante

$$\lim_{x \to a} [k f(x)] = k\left[\lim_{x \to a} f(x)\right] = k\text{L}, \text{ où } k \in \mathbb{R}$$

c) Limite d'une différence de fonctions

$$\lim_{x \to a} [f(x) - g(x)] = \lim_{x \to a} f(x) - \lim_{x \to a} g(x) = \text{L} - \text{M}$$

d) Limite d'un produit de fonctions

$$\lim_{x \to a} [f(x)\, g(x)] = \left[\lim_{x \to a} f(x)\right]\left[\lim_{x \to a} g(x)\right] = \text{LM}$$

e) Limite d'un quotient de fonctions

$$\lim_{x \to a} \frac{f(x)}{g(x)} = \frac{\lim\limits_{x \to a} f(x)}{\lim\limits_{x \to a} g(x)} = \frac{\text{L}}{\text{M}}, \text{ si M} \neq 0$$

2

Exemple 2 Évaluons les limites suivantes à l'aide des théorèmes précédents.

a) $\lim\limits_{x \to 4} (x + 7) = \lim\limits_{x \to 4} x + \lim\limits_{x \to 4} 7$ (théorème 2.3a)

$= 4 + 7$ (théorèmes 2.2b et 2.2a)

$= 11$

Autrement dit, la limite d'une somme est égale à la somme des limites si chacune de ces limites existe.

b) $\lim\limits_{x \to -2} [5(x - 4)] = 5\left[\lim\limits_{x \to -2} (x - 4)\right]$ (théorème 2.3b)

$= 5\left[\lim\limits_{x \to -2} x - \lim\limits_{x \to -2} 4\right]$ (théorème 2.3c)

$= 5[-2 - (4)]$ (théorèmes 2.2b et 2.2a)

$= -30$

c) $\lim\limits_{x \to 2} [(3x + 1)(5x - 4)] = \left[\lim\limits_{x \to 2} (3x + 1)\right]\left[\lim\limits_{x \to 2} (5x - 4)\right]$ (théorème 2.3d)

$= \left[\lim\limits_{x \to 2} (3x) + \lim\limits_{x \to 2} 1\right]\left[\lim\limits_{x \to 2} (5x) - \lim\limits_{x \to 2} 4\right]$

(théorèmes 2.3a et 2.3c)

$= \left[3\left(\lim\limits_{x \to 2} x\right) + 1\right]\left[5\left(\lim\limits_{x \to 2} x\right) - 4\right]$ (théorèmes 2.3b et 2.2a)

$= [3(2) + 1][5(2) - 4]$ (théorème 2.2b)

$= 42$

Autrement dit, la limite d'un produit est égale au produit des limites si chacune de ces limites existe.

d) $\lim\limits_{x \to -1} \dfrac{3x}{2x + 1}$

Vérification

Évaluons d'abord $\lim\limits_{x \to -1} (2x + 1)$, pour vérifier si cette limite est différente de 0.

Si elle est différente de 0, nous pourrons alors appliquer le théorème 2.3e).

$\lim\limits_{x \to -1} (2x + 1) = \lim\limits_{x \to -1} (2x) + \lim\limits_{x \to -1} 1$ (théorème 2.3a)

$= 2\left(\lim\limits_{x \to -1} x\right) + 1$ (théorèmes 2.3b et 2.2a)

$= 2(-1) + 1$ (théorème 2.2b)

$= -1$

Puisque la limite du dénominateur est différente de 0, appliquons le théorème 2.3e).

$\lim\limits_{x \to -1} \dfrac{3x}{2x + 1} = \dfrac{\lim\limits_{x \to -1} (3x)}{\lim\limits_{x \to -1} (2x + 1)}$ (théorème 2.3e)

$= \dfrac{3\left(\lim\limits_{x \to -1} x\right)}{-1}$ (théorème 2.3b, et $\lim\limits_{x \to -1} (2x + 1) = -1$)

$= \dfrac{3(-1)}{-1}$ (théorème 2.2b)

$= 3$

Autrement dit, la limite d'un quotient est égale au quotient des limites si chacune de ces limites existe et si la limite du dénominateur est différente de 0.

Dans le calcul de $\lim\limits_{x \to a} \dfrac{f(x)}{g(x)}$, où $\lim\limits_{x \to a} g(x) = 0$, il y a deux possibilités :

a) Lorsque $\lim\limits_{x \to a} f(x) = 0$, nous disons que la limite $\lim\limits_{x \to a} \dfrac{f(x)}{g(x)}$ est une indétermination de la forme $\dfrac{0}{0}$, par exemple $\lim\limits_{x \to 2} \dfrac{x^2 - 4}{x - 2}$. Nous étudierons ce cas à la section suivante.

b) Lorsque $\lim\limits_{x \to a} f(x) = k$ où $k \neq 0$, par exemple $\lim\limits_{x \to 2} \dfrac{x^2 + 4}{x - 2}$. Nous étudierons ce cas dans la section 6.4.

2

Nous pouvons généraliser les théorèmes 2.3a), 2.3c) et 2.3d) de la façon suivante :

THÉORÈME 2.4

Si $\lim\limits_{x \to a} f_i(x) = L_i$, où $L_i \in \mathbb{R}$, alors

a) $$\lim_{x \to a} [f_1(x) \pm f_2(x) \pm \ldots \pm f_n(x)] = \lim_{x \to a} f_1(x) \pm \lim_{x \to a} f_2(x) \pm \ldots \pm \lim_{x \to a} f_n(x) = L_1 \pm L_2 \pm \ldots \pm L_n$$

b) $$\lim_{x \to a} [f_1(x)\, f_2(x) \ldots f_n(x)] = \left[\lim_{x \to a} f_1(x)\right]\left[\lim_{x \to a} f_2(x)\right] \ldots \left[\lim_{x \to a} f_n(x)\right] = L_1 L_2 \ldots L_n$$

Exemple 3 Évaluons $\lim\limits_{x \to -2} x^3$.

$$\begin{aligned}
\lim_{x \to -2} x^3 &= \lim_{x \to -2} [x\,x\,x] \\
&= \left[\lim_{x \to -2} x\right]\left[\lim_{x \to -2} x\right]\left[\lim_{x \to -2} x\right] && \text{(théorème 2.4b)} \\
&= (-2)(-2)(-2) && \text{(théorème 2.2b)} \\
&= (-2)^3 \\
&= -8
\end{aligned}$$

THÉORÈME 2.5

a) $\lim\limits_{x \to a} x^n = a^n$, où $n \in \mathbb{N}$

b) Si $\lim\limits_{x \to a} f(x) = L$, où $L \in \mathbb{R}$, alors

$$\lim_{x \to a} [f(x)]^n = \left[\lim_{x \to a} f(x)\right]^n = L^n, \text{ où } n \in \mathbb{N}.$$

Exemple 4 Évaluons $\lim\limits_{x \to -1} (x^4 + 1)^7$.

$$\begin{aligned}
\lim_{x \to -1} (x^4 + 1)^7 &= \left[\lim_{x \to -1} (x^4 + 1)\right]^7 && \text{(théorème 2.5b)} \\
&= \left[\lim_{x \to -1} x^4 + \lim_{x \to -1} 1\right]^7 && \text{(théorème 2.3a)} \\
&= [(-1)^4 + 1]^7 && \text{(théorèmes 2.5a et 2.2a)} \\
&= [1 + 1]^7 \\
&= 128
\end{aligned}$$

THÉORÈME 2.6 Si $\lim\limits_{x \to a} f(x) = L$, où $L \in \mathbb{R}$, et si $[f(x)]^r$, où $r > 0$, est définie pour x voisin de a, alors

$$\lim_{x \to a} [f(x)]^r = \left[\lim_{x \to a} f(x)\right]^r = L^r.$$

2

$3 - 2x \geq 0$
$-2x \geq -3$
$x \leq \dfrac{3}{2}$

Exemple 5 Soit $f(x) = \sqrt{3 - 2x}$, où dom $f = \left]-\infty, \dfrac{3}{2}\right]$.

a) Évaluons, si c'est possible, $\lim\limits_{x \to -3} \sqrt{3 - 2x}$.

Puisque $-3 \in \left]-\infty, \dfrac{3}{2}\right[$, il existe des $x \in$ dom f tels que x est voisin de -3, à la gauche et à la droite de -3.

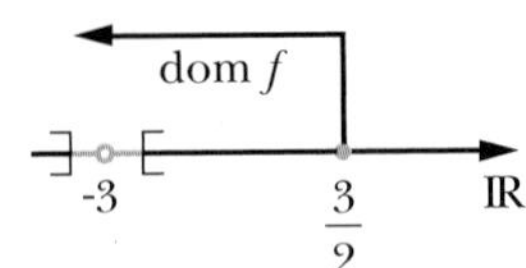

Ainsi, $\lim\limits_{x \to -3} \sqrt{3 - 2x} = \lim\limits_{x \to -3} (3 - 2x)^{\frac{1}{2}}$

$= \left(\lim\limits_{x \to -3} (3 - 2x)\right)^{\frac{1}{2}}$ (théorème 2.6)

$= \sqrt{\lim\limits_{x \to -3} (3 - 2x)}$

$= \sqrt{9}$ (théorèmes 2.3c, 2.3b, 2.2a et 2.2b)

$= 3$

b) Évaluons, si c'est possible, $\lim\limits_{x \to \frac{3}{2}} \sqrt{3 - 2x}$.

Puisque $\dfrac{3}{2} \notin \left]-\infty, \dfrac{3}{2}\right[$, il n'existe aucun x appartenant au dom f, où x est voisin de $\dfrac{3}{2}$ à la droite de $\dfrac{3}{2}$.

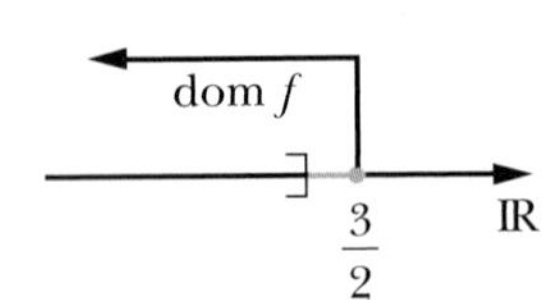

Ainsi, $\lim\limits_{x \to \frac{3}{2}^+} \sqrt{3 - 2x}$ n'existe pas.

D'où $\lim\limits_{x \to \frac{3}{2}} \sqrt{3 - 2x}$ n'existe pas.

Remarque Dans le cas particulier des radicaux, nous pouvons écrire :
$\lim\limits_{x \to a} \sqrt[n]{f(x)} = \sqrt[n]{\lim\limits_{x \to a} f(x)}$, si $\sqrt[n]{f(x)}$ est définie pour x voisin de a et $n \in \mathbb{N}$.

c) Évaluons $\lim\limits_{x \to 3} \sqrt[5]{x^2 - 17}$.

$\lim\limits_{x \to 3} \sqrt[5]{x^2 - 17} = \sqrt[5]{\lim\limits_{x \to 3} (x^2 - 17)}$ (remarque du théorème 2.6)

$= \sqrt[5]{-8}$ (théorèmes 2.3c, 2.5a et 2.2a)

THÉORÈME 2.7 Théorème « sandwich »

Soit trois fonctions telles que $g(x) \leqslant f(x) \leqslant h(x)$, lorsque $x \in \,]c, d[\,\setminus\{a\}$, où $c < a < d$.

Si $\lim\limits_{x \to a} g(x) = \lim\limits_{x \to a} h(x) = \text{L}$, où $\text{L} \in \mathbb{R}$, alors $\lim\limits_{x \to a} f(x) = \text{L}$.

Représentation graphique du théorème « sandwich »

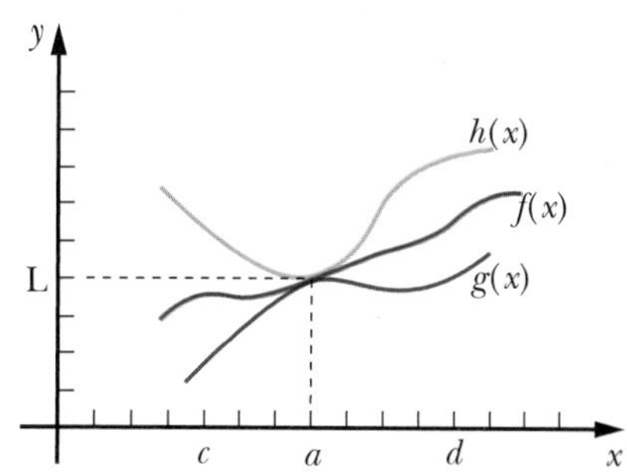

Exemple 6 Évaluons $\lim\limits_{x \to 0}\left[x^2 \sin\left(\dfrac{1}{x}\right)\right]$.

Puisque nous ne pouvons pas évaluer $\lim\limits_{x \to 0} \sin\left(\dfrac{1}{x}\right)$, le théorème 2.3d) ne s'applique pas.

Par contre, nous savons que :

$$-1 \leqslant \sin\left(\frac{1}{x}\right) \leqslant 1, \ \forall\, x \in \mathbb{R}\setminus\{0\}$$

Ainsi, $-x^2 \leqslant x^2 \sin\left(\dfrac{1}{x}\right) \leqslant x^2, \ \forall\, x \in \mathbb{R}\setminus\{0\}$

De plus, $\lim\limits_{x \to 0} (-x^2) = 0$ et $\lim\limits_{x \to 0} (x^2) = 0$, d'où $\lim\limits_{x \to 0}\left[x^2 \sin\left(\dfrac{1}{x}\right)\right] = 0$. (théorème 2.7)

Représentons graphiquement les fonctions suivantes :

$f(x) = x^2$, où $x \in [-0{,}2 ; 0{,}2]$

$g(x) = -x^2$, où $x \in [-0{,}2 ; 0{,}2]$ et

$h(x) = x^2 \sin\left(\dfrac{1}{x}\right)$, où $x \in [-0{,}2 ; 0{,}2]\setminus\{0\}$

OUTIL TECHNOLOGIQUE

```
>with(plots):
> f:=plot(x^2,x=-0.2..0.2,y=-0.04..0.04,
      color=orange):
> g:=plot(-x^2,x=-0.2..0.2,y=-0.04..0.04,
      color=green):
> h:=plot((x^2)*sin(1/x),x=-0.2..0.2,y=-0.04..0.04,
      color=blue):
> display(f,g,h);
```

Représentation graphique

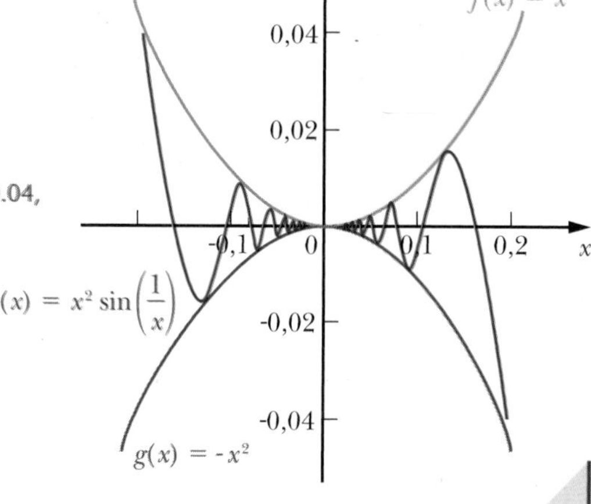

2

Exercices 2.1

1. Écrire les énoncés suivants sous la forme $\lim_{x \to ?} ?? = ???$

a) Plus les valeurs données à x sont voisines de -2 par la droite, plus les valeurs calculées pour $f(x)$ sont aussi près que nous le voulons de 10.

b) Plus les valeurs données à x sont voisines de 5 par la gauche, plus les valeurs calculées pour $f(x)$ sont aussi près que nous le voulons de -3.

c) Plus les valeurs données à x sont voisines de 5, plus les valeurs calculées pour $f(x)$ sont aussi près que nous le voulons de -9.

2. Traduire les expressions suivantes en énoncés littéraux.

a) $\lim_{x \to 3^+} f(x) = 0$

b) $\lim_{x \to \left(\frac{1}{2}\right)^-} h(x) = \frac{-4}{9}$

c) $\lim_{x \to -5} g(x) = 8$

3. Soit la fonction f, représentée par le graphique ci-dessous.

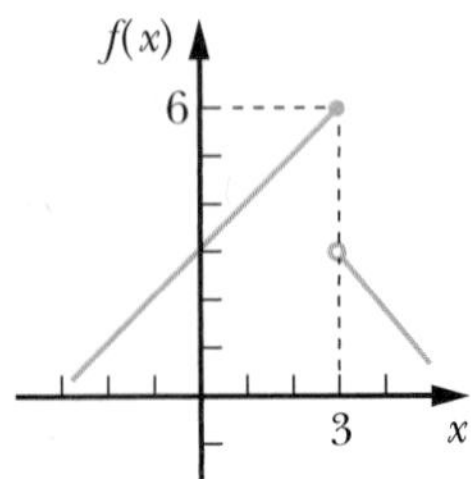

a) Compléter: Plus les valeurs données à x sont voisines de 3 par la gauche, plus les valeurs de f sont aussi près que nous le voulons de _______.

Ainsi, $\lim_{x \to \_} f(x)$ _______.

b) Compléter: $\lim_{x \to 3^+} f(x)$ _______.

c) Compléter: $\lim_{x \to 3} f(x)$ _______.

4. Soit $f(x) = 3x^2 - 2x + 1$.

a) Compléter les tableaux suivants.

x	1,5	1,9	1,99	1,999	... $\to 2^-$
$f(x)$					

x	2,5	2,1	2,01	2,001	... $\to 2^+$
$f(x)$					

b) Estimer $\lim_{x \to 2^-}(3x^2 - 2x + 1)$.

c) Estimer $\lim_{x \to 2^+}(3x^2 - 2x + 1)$.

d) Estimer $\lim_{x \to 2}(3x^2 - 2x + 1)$.

5. Soit $f(x) = \frac{x^2 - 4}{x + 2}$.

a) Déterminer le dom f.

b) Estimer $\lim_{x \to -2^-} \frac{x^2 - 4}{x + 2}$, en donnant au moins quatre valeurs appropriées à x.

c) Estimer $\lim_{x \to -2^+} \frac{x^2 - 4}{x + 2}$, en donnant au moins quatre valeurs appropriées à x.

d) Estimer $\lim_{x \to -2} \frac{x^2 - 4}{x + 2}$.

e) Représenter graphiquement cette fonction.

6. Soit $f(x) = x - [x]$ et $g(x) = \frac{x - 2}{|x - 2|}$.

a) Estimer $\lim_{x \to 2^-} f(x)$ à l'aide d'un tableau de valeurs (minimum quatre valeurs).

b) Estimer $\lim_{x \to 2^+} f(x)$ à l'aide d'un tableau de valeurs (minimum quatre valeurs).

c) Estimer, si c'est possible, $\lim_{x \to 2} f(x)$.

d) Estimer $\lim_{x \to 2^-} g(x)$ à l'aide d'un tableau de valeurs (minimum quatre valeurs).

e) Estimer $\lim_{x \to 2^+} g(x)$ à l'aide d'un tableau de valeurs (minimum quatre valeurs).

f) Estimer, si c'est possible, $\lim_{x \to 2} g(x)$.

7. Soit $f(x) = \frac{3 - x - 2x^2}{(x^2 + 3)(x - 1)}$.

a) Déterminer dom f.

b) Estimer $\lim_{x \to 1} f(x)$ à l'aide de tableaux de valeurs appropriées.

8. Soit $f(x) = (x + 0{,}01)^4$

a) Compléter les tableaux suivants.

x	0,1	0,01	0,001	$\ldots \to 0^+$
$f(x)$				

x	-0,1	-0,01	-0,001	$\ldots \to 0^-$
$f(x)$				

b) Estimer, si c'est possible, $\lim\limits_{x \to 0^+} (x + 0{,}01)^4$.

c) Estimer, si c'est possible, $\lim\limits_{x \to 0^-} (x + 0{,}01)^4$.

d) Évaluer, si c'est possible, $\lim\limits_{x \to 0} (x + 0{,}01)^4$ à l'aide des théorèmes.

9. Évaluer, si c'est possible, les limites suivantes en indiquant les théorèmes utilisés.

a) $\lim\limits_{x \to 2} \left(3x - \dfrac{x^7}{8}\right)$

b) $\lim\limits_{x \to -1} \dfrac{x}{(4 + x^3)^3}$

c) $\lim\limits_{x \to 2} x\sqrt{x^2 - 1}$

d) $\lim\limits_{x \to 2} \sqrt{4 - x^2}$

10. Soit $\lim\limits_{x \to a} f(x) = 9$, $\lim\limits_{x \to a} g(x) = -8$, $\lim\limits_{x \to a} h(x) = 0$, $f(a) = 3$ et $g(a) = 4$.

Évaluer, si c'est possible, les limites suivantes en indiquant les théorèmes utilisés.

a) $\lim\limits_{x \to a} [f(x) - g(x)]$

b) $\lim\limits_{x \to a} [2\, g(x)\, f(x) - 5\, h(x)]$

c) $\lim\limits_{x \to a} \dfrac{\sqrt[3]{g(x)}}{\sqrt{f(x)}}$

d) $\lim\limits_{x \to a} \dfrac{f(x) - f(a)}{g(x) - g(a)}$

11. Soit trois fonctions telles que $(x^2 - 6x + 13) \leq g(x) \leq (-x^2 + 6x - 5)$, $\forall\, x \in\,]0, 6[$.

a) Évaluer, si c'est possible, $\lim\limits_{x \to 3} g(x)$.

b) Évaluer, si c'est possible, $\lim\limits_{x \to 4} g(x)$.

c) Représenter graphiquement
$f(x) = x^2 - 6x + 13$ et
$h(x) = -x^2 + 6x - 5$
et donner une représentation possible de g.

2.2 Indétermination de la forme $\frac{0}{0}$

Objectif d'apprentissage

À la fin de cette section, l'élève pourra lever certaines indéterminations de la forme $\dfrac{0}{0}$.

Plus précisément, l'élève sera en mesure :

- de reconnaître une indétermination de la forme $\dfrac{0}{0}$;
- de lever certaines indéterminations de la forme $\dfrac{0}{0}$, à l'aide de tableaux de valeurs ;
- de lever certaines indéterminations de la forme $\dfrac{0}{0}$, de façon algébrique :
  - en factorisant des expressions ;
  - en développant des expressions ;
  - en effectuant des simplifications ;
  - en effectuant des divisions ;
  - en utilisant le conjugué.

$$\lim_{x \to 3} \frac{x^2 - 9}{\sqrt{x} - \sqrt{3}} = 12\sqrt{3}$$

Dominique Parent

Vous êtes-vous déjà demandé comment un indicateur de vitesse d'une automobile peut mesurer la vitesse à chaque instant? Pour mesurer une vitesse, il faut diviser l'espace parcouru par le temps pour le parcourir. Or, si le temps en question est « un instant », donc essentiellement zéro, l'espace parcouru sera aussi essentiellement zéro. C'est la difficulté que rencontrèrent les premiers mathématiciens qui se sont intéressés à cette question de la mesure à chaque instant de la vitesse d'un corps. C'est aussi pourquoi il est nécessaire de se pencher sur les indéterminations de la forme $\frac{0}{0}$.

2

??? Qu'arrive-t-il si l'on divise l'un par l'autre deux nombres qui sont très près de 0?

Exemple 1 Effectuons la division de deux nombres réels qui sont près de zéro.

a) $\dfrac{0{,}004}{0{,}000\,08} = 50$

b) $\dfrac{-0{,}000\,1}{0{,}000\,000\,04} = -2\,500$

c) $\dfrac{0{,}000\,08}{0{,}004} = 0{,}02$

d) $\dfrac{0{,}000\,000\,04}{-0{,}000\,1} = -0{,}000\,4$

Comme l'ordre de grandeur des résultats obtenus est différent, nous ne pouvons pas tirer une conclusion sur ce type de division.

Les propositions sur les limites de la section précédente nous révèlent que, pour évaluer $\lim\limits_{x \to a} f(x)$, il semble suffisant de remplacer x par a dans la fonction donnée.

Par contre, il existe plusieurs cas où cette méthode n'est pas appropriée: par exemple, lorsque dans un quotient, la limite du numérateur est égale à 0 et la limite du dénominateur est égale à 0.

Nous disons, dans ce cas, que nous avons une indétermination de la forme $\frac{0}{0}$.

Exemple 2 Les limites suivantes sont des indéterminations de la forme $\frac{0}{0}$.

a) $\lim\limits_{x \to 1} \dfrac{5x^2 - 5x}{x - 1}$ est une indétermination de la forme $\frac{0}{0}$,

car $\lim\limits_{x \to 1} (5x^2 - 5x) = 0$ et $\lim\limits_{x \to 1} (x - 1) = 0$.

b) $\lim\limits_{x \to 3} \dfrac{x^2 - 9}{\sqrt{x} - \sqrt{3}}$ est une indétermination de la forme $\frac{0}{0}$.

c) $\lim\limits_{h \to 0} \dfrac{(x + h)^2 - x^2}{h}$ est une indétermination de la forme $\frac{0}{0}$.

Estimation de limites indéterminées de la forme $\frac{0}{0}$, à l'aide de tableaux de valeurs

La construction de tableaux de valeurs, telle que nous l'avons vue dans la section précédente, nous permet fréquemment de lever des indéterminations de la forme $\frac{0}{0}$.

Exemple 1 $\lim\limits_{x\to 1}\dfrac{5x^2-5x}{x-1}$ est une indétermination de la forme $\dfrac{0}{0}$.

Construisons les deux tableaux suivants en donnant à x des valeurs voisines de 1, soit inférieurement dans le premier tableau et supérieurement dans le second tableau, et calculons $f(x)$ pour chacune des valeurs de x.

x	0,5	0,9	0,99	0,999	$\ldots \to 1^-$
$f(x)$	2,5	4,5	4,95	4,995	$\ldots \to 5$

Il semble donc que $\lim\limits_{x\to 1^-} f(x) = 5$.

x	1,5	1,1	1,01	1,001	$\ldots \to 1^+$
$f(x)$	7,5	5,5	5,05	5,005	$\ldots \to 5$

Il semble donc que $\lim\limits_{x\to 1^+} f(x) = 5$.

Puisque $\lim\limits_{x\to 1^-} f(x) = \lim\limits_{x\to 1^+} f(x) = 5$, alors $\lim\limits_{x\to 1}\dfrac{5x^2-5x}{x-1} = 5$. (théorème 2.1)

Nous avons donc levé l'indétermination de la forme $\dfrac{0}{0}$, à l'aide de tableaux de valeurs.

Il aurait cependant été préférable d'effectuer une simplification pour lever l'indétermination de l'exemple précédent.

Évaluation de limites indéterminées de la forme $\frac{0}{0}$, de façon algébrique

Exemple 1 Évaluons la limite de l'exemple 1 précédent à l'aide d'une simplification.

$$\begin{aligned}\lim_{x\to 1}\frac{5x^2-5x}{x-1} &= \lim_{x\to 1}\frac{5x(x-1)}{(x-1)} && \text{(mise en facteurs)}\\ &= \lim_{x\to 1}(5x) && \text{(en simplifiant, car } (x-1)\neq 0)\\ &= 5 && \text{(en évaluant la limite)}\end{aligned}$$

Exemple 2 $\lim\limits_{h\to 0}\dfrac{(x+h)^2-x^2}{h}$ est une indétermination de la forme $\dfrac{0}{0}$.

Levons cette indétermination, à l'aide d'une simplification.

$$\begin{aligned}\lim_{h\to 0}\frac{(x+h)^2-x^2}{h} &= \lim_{h\to 0}\frac{x^2+2xh+h^2-x^2}{h} && \text{(en calculant } (x+h)^2)\\ &= \lim_{h\to 0}\frac{2xh+h^2}{h} && \text{(en effectuant)}\end{aligned}$$

$$= \lim_{h \to 0} \frac{h(2x+h)}{h} \qquad \text{(mise en facteurs)}$$

$$= \lim_{h \to 0} (2x+h) \qquad \text{(en simplifiant, car } h \neq 0\text{)}$$

$$= 2x \qquad \text{(en évaluant la limite)}$$

2

Certains calculs de limite exigent de transformer la fonction initiale dont nous voulons évaluer la limite.

Exemple 3 $\lim_{x \to 2} \frac{\frac{1}{x} - \frac{1}{2}}{x-2}$ est une indétermination de la forme $\frac{0}{0}$.

Pour lever cette indétermination, il faut d'abord effectuer l'opération au numérateur.

$$\lim_{x \to 2} \frac{\frac{1}{x} - \frac{1}{2}}{x-2} = \lim_{x \to 2} \frac{\frac{2-x}{2x}}{x-2} \qquad \text{(en effectuant l'opération au numérateur)}$$

$$= \lim_{x \to 2} \frac{2-x}{2x(x-2)} \qquad \text{(en réduisant)}$$

$$= \lim_{x \to 2} \frac{-(x-2)}{2x(x-2)} \qquad \text{(car } 2 - x = -(x-2)\text{)}$$

$$= \lim_{x \to 2} \frac{-1}{2x} \qquad \text{(en simplifiant, car } (x-2) \neq 0\text{)}$$

$$= \frac{-1}{4} \qquad \text{(en évaluant la limite)}$$

Exemple 4 $\lim_{x \to -1} \frac{x^3 + x^2 + x + 1}{x^4 + x^3 + x^2 - x - 2}$ est une indétermination de la forme $\frac{0}{0}$.

Puisqu'en remplaçant x par -1, on obtient 0 au numérateur et 0 au dénominateur, alors $(x+1)$ est un facteur du numérateur et un facteur du dénominateur.

Levons cette indétermination en divisant le numérateur et le dénominateur par $(x+1)$.

$$\lim_{x \to -1} \frac{x^3 + x^2 + x + 1}{x^4 + x^3 + x^2 - x - 2} = \lim_{x \to -1} \frac{\frac{x^3 + x^2 + x + 1}{x+1}}{\frac{x^4 + x^3 + x^2 - x - 2}{x+1}} \qquad \text{(car } (x+1) \neq 0\text{)}$$

$$= \lim_{x \to -1} \frac{x^2 + 1}{x^3 + x - 2} \qquad \text{(en effectuant les divisions)}$$

$$= \frac{-1}{2} \qquad \text{(en évaluant la limite)}$$

Certains calculs de limite de fonctions contenant des radicaux exigent l'utilisation du conjugué.

Exemple 5 $\lim\limits_{x \to 3} \dfrac{x^2 - 9}{\sqrt{x} - \sqrt{3}}$ est une indétermination de la forme $\dfrac{0}{0}$.

Pour lever cette indétermination, nous pouvons utiliser le conjugué de l'expression $(\sqrt{x} - \sqrt{3})$.

Conjugué

$$\lim_{x \to 3} \frac{x^2 - 9}{\sqrt{x} - \sqrt{3}} = \lim_{x \to 3} \left[\left(\frac{x^2 - 9}{\sqrt{x} - \sqrt{3}}\right)\left(\frac{\sqrt{x} + \sqrt{3}}{\sqrt{x} + \sqrt{3}}\right)\right]$$

(en multipliant le numérateur et le dénominateur de l'expression initiale par le conjugué du dénominateur)

$$= \lim_{x \to 3} \left[\frac{(x^2 - 9)(\sqrt{x} + \sqrt{3})}{x - 3}\right] \quad \text{(en effectuant)}$$

$$= \lim_{x \to 3} \left[\frac{(x - 3)(x + 3)(\sqrt{x} + \sqrt{3})}{x - 3}\right] \quad \text{(en factorisant)}$$

$$= \lim_{x \to 3} \left[(x + 3)(\sqrt{x} + \sqrt{3})\right] \quad \text{(en simplifiant, car } (x - 3) \neq 0)$$

$$= 12\sqrt{3} \quad \text{(en évaluant la limite)}$$

Exemple 6 $\lim\limits_{x \to 5} \dfrac{\dfrac{1}{\sqrt{x}} - \dfrac{1}{\sqrt{5}}}{x - 5}$ est une indétermination de la forme $\dfrac{0}{0}$.

Levons cette indétermination.

$$\lim_{x \to 5} \frac{\dfrac{1}{\sqrt{x}} - \dfrac{1}{\sqrt{5}}}{x - 5} = \lim_{x \to 5} \frac{\dfrac{\sqrt{5} - \sqrt{x}}{\sqrt{x}\sqrt{5}}}{x - 5} \quad \text{(en effectuant l'opération au numérateur)}$$

$$= \lim_{x \to 5} \frac{\sqrt{5} - \sqrt{x}}{\sqrt{x}\sqrt{5}\,(x - 5)} \quad \text{(en réduisant)}$$

Conjugué

$$= \lim_{x \to 5} \left[\left(\frac{\sqrt{5} - \sqrt{x}}{\sqrt{x}\sqrt{5}\,(x - 5)}\right)\left(\frac{\sqrt{5} + \sqrt{x}}{\sqrt{5} + \sqrt{x}}\right)\right]$$

(en multipliant le numérateur et le dénominateur de l'expression initiale par le conjugué du numérateur)

$$= \lim_{x \to 5} \frac{5 - x}{\sqrt{x}\sqrt{5}(x - 5)(\sqrt{5} + \sqrt{x})} \quad \text{(en effectuant)}$$

$$= \lim_{x \to 5} \frac{-(x - 5)}{\sqrt{x}\sqrt{5}(x - 5)(\sqrt{5} + \sqrt{x})}$$

$$= \lim_{x \to 5} \frac{-1}{\sqrt{x}\sqrt{5}(\sqrt{5} + \sqrt{x})} \quad \text{(en simplifiant, car } (x - 5) \neq 0)$$

$$= \frac{-1}{10\sqrt{5}} \quad \text{(en évaluant la limite)}$$

De façon générale, pour les fonctions algébriques $f(x)$, lorsque $\lim\limits_{x \to a} f(x)$ est une indétermination de la forme $\frac{0}{0}$, nous pouvons lever cette indétermination en simplifiant le ou les facteurs de la forme $(x - a)$ ou $(a - x)$ qui annulent le numérateur et le dénominateur.

Ces simplifications peuvent être faites après avoir effectué une ou plusieurs des opérations suivantes:

1) factorisation;
2) division de polynômes;
3) mise au dénominateur commun;
4) multiplication par le conjugué.

Nous tenons à souligner qu'il existe d'autres formes d'indétermination et d'autres méthodes pour lever des indéterminations. Certains de ces éléments seront étudiés dans des chapitres ultérieurs ainsi que dans un deuxième cours de calcul.

Exercices 2.2

1. Déterminer, parmi les limites suivantes, celles qui sont une indétermination de la forme $\frac{0}{0}$.

a) $\lim\limits_{x \to 2} \dfrac{(x-2)(x^3-8)}{x}$

b) $\lim\limits_{x \to 0} \dfrac{(x-2)(x^3-8)}{x}$

c) $\lim\limits_{t \to 2} \dfrac{t-2}{t^3-8}$

d) $\lim\limits_{x \to 5} \dfrac{\sqrt{3x}-\sqrt{15}}{x^2-25}$

e) $\lim\limits_{x \to 3} \dfrac{3^x-27}{x^3-27}$

f) $\lim\limits_{h \to 0} \dfrac{(x+h)^3+x^3}{h}$

2. Estimer les limites suivantes à l'aide de tableaux de valeurs.

a) $\lim\limits_{x \to 8} \dfrac{\sqrt[3]{x}-2}{x-8}$

b) $\lim\limits_{x \to 0} \dfrac{\sin x}{x}$, où x est en radians.

3. Évaluer les limites suivantes de façon algébrique.

a) $\lim\limits_{x \to 0} \dfrac{x^2+3x}{5x}$

b) $\lim\limits_{u \to -5} \dfrac{u+5}{u^2-25}$

c) $\lim\limits_{x \to 9} \dfrac{3-\sqrt{x}}{x-9}$

d) $\lim\limits_{t \to -1} \dfrac{t^2-3t-4}{t^3-1}$

e) $\lim\limits_{x \to 1} \dfrac{x^5-x}{x-1}$

f) $\lim\limits_{x \to 0} \dfrac{3x}{4-(2-x)^2}$

g) $\lim\limits_{x \to 1} \dfrac{x^2-1}{\frac{1}{x}-1}$

h) $\lim\limits_{x \to 2} \dfrac{x^3-8}{x^2-4}$

i) $\lim\limits_{h \to 0} \dfrac{\dfrac{1}{\sqrt{x+h}}-\dfrac{1}{\sqrt{x}}}{h}$

j) $\lim\limits_{x \to 2} \dfrac{x^5-2x^4+x^2-x-2}{-x^3-2x^2+10x-4}$

4. Évaluer les limites suivantes.

a) $\lim\limits_{x \to 1} \dfrac{\sqrt[4]{x}-\dfrac{1}{\sqrt[4]{x}}}{3-2x-x^2}$

b) $\lim\limits_{t \to 9} \dfrac{3t^{\frac{-3}{2}}-\dfrac{\sqrt{t}}{27}}{t^{\frac{1}{2}}-3}$

c) $\lim\limits_{x \to 2} \dfrac{\sqrt{11-x}-3}{2-\sqrt{x+2}}$

d) $\lim\limits_{h \to 0} \dfrac{5(x+h)^2-7(x+h)-5x^2+7x}{h}$

e) $\lim\limits_{\Delta x \to 0} \dfrac{(x+\Delta x)^{\frac{1}{2}}-x^{\frac{1}{2}}}{\Delta x}$

2.3 Continuité

Objectif d'apprentissage

À la fin de cette section, l'élève pourra déterminer si une fonction est continue en un point et sur un intervalle donné.

Plus précisément, l'élève sera en mesure :

- de calculer des limites à gauche et des limites à droite, algébriquement ;
- d'évaluer des limites à gauche et des limites à droite, graphiquement ;
- d'énoncer un théorème sur l'existence de la limite en un point ;
- d'utiliser le théorème précédent pour déterminer si une limite existe ;
- de donner une définition intuitive de continuité ;
- de déterminer les points de discontinuité d'une fonction, à l'aide de son graphique ;
- de donner la définition formelle de continuité en un point ;
- de repérer les valeurs où f est susceptible d'être discontinue ;
- d'utiliser la définition formelle de continuité en un point pour déterminer si une fonction est continue en un point ;
- de donner la définition de fonction continue sur un intervalle ;
- de déterminer si une fonction est continue sur un intervalle donné ;
- d'énoncer le théorème de la valeur intermédiaire ;
- d'appliquer le théorème de la valeur intermédiaire ;
- d'énoncer le corollaire du théorème de la valeur intermédiaire ;
- d'appliquer le corollaire du théorème de la valeur intermédiaire.

Avant d'aborder la notion de continuité, étudions d'une façon plus approfondie la notion de limite à gauche et de limite à droite.

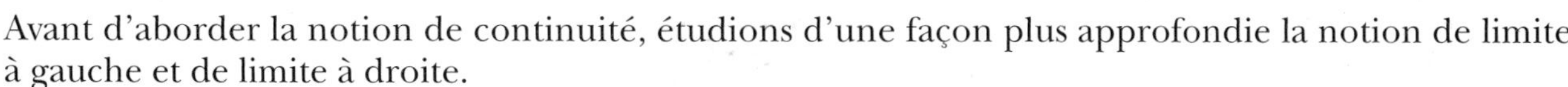

Limite à gauche et limite à droite

Dans cette section, nous évaluerons des limites à gauche et des limites à droite de fonctions définies par parties.

Exemple 1 Soit $f(x) = \begin{cases} x - 3 & \text{si} \quad x < 5 \\ 1 & \text{si} \quad x = 5 \\ 9 - x & \text{si} \quad x > 5 \end{cases}$

dont la représentation graphique est ci-contre.

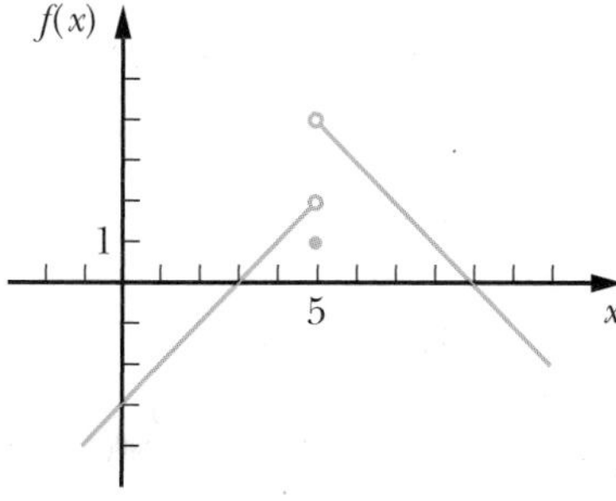

Étudions les valeurs obtenues pour $f(x)$ lorsque $x = 5$ et lorsque x est voisin de 5.

Pour $x = 5$, nous avons $f(5) = 1$.

Remarque Le fait que $f(5) = 1$ n'a aucune importance dans l'évaluation de f lorsque x est voisin de 5. En effet, $x \to 5$ signifie que x est voisin de 5, mais que $x \neq 5$.

Dans le cas où $x < 5$ et $x \to 5$, nous avons

$$\left.\begin{aligned}\lim_{x \to 5^-} f(x) &= \lim_{x \to 5^-} (x - 3) && (\text{car } f(x) = x - 3 \text{ si } x < 5) \\ &= 2 && (\text{en évaluant la limite})\end{aligned}\right\}$$ Cette limite s'appelle limite à gauche.

Pour $x > 5$ et $x \to 5$, nous avons

$$\left.\begin{aligned}\lim_{x \to 5^+} f(x) &= \lim_{x \to 5^+} (9 - x) && (\text{car } f(x) = 9 - x \text{ si } x > 5) \\ &= 4 && (\text{en évaluant la limite})\end{aligned}\right\}$$ Cette limite s'appelle limite à droite.

Puisque $\lim\limits_{x \to 5^-} f(x) \neq \lim\limits_{x \to 5^+} f(x)$, alors $\lim\limits_{x \to 5} f(x)$ n'existe pas. (théorème 2.1)

Exemple 2 Soit $f(x) = \begin{cases} x & \text{si } x < 2 \\ 5 & \text{si } x = 2 \\ x^2 - 2 & \text{si } x > 2. \end{cases}$

Représentation graphique

Évaluons, si c'est possible, $\lim\limits_{x \to 2} f(x)$.

$$\begin{aligned}\lim_{x \to 2^-} f(x) &= \lim_{x \to 2^-} x && (\text{car } f(x) = x \text{ si } x < 2) \\ &= 2 && (\text{en évaluant la limite}) \\ \lim_{x \to 2^+} f(x) &= \lim_{x \to 2^+} (x^2 - 2) && (\text{car } f(x) = x^2 - 2 \text{ si } x > 2) \\ &= 2 && (\text{en évaluant la limite})\end{aligned}$$

Puisque $\lim\limits_{x \to 2^-} f(x) = \lim\limits_{x \to 2^+} f(x) = 2$, alors $\lim\limits_{x \to 2} f(x) = 2$. (théorème 2.1)

Nous pouvons également évaluer la limite d'une fonction définie à partir d'un graphique.

Exemple 3 Soit f, la fonction définie par le graphique ci-dessous.

Évaluons, si c'est possible, $\lim\limits_{x \to 5} f(x)$ ainsi que $\lim\limits_{x \to 15} f(x)$.

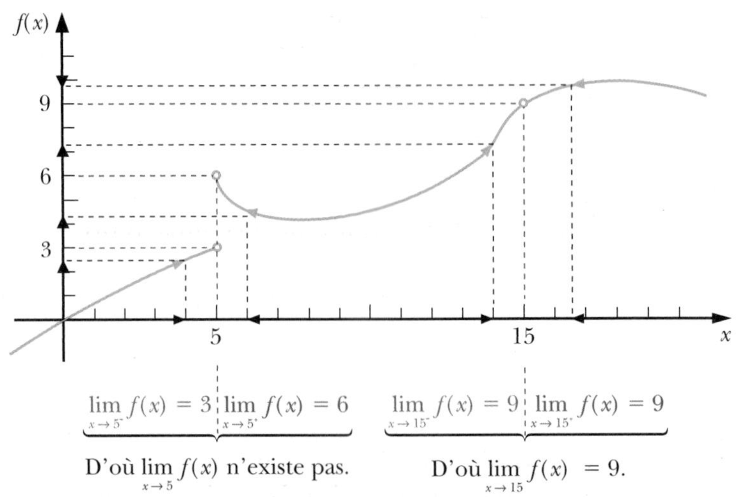

Exemple 4 Soit f, la fonction définie par le graphique suivant.

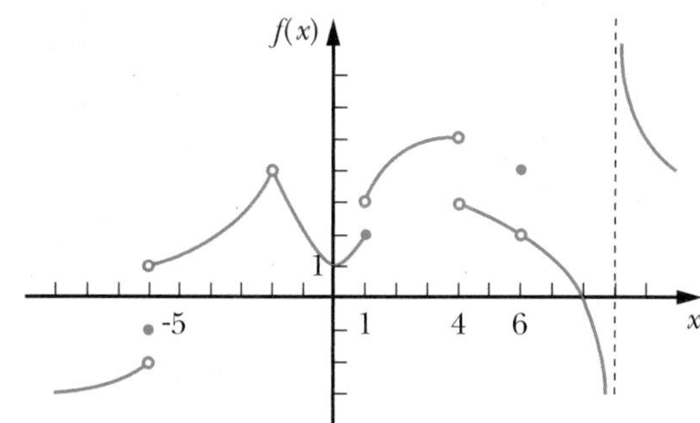

Évaluons, si c'est possible, les expressions suivantes.

a) $f(-6) = -1$

b) $f(-2)$ non définie

c) $f(0) = 1$

d) $f(1) = 2$

e) $f(4)$ non définie

f) $f(6) = 4$

g) $f(8) = 0$

h) $\lim\limits_{x \to -6^-} f(x) = -2$

i) $\lim\limits_{x \to -6^+} f(x) = 1$

j) $\lim\limits_{x \to -6} f(x)$ n'existe pas

k) $\lim\limits_{x \to -2^-} f(x) = 4$

l) $\lim\limits_{x \to -2^+} f(x) = 4$

m) $\lim\limits_{x \to -2} f(x) = 4$

n) $\lim\limits_{x \to 1} f(x)$ n'existe pas

o) $\lim\limits_{x \to 4} f(x)$ n'existe pas

p) $\lim\limits_{x \to 6} f(x) = 2$

q) $\lim\limits_{x \to 8} f(x) = 0$

r) $\lim\limits_{x \to 9} f(x)$ n'existe pas

Présentation intuitive de la notion de continuité

Avant de définir formellement la continuité d'une fonction en un point, nous allons présenter la continuité de façon intuitive.

> Une fonction est dite continue lorsque la courbe qui la représente n'a pas de coupure, c'est-à-dire lorsque nous pouvons la tracer sans lever le crayon.
>
> En particulier, elle est continue en un point si nous pouvons tracer la courbe de la gauche du point à la droite du point sans lever le crayon.

Exemple 1 Le graphique ci-contre représente une fonction continue $\forall\ x \in \mathbb{R}$.

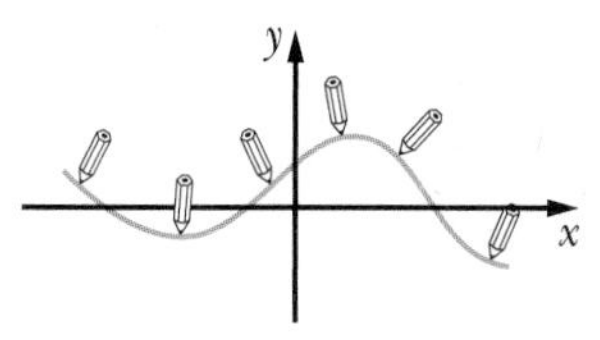

Voici différents graphiques de fonctions non continues en un point, également appelées fonctions discontinues en un point. Nous indiquons la raison pour laquelle ces fonctions sont discontinues.

Exemple 2 Chacune des fonctions suivantes est discontinue en $x = 3$, car:

a) 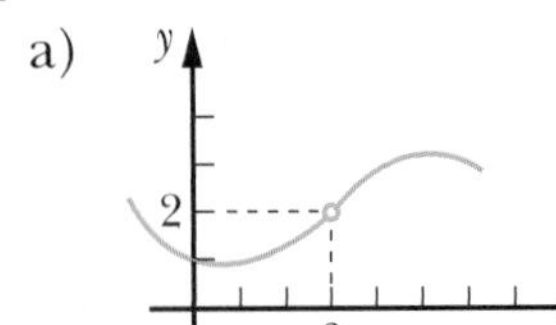

$f(3)$ est non définie,

c'est-à-dire $3 \notin \text{dom } f$.

b) 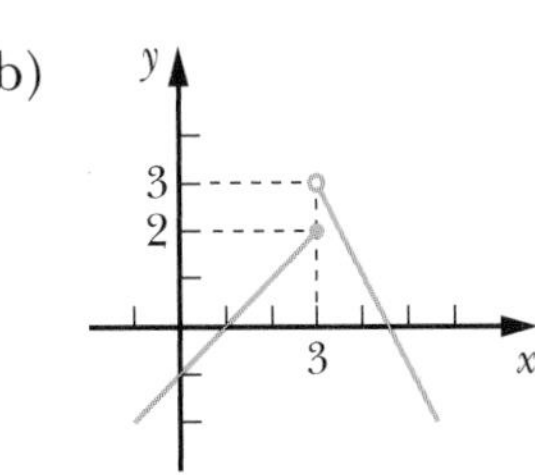

$3 \in \text{dom } f$ et $f(3) = 2$

$$\left.\begin{array}{l}\lim\limits_{x \to 3^-} f(x) = 2 \\ \lim\limits_{x \to 3^+} f(x) = 3\end{array}\right\}, \text{ donc } \lim_{x \to 3} f(x) \text{ n'existe pas.}$$

c) 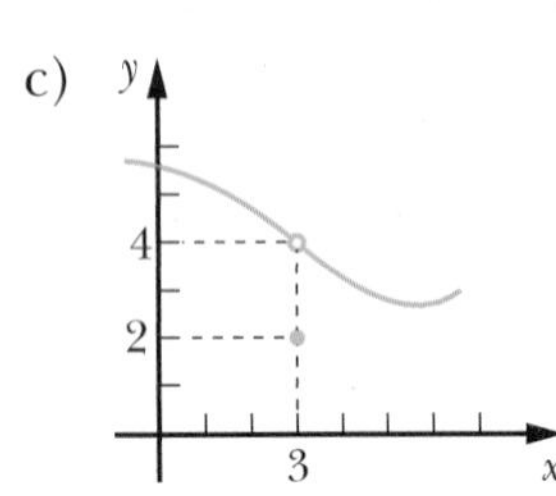

$3 \in \text{dom } f$ et $f(3) = 2$

$$\left.\begin{array}{l}\lim\limits_{x \to 3^-} f(x) = 4 \\ \lim\limits_{x \to 3^+} f(x) = 4\end{array}\right\}, \text{ donc } \lim_{x \to 3} f(x) = 4$$

cependant, $\lim\limits_{x \to 3} f(x) \neq f(3)$.

Remarque On constate qu'une fonction est continue en $x = 3$ lorsque

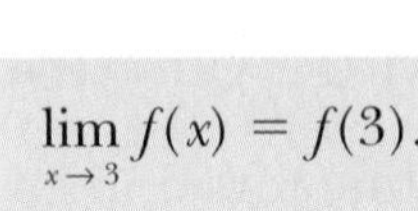

$$\lim_{x \to 3} f(x) = f(3).$$

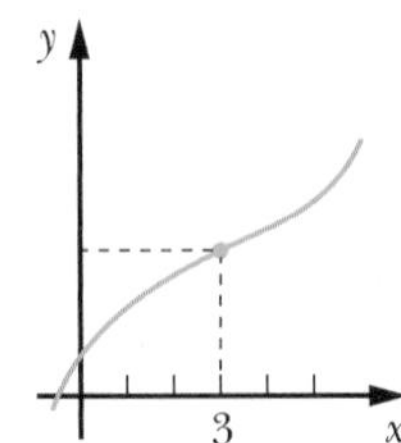

Continuité d'une fonction en un point

La continuité d'une fonction en un point se définit de la façon suivante.

Définition 2.2

f est **continue en $x = a$** si et seulement si

1) $f(a)$ est définie, c'est-à-dire $a \in \text{dom } f$;
2) $\lim\limits_{x \to a} f(x)$ existe;
3) $\lim\limits_{x \to a} f(x) = f(a)$.

Remarque Une fonction est discontinue en $x = a$ si au moins une des trois conditions précédentes n'est pas satisfaite.

Exemple 1 Utilisons le graphique ci-contre pour déterminer si la fonction est continue aux valeurs de x données.

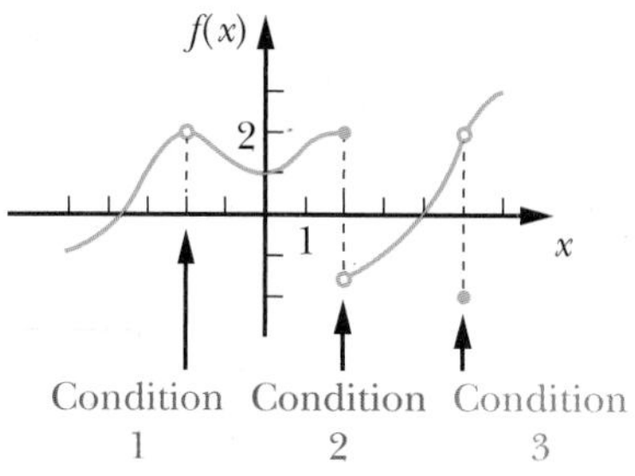

a) En $x = -2$

1) $f(-2)$ est non définie.

La condition 1 n'est pas satisfaite.

D'où f est discontinue en $x = -2$.

b) En $x = 0$

1) $f(0) = 1$

2) $\left.\begin{array}{l}\lim\limits_{x \to 0^-} f(x) = 1 \\ \lim\limits_{x \to 0^+} f(x) = 1\end{array}\right\}$, donc $\lim\limits_{x \to 0} f(x) = 1$

3) $\lim\limits_{x \to 0} f(x) = f(0)$, car $\lim\limits_{x \to 0} f(x) = 1$ et $f(0) = 1$

Les trois conditions sont satisfaites.

D'où f est continue en $x = 0$.

c) En $x = 2$

1) $f(2) = 2$

2) $\left.\begin{array}{l}\lim\limits_{x \to 2^-} f(x) = 2 \\ \lim\limits_{x \to 2^+} f(x) = -1{,}5\end{array}\right\}$, donc $\lim\limits_{x \to 2} f(x)$ n'existe pas.

La condition 2 n'est pas satisfaite.

D'où f est discontinue en $x = 2$.

d) En $x = 5$

1) $f(5) = -2$

2) $\lim\limits_{x \to 5} f(x) = 2$

3) $\lim\limits_{x \to 5} f(x) \neq f(5)$, car $\lim\limits_{x \to 5} f(x) = 2$ et $f(5) = -2$.

La condition 3 n'est pas satisfaite.

D'où f est discontinue en $x = 5$.

Exemple 2 Soit $f(x) = \dfrac{3}{x - 1}$ si $x \neq 4$.

Trouvons les valeurs de x susceptibles de causer des discontinuités.

i) $f(4)$ est non définie, car $4 \notin \text{dom } f$.
D'où f est discontinue en $x = 4$. (condition 1 non satisfaite)

ii) $f(1)$ est non définie, car le dénominateur prendrait la valeur 0 en remplaçant x par 1. D'où f est discontinue en $x = 1$.
(condition 1 non satisfaite)

2

Exemple 3 Soit $f(x) = \begin{cases} 2x & \text{si} \quad x < 1 \\ 3 & \text{si} \quad x = 1 \\ x^2 + 1 & \text{si} \quad 1 < x < 2 \\ 5 & \text{si} \quad x = 2 \\ 7 - x & \text{si} \quad x > 2. \end{cases}$

Vérifions si f est continue aux valeurs de x données et représentons graphiquement cette fonction.

a) En $x = 1$

1re condition : $f(1) = 3$

2e condition : il faut calculer la limite à gauche et la limite à droite pour déterminer si la limite existe.

$$\left.\begin{aligned} \lim_{x \to 1^-} f(x) &= \lim_{x \to 1^-} (2x) = 2 \\ \lim_{x \to 1^+} f(x) &= \lim_{x \to 1^+} (x^2 + 1) = 2 \end{aligned}\right\}, \text{ donc } \lim_{x \to 1} f(x) = 2$$

3e condition : $\lim\limits_{x \to 1} f(x) \neq f(1)$,

car $\lim\limits_{x \to 1} f(x) = 2$ et $f(1) = 3$

La troisième condition n'est pas satisfaite.

D'où f est discontinue en $x = 1$.

Représentation graphique

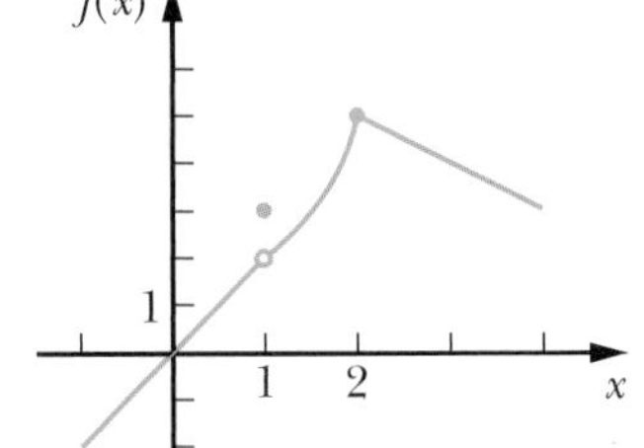

b) En $x = 2$

1re condition : $f(2) = 5$

2e condition :

$$\left.\begin{aligned} \lim_{x \to 2^-} f(x) &= \lim_{x \to 2^-} (x^2 + 1) = 5 \\ \lim_{x \to 2^+} f(x) &= \lim_{x \to 2^+} (7 - x) = 5 \end{aligned}\right\}, \text{ donc } \lim_{x \to 2} f(x) = 5$$

3e condition : $\lim\limits_{x \to 2} f(x) = f(2)$, car $\lim\limits_{x \to 2} f(x) = 5$ et $f(2) = 5$

Les trois conditions sont satisfaites.

D'où f est continue en $x = 2$.

Continuité d'une fonction sur un intervalle

La continuité d'une fonction sur un intervalle se définit de la façon suivante.

Définition 2.3

Une fonction f est :

1) **continue sur]a, b[** si elle est continue $\forall\, x \in\,]a, b[$.

2) **continue sur [a, b]** si $\begin{cases} 1) \ f \text{ est continue sur }]a, b[\,; \\ 2) \ \lim\limits_{x \to a^+} f(x) = f(a)\,; \\ 3) \ \lim\limits_{x \to b^-} f(x) = f(b). \end{cases}$

3) **continue sur]a, b]** si $\begin{cases} 1) \ f \text{ est continue sur }]a, b[\,; \\ 2) \ \lim\limits_{x \to b^-} f(x) = f(b). \end{cases}$

4) **continue sur [a, b[** si $\begin{cases} 1) \ f \text{ est continue sur }]a, b[\,; \\ 2) \ \lim\limits_{x \to a^+} f(x) = f(a). \end{cases}$

De plus, la continuité d'une fonction où au moins une des extrémités de l'intervalle est l'infini se définit de la façon suivante.

Définition 2.4

Une fonction f est:

1) **continue sur $\mathbb{R}$** si elle est continue $\forall\, x \in \mathbb{R}$.

2) **continue sur $-\infty$, b[** si elle est continue $\forall\, x \in -\infty, b[$.

3) **continue sur $-\infty$, b]** si $\begin{cases} 1)\ f \text{ est continue sur } -\infty, b[\,; \\ 2)\ \lim\limits_{x \to b^-} f(x) = f(b). \end{cases}$

4) **continue sur]a, $+\infty$** si elle est continue $\forall\, x \in\,]a, +\infty$.

5) **continue sur [a, $+\infty$** si $\begin{cases} 1)\ f \text{ est continue sur }]a, +\infty \\ 2)\ \lim\limits_{x \to a^+} f(x) = f(a). \end{cases}$

Exemple 1 Utilisons le graphique ci-contre pour déterminer si la fonction est continue sur les intervalles donnés.

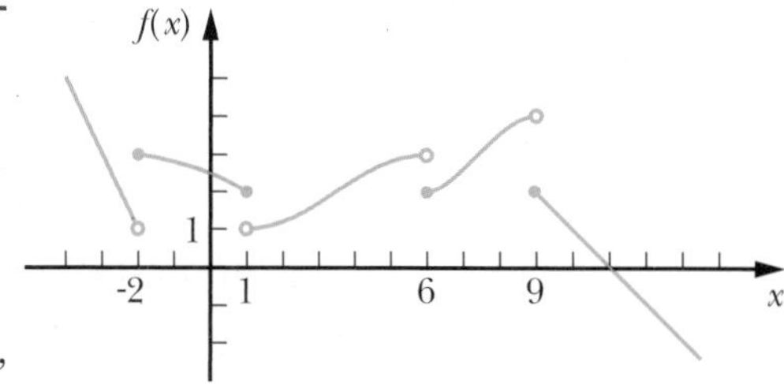

a) Sur]1, 6[

Puisque f est continue $\forall\, x \in\,]1, 6[$, f est continue sur]1, 6[.

b) Sur [-2, 1]

1) f est continue sur]-2, 1[;

2) $\lim\limits_{x \to -2^+} f(x) = f(-2) = 3$;

3) $\lim\limits_{x \to 1^-} f(x) = f(1) = 2$.

D'où f est continue sur [-2, 1].

c) Sur [6, 9]

1) f est continue sur]6, 9[;

2) $\lim\limits_{x \to 6^+} f(x) = f(6) = 2$;

3) $\lim\limits_{x \to 9^-} f(x) = 4$ et $f(9) = 2$.

Ainsi, $\lim\limits_{x \to 9^-} f(x) \neq f(9)$

D'où f est discontinue sur [6, 9]. Cependant, f est continue sur [6, 9[.

d) Sur]9, $+\infty$

Puisque f est continue $\forall\, x \in\,]9, +\infty$, f est continue sur]9, $+\infty$.

De plus, l'élève peut vérifier que f est continue sur [9, $+\infty$.

e) Sur [-2, 2]

Puisque f est discontinue en $x = 1$, où $1 \in\,]-2, 2[$, f est discontinue sur [-2, 2].

f) Sur $-\infty$, -2[

Puisque f est continue $\forall\, x \in -\infty, -2[$, f est continue sur $-\infty$, -2[.

De façon générale,

- les fonctions polynomiales sont continues sur $\mathbb{R}$;
- les fonctions rationnelles $\dfrac{f(x)}{g(x)}$ sont continues pour tout x où $g(x) \neq 0$.

2

Exemple 2 Soit $g(x) = \dfrac{3x^2 + 1}{x^2 - 1}$. Vérifions si g est continue:

a) sur $[-4, -1]$

Puisque $g(-1)$ est non définie et que $-1 \in [-4, -1]$, g est discontinue sur $[-4, -1]$;

b) sur $]1, +\infty$

g est continue sur $]1, +\infty$, car elle est continue $\forall\, x \in\,]1, +\infty$.

Théorème de la valeur intermédiaire

Énonçons maintenant un théorème relatif aux fonctions continues. Nous ne démontrerons pas ce théorème, car la démonstration dépasse le niveau du cours. Toutefois, une justification graphique et intuitive de ce théorème devrait nous convaincre de sa validité.

Il y a environ 200 ans...

© Bettmann/CORBIS

Carl Friedrich Gauss 1777-1855

Le théorème suivant semble évident. Pourtant, une preuve rigoureuse n'a été donnée qu'après qu'on eut défini précisément le sens de fonction continue. Il est intéressant aussi de remarquer que ce théorème est à la base des quatre démonstrations du théorème fondamental de l'algèbre, proposées par le grand mathématicien **Carl Friedrich Gauss** (1777-1855) entre 1799 et 1848. Ce théorème dit que tout polynôme de degré n a précisément n racines (réelles ou complexes). Énoncé pour la première fois par Albert Girard (1595-1632) en 1629, ce théorème a été démontré plus de 150 ans plus tard.

Théorème 2.8 Théorème de la valeur intermédiaire

Si f est une fonction telle que:

1) f est continue sur $[a, b]$;

2) $f(a) < \mathrm{L} < f(b)$ (ou $f(a) > \mathrm{L} > f(b)$),

alors il existe au moins un nombre $c \in\,]a, b[$ tel que $f(c) = \mathrm{L}$.

Interprétation géométrique du théorème de la valeur intermédiaire

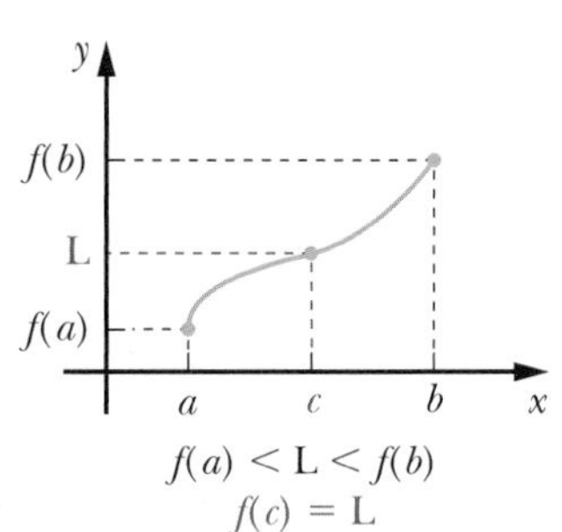

$f(a) < L < f(b)$
$f(c) = L$

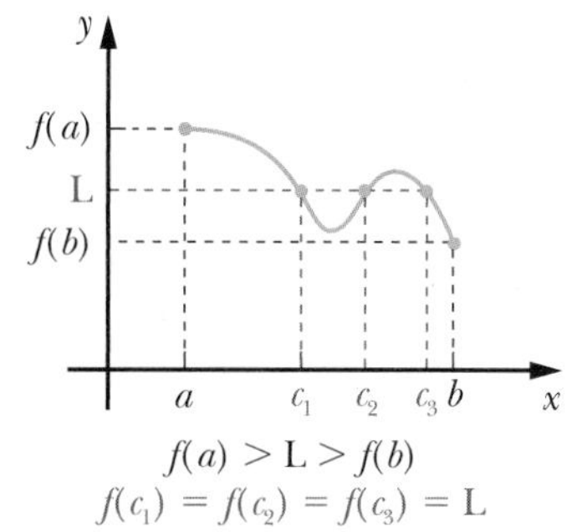

$f(a) > L > f(b)$
$f(c_1) = f(c_2) = f(c_3) = L$

Exemple 1 Soit $f(x) = 2x^2 - 12x + 19$ sur $[2, 6]$.

1) Puisque f est une fonction polynomiale, f est continue sur $[2, 6]$.

2) Puisque $f(2) = 3$ et que $f(6) = 19$, alors $\forall\, L \in\,]3, 19[$, il existe au moins un $c \in\,]2, 6[$ tel que $f(c) = L$.

a) Pour $L_1 = 12$, déterminons $c_1 \in\,]2, 6[$ tel que $f(c_1) = 12$.

$$2x^2 - 12x + 19 = 12$$
$$2x^2 - 12x + 7 = 0$$

Ainsi,

$$x_1 = \frac{6 + \sqrt{22}}{2} = 5{,}34\ldots \text{ et}$$
$$x_2 = \frac{6 - \sqrt{22}}{2} = 0{,}65\ldots$$

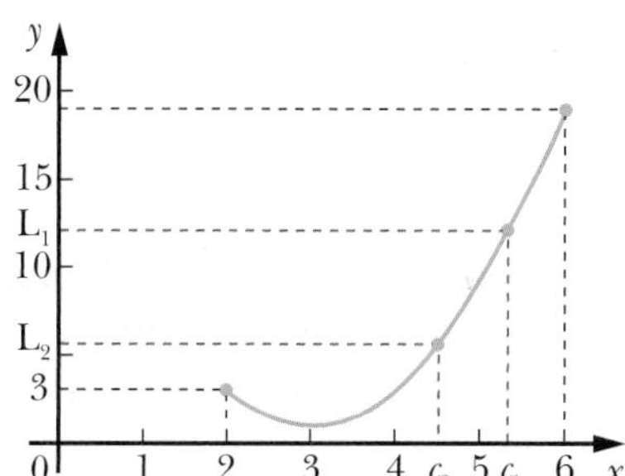

Puisque $x_1 \in\,]2, 6[$ et que $x_2 \notin\,]2, 6[$, nous avons $c_1 = \dfrac{6 + \sqrt{22}}{2}$.

b) Pour $L_2 = 5{,}5$, déterminons $c_2 \in\,]2, 6[$ tel que $f(c_2) = 5{,}5$.

$$2x^2 - 12x + 19 = 5{,}5$$
$$2x^2 - 12x + 13{,}5 = 0$$

Ainsi, $x_1 = \dfrac{12 + \sqrt{36}}{4} = 4{,}5$ et $x_2 = \dfrac{12 - \sqrt{36}}{4} = 1{,}5$

Puisque $x_1 \in\,]2, 6[$ et que $x_2 \notin\,]2, 6[$, nous avons $c_2 = 4{,}5$.

COROLLAIRE DU THÉORÈME DE LA VALEUR INTERMÉDIAIRE

Si f est une fonction telle que:

1) f est continue sur $[a, b]$;

2) $f(a)$ et $f(b)$ sont de signes contraires,

alors il existe au moins un nombre $c \in\,]a, b[$ tel que $f(c) = 0$.

Interprétation géométrique du corollaire du théorème de la valeur intermédiaire

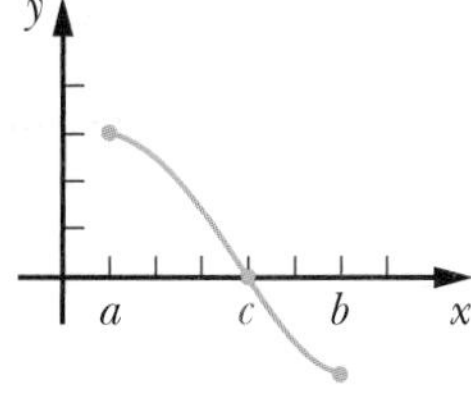

$f(a) > 0$ et $f(b) < 0$
$f(c) = 0$

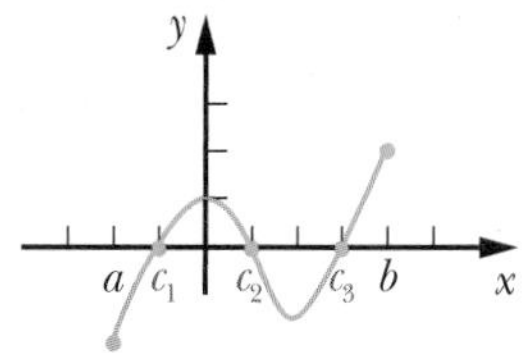

$f(a) < 0$ et $f(b) > 0$
$f(c_1) = f(c_2) = f(c_3) = 0$

OUTIL TECHNOLOGIQUE

Exemple 2 Soit $f(x) = -x^5 + 25x^2 + 4x + 130$, où $x \in [0, 4]$.

Déterminons, si c'est possible, la valeur c du corollaire précédent après avoir vérifié les hypothèses.

1) Puisque f est une fonction polynomiale, f est continue sur $[0, 4]$.

2) $f(0) = 130$ et $f(4) = -478$; donc $f(0)$ et $f(4)$ sont des signes contraires.

D'où il existe au moins un $c \in\ ]0, 4[$ tel que $f(c) = 0$.

MAPLE

1) Représentons graphiquement $f(x)$ sur $[0, 4]$

```
>f:=x->-x^5+25*x^2+4*x+130;
          f: = x → x^5 + 25x^2 + 4x + 130
>plot(f(x), x=0..4, color=orange);
```

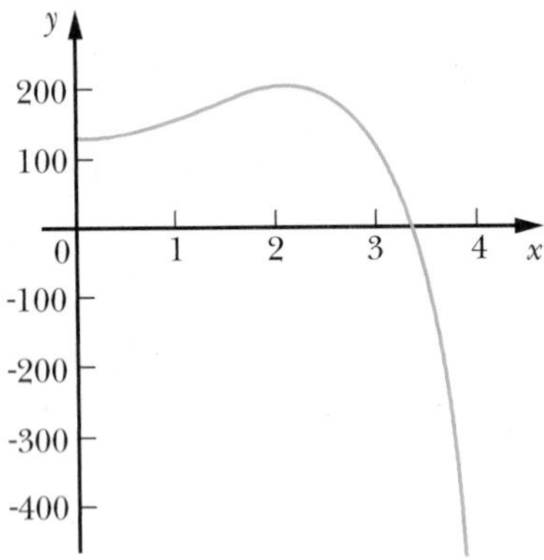

2) Déterminons approximativement la valeur de c telle que $f(c) = 0$.

```
>evalf(solve(f(x)=0));
          3.354455103,
          0.2490092185 + 2.091748767 I,
          -1.926236770 + 2.241241910 I,
          -1.926236770 − 2.241241910 I,
          0.2490092185 − 2.091748767 I
```

Nous trouvons $c = 3{,}354\ 455...$

```
>f(3.354455);
          0.0000475,
```

ce qui est très près de 0.

TI-83 PLUS

1) Écrivons la fonction.

```
Plot 1   Plot 2   Plot 3
\Y1 = -x^5 + 25x^2 + 4x + 130
 ⋮
\Y6 =
```

2) Window (essais-erreurs)

```
Xmin = 0
Xmax = 4
Xscl = 1
Ymin = -400
Ymax = 300
Yscl = 1
Xres = 1
```

3) Trouvons la touche « zéro ».

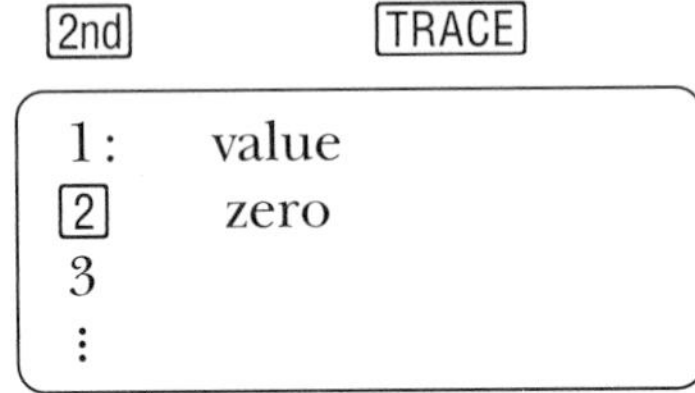

4) Déterminons le zéro.

À l'aide des touches ◄, ► et ENTER,

nous trouvons

zero

X = 3.3544551   Y = 0

Exercices 2.3

1. À l'aide du graphique ci-dessous, évaluer la limite à gauche et la limite à droite de f aux valeurs données, et déterminer si la limite existe en ces valeurs.

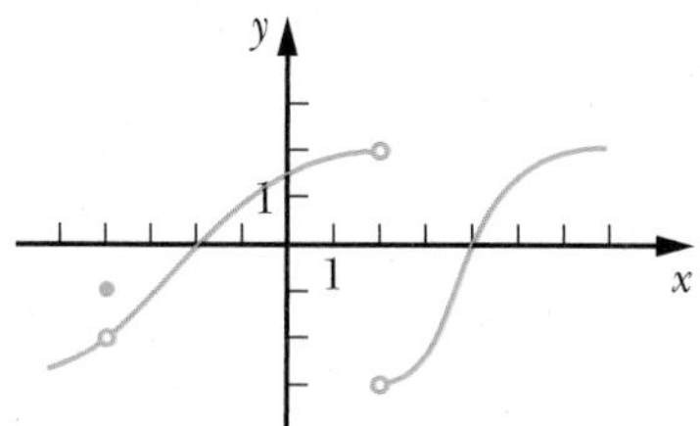

a) En $x = -4$

b) En $x = 2$

c) En $x = 4$

2. Soit f, la fonction définie par le graphique ci-dessous. Évaluer, si c'est possible, les expressions suivantes.

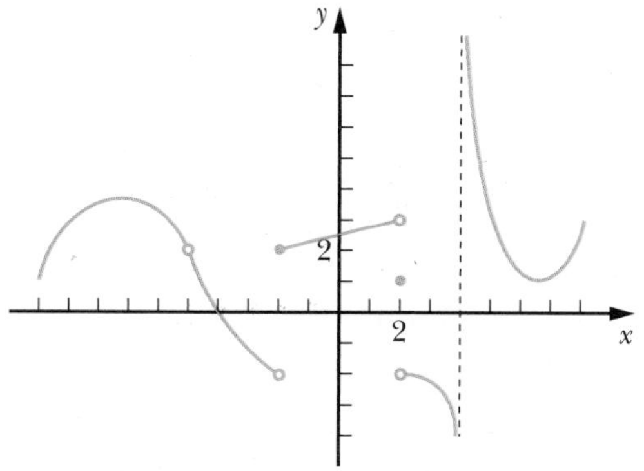

a) $f(-5)$

b) $f(2)$

c) $f(-2)$

d) $f(4)$

e) $\lim\limits_{x \to -2^-} f(x)$

f) $\lim\limits_{x \to 2^+} f(x)$

g) $\lim\limits_{x \to 2^-} f(x)$

h) $\lim\limits_{x \to 2} f(x)$

i) $\lim\limits_{x \to -5} f(x)$

j) $\lim\limits_{x \to -4} f(x)$

3. Utiliser le graphique ci-dessous pour compléter le tableau en inscrivant V (vrai) ou F (faux) dans les cases.

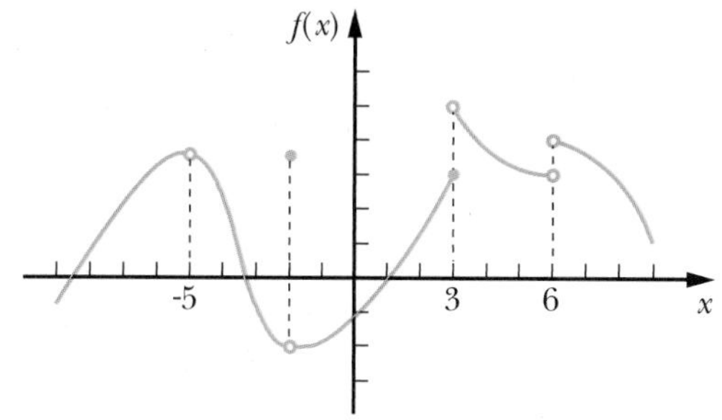

En $x =$	-5	-2	0	3	6
f est continue.					
La 1re condition est satisfaite.					
La 2e condition est satisfaite.					
La 3e condition est satisfaite.					

4. Évaluer la limite à gauche et la limite à droite de f aux valeurs données, et déterminer si la limite existe en ces valeurs.

a) En $x = -5$ si $f(x) = \begin{cases} x^2 & \text{si} \quad x < -5 \\ x & \text{si} \quad x > -5 \end{cases}$

b) En $x = 0$ et en $x = 3$

si $f(x) = \begin{cases} 1 - x & \text{si} \quad x < 0 \\ x^2 + 4 & \text{si} \quad 0 < x < 3 \\ 4 & \text{si} \quad x = 3 \\ 5x - 2 & \text{si} \quad x > 3 \end{cases}$

c) En $x = 2$ si $f(x) = \begin{cases} \dfrac{x^2 - 4}{x - 2} & \text{si} \quad x < 2 \\ 2x & \text{si} \quad x > 2 \end{cases}$

5. À l'aide de la définition, déterminer si les fonctions suivantes sont continues à la valeur de x donnée.

a) En $x = 0$ pour $f(x) = 3x^2 - 4$

b) En $x = -1$

pour $f(x) = \begin{cases} x + 6 & \text{si} \quad x < -1 \\ 3 & \text{si} \quad x = -1 \\ 5x^2 & \text{si} \quad x > -1 \end{cases}$

c) En $x = 1$

pour $f(x) = \begin{cases} \dfrac{7x^2 + 1}{4x} & \text{si } x < 1 \\ 3x^2 - 1 & \text{si } x \geqslant 1 \end{cases}$

2

6. Trouver les valeurs de x où la fonction serait susceptible d'être discontinue et déterminer si la fonction est continue en ces valeurs.

a) $f(x) = \dfrac{3x^2 - 4x + 5}{6}$

b) $f(x) = \dfrac{4}{x + 2}$

c) $f(x) = \dfrac{x(x + 2)}{(x - 3)(3x + 9)(2 + 5x)}$

d) $f(x) = \begin{cases} 2x + 6 & \text{si } x < -1 \\ 4 & \text{si } x = -1 \\ x^2 + 3 & \text{si } -1 < x \leqslant 2 \\ 7 - 3x & \text{si } x > 2 \end{cases}$

7. Soit f, la fonction représentée par le graphique ci-dessous.

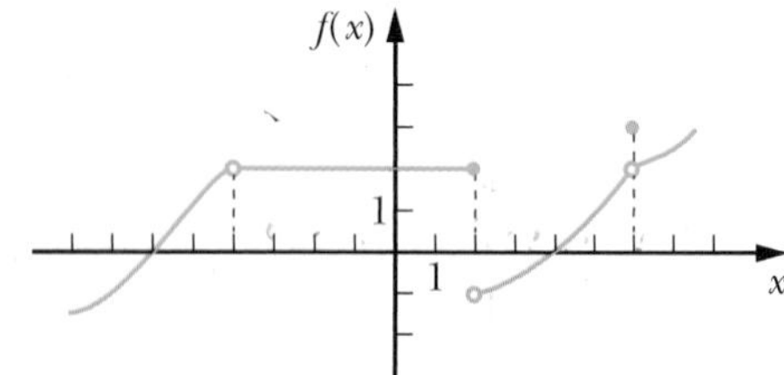

Répondre par vrai (V) ou faux (F).

La fonction f est continue sur:

a) $[2, 6]$;

b) $]2, 6[$;

c) $]-4, 2[$;

d) $[-4, 2]$;

e) $]-4, 2]$;

f) $]-4, 6[$;

g) $[-1, 1[$;

h) $]6, +\infty$;

i) $-\infty, -4]$.

8. Répondre par vrai (V) ou faux (F).

Les fonctions f suivantes sont continues sur les intervalles donnés.

a) $f(x) = \dfrac{x}{x - 3}$ sur

i) $[-1, 1]$;

ii) $]0, 3]$;

iii) $[0, 3[$;

iv) $[1, 4]$

b) $f(x) = \sqrt{2x + 4}$ sur

i) $\mathbb{R}$;

ii) $]-2, 0]$;

iii) $]-3, 2]$;

iv) $[-2, +\infty$

c) $f(x) = \dfrac{3x + 2}{\sqrt{4 - x^2}}$ sur

i) $[-2, 2]$;

ii) $[-4, 0[$;

iii) $[-1, 1]$;

iv) $]-2, 2[$

9. Soit $f(x) = x^6 - x^4 + 13x + 10$, où $x \in [-2, 2]$.

a) Déterminer un intervalle $[a, b]$ de longueur 1, où $a, b \in \mathbb{Z}$ tel que $c \in\,]a, b[$ et $f(c) = 60$.

b) Déterminer deux intervalles $[a_1, b_1]$ et $[a_2, b_2]$ de longueur 1 tels que $c_1 \in\,]a_1, b_1[$, $c_2 \in\,]a_2, b_2[$ et $f(c_1) = f(c_2) = 15$.

c) Déterminer deux intervalles $[a_3, b_3]$ et $[a_4, b_4]$ de longueur 1 tels que $c_3 \in\,]a_3, b_3[$, $c_4 \in\,]a_4, b_4[$ et $f(c_3) = f(c_4) = 0$.

O T d) Représenter graphiquement la fonction f.

Réseau de concepts

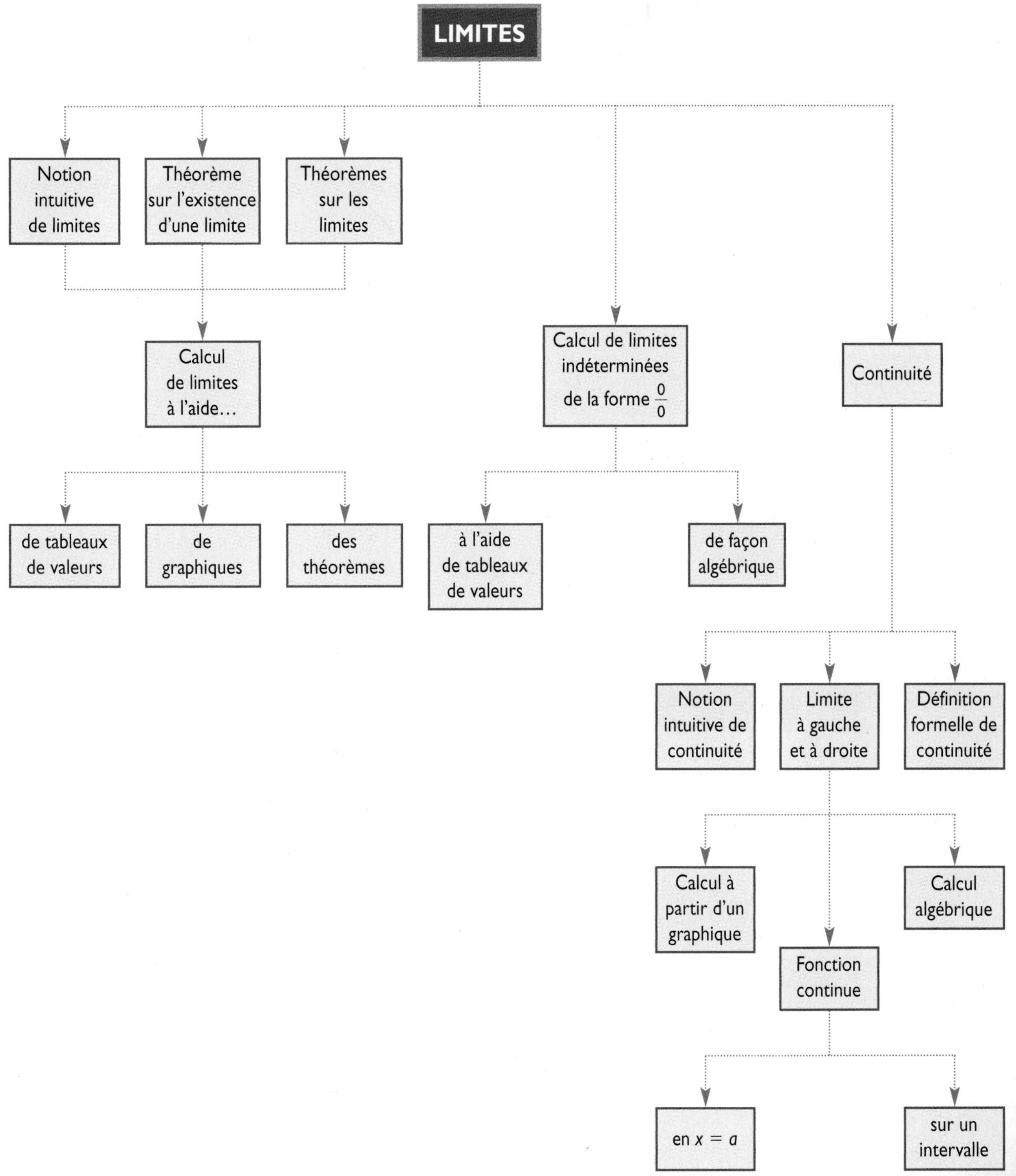

2

Liste de vérification des apprentissages

RÉPONDRE PAR **OUI** OU PAR **NON.**			
Après l'étude de ce chapitre, je suis en mesure:		**OUI**	**NON**
1.	d'estimer des limites, en utilisant des tableaux de valeurs appropriées;		
2.	d'utiliser la notation de limite;		
3.	de représenter graphiquement le résultat du calcul d'une limite;		
4.	d'énoncer un théorème sur l'existence de la limite en un point;		
5.	d'énoncer des théorèmes relatifs aux limites;		
6.	de calculer des limites à l'aide des théorèmes sur les limites;		
7.	de calculer des limites à l'aide du théorème «sandwich»;		
8.	de reconnaître une indétermination de la forme $\frac{0}{0}$;		
9.	de lever certaines indéterminations de la forme $\frac{0}{0}$, à l'aide de tableaux de valeurs;		
10.	de lever certaines indéterminations de la forme $\frac{0}{0}$, de façon algébrique: – en factorisant des expressions; – en développant des expressions; – en effectuant des simplifications; – en effectuant des divisions; – en utilisant le conjugué;		
11.	de calculer des limites à gauche et des limites à droite, algébriquement;		
12.	d'évaluer des limites à gauche et des limites à droite, graphiquement;		
13.	d'énoncer un théorème sur l'existence de la limite en un point;		
14.	d'utiliser le théorème précédent pour déterminer si une limite existe;		
15.	de donner une définition intuitive de continuité;		
16.	de déterminer les points de discontinuité d'une fonction, à l'aide de son graphique;		
17.	de donner la définition formelle de continuité en un point;		
18.	de repérer les valeurs où f est susceptible d'être discontinue;		
19.	d'utiliser la définition formelle de continuité en un point pour déterminer si une fonction est continue en un point;		
20.	de donner la définition de fonction continue sur un intervalle;		
21.	de déterminer si une fonction est continue sur un intervalle donné;		
22.	d'énoncer le théorème de la valeur intermédiaire;		
23.	d'appliquer le théorème de la valeur intermédiaire;		
24.	d'énoncer le corollaire du théorème de la valeur intermédiaire;		
25.	d'appliquer le corollaire du théorème de la valeur intermédiaire.		

Si vous avez répondu **NON** à l'une de ces questions, il serait préférable pour vous d'étudier de nouveau cette notion.

Exercices récapitulatifs

2

1. Évaluer les limites suivantes en construisant les tableaux de valeurs appropriées.

a) $\lim\limits_{x \to -1} \dfrac{x+1}{\sqrt[3]{x}+x+2}$

b) $\lim\limits_{h \to 0} \dfrac{5^h - 1}{h}$

2. Évaluer les limites suivantes à l'aide des théorèmes.

a) $\lim\limits_{x \to 2} (7x^2 + 4)$

b) $\lim\limits_{x \to 0} \left(\dfrac{3x^2 - 7x + 2}{3x - 1}\right)^3$

c) $\lim\limits_{x \to 1} [(7x - 3)(4x^2 - 1)]$

d) $\lim\limits_{x \to -1} \left[\dfrac{8x^3 - 7x^2 + 16}{x^{10} - x^9} + x^2 - 2\right]$

e) $\lim\limits_{x \to \sqrt{2}} \dfrac{\sqrt{x^6 + x^4 + x^2 + 2}}{x^2 + x}$

f) $\lim\limits_{x \to \frac{1}{2}} \left(\dfrac{1}{x^3} - 2x^3\right)^{-2}$

3. Soit $\lim\limits_{x \to a} f(x) = 64$, $\lim\limits_{x \to a} g(x) = -1$, $\lim\limits_{x \to a} h(x) = 0$, $h(a) = 2$, $g(a) = -1$ et $f(a)$ non définie.

A) Évaluer, si c'est possible, les limites suivantes.

a) $\lim\limits_{x \to a} \left[\dfrac{1}{2}f(x) - 2g(x) + h(x)\right]$

b) $\lim\limits_{x \to a} [(f(x)\,g(x) + h(x))\,g(x)]$

c) $\lim\limits_{x \to a} \sqrt[3]{\dfrac{f(x)}{g(x)}}$

d) $\lim\limits_{x \to a} \dfrac{g(x) - 2g(a)}{h(x) - 2h(a)}$

e) $\lim\limits_{x \to a} [f(x) + g(x)(x - a)]$

f) $\lim\limits_{x \to a} \dfrac{f(x)}{h(a)}$

g) $\lim\limits_{x \to a} [x\,f(x) - (x\,g(x))^2]$

h) $\lim\limits_{x \to a} \dfrac{g(x) - g(a)}{h(x)}$

B) Déterminer si les égalités suivantes sont vraies (V) ou fausses (F).

a) $\lim\limits_{x \to a} g(x) = g(a)$

b) $\lim\limits_{x \to a} h(x) = h(a)$

c) $\lim\limits_{x \to a} \dfrac{h(x)}{g(x)} = \dfrac{\lim\limits_{x \to a} h(x)}{\lim\limits_{x \to a} g(x)}$

d) $\lim\limits_{x \to a} \dfrac{g(x)}{h(x)} = \dfrac{\lim\limits_{x \to a} g(x)}{\lim\limits_{x \to a} (h(x)}$

e) $\lim\limits_{x \to a} \sqrt{g(x)} = \sqrt{\lim\limits_{x \to a} g(x)}$

f) $\lim\limits_{x \to a} \dfrac{h(x)}{g(x)} = \dfrac{h(a)}{g(a)}$

4. Évaluer les limites suivantes.

a) $\lim\limits_{x \to -2} \dfrac{x^2 + x - 2}{x^2 + 2x}$

b) $\lim\limits_{x \to 1} \dfrac{x^2 - 2x + 1}{x^2 - 1}$

c) $\lim\limits_{h \to -4} \dfrac{\dfrac{1}{h} + \dfrac{1}{4}}{h + 4}$

d) $\lim\limits_{h \to 1} \dfrac{\dfrac{3h + 1}{5h - 4} - 4}{h - 1}$

e) $\lim\limits_{x \to 5} \dfrac{x - \dfrac{25}{x}}{x - 5}$

f) $\lim\limits_{x \to 4} \dfrac{\sqrt{x} - 2}{x - 4}$

g) $\lim\limits_{t \to 5} \dfrac{2t - 10}{\sqrt{t} - \sqrt{5}}$

h) $\lim\limits_{h \to 0} \dfrac{(x + h)^3 - x^3}{h}$

5. Évaluer les limites suivantes.

a) $\lim\limits_{t \to 1} \dfrac{\dfrac{1}{t} - \dfrac{1}{t^3}}{t - 1}$

b) $\lim\limits_{x \to 9} \dfrac{\dfrac{1}{\sqrt{x}} - \dfrac{1}{3}}{x^2 - 81}$

c) $\lim\limits_{t \to 2} \dfrac{t^3 - 2t^2 - 4t + 8}{t - 2}$

d) $\lim\limits_{h \to 0} \dfrac{\dfrac{1}{x + h} - \dfrac{1}{x}}{h}$

e) $\lim\limits_{x \to a} \dfrac{x^3 - a^2x}{x - a}$

f) $\lim\limits_{h \to 0} \dfrac{\sqrt{x + h} - \sqrt{x}}{h}$

g) $\lim\limits_{x \to 1} \dfrac{x^2 - 2x + 1}{x^3 - x^2 - x + 1}$

h) $\lim\limits_{x \to 2} \dfrac{x^4 - 2x^3 + 3x^2 - 5x - 2}{x^3 - x^2 - x - 2}$

i) $\lim\limits_{x \to -3} \dfrac{x^5 + 6x^4 + 10x^3 + 6x^2 + 9x}{x^3 + 5x^2 + 3x - 9}$

6. Soit f, la fonction définie par le graphique ci-dessous.

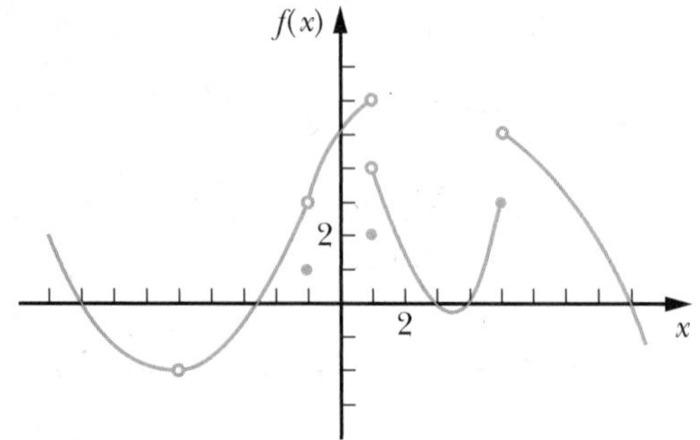

A) Évaluer les expressions suivantes, si c'est possible.

a) $f(-5)$

b) $f(0)$

c) $f(1)$

d) $f(5)$

e) $\lim\limits_{x \to -1^-} f(x)$

f) $\lim\limits_{x \to 1^+} f(x)$

g) $\lim\limits_{x \to 5^-} f(x)$

h) $\lim\limits_{x \to 1} f(x)$

i) $\lim\limits_{x \to -5} f(x)$

j) $\lim\limits_{x \to 0} f(x)$

k) $\lim\limits_{x \to -1} f(x)$

l) $\lim\limits_{x \to 5} f(x)$

B) Déterminer les valeurs de x où la fonction est discontinue, en indiquant une condition (différente de la 3e condition, si c'est possible) non satisfaite.

C) Répondre aux affirmations suivantes par vrai (V) ou faux (F).

La fonction f est continue sur:

a) $-\infty, -5[$;

b) $]-5, -1]$;

c) $[-1, 1]$;

d) $]1, 5]$;

e) $]5, 7[$;

f) $[5, +\infty$.

7. Donner un exemple graphique d'une fonction satisfaisant aux conditions suivantes:

a) $f(-1) = 3$

$f(0) = 1$

$f(1) = 3$ et

$\lim\limits_{x \to 1} f(x)$ n'existe pas

b) $f(x) = 3$ si $-2 \leqslant x \leqslant 1$

$\lim\limits_{x \to 1^+} f(x) = 3$

$\lim\limits_{x \to -2^-} f(x) = 1$

c) $f(0) = 2$

$\lim\limits_{x \to 0^-} f(x) = 2$

$\lim\limits_{x \to 0^+} f(x) = -2$

d) $\lim\limits_{x \to 0} f(x) = -3$

$f(0) = 2$

$\lim\limits_{x \to 2} f(x)$ n'existe pas

$f(2) = 3$

8. Donner un exemple graphique d'une fonction satisfaisant aux quatre conditions suivantes:

- en $x = -2$: la première condition de continuité n'est pas satisfaite, mais la deuxième condition de continuité est satisfaite.
- en $x = 1$: la deuxième condition de continuité n'est pas satisfaite, mais la première condition de continuité est satisfaite.
- en $x = 3$: la troisième condition de continuité n'est pas satisfaite, mais les deux premières conditions de continuité sont satisfaites.
- en $x = 5$: ni la première ni la deuxième condition de continuité ne sont pas satisfaites.

9. Soit $f(x) = -2x - 6$, $g(x) = x^2 + 6x + 10$ et $h(x)$ telles que $f(x) \leq h(x) \leq g(x)$, $\forall\ x \in \mathbb{R}$.

a) Donner sur un même système d'axes la représentation graphique de f et de g ainsi qu'une représentation graphique possible de h.

b) Évaluer, si c'est possible, $\lim\limits_{x \to -4} h(x)$.

c) Évaluer, si c'est possible, $\lim\limits_{x \to 0} h(x)$.

10. Soit $f(x) \leq h(x) \leq g(x)$ $\forall\ x \in \mathbb{R}$.

a) Si $\lim\limits_{x \to a} f(x) = \lim\limits_{x \to a} g(x) = \text{L}$, où $\text{L} \in \mathbb{R}$, évaluer, si c'est possible, $\lim\limits_{x \to a} h(x)$.

b) Si $\lim\limits_{x \to b} h(x) = \lim\limits_{x \to b} g(x) = \text{M}$, où $\text{M} \in \mathbb{R}$, évaluer, si c'est possible, $\lim\limits_{x \to b} f(x)$.

c) Si $0 < f(x) \leq h(x) \leq g(x)$ $\forall\ x \in \mathbb{R}$ et si $\lim\limits_{x \to c} f(x) = \lim\limits_{x \to c} g(x) = \text{N}$, où $\text{N} \in \mathbb{R}$ et $\text{N} > 0$, évaluer, si c'est possible, $\lim\limits_{x \to c} \dfrac{1}{h(x)}$.

11. Pour chaque fonction, évaluer, si c'est possible, les limites aux valeurs données.

a) $f(x) = \begin{cases} x^2 + 1 & \text{si } x < 2 \\ 7 & \text{si } x = 2 \\ 14x & \text{si } x > 2 \end{cases}$

i) en $x = -2$;
ii) en $x = 2$;
iii) en $x = 5$.

b) $f(x) = \begin{cases} x - 1 & \text{si } x < 1 \\ x^2 - 1 & \text{si } 1 \leq x < 2 \\ 3 & \text{si } 2 \leq x \leq 4 \\ 2x - 15 & \text{si } x > 4 \end{cases}$

i) en $x = 1$;
ii) en $x = 2$;
iii) en $x = 4$.

c) $f(x) = \begin{cases} x^2 - 1 & \text{si } x < -1 \\ \dfrac{2 - x}{3x} & \text{si } -1 < x \leq 2 \\ \sqrt{x - 2} & \text{si } x > 2 \end{cases}$

i) en $x = -1$;
ii) en $x = 2$.

d) $f(x) = \dfrac{x^2 - 25}{|x - 5|}$

i) en $x = -3$;
ii) en $x = 5$.

e) $f(x) = \begin{cases} \dfrac{1}{x} - \dfrac{1}{4} & \text{si } x \leq 4 \\ \dfrac{2 - \sqrt{x}}{4x - 16} & \text{si } x > 4 \end{cases}$

i) en $x = -4$;
ii) en $x = 4$.

12. Soit $f(x) = [x]$.

a) Évaluer, si c'est possible, $\lim\limits_{x \to 2} f(x)$.

b) Déterminer pour quelles valeurs de a $\lim\limits_{x \to a} f(x)$ existe.

c) Représenter graphiquement f sur $[-2, 3]$.

13. Déterminer si chaque fonction est continue aux valeurs x données et représenter graphiquement les fonctions en c) et d).

a) $f(x) = \begin{cases} 4 - \dfrac{1}{x} & \text{si } -3 < x < -1 \\ 3 & \text{si } x = -1 \\ 6 - x^2 & \text{si } -1 < x < 2 \\ \sqrt{x + 2} & \text{si } x \geq 2 \end{cases}$

i) en $x = -1$;
ii) en $x = 2$.

2

b) $g(x) = \begin{cases} \dfrac{x^2 - 16}{2x - 8} & \text{si} \quad x < 4 \\ 4 & \text{si} \quad x = 4 \\ \dfrac{x - 4}{\sqrt{x} - 2} & \text{si} \quad x > 4 \end{cases}$

en $x = 4$.

c) $h(x) = \begin{cases} \dfrac{2x - 4}{\dfrac{x}{2} - 1} & \text{si} \quad x < 2 \\ x^2 + 3 & \text{si} \quad x \geqslant 2 \end{cases}$

en $x = 2$.

d) $k(x) = \begin{cases} x^2 & \text{si} \quad x < 0 \\ 2 & \text{si} \quad x = 0 \\ x + 4 & \text{si} \quad 0 < x < 2 \\ 6 & \text{si} \quad x = 2 \\ 8 - x & \text{si} \quad x > 2 \text{ et } x \neq 5 \end{cases}$

i) en $x = 0$;
ii) en $x = 2$;
iii) en $x = 5$.

14. Pour chaque fonction, déterminer, si c'est possible, la valeur de k qui rend la fonction continue.

a) $f(x) = \begin{cases} x + 2 & \text{si} \quad x < 1 \\ k & \text{si} \quad x = 1 \\ x^2 + 3x - 1 & \text{si} \quad x > 1 \end{cases}$

b) $f(x) = \begin{cases} x^2 - 6 & \text{si} \quad x < -2 \\ k & \text{si} \quad x = -2 \\ 6 - x^2 & \text{si} \quad x > -2 \end{cases}$

c) $f(x) = \begin{cases} \dfrac{x^2 - 25}{x - 5} & \text{si} \quad x < 5 \\ kx & \text{si} \quad x \geqslant 5 \end{cases}$

d) $f(x) = \begin{cases} \dfrac{4x^2 + 5x}{x(x^2 + 6)} & \text{si} \quad x \neq 0 \\ kx^2 + 1 & \text{si} \quad x = 0 \end{cases}$

15. Soit $h(x) = \sqrt[3]{x - 8} + 6x^{\frac{2}{3}} - 23$, une fonction continue sur $[0, 8]$.

Déterminer un intervalle de la forme $[n, n + 1]$, où $n \in \{0, 1, 2, ..., 7\}$ tel que $c \in]n, n + 1[$ et $h(c) = 0$.

Problèmes de synthèse

1. Soit $f(x)$ et $g(x)$, deux fonctions polynomiales, et $h(x)$, une fonction rationnelle. Répondre par vrai (V) ou faux (F) et donner une justification.

a) $\lim\limits_{x \to a} f(x) = f(a)$

b) $\lim\limits_{x \to a} \dfrac{f(x)}{g(x)} = \dfrac{f(a)}{g(a)}$

c) $\lim\limits_{x \to a} h(x) = h(a)$

d) $\lim\limits_{x \to a} \sqrt[3]{g(x)} = \sqrt[3]{g(a)}$

e) $\lim\limits_{x \to a} \sqrt[4]{f(x)} = \sqrt[4]{f(a)}$

2. Si $\lim\limits_{x \to a} \dfrac{f(x)}{g(x)} = \lim\limits_{x \to a} \dfrac{g(x)}{f(x)}$, évaluer $\lim\limits_{x \to a} \dfrac{f(x)}{g(x)}$.

3. Soit $\lim\limits_{x \to a} f(x) = 0$, $\lim\limits_{x \to a} g(x) = 0$, $g(x) \neq 0$ si $x \neq a$, $f(x) \neq 0$ si $x \neq a$ et $\lim\limits_{x \to a} \dfrac{f(x)}{g(x)} = 3$.

Évaluer les limites suivantes.

a) $\lim\limits_{x \to a} \dfrac{x f(x)}{g(x)}$

b) $\lim\limits_{x \to a} \dfrac{f^2(x)}{g(x)}$

c) $\lim\limits_{x \to a} \dfrac{f(x) + g(x)}{g(x)}$

d) $\lim\limits_{x \to a} \dfrac{[f(x) + g(x)]\, f(x)}{g^2(x)}$

e) $\lim\limits_{x \to a} \dfrac{g(x)}{f(x)}$

f) $\lim\limits_{x \to a} \dfrac{f(x)\,(x^2 - a^2)}{g(x)\,(x - a)}$

4. Pour que les limites suivantes existent, déterminer la forme appropriée, c'est-à-dire $x \to a^+$, $x \to a^-$, ou les deux formes.

a) $\lim_{x \to 5^?} \sqrt{x - 5}$

b) $\lim_{x \to \left(\frac{2}{3}\right)^?} \sqrt{2 - 3x}$

c) $\lim_{x \to 8^?} \sqrt[3]{x - 8}$

d) $\lim_{x \to 1^?} \sqrt{x^2 + 4x - 5}$

e) $\lim_{x \to 2^?} \sqrt{x^2 - 4x + 4}$

f) $\lim_{x \to 3^?} \sqrt{\dfrac{x^2 - 9}{x - 3}}$

5. Évaluer, si c'est possible, les limites suivantes.

a) $\lim_{x \to 0} \dfrac{\sqrt{x^2}}{x}$

b) $\lim_{x \to 9} \dfrac{2x - 8\sqrt{x} + 6}{\sqrt{x} - 3}$

c) $\lim_{x \to 1^+} \dfrac{(x^2 - 1)^{\frac{3}{2}}}{\sqrt{x - 1}\,(\sqrt{x} - 1)}$

d) $\lim_{x \to 0} \dfrac{|x|^3 - x^2}{x^3 + x^2}$

e) $\lim_{x \to \sqrt{2}} [-x^2]$

f) $\lim_{x \to 0} [-x^2]$

6. Déterminer la valeur de a telle que :

a) $\lim_{x \to -3} \dfrac{x^3 + ax^2 - 10x + 24}{x^2 - x - 12} = -5$;

b) $\lim_{x \to 4} \dfrac{x^3 + ax^2 - 10x + 24}{x^2 - x - 12}$ existe ;

c) $\lim_{x \to 0} \dfrac{x^3 + ax^2 - 10x + 24}{x^2 - x - 12}$ existe.

7. Déterminer, si c'est possible, des fonctions f et g telles que :

a) $\lim_{x \to 3} f(x) = 9$, et $f(x) > 9\ \forall\ x \in \mathbb{R}$;

b) $\lim_{x \to 5} f(x) = 0$, et $\lim_{x \to 5} [f(x)\ g(x)] = 4$;

c) $\lim_{x \to 1} f(x)$ n'existe pas, $\lim_{x \to 1} g(x)$ n'existe pas, et $\lim_{x \to 1} [f(x)\ g(x)]$ existe ;

d) f soit discontinue en $x = a$, mais $|f|$ soit continue en $x = a$.

2

8. Soit $g(x) = \begin{cases} \dfrac{x^3 - 1}{x - 1} & \text{si} \quad x < 1 \\ B & \text{si} \quad x = 1 \\ \dfrac{\sqrt{x} - 1}{x - 1} & \text{si} \quad x > 1. \end{cases}$

Déterminer, si c'est possible, la valeur de B :

a) telle que g soit continue en $x = 1$;

b) telle que g soit continue sur $[0, 1]$;

c) telle que g soit continue sur $[1, 2]$.

9. Soit les fonctions

$$f(x) = \begin{cases} 2x + k_1 & \text{si} \quad x \leq 1 \\ \dfrac{x^3 - x^2 - 4x + 4}{x^3 - 2x^2 - x + 2} & \text{si} \quad 1 < x < 2 \\ x^2 + k_2 & \text{si} \quad x \geq 2. \end{cases}$$

$$g(x) = \begin{cases} ax^2 + bx + 3 & \text{si} \quad x < -2 \\ 1 & \text{si} \quad x = -2 \\ 2bx + 13a & \text{si} \quad x > -2. \end{cases}$$

$$h(x) = \begin{cases} (x - k)(x + k) & \text{si} \quad x \leq 2 \\ kx + 1 & \text{si} \quad x > 2. \end{cases}$$

a) Déterminer la valeur de k_1 et la valeur de k_2 telles que f soit continue en $x = 1$ et en $x = 2$.

b) Déterminer la valeur de a et la valeur de b telles que g soit continue sur $\mathbb{R}$.

c) Déterminer, si c'est possible, les valeurs de k telles que h soit continue en $x = 2$.

10. Déterminer le plus grand intervalle de continuité des fonctions suivantes.

a) $f(x) = \sqrt{\sqrt{x^2 - 9} - x}$

b) $f(x) = \sqrt{x + 1 - \sqrt{x^2 - 9}}$

2

11. Soit un point $P(x, y)$ sur la courbe définie par $y = x^2$. Soit $A(x)$, l'aire du triangle dont les sommets sont $O(0, 0)$, $R(1, 0)$ et $P(x, y)$, où $x > 0$ et soit $B(x)$, l'aire du triangle dont les sommets sont $O(0, 0)$, $Q(0, 1)$ et $P(x, y)$.

Évaluer, si c'est possible:

a) $\lim\limits_{x \to 0} \dfrac{A(x)}{B(x)}$;

b) $\lim\limits_{x \to 0} \dfrac{B(x)}{A(x)}$;

c) $\lim\limits_{x \to 4} \dfrac{A(x)}{B(x)}$.

12. Soit la fonction f suivante,

$$f(x) = \frac{1}{27x^4 - 45x^3 - 93x^2 + 185x - 50}.$$

a) À l'aide du théorème de la valeur intermédiaire, démontrer que f n'est pas continue sur $]-1, 1[$.

b) À l'aide du théorème de la valeur intermédiaire, peut-on démontrer que f est continue sur $]1, 3[$? Expliquer.

13. Soit $f(x) = x^2 - \dfrac{3}{2}x$ et $g(x) = \dfrac{1}{x + 1}$, deux fonctions continues sur $[0, 8]$.

À l'aide du théorème de la valeur intermédiaire, déterminer un intervalle de la forme $[n, n + 1]$, où $n \in \{0, 1, 2, ..., 7\}$ tel que $c \in]n, n + 1[$ et $f(c) = g(c)$.

14. Soit $f(x) = \sqrt[3]{2x - 1}$ et $g(x) = x - 23 - \sqrt{x}$.

O T a) À l'aide du théorème de la valeur intermédiaire, démontrer que $f(x) = g(x)$ en au moins une valeur $c \in \mathbb{R}$.

b) Représenter les courbes de f et de g sur un intervalle approprié pour déterminer une valeur approximative de c.

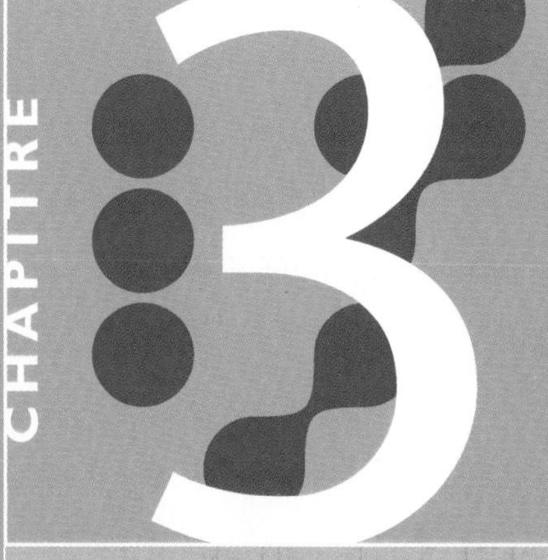

Définition de la dérivée

Introduction

Nous introduisons, dans ce chapitre, une partie importante du calcul différentiel, c'est-à-dire la notion de *dérivée* qui correspond au taux de variation instantané d'une fonction. Nous utiliserons les calculs de limites, introduits au chapitre 2, pour définir la dérivée en un point ainsi que la fonction dérivée.

Nous étudierons les notions de vitesse moyenne et de vitesse instantanée à l'aide du taux de variation moyen et du taux de variation instantané.

En particulier, l'élève pourra résoudre, à la fin de ce chapitre, le problème de chimie suivant :

De l'azote (N) et de l'hydrogène (H) réagissent pour former de l'ammoniac ($N_2 + 3H_2 \rightarrow 2NH_3$). Toutes les quantités sont exprimées en grammes. La quantité d'ammoniac, en fonction du temps t, notée $Q(t)$, est donnée par $Q(t) = 100 - \dfrac{1\,000}{10 + t}$, où t est en secondes et Q, en grammes.

L'élève aura à calculer divers taux de variation moyens et instantanés.

(*Voir* le problème de synthèse n° 10, page 125.)

Perspective historique

TROUVER LA TANGENTE AU XVIIe SIÈCLE

Bientôt, après l'étude du présent chapitre, vous pourrez déterminer sans trop de difficultés la pente de la tangente aux graphiques d'un très grand nombre de fonctions. Pourtant, au XVIIe siècle, à l'époque où d'Artagnan (v. 1611-1673) combattait vaillamment pour le roi de France, tracer une *touchante* (ainsi appelait-on alors la tangente) à une courbe à un point donné se révélait très difficile. Plusieurs mathématiciens s'y cassèrent les dents. Ainsi, **René Descartes** (1596-1650) tenta de ramener ce problème à celui de trouver la tangente à un cercle, lui-même tangent à la courbe à ce point. Cette méthode exigeait la résolution d'équations parfois très complexes. Pierre de Fermat (1601-1665) proposa une autre méthode qui donna lieu à une vive correspondance entre lui et Descartes. Dans la présente capsule, nous verrons une troisième méthode, histoire de vous faire apprécier notre chance de venir après Leibniz (1646-1716) et Newton (1642-1727), les inventeurs du calcul différentiel et intégral.

Bibliothèque nationale du Québec

René Descartes (1596-1650)

Evangelista Torricelli (1608-1647), qui énonça une relation entre la pression et le volume des gaz à volume constant, considérait qu'une courbe est la trace d'un point qui se déplace selon une certaine règle. À tout moment, le point se dirige dans une certaine direction vers laquelle il irait si, tout à coup, il était laissé à lui-même. Or, remarqua Torricelli, cette direction est aussi celle de la tangente à la courbe que trace le point. Trouver la tangente se ramène de la sorte à trouver la direction du mouvement du point. Gilles Personne de Roberval (1602-1675) utilisait ce même principe.

Déterminer la touchante à une parabole, en s'inspirant de Roberval

La parabole est le lieu géométrique des points qui sont à égales distances d'un point fixe, le foyer, et d'une droite, la directrice. Le sommet de la parabole est le point exactement à mi-chemin entre le foyer et la directrice. Nous allons tracer la tangente au point P(2, 1) de la parabole de foyer F(0, 1) et de directrice $y = -1$.

a) Vérifier que le point P(2, 1) appartient à cette parabole et que l'équation de celle-ci est bien $y = \dfrac{x^2}{4}$.

b) Selon le principe énoncé par Torricelli, la tangente au point (2, 1) a pour direction celle vers laquelle se dirige le point qui trace la parabole lorsqu'il arrive à P. Décomposons ce mouvement relativement complexe en deux mouvements plus simples. Supposons qu'un point de la parabole part du sommet et se dirige vers la droite. À chaque instant, sa position est déterminée par le fait que sa distance au foyer doit être la même que sa distance à la directrice. Donc, au point P(2, 1), comme en tout autre point de la parabole d'ailleurs, l'augmentation, de la distance à la directrice, sera la même que l'augmentation de la distance au foyer. Il en découle, si l'on considère que ces deux augmentations sont égales, l'une dans le prolongement du segment FP et l'autre dans le prolongement de DP, que le point se dirigera dans la direction déterminée par la bissectrice de l'angle de sommet (2, 1) formé des deux segments FP et PD. La droite bissectrice constitue donc la tangente. Or, la bissectrice est la droite de pente 1 passant par (2, 1).

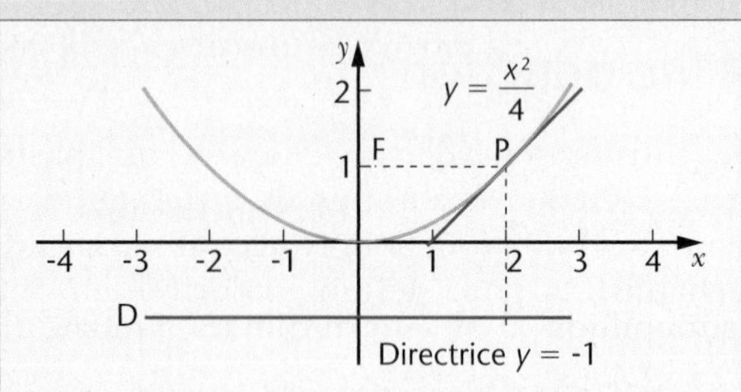

Tracer de la même manière la tangente au point $\left(1, \dfrac{1}{4}\right)$.

(Réponse : la droite de pente $\dfrac{1}{2}$ passant par ce point.)

Lorsque vous aurez terminé le chapitre, revenez au problème de la touchante de Roberval. Vous verrez qu'en utilisant les outils, les méthodes et les techniques que vous connaissez, vous pourrez trouver facilement la pente de la tangente à la parabole, et ce, à n'importe quel point.

Test préliminaire

Partie A

1. Calculer et simplifier :

a) $f(x+h)$ si $f(x) = 7x + 2$

b) $g(x+h)$ si $g(x) = 5$

c) $s(2+h)$ si $s(t) = t^2 - 4t - 5$

d) $f(-3+h)$ si $f(x) = x^3 - 2x$

e) $g(x+h)$ si $g(x) = \sqrt{3-2x}$

f) $v(t+h)$ si $v(t) = \dfrac{t}{2t+3} + 5$

2. Simplifier :

a) $\dfrac{(x+h)^2 - x^2}{h}$

b) $\dfrac{\dfrac{1}{(x+h)^2} - \dfrac{1}{x^2}}{h}$

3. Compléter les expressions suivantes.

a) $a^2 - b^2 = (a-b)$ ....

b) $a^3 - b^3 = (a-b)$ ....

c) $a^4 - b^4 = (a-b)$ ....

d) $a^{\frac{2}{3}} - b^{\frac{2}{3}} = (a^{\frac{1}{3}} - b^{\frac{1}{3}})$ ....

e) $a^{\frac{3}{2}} - b^{\frac{3}{2}} = (a^{\frac{1}{2}} - b^{\frac{1}{2}})$ ....

f) $a - b = (a^{\frac{1}{3}} - b^{\frac{1}{3}})$ ....

4. Déterminer la pente a de la droite :

a) d'équation $y = -2x + 4$;

b) d'équation $4x - 3y = 9$;

c) perpendiculaire à la droite d'équation $4x - 3y = 9$;

d) passant par les points $P\left(\dfrac{3}{4}, \dfrac{-2}{5}\right)$ et $R\left(\dfrac{-5}{6}, \dfrac{2}{3}\right)$;

e) passant par les points $P(-2, f(-2))$ et $Q(7, f(7))$ si $f(x) = x^2 - 5x - 6$.

5. Soit $f(x) = x^2$.

a) Représenter graphiquement la courbe de f.

b) Tracer la droite D_1 passant par les points $P(-1, f(-1))$ et $Q(2, f(2))$. Calculer la pente a_1 de cette droite.

c) Tracer la droite D_2 passant par les points $P(-4, f(-4))$ et $Q(1, f(1))$. Calculer la pente a_2 de cette droite.

6. Effectuer la multiplication des expressions suivantes par leur conjugué.

a) $\sqrt{3} - \sqrt{3+x}$

b) $\left(\dfrac{1}{\sqrt{x}} + \dfrac{1}{5}\right)$

Partie B

1. Évaluer les limites suivantes.

a) $\lim\limits_{h \to 0} \dfrac{2xh + h^2}{h}$

b) $\lim\limits_{x \to a} \dfrac{x^2 - a^2}{x - a}$

c) $\lim\limits_{h \to 0} \dfrac{\sqrt{x+h} - \sqrt{x}}{h}$

d) $\lim\limits_{h \to 0} \dfrac{\dfrac{1}{x+h} - \dfrac{1}{x}}{h}$

3

3

3.1 Taux de variation moyen

Objectif d'apprentissage

À la fin de cette section, l'élève pourra calculer le taux de variation moyen d'une fonction.

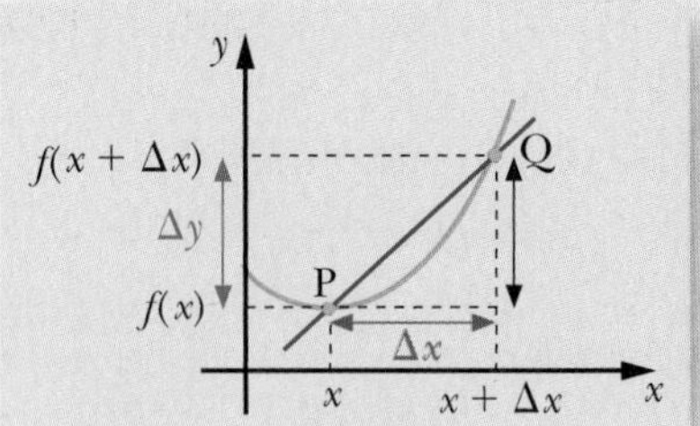

Plus précisément, l'élève sera en mesure:
- de définir le taux de variation moyen d'une fonction sur un intervalle;
- de calculer le taux de variation moyen d'une fonction sur un intervalle;
- d'interpréter graphiquement le taux de variation moyen d'une fonction sur un intervalle;
- de calculer des vitesses moyennes d'une particule sur un intervalle de temps;
- de relier la notion de vitesse moyenne à la notion de pente de sécante.

Pente d'une sécante

Définition 3.1 Une **sécante** est une droite qui coupe une courbe en un ou plusieurs points.

Exemple 1 Dans les représentations ci-dessous:

les droites D_1 et D_2 sont des sécantes à la courbe de f;

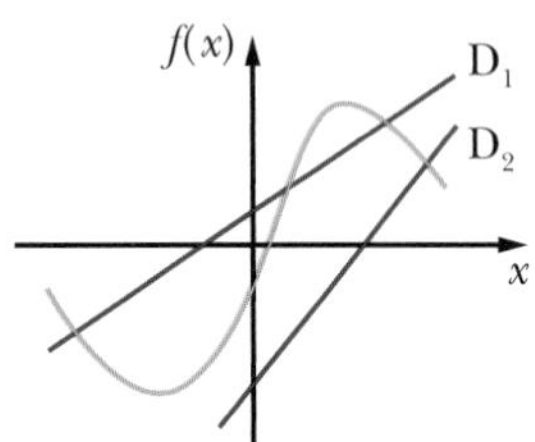

les droites D_3 et D_4 sont des sécantes au cercle.

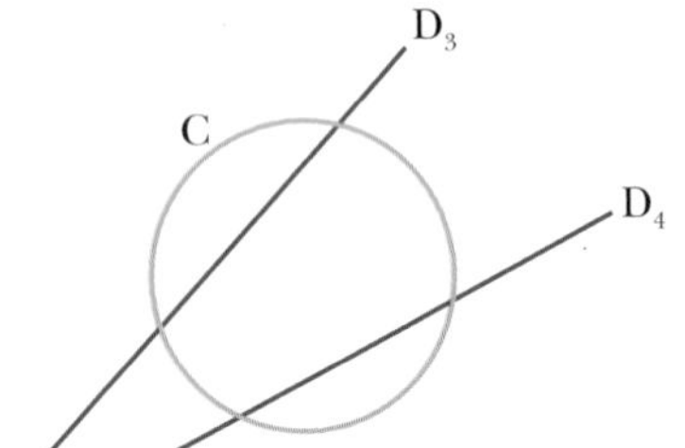

Exemple 2 Soit $f(x) = -x^2 + 2x + 3$, dont la représentation graphique est ci-contre.

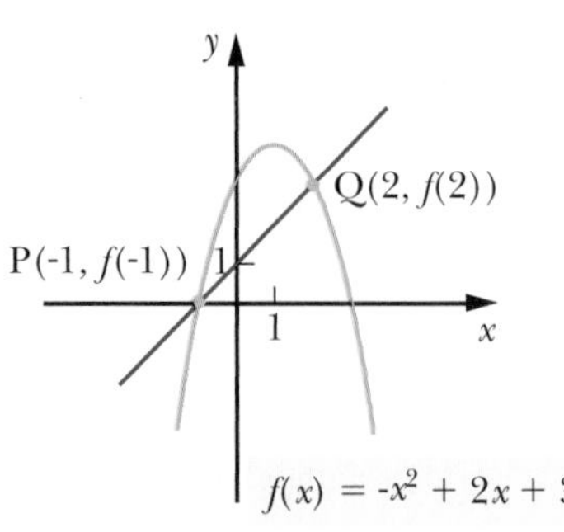

Calculons la pente de la sécante à la courbe qui passe par les points $P(-1, f(-1))$ et $Q(2, f(2))$.

$$m_{sec} = \frac{f(2) - f(-1)}{2 - (-1)} \quad \text{(définition 1.5)}$$

$$= \frac{3 - 0}{3} \quad (\text{car } f(2) = 3 \text{ et } f(-1) = 0)$$

$$= 1$$

Taux de variation moyen d'une fonction sur un intervalle

Définition 3.2 Le **taux de variation moyen** d'une fonction f sur un intervalle $[a, b]$, où $a < b$, est noté $TVM_{[a, b]}$ et est défini par

$$TVM_{[a, b]} = \frac{f(b) - f(a)}{b - a}.$$

Graphiquement, le taux de variation moyen d'une fonction f sur un intervalle $[a, b]$ correspond à la pente de la sécante à la courbe de f passant par les points $P(a, f(a))$ et $Q(b, f(b))$.

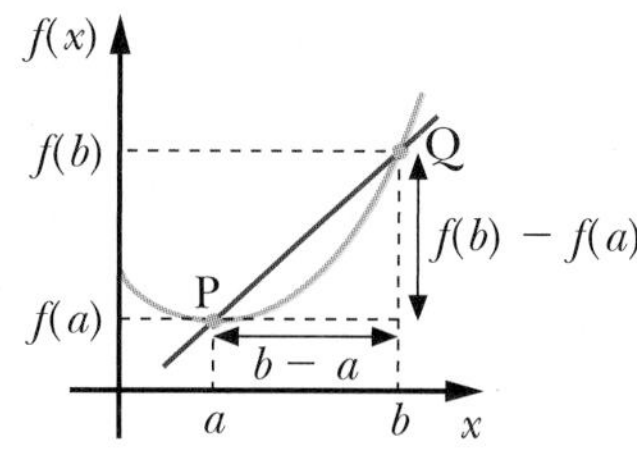

3

Exemple 1 Soit $f(x) = x^3 + 3$.

Calculons $TVM_{[-2, 0]}$ et représentons la courbe ainsi que la sécante correspondante.

$$TVM_{[-2, 0]} = \frac{f(0) - f(-2)}{0 - (-2)}$$

$$= \frac{3 - (-5)}{2}$$

$$= 4$$

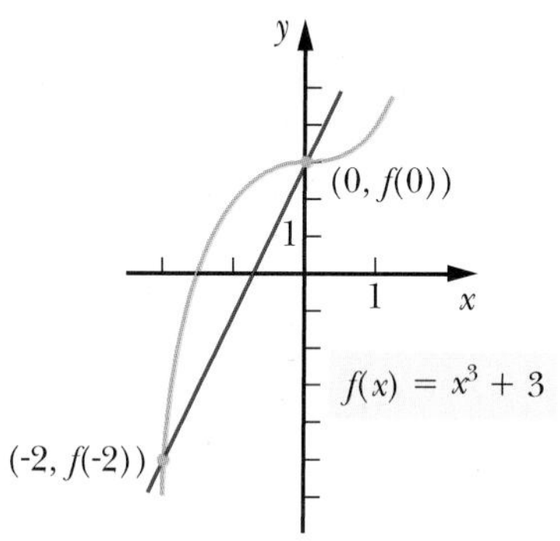

Donc, la pente de la sécante à la courbe de f passant par les points $P(-2, f(-2))$ et $Q(0, f(0))$ est égale à 4.

Exemple 2 À la suite de l'étude d'une population, un zoologiste prévoit que, dans t années à compter d'aujourd'hui, la population totale P d'une espèce, dans une région, sera donnée par $P(t) = \frac{500t + 3\,000}{t + 4}$.

a) Calculons la population initiale de cette espèce, c'est-à-dire la population à $t = 0$, ainsi que la population de cette espèce après quatre années et neuf années.

$P(0) = \frac{3\,000}{4} = 750$, donc 750 individus

$P(4) = \frac{5\,000}{8} = 625$, donc 625 individus

$P(9) = \frac{7\,500}{13} = 576{,}923...$, donc 576 individus

Dominique Parent

b) Calculons le taux de variation moyen de la population de cette espèce durant les quatre premières années. Ce taux est noté par $\text{TVM}_{[0 \text{ an}, 4 \text{ ans}]}$.

$$\text{TVM}_{[0 \text{ an}, 4 \text{ ans}]} = \frac{P(4) - P(0)}{4 - 0} = \frac{625 - 750}{4} = -31{,}25$$

Donc, le taux de variation moyen de la population durant les quatre premières années correspond à une diminution moyenne de 31,25 individus par année.

c) Calculons le taux de variation moyen de la population de cette espèce entre la quatrième et la neuvième année, c'est-à-dire $\text{TVM}_{[4 \text{ ans}, 9 \text{ ans}]}$.

$$\text{TVM}_{[4 \text{ ans}, 9 \text{ ans}]} = \frac{P(9) - P(4)}{9 - 4} = \frac{576{,}923... - 625}{5} \approx -9{,}62$$

Donc, entre la quatrième et la neuvième année, il y a une diminution moyenne d'environ 9,62 individus par année.

Exemple 3 Soit un cercle, dont l'aire A en fonction du rayon r est donnée par $A(r) = \pi r^2$, où r est en mètres et $A(r)$, en mètres carrés.

Calculons le taux de variation moyen de l'aire lorsque le rayon passe de 3 m à 6 m, c'est-à-dire $\text{TVM}_{[3 \text{ m}, 6 \text{ m}]}$.

$$\text{TVM}_{[3 \text{ m}, 6 \text{ m}]} = \frac{A(6) - A(3)}{6 - 3} = \frac{\pi(6)^2 - \pi(3)^2}{3} = 9\pi$$

Donc, le taux de variation moyen de l'aire lorsque le rayon passe de 3 mètres à 6 mètres est de 9π m²/m, c'est-à-dire environ 28,3 m²/m.

Remarque Dans l'exemple précédent, nous ne simplifions pas les unités m²/m, car elles désignent une variation de l'aire du cercle (m²) pour une variation du rayon (m) de ce cercle.

Utilisons maintenant une notation différente pour définir le taux de variation moyen d'une fonction $y = f(x)$ sur un intervalle $[x, x + \Delta x]$, où $\Delta x > 0$.

En posant $x = a$ et $x + \Delta x = b$, nous obtenons

$\Delta x = b - a$, où Δx correspond à l'accroissement de x.

De même, $f(x) = f(a)$ et $f(x + \Delta x) = f(b)$

Ainsi, $f(x + \Delta x) - f(x) = f(b) - f(a)$

que nous notons Δy. Ainsi,

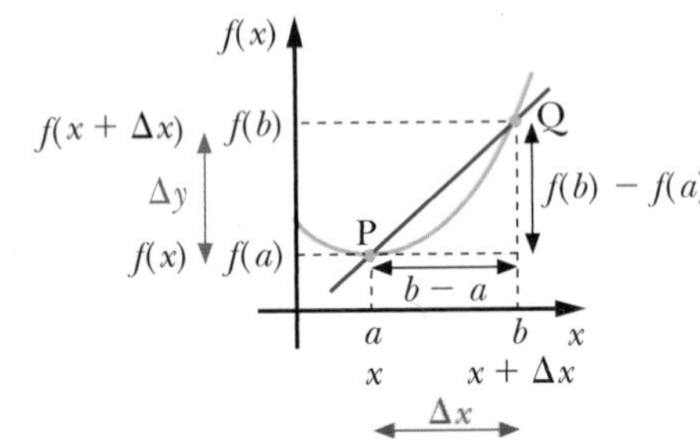

$\Delta y = f(x + \Delta x) - f(x)$, où Δy correspond à l'accroissement de y.

Définition 3.3

Le **taux de variation moyen** d'une fonction f sur un intervalle $[x, x + \Delta x]$, où $\Delta x > 0$, est noté $\text{TVM}_{[x, x+\Delta x]}$ et est défini par

$$\text{TVM}_{[x, x+\Delta x]} = \frac{f(x+\Delta x) - f(x)}{\Delta x}, \text{ c'est-à-dire } \text{TVM}_{[x, x+\Delta x]} = \frac{\Delta y}{\Delta x}.$$

Graphiquement, le taux de variation moyen d'une fonction f sur un intervalle $[x, x + \Delta x]$ correspond à la pente de la sécante à la courbe de f passant par les points $P(x, f(x))$ et $Q(x + \Delta x, f(x + \Delta x))$.

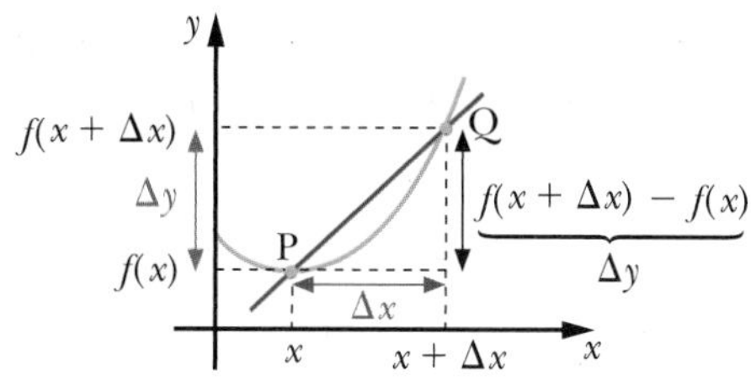

Remarque Dans le cas où $\Delta x < 0$, nous avons l'intervalle $[x + \Delta x, x]$ et

$$\text{TVM}_{[x+\Delta x, x]} = \frac{f(x) - f(x+\Delta x)}{x - (x+\Delta x)} = \frac{f(x+\Delta x) - f(x)}{\Delta x}.$$

Exemple 4 Soit $f(x) = 3x^2 - 5$.

a) Calculons Δy si $x = 2$ et $\Delta x = 3$.

$$\begin{aligned}\Delta y &= f(x+\Delta x) - f(x) && \text{(accroissement de } y)\\ &= f(2+3) - f(2) && (\text{car } x = 2 \text{ et } \Delta x = 3)\\ &= f(5) - f(2)\\ &= 70 - 7\\ &= 63\end{aligned}$$

Représentation graphique

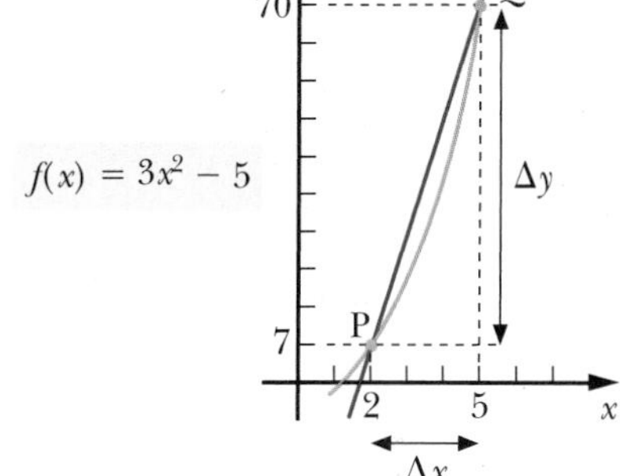

b) Calculons $\text{TVM}_{[2, 5]}$.

$$\begin{aligned}\text{TVM}_{[2,5]} &= \frac{\Delta y}{\Delta x}\\ &= \frac{63}{3} && (\text{car } \Delta y = 63, \textit{voir } \text{a})\\ &= 21\end{aligned}$$

De plus, 21 est égal à la pente de la sécante à la courbe de f passant par les points $P(2, 7)$ et $Q(5, 70)$.

c) Évaluons le taux de variation moyen de f sur $[x, x + \Delta x]$.

$$\begin{aligned}\text{TVM}_{[x, x+\Delta x]} &= \frac{f(x+\Delta x) - f(x)}{\Delta x} && \text{(définition 3.3)}\\ &= \frac{[3(x+\Delta x)^2 - 5] - (3x^2 - 5)}{\Delta x} && (\text{car } f(x) = 3x^2 - 5)\\ &= \frac{3(x^2 + 2x\Delta x + (\Delta x)^2) - 5 - 3x^2 + 5}{\Delta x}\\ &= \frac{3x^2 + 6x\Delta x + 3(\Delta x)^2 - 5 - 3x^2 + 5}{\Delta x}\\ &= \frac{6x\Delta x + 3(\Delta x)^2}{\Delta x} && \text{(en simplifiant)}\\ &= \frac{\Delta x(6x + 3\Delta x)}{\Delta x} && \text{(en factorisant)}\\ &= 6x + 3\Delta x && (\text{en simplifiant, car } \Delta x \neq 0)\end{aligned}$$

d) Utilisons le résultat obtenu en c) pour calculer $\mathrm{TVM}_{[-3,\,-1]}$.

Puisque $\mathrm{TVM}_{[x,\, x+\Delta x]} = 6x + 3\Delta x$, en posant $x = -3$ et $x + \Delta x = -1$, nous obtenons $-3 + \Delta x = -1$.

Donc, $\Delta x = 2$.

D'où $\mathrm{TVM}_{[-3,\,-1]} = 6(-3) + 3(2) = -12$.

De plus, -12 est égal à la pente de la sécante à la courbe de f passant par les points A(-3, 22) et B(-1, -2).

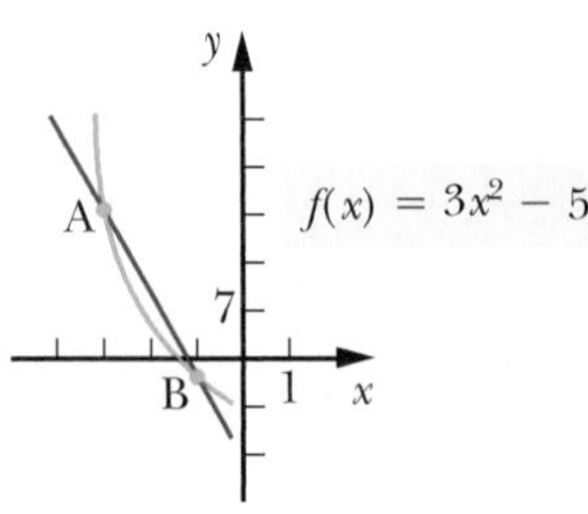

Pour alléger l'écriture, nous pouvons remplacer Δx par h, où $h > 0$, dans la définition 3.3 du taux de variation moyen pour ainsi obtenir la définition suivante.

Définition 3.4

Le taux de variation moyen d'une fonction f sur un intervalle $[x, x + h]$, où $h > 0$, est noté $\mathrm{TVM}_{[x,\, x+h]}$ et est défini par

$$\mathrm{TVM}_{[x,\, x+h]} = \frac{f(x+h) - f(x)}{h}.$$

De façon analogue, pour une fonction f, le rapport

$$\frac{f(x+h) - f(x)}{h}$$

correspond à la pente de la sécante à la courbe de f passant par les points $\mathrm{P}(x, f(x))$ et $\mathrm{Q}(x + h, f(x + h))$.

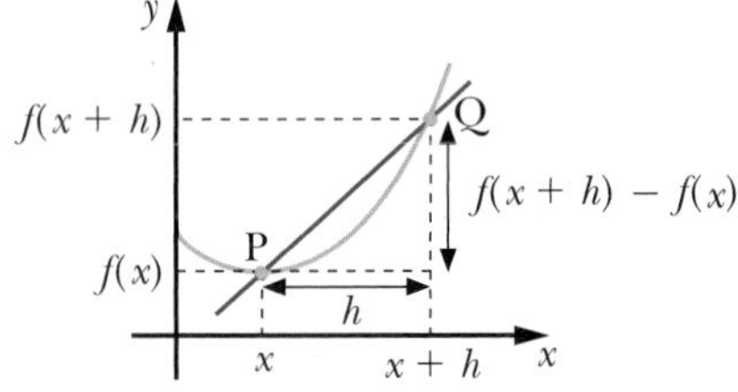

En résumé, nous avons donc :

<table>
<tr>
<td>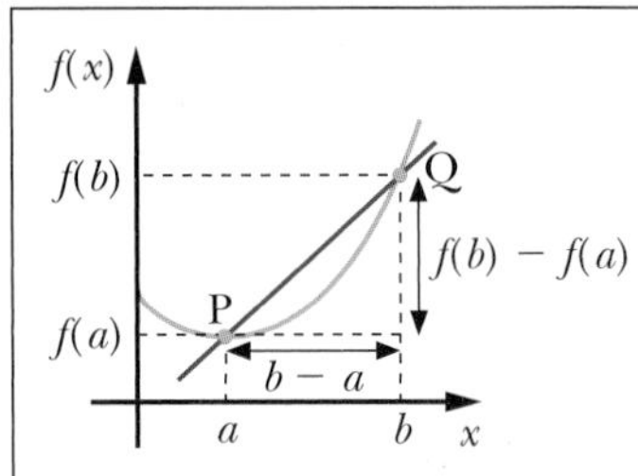
</td>
<td>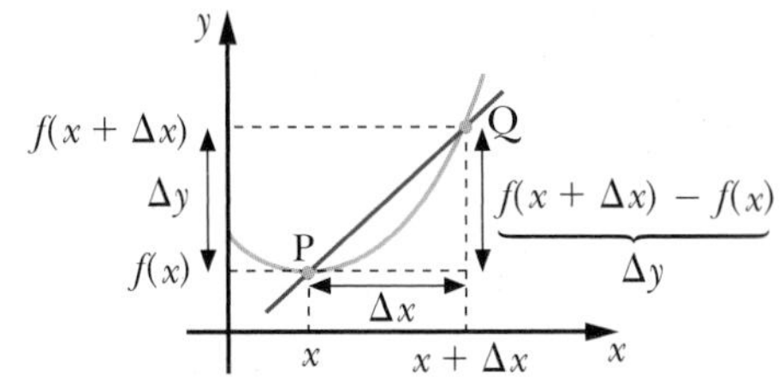
</td>
<td>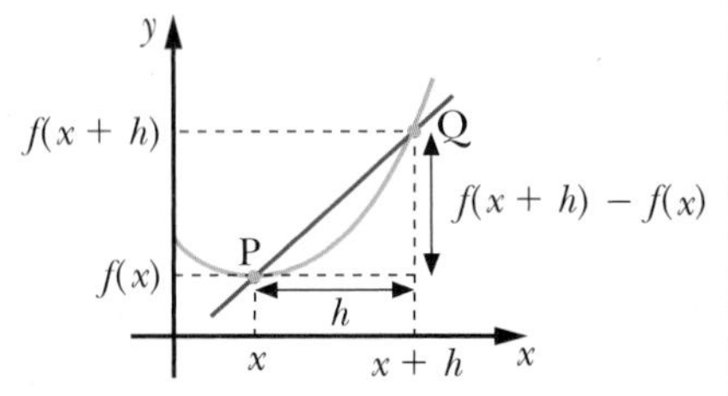
</td>
</tr>
<tr>
<td>$\mathrm{TVM}_{[a,\, b]} = \frac{f(b) - f(a)}{b - a}$
(définition 3.2)</td>
<td>$\mathrm{TVM}_{[x,\, x+\Delta x]} = \frac{f(x+\Delta x) - f(x)}{\Delta x}$
$\mathrm{TVM}_{[x,\, x+\Delta x]} = \frac{\Delta y}{\Delta x}$ (définition 3.3)</td>
<td>$\mathrm{TVM}_{[x,\, x+h]} = \frac{f(x+h) - f(x)}{h}$
(définition 3.4)</td>
</tr>
</table>

Exemple 5 Soit $f(x) = 2x^3 + 1$.

a) Évaluons le taux de variation moyen de f sur $[x, x + h]$.

$$\begin{aligned}
\text{TVM}_{[x,\, x+h]} &= \frac{f(x+h) - f(x)}{h} && \text{(définition 3.4)}\\
&= \frac{[2(x+h)^3 + 1] - (2x^3 + 1)}{h} && (\text{car } f(x) = 2x^3 + 1)\\
&= \frac{2(x^3 + 3x^2h + 3xh^2 + h^3) + 1 - 2x^3 - 1}{h}\\
&= \frac{2x^3 + 6x^2h + 6xh^2 + 2h^3 + 1 - 2x^3 - 1}{h}\\
&= \frac{6x^2h + 6xh^2 + 2h^3}{h} && \text{(en simplifiant)}\\
&= \frac{h(6x^2 + 6xh + 2h^2)}{h} && \text{(en factorisant)}\\
&= 6x^2 + 6xh + 2h^2 && (\text{en simplifiant, car } h \neq 0)
\end{aligned}$$

b) Évaluons le taux de variation moyen de f sur $[3, 3 + h]$.

$$\begin{aligned}
\text{TVM}_{[3,\, 3+h]} &= \frac{f(3+h) - f(3)}{h} && (\text{définition 3.4, où } x = 3)\\
&= \frac{[2(3+h)^3 + 1] - [2(3)^3 + 1]}{h} && (\text{car } f(x) = 2x^3 + 1)\\
&= \frac{2(27 + 27h + 9h^2 + h^3) + 1 - 55}{h}\\
&= \frac{54h + 18h^2 + 2h^3}{h} && \text{(en simplifiant)}\\
&= \frac{h(54 + 18h + 2h^2)}{h} && \text{(en factorisant)}\\
&= 54 + 18h + 2h^2 && (\text{en simplifiant, car } h \neq 0)
\end{aligned}$$

c) Utilisons le résultat général de $\text{TVM}_{[x,\, x+h]}$ obtenu en a) pour réévaluer $\text{TVM}_{[3,\, 3+h]}$.

Puisque $\text{TVM}_{[x,\, x+h]} = 6x^2 + 6xh + 2h^2$, nous obtenons

$$\begin{aligned}
\text{TVM}_{[3,\, 3+h]} &= 6(3)^2 + 6(3)h + 2h^2 && (\text{en remplaçant } x \text{ par } 3)\\
&= 54 + 18h + 2h^2.
\end{aligned}$$

Nous constatons que le résultat est identique à celui obtenu en b).

d) Utilisons $\text{TVM}_{[x,\, x+h]}$ pour évaluer $\text{TVM}_{[-2,\, 5]}$.

Puisque $\text{TVM}_{[x,\, x+h]} = 6x^2 + 6xh + 2h^2$,

nous obtenons
$$\begin{aligned}
\text{TVM}_{[-2,\, 5]} &= \text{TVM}_{[-2,\, -2+7]}\\
&= 6(-2)^2 + 6(-2)7 + 2(7)^2 && (\text{car } x = -2 \text{ et } h = 7)\\
&= 38.
\end{aligned}$$

Le calcul de certains $\text{TVM}_{[x,\, x+h]}$ nécessite le recours à des artifices de calcul.

Exemple 6 Soit $f(x) = \dfrac{1}{2x+1}$. Calculons $\dfrac{\Delta y}{\Delta x}$.

$$\frac{\Delta y}{\Delta x} = \frac{f(x+\Delta x) - f(x)}{\Delta x} \qquad \text{(définition 3.3)}$$

$$= \frac{\dfrac{1}{2(x+\Delta x)+1} - \dfrac{1}{2x+1}}{\Delta x} \qquad \left(\text{car } f(x) = \frac{1}{2x+1}\right)$$

Même commun dénominateur

$$= \left[\frac{(2x+1) - [2(x+\Delta x)+1]}{[2(x+\Delta x)+1](2x+1)}\right]\frac{1}{\Delta x}$$

$$= \left[\frac{2x+1-2x-2\Delta x-1}{(2x+2\Delta x+1)(2x+1)}\right]\frac{1}{\Delta x}$$

$$= \left[\frac{-2\Delta x}{(2x+2\Delta x+1)(2x+1)}\right]\frac{1}{\Delta x} \qquad \text{(en simplifiant)}$$

$$= \frac{-2}{(2x+2\Delta x+1)(2x+1)} \qquad (\text{en simplifiant, car } \Delta x \neq 0)$$

Exemple 7 Soit $f(x) = \sqrt{2x+3}$.

a) Calculons la pente de la sécante passant par les points $P(x, f(x))$ et $Q(x+h, f(x+h))$.

$$m_{sec} = \frac{f(x+h) - f(x)}{h} \qquad \text{(définition 3.2)}$$

$$= \frac{\sqrt{2(x+h)+3} - \sqrt{2x+3}}{h} \qquad (\text{car } f(x) = \sqrt{2x+3})$$

Conjugué

$$= \frac{\sqrt{2(x+h)+3} - \sqrt{2x+3}}{h}\left(\frac{\sqrt{2(x+h)+3} + \sqrt{2x+3}}{\sqrt{2(x+h)+3} + \sqrt{2x+3}}\right)$$

(en multipliant le numérateur et le dénominateur par le conjugué du numérateur)

$$= \frac{[2(x+h)+3] - (2x+3)}{h(\sqrt{2(x+h)+3} + \sqrt{2x+3})}$$

$$= \frac{2x+2h+3-2x-3}{h(\sqrt{2(x+h)+3} + \sqrt{2x+3})}$$

$$= \frac{2h}{h(\sqrt{2(x+h)+3} + \sqrt{2x+3})} \qquad \text{(en simplifiant)}$$

$$= \frac{2}{\sqrt{2(x+h)+3} + \sqrt{2x+3}} \qquad (\text{en simplifiant, car } h \neq 0)$$

b) Calculons la pente de la sécante passant par les points $P(-1, f(-1))$ et $Q(5, f(5))$, notée m_{sec}.

$$m_{sec} = \frac{2}{\sqrt{2(-1+6)+3} + \sqrt{2(-1)+3}} \qquad (\text{car } x = -1 \text{ et } h = 5 - (-1) = 6)$$

$$= \frac{2}{\sqrt{13}+1}$$

Vitesse moyenne et pente de sécante

Il y a environ 400 ans...

© Bettmann/CORBIS

Galilée (1564-1642)

La vitesse nous semble aujourd'hui un concept relativement simple. Pourtant, les Grecs ne croyaient pas qu'on puisse la mesurer. C'est avec le développement des notations algébriques et de la géométrie analytique, dans la seconde moitié du XVIIe siècle, que l'on en vint à voir la vitesse comme un taux de variation. Auparavant, parler quantitativement de la vitesse exigeait un détour par une proportion. Ainsi, lorsque **Galilée** (1564-1642) énonçait sa loi de la chute des corps, que nous écrivons $v = kt^2$, il disait plutôt que si un corps tombe en chute libre, alors le rapport des distances parcourues est comme le rapport des carrés des temps nécessaires à les parcourir.

3

Pour décrire complètement le mouvement d'une particule, il faut connaître à tout instant la position de cette particule.

Prenons l'exemple d'une particule se déplaçant de façon rectiligne sur l'axe des x, du point P au point Q.

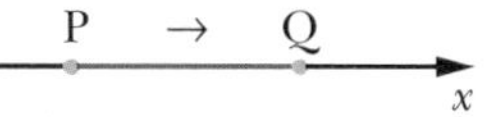

Appelons x_i sa position au point P à l'instant t_i et x_f, sa position au point Q à l'instant t_f.

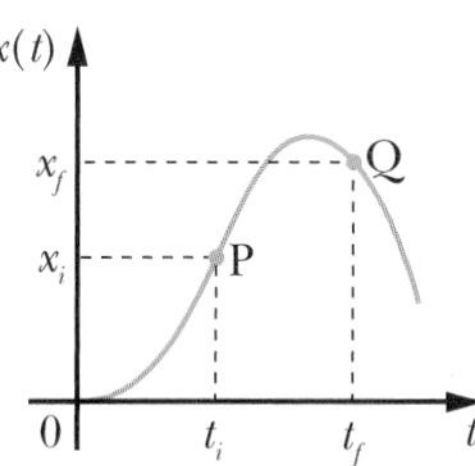

Entre les instants t_i et t_f, la position de la particule peut varier entre ces deux points.

Un tel diagramme est souvent appelé graphique position-temps. Dans l'intervalle de temps $\Delta t = t_f - t_i$, le déplacement de la particule est $\Delta x = x_f - x_i$. Par définition, le déplacement est la variation de position de la particule.

Définition 3.5

Soit x, la position d'une particule à l'instant t.

La **vitesse moyenne** de cette particule sur un intervalle de temps $[t_i, t_f]$, notée $v_{[t_i, t_f]}$, est définie de la façon suivante :

$$v_{[t_i, t_f]} = \frac{x_f - x_i}{t_f - t_i} = \frac{\Delta x}{\Delta t}.$$

Graphiquement, la vitesse moyenne correspond à la pente de la sécante à la courbe de la fonction position passant par le point de départ P et le point d'arrivée Q sur le graphique position-temps.

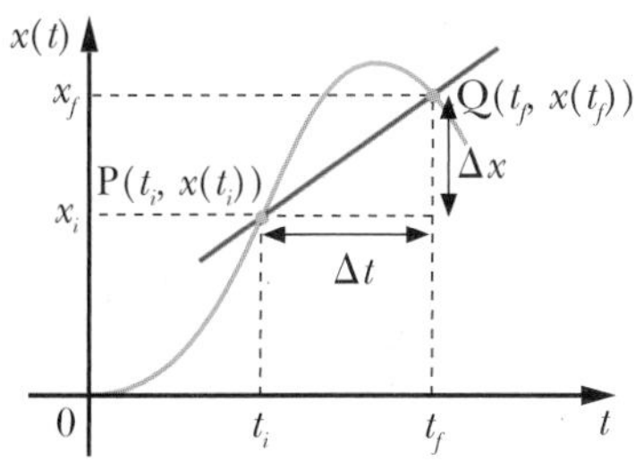

D'après cette définition, nous constatons que la vitesse moyenne a la dimension d'une longueur divisée par un temps, c'est-à-dire $\frac{\Delta x}{\Delta t}$, et qu'elle peut être exprimée, par exemple, en m/s lorsque x est exprimé en mètres et t, en secondes.

La vitesse moyenne est indépendante de la façon dont la particule se déplace entre les points P et Q sur $[t_i, t_f]$, puisqu'elle est proportionnelle au déplacement Δx, dont la valeur dépend uniquement des coordonnées initiale et finale de la particule.

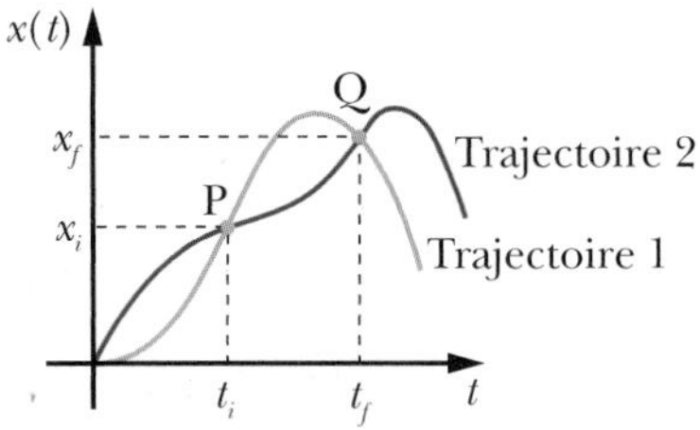

Remarque Il ne faut pas confondre le déplacement de la particule avec la distance parcourue par celle-ci. Il est en effet évident que la distance parcourue ne peut pas être nulle, quel que soit le mouvement, alors que le déplacement peut l'être. La vitesse moyenne ne nous renseigne donc pas sur le mouvement de la particule entre les points P et Q.

Notons enfin que la vitesse moyenne d'une particule suivant un mouvement rectiligne peut être positive, négative ou nulle. L'intervalle de temps est toujours positif, donc

si la valeur de la coordonnée x augmente avec le temps, c'est-à-dire $x_f > x_i$, alors Δx est positif et la vitesse moyenne est positive.

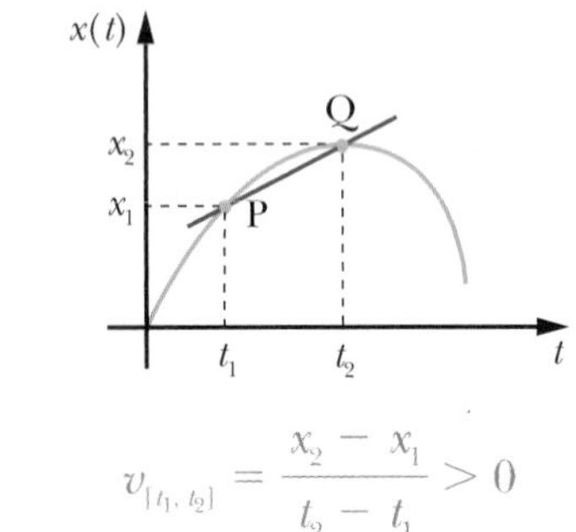

$$v_{[t_1,\, t_2]} = \frac{x_2 - x_1}{t_2 - t_1} > 0$$

si la valeur de la coordonnée x diminue avec le temps, c'est-à-dire $x_f < x_i$, alors Δx est négatif et la vitesse moyenne est négative.

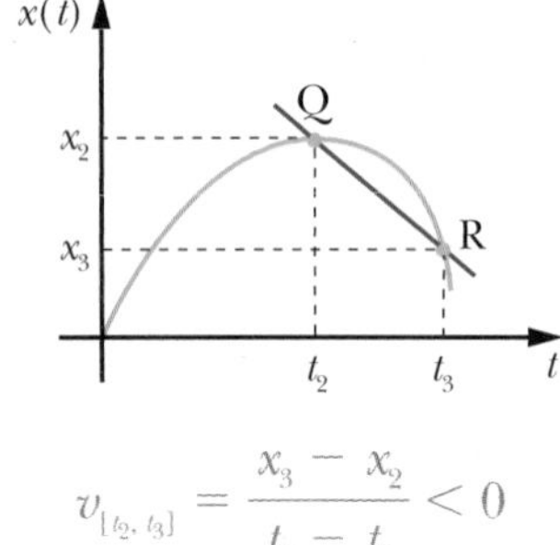

$$v_{[t_2,\, t_3]} = \frac{x_3 - x_2}{t_3 - t_2} < 0$$

si une particule revient à un point Q ayant la même position que le point de départ P,

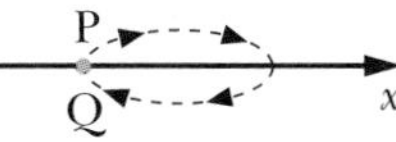

sa vitesse moyenne est nulle puisque son déplacement sur cette trajectoire est nul.

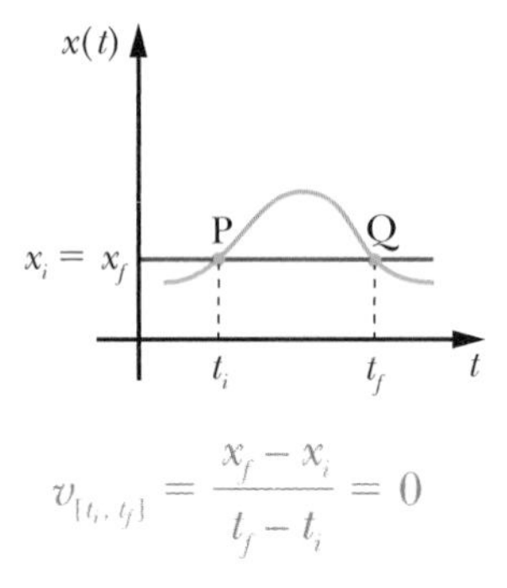

$$v_{[t_i,\, t_f]} = \frac{x_f - x_i}{t_f - t_i} = 0$$

Exemple 1 Une particule se déplace d'une façon rectiligne sur l'axe suivant et passe par les points P, Q, S et R.

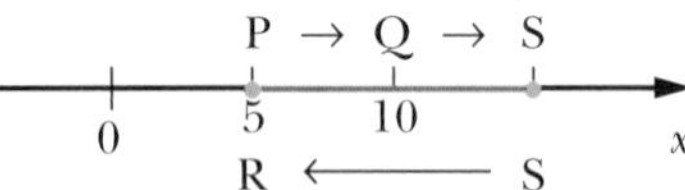

Si la position x en fonction du temps t est donnée par le graphique ci-contre, déterminons les vitesses moyennes suivantes et donnons l'interprétation géométrique de chacune.

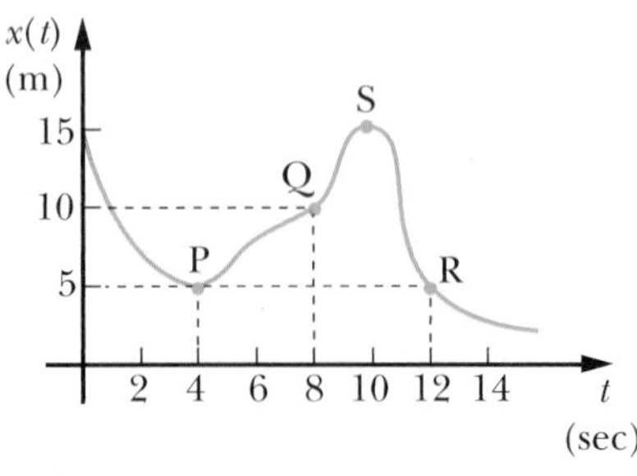

a) $v_{[4\text{ s},\, 8\text{ s}]} = \dfrac{\Delta x}{\Delta t}$

$= \dfrac{x(8) - x(4)}{8 - 4}$

$$= \frac{10 - 5}{8 - 4} = \frac{5}{4}, \text{ donc } 1{,}25 \text{ m/s}$$

Cette vitesse moyenne correspond à la pente de la sécante à la courbe de la fonction position passant par le point P(4, 5) et le point Q(8, 10).

b) $v_{[8\text{ s}, 12\text{ s}]} = \dfrac{5 - 10}{12 - 8} = \dfrac{-5}{4}$, donc -1,25 m/s

Cette vitesse moyenne correspond à la pente de la sécante à la courbe de la fonction position passant par le point Q(8, 10) et le point R(12, 5).

c) $v_{[4\text{ s}, 12\text{ s}]} = \dfrac{5 - 5}{12 - 4} = 0$, donc 0 m/s

Cette vitesse moyenne correspond à la pente de la sécante à la courbe de la fonction position passant par le point P(4, 5) et le point R(12, 5).

Exemple 2 La position x, en fonction du temps t, d'un objet lancé verticalement vers le haut, est donnée par $x(t) = -4{,}9t^2 + 14{,}7t + 22$, où t est en secondes et x, en mètres. Calculons les vitesses moyennes suivantes.

a) $v_{[0\text{ s}, 2\text{ s}]} = \dfrac{x(2) - x(0)}{2 - 0}$

$= \dfrac{31{,}8 - 22}{2}$

$= 4{,}9$, donc 4,9 m/s

b) $v_{[1\text{ s}, 2\text{ s}]} = \dfrac{x(2) - x(1)}{2 - 1}$

$= \dfrac{31{,}8 - 31{,}8}{1}$

$= 0$, donc 0 m/s

c) $v_{[1{,}5\text{ s}, 3\text{ s}]} = \dfrac{x(3) - x(1{,}5)}{3 - 1{,}5}$

$= \dfrac{22 - 33{,}025}{1{,}5}$

$= -7{,}35$, donc -7,35 m/s

Représentation graphique

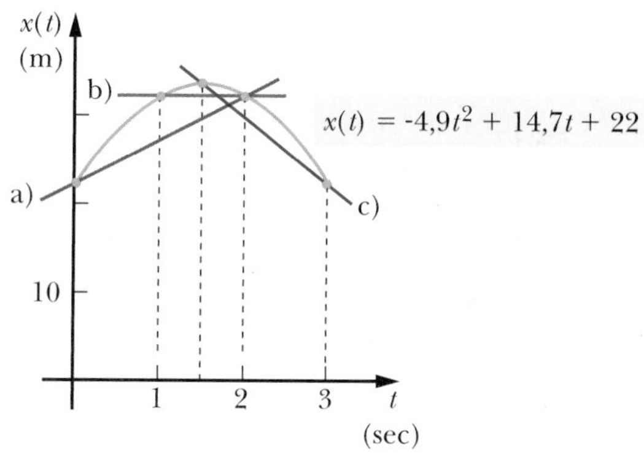

Exercices 3.1

1. Soit $y = f(x)$, une fonction définie sur $\mathbb{R}$.

a) Définir Δy.

b) Définir le taux de variation moyen de f sur $[x, x + h]$.

c) Compléter la phrase. Le taux de variation moyen de f sur $[x, x + h]$ correspond à la pente de…

d) Représenter graphiquement les éléments dont il est question dans la phrase précédente.

2. Calculer Δy sur l'intervalle donné, si :

a) $f(x) = 4x - 2$ sur $[-1, 5]$;

b) $f(x) = \sqrt{5 - x}$, si $x = -2$ et $\Delta x = 5$;

c) $f(x) = 7$ sur $[2, 5]$;

d) $f(x) = x^2 - 3x$ sur $[-1, -1 + h]$;

e) $f(x) = \dfrac{1}{x}$ sur $[x, x + h]$.

3. Calculer le taux de variation moyen de la fonction sur l'intervalle donné.

a) $f(x) = -x^2 + 8x + 2$ sur $[x, x + h]$

b) $g(x) = -5$ sur $[x, x + \Delta x]$

c) $h(x) = x^3 - 2x$ sur $[x, x + h]$

d) $x(t) = \dfrac{5}{4t - 1}$ sur $[t, t + \Delta t]$

e) $f(x) = \sqrt{5x - 3}$ sur $[x, x + h]$

f) $g(x) = \dfrac{1}{\sqrt{x}}$ sur $[x, x + \Delta x]$.

4. Pour chaque fonction, calculer:

a) $\dfrac{\Delta y}{\Delta x}$ si $f(x) = 2x^2 - 7x + 4$;

b) $\dfrac{\Delta x}{\Delta t}$ si $x(t) = \dfrac{t}{1 - 3t}$.

5. Calculer le taux de variation moyen de la fonction sur l'intervalle donné et utiliser le résultat obtenu pour calculer l'expression donnée.

a) $f(x) = x^3 - 1$ sur $[2, 2 + h]$; $TVM_{[2, 5]}$

b) $x(t) = \sqrt{3 - t}$ sur $[0, \Delta t]$; $\dfrac{\Delta x}{\Delta t}$ sur $[0, 2]$

c) $f(x) = 3x - x^2$ sur $[1, 1 + \Delta x]$; la pente de la sécante à la courbe de f passant par les points $P(1, f(1))$ et $Q(3, f(3))$.

6. Soit $f(x) = x^2 - 3x - 4$.

a) Calculer $TVM_{[x, x + h]}$.

b) Utiliser le résultat obtenu en a) pour évaluer:

i) $TVM_{[-2, -2 + h]}$; iii) $TVM_{[5, 7]}$;

ii) $TVM_{[-2, 1]}$; iv) $TVM_{\left[\frac{-5}{4}, \frac{-1}{3}\right]}$.

c) Utiliser le résultat obtenu en b) pour déterminer la pente de la sécante à la courbe de f passant par les points:

i) $P(-2, f(-2))$ et $Q(1, f(1))$;

ii) $R(5, f(5))$ et $S(7, f(7))$.

Représenter graphiquement f et les sécantes précédentes.

7. Soit un cube dont la longueur de l'arête est x, où x est en mètres.

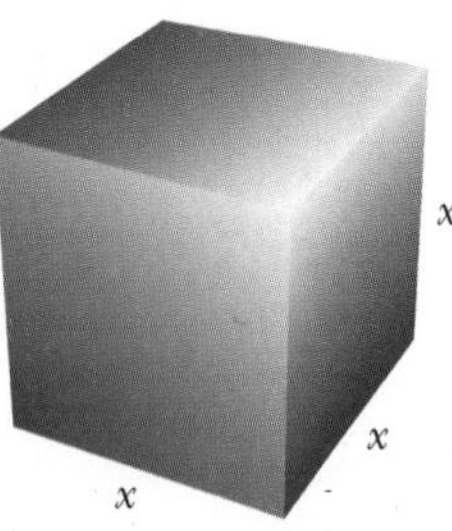

Calculer le taux de variation moyen du volume lorsque la longueur de l'arête passe de

a) 1 m à 2 m; c) 2 m à 3 m;

b) 1 m à 3 m; d) a m à b m.

8. Soit un cylindre circulaire droit dont le volume V en fonction de son rayon r et de sa hauteur h est donné par $V(r, h) = \pi r^2 h$, où r et h sont en centimètres.

Dominique Parent

a) Calculer, pour $h = 12$ cm, le taux de variation moyen du volume lorsque r passe de 5 cm à 6 cm.

b) Calculer, pour $r = 12$ cm, le taux de variation moyen du volume lorsque h passe de 5 cm à 6 cm.

9. Les représentations suivantes donnent la valeur du TSE 300 pour différents intervalles de temps.

Représentation ①

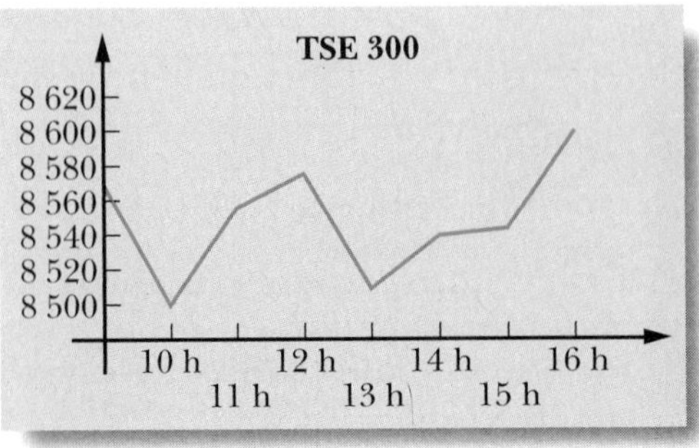

Représentation ②

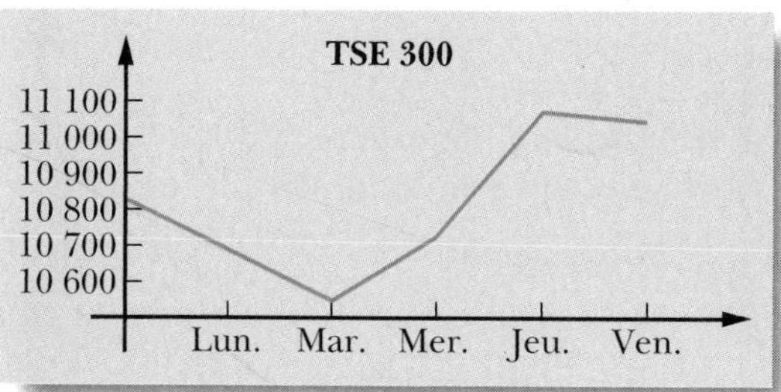

Représentation ③

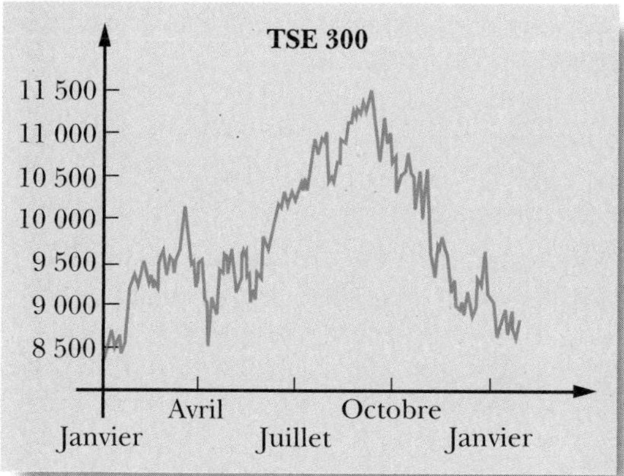

Déterminer approximativement, à partir des représentations précédentes, la variation et le taux de variation moyen de l'indice boursier sur la période :

a) entre 10 h et 12 h ;

b) entre l'ouverture et 13 h ;

c) de la journée complète ;

d) entre mardi et jeudi ;

e) entre juillet et octobre.

f) Déterminer, à l'aide de la représentation ①, le taux de variation moyen le plus petit.

g) Déterminer, à l'aide de la représentation ②, le taux de variation moyen le plus élevé.

10. Déterminer approximativement, à l'aide de la représentation suivante, le taux de variation moyen :

a) des ventes entre 1999 et 2004 ;

b) des exportations entre 2003 et 2005 ;

c) des emplois entre 1997 et 2005.

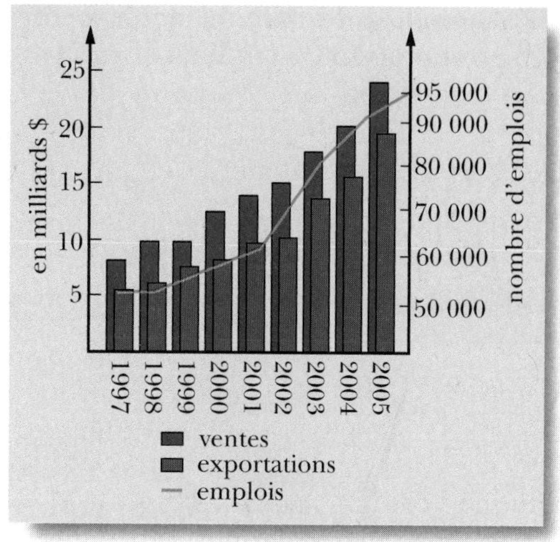

11. Le graphique ci-dessous donne l'altitude d'un avion en fonction du temps.

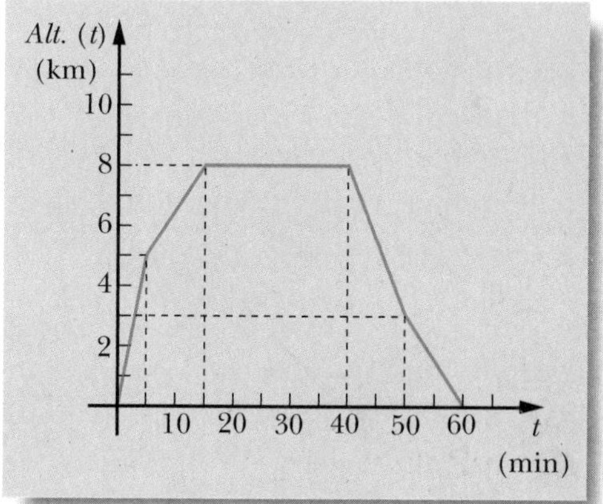

Pour les cinq segments de droite qui y figurent :

a) calculer la pente ;

b) calculer la vitesse d'ascension (descente = ascension négative) ;

c) comparer dans chaque cas les réponses obtenues en a) et en b).

12. 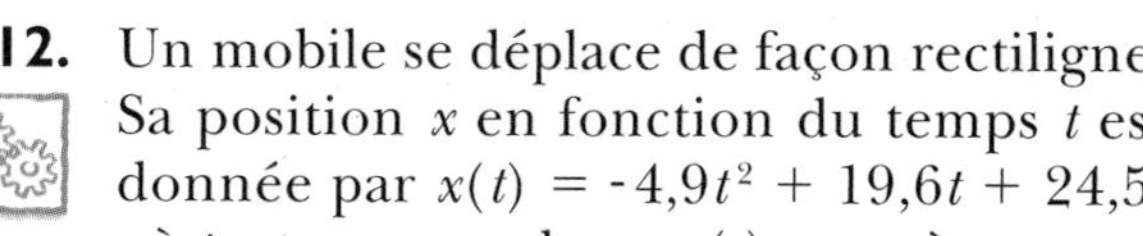 Un mobile se déplace de façon rectiligne. Sa position x en fonction du temps t est donnée par $x(t) = -4{,}9t^2 + 19{,}6t + 24{,}5$, où t est en secondes et $x(t)$, en mètres.

Calculer les vitesses moyennes suivantes et représenter graphiquement la courbe de x et les sécantes correspondantes.

a) $v_{[0\text{ s},\,2\text{ s}]}$

b) $v_{[0\text{ s},\,4\text{ s}]}$

c) $v_{[2\text{ s},\,4\text{ s}]}$

13. Un mobile se déplace de façon rectiligne. Sa position x en fonction du temps t est donnée par $x(t) = \frac{t^4}{81} + 5$, où t est en secondes et $x(t)$, en mètres.

Pour chacune des valeurs de Δt données, déterminer la vitesse moyenne du mobile sur $[3 \text{ s}, (3 + \Delta t) \text{ s}]$ et représenter graphiquement la courbe et les sécantes correspondantes.

a) $\Delta t = 3$ s

b) $\Delta t = 2$ s

c) $\Delta t = 1$ s

d) $\Delta t = 0{,}3$ s

3

3.2 Dérivée d'une fonction en un point et taux de variation instantané

Objectif d'apprentissage

À la fin de cette section, l'élève pourra calculer la dérivée d'une fonction en un point.

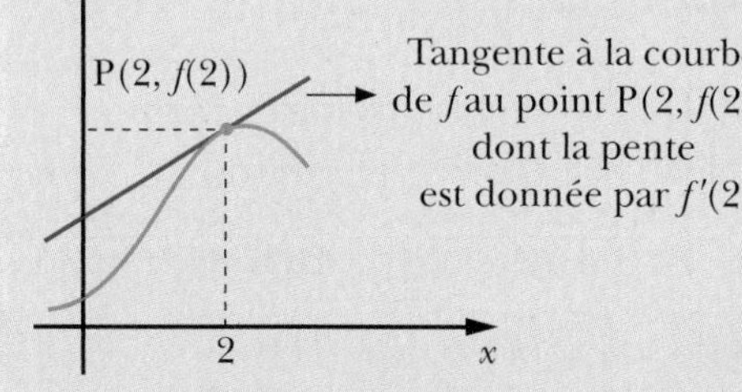

Plus précisément, l'élève sera en mesure:
- de définir la dérivée d'une fonction en un point;
- de calculer la dérivée d'une fonction en un point;
- de relier graphiquement la dérivée d'une fonction en un point à la pente de la tangente à la courbe à ce point;
- de relier le taux de variation instantané à la dérivée d'une fonction;
- de relier la notion de vitesse instantanée à la notion de pente de tangente;
- de relier la notion de vitesse instantanée à la notion de dérivée;
- de démontrer un théorème relatif à la continuité d'une fonction dérivable.

Tangente à une courbe

Il y a environ 300 ans...

Au XVIIIe siècle, la tangente à une courbe s'appelait une *touchante*. Aucune méthode générale n'existait pour tracer une tangente à une courbe. Pour chaque type de courbe, il fallait développer une méthode qui lui était propre. La capsule historique du présent chapitre décrit l'une de ces méthodes, élaborée par Gilles Personne de Roberval.

Dans cette section, nous calculerons la pente de la tangente à la courbe d'une fonction en un point, à l'aide du calcul différentiel.

Définition 3.6 La **tangente** à la courbe C en un point P de la courbe est l'unique droite dont la position est la position limite des sécantes passant par P et Q_i lorsque Q_i s'approche de P par la gauche et des sécantes passant par P et R_i lorsque R_i s'approche de P par la droite.

Exemple 1

a)

Les droites PQ_i et PR_i sont des sécantes à la courbe C.

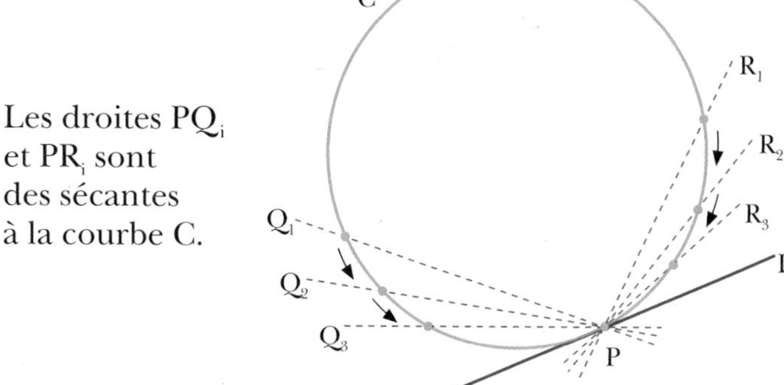

La droite L est tangente à la courbe C au point P.

b)

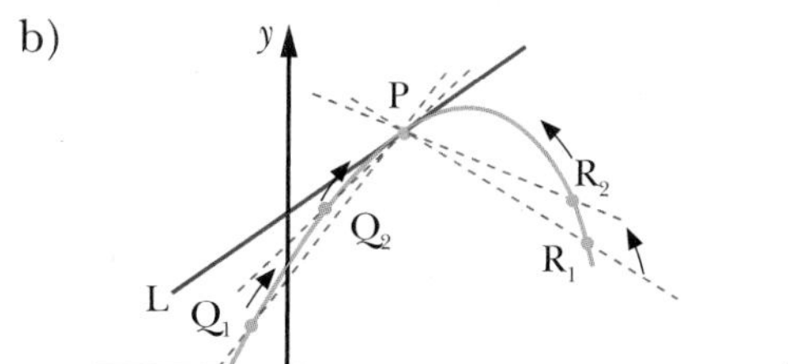

La droite L est tangente à la courbe C au point P.

c)

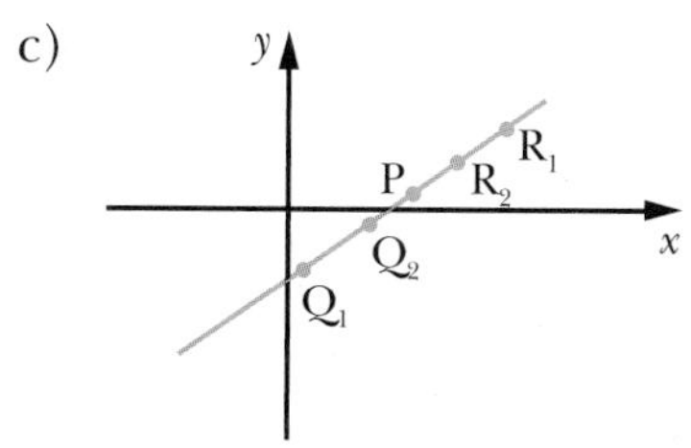

Dans le cas où la courbe C est une droite, la tangente est confondue avec la droite.

Dans le cas où la position limite des sécantes ne donne pas la même droite lorsque Q_i tend vers P par la gauche et par la droite, nous disons que la courbe n'admet pas de tangente au point P.

Exemple 2 Puisque la position des sécantes donne L_1 lorsque Q_i tend vers P par la gauche et donne L_2 lorsque R_i tend vers P par la droite, la courbe C n'admet pas de tangente au point P.

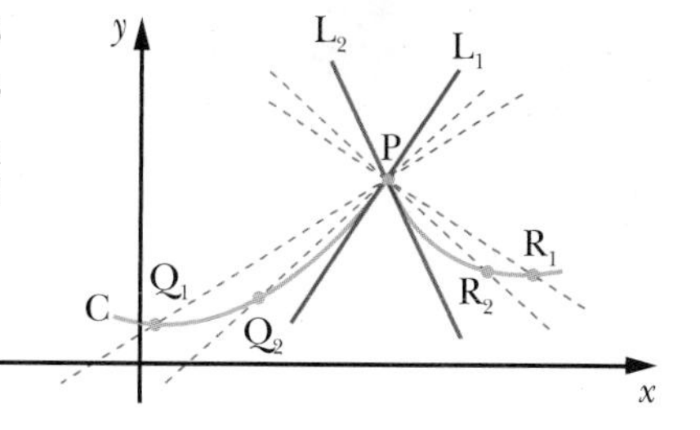

Pente de la tangente à la courbe d'une fonction en un point

Nous pouvons déterminer la pente de la tangente à la courbe d'une fonction f en un point $P(a, f(a))$, en calculant successivement la pente de droites sécantes à la courbe passant par P et Q_i lorsque Q_i tend vers P par la gauche et la pente de droites sécantes à la courbe passant par P et R_i lorsque R_i tend vers P par la droite.

Cas où R_i tend vers P par la droite.

$$m_{\text{sec 1}} = \frac{f(a+h_1) - f(a)}{h_1}$$

$$m_{\text{sec 2}} = \frac{f(a+h_2) - f(a)}{h_2}$$

$$m_{\text{sec 3}} = \frac{f(a+h_3) - f(a)}{h_3}$$

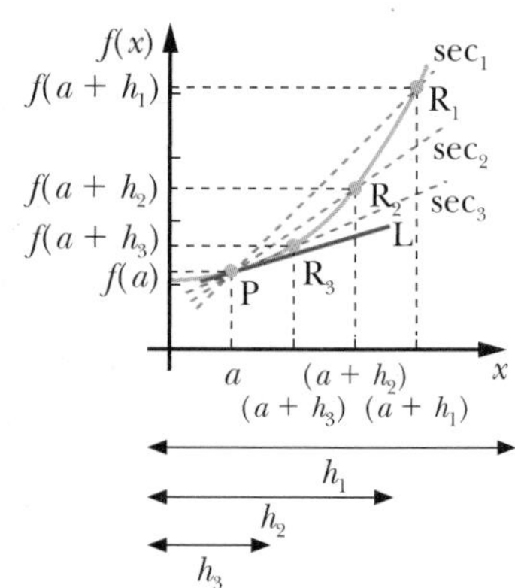

Nous constatons graphiquement que, plus h est petit ($h \to 0^+$), plus les sécantes se rapprochent de la droite L.

Nous procédons de façon analogue lorsque Q_i tend vers P par la gauche. Si les sécantes correspondantes se rapprochent de la même droite L, alors cette droite L est tangente à la courbe de f au point $P(a, f(a))$.

Définition 3.7

La **pente de la tangente** à la courbe d'une fonction f au point $P(a, f(a))$, si elle existe, est notée $m_{\tan(a, f(a))}$ et est donnée par

$$m_{\tan(a, f(a))} = \lim_{h \to 0} \frac{f(a+h) - f(a)}{h}.$$

Ainsi, de la définition précédente,

si $a = -4$, nous avons $m_{\tan(-4, f(-4))} = \lim\limits_{h \to 0} \dfrac{f(-4+h) - f(-4)}{h}$;

si $a = 9$, nous avons $m_{\tan(9, f(9))} = \lim\limits_{h \to 0} \dfrac{f(9+h) - f(9)}{h}$.

Exemple 1 Soit $f(x) = -x^2 + 4x + 1$.

Calculons, à l'aide de la définition 3.7, la pente de la tangente illustrée sur le graphique ci-contre, c'est-à-dire $m_{\tan(3, f(3))}$.

Tangente à la courbe de f au point $P(3, f(3))$

$f(x) = -x^2 + 4x + 1$

$$m_{\tan(3, f(3))} = \lim_{h \to 0} \frac{f(3+h) - f(3)}{h} \qquad \text{(définition 3.7)}$$

$$= \lim_{h \to 0} \frac{[-(3+h)^2 + 4(3+h) + 1] - (-9 + 12 + 1)}{h}$$

(car $f(x) = -x^2 + 4x + 1$)

$$= \lim_{h \to 0} \frac{(-9 - 6h - h^2 + 12 + 4h + 1) - 4}{h}$$

$$= \lim_{h \to 0} \frac{-h^2 - 2h}{h} \qquad \text{(en simplifiant)}$$

$$= \lim_{h \to 0} \frac{h(-h - 2)}{h} \qquad \text{(en factorisant)}$$

$$= \lim_{h \to 0} (-h - 2) \qquad \text{(en simplifiant, car } h \neq 0\text{)}$$

$$= -2 \qquad \text{(en évaluant la limite)}$$

D'où $m_{\tan(3, f(3))} = -2$.

Exemple 2 Soit $f(x) = \begin{cases} x^2 & \text{si} \quad x \leq 2 \\ 8 - x^2 & \text{si} \quad x > 2 \end{cases}$,

dont la représentation graphique est ci-contre.

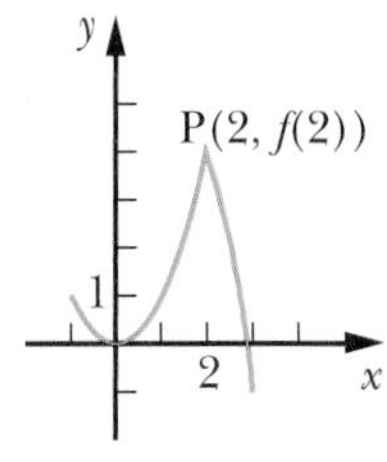

Vérifions, à l'aide de la définition 3.7, que la courbe de f n'admet pas de tangente au point $P(2, f(2))$.

Cas où $h < 0$

$$\begin{aligned}
\lim_{h \to 0^-} \frac{f(2+h) - f(2)}{h} &= \lim_{h \to 0^-} \frac{(2+h)^2 - 4}{h} && \text{(puisque } (2+h) < 2, f(x) = x^2\text{)} \\
&= \lim_{h \to 0^-} \frac{4 + 4h + h^2 - 4}{h} \\
&= \lim_{h \to 0^-} \frac{4h + h^2}{h} && \text{(en simplifiant)} \\
&= \lim_{h \to 0^-} \frac{h(4+h)}{h} && \text{(en factorisant)} \\
&= \lim_{h \to 0^-} (4 + h) && \text{(en simplifiant, car } h \neq 0\text{)} \\
&= 4 && \text{(en évaluant la limite)}
\end{aligned}$$

Cas où $h > 0$

$$\begin{aligned}
\lim_{h \to 0^+} \frac{f(2+h) - f(2)}{h} &= \lim_{h \to 0^+} \frac{8 - (2+h)^2 - 4}{h} \\
& && \text{(puisque } (2+h) > 2, f(x) = 8 - x^2\text{)} \\
&= \lim_{h \to 0^+} \frac{8 - 4 - 4h - h^2 - 4}{h} \\
&= \lim_{h \to 0^+} \frac{-4h - h^2}{h} && \text{(en simplifiant)} \\
&= \lim_{h \to 0^+} \frac{h(-4 - h)}{h} && \text{(en factorisant)} \\
&= \lim_{h \to 0^+} (-4 - h) && \text{(en simplifiant, car } h \neq 0\text{)} \\
&= -4 && \text{(en évaluant la limite)}
\end{aligned}$$

Puisque la limite à gauche n'est pas égale à la limite à droite,

$\lim_{h \to 0} \frac{f(2+h) - f(2)}{h}$ n'existe pas.

D'où la courbe de f n'admet pas de tangente au point $P(2, f(2))$.

Dérivée et taux de variation instantané

Pour faire l'étude de certains phénomènes, par exemple la vitesse, le coût marginal, etc., il peut être nécessaire de connaître la dérivée d'une fonction en un point, qui correspond au taux de variation instantané de cette fonction en un point.

Définition 3.8

La **dérivée** d'une fonction f au point $P(a, f(a))$, notée $f'(a)$, peut être définie de la façon suivante:

(1) $f'(a) = \lim\limits_{h \to 0} \dfrac{f(a+h) - f(a)}{h}$, lorsque la limite existe.

Remarque Lorsque $f'(a)$ existe, nous disons que f est une fonction dérivable en $x = a$, et $f'(a)$ est égale à la pente de la tangente à la courbe de f au point $P(a, f(a))$. De façon générale, f est une fonction dérivable sur un intervalle ouvert lorsque f est dérivable en tout point de cet intervalle.

Exemple 1 Soit $f(x) = \sqrt{x+3}$.

a) Calculons $f'(2)$.

$$f'(2) = \lim_{h \to 0} \frac{f(2+h) - f(2)}{h} \qquad \text{(définition 3.8)}$$

$$= \lim_{h \to 0} \frac{\sqrt{(2+h)+3} - \sqrt{2+3}}{h} \qquad (\text{car } f(x) = \sqrt{x+3})$$

$$= \lim_{h \to 0} \frac{\sqrt{5+h} - \sqrt{5}}{h}$$

Conjugué

$$= \lim_{h \to 0} \left[\left(\frac{\sqrt{5+h} - \sqrt{5}}{h}\right)\left(\frac{\sqrt{5+h} + \sqrt{5}}{\sqrt{5+h} + \sqrt{5}}\right)\right]$$

$$= \lim_{h \to 0} \frac{(5+h) - 5}{h(\sqrt{5+h} + \sqrt{5})} \qquad \text{(en effectuant)}$$

$$= \lim_{h \to 0} \frac{h}{h(\sqrt{5+h} + \sqrt{5})} \qquad \text{(en simplifiant)}$$

$$= \lim_{h \to 0} \frac{1}{\sqrt{5+h} + \sqrt{5}} \qquad (\text{en simplifiant, car } h \neq 0)$$

$$= \frac{1}{\sqrt{5} + \sqrt{5}} \qquad \text{(en évaluant la limite)}$$

$$= \frac{1}{2\sqrt{5}}$$

D'où $f'(2) = \dfrac{1}{2\sqrt{5}}$.

b) Calculons $m_{\tan (2, f(2))}$.

$$m_{\tan (2, f(2))} = f'(2) = \frac{1}{2\sqrt{5}} = 0{,}223...$$

Droite normale

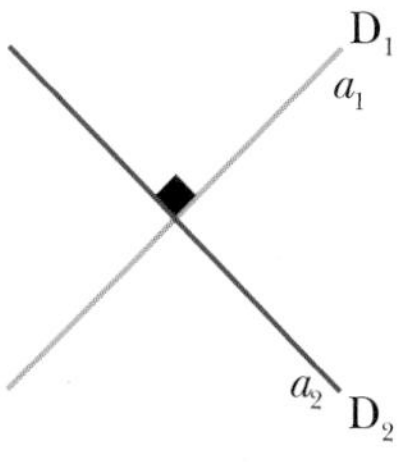

Si $D_1 \perp D_2$ alors $a_1 \cdot a_2 = -1$

c) Déterminons l'équation de la tangente et l'équation de la droite perpendiculaire normale à la courbe de f au point $(2, f(2))$.

ÉQUATION DE LA TANGENTE

$$\frac{y - f(2)}{x - 2} = f'(2)$$

$$\frac{y - \sqrt{5}}{x - 2} = \frac{1}{2\sqrt{5}}$$

$$y - \sqrt{5} = \frac{1}{2\sqrt{5}}(x - 2)$$

$$y = \frac{1}{2\sqrt{5}}x - \frac{1}{\sqrt{5}} + \sqrt{5}$$

D'où $y = \dfrac{1}{2\sqrt{5}}x + \dfrac{4}{\sqrt{5}}$

ÉQUATION DE LA DROITE NORMALE

$$\frac{y - f(2)}{x - 2} = \frac{-1}{f'(2)}$$

$$\frac{y - \sqrt{5}}{x - 2} = -2\sqrt{5}$$

$$y - \sqrt{5} = -2\sqrt{5}(x - 2)$$

$$y = -2\sqrt{5}x + 4\sqrt{5} + \sqrt{5}$$

D'où $y = -2\sqrt{5}x + 5\sqrt{5}$

d) Représentons graphiquement la courbe de f, la tangente à cette courbe au point $P(2, f(2))$ et la droite normale à cette tangente en ce point.

```
>f:=x→(x+3)^(1/2);t:=x→(1/(2*(5)^(1/2)))*x+4/5^(1/2);n:=x→-2*(5)^(1/2)*x+5*5^(1/2);
```

$$f := x \to \sqrt{x+3}$$

$$t := x \to \frac{1}{10}\sqrt{5}x + \frac{4\sqrt{5}}{5}$$

$$n := x \to -2\sqrt{5}x + 5\sqrt{5}$$

```
>with(plots):
>c:=plot(f(x),x=-4..7,y=0..4,color=red,numpoints=800);
>t1:=plot(t(x),x=-3..7,color=blue):
>n1:=plot(n(x),x=1.5..2.5,color=green);
>h:=plot([2,y,y=0..2],linestyle=DOT,color=black):
>display(c,t1,n1,h,scaling=constrained);
```

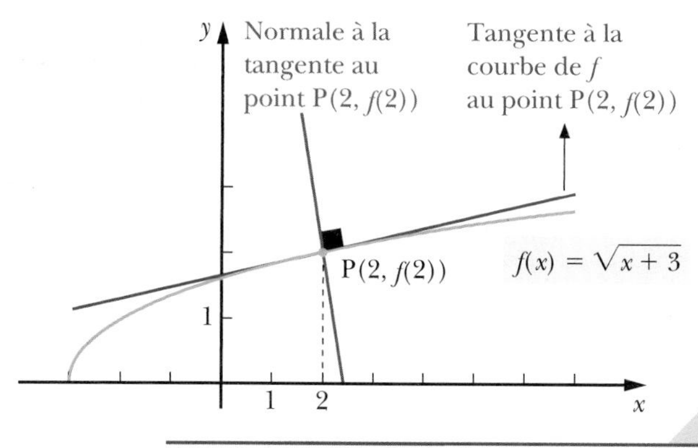

La pente de la tangente à la courbe d'une fonction en un point correspond au taux de variation instantané de la fonction au point donné. On a donc la définition suivante.

Définition 3.9 Le **taux de variation instantané** d'une fonction f en un point $P(a, f(a))$, noté $TVI_{x=a}$, est égal à la dérivée de la fonction f au point $P(a, f(a))$. Ainsi,

$$TVI_{x=a} = f'(a).$$

Des deux définitions précédentes, nous avons

$$TVI_{x=a} = \lim_{h \to 0} \frac{f(a+h) - f(a)}{h}, \text{ lorsque la limite existe.}$$

3

Exemple 2 Soit un carré dont la mesure du côté est de x cm. Ainsi, l'aire A est donnée par $A(x) = x^2$, où $x \geqslant 0$.

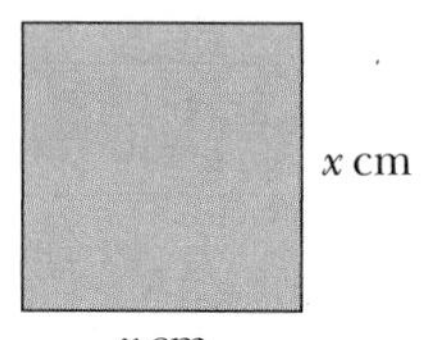

a) Déterminons le taux de variation instantané de l'aire A lorsque $x = 5$ cm, en calculant les taux de variation moyens de l'aire A sur les intervalles [5 cm, (5 + h) cm] pour les valeurs de h suivantes.

Si $h = 1$ cm, $TVM_{[5\text{ cm},\, 6\text{ cm}]} = \dfrac{A(6) - A(5)}{6 - 5} = \dfrac{36 - 25}{1} = 11 \text{ cm}^2/\text{cm}$

Si $h = 0{,}1$ cm, $TVM_{[5\text{ cm},\, 5{,}1\text{ cm}]} = \dfrac{A(5{,}1) - A(5)}{5{,}1 - 5} = 10{,}1 \text{ cm}^2/\text{cm}$

Si $h = 0{,}01$ cm, $TVM_{[5\text{ cm},\, 5{,}01\text{ cm}]} = \dfrac{A(5{,}01) - A(5)}{5{,}01 - 5} = 10{,}01 \text{ cm}^2/\text{cm}$

Si $h = 0{,}001$ cm, $TVM_{[5\text{ cm},\, 5{,}001\text{ cm}]} = \dfrac{A(5{,}001) - A(5)}{5{,}001 - 5} = 10{,}001 \text{ cm}^2/\text{cm}$

À la limite, lorsque $h \to 0^+$, il semble que

$$\lim_{h \to 0^+} \frac{A(5+h) - A(5)}{h} = 10 \text{ cm}^2/\text{cm}.$$

L'élève peut vérifier que le résultat semble identique lorsque $h \to 0^-$, c'est-à-dire :

$$\lim_{h \to 0^-} \frac{A(5+h) - A(5)}{h} = 10 \text{ cm}^2/\text{cm}.$$

Donc, $\displaystyle\lim_{h \to 0} \frac{A(5+h) - A(5)}{h} = 10 \text{ cm}^2/\text{cm}$.

D'où $TVI_{x=5\text{ cm}} = 10 \text{ cm}^2/\text{cm}$.

b) Calculons $\text{TVI}_{x=5\text{ cm}}$ à partir de la définition du taux de variation instantané.

$$\begin{aligned}
\text{TVI}_{x=5\text{ cm}} &= A'(5) \\
&= \lim_{h\to 0} \frac{A(5+h) - A(5)}{h} && \text{(par définition)} \\
&= \lim_{h\to 0} \frac{(5+h)^2 - 25}{h} && (\text{car } A(x) = x^2) \\
&= \lim_{h\to 0} \frac{25 + 10h + h^2 - 25}{h} \\
&= \lim_{h\to 0} \frac{10h + h^2}{h} && \text{(en simplifiant)} \\
&= \lim_{h\to 0} \frac{h(10+h)}{h} && \text{(en factorisant)} \\
&= \lim_{h\to 0} (10+h) && (\text{en simplifiant, car } h \neq 0) \\
&= 10
\end{aligned}$$

D'où $\text{TVI}_{x=5\text{ cm}} = 10\ \text{cm}^2/\text{cm}$.

À partir de la définition 3.8 de $f'(a)$, c'est-à-dire : $f'(a) = \lim_{h\to 0} \frac{f(a+h) - f(a)}{h}$,

nous obtenons une deuxième définition de $f'(a)$ en posant $h = \Delta x$.

De plus, nous obtenons une troisième définition de $f'(a)$ en posant

$a + h = x$

ainsi, $h = x - a$

Puisque $h \to 0$, nous avons $(x - a) \to 0$.

Donc, $x \to a$.

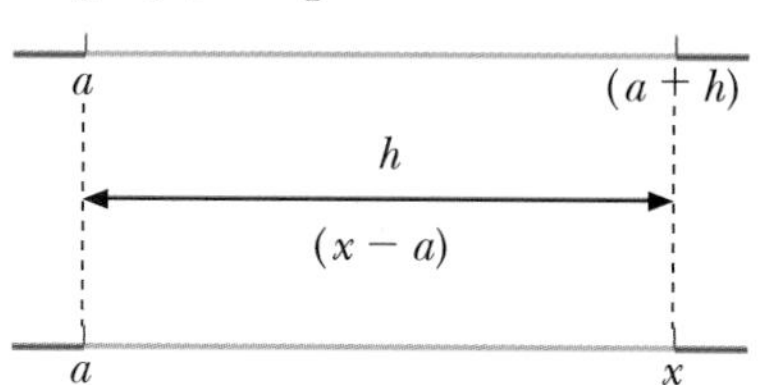

Définition 3.10

La **dérivée** d'une fonction f au point $P(a, f(a))$, notée $f'(a)$, peut aussi être définie de la façon suivante :

(2) $f'(a) = \lim_{\Delta x\to 0} \frac{f(a+\Delta x) - f(a)}{\Delta x}$, lorsque la limite existe.

(3) $f'(a) = \lim_{x\to a} \frac{f(x) - f(a)}{x - a}$, lorsque la limite existe.

Exemple 3 Soit $f(x) = \frac{1}{x}$.

a) Évaluons $f'(-2)$ à l'aide de la définition 3.10 (3).

$$f'(-2) = \lim_{x\to -2} \frac{f(x) - f(-2)}{x - (-2)} \qquad \text{(définition 3.10 (3))}$$

$$= \lim_{x \to -2} \frac{\frac{1}{x} - \left(\frac{-1}{2}\right)}{x + 2} \qquad \left(\text{car } f(x) = \frac{1}{x}\right)$$

Même commun dénominateur

$$= \lim_{x \to -2} \frac{\frac{2 + x}{2x}}{x + 2}$$

$$= \lim_{x \to -2} \frac{(2 + x)}{2x(x + 2)}$$

$$= \lim_{x \to -2} \frac{1}{2x} \qquad \text{(en simplifiant, car } x \neq -2\text{)}$$

$$= \frac{-1}{4} \qquad \text{(en évaluant la limite)}$$

b) Déterminons l'équation de la tangente à la courbe de f au point $P(-2, f(-2))$.

Nous avons $\dfrac{y - f(-2)}{x - (-2)} = f'(-2)$

$$\frac{y - \left(\frac{-1}{2}\right)}{x + 2} = \frac{-1}{4}$$

$$y + \frac{1}{2} = \frac{-1}{4}(x - 2)$$

D'où $\qquad y = \dfrac{-1}{4}x - 1.$

OUTIL TECHNOLOGIQUE

c) Représentons graphiquement la courbe de f ainsi que la tangente au point $P(-2, f(-2))$.

```
>with(plots):
>f:=plot(1/x,x=-6..4,y=-4..4,color=orange):
>g:=plot((-1/4)*x-1,x=-6..2,y=-4..4,color=blue):
>display(f, g);
```

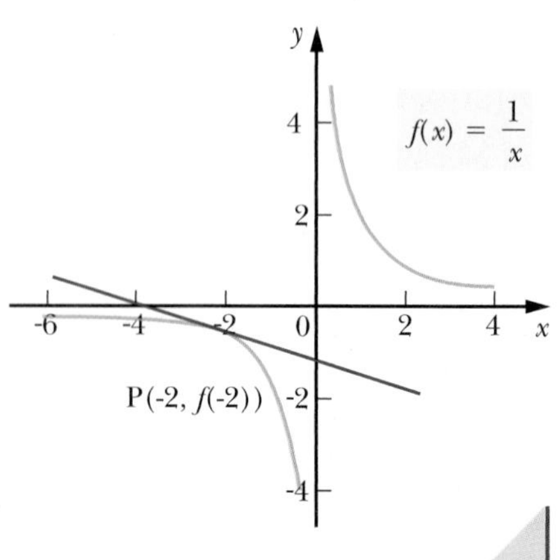

Vitesse instantanée et pente de tangente

La vitesse d'une particule à un instant quelconque, ou en un certain point d'un diagramme espace-temps, est sa vitesse instantanée. Cette notion est particulièrement importante quand la vitesse moyenne sur divers intervalles de temps n'est pas constante.

Considérons le mouvement rectiligne d'une particule entre les deux points P et R_i du diagramme espace-temps de la figure suivante.

À mesure que le point R_i se rapproche du point P, les intervalles de temps (Δt_1, Δt_2, Δt_3, ...) deviennent de plus en plus petits. Lorsque R_i est aussi près que nous le voulons de P, l'intervalle de temps Δt_i tend vers zéro, mais en même temps, la pente de la sécante passant par R_i et P se rapproche de celle de la tangente à la courbe au point P, si cette tangente existe.

La pente de la tangente à la courbe au point P représente la vitesse instantanée de la particule à l'instant $t = a$.

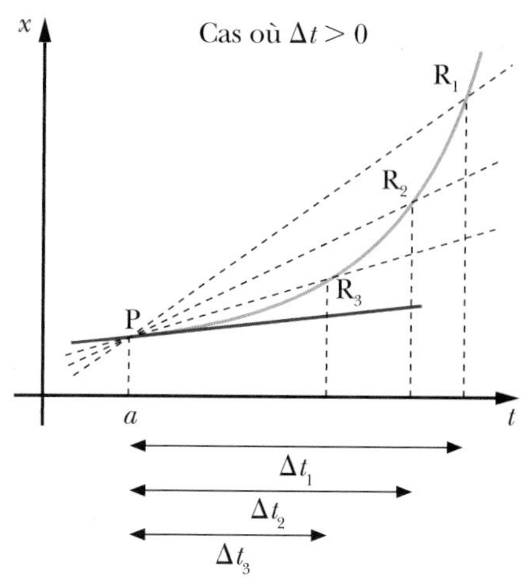

Définition 3.11

Soit x, la position d'une particule à l'instant t.

La **vitesse instantanée** de cette particule au temps $t = a$, notée

$v_{t=a}$, est égale à la valeur limite du rapport $\dfrac{\Delta x}{\Delta t}$ lorsque Δt tend vers zéro :

$$v_{t=a} = \lim_{\Delta t \to 0} \frac{\Delta x}{\Delta t}, \text{ c'est-à-dire}$$

$$v_{t=a} = \lim_{\Delta t \to 0} \frac{x(a + \Delta t) - x(a)}{\Delta t} \quad (\text{car } \Delta x = x(a + \Delta t) - x(a)),$$

lorsque la limite existe.

Ainsi, la vitesse instantanée au temps $t = a$ est égale à la dérivée de la fonction position au point $(a, x(a))$.

La vitesse instantanée peut être positive, négative ou nulle. Lorsque la pente de la tangente à la courbe espace-temps est positive, comme au point P de la figure, la vitesse instantanée est positive. Au point R, la vitesse instantanée est négative. Enfin, la vitesse instantanée est nulle au point Q, où la pente de la tangente à la courbe est nulle.

Dominique Parent

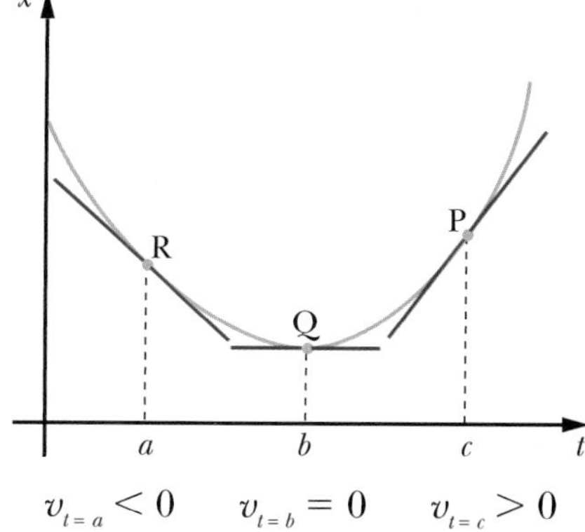

Exemple 1 La position x d'un mobile en fonction du temps t est donnée par $x(t) = t^3$, où t est en secondes et $x(t)$, en mètres.

a) Déterminons la vitesse instantanée du mobile au temps $t = 1$ s en calculant les vitesses moyennes $v_{[1\text{ s}, (1+\Delta t)\text{ s}]}$ pour les valeurs de Δt suivantes.

Si $\Delta t = 1$ s,

$$v_{[1\text{ s}, 2\text{ s}]} = \frac{x(2) - x(1)}{2\text{ s} - 1\text{ s}} = \frac{8\text{ m} - 1\text{ m}}{1\text{ s}} = 7\text{ m/s}.$$

Si $\Delta t = 0{,}1$ s,

$$v_{[1\text{ s}, 1{,}1\text{ s}]} = \frac{x(1{,}1) - x(1)}{1{,}1\text{ s} - 1\text{ s}} = \frac{1{,}331\text{ m} - 1\text{ m}}{0{,}1\text{ s}} = 3{,}31\text{ m/s}.$$

Si $\Delta t = 0{,}01$ s,

$$v_{[1\text{ s},\, 1{,}01\text{ s}]} = \frac{x(1{,}01) - x(1)}{1{,}01\text{ s} - 1\text{ s}} = \frac{1{,}030\,301\text{ m} - 1\text{ m}}{0{,}01\text{ s}} = 3{,}030\,1\text{ m/s}.$$

Si $\Delta t = 0{,}001$ s,

$$v_{[1\text{ s},\, 1{,}001\text{ s}]} = \frac{x(1{,}001) - x(1)}{1{,}001\text{ s} - 1\text{ s}} = \frac{1{,}003\,003\,001\text{ m} - 1\text{ m}}{0{,}001\text{ s}} = 3{,}003\,001\text{ m/s}.$$

À la limite, lorsque $\Delta t \to 0^+$, il semble que

$$\lim_{\Delta t \to 0^+} \frac{x(1 + \Delta t) - x(1)}{\Delta t} = 3\text{ m/s}.$$

L'élève peut vérifier que le résultat est identique lorsque $\Delta t \to 0^-$, c'est-à-dire $\lim\limits_{\Delta t \to 0^-} \dfrac{x(1 + \Delta t) - x(1)}{\Delta t} = 3\text{ m/s}$.

Donc, $\lim\limits_{\Delta t \to 0} \dfrac{x(1 + \Delta t) - x(1)}{\Delta t} = 3\text{ m/s}$.

D'où $v_{t = 1\text{ s}} = 3$ m/s.

b) Calculons $v_{t = 1\text{ s}}$ à partir de la définition 3.11.

$$\begin{aligned}
v_{t=1\text{ s}} &= \lim_{\Delta t \to 0} \frac{x(1 + \Delta t) - x(1)}{\Delta t} && \text{(définition 3.11)} \\
&= \lim_{\Delta t \to 0} \frac{(1 + \Delta t)^3 - 1^3}{\Delta t} && (\text{car } x(t) = t^3) \\
&= \lim_{\Delta t \to 0} \frac{1 + 3\Delta t + 3(\Delta t)^2 + (\Delta t)^3 - 1}{\Delta t} \\
&= \lim_{\Delta t \to 0} \frac{3\Delta t + 3(\Delta t)^2 + (\Delta t)^3}{\Delta t} \\
&= \lim_{\Delta t \to 0} \frac{\Delta t(3 + 3\Delta t + (\Delta t)^2)}{\Delta t} && \text{(en factorisant)} \\
&= \lim_{\Delta t \to 0} (3 + 3\Delta t + (\Delta t)^2) && (\text{en simplifiant, car } \Delta t \neq 0) \\
&= 3 && \text{(en évaluant la limite)}
\end{aligned}$$

D'où $v_{t = 1\text{ s}} = 3$ m/s.

c) Représentons graphiquement la courbe $x(t) = t^3$ et la tangente à la courbe au point $P(1, x(1))$.

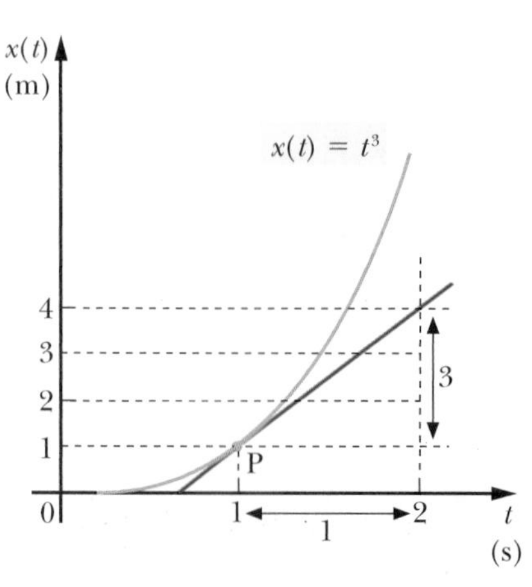

Dérivée et continuité en un point

THÉORÈME 3.1 Si f est une fonction dérivable en $x = a$, c'est-à-dire que $f'(a)$ existe, alors f est continue en $x = a$.

Pour démontrer qu'une fonction est continue en $x = a$, il faut démontrer que $\lim_{x \to a} f(x) = f(a)$ (voir définition 2.2, page 64), ce qui équivaut à démontrer que $\lim_{x \to a} [f(x) - f(a)] = 0$.

Preuve

$$\lim_{x \to a} [f(x) - f(a)] = \lim_{x \to a} \left[\frac{[f(x) - f(a)]}{(x - a)}(x - a)\right] \qquad \left(\text{car } \frac{x - a}{x - a} = 1, \text{ si } x \neq a\right)$$

$$= \left(\lim_{x \to a} \frac{f(x) - f(a)}{x - a}\right)\left(\lim_{x \to a} (x - a)\right) \qquad (\text{théorème 2.3 d})$$

$$= f'(a) \cdot 0 \qquad \left(\text{car } \lim_{x \to a} \frac{f(x) - f(a)}{x - a} = f'(a), \text{ définition 3.8}\right)$$

$$= 0$$

Donc, $\lim_{x \to a} [f(x) - f(a)] = 0$. Ainsi, $\lim_{x \to a} f(x) = f(a)$.

D'où f est continue en $x = a$.

Nous acceptons, sans démonstration, le corollaire suivant qui est la contraposée du théorème 3.1 précédent.

COROLLAIRE (THÉORÈME 3.1) Si une fonction f, n'est pas continue en $x = a$, alors elle n'est pas dérivable en $x = a$.

Exemple 1 Soit f, définie par le graphique ci-contre.

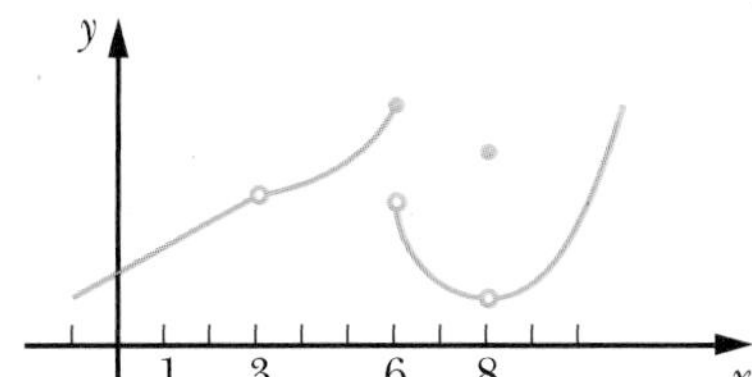

Puisque f n'est pas continue en $x = 3$, $x = 6$ et $x = 8$, f n'est pas dérivable en $x = 3$, $x = 6$ et $x = 8$.

Par conséquent, $f'(3)$, $f'(6)$ et $f'(8)$ ne sont pas définies.

Par contre, si une fonction f est continue en $x = a$, elle n'est pas nécessairement dérivable en $x = a$.

Exemple 2 Soit $f(x) = |x|$, c'est-à-dire

$$f(x) = \begin{cases} x & \text{si} \quad x \geq 0 \\ -x & \text{si} \quad x < 0. \end{cases}$$

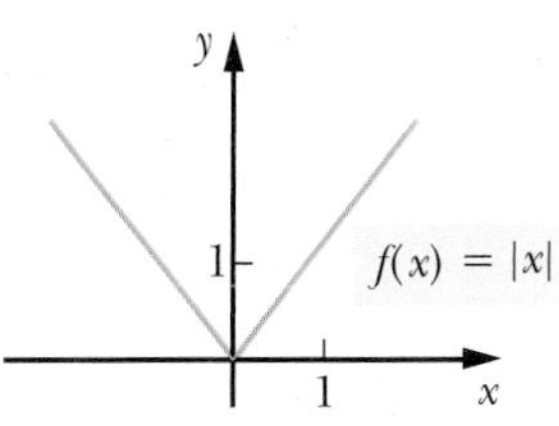

Cette fonction est continue en $x = 0$, car $\lim_{x \to 0} f(x) = f(0)$.

Vérifions si cette fonction est dérivable en $x = 0$,

en évaluant $\displaystyle\lim_{h \to 0} \frac{f(0+h) - f(0)}{h}$. (définition de $f'(0)$ si cette limite existe)

$$\begin{aligned}
\lim_{h \to 0^-} \frac{f(0+h) - f(0)}{h} &= \lim_{h \to 0^-} \frac{|h|}{h} \\
&= \lim_{h \to 0^-} \frac{-h}{h} && \text{(puisque } h < 0,\ |h| = -h\text{)} \\
&= \lim_{h \to 0^-} (-1) && \text{(en simplifiant, car } h \neq 0\text{)} \\
&= -1
\end{aligned}$$

$$\begin{aligned}
\lim_{h \to 0^+} \frac{f(0+h) - f(0)}{h} &= \lim_{h \to 0^+} \frac{|h|}{h} \\
&= \lim_{h \to 0^+} \frac{h}{h} && \text{(puisque } h > 0,\ |h| = h\text{)} \\
&= \lim_{h \to 0^+} 1 && \text{(en simplifiant, car } h \neq 0\text{)} \\
&= 1
\end{aligned}$$

Donc, $\displaystyle\lim_{h \to 0} \frac{f(0+h) - f(0)}{h}$ n'existe pas.

D'où f est non dérivable en $x = 0$.

Exemple 3 Soit $f(x) = \sqrt[3]{x-1}$, dont la représentation est ci-contre.

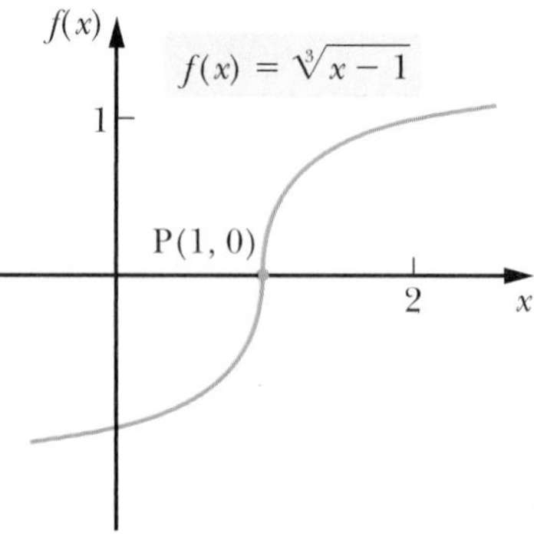

Cette fonction est continue en $x = 1$, car $\displaystyle\lim_{x \to 1} f(x) = f(1)$.

Vérifions si cette fonction est dérivable en $x = 1$, en évaluant $\displaystyle\lim_{h \to 0} \frac{f(1+h) - f(1)}{h}$.

(définition de $f'(1)$ si cette limite existe)

$$\lim_{h \to 0} \frac{f(1+h) - f(1)}{h} = \lim_{h \to 0} \frac{\sqrt[3]{1+h-1} - \sqrt{0}}{h}$$

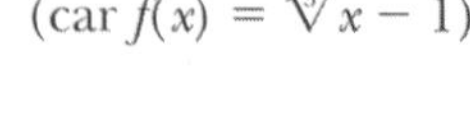

(car $f(x) = \sqrt[3]{x-1}$)

$$\begin{aligned}
&= \lim_{h \to 0} \frac{\sqrt[3]{h}}{h} \\
&= \lim_{h \to 0} \frac{1}{h^{\frac{2}{3}}}
\end{aligned}$$

(en simplifiant car $h \neq 0$)

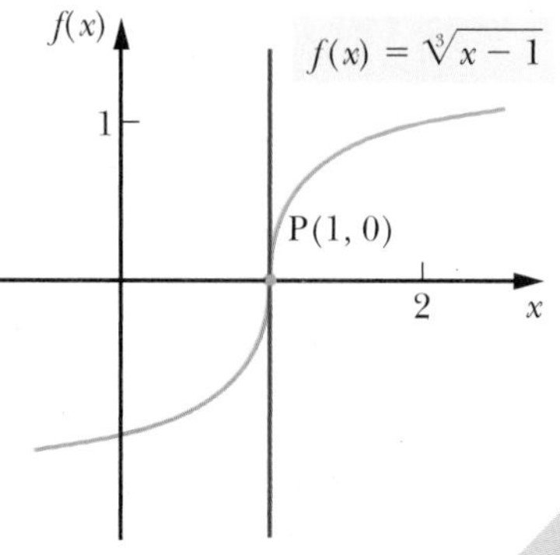

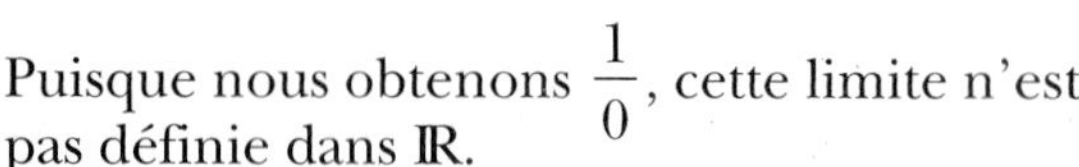

Puisque nous obtenons $\frac{1}{0}$, cette limite n'est pas définie dans $\mathbb{R}$.

Cette fonction n'est pas dérivable en $x = 1$.

En effet, au point $P(1, f(1))$ la tangente à la courbe de f est verticale, d'où sa pente n'est pas définie.

Exercices 3.2

1. Parmi les droites suivantes, repérer celles qui, pour la portion de courbe représentée, sont tangentes à cette courbe.

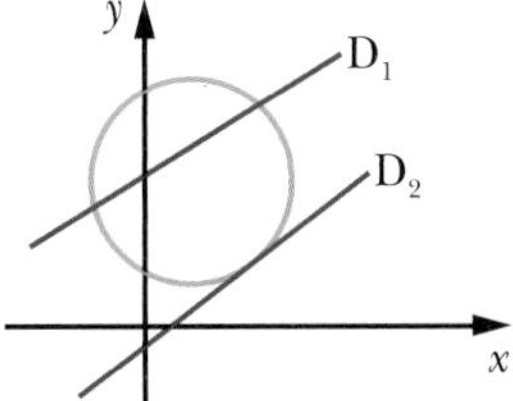

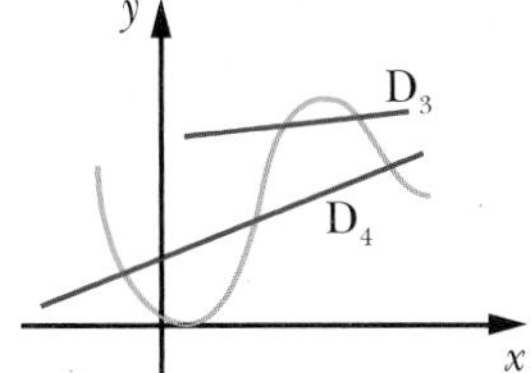

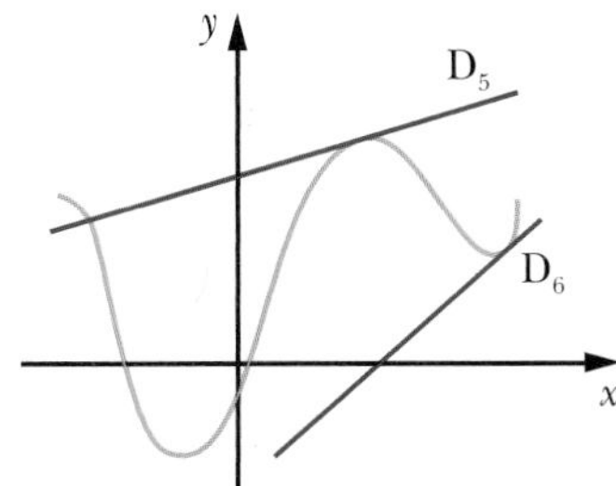

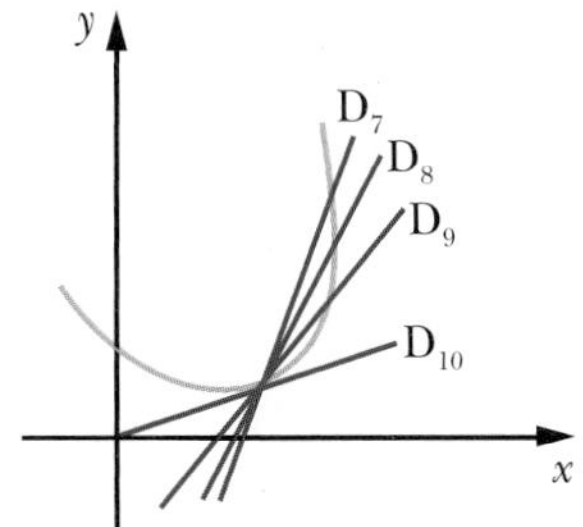

2. Soit $f(x) = x^2 - 4$, $g(x) = 4 - 2x$, $h(x) = 4 + \sqrt{x}$ et $k(x) = x^4$.

a) En utilisant $f'(a) = \lim\limits_{h \to 0} \dfrac{f(a + h) - f(a)}{h}$:

i) calculer $f'(0)$ et interpréter graphiquement votre résultat;

ii) calculer $\text{TVI}_{x=3}$ et interpréter graphiquement votre résultat;

iii) représenter graphiquement la courbe de f et les tangentes à la courbe aux points $A(0, f(0))$ et $B(3, f(3))$.

b) En utilisant

$$g'(a) = \lim_{\Delta x \to 0} \frac{g(a + \Delta x) - g(a)}{\Delta x} :$$

i) calculer $\text{TVI}_{x=-2}$;

ii) calculer $g'(3)$;

iii) représenter graphiquement la courbe de g et les tangentes à la courbe aux points $A(-2, g(-2))$ et $B(3, g(3))$.

c) En utilisant la définition équivalente à $f'(a) = \lim\limits_{x \to a} \dfrac{f(x) - f(a)}{x - a}$:

i) calculer $h'(5)$;

ii) calculer $k'(-1)$.

3. Soit $f(x) = x^3 + 1$, $g(x) = 5$ et $k(x) = -2$.

Calculer les dérivées demandées et représenter graphiquement chaque courbe et la tangente correspondante.

a) $f'(-1)$

b) $f'(0)$

c) $g'(3)$

d) $k'(-4)$

4. Calculer la pente de la tangente à la courbe dans chacun des cas suivants et donner l'équation de cette tangente.

a)

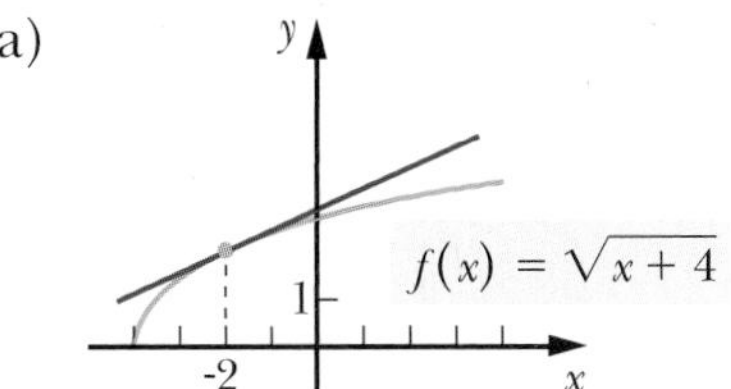

b)

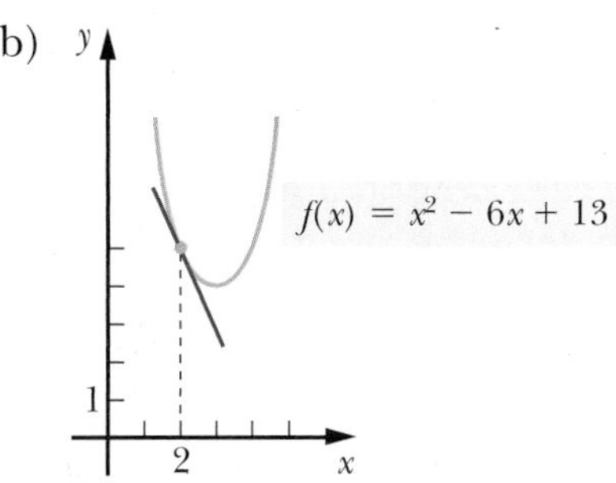

5. Si $f(x) = \dfrac{1}{\sqrt{2x + 1}}$, calculer $\text{TVI}_{x=2}$.

6. a) Soit $f(x) = \begin{cases} x^2 & \text{si} \quad x < 2 \\ 4x - 4 & \text{si} \quad x \geq 2 \end{cases}$, une fonction continue en $x = 2$.

Représenter graphiquement la courbe de f et calculer, si c'est possible, $f'(2)$.

b) Soit $h(x) = \begin{cases} x^3 & \text{si} \quad x \leq 1 \\ 2 - x^2 & \text{si} \quad x > 1 \end{cases}$, une fonction continue en $x = 1$.

Représenter graphiquement la courbe de h et calculer, si c'est possible, $h'(1)$.

7. Donner un exemple graphique d'une fonction f, continue sur $\mathbb{R}$, qui n'admet pas de tangente au point $P(-2, f(-2))$ et dont la tangente est verticale au point $Q(3, f(3))$.

8. Soit une particule suivant une trajectoire rectiligne dont la position x en fonction du temps t est donnée par $x(t) = -4{,}9t^2 + 30t + 20$, où $x(t)$ est en mètres et t, en secondes.

a) Estimer la vitesse instantanée de la particule au temps $t = 2$ s, en calculant $v_{[2\text{ s},\,(2\,+\,\Delta t)\text{ s}]}$ pour différentes valeurs appropriées de Δt.

b) Calculer $v_{t\,=\,2\text{ s}}$ à partir d'une définition de la dérivée.

c) Calculer $v_{t\,=\,4\text{ s}}$.

d) Représenter la courbe de x et les tangentes en $t = 2$ s et $t = 4$ s.

9. Voici un graphique illustrant la position x d'un mobile, suivant une trajectoire rectiligne, en fonction du temps t.

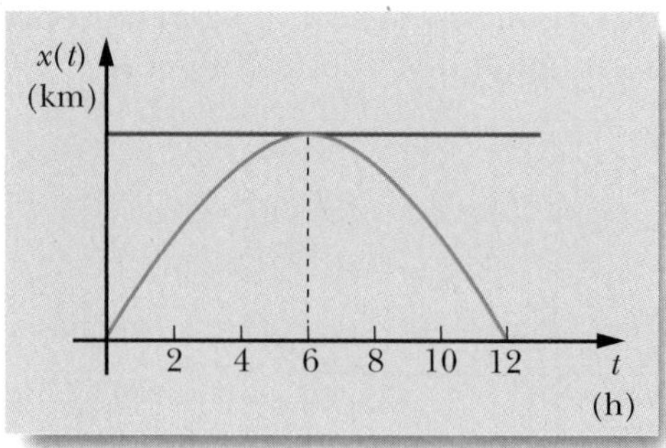

a) À l'aide de ce graphique, déterminer la vitesse instantanée à 6 h.

b) Laquelle des trois affirmations suivantes est vraie et pourquoi ?

$v_{t\,=\,3\text{ h}} > 0$ ou $v_{t\,=\,3\text{ h}} < 0$ ou $v_{t\,=\,3\text{ h}} = 0$

10. Soit la fonction f dont le graphique est ci-contre :

Compléter les expressions suivantes par $<$, $>$ ou par $=$.

a) $f(-1)$ 0

b) $f'(-1)$ 0

c) $f(1)$ 0

d) $f'(1)$ 0

e) $f(2)$ 0

f) $f'(2)$ 0

3.3 Fonction dérivée

Objectif d'apprentissage

À la fin de cette section, l'élève pourra déterminer la fonction dérivée d'une fonction donnée.

$$\text{TVI} = f'(x) = \lim_{h \to 0} \frac{f(x + h) - f(x)}{h}$$

Plus précisément, l'élève sera en mesure :

- de définir la fonction dérivée ;
- de calculer la fonction dérivée à partir de la définition ;
- de définir le taux de variation instantané d'une fonction ;
- de déterminer la fonction donnant le taux de variation instantané d'une fonction ;
- de calculer la dérivée d'une fonction en un point en utilisant la fonction dérivée.

Définition de la fonction dérivée

Il y a environ 300 ans...

akg-images

Leibniz
1646-1716

La recherche de notations efficaces pour représenter la dérivée s'étale de la création du calcul différentiel et intégral à la fin du XVIIe siècle, jusqu'au milieu du XXe siècle. **Leibniz** (1646-1716), l'un des fondateurs du calcul différentiel, en a créé des dizaines dans l'espoir d'en trouver qui facilitent les manipulations symboliques lors des calculs. Nous lui devons la notation $\frac{dy}{dx}$. La notation $f'(x)$ a, pour sa part, été popularisée par un traité de Lagrange (1736-1813) publié en 1797. L'utilisation d'une barre verticale, pour spécifier à quelle valeur on évalue la dérivée, date du milieu du XXe siècle.

3

Afin d'éviter les calculs répétitifs de dérivée en un point, nous allons définir la fonction dérivée d'une fonction.

Si dans la définition 3.8 de $f'(a)$, c'est-à-dire $f'(a) = \lim\limits_{h \to 0} \frac{f(a+h) - f(a)}{h}$,

nous remplaçons a par x, nous obtenons $f'(x) = \lim\limits_{h \to 0} \frac{f(x+h) - f(x)}{h}$.

Exemple 1 Soit $f(x) = x^2$. Calculons $f'(x)$.

$$f'(x) = \lim_{h \to 0} \frac{f(x+h) - f(x)}{h} \quad \text{(définition 3.8, en remplaçant } a \text{ par } x\text{)}$$

$$= \lim_{h \to 0} \frac{(x+h)^2 - x^2}{h} \quad (\text{car } f(x) = x^2)$$

$$= \lim_{h \to 0} \frac{x^2 + 2xh + h^2 - x^2}{h}$$

$$= \lim_{h \to 0} \frac{2xh + h^2}{h}$$

$$= \lim_{h \to 0} \frac{h(2x+h)}{h} \quad \text{(en factorisant)}$$

$$= \lim_{h \to 0} (2x + h) \quad (\text{en simplifiant, car } h \neq 0)$$

$$= 2x \quad \text{(en évaluant la limite)}$$

Nous constatons que le résultat obtenu est également une fonction de la variable x. Nous appelons cette nouvelle fonction la fonction dérivée de f, notée f'.

Définition 3.12

D'une façon générale, la **fonction dérivée** f' d'une fonction f peut être définie de la façon suivante :

(1) $f'(x) = \lim\limits_{h \to 0} \frac{f(x+h) - f(x)}{h}$, lorsque la limite existe.

À partir de la définition de $f'(x)$, c'est-à-dire

$$f'(x) = \lim_{h \to 0} \frac{f(x+h) - f(x)}{h}$$

nous obtenons une deuxième définition de $f'(x)$ en posant $h = \Delta x$.

De plus, nous obtenons une troisième définition de $f'(x)$ en posant

$x + h = t$

ainsi, $h = t - x$

Puisque $h \to 0$, nous avons $(t - x) \to 0$.

Donc, $t \to x$.

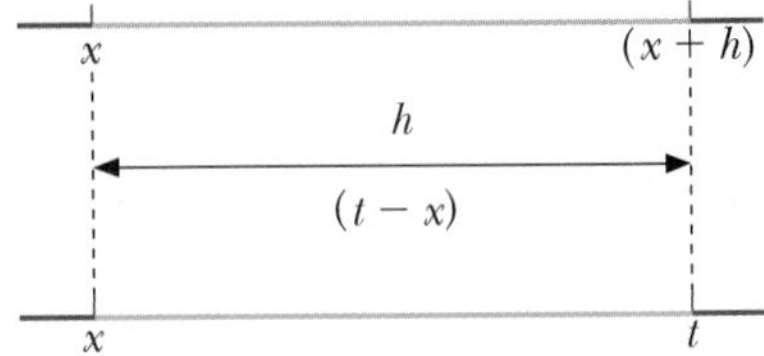

3

Définition 3.13

La **fonction dérivée f'** d'une fonction f peut aussi être définie de la façon suivante :

(2) $f'(x) = \lim_{\Delta x \to 0} \frac{f(x + \Delta x) - f(x)}{\Delta x}$, lorsque la limite existe, c'est-à-dire

$f'(x) = \lim_{\Delta x \to 0} \frac{\Delta y}{\Delta x}$, car $f(x + \Delta x) - f(x) = \Delta y$.

(3) $f'(x) = \lim_{t \to x} \frac{f(t) - f(x)}{t - x}$, lorsque la limite existe.

Graphiquement, $f'(x)$ correspond à la pente de la tangente à la courbe de f au point $P(x, f(x))$.

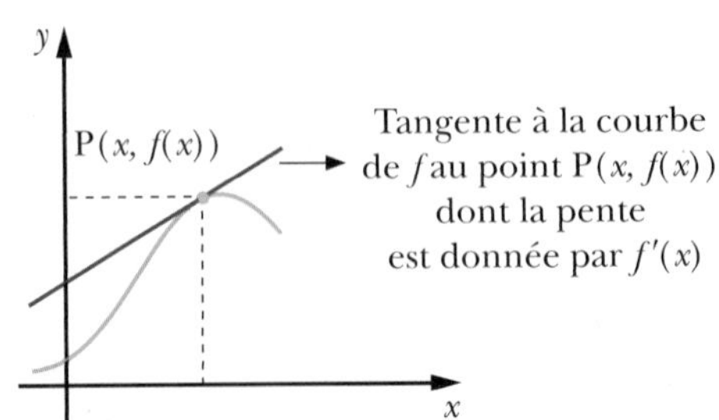

Les notations suivantes sont utilisées pour désigner la fonction dérivée d'une fonction $y = f(x)$:

$$f'(x),\ y',\ \frac{dy}{dx},\ \frac{d}{dx}(y),\ \frac{df}{dx},\ \frac{d}{dx}(f) \text{ ou } D_x f$$

Les notations suivantes sont utilisées pour désigner la dérivée d'une fonction $y = f(x)$ au point $P(a, f(a))$:

$$f'(a),\ y'\Big|_{x=a},\ \frac{dy}{dx}\Big|_{x=a},\ \frac{d}{dx}(y)\Big|_{x=a},\ \frac{df}{dx}\Big|_{x=a},\ \frac{d}{dx}(f)\Big|_{x=a} \text{ ou } D_{x=a} f$$

Exemple 2 Soit $y = \sqrt{x} + 5$.

a) Déterminons $\dfrac{dy}{dx}$ en évaluant $\lim\limits_{\Delta x \to 0} \dfrac{\Delta y}{\Delta x}$.

$$\frac{dy}{dx} = \lim_{\Delta x \to 0} \frac{\Delta y}{\Delta x} \qquad \text{(définition 3.13 (2))}$$

$$= \lim_{\Delta x \to 0} \frac{f(x + \Delta x) - f(x)}{\Delta x}$$

$$= \lim_{\Delta x \to 0} \frac{(\sqrt{x + \Delta x} + 5) - (\sqrt{x} + 5)}{\Delta x} \qquad (\text{car } f(x) = \sqrt{x} + 5)$$

$$= \lim_{\Delta x \to 0} \frac{\sqrt{x + \Delta x} - \sqrt{x}}{\Delta x}$$

Conjugué

$$= \lim_{\Delta x \to 0} \left[\left(\frac{\sqrt{x + \Delta x} - \sqrt{x}}{\Delta x}\right)\left(\frac{\sqrt{x + \Delta x} + \sqrt{x}}{\sqrt{x + \Delta x} + \sqrt{x}}\right)\right]$$

$$= \lim_{\Delta x \to 0} \frac{x + \Delta x - x}{\Delta x(\sqrt{x + \Delta x} + \sqrt{x})}$$

$$= \lim_{\Delta x \to 0} \frac{\Delta x}{\Delta x(\sqrt{x + \Delta x} + \sqrt{x})} \qquad \text{(en simplifiant)}$$

$$= \lim_{\Delta x \to 0} \frac{1}{\sqrt{x + \Delta x} + \sqrt{x}} \qquad (\text{en simplifiant, car } \Delta x \neq 0)$$

$$= \frac{1}{\sqrt{x} + \sqrt{x}} \qquad \text{(en évaluant la limite)}$$

$$= \frac{1}{2\sqrt{x}}$$

b) Calculons la pente de la tangente à la courbe de f au point $P(9, f(9))$ en utilisant le résultat précédent.

Puisque $m_{\tan\,(9,\,f(9))} = \left.\dfrac{dy}{dx}\right|_{x=9}$

$$= \frac{1}{2\sqrt{9}} \qquad \left(\text{en remplaçant } x \text{ par } 9 \text{ dans } \frac{dy}{dx}\right)$$

$$= \frac{1}{6}$$

De façon générale, pour obtenir la dérivée en un point donné $A(a, f(a))$, il suffit de :

1) calculer $f'(x)$;
2) remplacer x par a dans $f'(x)$ pour obtenir $f'(a)$.

3

Exemple 3 Soit $f(x) = x^8$.

Déterminons l'équation de la tangente illustrée ci-contre.

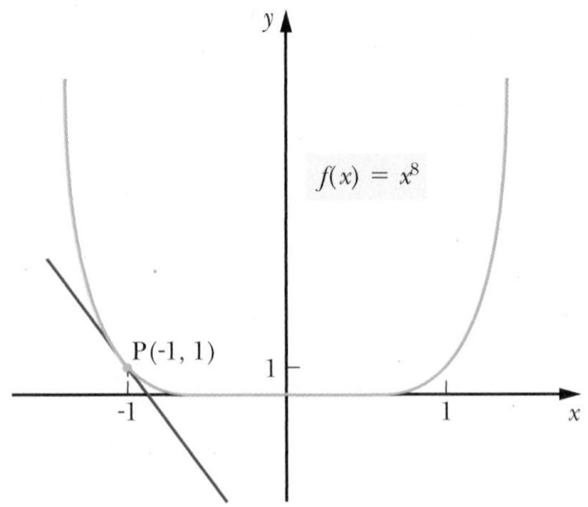

Calculons d'abord $\frac{df}{dx}$, en utilisant la définition 3.13 (3).

$$\begin{aligned}
\frac{df}{dx} &= \lim_{t \to x} \frac{f(t) - f(x)}{t - x} \\
&= \lim_{t \to x} \frac{t^8 - x^8}{t - x} && (\text{car } f(x) = x^8) \\
&= \lim_{t \to x} \frac{(t - x)(t + x)(t^2 + x^2)(t^4 + x^4)}{t - x} && (\text{en factorisant}) \\
&= \lim_{t \to x} [(t + x)(t^2 + x^2)(t^4 + x^4)] && (\text{en simplifiant, car } t \neq x) \\
&= 2x(2x^2)(2x^4) && (\text{en évaluant la limite}) \\
&= 8x^7
\end{aligned}$$

Déterminons l'équation de la droite L, tangente à la courbe $f(x) = x^8$ au point P(-1, 1).

MÉTHODE 1

Soit $y = ax + b$, l'équation de L.

Puisque $a = \left.\frac{df}{dx}\right|_{x=-1}$

$= 8(-1)^7 \quad \left(\text{car } \frac{df}{dx} = 8x^7\right)$

$= -8$

Donc, $y = -8x + b$.

De plus, la droite passe par P(-1, 1).

En remplaçant x par -1 et y par 1, nous obtenons

$$1 = -8(-1) + b$$

Donc, $b = -7$.

D'où L: $y = -8x - 7$.

MÉTHODE 2

$$\frac{y - f(-1)}{x - (-1)} = \left.\frac{df}{dx}\right|_{x=-1}$$

$$\frac{y - 1}{x + 1} = 8(-1)^7 \quad \left(\text{car } \frac{df}{dx} = 8x^7\right)$$

$$y - 1 = -8(x + 1)$$

$$y - 1 = -8x - 8$$

D'où L: $y = -8x - 7$

Taux de variation instantané

Il y a environ 50 ans...

L'expression « taux de variation instantané » est apparue dans la seconde moitié du XXe siècle. Son utilisation découle probablement de considérations d'ordre plus pédagogique que mathématique. Auparavant, on parlait simplement de dérivée, de vitesse instantanée, ou encore, comme Newton à la fin du XVIIe siècle, de fluxion. Pourtant, les mots « taux », « variation » et « instantané » existaient depuis fort longtemps. Ainsi, le mot « taux » vient du latin *tax* déformé au Moyen Âge, comme le mot « chevaux », pluriel de cheval (*chevax*). Ce mot désignait alors une taxe, un impôt. Ce n'est qu'au XIXe siècle qu'il a pris le sens de rapport, d'abord pour parler de taux de change ou de taux horaire, puis, avec le développement des statistiques, pour parler de taux de mortalité ou de taux de natalité. Le mot « instantané » était courant dès le XVIIe siècle, le siècle de Descartes. Quant au mot «variation», il date de la fin du XVIIIe siècle; il était utilisé dès le départ dans un contexte mathématique, avec un sens voisin de son sens actuel.

3

Définition 3.14 La fonction donnant le **taux de variation instantané** d'une fonction f, noté TVI, est égale à la dérivée de f, lorsque $f'(x)$ est définie. Ainsi,

$$\text{TVI} = f'(x).$$

Exemple 1 Soit $V(x) = x^3$.

a) Déterminons la fonction donnant le taux de variation instantané du volume V d'un cube par rapport à l'arête x, où x est exprimé en centimètres.

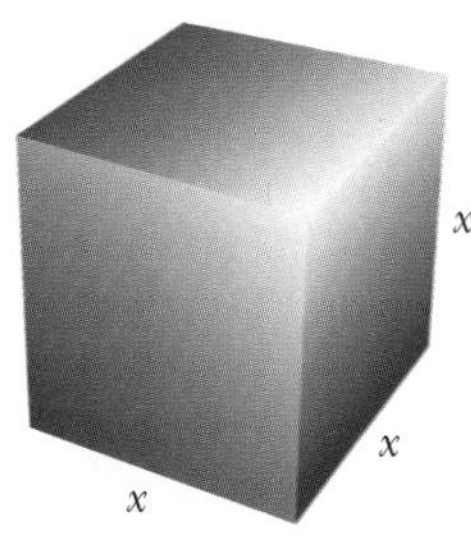

$$\begin{aligned}
\text{TVI} &= \frac{dV}{dx} \\
&= \lim_{h \to 0} \frac{V(x+h) - V(x)}{h} && \text{(définition 3.12)} \\
&= \lim_{h \to 0} \frac{(x+h)^3 - x^3}{h} && \text{(car } V(x) = x^3\text{)} \\
&= \lim_{h \to 0} \frac{x^3 + 3x^2h + 3xh^2 + h^3 - x^3}{h} \\
&= \lim_{h \to 0} \frac{3x^2h + 3xh^2 + h^3}{h} && \text{(en simplifiant)} \\
&= \lim_{h \to 0} \frac{h(3x^2 + 3xh + h^2)}{h} && \text{(en factorisant)} \\
&= \lim_{h \to 0} (3x^2 + 3xh + h^2) && \text{(en simplifiant, car } h \neq 0\text{)} \\
&= 3x^2 && \text{(en évaluant la limite)}
\end{aligned}$$

Donc, TVI $= 3x^2$, exprimé en cm^3/cm.

b) Utilisons le résultat trouvé en a) pour déterminer le TVI pour les valeurs de x suivantes.

Pour $x = 1$ cm, $\text{TVI}_{x=1\text{ cm}} = 3(1)^2$, donc 3 cm^3/cm.

Pour $x = 2$ cm, $\text{TVI}_{x=2\text{ cm}} = 3(2)^2$, donc 12 cm^3/cm.

Pour $x = 3{,}5$ cm, $\text{TVI}_{x=3{,}5\text{ cm}} = 3(3{,}5)^2$, donc 36,75 cm^3/cm.

Nous étudierons de façon plus détaillée les notions de taux de variation instantané et de vitesse instantanée au chapitre 5.

Exercices 3.3

1. Soit $y = f(x)$. Déterminer à quoi correspond graphiquement $f'(x)$.

2. Sachant que

pour $f(x) = 3x - 5x^2 + 10$, $f'(x) = 3 - 10x$

et que

pour $g(x) = \sqrt{1 + x^3}$, $g'(x) = \dfrac{3x^2}{2\sqrt{1 + x^3}}$,

évaluer, si c'est possible :

a) $f(0)$ et $f'(0)$;

b) $g(0)$ et $g'(0)$;

c) $g(-1)$ et $g'(-1)$.

3. En utilisant $f'(x) = \lim\limits_{h \to 0} \dfrac{f(x + h) - f(x)}{h}$,

évaluer $f'(x)$ si :

a) $f(x) = x$;

b) $f(x) = x^2 + 2x - 3$;

c) $f(x) = \sqrt{x + 1}$.

4. En utilisant $\dfrac{dy}{dx} = \lim\limits_{\Delta x \to 0} \dfrac{f(x + \Delta x) - f(x)}{\Delta x}$,

évaluer $\dfrac{dy}{dx}$ si :

a) $y = -2$;

b) $y = 3x - 2$;

c) $y = x^3 - 2x$.

5. En utilisant $g'(x) = \lim\limits_{t \to x} \dfrac{g(t) - g(x)}{t - x}$,

évaluer $g'(x)$ si :

a) $g(x) = \dfrac{3}{x}$;

b) $g(x) = x^{\frac{2}{3}}$;

c) $g(x) = x^4 - 1$.

6. Calculer le TVI pour chacune des fonctions suivantes.

a) $x(t) = 4$

b) $p(x) = 3x + 4$

c) $g(u) = \dfrac{1}{u} + 5$

7. Calculer $\lim\limits_{\Delta x \to 0} \dfrac{\Delta y}{\Delta x}$ pour chacune des fonctions $y = f(x)$ suivantes.

a) $f(x) = \dfrac{1}{\sqrt{x}}$

b) $f(x) = x^3 - 1$

c) $f(x) = 8 - 7x - 5x^2$

8. Sachant que

pour $g(t) = \dfrac{5t^2}{4t - 1}$, $g'(t) = \dfrac{10t(2t - 1)}{(4t - 1)^2}$,

déterminer l'équation

a) de la tangente L à la courbe de g au point $P\left(\dfrac{-1}{2}, g\left(\dfrac{-1}{2}\right)\right)$;

b) de la droite normale N à la courbe de g au point $P\left(\dfrac{-1}{2}, g\left(\dfrac{-1}{2}\right)\right)$.

Réseau de concepts

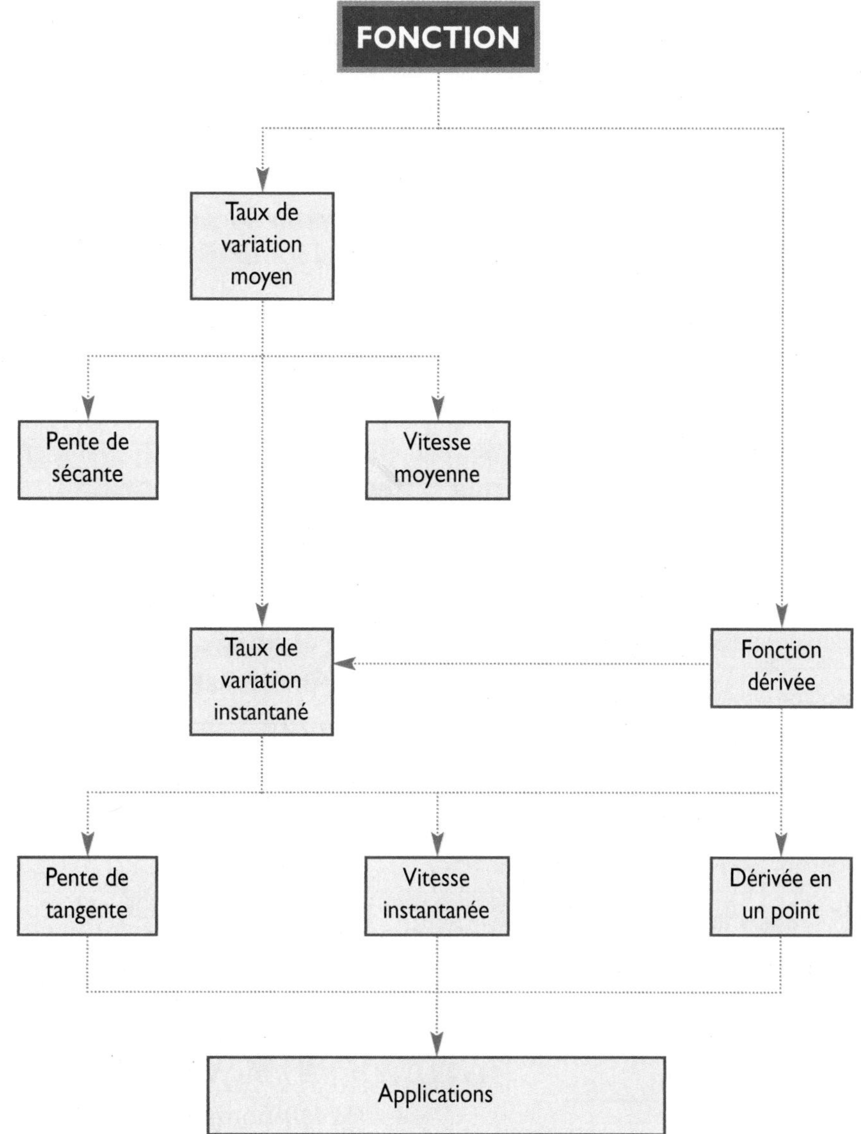

Liste de vérification des apprentissages

RÉPONDRE PAR **OUI** OU PAR **NON.**			
Après l'étude de ce chapitre, je suis en mesure:		**OUI**	**NON**
1.	de définir le taux de variation moyen d'une fonction sur un intervalle;		
2.	de calculer le taux de variation moyen d'une fonction sur un intervalle;		
3.	d'interpréter graphiquement le taux de variation moyen d'une fonction sur un intervalle;		
4.	de calculer des vitesses moyennes d'une particule sur un intervalle de temps;		
5.	de relier la notion de vitesse moyenne à la notion de pente de sécante;		
6.	de définir la dérivée d'une fonction en un point;		
7.	de calculer la dérivée d'une fonction en un point;		
8.	de relier graphiquement la dérivée d'une fonction en un point à la pente de la tangente à la courbe à ce point;		
9.	de relier le taux de variation instantané à la dérivée d'une fonction;		
10.	de relier la notion de vitesse instantanée à la notion de pente de tangente;		
11.	de relier la notion de vitesse instantanée à la notion de dérivée;		
12.	de démontrer un théorème relatif à la continuité d'une fonction dérivable;		
13.	de définir la fonction dérivée;		
14.	de calculer la fonction dérivée à partir de la définition;		
15.	de définir le taux de variation instantané d'une fonction;		
16.	de déterminer la fonction donnant le taux de variation instantané d'une fonction;		
17.	de calculer la dérivée d'une fonction en un point en utilisant la fonction dérivée.		
Si vous avez répondu **NON** à l'une de ces questions, il serait préférable pour vous d'étudier de nouveau cette notion.			

Exercices récapitulatifs

biologie | chimie | administration | physique

1. Pour chaque fonction, calculer le taux de variation moyen de f sur les intervalles donnés. Utiliser, s'il y a lieu, le résultat de i) pour déterminer ii).

a) $f(x) = 8$ sur:

i) $[2, 3]$;

ii) $[-1, 2]$.

b) $f(x) = -3x + 4$ sur:

i) $[0, 2]$;

ii) $[-4, -4 + h]$.

c) $f(x) = -x^3 - x^2 + 1$ sur:

i) $[x, x + h]$;

ii) $[-2, -2 + h]$.

d) $f(x) = \dfrac{1}{x^2}$ sur:

i) $\left[\dfrac{1}{2}, \dfrac{1}{2} + h\right]$;

ii) $\left[\dfrac{1}{2}, \dfrac{3}{4}\right]$.

e) $f(x) = 3 - 2\sqrt{x}$ sur:

i) $[x, x + \Delta x]$;

ii) $[4, 9]$.

2. Après 5 min, un jeune marcheur, Marc-Antoine, est à 500 m de son point de départ; après 10 min, il est à 600 m de son point de départ; après 15 min, il est de retour à son point de départ.

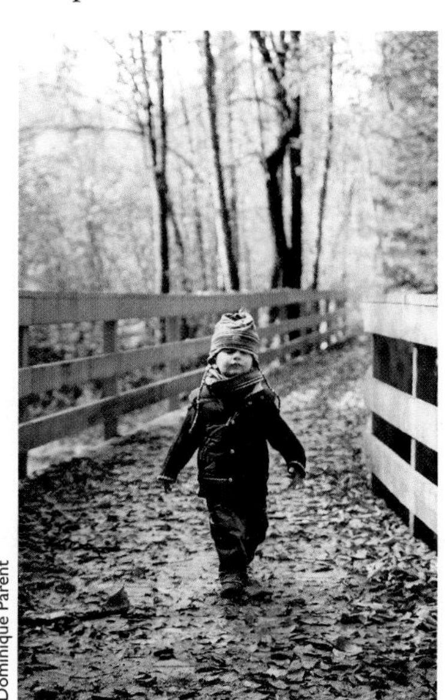

Dominique Parent

Calculer la vitesse moyenne du marcheur sur chacun des intervalles suivants.

a) [0 min, 5 min]

b) [5 min, 10 min]

c) [10 min, 15 min]

d) [0 min, 15 min]

3. La position x d'un mobile en fonction du temps t est donnée par $x(t) = t^3 - 3t + 2$, où $x(t)$ est en centimètres et t, en secondes. Calculer:

a) $v_{[0\text{ s}, 1\text{ s}]}$;

b) $v_{[1\text{ s}, 2\text{ s}]}$;

c) $v_{[0\text{ s}, 2\text{ s}]}$.

4. Soit un mobile en mouvement rectiligne.

Dominique Parent

Sa position x (en mètres) en fonction du temps t (en secondes) est donnée par le graphique suivant.

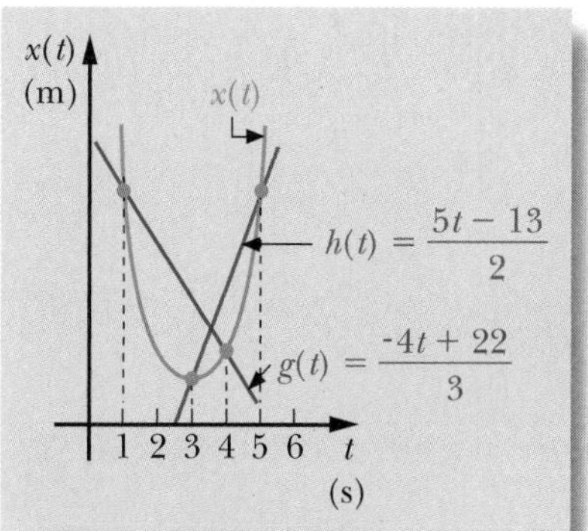

À l'aide de l'équation des droites sécantes à la courbe, déterminer:

a) $v_{[1\text{ s}, 4\text{ s}]}$;

b) $v_{[3\text{ s}, 5\text{ s}]}$;

c) $v_{[1\text{ s}, 3\text{ s}]}$.

5. À l'aide du tableau suivant:

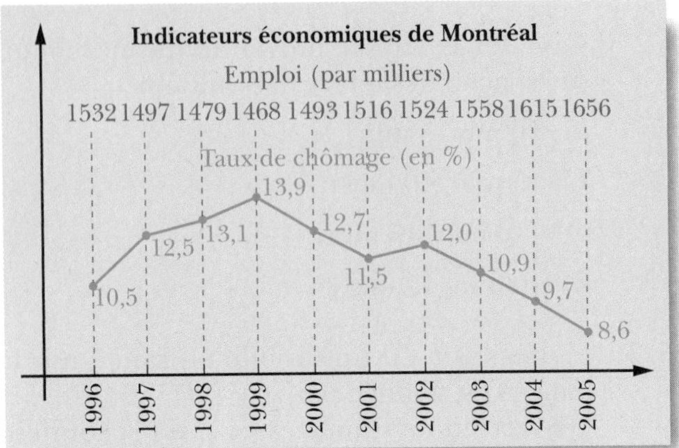

3

a) déterminer le taux de variation moyen du nombre d'emplois entre 2000 et 2005;

b) déterminer le taux de variation moyen du taux de chômage entre 1996 et 2004.

c) Compléter: À une exception près, sur chaque période de un an,

i) lorsque le nombre d'emplois augmente, ...

ii) lorsque le nombre d'emplois diminue, ...

6. À l'aide de la représentation suivante,

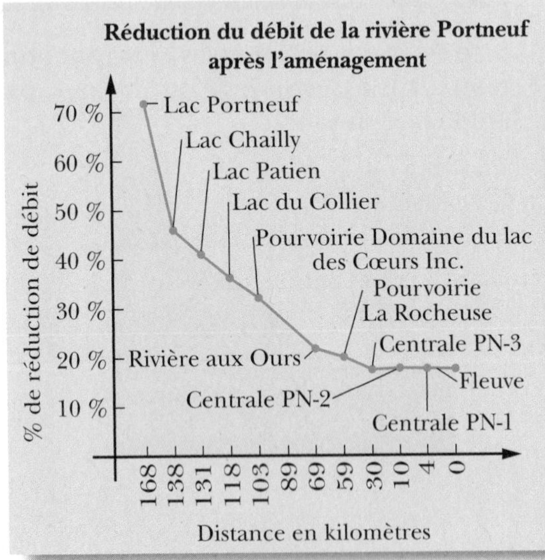

déterminer approximativement le taux de la réduction moyenne du débit de la rivière entre:

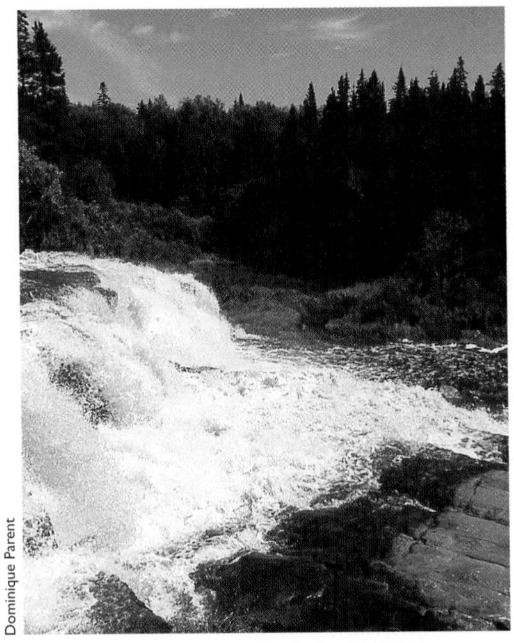

a) le lac Chailly et le lac du Collier;

b) la centrale PN-2 et le fleuve;

c) le lac Portneuf et le fleuve.

7. Pour chaque fonction, évaluer l'expression demandée.

a) $f'(-3)$ si $f(x) = x^3 + 2x - 3$

b) $g'\left(\dfrac{-1}{2}\right)$ si $g(x) = \dfrac{1}{2x^2}$

c) $\left.\dfrac{dx}{dt}\right|_{t=1,5}$ si $x(t) = 4{,}9t^2 - 10t + 7$

d) $\text{TVI}_{x=-1}$ si $f(x) = 3x^4 - 2$

e) $\left.\dfrac{df}{du}\right|_{u=0}$ si $f(u) = \dfrac{2u-1}{2u+1}$

f) $m_{\tan\,(5,\,f(5))}$ si $f(x) = \dfrac{1}{\sqrt{x}}$

8. Pour chaque fonction, calculer les expressions demandées. Utiliser le résultat de i) pour déterminer ii).

a) $f(x) = -3x + 7$

i) $f'(x)$ ii) $f'(5)$

b) $g(x) = (x+1)(x-2)$

i) $g'(x)$ ii) $g'(0{,}5)$

c) $x(t) = \dfrac{5}{t^2} + 3$

i) $\dfrac{dx}{dt}$ ii) $\left.\dfrac{dx}{dt}\right|_{t=2}$

d) $v(t) = t + \dfrac{1}{t}$

i) $v'(t)$ ii) $\text{TVI}_{t=2}$

e) $P(t) = \sqrt{3t+2}$

i) $\dfrac{dP}{dt}$ ii) $\left.\dfrac{dP}{dt}\right|_{t=10}$

f) $f(x) = \dfrac{3x-2}{1-5x}$

i) $f'(x)$

ii) $m_{\tan\,(1,\,f(1))}$

iii) Déterminer l'équation de la tangente L à la courbe de f au point $(1, f(1))$.

iv) Déterminer l'équation de la droite normale N à la tangente trouvée en iii).

9. La position x d'un mobile en fonction du temps t est donnée par $x(t) = \dfrac{4}{t^2}$, où $x(t)$ est en mètres et t, en secondes, où $t \in [1\text{ s}, 5\text{ s}]$.

a) Calculer $v_{[2\text{ s}, 4\text{ s}]}$.

b) Calculer $v_{t=2\text{ s}}$.

c) Calculer $v_{t=4\text{ s}}$.

d) Représenter graphiquement la courbe de la fonction x et les droites associées à a), b) et c).

10. Soit un mobile dont la position x en fonction du temps t est donnée par le graphique suivant, où $x(t)$ est en mètres et t est en secondes.

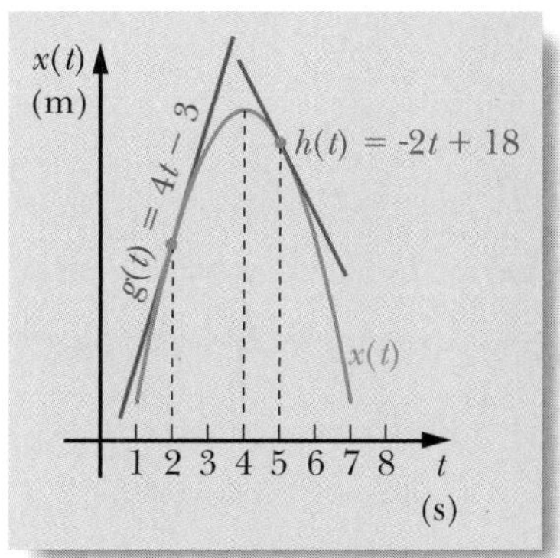

Déterminer :

a) $v_{t=2\text{ s}}$;

b) $v_{t=5\text{ s}}$;

c) $v_{t=4\text{ s}}$;

d) $v_{[2\text{ s}, 5\text{ s}]}$.

11. Dans certaines conditions, le cyclobutane se décompose en éthylène :

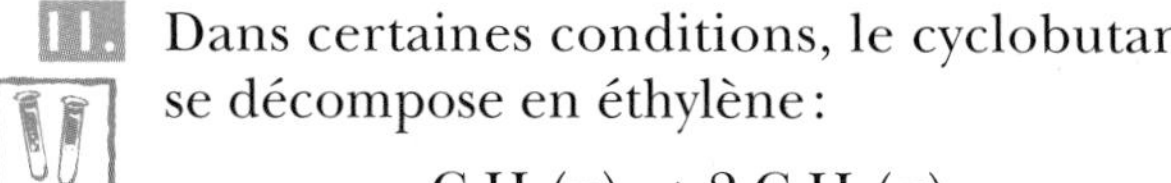

$$C_4H_8(g) \rightarrow 2\,C_2H_4(g)$$

Le graphique suivant représente la concentration du cyclobutane en fonction du temps.

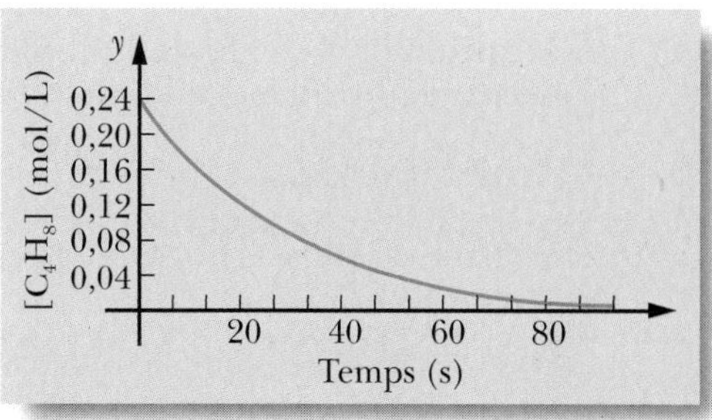

Déterminer approximativement :

a) la variation du C_4H_8 entre la 20e seconde et la 60e seconde ;

b) la vitesse moyenne de réaction entre 10 s et 30 s ;

c) la vitesse instantanée de réaction à 40 s.

12. Soit $f(x) = x^2 + 3x - 18$.

a) Déterminer l'équation de la sécante passant par le point $A(-4, f(-4))$ et le sommet S de la parabole.

b) Déterminer les coordonnées du point $P(a, f(a))$ pour que $\text{TVM}_{[a,\,2]} = 2$.

c) Déterminer l'équation de la droite tangente à la courbe de f au point $P(2, f(2))$.

d) Déterminer l'équation de la droite normale à la tangente précédente au point de tangence. Exprimer la réponse sous la forme $ax + by + c = 0$, où a, b et $c \in \mathbb{Z}$.

O T e) Représenter graphiquement la courbe de f, la sécante, la tangente et la normale déterminées en a), en c) et en d).

3

3

13. Soit un cube d'arête x, où x est en centimètres.

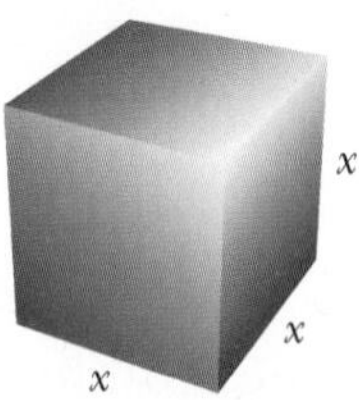

a) Déterminer la fonction A qui représente l'aire totale des faces du cube en fonction de x.

b) Calculer la variation de A lorsque x passe de 5 cm à 8 cm.

c) Calculer le taux de variation moyen de l'aire lorsque x passe de 6 cm à 9 cm.

d) Calculer $\text{TVM}_{[3\text{ cm}, 6\text{ cm}]}$ pour A.

e) Déterminer, si c'est possible, pour A, la valeur de b pour que $\text{TVM}_{[3\text{ cm}, b\text{ cm}]} = 2\ \text{TVM}_{[3\text{ cm}, 5\text{ cm}]}$.

f) Déterminer, si c'est possible, pour A, la valeur de a pour que $\text{TVM}_{[1\text{ cm}, 2a\text{ cm}]} = 2\ \text{TVM}_{[1\text{ cm}, a\text{ cm}]}$.

g) Calculer $\text{TVI}_{x=4{,}5\text{ cm}}$ pour A.

14. Soit une sphère de rayon r, où r est en centimètres. L'aire A et le volume V de cette sphère sont donnés respectivement par $A(r) = 4\pi r^2$ et $V(r) = \frac{4}{3}\pi r^3$.

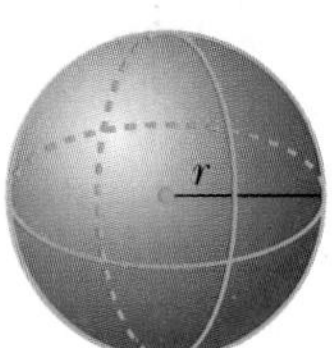

a) Déterminer la variation de A et de V lorsque r passe de 4 cm à 9 cm.

b) Calculer le taux de variation moyen de A et de V lorsque r passe de 4 cm à 9 cm.

c) Calculer le taux de variation instantané de A et de V lorsque $r = 4$ cm.

15. Soit un cercle de rayon r, tel que $r(t) = 2t$, où $r(t)$ est en centimètres et t, en secondes. Calculer :

a) la variation de l'aire A du cercle lorsque t passe de 1 s à 5 s ;

b) $\text{TVM}_{[2\text{ s}, 4\text{ s}]}$ de A ;

c) $\text{TVM}_{[2\text{ cm}, 4\text{ cm}]}$ de A.

16. Soit $f(x) = \begin{cases} 4x + 1 & \text{si } 0 \leq x \leq 1 \\ 2x^2 + 3 & \text{si } 1 < x < 2, \\ 23 - x^2 - 4x & \text{si } 2 \leq x \leq 5 \end{cases}$

une fonction continue sur $[0, 5]$.

a) Calculer, si c'est possible, $f'(1)$, $f'(2)$ et $f'(3)$.

b) Représenter graphiquement la courbe de f.

17. Répondre par vrai (V) ou faux (F).

a) Si $y = f(x)$, alors $\Delta y = \Delta x$.

b) Si $f(x) = 2x$, alors $f(2) = f'(2)$.

c) Si $y = 3x$, alors $\Delta y = 3\Delta x$.

d) Si $f(3) = 0$ et $f'(3) = 5$, alors $\lim\limits_{h \to 0} \frac{f(3+h)}{h} = 5$.

e) Toute fonction continue en un point est dérivable en ce point.

f) Toute fonction dérivable en un point est continue en ce point.

g) Si $f(a) = g(a)$, alors $f'(a) = g'(a)$.

h) Si $f'(a) = g'(a)$, alors $f(a) = g(a)$.

Problèmes de synthèse

1. Soit $f(x) = 3 - x^2 - 2x$.

a) Calculer $\text{TVM}_{[x,\, x+h]}$.

b) Calculer $\text{TVM}_{[2,\, 2+h]}$.

c) Calculer $\text{TVM}_{[-2,\, 0]}$.

d) Calculer TVI de f.

e) Calculer $f'(x)$.

f) Calculer la pente de la sécante à la courbe de f, passant par les points $A(-4, f(-4))$ et $B(3, f(3))$.

g) Déterminer le point P de la courbe où la tangente à la courbe de f est parallèle à l'axe des x.

h) Calculer la pente de la tangente à la courbe de f aux points où cette courbe coupe l'axe des x. Représenter graphiquement.

i) Déterminer le point Q de la courbe de f où la tangente est parallèle à la sécante passant par les points $C(-5, f(-5))$ et $D(1, f(1))$. Représenter graphiquement.

j) Déterminer l'équation de la tangente à la courbe de f en $x = -2$.

k) Déterminer l'équation de la normale à la tangente précédente au point $E(-2, f(-2))$. Exprimer votre réponse sous la forme $ax + by + c = 0$, où a, b et $c \in \mathbb{Z}$.

l) Calculer l'aire du triangle délimité par l'axe des x, la tangente et la droite normale à la courbe de f au point $E(-2, f(-2))$.

m) La courbe de f admet deux tangentes qui passent par le point $R(-2, 12)$. Déterminer les points de tangence.

2. À partir d'une des définitions de la dérivée, évaluer la fonction dérivée demandée, ainsi que l'expression donnée.

a) $f(x) = \dfrac{3x^5}{4}$; $f'(x)$ et $f'(-2)$

b) $x(t) = at^2 + bt + c$; $\dfrac{dx}{dt}$ et $\left.\dfrac{dx}{dt}\right|_{t=1,5}$

c) $y = \sqrt{x^2 + 1}$; $\dfrac{dy}{dx}$ et $\left.\dfrac{dy}{dx}\right|_{x=-1}$

d) $g(x) = \dfrac{2}{3x} - \dfrac{1}{3x^2}$; $g'(x)$ et $g'(1)$

e) $h(x) = \dfrac{-4x}{\sqrt{1 - 5x}}$; $h'(x)$ et $h'(0)$

f) $f(x) = 3x + \sqrt{x}$; $f'(x)$ et $f'\left(\dfrac{1}{4}\right)$

3. Soit les courbes de f et de f' représentées sur le graphique suivant.

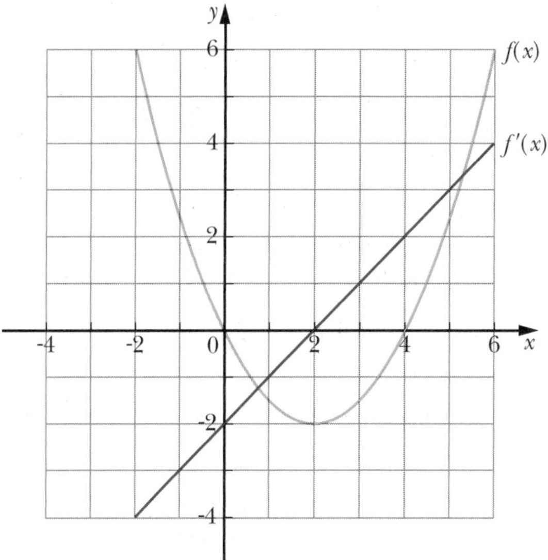

Tracer de façon précise, sur le système d'axes précédent, la tangente à la courbe de f aux points :

a) $P(0, f(0))$;

b) $Q(2, f(2))$;

c) $R(4, f(4))$.

4. Soit f et g, deux fonctions représentées par les courbes suivantes.

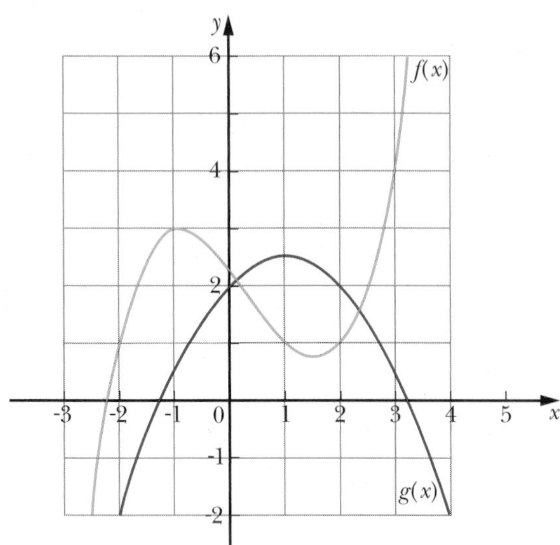

Évaluer approximativement, à partir du graphique précédent, les expressions suivantes.

a) $f(g(0))$
b) $g(f(0))$
c) $f(g(2))$
d) $g(f(2))$
e) $f(g'(1))$
f) $g(f'(1))$
g) $f(g'(0))$
h) $g(f'(0))$
i) $g'(g(0))$
j) $g'(g'(-1))$

5. Soit la fonction f dont le graphique est:

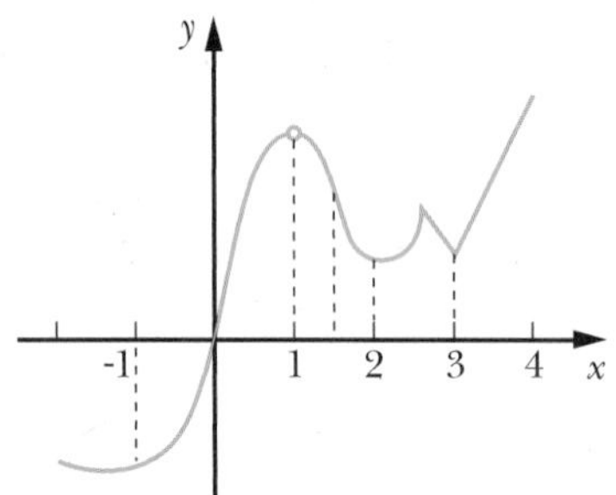

Compléter les expressions suivantes par < 0, > 0, $= 0$ ou par non définie.

a) $f(-1)$ .... et $f'(-1)$ ....
b) $f(0)$ .... et $f'(0)$ ....
c) $f(1)$ .... et $f'(1)$ ....
d) $f(1{,}5)$ .... et $f'(1{,}5)$ ....
e) $f(2)$ .... et $f'(2)$ ....
f) $f(3)$ .... et $f'(3)$ ....

6. Soit $f(x) = \begin{cases} x^2 + 5 & \text{si } x \leq 1 \\ 4x - x^2 + 3 & \text{si } 1 < x < 3 \\ 2x & \text{si } 3 \leq x < 5 \\ (x-4)^2 & \text{si } x \geq 5 \end{cases}$.

Déterminer si f est continue et dérivable aux points suivants.

Dans le cas où la fonction est dérivable, évaluer cette dérivée:

a) $A(1, f(1))$;
b) $B(2, f(2))$;
c) $C(3, f(3))$;
d) $D(5, f(5))$.

7. Soit $f(x) = 4 - |2x - 6|$.

a) Écrire f comme une fonction définie par parties.
b) Déterminer si cette fonction est continue en $x = 3$, en utilisant la définition de la continuité.
c) Déterminer si cette fonction est dérivable en $x = 3$, en utilisant la définition de la dérivée.
d) Représenter graphiquement cette fonction.

8. Soit une ville dont la population N varie en fonction du nombre d'emplois x que créent les industries.

Cette population est donnée approximativement par $N(x) = \dfrac{300x + 4}{\sqrt{x+1}}$ et le taux de variation instantané de cette population est donné par

$$\frac{dN}{dx} = \frac{300x + 596}{2(x+1)^{\frac{3}{2}}}.$$

a) Déterminer la population s'il y a 500 emplois.

b) Déterminer la variation de la population de cette ville lorsque le nombre d'emplois passe de 650 à 750.

c) Calculer le taux de variation moyen de la population lorsque le nombre d'emplois passe de 650 à 750.

d) Évaluer $\left.\frac{dN}{dx}\right|_{x=100}$; interpréter votre résultat.

O T e) Représenter graphiquement la courbe de N.

9. La quantité Q, en grammes, d'un produit chimique varie en fonction du temps t, en minutes. Cette quantité est donnée par $Q(t) = \frac{39t + 18}{3t + 2}$, où $t \in [0 \text{ min}, 10 \text{ min}]$.

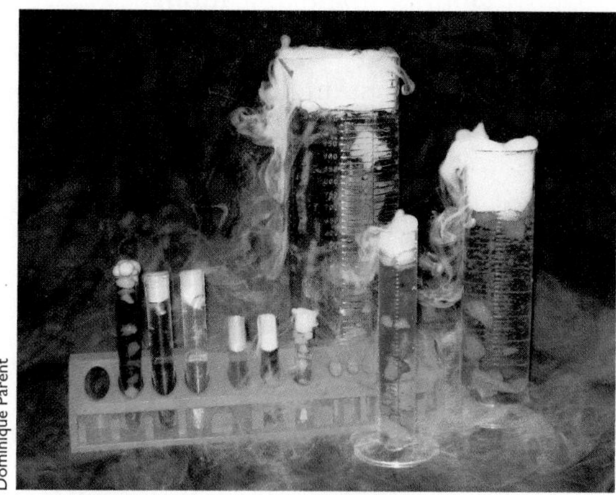

Dominique Parent

a) Déterminer la quantité initiale de ce produit.

b) Déterminer la variation de la quantité sur [3 min, 5 min].

c) Déterminer le taux de variation moyen de la quantité sur [3 min, 5 min].

d) Calculer le taux de variation moyen de la quantité lorsque celle-ci passe de 12 g à 12,75 g.

e) Déterminer la fonction donnant le taux de variation instantané de la quantité de produit.

f) Évaluer $\text{TVI}_{t=5\text{ min}}$.

g) Déterminer la quantité Q lorsque le taux de variation instantané de cette quantité est égal à 0,04 g/min.

O T h) Représenter graphiquement sur un même système d'axes la courbe de Q et celle de son taux de variation instantané.

10. De l'azote (N) et de l'hydrogène (H) réagissent pour former de l'ammoniac ($N_2 + 3H_2 \rightarrow 2NH_3$). Toutes les quantités sont exprimées en grammes. La quantité d'ammoniac, en fonction du temps t, notée $Q(t)$, est donnée par $Q(t) = 100 - \frac{1\,000}{10 + t}$, où t est en secondes et Q, en grammes.

a) Calculer le taux de variation instantané $\frac{dQ}{dt}$.

b) Déterminer la quantité initiale d'ammoniac ainsi que la quantité après 20 secondes.

c) Déterminer la variation ΔQ de la quantité d'ammoniac sur [10 s, 20 s].

d) Calculer le taux de variation moyen de la quantité d'ammoniac sur [10 s, 20 s] ; [20 s, 30 s].

e) Repérer, sur le graphique suivant, la courbe représentant la concentration de N_2, celle de H_2 et celle de NH_3.

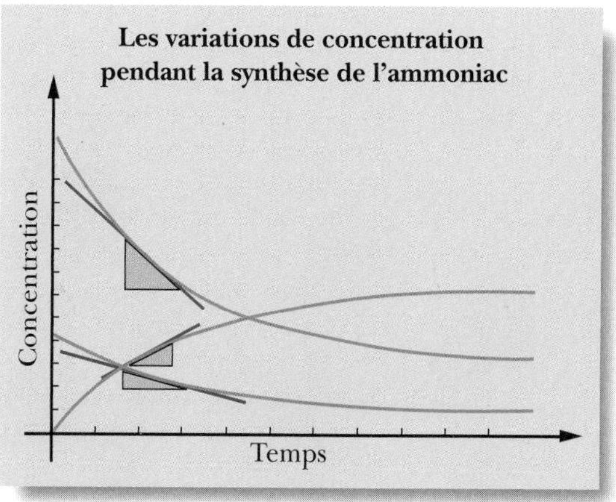

f) Évaluer $\lim_{h \to 0^+} \frac{Q(0 + h) - Q(0)}{h}$; interpréter votre résultat.

g) Évaluer $\left.\frac{dQ}{dt}\right|_{t=10\text{ s}}$; $\left.\frac{dQ}{dt}\right|_{t=1\text{ min}}$.

3

h) Lorsque t augmente, déterminer si la quantité d'ammoniac augmente ou diminue et déterminer si le taux de variation instantané de la quantité d'ammoniac augmente ou diminue.

i) Déterminer $\frac{dQ}{dt}$ lorsque $Q = 70$ g.

j) Déterminer Q lorsque $\frac{dQ}{dt} = 1{,}6$ g/s.

3

O/T k) Représenter graphiquement les fonctions Q et $\frac{dQ}{dt}$.

11. Déterminer a et b telles que la droite d'équation $y = 4x + 1$ soit tangente à la courbe de f, où $f(x) = ax^2 + b$, au point P(3, 13).

12. Sachant que $f'(a)$ est définie, exprimer les limites suivantes en fonction de $f'(a)$.

a) $\lim\limits_{t \to a} \dfrac{f(t) - f(a)}{a - t}$

b) $\lim\limits_{h \to 0} \dfrac{f(a) - f(a - h)}{h}$

c) $\lim\limits_{h \to 0} \dfrac{f(a + h) - f(a - h)}{h}$

d) $\lim\limits_{x \to a} \dfrac{f(x) - f(a)}{\sqrt{x} - \sqrt{a}}$, où $a > 0$

e) $\lim\limits_{t \to a} \dfrac{t - a}{f(t) - f(a)}$, si $f'(a) \neq 0$

13. Soit une fonction f, telle que $f(x + h) = f(x)\,f(h)$ et telle que $\lim\limits_{h \to 0} \dfrac{f(h) - 1}{h} = 1$.

Déterminer $f'(x)$ à partir de la définition de la fonction dérivée.

14. Soit $f(x) = |x|$ et $g(x) = -|x| + 2$.

a) Déterminer la fonction s, où $s(x) = f(x) + g(x)$.

b) Calculer, si c'est possible, $s'(0)$.

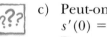

c) Peut-on conclure que $s'(0) = f'(0) + g'(0)$?
Donner une explication.

d) Représenter graphiquement sur un même système d'axes les fonctions f, g et s.

15. Soit f, une fonction dérivable en a et g, une fonction telle que:

$$g(x) = \begin{cases} \dfrac{f(x) - f(a)}{x - a} & \text{si} \quad x \neq a \\ f'(a) & \text{si} \quad x = a. \end{cases}$$

Démontrer que g est continue en $x = a$.

CHAPITRE

4 Dérivée de fonctions algébriques et de fonctions implicites

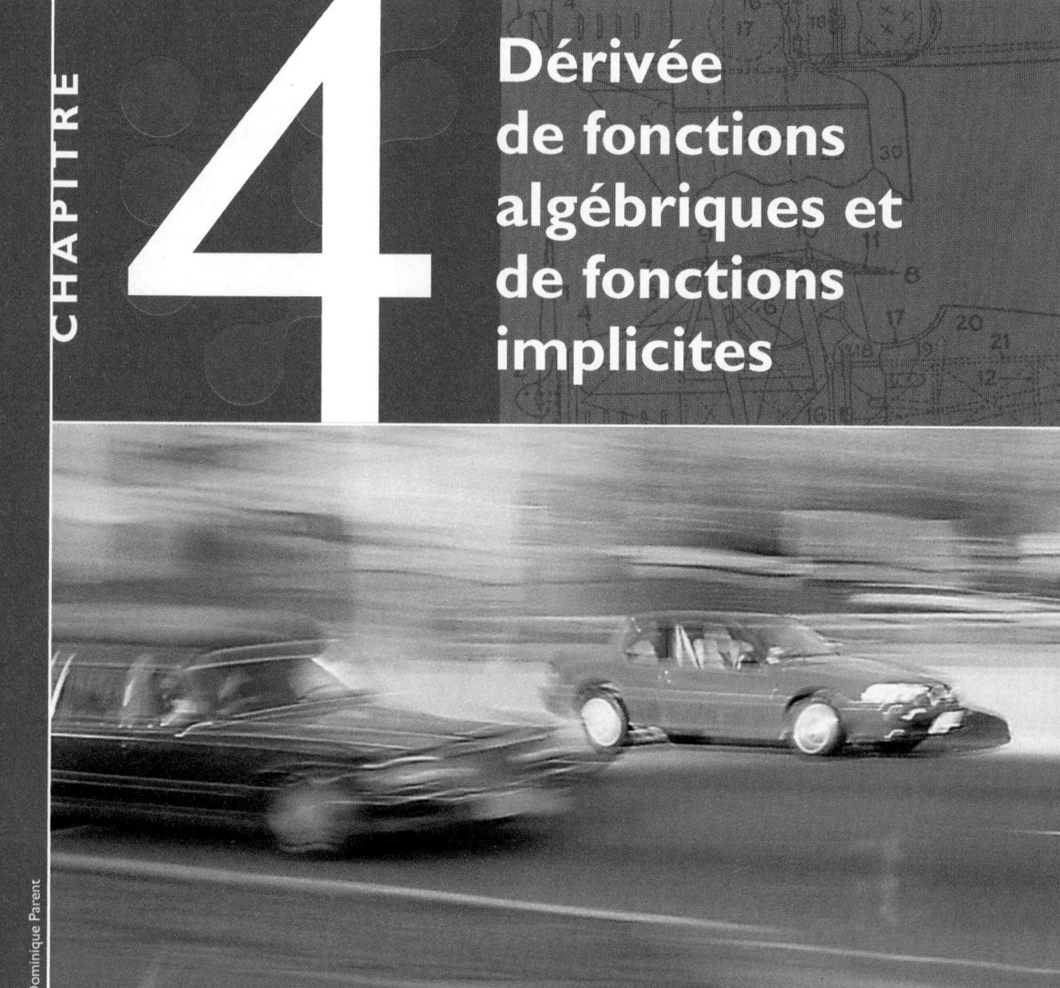

Dominique Parent

Introduction

Jusqu'à maintenant, nous avons calculé la fonction dérivée de f, notée f', en utilisant la définition 3.12 ou la définition 3.13.

Nous utilisons ces définitions pour démontrer plusieurs règles de dérivation qui abrègent les calculs et les rendent moins laborieux. Elles permettent d'évaluer directement la dérivée des fonctions algébriques et d'éviter ainsi les calculs difficiles fondés sur la définition. Ces règles de dérivation font l'objet du présent chapitre.

Il est essentiel de savoir calculer la dérivée de fonctions à l'aide des règles.

Dans ce chapitre, nous verrons également des applications géométriques de la dérivée, telles que le calcul de la pente de la tangente à la courbe d'une fonction, ainsi que l'équation de cette tangente.

En particulier, l'élève sera en mesure de calculer divers taux de variation moyen et instantané dans le problème suivant:

L'hydrogène H et le monoxyde de carbone CO réagissent pour former du méthanol: $2H_2 + CO \rightarrow CH_3OH$.

Après t secondes, la quantité en grammes de méthanol est donnée par $Q(t) = 3 - \dfrac{3}{2t+1}$.

(*Voir* le problème de synthèse n° 15, page 168.)

Perspective historique

LA DIFFUSION DU CALCUL DIFFÉRENTIEL GRÂCE À UNE PÉDAGOGUE ET À UNE TRADUCTRICE

Jusqu'à la fin du XVIIe siècle, il est difficile pour les gens de se faire une idée claire du nouveau calcul de Leibniz et de Newton. La situation s'améliore en 1696 avec la publication de l'*Analyse des infiniment petits pour l'intelligence des lignes courbes* de Guillaume François de L'Hospital, marquis de Sainte-Mesme (1661-1704). Dans cet ouvrage, le mathématicien français systématise pour la première fois les règles du calcul différentiel. Au milieu du XVIIIe siècle, deux femmes remarquables contribueront à la diffusion des idées de Leibniz et de Newton.

Le *Instituzioni analitiche ad uso della gioventu italiana* (Les bases de l'analyse à l'usage de la jeunesse italienne) de **Maria Gaetana Agnesi** (1718-1799) est publié en deux volumes en 1748 et en 1749. L'Académie des sciences de Paris qualifie le second volume de meilleur ouvrage sur le calcul différentiel et intégral, qu'on appelle alors l'analyse infinitésimale. Cette opinion est largement partagée puisque le livre sera traduit dans plusieurs langues. Maria Gaetana est l'aînée des 23 enfants d'un riche marchand de soie milanais. Dès son jeune âge, elle manifeste des dons intellectuels exceptionnels. À 11 ans, elle parle couramment sept langues et à 20 ans, elle publie un premier livre sur la philosophie et les sciences naturelles. Elle veut devenir religieuse et entrer au couvent. Toutefois, son père la convainc de rester avec lui et de l'aider à s'occuper de sa nombreuse famille. C'est à cette époque qu'elle commence à s'intéresser sérieusement aux mathématiques. Avec l'aide d'un précepteur, le père Ramiro Rampinelli, elle fait rapidement des progrès. Son précepteur l'encourage à écrire un manuel sur l'algèbre et l'analyse infinitésimale. Forte de l'expérience qu'elle a acquise en enseignant les mathématiques à ses jeunes frères, elle décide de faire profiter l'ensemble des jeunes italiens de son talent de pédagogue. Son livre deviendra un modèle de clarté. Sa notoriété est telle que le pape Benoît XIV la nomme à une chaire de mathématiques de l'université de Bologne en 1750. Cependant, elle n'ira jamais à Bologne. À la mort de son père en 1752, elle se retire de la haute société pour se consacrer entièrement à des œuvres charitables auprès des femmes pauvres. Elle mourra, elle-même pauvre, une quarantaine d'années plus tard.

SPL/PUBLIHPOTO

Maria Gaetana Agnesi (1718-1799)

L'année 1749 marque un autre événement important relié à la présence des femmes en mathématiques. Le 10 septembre, à l'âge de 43 ans, Gabrielle Émilie Le Tonnelier de Breteuil, marquise du Châtelet (1706-1749) est décédée en donnant naissance à une fille. Contrairement à Maria Agnesi, Émilie a été toute sa vie très active dans la haute société française. Elle est connue principalement pour sa traduction française commentée des *Philosophiae Naturalis Principia Mathematica* (Principes mathématiques de la philosophie naturelle) de Newton, parue en 1759, dix ans après sa mort. Cette traduction arrive à point, car depuis le début du siècle, une vive controverse oppose en France les tenants de la mécanique newtonienne, basée sur un principe d'action à distance, à ceux de la mécanique cartésienne, basée sur une théorie des tourbillons d'une matière subtile qui, selon Descartes, remplit l'Univers. Émilie a probablement rencontré des mathématiciens et des savants dès sa prime jeunesse dans les grands salons de l'appartement familial au cœur de Paris. Elle ne les quittera jamais vraiment. Mariée au marquis Florent-Claude du Châtelet en 1725, elle s'entoure des plus grands esprits de son temps : d'abord Voltaire (1694-1778), son plus proche ami jusqu'à la fin, mais aussi Maupertuis (1698-1759) et Clairault (1713-1765), respectivement physicien et mathématicien alors au sommet de leur carrière. Émilie du Châtelet est véritablement une femme de son siècle, le siècle des Lumières, des connaissances et du savoir. Elle est aussi une femme à la personnalité attachante, comme l'écrit Voltaire dans une lettre de juin 1734, peu après l'avoir rencontrée : « Son esprit est digne de vous et de M. de Maupertuis, et son cœur est digne de son esprit. Elle rend de bons offices à ses amis, avec la même vivacité qu'elle a appris les langues et la géométrie ; et quand elle a rendu tous les services imaginables, elle croit n'avoir rien fait ; elle croit ne rien savoir, ignore si elle a de l'esprit. »

Test préliminaire

Partie A

1. Écrire les expressions suivantes sous la forme x^r, où $r \in \mathbb{R}$.

a) $\sqrt{x}$

b) $\sqrt[3]{x^5}$

c) $\dfrac{1}{\sqrt[4]{x^3}}$

d) $\sqrt[5]{x^{-7}}$

e) $x\sqrt{x}$

f) $\dfrac{x^3}{\sqrt{x^7}}$

2. Écrire les expressions suivantes sous la forme $\sqrt[a]{x^b}$, où $a \in \mathbb{N}$ et $b \in \mathbb{N}$.

a) $x^{\frac{2}{3}}$

b) $x^{\frac{-3}{2}}$

c) $x^{\frac{1}{2}}\,x^{\frac{3}{4}}$

d) $\dfrac{x^{\frac{4}{5}}}{x^{\frac{5}{4}}}$

3. Si $f(x) = x^2 + 4$, $g(x) = 2x + 3$ et $k(x) = \sqrt{3x - 1}$, calculer les fonctions composées suivantes. Simplifier les réponses.

a) $(f \circ g)(x)$

b) $(g \circ f)(x)$

c) $(f \circ f)(x)$

d) $(f \circ k)(x)$

e) $(k \circ k)(x)$

f) $(f \circ g \circ k)(x)$

4. Sachant que $n! = n(n-1)\ldots 3 \cdot 2 \cdot 1$, où $n \in \{1, 2, 3, \ldots\}$, évaluer:

a) $6!$

b) $10!$

c) $\dfrac{69!}{68!}$

d) $\dfrac{73!}{70!}$

e) $\dfrac{200!}{202!}$

Partie B

1. Compléter les égalités suivantes.

a) $\lim\limits_{h \to 0} \dfrac{f(x+h) - f(x)}{h} =$ ....

b) $\lim\limits_{h \to 0} \dfrac{g(x+h) - g(x)}{h} =$ ....

c) $\lim\limits_{h \to 0} \dfrac{H(x+h) - H(x)}{h} =$ ....

d) $\lim\limits_{k \to 0} \dfrac{f(y+k) - f(y)}{k} =$ ....

2. Compléter l'énoncé suivant.

$f'(a)$ correspond graphiquement à la ....

3. Compléter les égalités suivantes si toutes les limites existent.

a) $\lim\limits_{x \to a} [k\,f(x)] =$ ....

b) $\lim\limits_{x \to a} [f(x) \pm g(x)] =$ ....

c) $\lim\limits_{x \to a} [f(x)\,g(x)] =$ ....

4.1 Dérivée de fonctions constantes, de la fonction identité et de fonctions de la forme x^r, où $r \in \mathbb{R}$

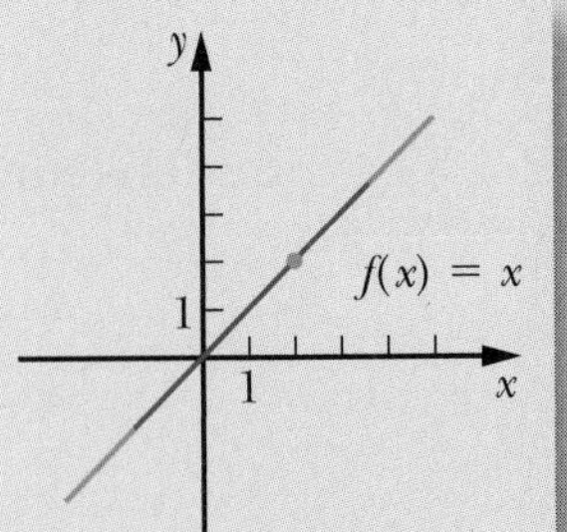

Objectif d'apprentissage

À la fin de cette section, l'élève pourra calculer la dérivée de fonctions constantes, de la fonction identité et de fonctions de la forme x^r, où $r \in \mathbb{R}$.

Plus précisément, l'élève sera en mesure:

- de démontrer que la dérivée d'une fonction constante est égale à 0;
- de calculer la pente de la tangente à la courbe de fonctions constantes;
- de démontrer que la dérivée de la fonction identité est égale à 1;
- de calculer la pente de la tangente à la courbe de la fonction identité;
- de démontrer la règle permettant de calculer la dérivée de fonctions de la forme x^n, où $n \in \mathbb{N}$;
- de calculer la dérivée de fonctions de la forme x^r, où $r \in \mathbb{R}$;
- de calculer la pente de la tangente à la courbe de fonctions de la forme x^r, où $r \in \mathbb{R}$.

4

Dans cette section, nous démontrerons des théorèmes qui permettent d'obtenir sans calcul de limites la dérivée d'une fonction constante, la dérivée de la fonction identité et la dérivée de fonctions de la forme x^r, où $r \in \mathbb{R}$.

Dérivée de fonctions constantes

THÉORÈME 4.1 **Dérivée d'une fonction constante**

Si $f(x) = k$, où $k \in \mathbb{R}$, alors $f'(x) = 0$.

Preuve

$$\begin{aligned}
f'(x) &= \lim_{h \to 0} \frac{f(x+h) - f(x)}{h} && \text{(définition)}\\
&= \lim_{h \to 0} \frac{k - k}{h} && (\text{car } f(x) = k \text{ et } f(x+h) = k)\\
&= \lim_{h \to 0} \frac{0}{h} && \text{(en simplifiant)}\\
&= \lim_{h \to 0} 0 && \left(\text{puisque } h \neq 0, \frac{0}{h} = 0\right)\\
&= 0 && (\text{car } \lim_{x \to a} k = k, \text{ théorème 2.2})
\end{aligned}$$

Le théorème 4.1 signifie que la dérivée d'une fonction constante est égale à 0.

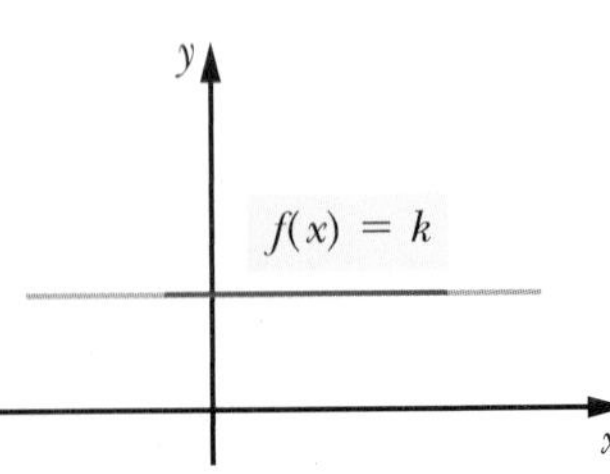

Remarque Puisque $f(x)$ est une fonction constante, le graphique de f est une droite horizontale. Ainsi, toute tangente à cette courbe se confond avec la courbe et est donc également horizontale, d'où la pente de chacune de ces tangentes est égale à 0.

Nous pouvons également écrire :

$$\frac{d}{dx}(k) = 0 \quad \text{ou} \quad (k)' = 0.$$

Exemple 1 Soit $f(x) = 2$.

a) Calculons $f'(x)$.

$f'(x) = 0$ (théorème 4.1)

b) Calculons la pente de la tangente à la courbe f au point $P(-1, f(-1))$.

$m_{\tan(-1,2)} = f'(-1)$

$= 0$ (car $f'(x) = 0$)

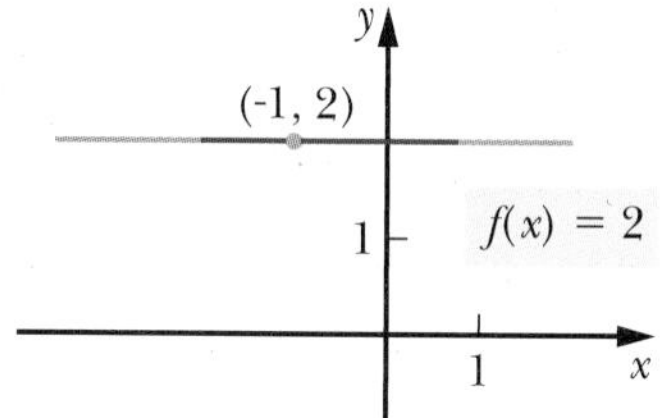

4

Dérivée de la fonction identité

THÉORÈME 4.2 **Dérivée de la fonction identité**

Si $f(x) = x$, alors $f'(x) = 1$.

Preuve

$$f'(x) = \lim_{h \to 0} \frac{f(x+h) - f(x)}{h} \quad \text{(définition 3.12)}$$

$$= \lim_{h \to 0} \frac{(x+h) - x}{h} \quad \text{(car } f(x) = x \text{ et } f(x+h) = x + h\text{)}$$

$$= \lim_{h \to 0} \frac{h}{h} \quad \text{(en simplifiant)}$$

$$= \lim_{h \to 0} 1 \quad \text{(en simplifiant, car } h \neq 0\text{)}$$

$$= 1 \quad \text{(car } \lim_{x \to a} k = k\text{, théorème 2.2)}$$

Le théorème 4.2 signifie que la dérivée de la fonction identité est égale à 1.

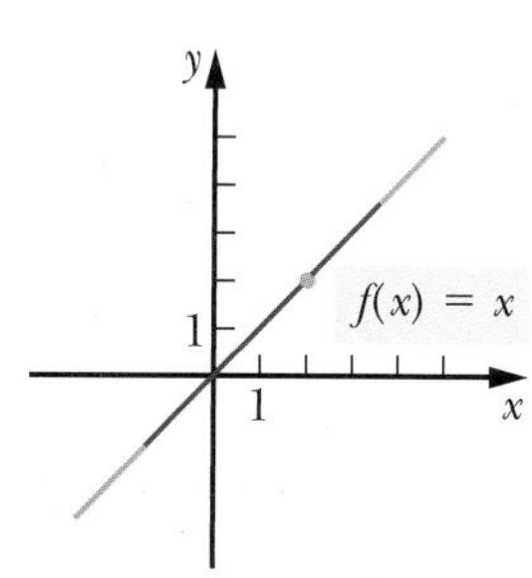

Remarque Graphiquement, nous constatons que la pente de la tangente à la courbe de f est égale à 1. Ainsi, la tangente se confond avec la droite d'équation $f(x) = x$.

Nous pouvons également écrire :

$$\frac{d}{dx}(x) = 1 \quad \text{ou} \quad (x)' = 1, \text{ lorsque nous dérivons par rapport à la variable } x.$$

Remarque Lorsque nous utilisons la notation

$\dfrac{dy}{dx}$ ou $\dfrac{d}{dx}(y)$, cela signifie que nous dérivons la fonction y par rapport à la variable x.

Exemple 1 Calculons les dérivées suivantes.

a) $\dfrac{d}{dt}(t) = 1$ (théorème 4.2)

b) $\dfrac{d}{du}(u) = 1$ (théorème 4.2)

c) $\dfrac{d}{dv}(4) = 0$ (théorème 4.1)

Dérivée de fonctions de la forme x^r, où $r \in \mathbb{R}$

Calculons d'abord la dérivée de fonctions de la forme x^n, où $n \in \mathbb{N}$, à partir de la définition 3.12.

Exemple 1 Soit $f(x) = x^3$ et $g(x) = x^4$. Calculons $f'(x)$ et $g'(x)$.

$$
\begin{aligned}
f'(x) &= \lim_{h \to 0} \frac{f(x+h) - f(x)}{h} \\
&= \lim_{h \to 0} \frac{(x+h)^3 - x^3}{h} \quad (\text{car } f(x) = x^3) \\
&= \lim_{h \to 0} \frac{x^3 + 3x^2h + 3xh^2 + h^3 - x^3}{h} \\
&= \lim_{h \to 0} \frac{3x^2h + 3xh^2 + h^3}{h} \\
&= \lim_{h \to 0} \frac{h(3x^2 + 3xh + h^2)}{h} \\
&= \lim_{h \to 0} (3x^2 + 3xh + h^2) \quad (\text{car } h \neq 0) \\
&= 3x^2
\end{aligned}
$$

D'où $f'(x) = 3x^2$.

$$
\begin{aligned}
g'(x) &= \lim_{h \to 0} \frac{g(x+h) + g(x)}{h} \\
&= \lim_{h \to 0} \frac{(x+h)^4 - x^4}{h} \quad (\text{car } g(x) = x^4) \\
&= \lim_{h \to 0} \frac{x^4 + 4x^3h + 6x^2h^2 + 4xh^3 + h^4 - x^4}{h} \\
&= \lim_{h \to 0} \frac{4x^3h + 6x^2h^2 + 4xh^3 + h^4}{h} \\
&= \lim_{h \to 0} \frac{h(4x^3 + 6x^2h + 4xh^2 + h^3)}{h} \\
&= \lim_{h \to 0} (4x^3 + 6x^2h + 4xh^2 + h^3) \quad (\text{car } h \neq 0) \\
&= 4x^3
\end{aligned}
$$

D'où $g'(x) = 4x^3$.

La formule du binôme de Newton nous permet de développer $(x + h)^n$.

Binôme de Newton

$$
(x+h)^n = x^n + nx^{n-1}h + \frac{(n)(n-1)}{2 \cdot 1} x^{n-2}h^2 + \frac{n(n-1)(n-2)}{3 \cdot 2 \cdot 1} x^{n-3}h^3 + \ldots
$$

$$
\ldots + \frac{n(n-1)}{2 \cdot 1} x^2h^{n-2} + nxh^{n-1} + h^n
$$

Démontrons le théorème suivant qui nous permet de calculer la dérivée de fonctions de la forme x^n, où $n \in \mathbb{N}$.

THÉORÈME 4.3 **Dérivée de x^n, où $n \in \mathbb{N}$**

Si $f(x) = x^n$, où $n \in \mathbb{N}$, alors $f'(x) = nx^{n-1}$.

Preuve

$$f'(x) = \lim_{h \to 0} \frac{f(x+h) - f(x)}{h} \quad \text{(définition 3.12)}$$

$$= \lim_{h \to 0} \frac{(x+h)^n - x^n}{h} \quad (\text{car } f(x) = x^n)$$

$$= \lim_{h \to 0} \frac{x^n + nx^{n-1}h + \dfrac{n(n-1)}{2}x^{n-2}h^2 + \ldots + nxh^{n-1} + h^n - x^n}{h}$$

(binôme de Newton)

$$= \lim_{h \to 0} \frac{nx^{n-1}h + \dfrac{n(n-1)}{2}x^{n-2}h^2 + \ldots + nxh^{n-1} + h^n}{h} \quad \text{(en simplifiant)}$$

$$= \lim_{h \to 0} \frac{h\left(nx^{n-1} + \dfrac{n(n-1)}{2}x^{n-2}h + \ldots + nxh^{n-2} + h^{n-1}\right)}{h}$$

$$= \lim_{h \to 0} \left(nx^{n-1} + \frac{n(n-1)}{2}x^{n-2}h + \ldots + nxh^{n-2} + h^{n-1}\right) \quad (\text{car } h \neq 0)$$

$$= nx^{n-1}$$

Il y a environ 300 ans...

© Bettmann/CORBIS

Isaac Newton 1642-1727

Newton énonçait la formule qui porte aujourd'hui son nom. Toutefois, cette formule est liée à l'histoire du triangle de Pascal, qui est une façon de représenter les coefficients du polynôme développant $(x + h)^n$. Aux XIe et XIIe siècles, des mathématiciens chinois, comme Jia Xian, et arabes, comme as-Samawal, disposaient déjà les coefficients en triangle de façon à pouvoir générer une ligne à partir de la ligne précédente. Ce procédé fut repris en Europe pour la première fois par l'Allemand Stifel vers 1550. Mais pourquoi donc ce triangle, que Pascal lui-même appelait triangle arithmétique, s'appelle-t-il aujourd'hui triangle de Pascal ? Et pourquoi la formule du binôme est-elle associée à Newton ? Le triangle de Pascal doit son nom au fait que Pascal a été le premier Européen à voir l'utilité de ce triangle dans le calcul des probabilités. Quant au binôme de Newton, il doit son nom au fait que Newton a généralisé la formule du binôme, utilisée auparavant avec un exposant entier, à une formule similaire, mais au développement infini, pour un exposant fractionnaire, comme $\frac{1}{2}$.

Nous pouvons également écrire :

$$\frac{d}{dx}(x^n) = nx^{n-1} \quad \text{ou} \quad (x^n)' = nx^{n-1}.$$

Exemple 2 Soit $f(x) = x^5$ et $g(v) = v^7$.

a) Calculons $f'(x)$.

$$f'(x) = (x^5)'$$
$$= 5x^4 \quad \text{(théorème 4.3)}$$

b) Calculons $\frac{d}{dv}(g(v))$.

$$\frac{d}{dv}(g(v)) = \frac{d}{dv}(v^7)$$
$$= 7v^6 \quad \text{(théorème 4.3)}$$

c) Calculons la pente de la tangente à la courbe de g au point P(-2, g(-2)).

$$m_{\tan(-2,\, g(-2))} = \frac{d}{dv}(g(v))\bigg|_{v=-2} = 7(-2)^6 = 448$$

Calculons maintenant la dérivée des fonctions x^r, où $r = \frac{1}{2}$ et $r = -2$, à partir de la définition 3.12.

Exemple 3 Soit $f(x) = x^{\frac{1}{2}}$ et $g(x) = x^{-2}$. Calculons $f'(x)$ et $g'(x)$.

$$f'(x) = \lim_{h \to 0} \frac{f(x+h) - f(x)}{h}$$
$$= \lim_{h \to 0} \frac{\sqrt{x+h} - \sqrt{x}}{h} \quad \left(\text{car } f(x) = x^{\frac{1}{2}} = \sqrt{x}\right)$$
$$= \lim_{h \to 0} \left[\left(\frac{\sqrt{x+h} - \sqrt{x}}{h}\right)\left(\frac{\sqrt{x+h} + \sqrt{x}}{\sqrt{x+h} + \sqrt{x}}\right)\right]$$
$$= \lim_{h \to 0} \frac{x + h - x}{h(\sqrt{x+h} + \sqrt{x})}$$
$$= \lim_{h \to 0} \frac{h}{h(\sqrt{x+h} + \sqrt{x})}$$
$$= \lim_{h \to 0} \frac{1}{\sqrt{x+h} + \sqrt{x}} \quad (\text{car } h \neq 0)$$
$$= \frac{1}{\sqrt{x} + \sqrt{x}}$$
$$= \frac{1}{2\sqrt{x}}$$
$$= \frac{1}{2x^{\frac{1}{2}}}$$
$$= \frac{1}{2}x^{\frac{-1}{2}}$$

D'où $f'(x) = \frac{1}{2}x^{\frac{-1}{2}}$.

$$g'(x) = \lim_{h \to 0} \frac{g(x+h) - g(x)}{h}$$
$$= \lim_{h \to 0} \frac{\frac{1}{(x+h)^2} - \frac{1}{x^2}}{h} \quad \left(\text{car } g(x) = x^{-2} = \frac{1}{x^2}\right)$$
$$= \lim_{h \to 0} \frac{\frac{x^2 - (x+h)^2}{(x+h)^2 x^2}}{h}$$
$$= \lim_{h \to 0} \frac{x^2 - x^2 - 2xh - h^2}{(x+h)^2 x^2} \cdot \frac{1}{h}$$
$$= \lim_{h \to 0} \frac{-2xh - h^2}{(x+h)^2 x^2} \cdot \frac{1}{h}$$
$$= \lim_{h \to 0} \frac{h(-2x - h)}{(x+h)^2 x^2} \cdot \frac{1}{h}$$
$$= \lim_{h \to 0} \frac{-2x - h}{(x+h)^2 x^2} \quad (\text{car } h \neq 0)$$
$$= \frac{-2x}{x^4}$$
$$= -2x^{-3}$$

D'où $g'(x) = -2x^{-3}$.

Il semble donc que le théorème 4.3 s'applique également pour des fonctions de la forme x^r, où $r \in \mathbb{Q}$.

En généralisant le théorème 4.3, nous obtenons le théorème suivant, que nous acceptons sans démonstration.

THÉORÈME 4.4

Dérivée de x^r, où $r \in \mathbb{R}$

Si $f(x) = x^r$, où $r \in \mathbb{R}$, alors

$f'(x) = rx^{r-1}$, pour les valeurs de x, telles que $f(x)$ et $f'(x)$ soient définies.

Pour les cas particuliers de $f(x) = x^{-n}$, où $n \in \mathbb{N}$, et de $g(x) = x^{\frac{m}{n}}$, où $m \in \mathbb{Z}$ et $n \in \mathbb{Z}^*$, les preuves sont demandées dans l'exercice récapitulatif n° 16 à la page 167.

Exemple 4 Soit $f(x) = \sqrt[3]{x}$.

a) Calculons $f'(x)$.

$$f'(x) = \left(x^{\frac{1}{3}}\right)' \quad \left(\text{car } \sqrt[3]{x} = x^{\frac{1}{3}}\right)$$

$$= \frac{1}{3}x^{\frac{-2}{3}} \quad \text{(théorème 4.4)}$$

Nous pouvons donner la réponse précédente sous la forme $\dfrac{1}{3x^{\frac{2}{3}}}$ ou $\dfrac{1}{3\sqrt[3]{x^2}}$.

b) Déterminons le domaine de f et le domaine de f'.

dom $f = \mathbb{R}$ et dom $f' = \mathbb{R} \setminus \{0\}$.

c) Représentons graphiquement la courbe de f.

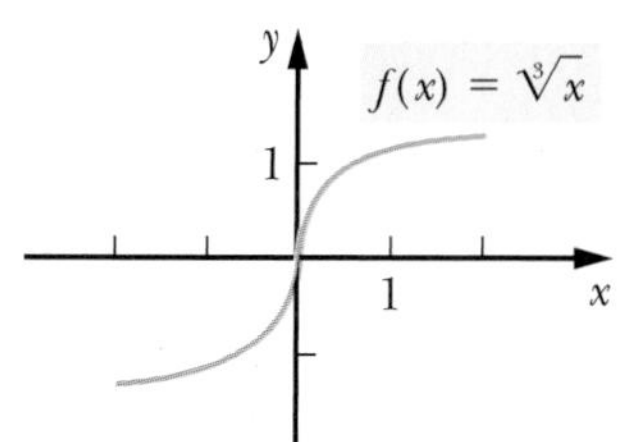

d) Étudions $f'(x)$ pour des valeurs de x près de zéro.

x	-0,01	-0,000 1	-0,000 001	$\ldots \to 0^-$	0	$0^+ \leftarrow \ldots$	0,000 001	0,000 1	0,01
$f'(x) = \dfrac{1}{3\sqrt[3]{x^2}}$	7,18...	154,71...	3 333,33...	$\ldots \to$		$\leftarrow \ldots$	3 333,33...	154,71...	7,18...

Il semble donc que plus x est près de zéro ($x \to 0$), plus la valeur de $f'(x)$ augmente et tend vers l'infini positif, noté $+\infty$.

À $x = 0$, la dérivée n'est pas définie; en effet, $0 \notin$ dom f'.

Si nous traçons la tangente à la courbe de f au point $O(0, 0)$, nous obtenons une droite verticale dont la pente n'est pas définie.

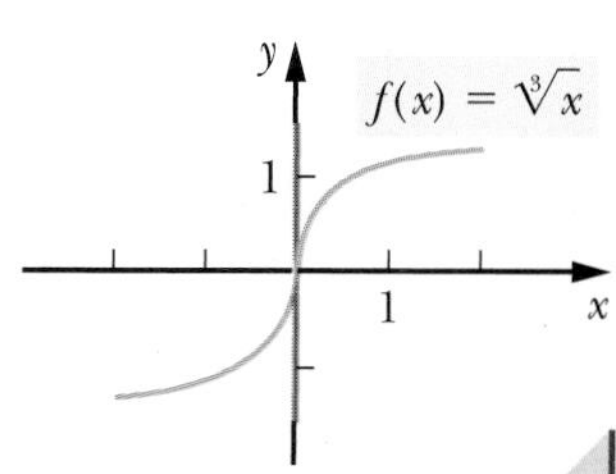

Exemple 5 Soit $f(x) = \dfrac{1}{\sqrt[3]{x^7}}$, calculons $f'(x)$.

$$f'(x) = \left(\frac{1}{x^{\frac{7}{3}}}\right)' \qquad \left(\text{car } \sqrt[3]{x^7} = x^{\frac{7}{3}}\right)$$

$$= \left(x^{\frac{-7}{3}}\right)'$$

$$= \left(\frac{-7}{3}\right)x^{\frac{-7}{3}-1} \qquad \text{(théorème 4.4)}$$

$$= \frac{-7}{3}x^{\frac{-10}{3}}$$

Nous pouvons donner la réponse précédente sous la forme $\dfrac{-7}{3x^{\frac{10}{3}}}$ ou $\dfrac{-7}{3\sqrt[3]{x^{10}}}$.

4

Exercices 4.1

1. Compléter les énoncés suivants.

a) La dérivée d'une fonction constante est égale à ....

b) La dérivée de la fonction identité est égale à ....

c) $\dfrac{d}{dx}(x^r) =$ ...., où $r \in \mathbb{R}$.

2. Calculer les expressions demandées et indiquer le théorème utilisé.

a) Si $f(x) = 5$, calculer $f'(x)$.

b) Si $H(x) = x$, calculer $H'(x)$.

c) Si $f(t) = \sqrt{2}$, calculer $\dfrac{df}{dt}$.

d) Si $x(t) = t$, calculer $\dfrac{d}{dt}(x)$.

e) $\dfrac{d}{du}(u)$

f) $\dfrac{d}{ds}(\pi)$

3. Calculer la dérivée des fonctions suivantes en donnant la réponse avec des exposants positifs.

a) $y = x^9$

b) $f(x) = x^{\frac{7}{4}}$

c) $h(x) = \dfrac{1}{x^4}$

d) $x(t) = \dfrac{1}{\sqrt{t}}$

e) $f(u) = u$

f) $g(x) = x^{\pi}$

4. Calculer la dérivée des fonctions suivantes en donnant la réponse avec des radicaux.

a) $f(x) = \sqrt[5]{x^2}$

b) $g(x) = \sqrt[4]{x}$

c) $h(x) = \sqrt{x^3}$

d) $f(t) = \dfrac{1}{\sqrt[3]{t^2}}$

5. Pour chaque fonction, calculer la pente de la tangente à la courbe aux points donnés.

a) Pour $f(x) = \sqrt{3} + \pi^3$, aux points $A(\sqrt{3}, f(\sqrt{3}))$ et $B(-1, f(-1))$.

b) Pour $g(x) = x$, aux points $C(-10, g(-10))$ et $D(8, g(8))$.

c) Pour $h(x) = x^6$, aux points $E(-3, h(-3))$ et $F(3, h(3))$.

d) Pour $k(x) = \dfrac{1}{\sqrt{x^5}}$, aux points $G(1, k(1))$ et $H\left(\dfrac{1}{2}, k\left(\dfrac{1}{2}\right)\right)$.

4.2 Dérivée de produits, de sommes et de quotients de fonctions

$$(u+v)' = u' + v'$$
$$(uv)' = u'v + uv'$$
$$\left(\frac{u}{v}\right)' = \frac{u'v - uv'}{v^2}$$

Objectif d'apprentissage

À la fin de cette section, l'élève pourra calculer la dérivée de produits, de sommes et de quotients de fonctions.

Plus précisément, l'élève sera en mesure :
- de démontrer que la dérivée du produit d'une constante par une fonction est égale au produit de la constante par la dérivée de la fonction ;
- de calculer la dérivée du produit d'une constante par une fonction ;
- de démontrer que la dérivée d'une somme de deux fonctions est égale à la somme des dérivées de ces deux fonctions ;
- de démontrer que la dérivée d'une somme de n fonctions est égale à la somme des dérivées de ces n fonctions ;
- de calculer la dérivée d'une somme (ou d'une différence) de n fonctions ;
- de démontrer la règle permettant de calculer la dérivée d'un produit de deux fonctions ;
- de démontrer la règle permettant de calculer la dérivée d'un produit de n fonctions ;
- de calculer la dérivée d'un produit de n fonctions ;
- de démontrer la règle permettant de calculer la dérivée d'un quotient de deux fonctions ;
- de calculer la dérivée d'un quotient de deux fonctions ;
- d'utiliser la dérivée d'une fonction pour résoudre des problèmes de pente de tangente.

4

Il y a environ 300 ans...

akg-images

Guillaume de L'Hospital 1661-1704

Le premier livre que l'on peut qualifier de manuel de calcul différentiel a été publié en 1696 par **Guillaume de L'Hospital** (1661-1704). Ce manuel, intitulé *Analyse des infiniment petits pour l'intelligence des lignes courbes,* contenait déjà toutes les règles décrites dans cette section. En 1691, Johann Bernoulli (1664-1748), un proche disciple de Leibniz (1646-1716), est de passage à Paris. L'Hospital en profite pour lui demander, contre rémunération, de lui donner des cours sur le nouveau calcul. Même après le départ de Bernoulli, L'Hospital continua à le payer, pour qu'il lui envoie des textes explicatifs complémentaires. L'*Analyse des infiniment petits* reprend les idées de Bernoulli, mais en ne le mentionnant que du bout des lèvres.

Dans cette section, nous démontrerons des théorèmes qui nous permettent de calculer la dérivée de produits, de sommes et de quotients de fonctions dérivables.

Dérivée du produit d'une constante par une fonction

THÉORÈME 4.5 **Dérivée du produit d'une constante par une fonction**

Soit k, une constante, et f, une fonction dérivable.

Si $H(x) = k\,f(x)$, alors $H'(x) = k\,f'(x)$.

Preuve

$$\begin{aligned} H'(x) &= \lim_{h \to 0} \frac{H(x+h) - H(x)}{h} && \text{(définition de } H'(x)\text{)} \\ &= \lim_{h \to 0} \frac{k\,f(x+h) - k\,f(x)}{h} && \text{(car } H(x) = k\,f(x)\text{)} \\ &= \lim_{h \to 0} k\left[\frac{f(x+h) - f(x)}{h}\right] && \text{(}k\text{ est un facteur commun)} \\ &= k\left[\lim_{h \to 0} \frac{f(x+h) - f(x)}{h}\right] && \text{(théorème 2.3 b)} \\ &= k\,f'(x) && \text{(définition 3.12)} \end{aligned}$$

4

Le théorème 4.5 signifie que la dérivée du produit d'une constante par une fonction dérivable est égale au produit de la constante par la dérivée de la fonction.

Nous pouvons également écrire :

$$\frac{d}{dx}(k\,f(x)) = k\frac{d}{dx}(f(x)) \quad \text{ou} \quad (k\,f(x))' = k\,f'(x).$$

Exemple 1 Soit $f(x) = 5x^4$ et $g(x) = \frac{-x}{3}$. Calculons $f'(x)$ et $\frac{d}{dx}(g(x))$.

$$\begin{aligned} f'(x) &= (5x^4)' && \text{(car } f(x) = 5x^4\text{)} \\ &= 5(x^4)' && \text{(théorème 4.5)} \\ &= 5(4x^3) && \text{(théorème 4.3)} \\ &= 20x^3 \end{aligned}$$

$$\begin{aligned} \frac{d}{dx}(g(x)) &= \frac{d}{dx}\left(\frac{-x}{3}\right) && \left(\text{car } g(x) = \frac{-x}{3}\right) \\ &= \frac{-1}{3}\frac{d}{dx}(x) && \text{(théorème 4.5)} \\ &= \frac{-1}{3}(1) && \text{(théorème 4.2)} \\ &= \frac{-1}{3} \end{aligned}$$

Dérivée de sommes de fonctions

THÉORÈME 4.6 **Dérivée d'une somme de fonctions**

Soit f et g, deux fonctions dérivables.

Si $H(x) = f(x) + g(x)$, alors $H'(x) = f'(x) + g'(x)$.

Preuve

$$
\begin{aligned}
H'(x) &= \lim_{h \to 0} \frac{H(x+h) - H(x)}{h} && \text{(définition de } H'(x)\text{)} \\
&= \lim_{h \to 0} \frac{[f(x+h) + g(x+h)] - [f(x) + g(x)]}{h} && \text{(car } H(x) = f(x) + g(x)\text{)} \\
&= \lim_{h \to 0} \frac{f(x+h) + g(x+h) - f(x) - g(x)}{h} \\
&= \lim_{h \to 0} \frac{[f(x+h) - f(x)] + [g(x+h) - g(x)]}{h} \\
&= \lim_{h \to 0} \left[\frac{f(x+h) - f(x)}{h} + \frac{g(x+h) - g(x)}{h}\right] \\
&= \left[\lim_{h \to 0} \frac{f(x+h) - f(x)}{h}\right] + \left[\lim_{h \to 0} \frac{g(x+h) - g(x)}{h}\right] && \text{(théorème 2.3 a)} \\
&= f'(x) + g'(x) && \text{(définition de } f'(x) \text{ et de } g'(x)\text{)}
\end{aligned}
$$

Le théorème 4.6 signifie que la dérivée d'une somme de deux fonctions dérivables est égale à la somme des dérivées de ces deux fonctions.

Nous pouvons également écrire :

$$\frac{d}{dx}(f(x) + g(x)) = \frac{d}{dx}(f(x)) + \frac{d}{dx}(g(x)) \quad \text{ou} \quad (f(x) + g(x))' = f'(x) + g'(x).$$

Exemple 1 Soit $f(x) = 2x + 3$.

a) Calculons $f'(x)$.

$$
\begin{aligned}
f'(x) &= (2x + 3)' && \text{(car } f(x) = 2x + 3\text{)} \\
&= (2x)' + (3)' && \text{(théorème 4.6)} \\
&= 2(x)' + 0 && \text{(théorèmes 4.5 et 4.1)} \\
&= 2(1) && \text{(théorème 4.2)} \\
&= 2
\end{aligned}
$$

b) Calculons la pente de la tangente à la courbe de f au point $P(-2, f(-2))$.

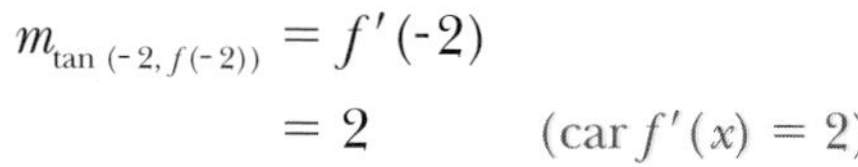

$$
\begin{aligned}
m_{\tan(-2, f(-2))} &= f'(-2) \\
&= 2 && \text{(car } f'(x) = 2\text{)}
\end{aligned}
$$

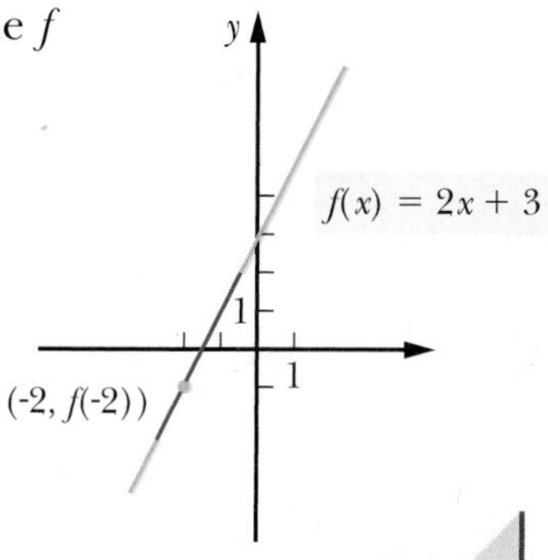

COROLLAIRE 1 (THÉORÈME 4.6)

Dérivée d'une différence de fonctions

Soit f et g, deux fonctions dérivables.

Si $H(x) = f(x) - g(x)$, alors $H'(x) = f'(x) - g'(x)$.

Preuve

$$\begin{aligned} H'(x) &= [f(x) - g(x)]' \\ &= [f(x) + [(-1)g(x)]]' && (\text{car } f(x) - g(x) = f(x) + [(-1)g(x)]) \\ &= [f(x)]' + [(-1)g(x)]' && (\text{théorème 4.6}) \\ &= [f(x)]' + (-1)[g(x)]' && (\text{théorème 4.5}) \\ &= f'(x) + (-1)g'(x) \\ &= f'(x) - g'(x) \end{aligned}$$

4

Le corollaire 1 signifie que la dérivée d'une différence de deux fonctions dérivables est égale à la différence des dérivées de ces deux fonctions.

Exemple 2 Calculons $\dfrac{d}{dt}\left(\dfrac{t^2}{5} - \dfrac{5}{t^2}\right)$.

$$\begin{aligned} \frac{d}{dt}\left(\frac{t^2}{5} - \frac{5}{t^2}\right) &= \frac{d}{dt}\left(\frac{t^2}{5}\right) - \frac{d}{dt}\left(\frac{5}{t^2}\right) && (\text{corollaire 1}) \\ &= \frac{1}{5}\frac{d}{dt}(t^2) - 5\frac{d}{dt}(t^{-2}) && (\text{théorème 4.5}) \\ &= \frac{1}{5}(2t) - 5(-2t^{-3}) && (\text{théorème 4.4}) \\ &= \frac{2t}{5} + \frac{10}{t^3} \end{aligned}$$

En généralisant le théorème 4.6 et le corollaire 1 précédents à une somme ou à une différence de n fonctions dérivables, nous obtenons le corollaire suivant, que nous acceptons sans démonstration.

COROLLAIRE 2 (THÉORÈME 4.6)

Dérivée d'une somme ou d'une différence de n fonctions

Soit $f_1(x)$, $f_2(x)$, … et $f_n(x)$, n fonctions dérivables.

Si $H(x) = f_1(x) \pm f_2(x) \pm f_3(x) \pm \ldots \pm f_n(x)$, alors

$H'(x) = f_1'(x) \pm f_2'(x) \pm f_3'(x) \pm \ldots \pm f_n'(x)$.

Exemple 3 Soit $f(x) = \dfrac{3x^4}{7} - \dfrac{1}{4x} + \sqrt{8x} + 5\pi$. Calculons $f'(x)$.

$$\begin{aligned} f'(x) &= \left(\frac{3x^4}{7} - \frac{1}{4x} + \sqrt{8x} + 5\pi\right)' \\ &= \left(\frac{3x^4}{7}\right)' - \left(\frac{1}{4x}\right)' + (\sqrt{8x})' + (5\pi)' && (\text{corollaire 2}) \end{aligned}$$

$$= \frac{3}{7}(x^4)' - \frac{1}{4}(x^{-1})' + \sqrt{8}\left(x^{\frac{1}{2}}\right)' + 0 \qquad \text{(théorèmes 4.5 et 4.1)}$$

$$= \frac{3}{7}(4x^3) - \frac{1}{4}(-1x^{-2}) + \sqrt{8}\left(\frac{1}{2}x^{\frac{-1}{2}}\right) \qquad \text{(théorème 4.4)}$$

$$= \frac{12}{7}(x^3) - \frac{1}{4x^2} + \frac{\sqrt{2}}{\sqrt{x}}$$

Dérivée de produits de fonctions

THÉORÈME 4.7 **Dérivée d'un produit de deux fonctions**

Soit f et g, deux fonctions dérivables.

Si $H(x) = f(x)\ g(x)$, alors $H'(x) = f'(x)\ g(x) + f(x)\ g'(x)$.

Preuve

$$H'(x) = \lim_{h \to 0} \frac{H(x+h) - H(x)}{h} \qquad \text{(définition de } H'(x))$$

$$= \lim_{h \to 0} \frac{f(x+h)\ g(x+h) - f(x)\ g(x)}{h}$$

$$= \lim_{h \to 0} \frac{[f(x+h)\ g(x+h) - f(x)\ g(x)] + [f(x)\ g(x+h) - f(x)\ g(x+h]}{h}$$

(en ajoutant au numérateur l'expression algébrique $[f(x)\ g(x+h) - f(x)\ g(x+h)]$ qui est égale à zéro)

$$= \lim_{h \to 0} \frac{[f(x+h)\ g(x+h) - f(x)\ g(x+h) + [f(x)\ g(x+h) - f(x)\ g(x)]}{h}$$

(en regroupant les termes différemment)

$$= \lim_{h \to 0} \left[\frac{[f(x+h) - f(x)]\ g(x+h) + f(x)\ [g(x+h) - g(x)]}{h}\right]$$

(mise en évidence)

$$= \lim_{h \to 0} \left[\frac{[f(x+h) - f(x)]\ g(x+h)}{h} + \frac{f(x)\ [g(x+h) - g(x)]}{h}\right]$$

(décomposition d'une somme de fractions)

$$= \lim_{h \to 0} \left[\frac{[f(x+h) - f(x)]\ g(x+h)}{h}\right] + \lim_{h \to 0} \left[\frac{f(x)\ [g(x+h) - g(x)]}{h}\right]$$

(théorème 2.3a)

$$= \left[\lim_{h \to 0} \frac{[f(x+h) - f(x)]}{h}\right]\left[\lim_{h \to 0} g(x+h)\right] + \left[\lim_{h \to 0} f(x)\right]\left[\lim_{h \to 0} \frac{g(x+h) - g(x)}{h}\right]$$

(théorème 2.3d)

$$= f'(x)\ g(x) + f(x)\ g'(x)$$

(évaluation de limite de fonctions continues et définition de $f'(x)$ et de $g'(x)$)

Nous pouvons également écrire :

$$\frac{d}{dx}(f(x)\, g(x)) = \frac{d}{dx}(f(x))g(x) + f(x)\,\frac{d}{dx}(g(x)) \text{ ou } (f(x)\, g(x))' = f'(x)\, g(x) + f(x)\, g'(x).$$

De plus, si $u = f(x)$ et $v = g(x)$, nous avons :

Formule utilisée par Leibniz en 1676

$$\frac{d}{dx}(u\, v) = \frac{d}{dx}(u)\, v + u\frac{d}{dx}(v) \quad \text{ou} \quad (u\, v)' = u'v + u\, v'.$$

Exemple 1

a) Soit $H(x) = (4 - 2x)(3x + 8)$. Calculons $H'(x)$.

$$\begin{aligned} H'(x) &= ((4 - 2x)(3x + 8))' \\ &= (4 - 2x)'(3x + 8) + (4 - 2x)(3x + 8)' \quad \text{(théorème 4.7)} \\ &= (-2)(3x + 8) + (4 - 2x)(3) \\ &= -12x - 4 \end{aligned}$$

b) Soit $y = (x^3 + 4x)(5x^2 - 7)$. Calculons $\frac{dy}{dx}$.

$$\begin{aligned} \frac{dy}{dx} &= \frac{d}{dx}\left((x^3 + 4x)(5x^2 - 7)\right) \\ &= \left(\frac{d}{dx}(x^3 + 4x)\right)(5x^2 - 7) + (x^3 + 4x)\,\frac{d}{dx}(5x^2 - 7) \quad \text{(théorème 4.7)} \\ &= (3x^2 + 4)(5x^2 - 7) + (x^3 + 4x)(10x). \\ &= 25x^4 + 39x^2 - 28 \end{aligned}$$

Interprétation géométrique du théorème 4.7

Soit u, la base, et v, la hauteur d'une plaque rectangulaire métallique d'aire A.

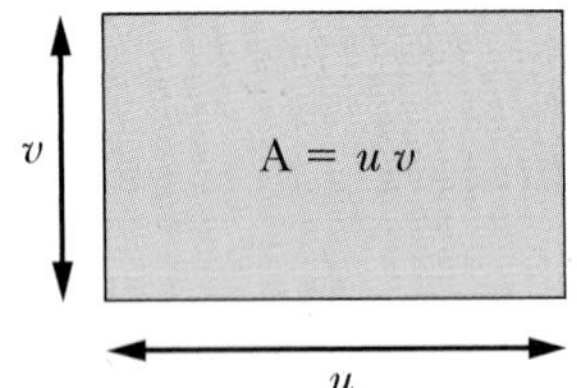

Sous l'effet de la chaleur, u et v augmentent.

Ainsi, l'aire A de la plaque augmente.

Soit ΔT, l'augmentation de la température, et Δu, Δv et ΔA, les augmentations respectives de la base, de la hauteur et de l'aire de cette plaque.

Nous avons

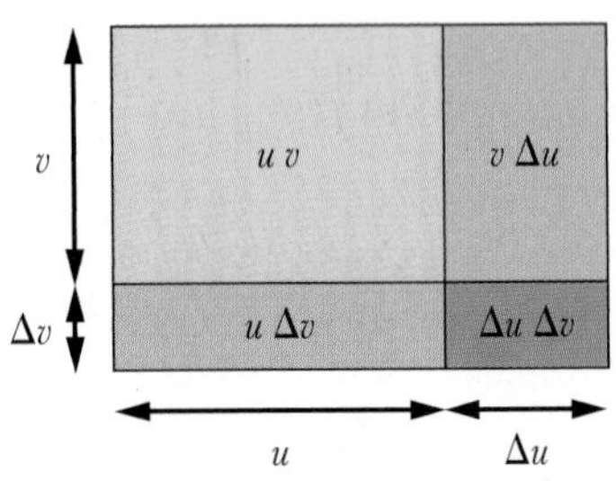

$$\begin{aligned} \Delta A &= (u + \Delta u)(v + \Delta v) - A \\ &= u\, v + u\,\Delta v + v\,\Delta u + \Delta u\,\Delta v - u\, v \\ &= u\,\Delta v + v\,\Delta u + \Delta u\,\Delta v \end{aligned}$$

En divisant chaque membre de cette équation par ΔT, nous obtenons

$$\frac{\Delta A}{\Delta T} = \frac{u\,\Delta v}{\Delta T} + \frac{v\,\Delta u}{\Delta T} + \frac{\Delta u\,\Delta v}{\Delta T}$$

Lorsque $\Delta T \to 0$, nous avons

$$\begin{aligned}
\lim_{\Delta T \to 0} \frac{\Delta A}{\Delta T} &= \lim_{\Delta T \to 0} \left(\frac{u\,\Delta v}{\Delta T} + \frac{v\,\Delta u}{\Delta T} + \frac{\Delta u\,\Delta v}{\Delta T}\right) \\
&= \lim_{\Delta T \to 0} \frac{u\,\Delta v}{\Delta T} + \lim_{\Delta T \to 0} \frac{v\,\Delta u}{\Delta T} + \lim_{\Delta T \to 0} \frac{\Delta u\,\Delta v}{\Delta T} && \text{(théorème 2.4a)} \\
&= u \lim_{\Delta T \to 0} \frac{\Delta v}{\Delta T} + v \lim_{\Delta T \to 0} \frac{\Delta u}{\Delta T} + \left(\lim_{\Delta T \to 0} \Delta u\right)\left(\lim_{\Delta T \to 0} \frac{\Delta v}{\Delta T}\right) && \text{(théorèmes 2.3b et 2.3d)}
\end{aligned}$$

Ainsi, $\dfrac{dA}{dT} = u\dfrac{dv}{dT} + v\dfrac{du}{dT} + 0\,\dfrac{dv}{dT}$. (définition 3.13 (2))

D'où $\dfrac{dA}{dT} = u\dfrac{dv}{dT} + v\dfrac{du}{dT}$.

4

En généralisant le théorème 4.7 à un produit de trois fonctions, nous obtenons le corollaire suivant.

COROLLAIRE I (THÉORÈME 4.7)

Dérivée d'un produit de trois fonctions

Soit f, g et k, trois fonctions dérivables.

Si $H(x) = f(x)\,g(x)\,k(x)$, alors

$$H'(x) = f'(x)\,g(x)\,k(x) + f(x)\,g'(x)\,k(x) + f(x)\,g(x)\,k'(x).$$

Preuve

$$\begin{aligned}
H'(x) &= [f(x)\,g(x)\,k(x)]' \\
&= [[f(x)\,g(x)]\,k(x)]' \\
&= [f(x)\,g(x)]'\,k(x) + [f(x)\,g(x)]\,k'(x) && \text{(théorème 4.7)} \\
&= [f'(x)\,g(x) + f(x)\,g'(x)]\,k(x) + f(x)\,g(x)\,k'(x) && \text{(théorème 4.7)} \\
&= f'(x)\,g(x)\,k(x) + f(x)\,g'(x)\,k(x) + f(x)\,g(x)\,k'(x) && \text{(distributivité)}
\end{aligned}$$

Exemple 2 Soit $H(x) = \left(\dfrac{3x^2 + 29}{4}\right)\sqrt{x}\left(5 - \dfrac{7}{2}x\right)$. Calculons $H'(x)$.

$$\begin{aligned}
H'(x) &= \left(\left(\frac{3x^2 + 29}{4}\right)\sqrt{x}\left(5 - \frac{7}{2}x\right)\right)' \\
&= \left(\frac{3}{4}x^2 + \frac{29}{4}\right)'\sqrt{x}\left(5 - \frac{7}{2}x\right) + \left(\frac{3}{4}x^2 + \frac{29}{4}\right)\left(x^{\frac{1}{2}}\right)'\left(5 - \frac{7}{2}x\right) + \left(\frac{3}{4}x^2 + \frac{29}{4}\right)\sqrt{x}\left(5 - \frac{7}{2}x\right)'
\end{aligned}$$

(corollaire du théorème 4.7)

$$= \frac{3x}{2}\sqrt{x}\left(5 - \frac{7}{2}x\right) + \left(\frac{3}{4}x^2 + \frac{29}{4}\right)\frac{1}{2\sqrt{x}}\left(5 - \frac{7}{2}x\right) + \left(\frac{3}{4}x^2 + \frac{29}{4}\right)\sqrt{x}\left(\frac{-7}{2}\right)$$

En généralisant le théorème 4.7 à un produit de n fonctions dérivables, nous obtenons le corollaire suivant, que nous acceptons sans démonstration.

COROLLAIRE 2 (THÉORÈME 4.7)

Dérivée d'un produit de n fonctions

Soit $f_1(x), f_2(x)\ldots$ et $f_n(x)$, n fonctions dérivables.

Si $H(x) = f_1(x)\, f_2(x)\, f_3(x)\, \ldots\, f_n(x)$, alors

$$H'(x) = f_1'(x)\, f_2(x)\, f_3(x) \ldots f_n(x) + f_1(x)\, f_2'(x)\, f_3(x) \ldots f_n(x) + f_1(x)\, f_2(x)\, f_3'(x) \ldots f_n(x) + \ldots + f_1(x)\, f_2(x)\, f_3(x) \ldots f_n'(x).$$

Exemple 3 Utilisons le corollaire 2 du théorème 4.7 pour démontrer le théorème 4.3, c'est-à-dire que si $f(x) = x^n$, où $n \in \mathbb{N}$, alors $f'(x) = nx^{n-1}$.

Puisque $f(x) = x^n = x\,x\,x \ldots x$, alors

$$f'(x) = \underbrace{(x)'\, x\,x\,x \ldots x + x(x)'\, x\,x\,x \ldots x + \ldots + x\,x\,x \ldots x(x)'}_{n \text{ termes}} \quad \text{(corollaire 2 du théorème 4.7)}$$

$$= \underbrace{(x)'\,\underbrace{(x\,x\,x \ldots x)}_{(n-1) \text{ facteurs}} + (x)'\,\underbrace{(x\,x\,x \ldots x)}_{(n-1) \text{ facteurs}} + \ldots + (x)'\,\underbrace{(x\,x\,x \ldots x)}_{(n-1) \text{ facteurs}}}_{n \text{ termes}}$$

$$= \underbrace{(1)\,(x^{n-1}) + (1)\,(x^{n-1}) + \ldots + (1)\,(x^{n-1})}_{n \text{ termes}} \quad \text{(théorème 4.2)}$$

$$= nx^{n-1}$$

Dérivée de quotients de fonctions

LEMME

Soit g, une fonction dérivable, et $g(x) \neq 0$.

Si $H(x) = \dfrac{1}{g(x)}$, alors $H(x) = \dfrac{-g(x)}{[g(x)]^2}$.

Preuve

$$H'(x) = \lim_{h\to 0} \frac{H(x+h) - H(x)}{h} \quad \text{(définition de } H'(x))$$

$$= \lim_{h\to 0} \frac{\dfrac{1}{g(x+h)} - \dfrac{1}{g(x)}}{h} \quad \left(\text{car } H(x) = \frac{1}{g(x)}\right)$$

$$= \lim_{h\to 0} \frac{\dfrac{g(x) - g(x+h)}{g(x)\, g(x+h)}}{h}$$

$$= \lim_{h\to 0} \frac{g(x) - g(x+h)}{g(x)\, g(x+h)\, h}$$

$$= \left[\lim_{h \to 0} \frac{1}{g(x)\ g(x+h)}\right]\left[\lim_{h \to 0} \frac{g(x) - g(x+h)}{h}\right] \quad \text{(théorème 2.3 d)}$$

$$= \frac{1}{[g(x)]^2}\left[-\left(\lim_{h \to 0} \frac{g(x+h) - g(x)}{h}\right)\right] \quad \left(\text{car } \lim_{h \to 0} \frac{1}{g(x+h)} = \frac{1}{g(x)}\right)$$

$$= \frac{1}{[g(x)]^2}\left(-g'(x)\right) \quad \text{(définition de } g'(x)\text{)}$$

$$= \frac{-g'(x)}{[g(x)]^2}$$

■

THÉORÈME 4.8

Dérivée d'un quotient de fonctions

Soit f et g, deux fonctions dérivables, et $g(x) \neq 0$.

Si $H(x) = \dfrac{f(x)}{g(x)}$, alors $H'(x) = \dfrac{f'(x)\ g(x) - f(x)\ g'(x)}{[g(x)]^2}$.

Preuve

$$H'(x) = \left(\frac{f(x)}{g(x)}\right)'$$

$$= \left(f(x)\ \frac{1}{g(x)}\right)'$$

$$= f'(x)\ \frac{1}{g(x)} + f(x)\left(\frac{1}{g(x)}\right)' \quad \text{(théorème 4.7)}$$

$$= f'(x)\ \frac{1}{g(x)} + f(x)\left(\frac{-g'(x)}{[g(x)]^2}\right) \quad \text{(lemme)}$$

$$= \frac{f'(x)\ g(x) - f(x)\ g'(x)}{[g(x)]^2}$$

■

Nous pouvons également écrire :

$$\frac{d}{dx}\left(\frac{f(x)}{g(x)}\right) = \frac{\frac{d}{dx}(f(x))\ g(x) - f(x)\ \frac{d}{dx}(g(x))}{[g(x)]^2} \quad \text{ou} \quad \left(\frac{f(x)}{g(x)}\right)' = \frac{f'(x)\ g(x) - f(x)\ g'(x)}{[g(x)]^2}.$$

De plus, si $u = f(x)$ et $v = g(x)$, nous avons :

$$\frac{d}{dx}\left(\frac{u}{v}\right) = \frac{\frac{d}{dx}(u)\ v - u\frac{d}{dx}(v)}{v^2} \quad \text{ou} \quad \left(\frac{u}{v}\right)' = \frac{u'v - uv'}{v^2}.$$

Exemple 1 Soit $H(x) = \dfrac{4x^3}{x^2 + 1}$. Calculons $H'(x)$.

$$\begin{aligned}
H'(x) &= \left(\frac{4x^3}{x^2+1}\right)' \\
&= \frac{(4x^3)'(x^2+1) - 4x^3(x^2+1)'}{(x^2+1)^2} \quad \text{(théorème 4.8)} \\
&= \frac{12x^2(x^2+1) - 4x^3(2x)}{(x^2+1)^2} \\
&= \frac{12x^4 + 12x^2 - 8x^4}{(x^2+1)^2} \\
&= \frac{4x^4 + 12x^2}{(x^2+1)^2} \\
&= \frac{4x^2(x^2+3)}{(x^2+1)^2}.
\end{aligned}$$

Exemple 2 Soit $f(x) = \dfrac{x^5}{\sqrt{x}}$. Calculons $f'(x)$:

a) en utilisant la formule du quotient;

$$\begin{aligned}
f'(x) &= \left(\frac{x^5}{x^{\frac{1}{2}}}\right)' \\
&= \frac{(x^5)'\,x^{\frac{1}{2}} - x^5\,(x^{\frac{1}{2}})'}{(x^{\frac{1}{2}})^2} \quad \text{(théorème 4.8)} \\
&= \frac{5x^4x^{\frac{1}{2}} - x^5\left(\frac{1}{2}x^{\frac{-1}{2}}\right)}{x} \\
&= \frac{5x^{\frac{9}{2}} - \frac{1}{2}x^{\frac{9}{2}}}{x} \\
&= \frac{\frac{9}{2}x^{\frac{9}{2}}}{x} \\
&= \frac{9}{2}x^{\frac{7}{2}} \quad \text{(en simplifiant)}
\end{aligned}$$

b) sans utiliser la formule du quotient.

$$\begin{aligned}
\left(\frac{x^5}{x^{\frac{1}{2}}}\right)' &= (x^{\frac{9}{2}})' \quad \text{(en simplifiant)} \\
&= \frac{9}{2}x^{\frac{7}{2}} \quad \text{(théorème 4.4)}
\end{aligned}$$

Remarque De façon générale, il est préférable de simplifier, s'il y a lieu, l'expression à dériver avant d'effectuer la dérivée.

Exercices 4.2

1. Compléter les égalités suivantes.

a) $(k f(x))' =$ ....

b) $\dfrac{d}{dx}(f(x) + g(x)) =$ ....

c) $[f(x)\, g(x)]' =$ ....

d) Si u et v sont deux fonctions de x et $v \neq 0$, alors $\left(\dfrac{u}{v}\right)' =$ ....

2. Calculer la dérivée des fonctions suivantes en utilisant les théorèmes.

a) $f(x) = 4$

b) $v(t) = t$

c) $g(x) = 5x^3$

d) $x(t) = \dfrac{3t}{4}$

e) $f(x) = \dfrac{-9}{5\sqrt[4]{x}}$

f) $f(u) = \dfrac{5}{8u}$

g) $f(x) = 8x^3 - 4x^2 + 9x - 1$

h) $x(t) = \dfrac{\sqrt{t}}{2} + t^2 - \dfrac{5}{t^2}$

i) $g(x) = \dfrac{4}{\sqrt[3]{x}} - 5x^8 + \dfrac{x^{-3}}{6} - \dfrac{3}{4}$

j) $x(t) = \dfrac{1}{2}at^2 + v_0 t + x_0$, où a, v_0 et x_0 sont des constantes.

3. Calculer la dérivée des fonctions suivantes en utilisant la formule de la dérivée de produits.

a) $y = (3x + 1)(2 - 5x^3)$

b) $x(t) = (\sqrt{t} - t)(4t^3 - 2t^2 + 5)$

c) $g(t) = t^3(5t^2 - 4)(3 - t^4)$

d) $f(x) = x(3x - 1) - (2x - 5)(4 - 3x^2)$

4. Calculer la dérivée des fonctions suivantes en utilisant la formule de la dérivée d'un quotient.

a) $f(x) = \dfrac{2x}{x + 1}$

b) $g(t) = \dfrac{t^2 + t + 2}{t}$

c) $f(x) = \dfrac{x - 4x^2}{2x^3}$

d) $H(x) = \dfrac{2x^4}{2x^4 + 1}$

e) $d(t) = \dfrac{4t^2 - 5}{5 - 4t^3}$

f) $f(x) = \dfrac{\sqrt{x}}{(1 - x)}$

5. Calculer la dérivée des fonctions suivantes.

a) $f(x) = 4x^5$

i) en utilisant d'abord le théorème 4.5;

ii) en utilisant d'abord le théorème 4.7.

b) $x(t) = \dfrac{5}{t^2}$

i) en utilisant les théorèmes 4.5 et 4.4;

ii) en utilisant le théorème 4.8.

c) $f(x) = \dfrac{6x^5 + 1}{2x^3}$, de deux façons différentes.

6. Calculer la dérivée des fonctions suivantes.

a) $y = 4x^2 + 24x + 10^4$

b) $y = \dfrac{4}{5}x^{\frac{5}{4}} - \dfrac{2}{7}x^{\frac{7}{2}}$

c) $y = 5x^4 + 3x^2 - 10\sqrt[3]{x}$

d) $y = 8(x^3 + 5x + 1) - 6x^2$

e) $y = x^4 + \dfrac{1}{x^4}$

f) $y = \sqrt{x}(2x^2 + 7x - 4)$

g) $y = \dfrac{3}{x - 1}$

h) $y = 7\left(\dfrac{3x + 2}{2x + 3}\right)$

i) $y = (2x + 1)(3x - 3)(4 - 5x)$

j) $y = \dfrac{1}{x^7 - 1} - \dfrac{1}{9 - x^2}$

k) $y = \dfrac{x - \sqrt{x}}{x + \sqrt{x}}$

l) $y = \sqrt{\dfrac{x}{7}} + \sqrt{\dfrac{7}{x}}$

m) $y = \dfrac{x^n}{x^n - 1}$

n) $y = \dfrac{x^n - 1}{x^n}$

4

o) $y = \dfrac{x^{n+1}}{x^n + 1}$

p) $y = \dfrac{x}{x+1} + \dfrac{x+1}{x^2}$

q) $y = \dfrac{\sqrt{x}(10 - x)}{x^3 - 8}$

r) $y = \dfrac{4x^3 - x^2}{(x+1)\sqrt[4]{x}}$

7. Soit $y = \dfrac{x^4}{2 - 3x}$.

a) Calculer $\dfrac{dy}{dx}$.

b) Calculer $\left.\dfrac{dy}{dx}\right|_{x=1}$.

c) Déterminer $m_{\tan\,(-1,\,\frac{1}{5})}$.

d) Déterminer les points de la courbe de la fonction où la pente de la tangente est nulle.

O/T e) À l'aide d'une calculatrice à affichage graphique ou d'un logiciel approprié, tracer la courbe de y et vérifier la pertinence des réponses obtenues en d).

8. Soit $f(x) = x^3 - 3x^2$.

a) Calculer la pente de la tangente à la courbe de f aux points où la courbe rencontre l'axe des x.

b) Déterminer les points de la courbe de f où la tangente est parallèle à l'axe des x.

c) Déterminer le point de la courbe de f où l'équation de la tangente est donnée par $y = -3x + 1$.

O/T d) À l'aide d'une calculatrice à affichage graphique ou d'un logiciel approprié, tracer la courbe de f et vérifier la pertinence de la réponse obtenue en c).

9. Un manufacturier de calculatrices estime que le nombre x de calculatrices qu'il peut vendre dans un mois à un certain prix p, en dollars, est donné par l'équation de demande définie par $x = 840 - 3p$.

a) Déterminer le prix p en fonction de x.

b) Déterminer la fonction revenu R en fonction de x (revenu = quantité × prix).

c) Calculer $R'(x)$.

d) Déterminer le niveau de production x tel que $R'(x) = 0$.

10. Le coût unitaire moyen M pour fabriquer un certain nombre d'unités d'un produit dans une manufacture est donné par $M(x) = \dfrac{C(x)}{x}$, où x est le nombre d'unités fabriquées et $C(x)$, le coût total pour fabriquer ces x unités.

a) Calculer $M'(x)$.

b) Évaluer $C'(x)$ lorsque $M'(x) = 0$.

11. a) Démontrer, en utilisant le théorème 4.6, que si $H(x) = f(x) + g(x) + k(x)$, alors $H'(x) = f'(x) + g'(x) + k'(x)$.

b) Démontrer, à l'aide de la définition de la dérivée, que si $H(x) = f(x) - g(x)$, alors $H'(x) = f'(x) - g'(x)$.

4.3 Dérivée de fonctions composées et dérivées successives de fonctions

Objectif d'apprentissage

À la fin de cette section, l'élève pourra déterminer la dérivée de fonctions composées et pourra calculer des dérivées successives.

Plus précisément, l'élève sera en mesure :

- de démontrer la règle permettant de calculer la dérivée d'une fonction de la forme $[f(x)]^n$, où $n \in \mathbb{N}$;

$$(f(g(x)))' = f'(g(x))g'(x)$$

$$\left(\frac{dy}{dx}\right)' = \frac{dy}{du}\frac{du}{dx}$$

- de calculer la dérivée d'une fonction de la forme $[f(x)]^r$, où $r \in \mathbb{R}$;
- de démontrer la règle de dérivation en chaîne;
- d'utiliser la notation de Leibniz pour déterminer la dérivée de fonctions composées;
- d'utiliser diverses notations pour exprimer les dérivées successives d'une fonction;
- de calculer la dérivée n^e d'une fonction;
- d'utiliser la dérivée d'une fonction pour résoudre des problèmes de pente de tangente.

Dérivée de fonctions de la forme $[f(x)]^r$, où $r \in \mathbb{R}$

Calculons d'abord la dérivée d'une fonction de la forme $[f(x)]^n$, où n est un entier positif, en utilisant la formule du produit.

Exemple 1 Soit $H(x) = (8x^4 - 2x)^3$. Calculons $H'(x)$.

Puisque $H(x) = (8x^4 - 2x)(8x^4 - 2x)(8x^4 - 2x)$, alors

$$\begin{aligned} H'(x) &= (8x^4 - 2x)'(8x^4 - 2x)(8x^4 - 2x) + (8x^4 - 2x)(8x^4 - 2x)'(8x^4 - 2x) + \\ &\quad (8x^4 - 2x)(8x^4 - 2x)(8x^4 - 2x)' \quad \text{(corollaire 2 du théorème 4.7)} \\ &= (8x^4 - 2x)^2(8x^4 - 2x)' + (8x^4 - 2x)^2(8x^4 - 2x)' + (8x^4 - 2x)^2(8x^4 - 2x)' \\ &= 3(8x^4 - 2x)^2(8x^4 - 2x)' \\ &= 3(8x^4 - 2x)^2(32x^3 - 2) \end{aligned}$$

4

Nous utiliserons le corollaire 2 du théorème 4.7 pour démontrer le théorème suivant.

THÉORÈME 4.9 **Dérivée de $[f(x)]^n$, où $n \in \mathbb{N}$**

Soit f, une fonction dérivable.

Si $H(x) = [f(x)]^n$, où $n \in \mathbb{N}$, alors $H'(x) = n[f(x)]^{n-1}f'(x)$.

Preuve

$$\begin{aligned} H'(x) &= [[f(x)]^n]' \\ &= [\underbrace{f(x)\, f(x)\, f(x) \ldots f(x)}_{n \text{ facteurs}}]' \\ &= \underbrace{f'(x)\underbrace{f(x) \ldots f(x)}_{(n-1) \text{ facteurs}} + f(x)\, f'(x) \ldots f(x) + \ldots + \underbrace{f(x) \ldots f(x)}_{(n-1) \text{ facteurs}} f'(x)}_{n \text{ termes}} \quad \text{(corollaire 2 du théorème 4.7)} \\ &= \underbrace{f'(x)\underbrace{[f(x) \ldots f(x)]}_{(n-1) \text{ facteurs}} + f'(x)\underbrace{[f(x) \ldots f(x)]}_{(n-1) \text{ facteurs}} + \ldots + f'(x)\underbrace{[f(x) \ldots f(x)]}_{(n-1) \text{ facteurs}}}_{n \text{ termes}} \\ &= \underbrace{[f(x)]^{n-1}f'(x) + [f(x)]^{n-1}f'(x) + \ldots + [f(x)]^{n-1}f'(x)}_{n \text{ termes}} \\ &= n[f(x)]^{n-1}f'(x) \end{aligned}$$

Exemple 2 Soit $H(x) = (x^3 + 1)^{20}$ et $g(t) = (t^4 - 4t^2 + 5t)^7$.

a) Calculons $H'(x)$.

$$\begin{aligned} H'(x) &= [(x^3+1)^{20}]' \\ &= \underbrace{20(x^3+1)^{20-1}}_{n[f(x)]^{n-1}}\underbrace{(x^3+1)'}_{f'(x)} \quad \text{(théorème 4.9)} \\ &= 20(x^3+1)^{19}(3x^2) \\ &= 60x^2(x^3+1)^{19} \end{aligned}$$

b) Calculons $g'(t)$.

$$\begin{aligned} g'(t) &= [(t^4 - 4t^2 + 5t)^7]' \\ &= 7(t^4 - 4t^2 + 5t)^6(t^4 - 4t^2 + 5t)' \quad \text{(théorème 4.9)} \\ &= 7(t^4 - 4t^2 + 5t)^6(4t^3 - 8t + 5) \end{aligned}$$

4

Remarque Il peut arriver que le théorème 4.9 doive s'appliquer plusieurs fois à l'intérieur d'un même problème.

Exemple 3 Soit $H(x) = [(x^4 + 3x)^5 + x^2]^8$. Calculons $H'(x)$.

$$\begin{aligned} H'(x) &= 8[(x^4+3x)^5 + x^2]^7[(x^4+3x)^5 + x^2]' \quad \text{(théorème 4.9)} \\ &= 8[(x^4+3x)^5 + x^2]^7[[(x^4+3x)^5]' + (x^2)'] \\ &= 8[(x^4+3x)^5 + x^2]^7[5(x^4+3x)^4(x^4+3x)' + 2x] \quad \text{(théorème 4.9)} \\ &= 8[(x^4+3x)^5 + x^2]^7[5(x^4+3x)^4(4x^3+3) + 2x] \end{aligned}$$

En généralisant le théorème 4.9, nous obtenons le théorème suivant, que nous acceptons sans démonstration.

THÉORÈME 4.10

Dérivée de $[f(x)]^r$, où $r \in \mathbb{R}$

Soit f, une fonction dérivable.

Si $H(x) = [f(x)]^r$, où $r \in \mathbb{R}$, alors $H'(x) = r[f(x)]^{r-1}f'(x)$.

Exemple 4 Soit $H(x) = \sqrt{x^7 - 2x + 1}$, $g(x) = \dfrac{3}{(x^5+7)^4}$

et $v(t) = \sqrt[3]{(1-t)^3 + \sqrt{t}}$.

a) Calculons $H'(x)$.

$$\begin{aligned} H'(x) &= [(x^7 - 2x + 1)^{\frac{1}{2}}]' \\ &= \underbrace{\frac{1}{2}(x^7 - 2x + 1)^{\frac{-1}{2}}}_{r[f(x)]^{r-1}}\underbrace{(x^7 - 2x + 1)'}_{f'(x)} \quad \text{(théorème 4.10)} \\ &= \frac{1}{2(x^7 - 2x + 1)^{\frac{1}{2}}}(7x^6 - 2) \\ &= \frac{7x^6 - 2}{2\sqrt{x^7 - 2x + 1}} \end{aligned}$$

b) Calculons $g'(x)$.

$$\begin{aligned} g'(x) &= [3(x^5 + 7)^{-4}]' \\ &= 3[(x^5 + 7)^{-4}]' \\ &= 3[-4(x^5 + 7)^{-5}(x^5 + 7)'] \quad \text{(théorème 4.10)} \\ &= \frac{-12}{(x^5 + 7)^5}(5x^4) \\ &= \frac{-60x^4}{(x^5 + 7)^5} \end{aligned}$$

c) Calculons $v'(t)$.

$$\begin{aligned} v'(t) &= [((1 - t)^3 + t^{\frac{1}{2}})^{\frac{1}{3}}]' \\ &= \frac{1}{3}((1 - t)^3 + t^{\frac{1}{2}})^{\frac{-2}{3}}((1 - t)^3 + t^{\frac{1}{2}})' \quad \text{(théorème 4.10)} \\ &= \frac{1}{3((1 - t)^3 + t^{\frac{1}{2}})^{\frac{2}{3}}}\left(3(1 - t)^2(1 - t)' + \frac{1}{2}t^{\frac{-1}{2}}\right) \quad \text{(théorème 4.10)} \\ &= \frac{1}{3\sqrt[3]{((1 - t)^3 + \sqrt{t})^2}}\left(3(1 - t)^2(-1) + \frac{1}{2\sqrt{t}}\right) \\ &= \frac{-6\sqrt{t}(1 - t)^2 + 1}{6\sqrt{t}\sqrt[3]{((1 - t)^3 + \sqrt{t})^2}} \end{aligned}$$

Règle de dérivation en chaîne et notation de Leibniz

Il y a environ 300 ans...

akg-images

Gottfried Wilhelm Leibniz 1646-1716

Durant toute sa vie active, **Gottfried Wilhelm Leibniz** (1646-1716) a été diplomate et conseiller pour le duc de Hanovre, en Allemagne. Lors d'un long séjour à Paris en 1672, il rencontre Christiaan Huygens (1629-1695), l'un des grands mathématiciens de cette époque, qui cherche alors à construire un pendule précis pouvant être utilisé sur les bateaux. Enthousiasmé par ce travail, Leibniz réussit à convaincre Huygens de l'initier aux mathématiques. Trois ans après, il aura établi les bases de son calcul différentiel.

THÉORÈME 4.11 **Règle de dérivation en chaîne**

Soit f et g, deux fonctions dérivables.

Si $H(x) = (f \circ g)(x)$, c'est-à-dire $H(x) = f(g(x))$, alors $H'(x) = f'(g(x))\, g'(x)$.

Preuve

$$H'(x) = \lim_{\Delta x \to 0} \frac{H(x + \Delta x) - H(x)}{\Delta x} \qquad \text{(définition de } H'(x)\text{)}$$

$$= \lim_{\Delta x \to 0} \frac{f(g(x + \Delta x)) - f(g(x))}{\Delta x}$$

$$= \lim_{\Delta x \to 0} \left[\frac{f(g(x + \Delta x)) - f(g(x))}{\Delta x} \, \frac{g(x + \Delta x) - g(x)}{g(x + \Delta x) - g(x)} \right]$$

$$\left(\begin{array}{c} \text{si } g(x + \Delta x) - g(x) \neq 0 \\ \text{sur } [x, x + \Delta x] \end{array} \right)$$

$$= \lim_{\Delta x \to 0} \left[\frac{f(g(x + \Delta x)) - f(g(x))}{g(x + \Delta x) - g(x)} \, \frac{g(x + \Delta x) - g(x)}{\Delta x} \right]$$

$$= \left[\lim_{\Delta x \to 0} \frac{f(g(x + \Delta x)) - f(g(x))}{g(x + \Delta x) - g(x)} \right] \left[\lim_{\Delta x \to 0} \frac{g(x + \Delta x) - g(x)}{\Delta x} \right]$$

(théorème 2.3d)

$$= \left[\lim_{\Delta x \to 0} \frac{f(g(x + \Delta x)) - f(g(x))}{g(x + \Delta x) - g(x)} \right] [g'(x)] \qquad \text{(définition de } g'(x)\text{)}$$

$$= \left[\lim_{\Delta u \to 0} \frac{f(u + \Delta u) - f(u)}{(u + \Delta u) - u} \right] g'(x) \qquad \left(\begin{array}{c} \text{en posant } g(x) = u \text{ et} \\ g(x + \Delta x) = u + \Delta u, \\ \text{nous avons } \Delta u \to 0 \text{ car} \\ g \text{ est continue et } \Delta x \to 0 \end{array} \right)$$

$$= \left[\lim_{\Delta u \to 0} \frac{f(u + \Delta u) - f(u)}{\Delta u} \right] g'(x) \qquad \text{(en simplifiant)}$$

$$= f'(u)\, g'(x) \qquad \text{(définition de } f'(u)\text{)}$$

$$= f'(g(x))\, g'(x) \qquad \text{(car } u = g(x)\text{)}$$

■

Exprimons le théorème 4.11, « règle de dérivation en chaîne », en utilisant la notation de Leibniz.

Soit $y = f(g(x))$ et $u = g(x)$.

Ainsi, $y = f(u)$ et

$$\frac{dy}{dx} = \lim_{\Delta x \to 0} \frac{\Delta y}{\Delta x}$$

$$= \lim_{\Delta x \to 0} \left(\frac{\Delta y}{\Delta x} \frac{\Delta u}{\Delta u} \right) \qquad (\text{si } \Delta u \neq 0)$$

$$= \lim_{\Delta x \to 0} \left(\frac{\Delta y}{\Delta u} \frac{\Delta u}{\Delta x} \right)$$

$$= \left(\lim_{\Delta x \to 0} \frac{\Delta y}{\Delta u} \right) \left(\lim_{\Delta x \to 0} \frac{\Delta u}{\Delta x} \right)$$

$$= \left(\lim_{\Delta u \to 0} \frac{\Delta y}{\Delta u} \right) \left(\lim_{\Delta x \to 0} \frac{\Delta u}{\Delta x} \right) \qquad (\text{puisque } \Delta x \to 0, \text{ alors } \Delta u \to 0)$$

$$= \frac{dy}{du} \frac{du}{dx} \qquad \left(\text{définitions de } \frac{dy}{du} \text{ et de } \frac{du}{dx} \right)$$

Ainsi, la règle de dérivation en chaîne peut s'écrire:

$$\frac{dy}{dx} = \frac{dy}{du}\frac{du}{dx} \quad \text{(notation de Leibniz)}$$

où $\frac{dy}{dx}$ représente la dérivée de y par rapport à x,

$\frac{dy}{du}$ représente la dérivée de y par rapport à u, et

$\frac{du}{dx}$ représente la dérivée de u par rapport à x.

Exemple 1 Soit $y = \left(\frac{x^2}{2 - x^3}\right)^3$.

Calculons $\frac{dy}{dx}$ en utilisant la notation de Leibniz.

En posant $u = \frac{x^2}{2 - x^3}$, nous obtenons $y = u^3$.

$$\begin{aligned}
\text{Ainsi, } \frac{dy}{dx} &= \frac{dy}{du}\frac{du}{dx} && \text{(notation de Leibniz)} \\
&= \frac{d}{du}(u^3)\,\frac{d}{dx}\left(\frac{x^2}{2 - x^3}\right) && \left(\text{car } u = \frac{x^2}{2 - x^3}\right) \\
&= 3u^2\left(\frac{2x(2 - x^3) - x^2(-3x^2)}{(2 - x^3)^2}\right) \\
&= 3\left(\frac{x^2}{2 - x^3}\right)^2\left(\frac{4x + x^4}{(2 - x^3)^2}\right) && \left(\text{car } u = \frac{x^2}{2 - x^3}\right) \\
&= \frac{3x^5(4 + x^3)}{(2 - x^3)^4}
\end{aligned}$$

S'il y a plus de deux fonctions composées, par exemple si $z = f(y)$, $y = g(u)$ et $u = h(x)$, alors la règle de dérivation en chaîne peut s'écrire sous la forme:

$$\frac{dz}{dx} = \frac{dz}{dy}\frac{dy}{du}\frac{du}{dx} \quad \text{(notation de Leibniz)}$$

Exemple 2 Soit $z = 3y^2 + 1$, $y = 1 - 4u^5$ et $u = \sqrt{x}$.

a) Calculons $\frac{dz}{dx}$.

$$\begin{aligned}
\frac{dz}{dx} &= \frac{dz}{dy}\frac{dy}{du}\frac{du}{dx} && \text{(notation de Leibniz)} \\
&= \frac{d}{dy}(3y^2 + 1)\,\frac{d}{du}(1 - 4u^5)\frac{d}{dx}(x^{\frac{1}{2}})
\end{aligned}$$

$$= (6y)(-20u^4)\left(\frac{1}{2\sqrt{x}}\right)$$

$$= \frac{-60yu^4}{\sqrt{x}}$$

Il n'est pas toujours nécessaire de donner la réponse en fonction de la variable x.

b) Calculons $\left.\frac{dz}{dx}\right|_{x=4}$.

Déterminons la valeur de u et de y lorsque $x = 4$.

En posant $x = 4$, nous obtenons $u = \sqrt{4} = 2$ et $y = 1 - 4(2)^5 = -127$.

Donc, $\left.\frac{dz}{dx}\right|_{x=4} = \frac{-60(-127)(2)^4}{\sqrt{4}}$.

$= 60\ 960$

La notation de Leibniz nous sera utile au chapitre suivant, pour résoudre des problèmes de taux de variation liés.

Dérivées successives

Il sera essentiel dans les chapitres ultérieurs de calculer la dérivée de la dérivée d'une fonction.

Par exemple en physique, pour obtenir l'accélération, il faut dériver par rapport au temps la dérivée de la fonction donnant la position relativement au temps.

Ainsi, si $f(x)$ et $f'(x)$ sont dérivables, alors la dérivée de $f'(x)$, c'est-à-dire $[f'(x)]'$, est appelée dérivée seconde de la fonction $f(x)$ et peut être notée $f''(x)$.

De même, si $f''(x)$ est dérivable, alors la dérivée de la dérivée seconde $[f''(x)]'$ est appelée dérivée troisième de la fonction $f(x)$ et peut être notée $f'''(x)$. Nous pouvons également calculer la dérivée n^e de la fonction $f(x)$ qui peut être notée $f^{(n)}(x)$, si $f(x), f'(x), f''(x), \ldots, f^{(n-1)}(x)$ sont dérivables.

Notations pour exprimer les dérivées successives d'une fonction $y = f(x)$

Dérivée première :	y'	$y^{(1)}$	$f'(x)$	$f^{(1)}(x)$	$\frac{dy}{dx}$
Dérivée seconde :	y''	$y^{(2)}$	$f''(x)$	$f^{(2)}(x)$	$\frac{d^2y}{dx^2}$
Dérivée troisième :	y'''	$y^{(3)}$	$f'''(x)$	$f^{(3)}(x)$	$\frac{d^3y}{dx^3}$
Dérivée n^e :		$y^{(n)}$	$f^{(n)}(x)$		$\frac{d^ny}{dx^n}$

Exemple 1 Soit $y = \frac{5}{x^7}$ et $g(t) = 2t^3 + 4t^2 + 1$.

a) Calculons $\frac{d^3y}{dx^3}$ et $\left.\frac{d^3y}{dx^3}\right|_{x=2}$.

Afin d'éviter d'utiliser la formule du quotient à trois reprises, ce qui peut devenir laborieux, il est préférable de transformer la fonction initiale.

Ainsi, $y = \dfrac{5}{x^7} = 5x^{-7}$

$$\frac{dy}{dx} = -35x^{-8}$$

$$\frac{d^2y}{dx^2} = \frac{d}{dx}\left(\frac{dy}{dx}\right) = \frac{d}{dx}(-35x^{-8}) = 280x^{-9}$$

D'où $\dfrac{d^3y}{dx^3} = \dfrac{d}{dx}\left(\dfrac{d^2y}{dx^2}\right) = \dfrac{d}{dx}(280x^{-9}) = -2520x^{-10} = \dfrac{-2520}{x^{10}}$

et $\left.\dfrac{d^3y}{dx^3}\right|_{x=2} = \dfrac{-2520}{2^{10}} = \dfrac{-2520}{1024} = \dfrac{-315}{128}$.

b) Calculons $g^{(5)}(t)$ et $g^{(5)}(-2)$.

$$g'(t) = (2t^3 + 4t^2 + 1)' = 6t^2 + 8t$$

$$g^{(2)}(t) = (g'(t))' = (6t^2 + 8t)' = 12t + 8$$

$$g^{(3)}(t) = (g^{(2)}(t))' = (12t + 8)' = 12$$

$$g^{(4)}(t) = (g^{(3)}(t))' = (12)' = 0$$

$$g^{(5)}(t) = (g^{(4)}(t))' = (0)' = 0$$

et $g^{(5)}(-2) = 0$

Exercices 4.3

1. Compléter les égalités suivantes pour des fonctions dérivables.

a) Si $y = [f(x)]^r$, où $r \in \mathbb{R}$, alors $\dfrac{dy}{dx} =$ ......

b) Si y est une fonction de u et u est une fonction de x, alors, à l'aide de la notation de Leibniz, $\dfrac{dy}{dx} =$ ......

c) $\dfrac{d}{dx}\left(\dfrac{d^2y}{dx^2}\right) =$ ......

2. Calculer la dérivée des fonctions suivantes.

a) $f(x) = (x^4 + 1)^7$

b) $g(t) = (1 - 5t^4)^{10}$

c) $y = (5x^2 - 3x + 2)^{\frac{7}{2}}$

d) $f(x) = \sqrt{x^5 + 1}$

e) $g(x) = \left[\dfrac{x+1}{x-1}\right]^3$

f) $x(t) = \sqrt{\dfrac{mt}{1+t}}$

3. Calculer la dérivée des fonctions suivantes.

a) $f(x) = 5\sqrt[3]{8 - x}$

b) $g(x) = (-3x + 7x^2)^3 - \dfrac{(3 - 5x^4)^7}{6}$

c) $y = [(x^3 + 2x)^4 + 3x]^5$

d) $f(t) = (t^2 + 1)^3(1 - t^3)^4$

e) $x(t) = \left[\dfrac{(t^3 + 1)^5}{(1 - t)}\right]^7$

f) $f(x) = \sqrt{x^2 + \sqrt{3x}}$

4. Soit $f(x) = (4x - 1)^2(2 - 3x)^2$.

a) Calculer $m_{\tan\,(0,\,f(0))}$ et donner l'équation de la droite tangente à la courbe de f au point $(0, f(0))$.

b) Calculer $m_{\tan\left(\frac{1}{4},\,f\left(\frac{1}{4}\right)\right)}$ et donner une interprétation géométrique du résultat.

c) Déterminer les points de la courbe de f où la tangente est parallèle à l'axe des x.

d) À l'aide d'une calculatrice à affichage graphique ou d'un logiciel approprié, représenter la courbe f et vérifier la pertinence des réponses obtenues précédemment.

5. Soit $y = \sqrt{x}$, $x = 6t^2 - 5t$ et $z = \dfrac{1}{y}$.

Calculer:

a) $\dfrac{dx}{dt}$ et $\left.\dfrac{dx}{dt}\right|_{t=2}$

b) $\dfrac{dz}{dy}$ et $\left.\dfrac{dz}{dy}\right|_{y=-3}$

c) $\dfrac{dy}{dt}$ et $\left.\dfrac{dy}{dt}\right|_{t=-1}$

d) $\dfrac{dz}{dx}$ et $\left.\dfrac{dz}{dx}\right|_{x=\frac{1}{9}}$

e) $\dfrac{dz}{dt}$ et $\left.\dfrac{dz}{dt}\right|_{t=3}$

6. Pour chaque fonction, calculer les dérivées $f'(x), f''(x), f'''(x), f^{(4)}(x)$ et $f^{(5)}(x)$.

a) $f(x) = 2x^3 - \dfrac{x^2}{4} + 5x$

b) $f(x) = x^7 + 3x^2 + 4$

c) $f(x) = \dfrac{1}{x}$

d) $f(x) = \sqrt{x}$

e) $f(x) = \sqrt[3]{x}$

f) $f(x) = \dfrac{x^5 + 1}{x^2}$

7. Calculer:

a) $f^{(4)}(x)$, si $f(x) = x^5 + 7x$

b) $y^{(9)}$, si $y = x^7$

c) $\dfrac{d^2x}{dt^2}$, si $x(t) = 4{,}9t^2 + 10t + 1$

d) $\dfrac{d^3y}{dx^3}$, si $y = (x^3 + 1)^5$

e) $f^{(2)}(1)$, si $f(x) = \dfrac{4x^5 - 2x}{x^3}$

f) $\left.\dfrac{d^3y}{dx^3}\right|_{x=4}$, si $y = \sqrt{x^7} - 3x$

8. a) Vérifier que si $f(x) = x^5$, alors $f^{(5)}(x) = 5!$ et $f^{(k)}(x) = 0, \forall\, k > 5$.

b) Soit $f(x) = x^n$, où n est un entier positif. Calculer $f^{(n)}(x)$ et $f^{(k)}(x)$, où $k > n$.

c) Soit $f(x)$, un polynôme de degré n. Déterminer $f^{(k)}(x)$, où $k > n$.

9. Calculer la pente de la tangente:

a) à la courbe de f' au point $A(1, f'(1))$ si $f(x) = x^4$;

b) à la courbe de g'' au point $B(2, g''(2))$ si $g(t) = (4 - 3t)^5$.

4.4 Dérivation implicite

Objectif d'apprentissage

À la fin de cette section, l'élève pourra déterminer la dérivée de fonctions implicites.

Plus précisément, l'élève sera en mesure:
- de reconnaître une fonction implicite;
- de calculer la dérivée de fonctions implicites.

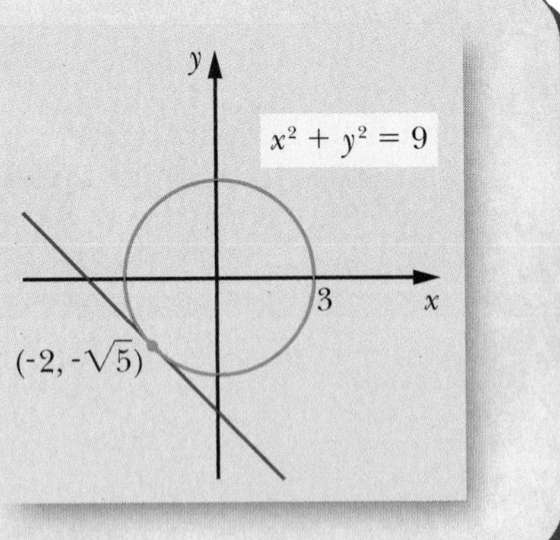

Fonctions implicites

Dans les problèmes présentés jusqu'à maintenant, la variable dépendante était exprimée en fonction de la variable indépendante, par exemple $y = f(x)$. De telles équations définissent des fonctions explicites.

Il y a environ 300 ans...

© Bettmann/CORBIS

Newton
1642-1727

Il est difficile de se l'imaginer aujourd'hui, mais à l'époque de la création du calcul différentiel par Leibniz (1646-1716) et **Newton** (1642-1727), presque toutes les expressions algébriques représentant des courbes prenaient la forme de fonctions implicites. Pensez que l'équation du cercle, $r^2 = x^2 + y^2$, est de cette forme. Les lieux géométriques s'expriment aussi habituellement sous une forme implicite. C'est à l'intérieur même du calcul différentiel et intégral en évolution que se précisera la nécessité, et les avantages, d'étudier spécialement les expressions de la forme $y = f(x)$, que l'on appellera fonctions au XVIIIe siècle.

Exemple 1 Les équations suivantes définissent des fonctions explicites.

Fonctions explicites

a) $y = \dfrac{3x^4 - 5x}{3x + 1}$, où y est la variable dépendante et x est la variable indépendante.

b) $u = (3z - 1)^5$, où u est la variable dépendante et z est la variable indépendante.

c) $x = \sqrt{t^2 + 1}$, où x est la variable dépendante et t est la variable indépendante.

Par contre, dans certaines expressions, les variables sont liées entre elles par une équation où aucune des variables n'est explicitée en fonction d'une autre variable.

De telles équations définissent des fonctions implicites.

Exemple 2 Les équations suivantes définissent des fonctions implicites, car aucune des variables n'est explicitée en fonction de l'autre variable.

Fonctions implicites

a) $x^2y + xy^2 = 4$

b) $3x^3y - 4y^2 = 5x^2y^4 - 7$

c) $\sqrt{t} + x^2 = xt$

d) $(x + xy + y)^2 = 4$

Dans certains cas, à partir d'une équation, il est possible d'isoler une variable et d'obtenir une fonction explicite.

Exemple 3 Transformons l'équation suivante de façon à obtenir une fonction explicite.

Soit $x^3 + y^3 = 9$.

Explicitons y en fonction de x.

$$x^3 + y^3 = 9$$

$$y^3 = 9 - x^3$$

D'où $y = \sqrt[3]{9 - x^3}$.

Par contre, dans certains cas, il peut être difficile, voire impossible, de définir explicitement une fonction.

Exemple 4 Dans les équations suivantes, il peut être difficile, voire impossible, d'isoler une variable.

a) $x^5t + x^3t^2 = 16 - \sqrt{xt}$ b) $x^3 + y^3 - x^2y^4 - 5 = 0$

Dérivée de fonctions implicites

Dans tous les problèmes suivants, nous supposons que y est dérivable par rapport à x. Cela nous permet de calculer la dérivée par rapport à x de chacun des deux membres de l'équation et d'obtenir une nouvelle égalité. Cette méthode de dérivation s'appelle dérivation implicite.

Exemple 1 Soit $x^3 + y^3 = 9$.

a) Déterminons $\dfrac{dy}{dx}$ sans isoler y, en utilisant la méthode de la dérivation implicite.

$$x^3 + y^3 = 9$$

Calculons la dérivée des deux membres de l'équation par rapport à x.

$$\frac{d}{dx}(x^3 + y^3) = \frac{d}{dx}(9)$$

$$\frac{d}{dx}(x^3) + \frac{d}{dx}(y^3) = 0 \qquad \text{(théorèmes 4.6 et 4.1)}$$

$$3x^2 + \frac{d}{dy}(y^3)\frac{dy}{dx} = 0 \qquad \text{(théorèmes 4.4 et 4.10)}$$

$$3x^2 + 3y^2\frac{dy}{dx} = 0 \qquad \text{(théorème 4.4)}$$

Isolons $\dfrac{dy}{dx}$.

$$3y^2\frac{dy}{dx} = -3x^2$$

$$\frac{dy}{dx} = \frac{-x^2}{y^2}$$

b) Déterminons $\dfrac{dy}{dx}$ après avoir isolé y dans l'équation initiale.

Puisque $y = \sqrt[3]{9 - x^3}$ (voir exemple 3b) précédent)

donc, $\dfrac{dy}{dx} = ((9 - x^3)^{\frac{1}{3}})'$

$$= \frac{1}{3}(9 - x^3)^{\frac{-2}{3}}(9 - x^3)'$$

$$= \frac{1}{3(9 - x^3)^{\frac{2}{3}}}(-3x^2)$$

D'où $\dfrac{dy}{dx} = \dfrac{-x^2}{(9 - x^3)^{\frac{2}{3}}} = \dfrac{-x^2}{(\sqrt[3]{9 - x^3})^2}$.

c) Vérifions que les résultats obtenus en a) et b) sont identiques.

De a) $\dfrac{dy}{dx} = \dfrac{-x^2}{y^2} = \dfrac{-x^2}{(\sqrt[3]{9 - x^3})^2}$ (car $y = \sqrt[3]{9 - x^3}$)

De façon générale, puisqu'il n'est pas toujours possible d'isoler une variable dans une équation, nous calculons la dérivée d'une variable par rapport à l'autre en utilisant la méthode de la dérivation implicite dont les étapes sont données dans le tableau suivant.

Dérivation implicite

Soit une équation de la forme

$$F(x, y) = G(x, y).$$

Pour déterminer $\dfrac{dy}{dx}$, nous pouvons suivre les étapes suivantes.

1re étape : Calculer la dérivée des deux membres de l'équation.

$$\frac{d}{dx}(F(x, y)) = \frac{d}{dx}(G(x, y))$$

2e étape : Isoler $\dfrac{dy}{dx}$ de l'équation obtenue à la 1re étape.

Remarque En général, dans les équations où il s'agit d'évaluer $\dfrac{dy}{dx}$, nous avons, à cause de la règle de dérivation en chaîne :

$$\frac{d}{dx}(y^r) = \frac{d(y^r)}{dy}\frac{dy}{dx} = ry^{r-1}\frac{dy}{dx}, \text{ où } r \in \mathbb{R} \qquad \text{(théorème 4.10)}$$

Exemple 2 Soit $x^3 + y^3 - x^2y^4 = 5x$. Calculons $\dfrac{dy}{dx}$.

1re étape : Calculons la dérivée par rapport à x des deux membres de l'équation.

$$\frac{d}{dx}(x^3 + y^3 - x^2y^4) = \frac{d}{dx}(5x)$$

$$\frac{d}{dx}(x^3) + \frac{d}{dx}(y^3) - \frac{d}{dx}(x^2y^4) = \frac{d}{dx}(5x)$$

$$3x^2 + \frac{d}{dy}(y^3)\frac{dy}{dx} - \left(\frac{d}{dx}(x^2)y^4 + x^2\frac{d}{dx}(y^4)\right) = 5$$

$$3x^2 + 3y^2\frac{dy}{dx} - \left(2xy^4 + x^2\frac{d}{dy}(y^4)\frac{dy}{dx}\right) = 5$$

$$3x^2 + 3y^2\frac{dy}{dx} - \left(2xy^4 + x^2 4y^3\frac{dy}{dx}\right) = 5$$

2ᵉ étape: Isolons $\frac{dy}{dx}$.

$$3x^2 + 3y^2\frac{dy}{dx} - 2xy^4 - 4x^2y^3\frac{dy}{dx} = 5$$

$$3y^2\frac{dy}{dx} - 4x^2y^3\frac{dy}{dx} = 2xy^4 - 3x^2 + 5$$

$$\frac{dy}{dx}(3y^2 - 4x^2y^3) = 2xy^4 - 3x^2 + 5$$

D'où $\frac{dy}{dx} = \frac{2xy^4 - 3x^2 + 5}{3y^2 - 4x^2y^3}$.

Exemple 3 Soit le cercle d'équation $x^2 + y^2 = 9$.

Évaluons la pente de la tangente illustrée sur le graphique ci-dessous.

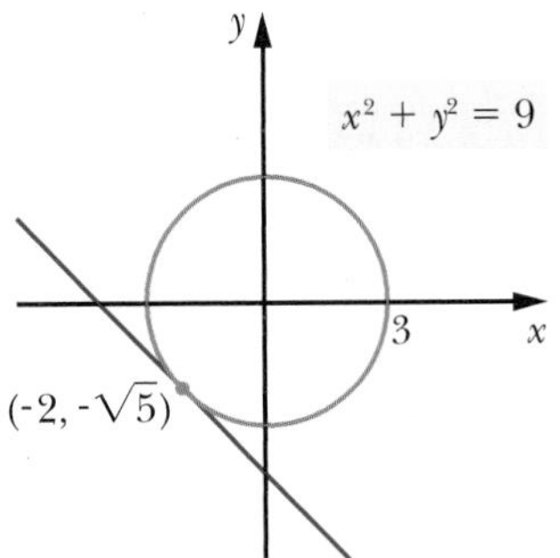

Puisque la pente de la tangente à la courbe est donnée par la dérivée évaluée au point correspondant, calculons d'abord $\frac{dy}{dx}$.

$$\frac{d}{dx}(x^2 + y^2) = \frac{d}{dx}(9)$$

$$\frac{d}{dx}(x^2) + \frac{d}{dx}(y^2) = 0$$

$$2x + 2y\frac{dy}{dx} = 0$$

Ainsi, $\frac{dy}{dx} = \frac{-2x}{2y} = \frac{-x}{y}$.

Pour évaluer la pente de la tangente au point $(-2, -\sqrt{5})$ de la courbe, il suffit de remplacer, dans l'expression de $\frac{dy}{dx}$, x par -2 et y par $-\sqrt{5}$.

Ainsi, $m_{\tan\,(-2,\,-\sqrt{5})} = \left.\frac{dy}{dx}\right|_{(-2,\,-\sqrt{5})} = \frac{-2}{\sqrt{5}}$.

Exercices 4.4

1. Déterminer, parmi les équations suivantes, lesquelles définissent une fonction implicite.

a) $y = \dfrac{3t+1}{4t}$ c) $x^2 + 5x + 6 = y$

b) $y = \dfrac{3y+1}{4x}$ d) $x^2y + 5y^2 = 3x + y$

2. Calculer:

a) $\dfrac{dy}{dx}$ si $x^3 - 4y^3 = 5 - 3x^2$

b) $\dfrac{dy}{dx}$ si $\dfrac{x^3}{y^2} = 5x^2 + 6y^3$

c) $\dfrac{du}{dt}$ si $3t^2u - 4tu^2 = 9$

d) $\dfrac{dy}{dx}$ si $\sqrt{x^2 + y^2} = 2x^2 + 4$

3. Soit l'équation $x^2 + 3y = 5 - 6x$.

a) Calculer $m_{\tan\,(-1,\,\frac{10}{3})}$ et déterminer l'équation de cette tangente.

b) Déterminer le point de la courbe donnée où la pente de la tangente est nulle.

4. Soit $x^2y^2 + x^3y^3 = -4$.

Calculer $m_{\tan\,(1,\,-2)}$ et déterminer l'équation de cette tangente.

5. a) Évaluer la pente de la tangente au cercle illustrée ci-dessous.

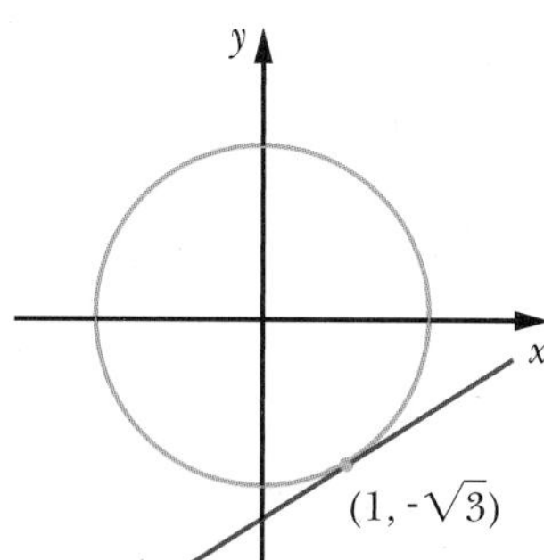

b) Déterminer le point du cercle où la tangente est parallèle à la tangente illustrée.

6. Soit $4x^2 + 9y^2 - 36 = 0$.

Calculer la pente de chacune des tangentes à la courbe lorsque $x = \sqrt{5}$.

7. Soit $y^5 + 2y^3 + x = 0$.

a) Calculer $\dfrac{dy}{dx}$.

b) Isoler x de l'équation et calculer $\dfrac{dx}{dy}$.

c) Vérifier que $\dfrac{dy}{dx} = \dfrac{1}{\frac{dx}{dy}}$.

8. Soit $2y^3 = xy + 7$.

Vérifier que $\dfrac{dy}{dx} = \dfrac{1}{\frac{dx}{dy}}$.

9. Pour un gaz donné, l'équation de Johannes Diderik Van der Waals (1837-1923) est donnée par $\left(P + \dfrac{8}{V^2}\right)(V - 0{,}05) = 15{,}2$, où V est fonction de P.

SPL/Publiphoto

Johannes Diderik
Van der Waals
(1837-1923)

a) Calculer $\left.\dfrac{dV}{dP}\right|_{\substack{P=8\\V=1}}$.

b) Déterminer l'équation de la tangente à la courbe au point W(8, 1).

c) Représenter graphiquement la courbe donnée et la tangente précédente.

Réseau de concepts

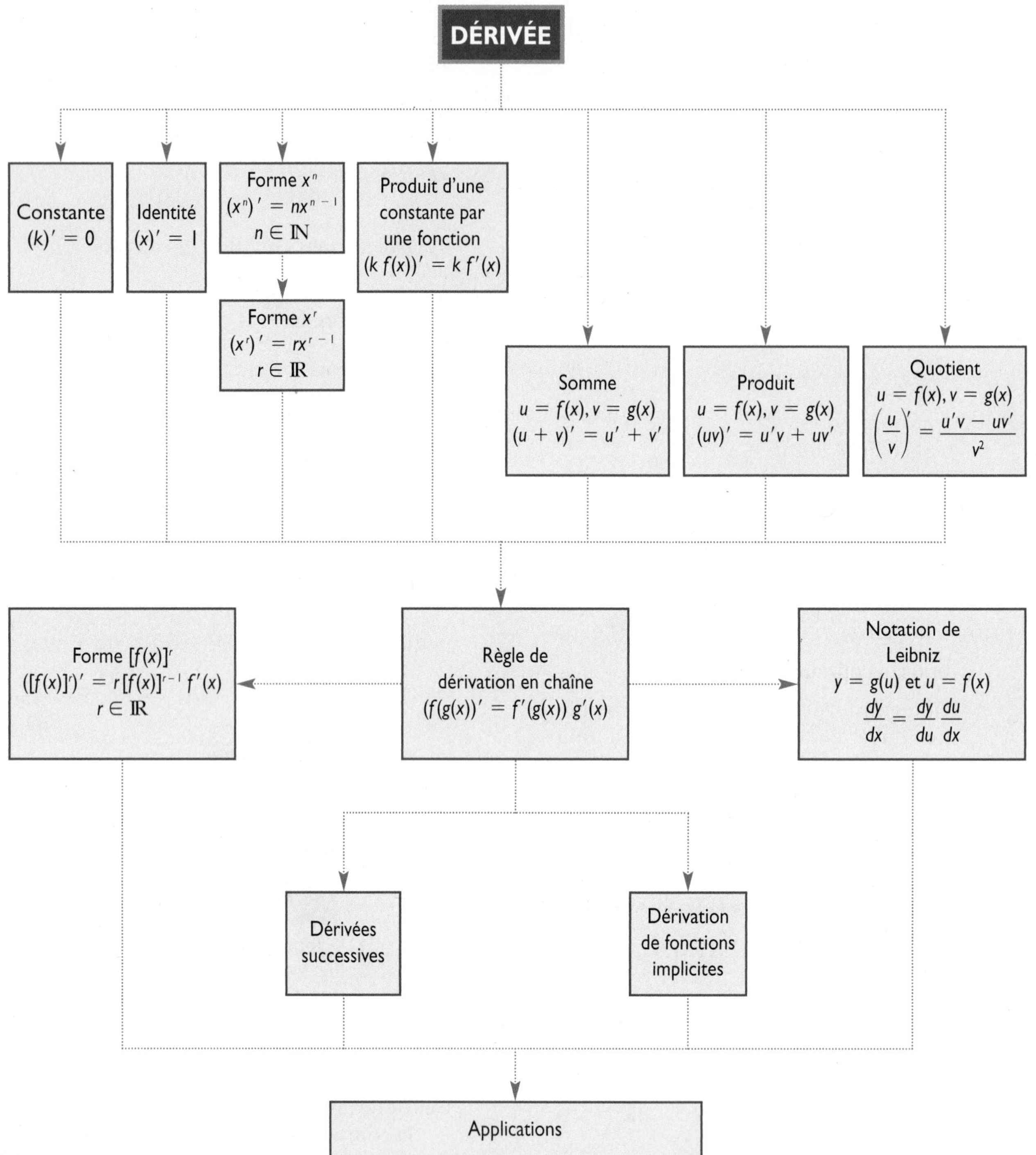

4

Liste de vérification des apprentissages

RÉPONDRE PAR **OUI** OU PAR **NON.**			
Après l'étude de ce chapitre, je suis en mesure:		**OUI**	**NON**
1.	de démontrer que la dérivée d'une fonction constante est égale à 0;		
2.	de calculer la pente de la tangente à la courbe de fonctions constantes;		
3.	de démontrer que la dérivée de la fonction identité est égale à 1;		
4.	de calculer la pente de la tangente à la courbe de la fonction identité;		
5.	de démontrer la règle permettant de calculer la dérivée de fonctions de la forme x^n, où $n \in \mathbb{N}$;		
6.	de calculer la dérivée de fonctions de la forme x^r, où $r \in \mathbb{R}$;		
7.	de calculer la pente de la tangente à la courbe de fonctions de la forme x^r, où $r \in \mathbb{R}$;		
8.	de démontrer que la dérivée du produit d'une constante par une fonction est égale au produit de la constante par la dérivée de la fonction;		
9.	de calculer la dérivée du produit d'une constante par une fonction;		
10.	de démontrer que la dérivée d'une somme de deux fonctions est égale à la somme des dérivées de ces deux fonctions;		
11.	de démontrer que la dérivée d'une somme de n fonctions est égale à la somme des dérivées de ces n fonctions;		
12.	de calculer la dérivée d'une somme (ou d'une différence) de n fonctions;		
13.	de démontrer la règle permettant de calculer la dérivée d'un produit de deux fonctions;		
14.	de démontrer la règle permettant de calculer la dérivée d'un produit de n fonctions;		
15.	de calculer la dérivée d'un produit de n fonctions;		
16.	de démontrer la règle permettant de calculer la dérivée d'un quotient de deux fonctions;		
17.	de calculer la dérivée d'un quotient de deux fonctions;		
18.	de démontrer la règle permettant de calculer la dérivée d'une fonction de la forme $[f(x)]^n$, où $n \in \mathbb{N}$;		
19.	de calculer la dérivée d'une fonction de la forme $[f(x)]^r$, où $r \in \mathbb{R}$;		
20.	de démontrer la règle de dérivation en chaîne;		
21.	d'utiliser la notation de Leibniz pour déterminer la dérivée de fonctions composées;		
22.	d'utiliser diverses notations pour exprimer les dérivées successives d'une fonction;		
23.	de calculer la dérivée n^e d'une fonction;		
24.	d'utiliser la dérivée d'une fonction pour résoudre des problèmes de pente de tangente.		
25.	de reconnaître une fonction implicite;		
26.	de calculer la dérivée de fonctions implicites;		
Si vous avez répondu **NON** à l'une de ces questions, il serait préférable pour vous d'étudier de nouveau cette notion.			

4

Exercices récapitulatifs

 biologie chimie administration  physique

1. Calculer $\dfrac{dy}{dx}$ pour les fonctions suivantes.

a) $y = 3x^{\frac{1}{3}} + \dfrac{7}{4x^{\frac{3}{4}}} - \dfrac{2}{5}x^{\frac{5}{2}} + 4^4$

b) $y = (1 - 7x)^6$

c) $y = (x^3 - 1)^7$

d) $y = x^2 + \sqrt{3x + 1}$

e) $y = x^2\sqrt{3x + 1}$

f) $y = \dfrac{\sqrt{x} + 1}{x}$

g) $y = (2 - x)^5(7x + 3)$

h) $y = 5\sqrt{2x^2 + 5x + 7}$

i) $y = 7\left(\dfrac{x^2 + 4}{x^2 - 4}\right)$

j) $y = \dfrac{\sqrt[3]{3 + 7x - x^3}}{5} - \dfrac{4}{x}$

k) $y = (x^2 + 3)^4(2x^3 - 5)^3$

l) $y = [(x^2 - 5)^8 + x^7]^{18}$

2. Calculer la dérivée des fonctions suivantes.

a) $f(x) = \dfrac{2}{\sqrt{x}} + \dfrac{6}{\sqrt[3]{x}} + \dfrac{\sqrt[5]{x}}{8}$

b) $g(x) = \dfrac{x^2 - x + 1}{x^3 + 2}$

c) $x(t) = \dfrac{1}{5a}(b - at)^5$

d) $f(x) = 5(x - 7)\sqrt[3]{x - 1}$

e) $f(u) = \dfrac{-4(1 - 2u^7)^{\frac{7}{2}}}{5}$

f) $v(t) = \dfrac{t^3 - 3t}{3 - t^2}$

g) $g(x) = \sqrt{\dfrac{1 + 3x}{1 - 3x}}$

h) $x(t) = \dfrac{\sqrt[3]{(1 - t^2 + t^4)^4}}{8}$

i) $f(x) = 9\sqrt{2 + \sqrt{x}}$

j) $g(x) = \left[\dfrac{x}{7 + x}\right]^5$

k) $f(v) = v^4(v^3 + 1) + v^2(1 + v^2)$

l) $h(x) = x^2(x^3 + 2)^5 - \dfrac{8}{x^8 - 5}$

3. Calculer $f'(x)$ pour les fonctions suivantes.

a) $f(x) = \dfrac{1 + \dfrac{4}{x}}{4 + \dfrac{1}{x}}$

b) $f(x) = [3x^4 - (5 - x^6)^5]^8$

c) $f(x) = [(x^2 + 1)^3(x^3 - 1)^2]^6$

d) $f(x) = \left[(3 - 2x)^4 + \dfrac{5}{(x^3 + 4x)^4}\right]^4$

e) $f(x) = \dfrac{2x^2 - 1}{x\sqrt{1 + x^2}}$

f) $f(x) = x^4\sqrt[7]{\dfrac{x + 1}{x - 1}}$

g) $f(x) = x^4(x^3 - \sqrt{x}) + \sqrt{3x} + 3\sqrt{x}$

h) $f(x) = \dfrac{1}{\sqrt[3]{\left(\dfrac{x^2}{1 - x}\right)^2}}$

i) $f(x) = \sqrt[3]{\dfrac{x^3 + 1}{x^3 - 1}}$

j) $f(x) = a(bx + c) + \dfrac{d}{ex + m}$

k) $f(x) = \dfrac{ax^2}{(a + x^2)^3}$

l) $f(x) = \dfrac{(2x + 1)\sqrt{x + 1}}{(4 - x^2)}$

4. a) Soit $f(x) = x^5 - \dfrac{x^3}{5} + 7x^2 - 12$.

Calculer $f'''(x)$ et $f^{(7)}(x)$.

b) Soit $y = x^6 - \dfrac{1}{x^6}$.

Calculer $\dfrac{d^4y}{dx^4}$ et $\dfrac{d^6y}{dx^6}$.

c) Soit $x(t) = \sqrt[3]{1-t} + \dfrac{2}{\sqrt{2t+1}}$.

Calculer $\dfrac{d^2x}{dt^2}$ et $\dfrac{d^3x}{dt^3}$.

d) Soit $y = \dfrac{x-1}{5-2x}$.

Calculer $\dfrac{d^2y}{dx^2}$ et $\left.\dfrac{d^3y}{dx^3}\right|_{x=3}$.

e) Soit la fonction f suivante, où $a_n \neq 0$.
$f(x) = a_nx^n + a_{n-1}x^{n-1} + \ldots + a_1x + a_0$
Calculer $f^{(n-1)}(x)$, $f^{(n)}(x)$ et $f^{(n+1)}(x)$.

5. Pour chacune des fonctions suivantes calculer, si c'est possible, la pente de la tangente à la courbe de f aux points $P(1, f(1))$, et $Q(0, f(0))$.

a) $f(x) = 3x^2 + 2x - 1$

b) $f(x) = (x^2 - 4)^3(x^3 + 1)^4$

c) $f(x) = \dfrac{1}{2(x+3)^2} + 4\sqrt{1-x}$

6. Calculer $\dfrac{dy}{dx}$ pour chacune des équations suivantes.

a) $2x^2 + 3xy - y^2 = 1$

b) $3y^2 + 5x = 3 - 5y^3$

c) $\dfrac{1}{x} - 3xy + \dfrac{1}{y} = 0$

d) $\sqrt{x^2 + y^2} = 3$

e) $\dfrac{x}{y} = \dfrac{y^2}{x}$

f) $y^2 = \dfrac{x-y}{x+y}$

7. Pour chacune des équations suivantes, calculer $\dfrac{dy}{dx}$ et la pente de la tangente à la courbe au point donné.

a) $4x^2 + 9y^2 = 40$, au point $P(-1, -2)$

b) $x^2y^2(1 + xy) + 4 = 0$, au point $R(1, -2)$

c) $\sqrt{xy} - y^2 = -60$, au point $T(2, 8)$

d) $(x + y)^3 = 3x + y - 10$ au point $S(2, -4)$

e) $x^2 + y^2 = 25$, lorsque $x = -3$

8. Soit $y = 5x^2 - \sqrt{x}$, $x = 3u^3 + 1$, $u = 1 - t^4$ et $t = \dfrac{1}{z}$.

Calculer, si c'est possible, la dérivée demandée et évaluer cette dérivée à la valeur donnée.

a) $\dfrac{du}{dt}$ et $\left.\dfrac{du}{dt}\right|_{t=-2}$

b) $\dfrac{dy}{du}$ et $\left.\dfrac{dy}{du}\right|_{u=2}$

c) $\dfrac{dx}{dz}$ et $\left.\dfrac{dx}{dz}\right|_{z=1}$

d) $\dfrac{dy}{dz}$ et $\left.\dfrac{dy}{dz}\right|_{z=0,5}$

9. Sachant que:

a) $\dfrac{dy}{dx} = 12x^2$ et que $\dfrac{dx}{dt} = -2$, évaluer $\dfrac{dy}{dt}$ et $\left.\dfrac{dy}{dt}\right|_{x=4}$;

b) $y = \dfrac{2}{x^3}$, que $\dfrac{dx}{dt} = 4 - 5t^2$ et que $x(-1) = 3$, évaluer $\dfrac{dy}{dt}$ et $\left.\dfrac{dy}{dt}\right|_{t=-1}$.

10. Soit $f(x) = x^3$ et $g(x) = \sqrt[3]{x}$.

a) Calculer, si c'est possible, la pente de la tangente à la courbe de f en $x = 0$ et illustrer graphiquement la courbe et la tangente.

b) Calculer, si c'est possible, la pente de la tangente à la courbe de g en $x = 0$ et illustrer graphiquement la courbe et la tangente.

c) Existe-t-il un point $P(x, f(x))$ tel que la tangente à la courbe de f soit parallèle à l'axe des x?

d) Existe-t-il un point $T(x, g(x))$ tel que la tangente à la courbe de g soit parallèle à l'axe des x?

4

e) Existe-t-il un point $R(x, g(x))$ tel que la tangente à la courbe de g soit parallèle à l'axe des y?

11. Soit $f(x) = x^3 + 6x^2 - 15x + 2$.

Déterminer, si c'est possible, les points de la courbe de f:

a) où la tangente à la courbe de f est parallèle à l'axe des x;

b) où la tangente à la courbe de f est parallèle à la droite d'équation $y = -15x + 4$;

c) où la tangente à la courbe de f est parallèle à la droite d'équation $y = -27x - 5$;

d) où la tangente à la courbe de f est parallèle à la droite d'équation $y = -28x + 15$;

e) où la tangente à la courbe de f est perpendiculaire à la droite d'équation $x + 48y + 1 = 0$.

12. Soit $f(x) = 2x^3 + x^2 - 15x$.

a) Calculer la pente de chaque tangente à la courbe de f aux points où la courbe rencontre l'axe des x.

b) Calculer la pente de la tangente à la courbe de f au point où la courbe rencontre l'axe des y.

O T c) Déterminer approximativement les coordonnées des points de la courbe f, où la tangente à cette courbe est parallèle à l'axe des x. Vérifier la pertinence du résultat à l'aide d'une calculatrice à affichage graphique ou d'un logiciel approprié.

13. Déterminer le point $C(c, f(c))$ de la courbe de f, définie par $f(x) = -x^2 + 12x - 20$, tel que la tangente à la courbe en ce point soit parallèle à la sécante passant par $A(3, f(3))$ et $B(8, f(8))$. Représenter graphiquement la courbe, la sécante et la tangente.

14. Soit $f(x) = x^3 - 4x^2 + 7x + 6$.

a) Déterminer l'équation de la tangente à la courbe de f au point $A(1, f(1))$.

b) Déterminer l'équation de la tangente à la courbe de f qui est parallèle à la précédente.

c) Déterminer l'équation de la droite normale à la tangente au point $A(1, f(1))$.

O T d) À l'aide d'une calculatrice à affichage graphique ou d'un logiciel approprié, représenter la courbe f, les tangentes précédentes et la normale précédente.

15. Soit l'ellipse d'équation $\dfrac{x^2}{16} + \dfrac{y^2}{9} = 1$.

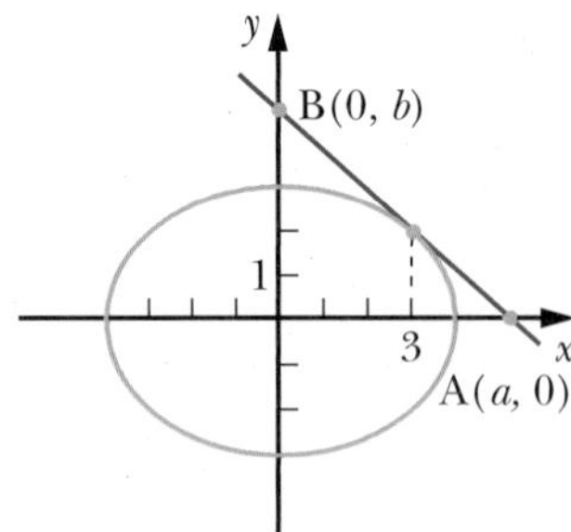

a) Déterminer l'équation de la tangente représentée.

b) Déterminer les valeurs respectives de a et de b.

c) Déterminer l'équation de la tangente à l'ellipse qui est parallèle à la tangente représentée.

16. a) Soit $f(x) = x^{-n}$, où $n \in \mathbb{N}$. Démontrer, à l'aide de la définition 3.12, que $\frac{d}{dx}(x^{-n}) = -nx^{-n-1}$.

b) Soit $g(x) = x^{\frac{m}{n}}$, où $m \in \mathbb{Z}$ et $n \in \mathbb{Z}^*$. Démontrer, à l'aide de la dérivation implicite, que $\frac{d}{dx}\left(x^{\frac{m}{n}}\right) = \frac{m}{n}x^{\frac{m}{n}-1}$.

Problèmes de synthèse

1. Soit $f(x) = x^2 - x - 6$.

a) Déterminer l'équation des droites tangentes à la courbe de f aux points où cette courbe coupe l'axe des x.

b) Illustrer graphiquement cette courbe et ces deux droites.

c) Calculer l'aire A du triangle formé par l'axe des x et les deux tangentes précédentes.

2. Déterminer si la droite donnée est tangente à la courbe de f donnée. Si oui, déterminer en quel point.

a) $y = 4x - 17$ et $f(x) = x^2 - 2x - 8$

b) $y = -4x - 5$ et $f(x) = x^2 - 2x - 8$

c) $y = 20x + 33$ et $f(x) = 2x^3 - 4x + 1$

O/T d) Vérifier la pertinence des résultats précédents à l'aide d'une calculatrice à affichage graphique ou d'un logiciel approprié.

3. Soit $f(x) = (x + 1)^3(2x - 3) + 1$, représentée par le graphique suivant. Déterminer les coordonnées des deux points suivants: $A(a, f(a))$ et $B(b, f(b))$.

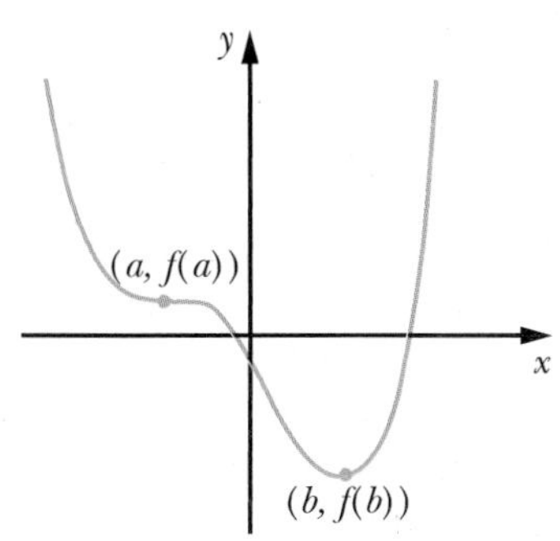

4. Soit $f(x) = 3x^3 + 5x^2 - 18x + 6$ et $g(x) = x^3 + 2x^2 + 18x + 6$.

a) Déterminer les valeurs de x_1 et de x_2 telles que les tangentes à la courbe de f, aux points $P(x_1, f(x_1))$ et $R(x_2, f(x_2))$, soient respectivement parallèles aux tangentes à la courbe de g, aux points $S(x_1, g(x_1))$ et $T(x_2, g(x_2))$, pour chacune de ces valeurs.

O/T b) Représenter graphiquement les courbes de f et de g, et les tangentes respectives à ces courbes aux points P, R, S et T.

5. Soit $f(x) = (x - 1)x(x + 1)$ et la droite D définie par $y = \frac{1 - x}{4}$.

a) Déterminer les coordonnées des points d'intersection de la courbe de f et de la droite D.

b) Déterminer si la droite D est tangente à la courbe de f en l'un des points d'intersection obtenus en a).

c) Déterminer sur la courbe de f un point $C(c, f(c))$ où la tangente à la courbe en ce point est parallèle à la droite D et déterminer l'équation de cette tangente.

d) Déterminer la valeur de x pour laquelle $f'(x)$ est minimale et donner les coordonnées du point M de f où $f'(x)$ est minimale.

4

6. Soit $f(x) = (4x - 9)^2 + 3$ et $g(x) = 4 - x^2$.

a) Déterminer la valeur ou les valeurs de a telles que la tangente à la courbe de f au point $A(a, f(a))$ et les axes forment un triangle isocèle.

b) Déterminer les valeurs respectives de b et de c telles que les tangentes à la courbe de f aux points $B(b, g(b))$ et $C(c, g(c))$ forment un triangle équilatéral avec l'axe des x.

7. Soit la droite D tangente à la courbe définie par $x^{\frac{2}{3}} + y^{\frac{2}{3}} = 4$ au point $P(2\sqrt{2}, 2\sqrt{2})$. Calculer l'aire A du triangle délimité par D et les axes.

8. a) Soit $f(x) = 2x\,g(x)$ et $g(0) = 5$. Évaluer $f'(0)$, si $g'(x)$ est définie pour tout x.

b) Soit $f(x) = \dfrac{(x - 3)^2}{g(x)}$. Évaluer $f'(3)$, si $g'(x)$ est définie pour tout x et $g(3) \neq 0$.

c) Sachant que $f(0) = 0$ et $f'(0) = 3$, évaluer $H'(0)$ si $H(x) = f(x)\,f'(x)$ et si $f''(x)$ est définie pour tout x.

9. Déterminer les valeurs de a et de b telles que la pente de la tangente à la courbe de f, définie par $f(x) = ax^2 + bx + 1$, au point $P(2, 3)$, soit égale à 7.

10. Déterminer les valeurs de a et de b telles que les courbes définies par $f(x) = x^2$ et $g(x) = ax^2 + b$ se rencontrent perpendiculairement en $x = 1$, c'est-à-dire que les tangentes en $x = 1$ soient perpendiculaires.

11. Soit $f(x) = x^2$.
Déterminer deux points, $A(a, f(a))$ et $B(-a, f(-a))$, tels que les tangentes en ces deux points soient perpendiculaires.

12. Soit la parabole définie par $f(x) = a(x + 1)(x - 7)$, représentée par le graphique ci-contre.

Déterminer, en fonction de a, les coordonnées des points P et Q, si les tangentes en ces points forment entre elles un angle de 90°.

13. Soit $f(x) = \sqrt{x}$. Déterminer le point $A(a, f(a))$ sur la courbe f tel que la tangente à la courbe en ce point passe par le point $P(-4, 0)$. Représenter graphiquement la courbe et la tangente.

14. Calculer l'aire A du triangle délimité par les axes et la droite qui passe par le point $P(4, 0)$ et qui est tangente à la courbe de f, où $f(x) = \dfrac{1}{x}$.

15. L'hydrogène H et le monoxyde de carbone CO réagissent pour former du méthanol :

$2H_2 + CO \rightarrow CH_3OH$.

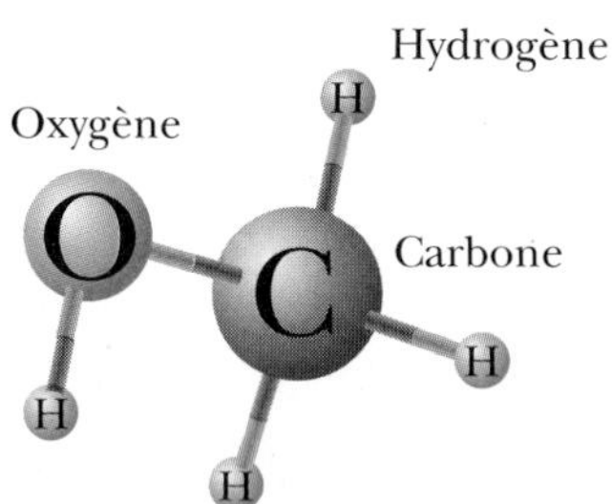

Après t secondes, la quantité en grammes de méthanol est donnée par

$$Q(t) = 3 - \frac{3}{2t + 1}.$$

a) Calculer la quantité initiale de méthanol.

b) Calculer la quantité de méthanol après trois secondes.

c) Calculer le taux de variation moyen de la quantité de méthanol sur les intervalles [2 s, 3 s] et [3 s, 4 s].

d) Déterminer la fonction donnant le taux de variation instantané de la quantité de méthanol en fonction du temps.

e) Quel est le taux de variation instantané de la quantité de méthanol exactement trois secondes après le début de l'expérience ? Après cinq secondes ?

f) Après combien de temps le taux de variation instantané de la quantité de méthanol sera-t-il de $\frac{2}{27}$ g/s?

g) Après combien de temps le taux de variation instantané de la quantité de méthanol sera-t-il de 0,015 g/s?

16.  Le potentiel électrique V, en un point P situé sur l'axe d'un anneau de rayon a et de charge totale Q, est donné par $V(x) = \frac{kQ}{\sqrt{x^2 + a^2}}$, où $k \in \mathbb{R}$, pour un anneau uniformément chargé.

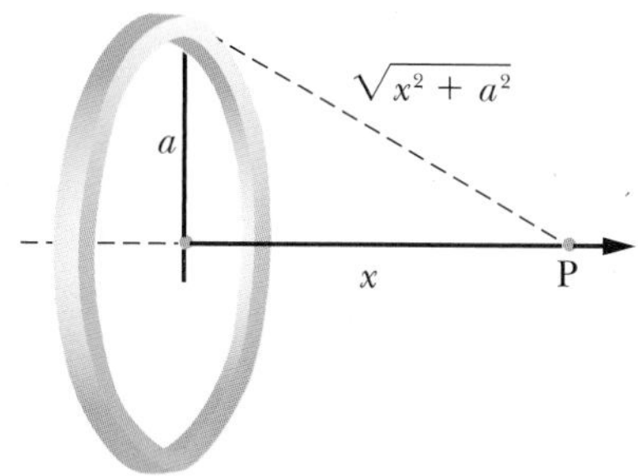

Déterminer E_x, la composante en x du champ électrique, si $E_x = \frac{-dV}{dx}$.

17.  Un manufacturier estime que le nombre x d'unités qu'il peut vendre dans un mois à un certain prix p, en dollars, est donné par l'équation $x = 1\,200 - 4p$.

De même, il estime que, pour la même période, ses coûts C de fabrication sont donnés par $C(x) = 500 + 60x$.

a) Déterminer le prix p en fonction de x.

b) Déterminer la fonction revenu R en fonction de x.

c) Sachant que le profit P est donné par le revenu moins les coûts, déterminer $P(x)$ en fonction de $R(x)$ et de $C(x)$.

d) Déterminer le seuil de production x tel que $P'(x) = 0$ et interpréter le résultat.

18.  Un manufacturier a déterminé que le coût de production C du dernier trimestre est donné par $C(x) = 25x^2 + 10\,000$, où x est le nombre d'unités fabriquées et $C(x)$ est en dollars.

a) Déterminer la fonction M donnant le coût unitaire moyen pour fabriquer un certain nombre d'unités.

b) Représenter graphiquement la courbe de M.

c) Déterminer le seuil de production x tel que $M'(x) = 0$ et interpréter le résultat.

19. Soit le cercle de rayon 1 centré sur l'axe des y et tangent à la parabole définie par $y = x^2$.

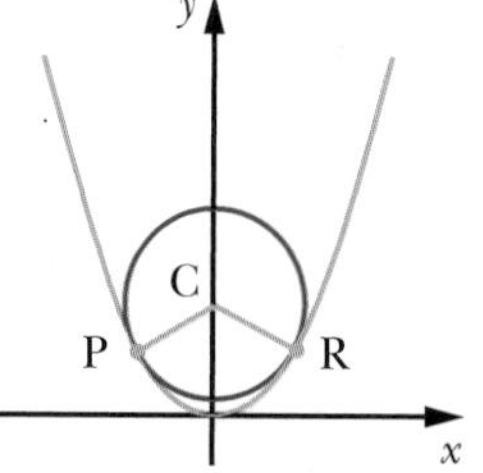

a) Déterminer les points d'intersection P et R du cercle et de la parabole, et calculer la pente de la tangente en ces points de rencontre.

b) Déterminer les coordonnées du centre C de ce cercle.

20. Soit le folium de Descartes défini par $x^3 + y^3 = 3xy$.

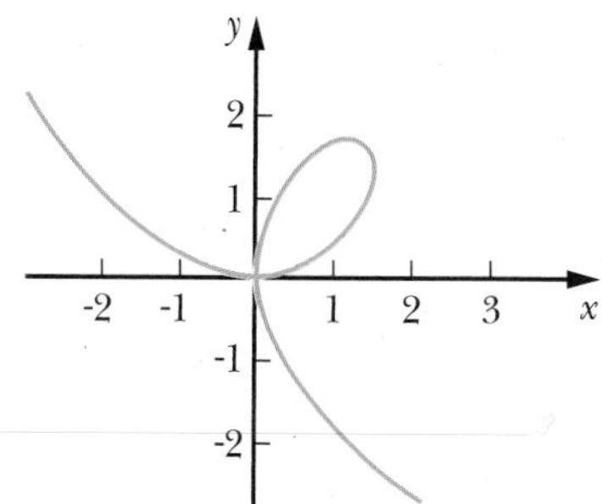

a) Calculer $\frac{dy}{dx}$.

b) Déterminer l'équation de la tangente à la courbe A(a, a), où $a \neq 0$.

c) Déterminer l'équation de la droite normale à la tangente précédente.

d) Déterminer les points P(x, y) et R(x, y), tels que $x \neq y$, où la tangente à la courbe est respectivement horizontale et verticale.

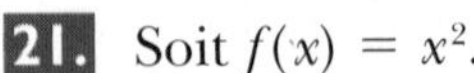

21. Soit $f(x) = x^2$.

a) Démontrer que toute droite normale à la courbe de f, sauf celle qui passe par O(0, 0), rencontre la courbe de f en deux points.

b) Démontrer que les normales aux points $S(-a, f(-a))$ et $T(a, f(a))$ $\forall a \in \mathbb{R}$, où $a \neq 0$, se rencontrent en $B(0, b)$. Exprimer b en fonction de a.

22.  De façon générale, l'équation de Van der Waals est donnée par

$$\left(P + \frac{an^2}{V^2}\right)(V - nb) = nRT,$$

où les variables V, P et T désignent respectivement le volume, la pression et la température ; a, n, b et R sont des constantes qui dépendent de la nature du gaz.

a) Déterminer $\dfrac{dV}{dP}$ lorsque T est constant.

b) Déterminer $\dfrac{dV}{dT}$ lorsque P est constant.

Taux de variation

Dominique Parent

Introduction

Le présent chapitre a pour objectif général de familiariser l'élève avec diverses applications de la dérivée en physique, en chimie, en géométrie, en économie, etc.

La poursuite des objectifs d'apprentissage rendra l'élève capable de résoudre divers problèmes à l'aide d'exemples d'application préalablement résolus. En particulier, à la fin de ce chapitre, l'élève pourra résoudre le problème de vitesse suivant :

Un policier-patrouilleur garé au point P, à 20 m d'une route, pointe son radar sur une automobile qui se trouve au point A. Le radar indique la vitesse de rapprochement entre l'automobile et la voiture de patrouille. La limite de vitesse permise est de 30 km/h.

a) Si le radar indique 25 km/h lorsque la distance entre C et A est de 15 mètres, une contravention est-elle justifiée ? Expliquer.

b) Qu'indiquera le radar si l'automobile roule à la vitesse permise lorsque la distance entre C et A est de 40 mètres ?

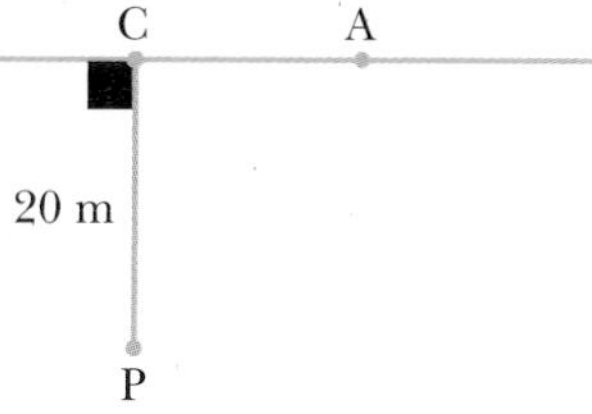

(*Voir* l'exercice récapitulatif n° 10, page 202.)

Perspective historique

POURQUOI A-T-ON INVENTÉ LE CALCUL DIFFÉRENTIEL ET INTÉGRAL ?

Est-ce un hasard si le calcul s'est développé précisément au XVIIe siècle ? Eh bien, non. Pour le comprendre, jetons un regard panoramique sur les deux siècles, de 1500 à 1700, qui correspondent à l'une des plus riches périodes de l'histoire des sciences, la Révolution scientifique. En quoi peut-on parler de révolution ? Voyons quelques exemples. Au milieu du XVIe siècle, Copernic (1473-1543) simplifie les explications des déplacements apparents des planètes en plaçant le Soleil au centre de l'Univers. Mais, conséquences géométriques de ce recentrage de l'Univers, les étoiles doivent alors être situées à une très grande distance de la Terre. De plus, les lois de la nature semblent être les mêmes pour les objets près de la Terre et les corps célestes. Auparavant, on concevait l'Univers comme relativement limité. On croyait les planètes et les étoiles relativement près de la Terre et leurs mouvements régis par des lois différentes de celles auxquelles étaient soumis les objets terrestres. **Galilée** (1564-1642), dans la première moitié du siècle suivant, conforte les idées de Copernic aussi bien en tournant sa lunette vers la Lune et Jupiter qu'en mettant en évidence les lois de la chute des corps. À peu près en même temps que Copernic travaillait sur sa nouvelle description de l'Univers, Jacques Cartier découvrait le Canada. L'époque des grands explorateurs est alors véritablement engagée. Les bateaux des grandes puissances d'Europe sillonnent les océans et la mise au point des canons révolutionne l'art de la guerre.

Fotomas/Topfoto/PONOPRESSE

Galilée (1564-1642)

Qu'ont en commun tous ces événements ? Le mouvement. Mouvement des astres, des bateaux, des boulets de canon. Au XVIIe siècle, l'étude du mouvement devient de première importance. De là émergent quatre grands types de problèmes auxquels s'attaquent les scientifiques de l'époque.

D'abord le problème de savoir si, connaissant la distance parcourue à tout moment, il est possible de connaître la vitesse et l'accélération à chaque instant ? Ou, à l'inverse, la vitesse ou l'accélération étant connue à chaque instant, peut-on trouver la distance parcourue en un temps donné ?

En deuxième lieu, on veut déterminer précisément les tangentes à certaines courbes. Cette question se rattache à l'étude du mouvement et à l'optique. La direction du déplacement d'un objet en mouvement est donnée par la tangente à la trajectoire de l'objet. La fabrication des miroirs paraboliques et surtout des lentilles nécessite la détermination des tangentes ou des normales aux surfaces de ces derniers. Alors que s'étend l'usage des lunettes pour la navigation et pour l'observation astronomique, sans parler de celles que portent les humains pour améliorer leur vue, cette question devient primordiale.

Le troisième grand problème est celui de la détermination des maxima et des minima (*voir* le chapitre 6). En balistique, par exemple, on veut savoir pour quel angle d'élévation d'un canon le boulet atteindra la cible la plus éloignée possible. En astronomie, on cherche à connaître les distances maximale ou minimale d'une planète par rapport au Soleil. En optique, le trajet de la lumière dans un corps transparent est aussi analysé sous l'angle du plus court trajet entre deux points. Ce genre de principe de minimalité deviendra central aussi en mécanique.

Enfin, le quatrième grand problème touche la mesure de la longueur d'une courbe ou de l'aire d'une surface d'une figure plane ou tridimensionnelle. La détermination de la distance parcourue par une planète en un temps donné, la détermination d'un centre de gravité, le calcul de la force d'attraction entre deux corps entrent dans cette catégorie.

En 1700, le calcul différentiel fournira des outils pour résoudre les trois premiers grands types de problèmes. Le calcul intégral s'attaquera pour sa part principalement à la dernière catégorie de problèmes, mais aussi à la troisième.

L'invention du calcul différentiel et intégral découle donc de besoins qui se sont manifestés avec une acuité particulière au moment de la Révolution scientifique. On peut même dire que ce calcul en est l'un des fruits les plus précieux.

Test préliminaire

Partie A

1. Déterminer l'aire et le périmètre ou la circonférence des figures suivantes.

a)

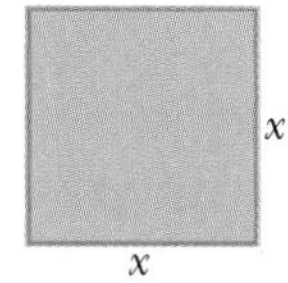

b)

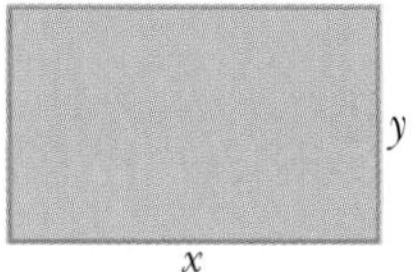

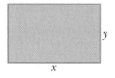

c)

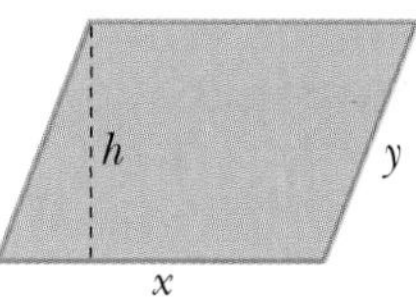

d)

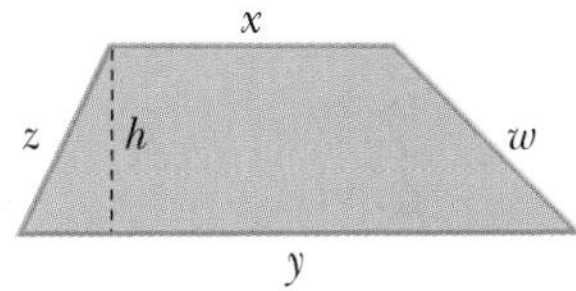

e)

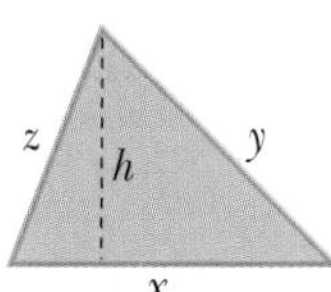

f)

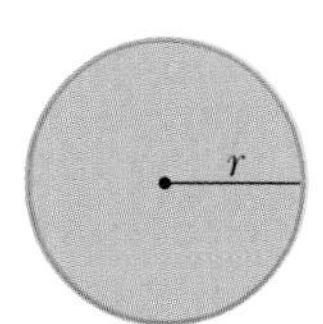

2. Déterminer le volume et l'aire totale des figures suivantes.

a)

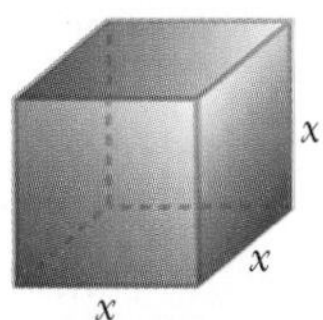

c)

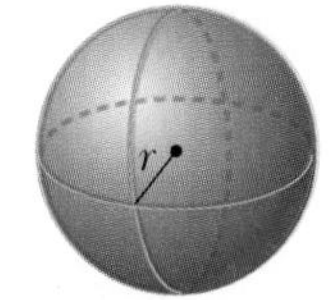

b)

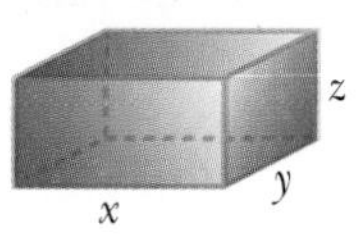

3. Déterminer le volume, l'aire latérale et l'aire totale des figures suivantes.

a)

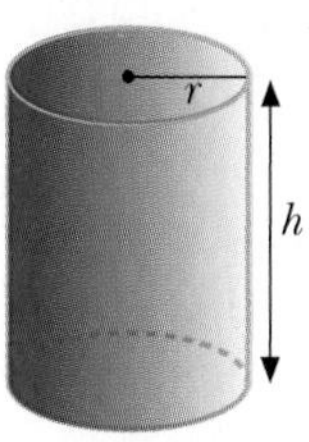

b)

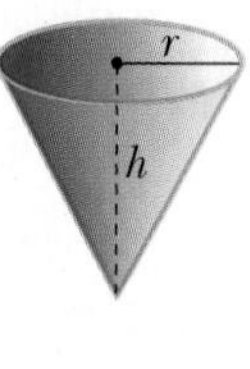

4. Résoudre les équations suivantes.

a) $-4{,}9x^2 + 39{,}2x + 44{,}1 = 91{,}875$

b) $\dfrac{40x^2 + 44}{x + 2} = \dfrac{469}{3}$

Partie B

1. Donner la définition des expressions suivantes pour une fonction dérivable $y = f(x)$.

a) $\text{TVM}_{[x,\, x+h]}$

b) TVI

c) $f'(x)$

2. Soit $f(x) = \dfrac{-30}{(2x + 1)} + 5x$.

a) Déterminer $f'(x)$.

b) Évaluer $f(33)$ et résoudre l'équation $f(x) = 33$.

c) Évaluer $f'(33)$ et résoudre l'équation $f'(x) = 33$.

3. Soit $f(t) = \sqrt{3t + 1} - 2t + 5$.

a) Déterminer $f'(t)$.

b) Résoudre l'équation $f(t) = -20$.

c) Résoudre l'équation $f'(t) = 5$.

4. a) Soit $z = f(x)$ et $x = g(t)$, deux fonctions dérivables. Compléter : $\dfrac{dz}{dt} =$ ....

b) Soit $z = \dfrac{4}{5}x^3 - \dfrac{7}{4x^3}$ et $x = \sqrt{3t - t^2}$.

Calculer $\dfrac{dz}{dt}$ et $\left.\dfrac{dz}{dt}\right|_{t=1}$.

5

5.1 Taux de variation instantané

Objectif d'apprentissage

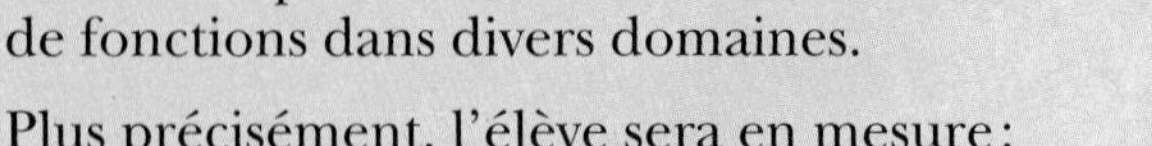

À la fin de cette section, l'élève pourra utiliser la notion de dérivée pour calculer le taux de variation instantané de fonctions dans divers domaines.

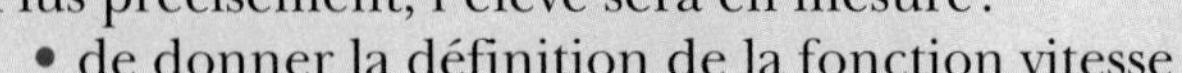

Plus précisément, l'élève sera en mesure :
- de donner la définition de la fonction vitesse ;
- de donner la définition de la fonction accélération ;
- d'utiliser les fonctions « position », « vitesse » et « accélération » d'un mobile pour résoudre certains problèmes de physique ;
- de résoudre des problèmes de taux de variation instantané en chimie ;
- de résoudre des problèmes de taux de variation instantané en géométrie ;
- de donner la définition de coût marginal ;
- de donner la définition de revenu marginal ;
- de résoudre des problèmes de taux de variation instantané en économie.

Nous avons déjà vu, au chapitre 3, que le taux de variation instantané d'une fonction est égal à la dérivée de cette fonction.

Dans cette section, nous utiliserons la dérivée pour résoudre des problèmes de taux de variation instantané de fonctions dans divers domaines tels que la physique, la chimie, la géométrie, l'économie, etc.

Taux de variation instantané en physique

Dans la section 3.1, nous avons défini la vitesse moyenne d'une particule sur un intervalle de temps $[t_i, t_f]$ ainsi :

$$v_{[t_i,\, t_f]} = \frac{x_f - x_i}{t_f - t_i} = \frac{\Delta x}{\Delta t},$$ où x représente la position de la particule en fonction du temps t.

La vitesse moyenne correspond donc au TVM de la position en fonction du temps.

Vitesse Puisque la vitesse n'est pas toujours constante, il peut être utile de définir la fonction v donnant la vitesse instantanée (ou vitesse), qui est la limite de la vitesse moyenne lorsque $\Delta t \to 0$.

Définition 5.1

La **vitesse instantanée** v est définie ainsi :

$$v(t) = \lim_{\Delta t \to 0} \frac{\Delta x}{\Delta t} = \frac{dx}{dt},$$

où x représente la position en fonction du temps t.

Autrement dit, la fonction donnant la vitesse instantanée (ou vitesse) est égale au taux de variation instantané de la position en fonction du temps, c'est-à-dire à la dérivée par rapport au temps de la fonction donnant la position.

$$v(t) = x'(t)$$

Exemple 1 Du haut d'un pont, une pierre est lancée verticalement vers le haut. La position x de la pierre au-dessus de la rivière, en fonction du temps t, est donnée par $x(t) = 58{,}8 + 19{,}6t - 4{,}9t^2$, où t est en secondes et $x(t)$, en mètres.

a) Déterminons la fonction donnant la vitesse de la pierre en fonction du temps.

$$v(t) = \frac{dx}{dt} \quad \text{(définition 5.1)}$$

$$= \frac{d}{dt}(58{,}8 + 19{,}6t - 4{,}9t^2)$$

$$= 19{,}6 - 9{,}8t, \text{ exprimée en m/s}$$

Dominique Parent

b) Calculons la vitesse initiale de la pierre.

Vitesse initiale $= v(0)$

$= 19{,}6$ m/s

c) Déterminons le temps nécessaire pour que la pierre cesse de monter.

Il s'agit de déterminer t lorsque $v(t) = 0$.

Ainsi, $19{,}6 - 9{,}8t = 0$

D'où $t = 2$ s.

d) Calculons la vitesse de la pierre après 3 secondes.

$$v(3) = 19{,}6 - 9{,}8(3)$$

$$= -9{,}8 \text{ m/s}$$

Le signe négatif signifie que la pierre est en descente.

e) Déterminons la hauteur maximale qu'atteindra la pierre.

L'objet est à sa hauteur maximale lorsque $v(t) = 0$, c'est-à-dire après 2 s (voir c).

$$x(2) = 58{,}8 + 19{,}6(2) - 4{,}9(2)^2 = 78{,}4$$

D'où la hauteur maximale est de 78,4 m.

f) Déterminons la hauteur du pont duquel est projetée la pierre.

La hauteur du pont est égale à la position initiale de la pierre, c'est-à-dire $x(0)$.

Puisque $x(0) = 58{,}8$, la hauteur du pont est de 58,8 m.

g) Déterminons la distance totale parcourue par la pierre, du point de lancement jusqu'à la rivière.

La distance totale d parcourue est égale à la distance de montée plus la distance de descente.

$$d = \underbrace{(78{,}4 - 58{,}8)}_{\text{distance de montée}} + \underbrace{78{,}4}_{\text{distance de descente}} = 98 \text{ m}$$

h) Déterminons la vitesse de la pierre au moment précis où elle touche l'eau.

La pierre touche l'eau lorsque $x(t) = 0$, c'est-à-dire

$$-4{,}9t^2 + 19{,}6t + 58{,}8 = 0.$$

En résolvant, nous obtenons $t_1 = -2$ (à rejeter) et $t_2 = 6$.

Il faut calculer $v(6)$.

D'où $v(6) = 19{,}6 - 9{,}8(6) = -39{,}2$ m/s.

OUTIL TECHNOLOGIQUE

i) Représentons la fonction $x(t)$ sur [0 s, 6 s].

```
> plot(58.8+19.6*t-4.9*t^2,t=0..6,x=-10..90,color=orange);
```

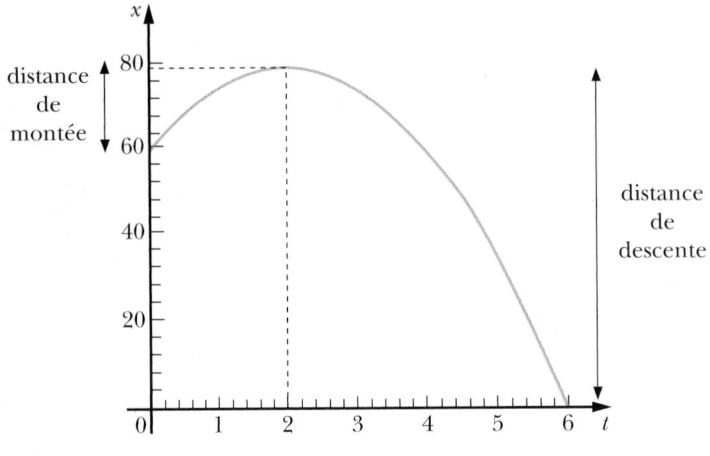

Accélération Lorsque la vitesse d'une particule varie en fonction du temps, on dit que la particule subit une accélération. Cette accélération est positive lorsque la vitesse augmente, négative lorsque la vitesse diminue et nulle lorsque la variation de vitesse est zéro.

Par exemple, la vitesse d'une voiture augmente lorsqu'on appuie sur l'accélérateur. La voiture ralentit lorsqu'on appuie sur les freins.

Supposons qu'une particule en mouvement a une vitesse v_i à l'instant t_i et une vitesse v_f à l'instant t_f.

L'accélération moyenne d'une particule durant l'intervalle de temps $\Delta t = t_f - t_i$ est le rapport $\frac{\Delta v}{\Delta t}$, où $\Delta v = v_f - v_i$ est la variation de la vitesse durant cet intervalle de temps.

Dominique Parent

$$a_{[t_i,\, t_f]} = \frac{v_f - v_i}{t_f - t_i} = \frac{\Delta v}{\Delta t}$$

L'accélération moyenne correspond donc au TVM de la vitesse en fonction du temps t. Puisque l'accélération n'est pas toujours constante, il peut être utile de définir la fonction a donnant l'accélération instantanée (ou accélération), qui est la limite de l'accélération moyenne lorsque Δt tend vers zéro.

Définition 5.2

L'**accélération instantanée** a est définie comme suit:

$$a(t) = \lim_{\Delta t \to 0} \frac{\Delta v}{\Delta t} = \frac{dv}{dt},$$

où v représente la vitesse en fonction du temps t.

Autrement dit, la fonction donnant l'accélération instantanée (ou accélération) est égale au taux de variation instantané de la vitesse en fonction du temps, c'est-à-dire à la dérivée par rapport au temps de la fonction donnant la vitesse.

$$a(t) = v'(t)$$

Puisque $v = \frac{dx}{dt}$, l'accélération peut également s'écrire :

$$a(t) = \frac{dv}{dt} = \frac{d}{dt}\left(\frac{dx}{dt}\right) = \frac{d^2x}{dt^2} \quad \text{ou} \quad a(t) = v'(t) = x''(t).$$

Ainsi, l'accélération instantanée est égale à la dérivée seconde par rapport au temps de la fonction donnant la position en fonction du temps.

Exemple 2 La vitesse d'une particule dans une direction donnée varie en fonction du temps selon l'expression suivante :

$v(t) = 45 + 10t - 5t^2$, où $t \in [0 \text{ s}, 5 \text{ s}]$ et $v(t)$ est exprimée en m/s.

a) Déterminons l'accélération moyenne sur [0 s, 3 s], c'est-à-dire $a_{[0\text{ s}, 3\text{ s}]}$.

$$a_{[0\text{ s}, 3\text{ s}]} = \frac{v(3) - v(0)}{3 - 0} = \frac{30 - 45}{3 - 0} = -5$$

D'où $a_{[0\text{ s}, 3\text{ s}]} = -5 \text{ m/s}^2$.

Le signe négatif signifie que la pente de la sécante passant par les points P(0, $v(0)$) et R(3, $v(3)$) de la courbe vitesse-temps est négative, c'est-à-dire que la particule décélère de 5 m/s² en moyenne, sur [0 s, 3 s].

b) Déterminons l'accélération instantanée à $t = 2$ s.

$$a(t) = \frac{dv}{dt} \quad \text{(définition 5.2)}$$

$$= \frac{d}{dt}(45 + 10t - 5t^2)$$

$$= 10 - 10t$$

Donc, $a(t) = 10 - 10t$, exprimée en m/s².

D'où $a(2) = 10 - 20$, c'est-à-dire -10 m/s².

Le signe négatif signifie que la pente de la tangente à la courbe de v au point Q(2, $v(2)$) est négative, c'est-à-dire que la vitesse de la particule décroît instantanément de 10 m/s².

OUTIL TECHNOLOGIQUE

c) Représentons graphiquement la courbe de v précédente, ainsi que la sécante et la tangente.

```
> with(plots):
> c1:=plot(45+10*t-5*t^2,t=0..4.5,
      color=orange):
> c2:=plot(45-5*t,t=-1..4,
      color=green):
> c3:=plot(65-10*t,t=0.5..3.5,
      color=blue):
> c4:=plot([2,y,y=0..45],linestyle=DOT,
      color=black):
> p:=plot([[0,45],[2,45],[3,30]],
     style=point,symbol=circle,
     color=black):
> t1:=textplot([0.2,49,`P`],align=ABOVE):
> t2:=textplot([2,49,`Q`],align=ABOVE):
> t3:=textplot([3,27,`R`],align=BELOW):
> display(c1,c2,c3,p,t1,t2,t3,c4);
```

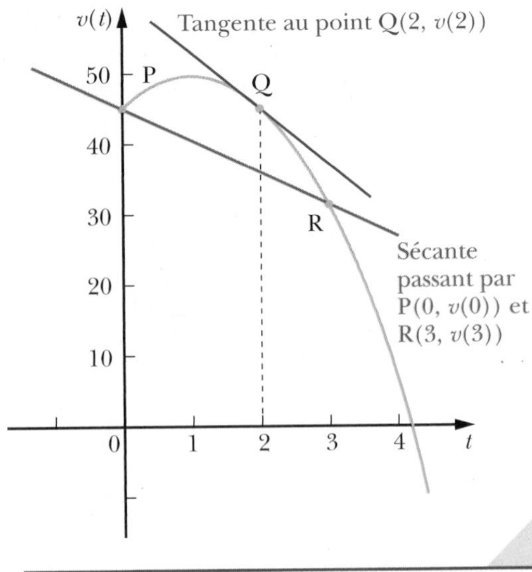

Force Le philosophe, mathématicien et physicien anglais sir Isaac Newton (1642-1727) a établi que la force exercée sur un mobile est égale au produit de sa masse par son accélération. Nous avons donc $F = ma$, où m désigne la masse du mobile et a, son accélération.

Tout comme l'accélération, la force peut être une fonction du temps, c'est-à-dire:

$$\begin{aligned} F(t) &= ma(t) \\ &= m\frac{dv}{dt} \qquad \text{(définition 5.2)} \\ &= m\frac{d}{dt}\left(\frac{dx}{dt}\right) \qquad \text{(définition 5.1)} \\ &= m\frac{d^2x}{dt^2} \end{aligned}$$

Si l'unité de masse est le kilogramme (kg) et l'unité d'accélération, le mètre par seconde carrée (m/s²), alors l'unité de force est le newton (N). Donc, une masse de 1 kg qui reçoit une accélération de 1 m/s² est soumise à une force de 1 N.

Exemple 3 Une locomotive pousse un wagon dont la masse est de 15 000 kg. La position de cette locomotive en fonction du temps est donnée par

$$x(t) = \frac{t^3}{300}, \text{ où } t \in [0 \text{ s}, 40 \text{ s}] \text{ et } x(t) \text{ est en mètres.}$$

a) Déterminons la fonction v donnant la vitesse instantanée de la locomotive en fonction du temps.

$$\begin{aligned} v(t) &= \frac{dx}{dt} \qquad \text{(définition 5.1)} \\ &= \frac{d}{dt}\left(\frac{t^3}{300}\right) \\ &= \frac{t^2}{100} \end{aligned}$$

D'où $v(t) = \dfrac{t^2}{100}$, exprimée en m/s.

Dominique Parent

b) Déterminons la fonction a donnant l'accélération instantanée de la locomotive en fonction du temps.

$$a(t) = \frac{dv}{dt} \qquad \text{(définition 5.2)}$$

$$= \frac{d}{dt}\left(\frac{t^2}{100}\right)$$

$$= \frac{t}{50}$$

D'où $a(t) = \frac{t}{50}$, exprimée en m/s².

c) Déterminons l'accélération et la force lorsque $t = 5$ s.

$$a(t) = \frac{t}{50},\ a(5) = \frac{5}{50}$$

D'où $a(5) = 0{,}1$ m/s².

De plus, $F(t) = ma(t) = 15\ 000\,\frac{t}{50} = 300t$.

Ainsi, $F(5) = 300(5)$.

D'où $F(5) = 1\ 500$ N.

d) Déterminons l'accélération et la force à l'instant précis où la vitesse de la locomotive est de 10 m/s.

En posant $v(t) = 10$,

$$\frac{t^2}{100} = 10 \qquad \left(\text{car } v(t) = \frac{t^2}{100}\right).$$

Donc, $t_1 = -\sqrt{1\ 000}$ (à rejeter) et $t_2 = \sqrt{1\ 000}$ s.

Ainsi, $a(\sqrt{1\ 000}) = \frac{\sqrt{1\ 000}}{50}$ $\left(\text{car } a(t) = \frac{t}{50}\right)$.

D'où $a(\sqrt{1\ 000}) \approx 0{,}63$ m/s².

De plus, $F(\sqrt{1\ 000}) = 300\sqrt{1\ 000}$ (car $F(t) = 300t$).

D'où $F(\sqrt{1\ 000}) \approx 9\ 486{,}83$ N.

e) Déterminons la vitesse de la locomotive à l'instant précis où son accélération est de 0,7 m/s².

En posant $a(t) = 0{,}7$,

$$\frac{t}{50} = 0{,}7 \qquad \left(\text{car } a(t) = \frac{t}{50}\right).$$

Donc, $t = 35$ s.

Ainsi, $v(35) = \frac{35^2}{100}$ $\left(\text{car } v(t) = \frac{t^2}{100}\right)$.

D'où $v(35) = 12{,}25$ m/s.

Taux de variation instantané en chimie

Il y a environ 200 ans...

© Stefano Blanchetti/CORBIS

Lavoisier
1743-1794

La chimie commence à vraiment se quantifier à la fin du XVIIIe siècle, principalement avec les travaux de **Lavoisier** (1743-1794) qui introduit dans ce domaine l'usage d'appareils de mesure comme la balance précise, le thermomètre et le calorimètre.

La notion de taux de variation instantané est utilisée dans l'étude d'une réaction chimique.

Exemple 1 Deux produits chimiques, A et B, réagissent pour former un produit C : A + B → C.

Dominique Parent

La quantité du produit C est fonction du temps et est notée $Q(t)$.

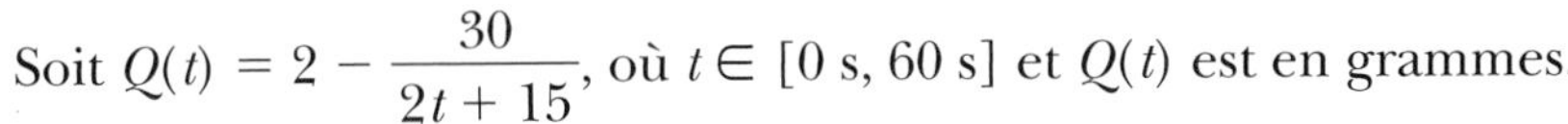

Soit $Q(t) = 2 - \dfrac{30}{2t + 15}$, où $t \in$ [0 s, 60 s] et $Q(t)$ est en grammes.

a) Déterminons la fonction T donnant le taux de variation instantané de la quantité du produit C en fonction du temps t.

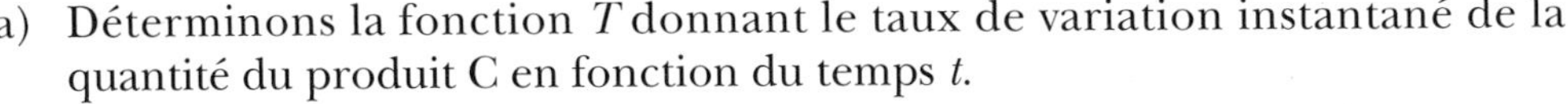

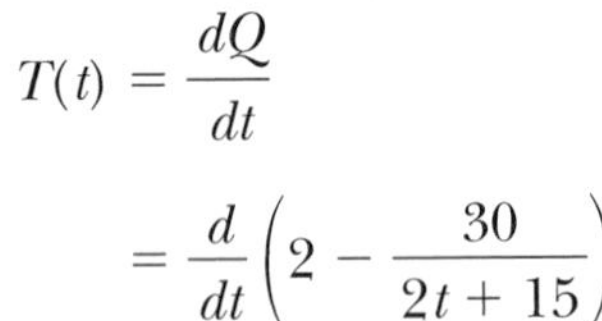

$$T(t) = \frac{dQ}{dt}$$

$$= \frac{d}{dt}\left(2 - \frac{30}{2t + 15}\right)$$

D'où $T(t) = \dfrac{60}{(2t + 15)^2}$, exprimé en g/s.

b) Calculons la quantité initiale du produit C et le taux de variation initial.

La quantité initiale du produit C est obtenue en calculant $Q(0)$.

$$Q(0) = 2 - \frac{30}{2(0) + 15} = 0 \text{ g}$$

Le taux de variation instantané initial est obtenu en calculant $T(0)$.

$$T(0) = \frac{60}{(2(0) + 15)^2} = 0{,}2\overline{6} \text{ g/s}$$

c) Déterminons approximativement, à l'aide des représentations graphiques de Q et de T :

i) le taux de variation instantané lorsque $Q = 1{,}4$ g ;

ii) la quantité Q lorsque le taux de variation instantané est de 0,1 g/s.

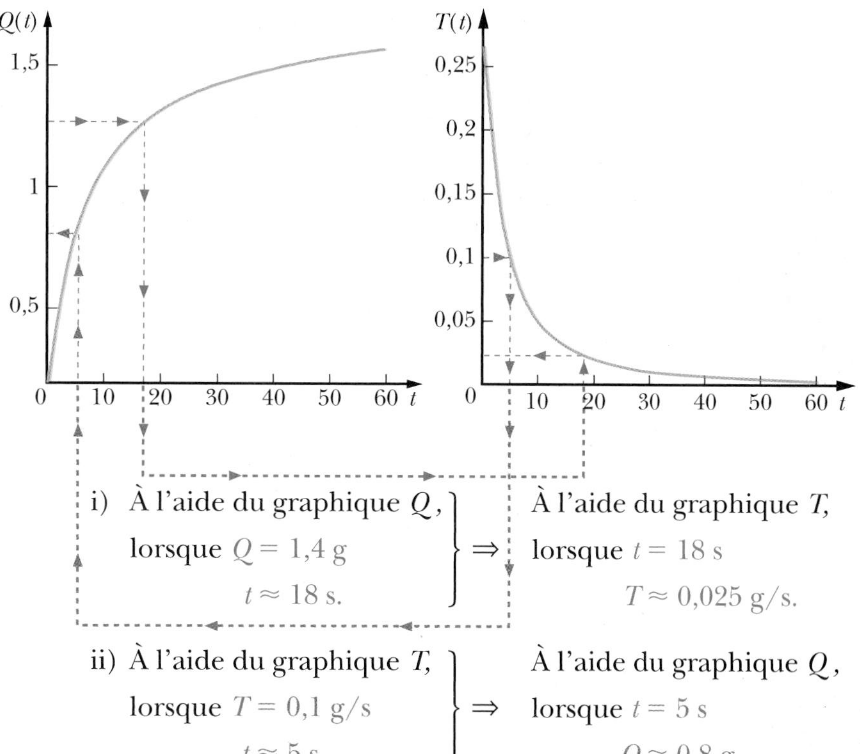

d) Calculons algébriquement :

i) le taux de variation instantané lorsque $Q = 1{,}4$ g.

En posant $Q(t) = 1{,}4$,

$$2 - \frac{30}{2t + 15} = 1{,}4$$

$$t = 17{,}5 \text{ s}$$

D'où $T(17{,}5) = \dfrac{60}{(35 + 15)^2} = 0{,}024$ g/s.

ii) la quantité Q lorsque le taux de variation instantané est de 0,1 g/s.

En posant $T(t) = 0{,}1$,

$$\frac{60}{(2t + 15)^2} = 0{,}1$$

$$t = 4{,}747\ldots \text{ s} \quad (t = -19{,}747\ldots \text{ à rejeter})$$

D'où $Q(4{,}747\ldots) = 0{,}775\ldots$ g.

e) Interprétons les graphiques de Q et de T.

Nous constatons graphiquement que, sur [0 s, 60 s],

Q augmente ◄-------► T est positif

Q augmente rapidement au début et lentement à la fin. ◄-------► T diminue rapidement au début et lentement à la fin.

5

Taux de variation instantané en géométrie

Dominique Parent

Exemple 1 Soit un ballon de forme sphérique dont l'aire A et le volume V varient en fonction du rayon r, où r est en centimètres.

a) Déterminons la fonction T_A donnant le taux de variation instantané de l'aire de la sphère en fonction du rayon r.

$$T_A(r) = \frac{dA}{dr}$$

$$= \frac{d}{dr}(4\pi r^2) \qquad (\text{car } A = 4\pi r^2)$$

D'où $T_A(r) = 8\pi r$, exprimé en cm^2/cm.

b) Déterminons la fonction T_V donnant le taux de variation instantané du volume de la sphère en fonction du rayon r.

$$T_V(r) = \frac{dV}{dr}$$

$$= \frac{d}{dr}\left(\frac{4\pi r^3}{3}\right) \qquad \left(\text{car } V = \frac{4\pi r^3}{3}\right)$$

D'où $T_V(r) = 4\pi r^2$, exprimé en cm^3/cm.

5

Taux de variation instantané en économie

Il y a environ 150 ans...

L'idée de mathématiser l'étude de l'économie remonte au milieu du XVIIIe siècle. Ce fut toutefois le Français Augustin Cournot (1801-1877) qui donna le véritable coup d'envoi en 1838 en publiant son traité *Recherches mathématiques de la théorie des richesses* basé sur une analogie entre l'équilibre économique et l'équilibre mécanique. Le calcul différentiel y est abondamment utilisé. Il faudra tout de même attendre les années 1870 pour que ses idées soient reprises et élaborées, surtout en Suisse et en Angleterre.

La notion de dérivée est également utilisée en économie dans l'étude des coûts, des revenus et en particulier pour déterminer le profit maximal.

Dans une entreprise, les coûts totaux résultant de la fabrication d'un produit sont composés des coûts fixes et des coûts variables. Les coûts fixes sont les coûts indépendants de la quantité produite, par exemple le loyer, hypothèque, etc. Les coûts variables sont ceux qui dépendent directement de la quantité q produite, par exemple la main-d'œuvre, les matières premières, etc. Nous obtenons donc la relation suivante:

coûts totaux = coûts variables + coûts fixes

Les économistes s'intéressent à l'augmentation des coûts totaux causée par la production d'une unité supplémentaire. Notons que, selon le type de production, une unité produite peut être exprimée en unités (nombre d'avions fabriqués dans un mois), en centaines (nombre d'automobiles fabriquées dans une semaine), en milliers (nombre de calculatrices fabriquées dans une année).

Définition 5.3

À un niveau de production q, le **coût marginal,** noté $C_{mar}(q)$, est défini par

$$C_{mar}(q) = C(q + 1) - C(q),$$

où $C(q)$ correspond aux coûts totaux de production pour q unités.

Autrement dit, le coût marginal correspond à l'augmentation des coûts totaux causée par la production d'une unité supplémentaire.

Exemple 1 Soit le graphique suivant représentant les coûts en \$ pour la production de q unités.

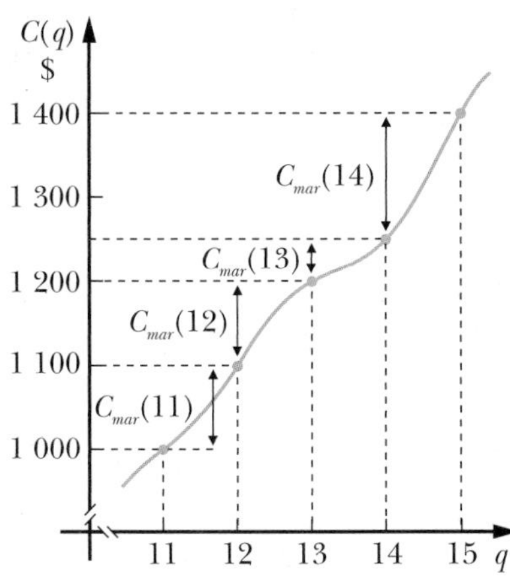

Même si la fonction des coûts n'est pas continue, nous la représentons par une courbe $C(q)$ continue qui passe par les points $(11, C(11), (12, C(12)), \ldots$

a) Calculons les coûts marginaux $C_{mar}(11)$, $C_{mar}(12)$, $C_{mar}(13)$ et $C_{mar}(14)$.

$$\begin{aligned} C_{mar}(11) &= C(12) - C(11) && \text{(définition 5.3)} \\ &= 1\,100 - 1\,000 \\ &= 100 \end{aligned}$$

D'où $C_{mar}(11) = 100$ \$.

$C_{mar}(12) = C(13) - C(12) = 1\,200 - 1\,100 = 100$, donc 100 \$.

$C_{mar}(13) = C(14) - C(13) = 1\,250 - 1\,200 = 50$, donc 50 \$.

$C_{mar}(14) = C(15) - C(14) = 1\,400 - 1\,250 = 150$, donc 150 \$.

b) Représentons graphiquement $C_{mar}(q)$ en fonction de q.

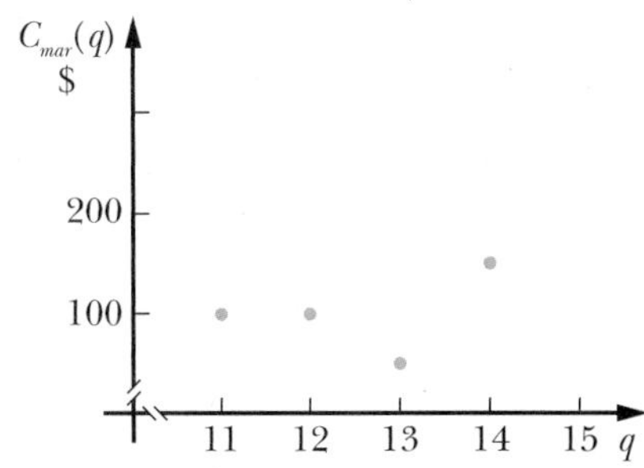

Définition 5.4

Le **coût marginal instantané,** noté $C_m(q)$, est défini par

$$C_m(q) = \lim_{\Delta q \to 0} \frac{C(q + 1) - C(q)}{\Delta q}.$$

Autrement dit, la fonction donnant le coût marginal instantané est égale à la dérivée par rapport à la quantité de la fonction donnant les coûts totaux.

$$C_m(q) = C'(q)$$

Les économistes utilisent le coût marginal instantané pour approximer le coût marginal, c'est-à-dire l'augmentation de coût qu'entraîne la production d'une unité supplémentaire.

Nous avons

$$\begin{aligned} C_m(q) = C'(q) &= \lim_{\Delta q \to 0} \frac{C(q+\Delta q) - C(q)}{\Delta q} \\ &\approx \frac{C(q+1) - C(q)}{1} \quad \text{(en posant } \Delta q = 1\text{)} \\ &\approx C(q+1) - C(q) \end{aligned}$$

Donc, $C_m(q) \approx C_{mar}(q)$.

Représentation graphique

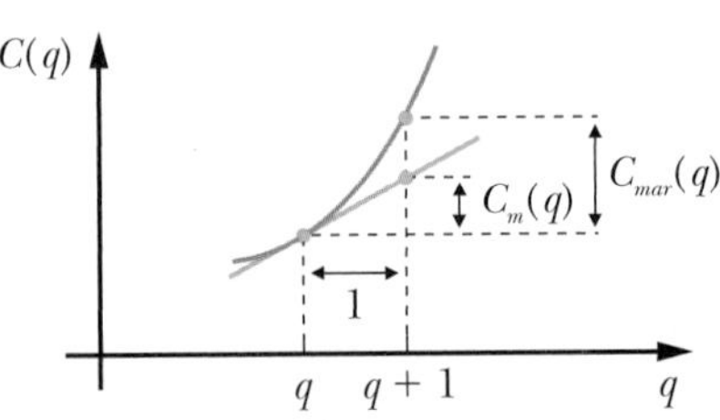

Tangente dont la pente égale $C_m(q)$ (car $C_m(q) = C'(q)$)

Exemple 2 Soit une compagnie dont les coûts totaux de production en dollars sont donnés par $C(q) = \sqrt{q} + 2\,000$, où $\sqrt{q}$ correspond aux coûts variables en fonction du nombre d'unités produites $q \in [0, 300]$ et où 2 000 correspond aux coûts fixes.

a) Déterminons la fonction C_m donnant le coût marginal instantané en fonction de la quantité q.

$$\begin{aligned} C_m(q) &= C'(q) && \text{(définition 5.4)} \\ &= \frac{1}{2\sqrt{q}}, \text{ exprimé en \$} && \left(\text{car } C(q) = q^{\frac{1}{2}} + 2\,000\right) \end{aligned}$$

b) Évaluons le coût marginal et le coût marginal instantané pour les valeurs de q suivantes.

i) $q = 8$

Coût marginal

$$\begin{aligned} C_{mar}(8) &= C(9) - C(8) && \text{(définition 5.3)} \\ &= (\sqrt{9} + 2\,000) - (\sqrt{8} + 2\,000) \\ &= 3 - \sqrt{8} \\ &= 0{,}171\ldots \end{aligned}$$

D'où $C_{mar}(8) \approx 0{,}17$ \$.

Coût marginal instantané

$$\begin{aligned} C_m(8) &= C'(8) && \text{(car } C_m(q) = C'(q)\text{)} \\ &= \frac{1}{2\sqrt{8}} && \left(\text{car } C'(q) = \frac{1}{2\sqrt{q}}\right) \\ &= 0{,}176\ldots \end{aligned}$$

D'où $C_m(8) \approx 0{,}18$ \$.

ii) $q = 90$

$$C_{mar}(90) = C(91) - C(90) = \sqrt{91} - \sqrt{90} = 0{,}052\,5\ldots$$

D'où $C_{mar}(90) \approx 0{,}05$ \$.

$$C_m(90) = \frac{1}{2\sqrt{90}} = 0{,}052\,7\ldots$$

D'où $C_m(90) \approx 0{,}05$ \$.

c) Déterminons la quantité q telle que :

i) $C_{mar}(q) = 0{,}03$ \$

En posant $C_{mar}(q) = 0{,}03$,

$$C(q+1) - C(q) = 0{,}03$$

$$(\sqrt{q+1} + 2\,000) - (\sqrt{q} + 2\,000) = 0{,}03$$

$$\sqrt{q+1} - \sqrt{q} = 0{,}03$$

$$\sqrt{q+1} = \sqrt{q} + 0{,}03$$

$$q + 1 = q + 0{,}06\sqrt{q} + (0{,}03)^2$$

(en élevant au carré)

$$0{,}06\sqrt{q} = 1 - (0{,}03)^2$$

$$\sqrt{q} = 16{,}651\ldots$$

$$q = 277{,}278\ldots$$

D'où $q \approx 277$ unités.

ii) $C_m(q) = 0{,}03$ \$

En posant $C_m(q) = 0{,}03$,

$$\frac{1}{2\sqrt{q}} = 0{,}03$$

$$\sqrt{q} = \frac{1}{2(0{,}03)}$$

$$q = 277{,}\overline{7}$$

D'où $q \approx 278$ unités.

Les économistes s'intéressent également à l'augmentation des revenus totaux causée par la vente d'une unité supplémentaire.

Définition 5.5

À un niveau de production q, le **revenu marginal,** noté $R_{mar}(q)$, est défini par

$$R_{mar}(q) = R(q+1) - R(q),$$

où $R(q)$ correspond aux revenus totaux engendrés par la vente de q unités.

Autrement dit, le revenu marginal correspond à l'augmentation des revenus totaux causée par la vente d'une unité supplémentaire.

Définition 5.6

Le **revenu marginal instantané,** noté $R_m(q)$, est défini par

$$R_m(q) = \lim_{\Delta q \to 0} \frac{R(q + \Delta q) - R(q)}{\Delta q}.$$

Autrement dit, la fonction donnant le revenu marginal instantané est égale à la dérivée de la fonction donnant les revenus totaux.

$$R_m(q) = R'(q)$$

Les économistes utilisent le revenu marginal instantané pour approximer le revenu marginal.

Nous avons donc $R_m(q) \approx R_{mar}(q)$.

Exemple 3 Soit une compagnie dont les revenus en fonction de la quantité sont donnés par $R(q) = \dfrac{2q^3 + 50q^2}{q^2 + 1}$, où q désigne le nombre d'unités vendues, $q \in [0, 100]$ et $R(q)$ désigne les revenus totaux en dollars.

a) Déterminons la fonction R_m donnant le revenu marginal instantané en fonction de la quantité q.

$$\begin{aligned} R_m(q) &= R'(q) \qquad \text{(définition 5.6)} \\ &= \frac{(6q^2 + 100q)(q^2 + 1) - (2q^3 + 50q^2)\,2q}{(q^2 + 1)^2} \\ &= \frac{2q^4 + 6q^2 + 100q}{(q^2 + 1)^2}, \text{ exprimée en \$} \end{aligned}$$

5

b) Évaluons le revenu marginal et le revenu marginal instantané pour les valeurs de q suivantes.

i) $q = 10$

Revenu marginal

$$\begin{aligned} R_{mar}(10) &= R(11) - R(10) \qquad \text{(définition 5.5)} \\ &= 71{,}409\ldots - 69{,}306\ldots \\ &= 2{,}102\ldots \end{aligned}$$

D'où $R_{mar}(10) \approx 2{,}10$ \$.

Revenu marginal instantané

$R_m(10) = R'(10) = 2{,}117\ldots$

D'où $R_m(10) \approx 2{,}12$ \$.

ii) $q = 50$

$$\begin{aligned} R_{mar}(50) &= R(51) - R(50) \\ &= 151{,}941\,5\ldots - 149{,}940\,0\ldots \\ &= 2{,}001\,5\ldots \end{aligned}$$

D'où $R_{mar}(50) \approx 2{,}00$ \$.

$R_m(50) = R'(50) = 2{,}001\,5\ldots$

D'où $R_m(50) \approx 2{,}00$ \$.

Définition 5.7

À un niveau de production q, le **profit,** noté $P(q)$, est défini par

$$P(q) = R(q) - C(q),$$

où $R(q)$ correspond aux revenus totaux de q unités et $C(q)$ correspond aux coûts totaux de q unités.

Les économistes cherchent le niveau de production q qui assurera un profit maximal. Pour ce faire, ils ont démontré que, pour obtenir un profit maximal, le revenu marginal instantané doit être égal au coût marginal instantané.

Ainsi, le profit peut être maximal lorsque :

$$R_m(q) = C_m(q), \text{ c'est-à-dire}$$
$$R'(q) = C'(q).$$

Puisque $P(q) = R(q) - C(q)$

$P'(q) = R'(q) - C'(q)$ (en dérivant les deux membres de l'équation)

$P'(q) = 0$ (dans le cas où $R'(q) = C'(q)$)

Anisi, le profit peut être maximal lorsque :

$$P'(q) = 0.$$

En conclusion, la résolution de l'équation $R'(q) = C'(q)$ ou de l'équation $P'(q) = 0$ fournit une valeur de q qui peut correspondre au seuil de production assurant un profit maximal.

5

Exemple 4 Soit $R(q)$ et $C(q)$, définis par les fonctions suivantes : $R(q) = 64\sqrt{q}$ et $C(q) = q^2 + 50$, où q désigne le nombre d'unités produites en milliers, $q \in [0, 15]$, $R(q)$ désigne les revenus en milliers de dollars et $C(q)$, les coûts en milliers de dollars.

a) Déterminons la fonction qui donne le profit en fonction de la quantité q.

$P(q) = R(q) - C(q)$ (définition 5.7)

D'où $P(q) = 64\sqrt{q} - (q^2 + 50)$

$= -q^2 + 64\sqrt{q} - 50$, exprimé en milliers de dollars.

b) Évaluons le profit ou la perte lorsque $q = 0{,}5$, $q = 4$ et $q = 14$.

$P(0{,}5) = -(0{,}5)^2 + 64\sqrt{0{,}5} - 50 = -4{,}995\,1\ldots$,
c'est-à-dire une perte d'environ 4 995 $.

$P(4) = -4^2 + 64\sqrt{4} - 50 = 62$, c'est-à-dire un profit de 62 000 $.

$P(14) = -14^2 + 64\sqrt{14} - 50 = -6{,}533\,9\ldots$,
c'est-à-dire une perte d'environ 6 534 $.

c) Déterminons d'abord une valeur de q qui peut maximiser le profit et représentons graphiquement les courbes correspondantes.

Pour déterminer q, il faut résoudre $R'(q) = C'(q)$ ou $P'(q) = 0$.

$R'(q) = C'(q)$	$P'(q) = 0$
$(64\sqrt{q})' = (q^2 + 50)'$	$(-q^2 + 64\sqrt{q} - 50)' = 0$
$\dfrac{32}{\sqrt{q}} = 2q$	$-2q + \dfrac{32}{\sqrt{q}} = 0$
$q = (16)^{\frac{2}{3}}$	$q = (16)^{\frac{2}{3}}$
$q \approx 6{,}349\,6\ldots$	$q \approx 6{,}349\,6\ldots$

Vérifions graphiquement si la valeur de q trouvée correspond au seuil de production assurant un profit maximal.

OUTIL TECHNOLOGIQUE

```
> R:=q→64*q^(1/2);C:=q→q^2+50;p:=q→R(q)−C(q);
```

$$R := q \rightarrow 64\sqrt{q}$$
$$C := q \rightarrow q^2 + 50$$
$$P := q \rightarrow R(q) - C(q)$$

```
> with(plots):
> with(student):
```

Graphique de $R(q)$ et de $C(q)$

```
> c1:=plot(R(q),q=0..15,color=red):
> c2:=plot(C(q),q=0..15,color=blue):
> c3:=plot([6.349604208,y,y=0..R(6.349604208)],linestyle=4,color=black):
> c4:=showtangent(R(q),q=6.349604208,q=1..12,color=green):
> c5:=showtangent(C(q),q=6.349604208,q=1..12,color=green):
> display(c1,c2,c3,c4,c5);
```

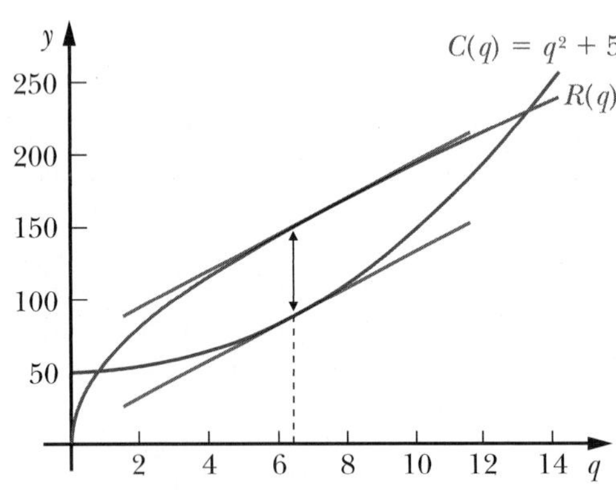

Le graphique montre que la valeur $R(q) - C(q)$ est maximale pour la valeur de q trouvée précédemment, c'est-à-dire $q = 6{,}349\ 6\ldots$

Graphique de $P(q)$

```
> d1:=plot(P(q),q=0..15,color=maroon):
> d2:=plot([6.349604208,y,y=0..P(6.349604208)],linestyle=4,color=black):
> d3:=showtangent(P(q),q=6.349604208,q=3..10,color=green):
> display(d1,d2,d3);
```

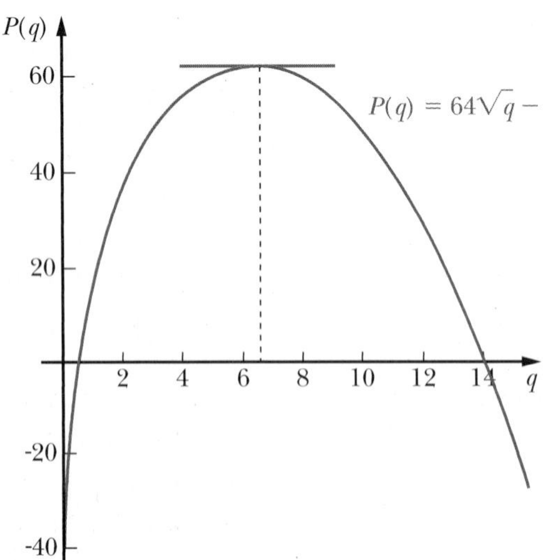

Le graphique montre que le maximum de P est atteint pour la valeur de q trouvée précédemment, c'est-à-dire $q = 6{,}349\ 6\ldots$

D'où le profit est maximal lorsque $q = 6{,}349\ 6\ldots$ unités.

d) Évaluons le profit maximal.

$P(6{,}349\ 6\ldots) = 70{,}952\ 4\ldots,$

c'est-à-dire un profit maximal d'environ 70 952 $.

En représentant les 3 courbes sur un même système d'axes, nous avons :

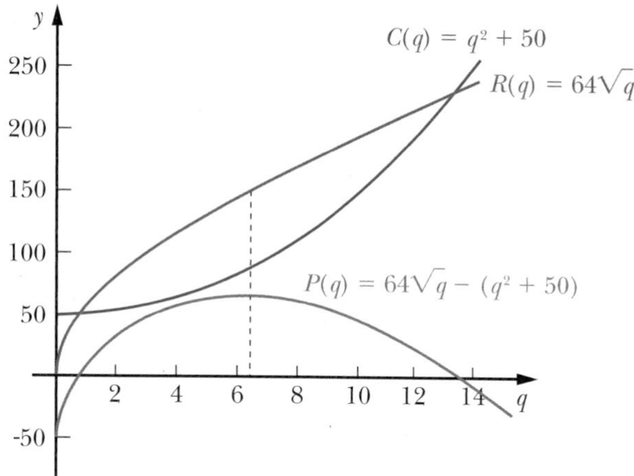

Remarque Dans l'exemple précédent, si nous changeons la valeur des coûts fixes 50 par 75, le profit maximal est atteint à la même valeur de q, c'est-à-dire $q = 6{,}349\ 6\ldots$ unités.

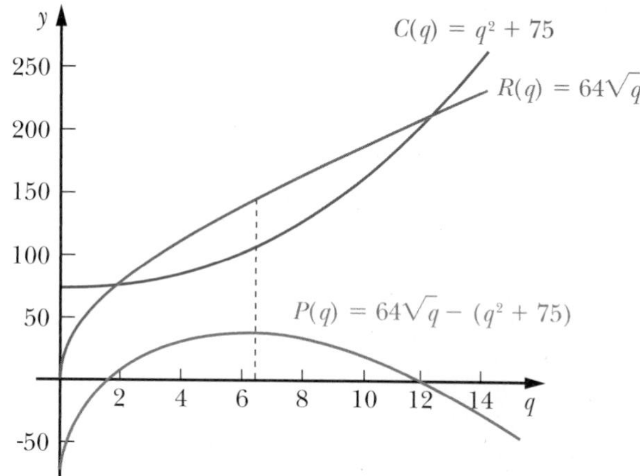

Ainsi, le profit maximal $P(6{,}349\ 6\ldots) = 45{,}952\ 4\ldots$, c'est-à-dire un profit maximal d'environ 45 952 $.

Exercices 5.1

1. Une balle est lancée verticalement vers le haut. Sa position par rapport au sol à l'instant t est donnée par $x(t) = -4{,}9t^2 + 39{,}2t + 44{,}1$, où $t \in [0 \text{ s}, b \text{ s}]$, b étant le temps où la balle touche le sol et $x(t)$ étant en mètres.

a) Calculer la vitesse moyenne de cette balle sur [1 s, 6 s] et sur [4 s, 6 s].

b) Déterminer les fonctions donnant la vitesse instantanée et l'accélération instantanée de la balle.

c) Calculer la vitesse initiale de la balle.

d) Calculer la hauteur, la vitesse et l'accélération de la balle après deux secondes ; après sept secondes.

e) Calculer l'accélération moyenne sur [2 s, 5 s].

f) Calculer l'accélération moyenne sur $[t_1, t_2]$, où t_1 et $t_2 \in [0, b]$.

g) À quelle valeur de t la balle atteindra-t-elle sa hauteur maximale ? Déterminer cette hauteur.

h) Calculer la hauteur de laquelle la balle est lancée et le temps nécessaire pour qu'elle revienne à cette même hauteur.

i) Calculer le temps que prend la balle pour toucher le sol et déterminer la vitesse de la balle à cet instant.

O/T j) Représenter graphiquement les courbes des fonctions x, v et a.

2. Supposons qu'au moment où un conducteur de train commence à freiner, la position x du train en fonction du temps est donnée par $x(t) = \dfrac{-648\,000}{(t + 120)} - 20t + 5\,400$, où $t \in$ [0 s, b s], b étant le temps nécessaire pour que le train s'immobilise et $x(t)$ étant en mètres.

Dominique Parent

a) Déterminer les fonctions donnant la vitesse instantanée et l'accélération instantanée de ce train.

b) Calculer la vitesse et l'accélération du train au moment précis où le conducteur commence à freiner.

c) Calculer le temps que prend le train pour s'immobiliser.

d) Calculer la distance parcourue entre le moment où le conducteur commence à freiner et l'instant précis où le train s'immobilise.

e) Calculer la vitesse du train lorsqu'il a parcouru la moitié de la distance nécessaire pour s'immobiliser.

O/T f) Représenter graphiquement les courbes des fonctions x, v et a.

g) Utiliser les graphiques précédents pour déterminer approximativement la position et l'accélération du train lorsque sa vitesse est de 10 m/s.

3. Soit un objet dont la masse est de 3 kg et dont la position en fonction du temps est donnée par $x(t) = \dfrac{t^3}{300} + \dfrac{t^2}{200}$, où t est en secondes et $x(t)$, en mètres.

a) Déterminer la fonction donnant la vitesse instantanée en fonction du temps t.

b) Déterminer la fonction donnant l'accélération instantanée en fonction du temps t.

c) Déterminer la fonction F donnant la force en fonction du temps t.

d) Calculer la force initiale.

e) Après combien de temps la force sera-t-elle de 0,4 N ?

4. Le phosphore et le chlore réagissent pour former du trichlorure de phosphore ($P_4 + 6\,Cl_2 \rightarrow 4\,PCl_3$).

La quantité Q de trichlorure de phosphore est donnée par

$Q(t) = 100 - \dfrac{30\,000 + \sqrt{t^3}}{300 + 25t}$, où t est en secondes, $t \in [0, 80]$ et Q est en mg.

a) Déterminer la fonction T donnant le taux de variation instantané de la quantité de trichlorure de phosphore en fonction du temps.

b) Déterminer la quantité initiale de trichlorure de phosphore, ainsi que la quantité après 25 s.

c) Déterminer le taux de variation instantané de la quantité de trichlorure de phosphore après 25 s et après 50 s.

O T d) Représenter graphiquement la courbe de Q, la tangente à la courbe à $t = 25$ s et à $t = 50$ s.

e) Représenter graphiquement la courbe de T ; interpréter le résultat.

5. Soit un cube dont la longueur de l'arête est x, où x est en centimètres.

a) Déterminer la fonction T donnant le taux de variation instantané du volume V du cube en fonction de la longueur x de l'arête.

b) Évaluer les fonctions V et T pour $x = 10$ cm.

c) Évaluer V lorsque $T(x) = 4\,800$ cm³/cm.

d) Évaluer T lorsque $V(x) = 2\,197$ cm³.

6. Soit un cône dont le volume en fonction de son rayon r et de sa hauteur h est donné par $V(r, h) = \dfrac{\pi r^2 h}{3}$, où r et h sont en centimètres et $V(r, h)$, en centimètres cubes.

a) Déterminer la fonction $T_r(r, h)$ donnant le taux de variation instantané du volume du cône par rapport au rayon r lorsque h est constant.

b) Calculer ce taux lorsque
i) $r = 2$ cm et $h = 3$ cm ;
ii) $r = 5$ cm et $h = 3$ cm ;
iii) $r = 6$ cm et $h = 3$ cm.

c) Déterminer la fonction $T_h(r, h)$ donnant le taux de variation instantané du volume du cône par rapport à la hauteur h lorsque r est constant.

d) Calculer ce taux lorsque
i) $r = 6$ cm et $h = 2$ cm ;
ii) $r = 6$ cm et $h = 3$ cm ;
iii) $r = 6$ cm et $h = 6$ cm.

e) Déterminer quelle relation doit exister entre r et h pour que les taux de variation instantanés $T_r(r, h)$ et $T_h(r, h)$ soient égaux.

7. Soit une compagnie dont les revenus totaux en dollars et les coûts totaux en dollars sont donnés respectivement par $R(q) = -q^2 + 200q$ et $C(q) = 3q^2 + 1\,000$, où q désigne le nombre d'unités produites et $t \in [0, 50]$.

a) Déterminer la fonction C_m donnant le coût marginal instantané en fonction de la quantité q.

b) Évaluer le coût marginal et le coût marginal instantané lorsque
i) $q = 15$; ii) $q = 25$.

c) Déterminer la fonction R_m donnant le revenu marginal instantané en fonction de la quantité q.

d) Évaluer le revenu marginal et le revenu marginal instantané lorsque
i) $q = 25$; ii) $q = 47$.

e) Déterminer la fonction P qui donne le profit en fonction de la quantité q.

f) Représenter graphiquement les fonctions R, C et P dans un même système d'axes.

g) Déterminer la valeur de q qui maximise le profit et évaluer le profit maximal.

8. On prétend que, dans les 10 prochaines années, le nombre de satellites artificiels en orbite autour de la Terre sera donné par $N(t) = 10(t^2 + 7t + 1\,600)$, où t désigne le nombre d'années à compter d'aujourd'hui.

Cristi Matei/Shutterstock

a) Calculer le nombre de satellites actuellement en orbite autour de la Terre.

b) Calculer le taux de variation moyen du nombre de satellites entre la fin de la deuxième année et la fin de la sixième année.

c) Calculer le taux de variation instantané dans quatre ans.

d) Dans combien d'années le taux de variation instantané sera-t-il exactement de 170 satellites par année et quel sera le nombre de satellites à cet instant ?

9.  Soit une ville dont la population varie en fonction du nombre d'emplois créés par les entreprises. Cette population est donnée approximativement par

$N(x) = \dfrac{40x^2 + 44}{x + 2}$, où x désigne le nombre d'emplois et $N(x)$, le nombre d'habitants.

a) Déterminer la fonction T donnant le taux de variation instantané de la population en fonction du nombre d'emplois x.

b) Évaluer les fonctions N et T lorsque $x = 60$.

c) Évaluer $T(x)$ lorsque le nombre d'habitants de cette ville est 3 922.

10.  La valeur estimée E d'un bateau en fonction du temps est donnée par $E(t) = 50t^2 - 2\,500t + 31\,250$, où t est en années, $t \in [0, b]$, $E(t)$ est en dollars et $E(b) = 0$.

a) Déterminer la valeur initiale du bateau et déterminer après combien d'années ce bateau aura une valeur estimée de 0 $.

b) Après combien d'années ce bateau vaudra-t-il la moitié de sa valeur initiale?

c) Calculer $\text{TVM}_{[2 \text{ ans},\, 5 \text{ ans}]}$.

d) Déterminer la fonction T donnant le taux de variation instantané de la valeur estimée du bateau.

e) Quel sera le taux de variation instantané dans 10 ans?

f) À quel moment le taux de variation instantané sera-t-il de -1 800 $/année? Déterminer la valeur de E à ce moment.

Dominique Parent

5

5.2 Taux de variation liés

Objectif d'apprentissage

À la fin de cette section, l'élève pourra utiliser la règle de dérivation en chaîne (théorème 4.11) pour résoudre des problèmes de taux de variation liés.

Plus précisément, l'élève sera en mesure:

- de reconnaître des problèmes de taux de variation liés;
- de résoudre des problèmes de taux de variation liés, en utilisant la règle de dérivation en chaîne.

$$\frac{dV}{dt} = \frac{dV}{dh}\frac{dh}{dt}$$

Il y a environ 300 ans...

Les problèmes impliquant une fonction d'une variable qui elle-même dépend du temps sont légion en mécanique. L'un des problèmes les plus célèbres est celui de la brachistochrone. Il s'agit de trouver une courbe présentant un temps de parcours minimal entre deux points. En 1696, Johann Bernoulli (1667-1748) défie les autres mathématiciens de trouver l'équation de cette courbe. Newton a reçu la lettre de Bernoulli le 29 janvier 1697 vers 16 h. Le lendemain matin, vers 4 h, il avait résolu le problème.

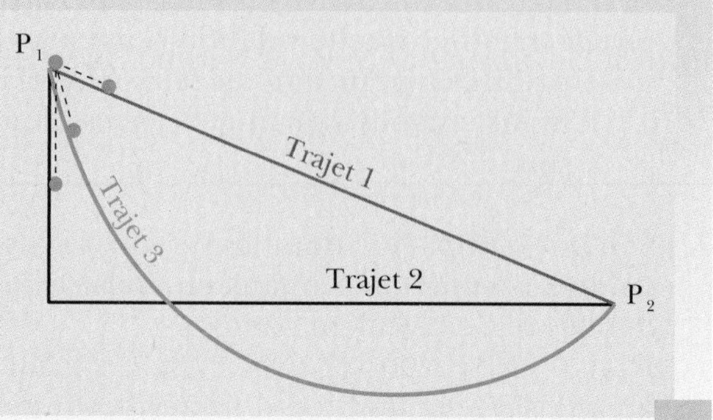

Lorsque nous avons une fonction, par exemple $z = f(x)$, il arrive fréquemment que la variable x soit elle-même fonction d'une autre variable, par exemple $x = g(t)$. Dans ce cas, z est également fonction de t.

Pour déterminer le taux de variation instantané de z par rapport à t, c'est-à-dire $\frac{dz}{dt}$, il suffit d'utiliser la règle de dérivation en chaîne.

$$\frac{dz}{dt} = \frac{dz}{dx}\frac{dx}{dt}$$

Ce genre de problème s'appelle problème de taux de variation liés.

Exemple 1 À l'aide d'un compresseur, nous gonflons un ballon sphérique, dont le volume en fonction du rayon est donné par $V(r) = \frac{4}{3}\pi r^3$.

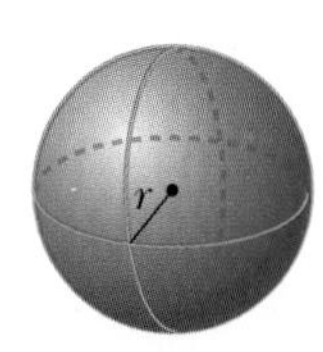

Dominique Parent

Sachant que le rayon de ce ballon en fonction du temps est donné par $r(t) = \frac{-5t^2}{7} + \frac{60t}{7}$, où r est en centimètres, t, en minutes et $0 \text{ min} \leq t \leq 6 \text{ min}$:

a) déterminons la fonction donnant le taux de variation du volume par rapport au temps, soit $\frac{dV}{dt}$;

puisque V est une fonction de r et que r est une fonction de t, nous avons

$$\frac{dV}{dt} = \frac{dV}{dr}\frac{dr}{dt} \qquad \text{(règle de dérivation en chaîne)}$$

$$= \frac{d}{dr}\left(\frac{4}{3}\pi r^3\right)\frac{d}{dt}\left(\frac{-5t^2}{7} + \frac{60t}{7}\right)$$

D'où $\frac{dV}{dt} = (4\pi r^2)\left(\frac{-10t}{7} + \frac{60}{7}\right)$, exprimé en cm^3/min.

b) évaluons $\frac{dV}{dt}$ lorsque $t = 1$ min;

il faut d'abord évaluer le rayon lorsque $t = 1$ min, c'est-à-dire

$$r(1) = \frac{-5}{7}(1)^2 + \frac{60}{7}(1) = \frac{55}{7} \text{ cm.}$$

$$\left.\frac{dV}{dt}\right|_{t = 1 \text{ min}} = \left(4\pi\left(\frac{55}{7}\right)^2\right)\left(\frac{-10(1)}{7} + \frac{60}{7}\right) = \frac{605\,000\pi}{343}.$$

D'où $\left.\frac{dV}{dt}\right|_{t = 1 \text{ min}} \approx 5\,541{,}29$ cm^3/min.

c) évaluons $\frac{dV}{dt}$ lorsque $r = 25$ cm;

il faut d'abord évaluer le temps t lorsque $r = 25$ cm.

En posant $\quad r(t) = 25$

$$\frac{-5t^2}{7} + \frac{60t}{7} = 25$$

$$-5t^2 + 60t - 175 = 0,$$

nous trouvons $t = 7$ (à rejeter car $7 \notin [0 \text{ min}, 6 \text{ min}]$) et $t = 5$.
Donc $t = 5$ min.

$$\left.\frac{dV}{dt}\right|_{r = 25 \text{ cm}} = (4\pi(25)^2)\left(\frac{-10(5)}{7} + \frac{60}{7}\right) = \frac{25\,000\pi}{7}.$$

D'où $\left.\dfrac{dV}{dt}\right|_{r = 25 \text{ cm}} = 11\,219{,}97 \text{ cm}^3/\text{min}.$

Exemple 2 Le volume d'un cube, dont la longueur de l'arête est en centimètres, s'accroît à un rythme de 300 cm³/min. Déterminons le taux de variation instantané de la longueur de l'arête par rapport au temps lorsque le volume du cube est de 512 cm³.

Soit x, la longueur de l'arête en cm et V, le volume du cube en cm³.

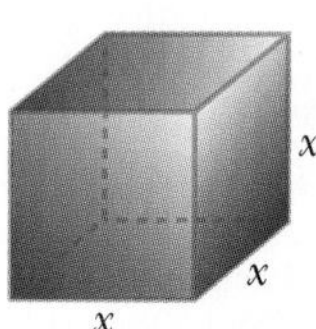

Nous avons $V(x) = x^3$ et $\dfrac{dV}{dt} = 300 \text{ cm}^3/\text{min}.$

Nous cherchons $\dfrac{dx}{dt}$ lorsque $V = 512$ cm³.

Puisque $\dfrac{dV}{dt} = \dfrac{dV}{dx}\,\dfrac{dx}{dt}$ (règle de dérivation en chaîne)

taux connu	dérivée à calculer	taux cherché
$\dfrac{dV}{dt}$	$\dfrac{dV}{dx}$	$\dfrac{dx}{dt}$
300	$\dfrac{d}{dx}(x^3)$	$\dfrac{dx}{dt}$

$300 = \dfrac{d}{dx}(x^3)\,\dfrac{dx}{dt}$ (car $V = x^3$)

Ainsi, $$300 = 3x^2\frac{dx}{dt}.$$

Donc, $$\frac{dx}{dt} = \frac{100}{x^2}.$$

Pour calculer $\left.\dfrac{dx}{dt}\right|_{V = 512 \text{ cm}^3}$, il faut connaître x.

En posant $x^3 = 512$, nous trouvons $x = \sqrt[3]{512} = 8$.

Ainsi, $\left.\dfrac{dx}{dt}\right|_{V = 512 \text{ cm}^3} = \left.\dfrac{dx}{dt}\right|_{x = 8 \text{ cm}} = \dfrac{100}{64}.$

D'où $\left.\dfrac{dx}{dt}\right|_{V = 512 \text{ cm}^3} = \dfrac{25}{16}$ cm/min.

Voici un résumé des étapes à suivre pour résoudre des problèmes de taux de variation liés.

1) Identifier les variables et représenter, si c'est possible, la situation à l'aide d'un schéma.
2) Déterminer le taux de variation instantané connu et le taux de variation instantané cherché.
3) Trouver une équation reliant les variables.
4) Calculer la dérivée des deux membres de l'équation par rapport à une même variable, en utilisant la règle de dérivation en chaîne.
5) Isoler le taux de variation instantané cherché et évaluer ce taux en remplaçant les variables par les valeurs appropriées.

Exemple 3 Chantal est sur le quai d'une gare, au point C, à 30 m du point A d'une voie ferrée. Un train T s'éloigne de A à une vitesse de 35 km/h. Évaluons le taux de variation instantané de la distance séparant Chantal du train, lorsque le train est à 50 m de celle-ci.

Soit x, la distance en km de A à T et z, la distance en km de C à T.

T x A

z 0,03 km

C

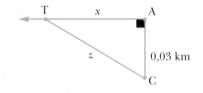

Dominique Parent

Puisque la vitesse du train est de 35 km/h,

$$\frac{dx}{dt} = 35 \text{ km/h}.$$

Nous cherchons $\frac{dz}{dt}$ lorsque $z = 0{,}05$ km.

Par Pythagore, nous avons $x^2 + 0{,}03^2 = z^2$.

Dérivons les deux membres de l'équation précédente par rapport à t:

$$\frac{d}{dt}(x^2 + 0{,}000\,9) = \frac{d}{dt}(z^2)$$

$$\frac{d}{dx}(x^2 + 0{,}000\,9)\frac{dx}{dt} = \frac{d(z^2)}{dz}\frac{dz}{dt} \quad \text{(règle de dérivation en chaîne)}$$

$$2x\frac{dx}{dt} = 2z\frac{dz}{dt}$$

Ainsi, $$\frac{dz}{dt} = \frac{x}{z}\frac{dx}{dt} \quad \left(\text{en isolant } \frac{dz}{dt}\right)$$

Donc, $$\frac{dz}{dt} = \frac{x}{z}(35) \quad \left(\text{car } \frac{dx}{dt} = 35\right).$$

Pour calculer $\left.\frac{dz}{dt}\right|_{z = 0{,}05 \text{ km}}$, il faut connaître x.

En posant $x^2 + 0{,}03^2 = 0{,}05^2$ (car $x^2 + 0{,}03^2 = z^2$),

nous trouvons $x = 0{,}04$ ($x = -0{,}04$, à rejeter).

D'où $\left.\frac{dz}{dt}\right|_{z = 0{,}05 \text{ km}} = \frac{0{,}04}{0{,}05}(35) = 28$ km/h. (car $x = 0{,}04$ et $y = 0{,}05$)

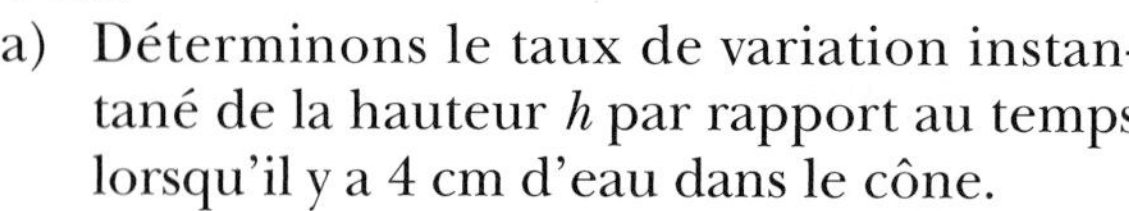

Exemple 4 Au rythme de 15 cm³/s, on remplit d'eau un filtre à café en forme de cône. Le cône a un rayon de 6 cm et une hauteur de 8 cm.

Dominique Parent

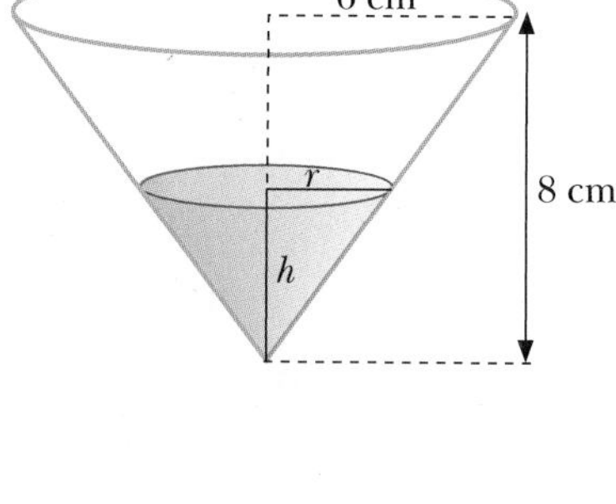

a) Déterminons le taux de variation instantané de la hauteur h par rapport au temps lorsqu'il y a 4 cm d'eau dans le cône.

Soit h, la hauteur de l'eau dans le cône, et r, le rayon de la surface de l'eau dans le cône.

Puisque le cône se remplit au rythme de 15 cm³/s, nous avons $\dfrac{dV}{dt} = 15$ cm³/s.

Nous cherchons $\dfrac{dh}{dt}$ lorsque $h = 4$ cm.

De plus, $V(r, h) = \dfrac{1}{3}\pi r^2 h$.

Exprimons d'abord le volume en fonction de h.

Puisque les triangles ABE et ACD sont semblables,

$$\frac{r}{h} = \frac{6}{8}.$$

Donc, $r = \dfrac{3}{4}h$.

Ainsi, $V(h) = \dfrac{1}{3}\pi\left(\dfrac{3}{4}h\right)^2 h = \dfrac{3\pi h^3}{16}$.

Calculons la dérivée de V par rapport à t.

$$\frac{dV}{dt} = \frac{dV}{dh}\frac{dh}{dt} \qquad \text{(règle de dérivation en chaîne)}$$

$$15 = \frac{d}{dh}\left(\frac{3\pi h^3}{16}\right)\frac{dh}{dt} \qquad \left(\text{car } \frac{dV}{dt} = 15 \text{ et } V = \frac{3\pi h^3}{16}\right)$$

$$15 = \frac{9\pi h^2}{16}\frac{dh}{dt}$$

Donc, $\dfrac{dh}{dt} = \dfrac{80}{3\pi h^2}$.

D'où $\left.\dfrac{dh}{dt}\right|_{h = 4\text{ cm}} = \dfrac{80}{3\pi(4)^2} \approx 0{,}53$ cm/s.

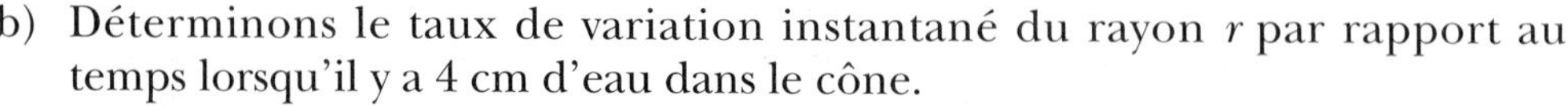

b) Déterminons le taux de variation instantané du rayon r par rapport au temps lorsqu'il y a 4 cm d'eau dans le cône.

Nous cherchons $\dfrac{dr}{dt}$ lorsque $h = 4$ cm.

Exprimons le volume en fonction de r.

$$\frac{h}{r} = \frac{8}{6} \qquad \text{(triangles semblables)}$$

Donc, $h = \dfrac{4}{3}r$.

5

Ainsi, $V(r) = \frac{1}{3}\pi r^2\left(\frac{4}{3}r\right) = \frac{4\pi r^3}{9}$.

Calculons la dérivée de V par rapport à t.

$$\frac{dV}{dt} = \frac{dV}{dr}\frac{dr}{dt} \qquad \text{(règle de dérivation en chaîne)}$$

$$15 = \frac{d}{dr}\left(\frac{4\pi r^3}{9}\right)\frac{dr}{dt} \qquad \left(\text{car } \frac{dV}{dt} = 15 \text{ et } V = \frac{4\pi r^3}{9}\right)$$

$$15 = \frac{4\pi r^2}{3}\frac{dr}{dt}$$

Donc, $\frac{dr}{dt} = \frac{45}{4\pi r^2}$.

Lorsque $h = 4$ cm, nous avons $r = 3$ cm $\left(\text{car } r = \frac{3h}{4}\right)$.

Donc, $\left.\frac{dr}{dt}\right|_{h = 4\text{ cm}} = \left.\frac{dr}{dt}\right|_{r = 3\text{ cm}} = \frac{45}{4\pi(3)^2} = \frac{5}{4\pi}$.

D'où $\left.\frac{dr}{dt}\right|_{h = 4\text{ cm}} \approx 0{,}40$ cm/s.

Exercices 5.2

1. Soit une sphère dont le rayon s'accroît à un rythme de 2 cm/s.

a) Déterminer la fonction donnant le taux de variation du volume par rapport au temps.

b) Évaluer le taux de variation du volume par rapport au temps lorsque $r = 5$ cm.

c) Évaluer le taux de variation du volume par rapport au temps lorsque $V = 2\ 304\pi$ cm^3.

2. Après l'usage d'un médicament, le volume d'une tumeur sphérique diminue à un rythme de 4 cm^3/mois. Déterminer le taux de variation instantané du rayon de la tumeur par rapport au temps lorsque le rayon est de 5 cm.

3. Soit un cercle dont le rayon r varie en fonction du temps suivant l'équation $r(t) = -t^2 + 6t + 1$, où r est en centimètres, t est en secondes et $t \in [0 \text{ s}, 6 \text{ s}]$.

a) Déterminer la fonction donnant le taux de variation instantané de l'aire par rapport au temps.

b) Évaluer le taux de variation instantané de l'aire par rapport au temps lorsque $t = 2$ s; $t = 5$ s.

c) Évaluer le taux de variation instantané de l'aire par rapport au temps lorsque $r = 7{,}75$ cm.

d) Déterminer l'aire du cercle lorsque le taux de variation instantané de l'aire en fonction du temps est nul.

4. Une échelle de 5 m est appuyée contre un mur vertical.

Dominique Parent

Si le pied de l'échelle s'éloigne du bas du mur à une vitesse de 1,5 m/s, déterminer:

a) la vitesse à laquelle se déplace le haut de l'échelle le long du mur à l'instant où le pied de l'échelle est à 2 m du bas du mur;

b) la vitesse à laquelle se déplace le haut de l'échelle le long du mur lorsque le haut de l'échelle est appuyé à une distance de 3 m du sol.

5. Le réservoir conique ci-contre rempli d'un liquide se vide à une vitesse de 6 000 cm³/s.

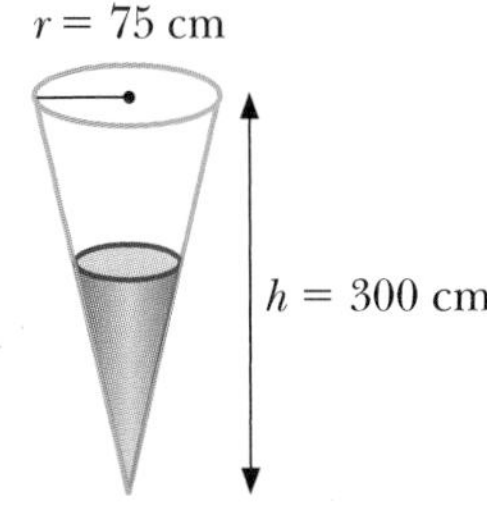

a) À quelle vitesse le rayon de la surface liquide diminue-t-il lorsque la hauteur est de 150 cm ?

b) À quelle vitesse la hauteur du liquide diminue-t-elle lorsque la hauteur est de 150 cm ?

c) Si ce réservoir conique se vide dans un réservoir cylindrique de 50 cm de rayon, à quelle vitesse la hauteur du liquide dans le cylindre augmente-t-elle ?

6. Soit un cube dont le volume V en fonction du temps t est donné par $V(t) = 5\sqrt{t} + 34$, où t est en secondes et V, en centimètres cubes.

a) Déterminer le taux de variation instantané de l'arête par rapport au temps lorsque $t = 36$ s.

b) Déterminer le taux de variation instantané de l'aire totale des faces par rapport au temps lorsque $t = 36$ s.

7. Soit un mobile qui se déplace selon une trajectoire elliptique définie par $\frac{x^2}{25} + \frac{y^2}{9} = 1$, où $y \geq 0$, telle que le taux de variation instantané de x est égal à 2 cm/s lorsque $x \in$]-5 cm, 5 cm[.

a) Déterminer la fonction donnant le taux de variation instantané de y par rapport au temps.

b) Évaluer le taux de variation instantané de y par rapport au temps lorsque $x = -3$; $x = 0$; $x = 4$.

8. Une femme dont la taille est de 1,8 m s'éloigne à une vitesse de 2,2 m/s d'un réverbère qui se dresse à 9 m du sol.

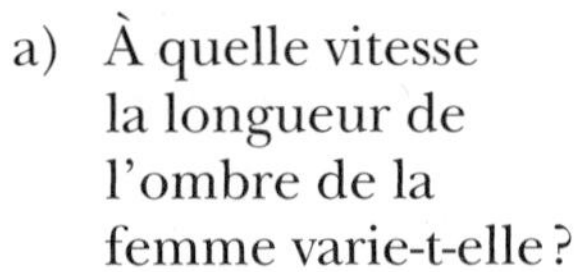

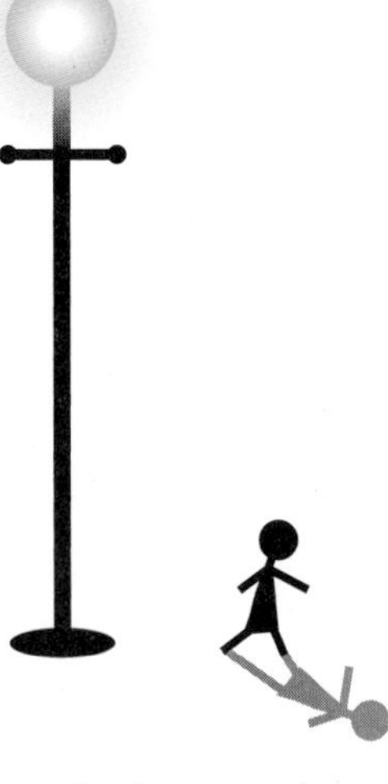

a) À quelle vitesse la longueur de l'ombre de la femme varie-t-elle ?

b) À quelle vitesse l'extrémité de son ombre se déplace-t-elle ?

9. Une personne pousse une boîte sur la rampe ci-dessous à une vitesse constante de 2 m/s.

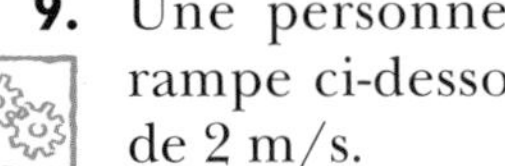

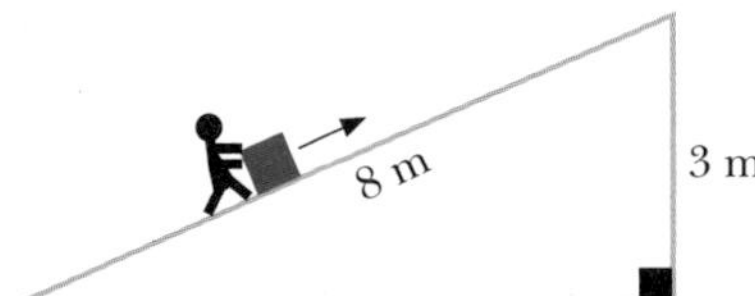

a) Calculer la vitesse verticale de la boîte.

b) Calculer la vitesse horizontale de la boîte.

10. Le prix P de fruits saisonniers est fonction de la masse q de fruits disponibles.

Dominique Parent

Si $P(q) = 5\,000\left(8 + \frac{5}{q}\right)$, où q est en tonnes métriques et P en dollars, et que la quantité disponible de fruits diminue au rythme de 2 tm/jour :

a) déterminer la fonction donnant le taux de variation instantané du prix en fonction du temps;

b) déterminer le taux de variation instantané du prix lorsque $P = 50\,000$ \$.

Réseau de concepts

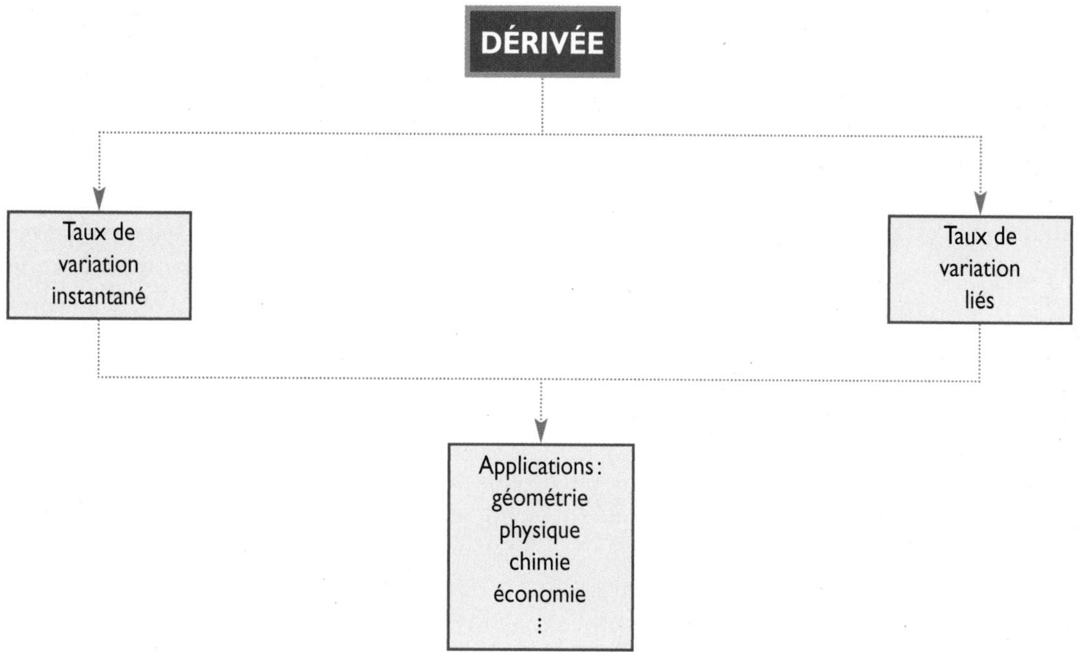

5

Liste de vérification des apprentissages

RÉPONDRE PAR **OUI** OU PAR **NON.**

	Après l'étude de ce chapitre, je suis en mesure :	OUI	NON
1.	de donner la définition de la fonction vitesse ;		
2.	de donner la définition de la fonction accélération ;		
3.	d'utiliser les fonctions « position », « vitesse » et « accélération » d'un mobile pour résoudre certains problèmes de physique ;		
4.	de résoudre des problèmes de taux de variation instantané en chimie ;		
5.	de résoudre des problèmes de taux de variation instantané en géométrie ;		
6.	de donner la définition de coût marginal ;		
7.	de donner la définition de revenu marginal ;		
8.	de résoudre des problèmes de taux de variation instantané en économie ;		
9.	de reconnaître des problèmes de taux de variation liés ;		
10.	de résoudre des problèmes de taux de variation liés, en utilisant la règle de dérivation en chaîne.		

Si vous avez répondu **NON** à l'une de ces questions, il serait préférable pour vous d'étudier de nouveau cette notion.

Exercices récapitulatifs

biologie chimie administration physique

1. Soit un objet qu'on laisse tomber d'une montgolfière en ascension.

Dominique Parent

La position x de cet objet par rapport au sol est donnée par $x(t) = -4{,}9t^2 + 4{,}9t + 1\ 225$, où t est en secondes et $x(t)$, en mètres.

a) Déterminer la hauteur de la montgolfière au moment précis où on laisse tomber l'objet.

b) Déterminer les fonctions donnant la vitesse instantanée et l'accélération instantanée de l'objet.

c) Déterminer la vitesse initiale de l'objet, sa vitesse après 2 secondes et son accélération après 4,5 secondes.

d) Déterminer la hauteur maximale qu'atteindra l'objet.

e) Déterminer la vitesse de l'objet au moment où celui-ci touche le sol.

2. Un zoologiste soutient qu'à compter d'aujourd'hui, la population d'une espèce, pour les 10 prochaines années, sera donnée par $P(t) = 3\ 600\ \dfrac{2t+1}{t+3}$, où t désigne le nombre d'années et $P(t)$, le nombre d'individus de l'espèce.

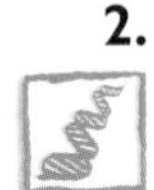

Dominique Parent

a) Déterminer l'augmentation de la population durant les trois premières années.

b) Quel sera le rythme de croissance T de cette population dans sept ans?

c) Déterminer le rythme de croissance de cette population lorsqu'elle est de 5 200 individus.

d) Déterminer la population de cette espèce lorsque le rythme de croissance est de 720 individus par année.

O/T e) Représenter graphiquement les courbes de P et celle de T.

3. Soit une compagnie dont les revenus, en dollars, sont donnés par $R(q) = -3q^2 + 640q$ et les coûts, en dollars, par $C(q) = 5q^2 + 30$, où q désigne le nombre d'unités produites et $q \in [0, 70]$.

a) Déterminer la fonction R_m donnant le revenu marginal instantané et la fonction C_m donnant le coût marginal instantané.

b) Déterminer le profit maximal de cette compagnie.

4. Soit un cylindre dont le volume en fonction de son rayon r et de sa hauteur h est donné par $V(r, h) = \pi r^2 h$, où r et h sont en centimètres et $V(r, h)$, en centimètres cubes.

Dominique Parent

a) Calculer la variation du volume d'un cylindre ayant un rayon de 5 cm et une hauteur de 7 cm, si l'on augmente seulement le rayon de 1 cm; si l'on augmente seulement la hauteur de 1 cm; si l'on augmente le rayon et la hauteur de 1 cm.

b) Répondre aux questions de a) pour un cylindre ayant un rayon de 8 cm et une hauteur de 3 cm.

c) Déterminer le taux de variation instantané $T_r(r, h)$ du volume par rapport au rayon pour une variation du rayon r, h étant constant; calculer ce taux lorsque $r = 3$ cm et $h = 5$ cm.

d) Déterminer le taux de variation instantané $T_h(r, h)$ du volume par rapport à la hauteur pour une variation de la hauteur h, r étant constant; calculer ce taux lorsque $r = 3$ cm et $h = 5$ cm.

5. La force électrique F, exprimée en newtons, peut être considérée comme une fonction de la distance x, en mètres, séparant deux particules.

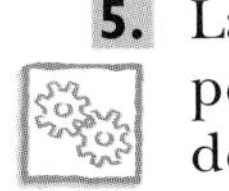

Soit $F(x) = \dfrac{k}{x^2}$, où k est une constante positive.

a) Déterminer la fonction T donnant le taux de variation instantané de la force en fonction de la distance x entre les deux particules.

b) Que signifie le signe négatif dans l'expression de la dérivée de la fonction F?

6. Soit un rectangle dont l'aire A varie en fonction de la base x, où $0 \text{ m} < x < 10$ m, et dont le périmètre est égal à 20 m.

a) Déterminer la fonction T donnant le taux de variation instantané de l'aire du rectangle par rapport à la base x.

b) Calculer $T(2)$; $T(7)$; interpréter les résultats obtenus.

c) Déterminer pour quelle valeur de x le taux de variation instantané de l'aire du rectangle est nul. Quelle figure géométrique particulière obtient-on dans ce cas?

7. Soit un cylindre dont le rayon r et la hauteur h varient en fonction du temps de la façon suivante: $r(t) = \sqrt{3t + 4}$ et $h(t) = 3t^2 + 1$, où t est en secondes et $0 \text{ s} \leq t \leq 10$ s.

a) Déterminer la fonction T_r donnant le taux de variation instantané du rayon en fonction du temps; évaluer ce taux lorsque $h = 148$ cm.

b) Déterminer la fonction T_h donnant le taux de variation instantané de la hauteur en fonction du temps; évaluer ce taux lorsque $r = 4$ cm.

c) Déterminer la fonction T_V donnant le taux de variation instantané du volume en fonction du temps; évaluer approximativement ce taux lorsque $V = 1\,081\pi$ cm^3.

8. Si le rayon d'une sphère varie en fonction du temps suivant l'équation $r(t) = \dfrac{t^2}{2}$, où t est en minutes et $r(t)$, en centimètres, déterminer:

a) la fonction T_V donnant le taux de variation instantané du volume par rapport au temps;

b) le taux de variation instantané du volume par rapport au temps lorsque le rayon est de 8 cm;

c) le taux de variation instantané du volume par rapport au temps lorsque $t = 3$ min;

d) la fonction T_A donnant le taux de variation instantané de l'aire par rapport au temps;

e) le taux de variation instantané de l'aire par rapport au temps lorsque le volume est de $\dfrac{32}{3}\pi$ cm^3.

9. Les côtés congrus d'un triangle isocèle mesurent 13 cm. Si la longueur de la base s'accroît à une vitesse de 0,5 cm/s:

a) évaluer le taux de variation instantané de la hauteur par rapport au temps lorsque la base est de 10 cm;

b) évaluer le taux de variation instantané de l'aire par rapport au temps lorsque la hauteur est de 5 cm;

c) évaluer le taux de variation instantané de l'aire par rapport au temps lorsque la base est de 10 cm;

d) déterminer la longueur de la base à l'instant où le taux de variation instantané de l'aire est nul.

10. Un policier-patrouilleur garé au point P, à 20 m d'une route, pointe son radar sur une automobile qui se trouve au point A.

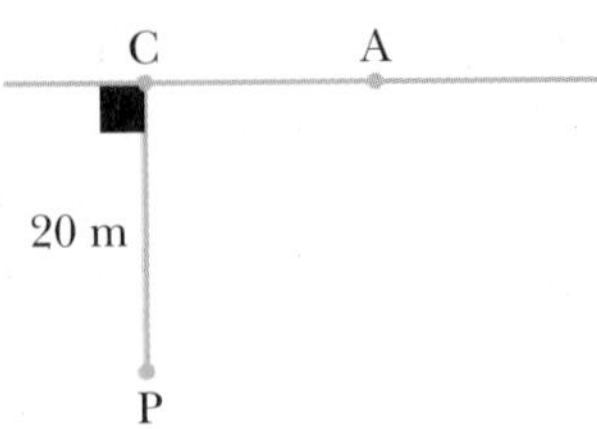

Le radar indique la vitesse de rapprochement entre l'automobile et la voiture de patrouille. La limite de vitesse permise est de 30 km/h.

Dominique Parent

a) Si le radar indique 25 km/h lorsque la distance entre C et A est de 15 mètres, une contravention est-elle justifiée? Expliquer.

b) Qu'indiquera le radar si l'automobile roule à la vitesse permise lorsque la distance entre C et A est de 40 mètres?

11. Soit un triangle équilatéral de côté x et de hauteur h tel que la hauteur du triangle en fonction du temps est donnée par

$h(t) = \dfrac{20}{t+1}$, où t est en secondes et $h(t)$, en centimètres.

a) Déterminer la fonction donnant le taux de variation instantané de l'aire par rapport à h; par rapport à x; par rapport à t.

b) Calculer $\left.\dfrac{dA}{dx}\right|_{x = 5\text{ cm}}$; $\left.\dfrac{dA}{dh}\right|_{x = 5\text{ cm}}$; $\left.\dfrac{dA}{dt}\right|_{h = 2\text{ cm}}$.

c) Déterminer la fonction donnant le taux de variation instantané du périmètre P du triangle par rapport à t.

12. On estime que la fonction déterminant la hauteur y, en mètres, entre un télésiège et le sol est donnée par $y = 1 + \dfrac{x^2}{100}$, où x représente la distance horizontale, en mètres, entre le télésiège et le point de départ et $0 \leq x \leq 50$.

a) Déterminer la vitesse verticale du télésiège si celui-ci se trouve à une distance de 25 m du point de départ, sachant que sa vitesse horizontale à cet instant est de 1,5 m/s.

Dominique Parent

b) Déterminer la vitesse horizontale du télésiège si celui-ci se trouve à une hauteur de 17 m, sachant que sa vitesse verticale à cet instant est de 1,05 m/s.

13. Un panneau rectangulaire de 120 cm sur 240 cm est appuyé contre un mur vertical. Le haut du panneau glisse vers le bas à une vitesse de 0,3 cm/s.

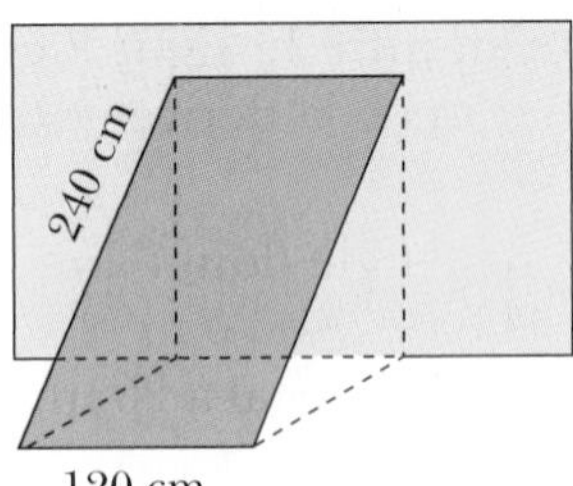

Déterminer le taux de variation instantané du volume limité par le panneau, le plancher et le mur par rapport au temps:

a) lorsque le pied du panneau est à 144 cm du mur;

b) lorsque le haut du panneau est à 144 cm du sol.

14. On tire un bateau vers un quai à l'aide d'un câble dont le point d'appui A est à 5 m au-dessus du niveau de l'eau.

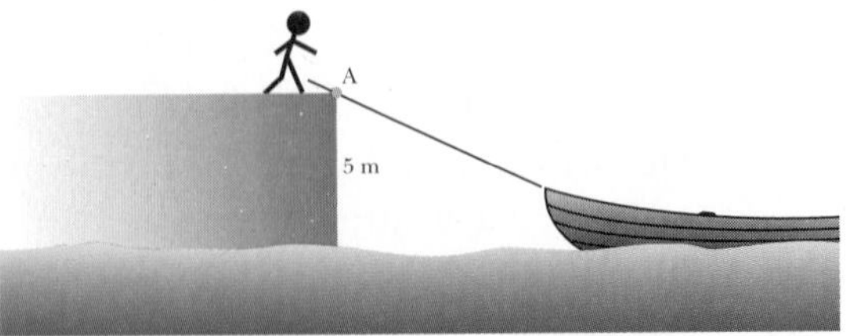

Si la longueur de la portion du câble joignant le point d'appui et le bateau diminue à une vitesse de 6 m/min, déterminer à quelle vitesse le bateau s'avance vers le quai lorsqu'il est à 12 m du quai.

15.  À partir du moment où un avion amorce son atterrissage, l'altitude A, en mètres, de celui-ci est donnée par

$A(x) = \dfrac{(6\,000 - x)^2}{12\,000}$, où x représente la distance horizontale, en mètres, parcourue par l'avion à partir du moment où s'amorce l'atterrissage. Sachant que $x(t) = 50t$, où t est en secondes et t représente le temps à partir du début de l'atterrissage :

Pierre Parent

a) déterminer l'altitude de l'avion au moment où celui-ci entreprend son atterrissage ;

b) déterminer la distance horizontale parcourue par l'avion entre le moment où il entreprend son atterrissage et le moment où il touche le sol ; déterminer également le temps requis pour parcourir cette distance ;

c) déterminer le taux de variation instantané de l'altitude de l'avion, par rapport au temps, lorsque $x = 1\,200$ m ; lorsqu'il lui reste 1 200 m à parcourir avant de toucher le sol ; lorsque $t = 12$ s ; 2 s avant de toucher le sol.

16. On vide un verre de jus à l'aide d'une paille. Le volume du liquide contenu dans le verre en fonction du temps est donné par $V(t) = -3t + 54\pi$, où t est en secondes, $V(t)$ est en centimètres cubes et $t \in [0 \text{ s}, 18\pi \text{ s}]$. Ce même volume en fonction de la hauteur est donné par

Dominique Parent

$V(h) = \dfrac{3\pi h^2}{8}$, où h est en centimètres.

a) Déterminer le volume initial de la quantité de jus ainsi que la hauteur de jus contenu dans le verre.

b) Déterminer la fonction T_V donnant le taux de variation instantané du volume par rapport au temps.

c) Déterminer la fonction T_h donnant le taux de variation instantané de la hauteur du liquide par rapport au temps.

d) Déterminer le taux de variation instantané précédent lorsque $h = 6$ cm.

e) Déterminer ce taux de variation instantané lorsque le verre contient la moitié du volume initial.

f) Déterminer ce taux de variation instantané après 50 s.

17.  Un manufacturier de calculatrices veut déterminer sa production hebdomadaire pour maximiser son profit hebdomadaire.

Dominique Parent

Il estime que, s'il fabrique q calculatrices, il pourra les vendre au prix unitaire p suivant, en dollars :

$$p(q) = 40 - \frac{q}{200}, \text{ où } q \in \{1, 2, 3, ..., 4\,000\}.$$

Il estime également que ses coûts hebdomadaires de production C, en dollars, sont donnés par $C(q) = 9q + 6\,000$.

a) Déterminer la fonction donnant le revenu hebdomadaire de ce manufacturier.

b) Déterminer les fonctions donnant les revenus marginaux instantanés et les coûts marginaux instantanés.

c) Combien le manufacturier doit-il produire de calculatrices pour avoir un revenu marginal instantané de 37 $?

5

d) Déterminer la fonction donnant le profit de ce manufacturier.

e) Déterminer le nombre de calculatrices qu'il doit produire par semaine pour avoir un profit maximal ; évaluer ce profit.

f) Représenter graphiquement les fonctions R et C sur un même système d'axes.

Problèmes de synthèse

1. Un observateur placé à 40 m d'une route regarde passer une automobile se dirigeant de A vers B à une vitesse de 90 km/h.

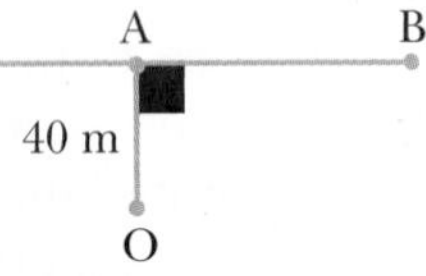

Dominique Parent

a) Déterminer à quelle vitesse s'éloigne l'automobile lorsqu'elle est à 100 m de l'observateur.

b) Déterminer à quelle vitesse s'éloigne l'automobile lorsqu'elle est à 100 m de A.

c) Déterminer à quelle distance de l'observateur doit être l'automobile lorsqu'elle s'éloigne de celui-ci à une vitesse de 80 km/h ; à une vitesse de 89 km/h.

d) Démontrer algébriquement que la vitesse d'éloignement entre l'observateur et l'automobile ne peut être supérieure ou égale à 90 km/h.

2. Soit un rectangle de 6 cm sur 8 cm. Sa largeur augmente à une vitesse de 2 cm/s et sa longueur, à une vitesse de 3 cm/s.

a) À quelle vitesse son périmètre augmente-t-il après 1 seconde ?

b) À quelle vitesse son aire augmente-t-elle après 4 secondes ?

3. Soit deux mobiles, A et B, tels que leur position respective en fonction de t est donnée par $x(t) = 145 - 25t$ et $y(t) = 40 + 10t$, où x et y sont en mètres, t est en secondes et $t \in [0 \text{ s}, 5{,}8 \text{ s}]$.

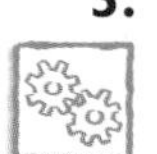

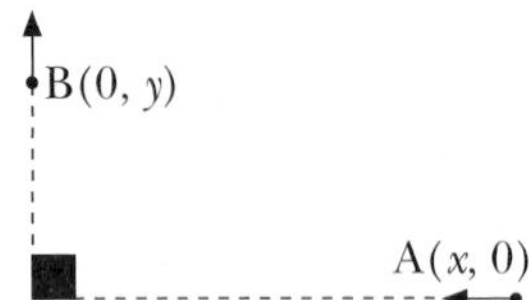

a) À quelle vitesse les mobiles se rapprochent-ils lorsqu'ils sont à 130 m l'un de l'autre ?

b) Après combien de temps les mobiles commencent-ils à s'éloigner l'un de l'autre ?

4. Deux cyclistes parcourent le circuit rectangulaire suivant en partant de A.

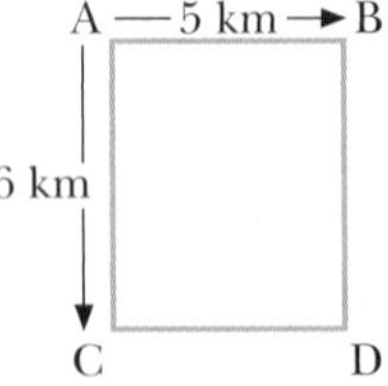

Le premier cycliste amorce son trajet vers l'est à une vitesse constante de 12 km/h et le deuxième se dirige vers le sud à une vitesse constante de 16 km/h.

Dominique Parent

Déterminer à quelle vitesse ces cyclistes s'éloignent ou se rapprochent après :

a) 15 min ;

b) 30 min ;

c) 45 min.

5. Une échelle de 10 m est appuyée sur une clôture de 3 m.

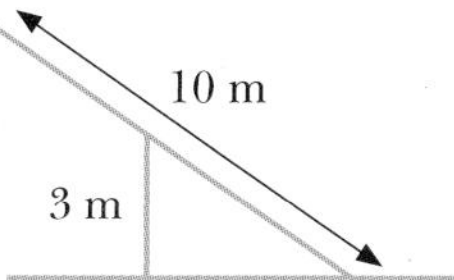

Si le bas de l'échelle s'éloigne de la clôture à une vitesse de 1,25 m/s :

a) déterminer à quelle vitesse s'abaisse le haut de l'échelle lorsque le pied de l'échelle est à 4 m de la clôture ;

b) déterminer à quelle vitesse s'abaisse le haut de l'échelle au moment précis où le haut de celle-ci coïncide avec le haut de la clôture ;

c) déterminer à quelle vitesse s'abaisse le haut de l'échelle au moment précis où le haut de l'échelle est à 2 m du sol, sachant que le haut de l'échelle reste appuyé sur la clôture.

6. Deux tiges métalliques mesurant respectivement 65 cm et 100 cm sont appuyées l'une contre l'autre en un point P. La hauteur h du point P est fonction du temps t et est donnée par $h(t) = 64 - 2t$, où t est en minutes et h, en centimètres.

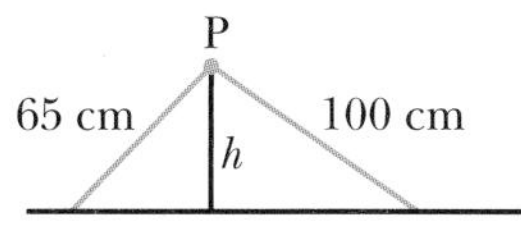

a) Déterminer la fonction T_h donnant le taux de variation instantané de la hauteur du point P par rapport à t.

b) Déterminer la vitesse d'éloignement des deux autres extrémités de ces tiges après deux minutes.

7. Un cube de glace de 27 cm^3 fond à un rythme donné par $\frac{dV}{dt} = -0{,}6x^2$, où x, la longueur de l'arête, est en centimètres et t, en minutes.

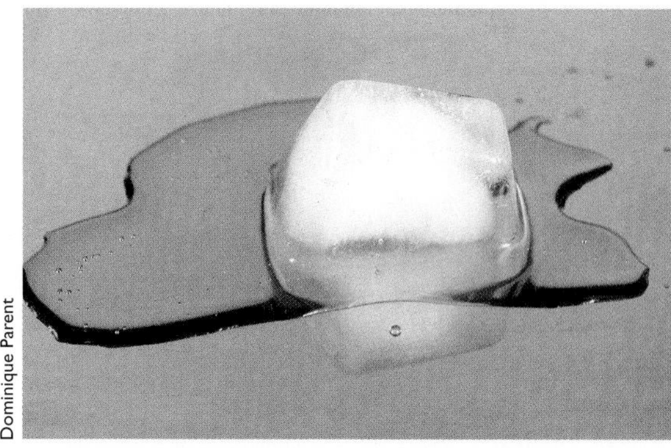
Dominique Parent

a) Déterminer la fonction T_a donnant le taux de variation instantané de la longueur de l'arête du cube par rapport à t.

b) Déterminer le volume du cube après sept minutes.

c) Calculer le temps que prend le cube pour fondre.

d) Déterminer le volume du cube lorsque le taux de variation instantané de l'aire totale des six faces du cube est de $-4{,}8$ cm^2/min.

8. On remplit la piscine suivante à un rythme de 0,4 m^3/min.

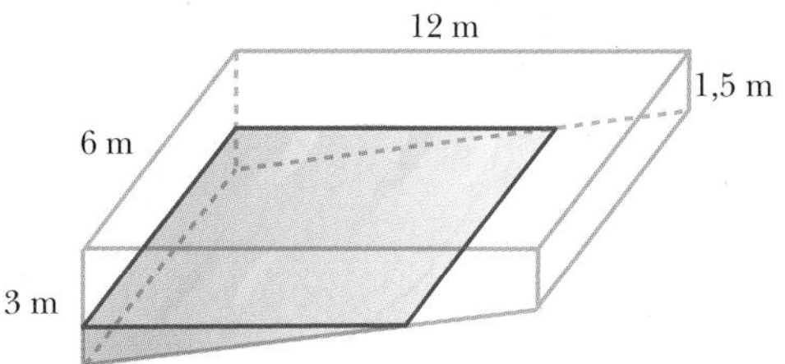

Déterminer à quelle vitesse le niveau d'eau augmente lorsqu'il y a :

a) 35 m^3 d'eau dans la piscine ;

b) 140 m^3 d'eau dans la piscine.

5

9. Soit $R(q)$ et $C(q)$, définis par les fonctions suivantes : $R(q) = 13q$ et $C(q) = q^2 + 22$, où q désigne le nombre d'unités en milliers produites, $q \in [0, 12]$, $R(q)$ désigne les revenus en milliers de dollars et $C(q)$, les coûts en milliers de dollars.

a) Déterminer le profit P maximal.

b) Représenter les courbes de R, C et P sur un même système d'axes.

10. Soit un ballon d'exercice sphérique de rayon r en cm, de volume V et d'aire A.

Dominique Parent

a) Déterminer le taux de variation instantané du volume par rapport à l'aire, lorsque $V = 288\pi$ cm^3 ; lorsque $A = 4\pi$ cm^2.

b) Déterminer l'aire lorsque le taux de variation instantané du volume par rapport à l'aire est égal à 1 cm^3/cm^2.

11. Un récipient ayant la forme d'une demi-sphère, dont le rayon mesure 8 cm.

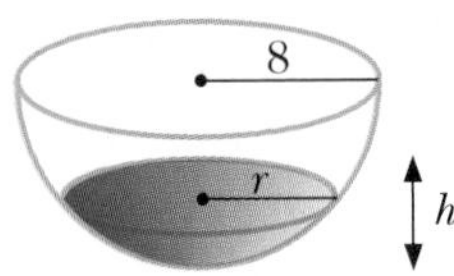

Ce récipient contient un liquide qui s'évapore au rythme de 100 cm^3/h.

Le volume V du liquide dans ce récipient est donné par

$V(h) = \pi\left(64h - \dfrac{h^3}{3}\right)$, où h représente la hauteur du liquide présent dans le récipient et 0 cm $\leq h \leq$ 8 cm.

Dominique Parent

a) Calculer la quantité de liquide si le récipient est rempli.

b) Déterminer la fonction donnant le taux de variation instantané de la hauteur par rapport au temps t.

c) Calculer $\left.\dfrac{dh}{dt}\right|_{h = 7{,}9\text{ cm}}$; $\left.\dfrac{dh}{dt}\right|_{h = 4\text{ cm}}$; $\left.\dfrac{dh}{dt}\right|_{h = 0{,}1\text{ cm}}$.

d) Exprimer le rayon r de la surface du liquide qui reste en fonction de la hauteur h du liquide.

e) Déterminer la fonction donnant le taux de variation instantané du rayon r par rapport au temps t.

f) Calculer $\left.\dfrac{dr}{dt}\right|_{r = 4\text{ cm}}$; $\left.\dfrac{dr}{dt}\right|_{h = 4\text{ cm}}$.

g) Après combien de temps le récipient sera-t-il vide ?

12. Soit deux cônes dont les mesures en centimètres sont données dans la représentation ci-dessous ; le liquide du cône supérieur s'écoule par une petite ouverture dans le cône inférieur.

Le volume V_{sup} du liquide contenu dans le cône supérieur est donné par
$V_{\text{sup}}(t) = -0{,}2\pi t + 36\pi$,
où t est en secondes et $V_{\text{sup}}(t)$, en centimètres cubes. On suppose que le cône inférieur est vide à $t = 0$, c'est-à-dire $V_{\text{inf}}(0) = 0$ cm^3.

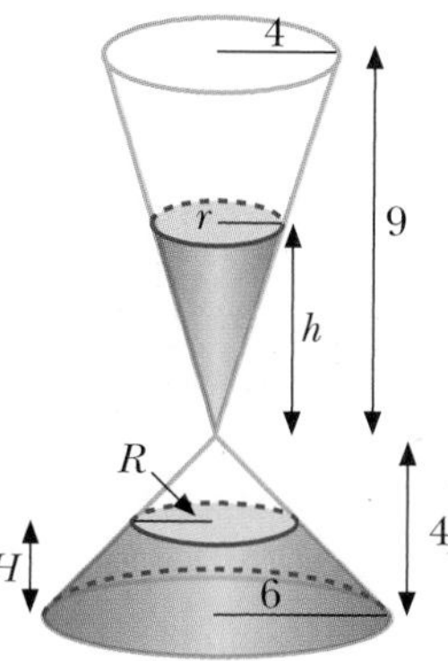

a) Déterminer le volume total du liquide.

b) Après combien de temps le cône supérieur sera-t-il vide ?

c) Déterminer la fonction $V_{\text{inf}}(t)$; déterminer H, la hauteur du liquide dans le cône inférieur, lorsque $V_{\text{sup}}(t) = 0$.

d) Déterminer $\frac{dr}{dt}$; $\frac{dR}{dt}$; $\frac{dh}{dt}$; $\frac{dH}{dt}$.

Évaluer chacun de ces taux lorsque $r = 2$ cm.

13. Soit un triangle équilatéral mesurant x cm de côté, à l'intérieur duquel on inscrit un cercle. L'aire A du triangle en fonction du temps est donnée par $A(t) = \sqrt{t + 12}$, où t est en secondes.

a) Déterminer la fonction donnant le taux de variation instantané du côté x par rapport à t.

b) Évaluer $\frac{dx}{dt}$ lorsque $A = 4\sqrt{3}$ cm^2.

c) Après combien de temps le taux de variation instantané sera-t-il la moitié de ce qu'il est lorsque $A = 4\sqrt{3}$ cm^2?

d) Déterminer la fonction T_{A_C} donnant le taux de variation instantané de l'aire A_c du cercle inscrit, par rapport à t.

e) Évaluer T_{A_C} lorsque le rayon du cercle est de 3 cm.

14. En pleine nuit, un bateau, situé en B, se dirige vers A selon la trajectoire définie par

$$y = \frac{x^3}{1\,000}, \text{ où } x \text{ et } y \text{ sont en mètres.}$$

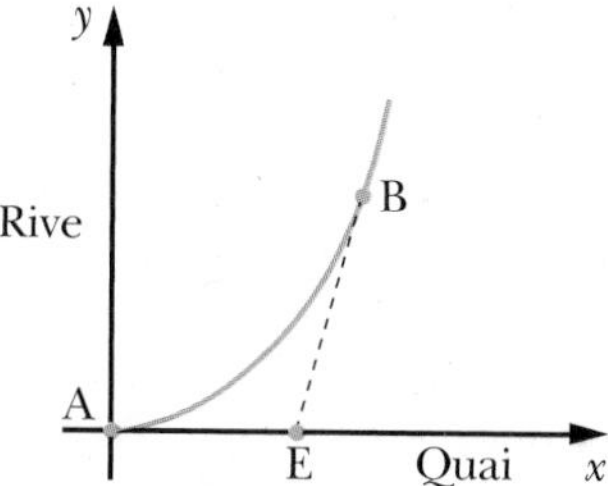

De plus, la position du bateau, en fonction du temps, est donnée par $y = 125(4 - t)^{\frac{3}{2}}$, où 0 min $\leqslant t \leqslant$ 4 min. Le bateau est surmonté d'un projecteur qui éclaire, directement devant lui, le quai en un point E.

Dominique Parent

a) Aux temps $t = 0$ min et $t = 3$ min, déterminer la distance au mètre près entre A et B ; entre A et E.

b) Aux temps $t = 0$ min et $t = 3$ min, déterminer à quelle vitesse le bateau s'approche du quai ; de la rive ; de A.

c) Aux temps $t = 0$ min et $t = 3$ min, déterminer à quelle vitesse E s'approche de A.

d) Déterminer la position du bateau lorsque E s'approche de A à une vitesse de 10 m/min ; donner votre réponse au mètre près.

15. Trois membres d'une famille marchent l'un derrière l'autre, à une vitesse de 2 m/s, vers un lampadaire de 9 m de hauteur. La première personne mesure 2 m ; la deuxième, qui est à 3 m derrière la première mesure 1,3 m ; et la troisième, qui est à 2 m de la deuxième, mesure 1 m.

Dominique Parent

a) Déterminer à quelle vitesse la longueur de l'ombre varie lorsque la première personne est à 50 m du lampadaire ; à 20 m du lampadaire.

b) Répondre aux questions de a) si la deuxième personne mesure 1,6 m.

c) Déterminer quelle doit être la taille de la deuxième personne pour qu'elle ait un effet sur l'ombre projetée lorsque la première personne est à 35 m du lampadaire.

d) À partir des données initiales, déterminer à quelle vitesse les extrémités des ombres se déplacent lorsque la première personne est à 10 m du lampadaire ; à 5 m du lampadaire.

16. Un point $P(x, y)$ se déplace sur le demi-cercle supérieur ayant un rayon de 10 cm centré au point $C(10, 0)$. L'ordonnée y du point $P(x, y)$ est donnée en fonction du temps par
$y(t) = t\sqrt{20 - t^2}$, où $0 \text{ min} \leq t \leq \sqrt{20}$ min. Soit A, l'aire du triangle de sommets $O(0, 0)$, $P(x, y)$ et $R(x, 0)$.

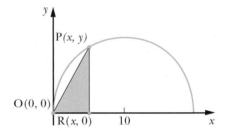

a) Déterminer la fonction donnant le taux de variation instantané de x par rapport à t.

b) Évaluer $\left.\dfrac{dx}{dt}\right|_{y = 8 \text{ cm}}$ et $\left.\dfrac{dx}{dt}\right|_{x = 2 \text{ cm}}$.

c) Déterminer la fonction donnant le taux de variation instantané de A par rapport à t.

d) Évaluer $\left.\dfrac{dA}{dt}\right|_{x = 4 \text{ cm}}$ et $\left.\dfrac{dA}{dt}\right|_{y = 6 \text{ cm}}$.

CHAPITRE 6

Analyse de fonctions algébriques

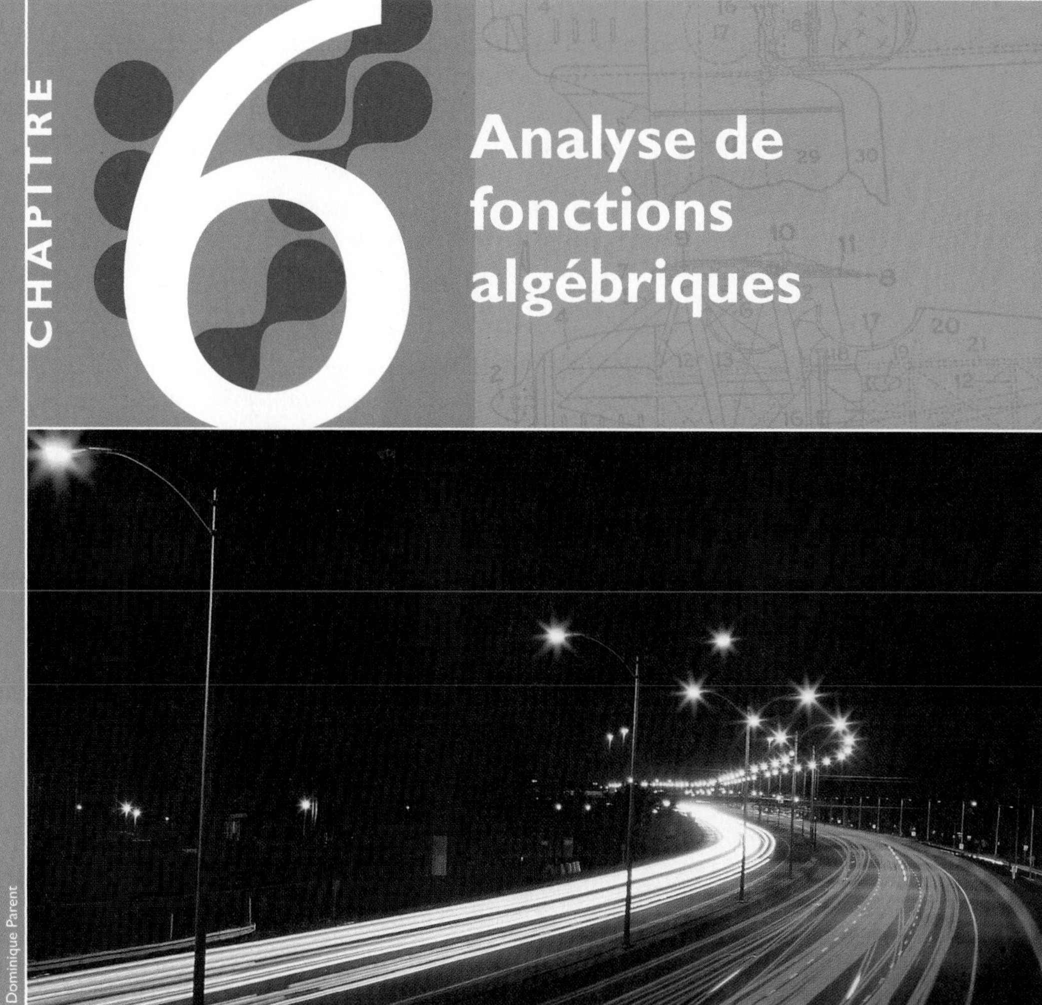
Dominique Parent

Introduction

Dans le présent chapitre, nous analyserons certaines fonctions algébriques. Il faudra donc :

- déterminer le domaine de f;
- utiliser $f'(x)$ pour déterminer
  - les intervalles de croissance et de décroissance de f;
  - les points de maximum relatif et les points de minimum relatif de f;
  - les points stationnaires, les points anguleux et les points de rebroussement de f;
- utiliser $f''(x)$ pour déterminer
  - les intervalles de concavité vers le haut et vers le bas de f;
  - les points d'inflexion de f;
- utiliser la notion de limite pour déterminer les équations des asymptotes verticales, horizontales et obliques de la courbe de f;
- esquisser le graphique de f.

Les notions introduites dans ce chapitre servent non seulement à analyser le graphique d'une fonction, mais aussi à étudier des problèmes liés aux sciences de la nature et aux sciences humaines.

En particulier, à la fin de ce chapitre, l'élève pourra résoudre l'exercice récapitulatif nº 19, page 287.

Perspective historique

UNE GRANDE INVENTION, UNE GRANDE CONTROVERSE

Au début du XVIIe siècle, la recherche des maxima et des minima, le calcul de la longueur d'une courbe et celui de l'aire ou du volume des figures ou des solides délimités par des lignes ou des surfaces courbes suscitent l'intérêt des géomètres. Tout au long du siècle, les plus grands esprits s'acharnent sur ces problèmes laissés sans solution par les Grecs et les Arabes. Malgré plusieurs succès, ils demeurent insatisfaits. Dans l'esprit du XVIIe siècle, appelé le siècle de la Raison, tous cherchent une « méthode » qui fournirait une solution non pas à un problème, mais à toute une classe de problèmes.

Dans les années 1660-1680, après bientôt un siècle d'efforts, deux mathématiciens y arrivent chacun de leur côté.

Le plus connu de ces mathématiciens est Isaac Newton (1642-1727). Il ne se démarque pas vraiment des autres étudiants avant l'âge de 24 ans. Certes, il montre un certain intérêt pour les mathématiques, mais sans plus. En 1665, une épidémie de peste menace la ville de Cambridge où Newton étudie. Les autorités décident alors de fermer l'université qui rouvrira ses portes deux ans plus tard. Newton revient donc chez sa mère où, selon la légende, la chute d'une pomme lui aurait inspiré la loi d'attraction des corps. Durant cette période, il entreprend sa restructuration de la mécanique et, pour y parvenir, il invente le calcul différentiel et intégral. Son approche est plutôt géométrique. De retour à Cambridge en 1667, Newton, malgré sa timidité, commence à se faire connaître. Il est toutefois réfractaire à l'idée de publier, car il craint la critique. Son célèbre *Philosophiæ naturalis principia mathematica* paraît finalement en 1687. À la même époque, Jacques II, roi catholique d'un pays protestant, provoque une véritable levée de boucliers et doit s'enfuir en 1688. À Cambridge, Newton, ardent protestant, participe à la résistance au roi. Après le couronnement d'un nouveau roi protestant, Newton, sans doute content de son expérience dans l'arène politique, quitte Cambridge et devient haut fonctionnaire de la Monnaie royale en 1693. Il s'investit totalement dans ses nouvelles fonctions et abandonne les mathématiques.

Gottfried Wilhelm Leibniz (1646-1716) se passionne très tôt pour la philosophie et, plus spécifiquement, pour les opérations mentales mises en œuvre par la pensée. À 20 ans, il écrit une thèse dans laquelle il cherche à montrer qu'on peut réduire les raisonnements et le processus de découverte à une combinaison d'éléments de base comme les nombres, les lettres, les sons et les couleurs. L'année suivante, en 1667, il devient secrétaire du baron von Boineberg à Frankfurt et commence à s'intéresser aux mathématiques. De 1672 à 1676, il séjourne à Paris en mission diplomatique pour le baron. Il profite de la présence à Paris du célèbre mathématicien hollandais Huygens pour se perfectionner en mathématiques. Il invente alors, comme Newton quelques années auparavant, un calcul différentiel et intégral. Toutefois, son approche est très différente de celle de Newton puisqu'il cherche toujours à développer un langage symbolique décrivant les actions de la pensée. Ses préoccupations l'amènent à proposer, entre autres notations efficaces, le symbole $\frac{df}{dx}$ que nous utilisons encore aujourd'hui.

De 1711 à 1716, Leibniz et Newton sont à couteaux tirés. En effet, Newton et, plus généralement, les Anglais accusent Leibniz d'avoir copié les idées de Newton. Pourtant, l'approche de Leibniz, axée principalement sur un calcul symbolique, donne à son calcul une efficacité qui dépasse celle de Newton. Bientôt, les positions se cristallisent. En Europe continentale, on prend le parti de Leibniz et en Angleterre, celui de Newton. Cette controverse continuera tout au long du XVIIIe siècle. Pendant tout ce temps, en Europe continentale, on utilise les notations de Leibniz et en Angleterre, l'approche de Newton. Cependant, à partir des années 1830, l'approche newtonienne devient un handicap important pour les mathématiques anglaises. Un mouvement de réforme balaie alors les universités britanniques qui commencent à enseigner le calcul symbolique à la Leibniz. Aujourd'hui, les historiens reconnaissent que les deux mathématiciens ont établi parallèlement les bases du calcul différentiel et intégral. L'approche symbolique de l'un et l'approche géométrique de l'autre se complètent. Le calcul différentiel tel qu'il est enseigné aujourd'hui relève des deux approches.

Test préliminaire

Partie A

1. Déterminer le signe (+ ou −) de chaque expression, sachant que (+) désigne une valeur positive et (−), une valeur négative.

a) $\dfrac{(+)}{(-)}$

b) $\dfrac{(-)}{(+)}$

c) $\dfrac{(-)}{(-)}$

d) $\dfrac{(+)(-)}{(+)}$

e) $\dfrac{(+)(+)(-)}{(+)}$

f) $\dfrac{(+)(-)(-)}{(-)}$

2. Résoudre les équations.

a) $(x - 4)(3x + 7) = 0$

b) $x^2 + x - 6 = 0$

c) $(x^2 - 4)(x^3 + x^2) = 0$

d) $x^5 - x = 0$

e) $3(x + 1)^2(2x - 3) + 2(x + 1)^3 = 0$

f) $2(x - 1)(x + 1)^2 + 2(x + 1)(x - 1)^2 = 0$

g) $\dfrac{x^2 - 25}{x + 4} = 0$

h) $\sqrt{x^2 + x - 2} = 0$

i) $(x^2 + x + 1)(x^2 + 1) = 0$

3. Remplir le tableau suivant en inscrivant +, − ou 0 dans la case appropriée selon que l'expression est positive, négative ou nulle.

x	$-\infty$	0		3		4	$+\infty$
$x^3(x - 4)$							
$4x^2(x - 3)$							

4. Calculer les expressions suivantes.

a) $\dfrac{0{,}001}{5}$; $\dfrac{0}{7}$

b) $\dfrac{5}{1\,000}$; $\dfrac{7}{10^5}$; $\dfrac{15}{10^8}$

c) $\dfrac{3}{0{,}001}$; $\dfrac{8}{0{,}000\,001}$; $\dfrac{9}{0{,}000\,000\,001}$

d) $\dfrac{-2}{0{,}000\,01}$; $\dfrac{70}{-10^{-9}}$

5. Soit A et B, deux nombres positifs infiniment grands. Préciser si le résultat des opérations suivantes est positif et infiniment grand, négatif et infiniment grand ou impossible à déterminer.

a) A + B

b) A − B

c) AB

d) $\dfrac{A}{B}$

e) $\dfrac{-A}{50}$

6. Déterminer le domaine des fonctions suivantes.

a) $f(x) = \dfrac{5}{x - 2} + \dfrac{7x - 4}{5x + 4}$

b) $g(x) = \dfrac{5x(x + 7)}{(x^2 - 3x - 4)(x^2 - 4)}$

c) $f(u) = \dfrac{\sqrt{u + 4}}{u}$

d) $k(x) = \dfrac{\sqrt{x^2 - 4}}{\sqrt{25 - x^2}}$

e) $h(t) = \sqrt{\dfrac{t^2 - 4}{t^2 - 25}}$

7. Donner l'équation des droites D_1, D_2 et D_3 suivantes.

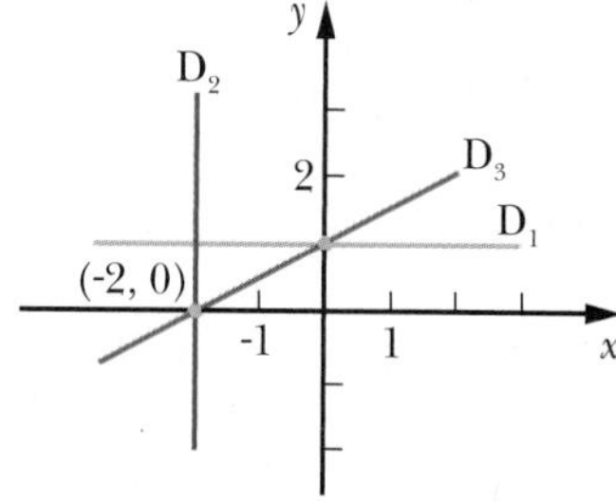

8. Effectuer les divisions suivantes.

a) $\dfrac{x^3 + 1}{x + 1}$

b) $\dfrac{4x^2 - 7x + 3}{x - 2}$

c) $\dfrac{x^4 + 1}{x^2 + 1}$

d) $\dfrac{3x^3 - 2x^2 + 8x - 1}{x^2 + 1}$

e) $\dfrac{-10x^2 + 27x - 22}{2x - 3}$

Partie B

1. Évaluer les limites suivantes.

a) $\lim\limits_{x \to 1} \dfrac{x^2 + 2x - 3}{x^2 - 1}$ b) $\lim\limits_{x \to 4} \dfrac{\sqrt{x} - 2}{x - 4}$

2. Déterminer les zéros de $f'(x)$ si:

a) $f(x) = (3x - 2)^4(5x + 2)$;

b) $f(x) = \dfrac{x^2 - 9}{x^2 + 9}$;

c) $f(x) = \dfrac{x + 3}{\sqrt{x^2 + 6}}$.

3. Déterminer les zéros de $f(x)$, de $f'(x)$ et de $f''(x)$ si $f(x) = \dfrac{x^3}{3} - 2x^2 - 5x$.

6.1 Intervalles de croissance, intervalles de décroissance, maximum et minimum

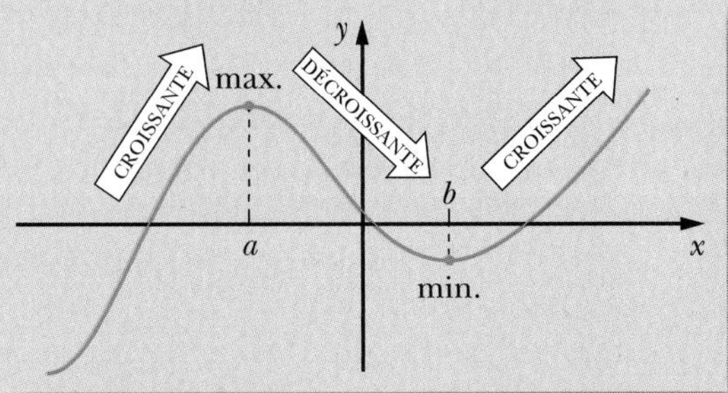

Objectif d'apprentissage

À la fin de cette section, l'élève pourra rassembler dans un tableau de variation les informations relatives aux intervalles de croissance, aux intervalles de décroissance et aux points de maximum et de minimum relatifs d'une fonction pour en déduire l'esquisse de son graphique.

6

Plus précisément, l'élève sera en mesure:

- de donner la définition d'une fonction croissante et d'une fonction décroissante;
- de donner la définition de maximum et de minimum d'une fonction;
- de donner la définition de maximum et de minimum d'une fonction aux extrémités d'un intervalle;
- de relier la croissance et la décroissance d'une fonction au signe de sa dérivée;
- de déterminer les intervalles de croissance et de décroissance d'une fonction;
- de déterminer les nombres critiques de f;
- de donner la définition de point stationnaire, de point de rebroussement et de point anguleux de f;
- de déterminer les points de maximum relatif et les points de minimum relatif d'une fonction à l'aide du test de la dérivée première;
- de construire un tableau de variation relatif à f';
- de donner une esquisse du graphique de f à partir du tableau de variation relatif à f';
- de donner une esquisse du graphique de f', connaissant le graphique de f;
- de donner une esquisse du graphique de f, connaissant le graphique de f'.

Dans certaines situations, il est essentiel de connaître les coordonnées des sommets (point de maximum relatif et point de minimum relatif) d'une fonction afin de pouvoir tracer son graphique.

Entre les sommets, la courbe sera croissante ou décroissante. Cette étude sera faite à l'aide du signe de la dérivée première de la fonction.

Par exemple, sur la courbe ci-contre représentant l'évolution des ventes d'un produit en fonction du temps, nous constatons qu'au début, nous avons une croissance des ventes suivie d'une décroissance. Sur cette courbe, nous retrouvons les différentes phases de la vie du produit.

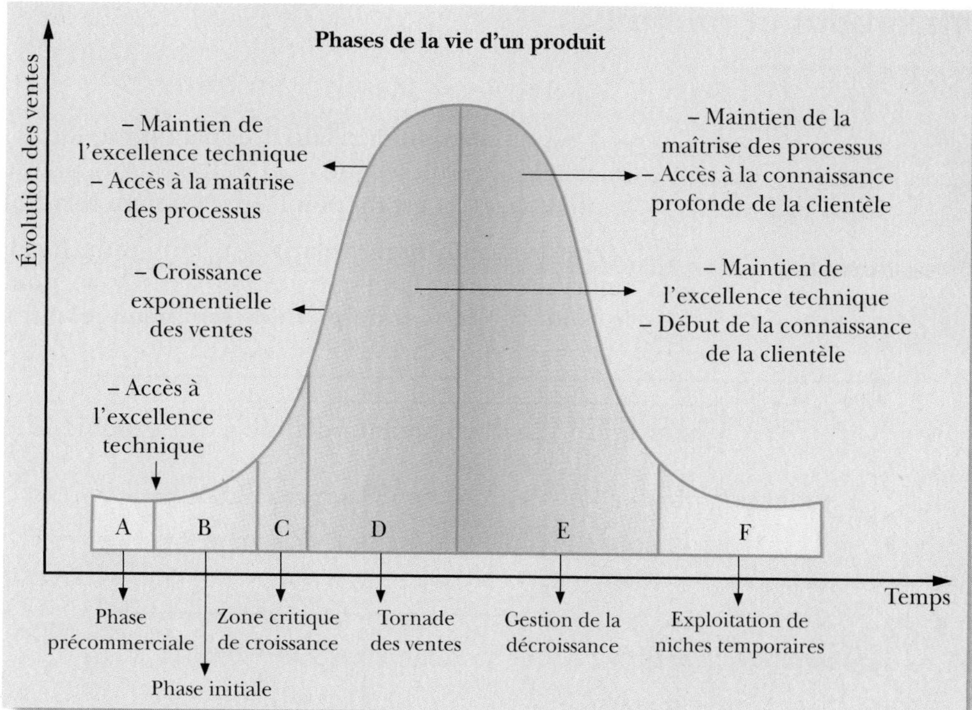

Fonction croissante et fonction décroissante

Définition 6.1

Soit f, une fonction définie sur un intervalle I, où $x_1 \in$ I et $x_2 \in$ I.

Si pour tout $x_1 < x_2$:

1) $f(x_1) < f(x_2)$, alors f est une **fonction strictement croissante** sur I ;
2) $f(x_1) \leq f(x_2)$, alors f est une **fonction croissante** sur I ;
3) $f(x_1) > f(x_2)$, alors f est une **fonction strictement décroissante** sur I ;
4) $f(x_1) \geq f(x_2)$, alors f est une **fonction décroissante** sur I.

Exemple 1 Soit la fonction f définie par le graphique ci-contre.

CROISSANTE — DÉCROISSANTE — CROISSANTE

y, x, x_1, x_2, a, x_3, x_4, b, x_5, x_6

$x_1 < x_2$ $f(x_1) < f(x_2)$	$x_3 < x_4$ $f(x_3) > f(x_4)$	$x_5 < x_6$ $f(x_5) < f(x_6)$
f est strictement croissante, donc croissante sur $]-\infty, a]$.	f est strictement décroissante, donc décroissante sur $[a, b]$.	f est strictement croissante, donc croissante sur $[b, +\infty[$.

Maximum et minimum

Définition 6.2

Soit une fonction f et $c \in \text{dom } f$.

1) $f(c)$ est un **maximum relatif** (ou **maximum local**) de f s'il existe un intervalle ouvert I, tel que $c \in$ I et $f(c) \geqslant f(x)$, pour tout $x \in$ I. De plus, le point $(c, f(c))$ est un **point de maximum relatif,** noté max. rel.

2) $f(c)$ est un **minimum relatif** (ou **minimum local**) de f s'il existe un intervalle ouvert I, tel que $c \in$ I et $f(c) \leqslant f(x)$, pour tout $x \in$ I. De plus, le point $(c, f(c))$ est un **point de minimum relatif,** noté min. rel.

Exemple 1 Soit la fonction f définie par le graphique suivant.

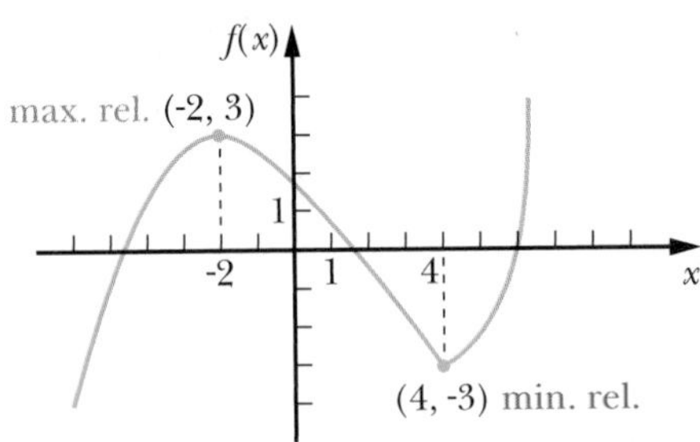

Il ne faut pas confondre la valeur du maximum (minimum) relatif d'une fonction et le point de maximum (minimum) relatif de cette fonction.

Point de maximum relatif

En effet, en l'abscisse $x = -2$, la fonction possède un maximum relatif. La valeur de ce **maximum relatif** est donnée par $f(-2)$, c'est-à-dire 3. Le point (-2, 3) est un **point de maximum relatif** de la courbe de f.

Point de minimum relatif

De façon analogue, en l'abscisse $x = 4$, la fonction possède un minimum relatif. La valeur de ce **minimum relatif** est donnée par $f(4)$, c'est-à-dire -3. Le point (4, -3) est un **point de minimum relatif** de la courbe de f.

À partir du graphique de l'exemple 1 précédent, nous constatons que $f'(-2) = 0$ et que $f'(4)$ n'existe pas.

Énonçons maintenant un théorème que nous acceptons sans démonstration.

Théorème 6.1

Soit f, une fonction continue sur un intervalle ouvert I et $c \in$ I.

Si $f(c)$ est un maximum relatif (minimum relatif) de f, alors

$f'(c) = 0$ ou $f'(c)$ n'existe pas.

Définition 6.3

Soit une fonction f et $c \in \text{dom } f$.

1) Si $f(c)$ est un maximum relatif de f tel que $f(c) \geqslant f(x)$, pour tout $x \in \text{dom } f$, alors $f(c)$ est le **maximum absolu** de f. De plus, le point $(c, f(c))$ est un point de maximum absolu, noté max. abs.

2) Si $f(c)$ est un minimum relatif de f tel que $f(c) \leqslant f(x)$, pour tout $x \in \text{dom } f$, alors $f(c)$ est le **minimum absolu** de f. De plus, le point $(c, f(c))$, est un point de minimum absolu, noté min. abs.

Remarque Le maximum (minimum) absolu d'une fonction, s'il existe, est unique. Toutefois, ce maximum (minimum) peut être atteint en plusieurs valeurs du domaine de la fonction.

Exemple 2 Soit $f(x) = \sin x$, dont le graphique est ci-contre.

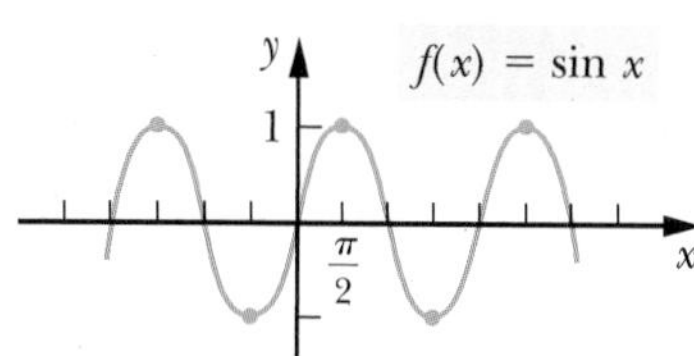

a) Le maximum absolu de f est égal à 1 et ce maximum est atteint en $x = \ldots, \frac{-3\pi}{2}, \frac{\pi}{2}, \frac{5\pi}{2}, \ldots$ De plus, les points $\ldots, \left(\frac{-3\pi}{2}, 1\right), \left(\frac{\pi}{2}, 1\right), \left(\frac{5\pi}{2}, 1\right), \ldots$ sont des points de maximum absolu.

b) Le minimum absolu de f est égal à -1 et ce minimum est atteint en $x = \ldots, \frac{-\pi}{2}, \frac{3\pi}{2}, \frac{7\pi}{2}, \ldots$ De plus, les points $\ldots, \left(\frac{-\pi}{2}, -1\right), \left(\frac{3\pi}{2}, -1\right), \left(\frac{7\pi}{2}, -1\right), \ldots$ sont des points de minimum absolu.

Remarque Tout maximum (minimum) absolu de f est également un maximum (minimum) relatif de f.

Exemple 3 Soit les fonctions f et g définies par les graphiques suivants.

a) $f(c)$ est le maximum absolu de f. Ainsi, $f(c)$ est également un maximum relatif de f.

f n'a aucun minimum absolu. Cependant, $f(b)$ est un minimum relatif de f.

b) g n'a aucun maximum absolu. Cependant, $g(a)$ est le minimum absolu de g.

De plus, comme $g(c) = g(a)$, $g(c)$ est également le minimum absolu de g.

$g(a)$ et $g(c)$ sont également des minimums relatifs de g.

Maximum et minimum aux extrémités d'un intervalle

Définition 6.4

Soit f, une fonction continue sur $[a, b]$.

1) $f(a)$ est un **maximum relatif** de f s'il existe un intervalle $[a, c[\subset [a, b]$ tel que $f(a) \geqslant f(x)$ pour tout $x \in [a, c[$.

2) $f(a)$ est un **minimum relatif** de f s'il existe un intervalle $[a, c[\subset [a, b]$ tel que $f(a) \leqslant f(x)$ pour tout $x \in [a, c[$.

Nous pouvons définir, de façon analogue, un maximum relatif et un minimum relatif à la valeur $f(b)$.

Exemple 1

a) Soit la fonction f définie par le graphique suivant sur $[a, b]$.

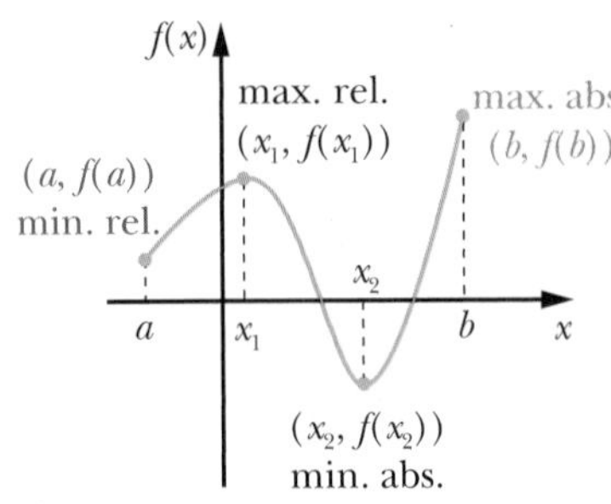

$f(a)$ est un minimum relatif de f.

$f(b)$ est le maximum absolu de f.

De plus, $f(x_1)$ est un maximum relatif de f.

$f(x_2)$ est le minimum absolu de f.

b) Soit la fonction g définie par le graphique suivant sur $]r; s[$.

Il ne peut y avoir ni maximum ni minimum à une extrémité lorsque l'intervalle est ouvert à cette extrémité.

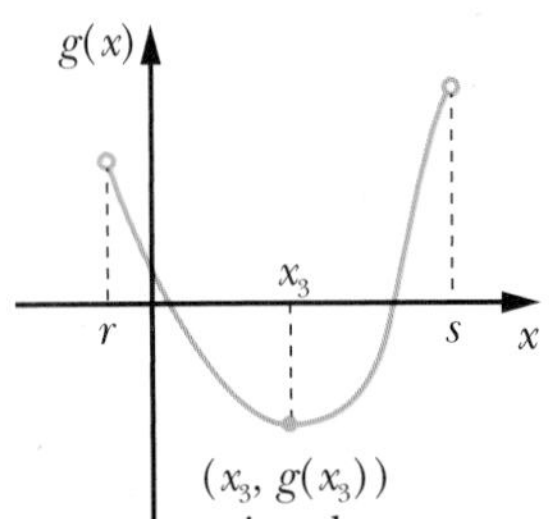

$g(x_3)$ est le minimum absolu de g.

La fonction g ne possède aucun maximum sur $]r; s[$.

Croissance, décroissance et signe de la dérivée première

Nous allons relier la croissance et la décroissance d'une fonction au signe de sa dérivée première.

Exemple 1 Soit la fonction f définie par le graphique ci-contre.

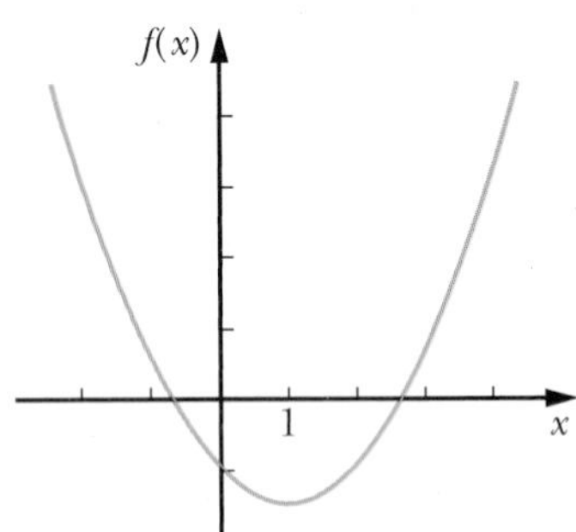

D'une part, nous constatons que f est décroissante sur $-\infty, 1]$ et qu'en traçant quelques tangentes à la courbe de f sur $-\infty, 1[$, toutes ces tangentes ont une pente négative. De plus, toutes les tangentes à la courbe de f sur $-\infty, 1[$ ont une pente négative, d'où $f'(x) < 0$ pour tout $x \in -\infty, 1[$.

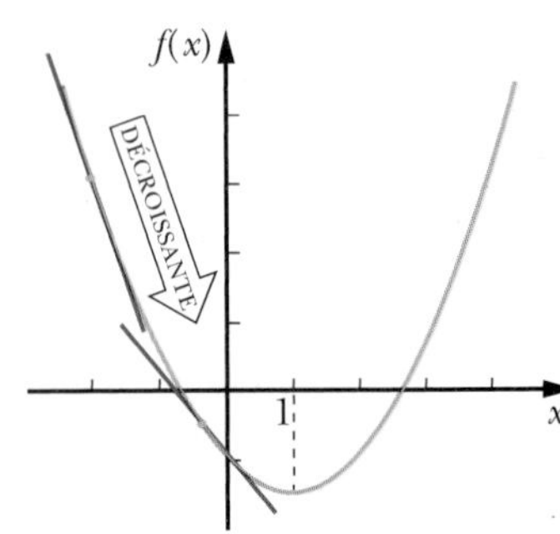

D'autre part, nous constatons que f est croissante sur $[1, +\infty$ et qu'en traçant quelques tangentes à la courbe de f sur $]1, +\infty$, toutes ces tangentes ont une pente positive. De plus, toutes les tangentes à la courbe de f sur $]1, +\infty$ ont une pente positive, d'où $f'(x) > 0$ pour tout $x \in]1, +\infty$.

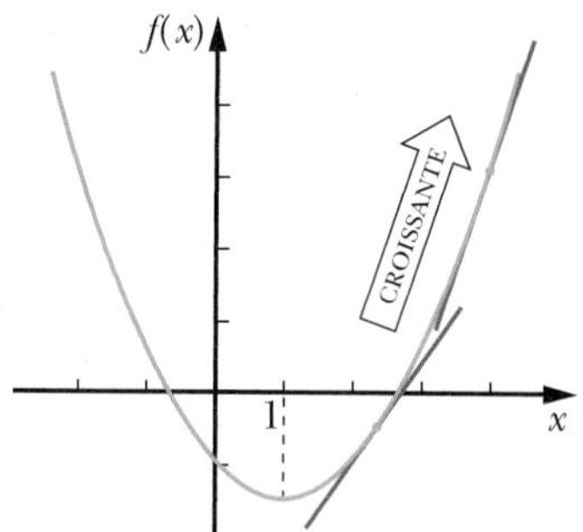

Finalement, le point $(1, f(1))$ est le point de minimum absolu et, en ce point, la tangente à la courbe de f est horizontale. Ainsi, la pente de la tangente à la courbe de f égale 0, c'est-à-dire $f'(1) = 0$.

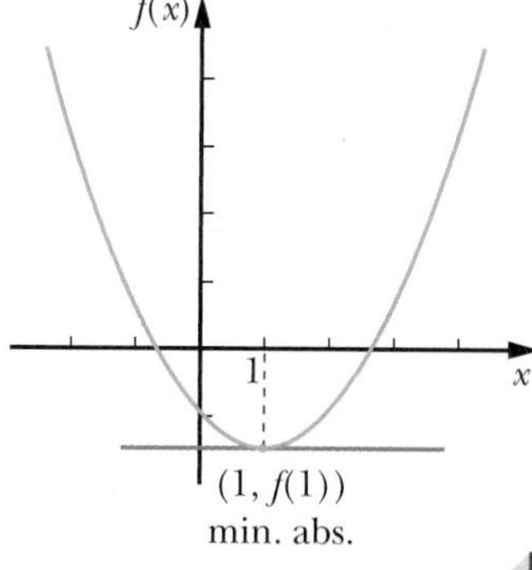

Énonçons maintenant un théorème, que nous acceptons sans démonstration, qui nous permettra de déterminer si une fonction est croissante ou décroissante à l'aide du signe de sa dérivée première.

THÉORÈME 6.2

Soit f, une fonction continue sur $[a, b]$ telle que f' existe sur $]a, b[$.

a) Si $f'(x) > 0$ sur $]a, b[$, alors f est croissante sur $[a, b]$.

b) Si $f'(x) < 0$ sur $]a, b[$, alors f est décroissante sur $[a, b]$.

Remarque 1) Si $f'(x) > 0$ sur $-\infty, b[$, sur $]a, +\infty$ ou sur $\mathbb{R}$, alors f est croissante respectivement sur $-\infty, b]$, $[a, +\infty$ ou $\mathbb{R}$.

2) Si $f'(x) < 0$ sur $-\infty, b[$, sur $]a, +\infty$ ou sur $\mathbb{R}$, alors f est décroissante respectivement sur $-\infty, b]$, $[a, +\infty$ ou $\mathbb{R}$.

Nombre critique de f

Selon la valeur de la variable indépendante, la dérivée d'une fonction peut être positive, négative, nulle ou inexistante.

Exemple 1 Soit $f(x) = \sqrt[3]{x^2 - 1}$, où dom $f = \mathbb{R}$.

Évaluons la dérivée pour certaines valeurs du domaine de f.

Puisque $f(x) = \sqrt[3]{x^2 - 1}$, alors $f'(x) = \dfrac{2x}{3\sqrt[3]{(x^2 - 1)^2}}$. Ainsi,

$f'(3) = \dfrac{6}{3\sqrt[3]{8^2}} = \dfrac{1}{2}$. Donc, $f'(3) > 0$.

$f'(-2) = \dfrac{-4}{3\sqrt[3]{3^2}}$. Donc, $f'(-2) < 0$.

$f'(0) = 0$

$f'(1)$ n'existe pas, car nous ne pouvons pas diviser par zéro.

```
> f:=x->surd(x^2-1,3):
> with(student):
> with(plots):
> c:=plot(f(x),x=-5..5,y=-1.5..3,numpoints=10000,color=orange):
> t1:=showtangent(f(x),x=3,x=1..5,color=green):
> t2:=showtangent(f(x),x=-2,x=-4..-0.5,color=green):
> t3:=showtangent(f(x),x=0,x=-2..2,color=green):
> display(c,t1,t2,t3);
```

Représentation graphique

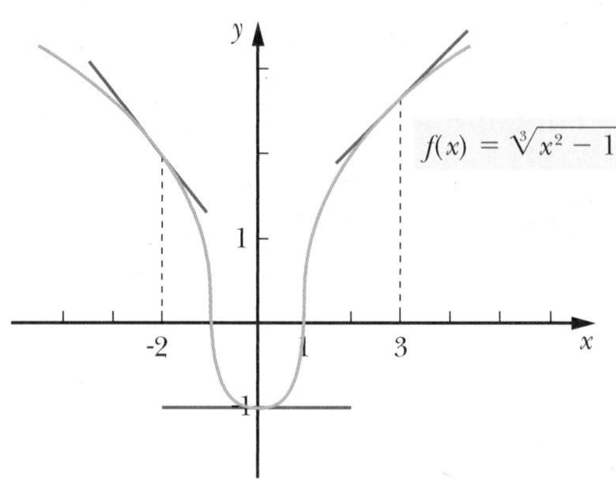

Définition 6.5

Soit $c \in \text{dom } f$. Nous disons que c est un **nombre critique de f** si :

1) $f'(c) = 0$

ou

2) $f'(c)$ n'existe pas.

6

Définition 6.6 Le point $(c, f(c))$ est un **point stationnaire** de f si $f'(c) = 0$.

Exemple 2 Soit $f(x) = \sqrt[5]{x^2 - 2x - 3}$, où dom $f = \mathbb{R}$.

a) Déterminons les nombres critiques de f.

Calculons d'abord $f'(x)$.

$$f'(x) = \frac{2x - 2}{5\sqrt[5]{(x^2 - 2x - 3)^4}} = \frac{2(x - 1)}{5\sqrt[5]{[(x - 3)(x + 1)]^4}} \quad \text{(en factorisant)}$$

1) $f'(x) = 0$ si $x = 1$, donc 1 est un nombre critique de f.

2) $f'(x)$ n'existe pas si $x = -1$ ou $x = 3$, donc -1 et 3 sont des nombres critiques de f.

D'où -1, 1 et 3 sont les nombres critiques de f.

b) Déterminons les points stationnaires de f.

Le point $(1, f(1))$ est un point stationnaire de f, car $f'(1) = 0$.

Définition 6.7

Soit f, une fonction définie sur un intervalle ouvert I et $c \in \mathrm{I}$ tel que $f'(c)$ n'existe pas.

1) Le point $(c, f(c))$ est un **point de rebroussement** de f si :
   i) en ce point la tangente à la courbe de f est verticale ;
   ii) $f'(x)$ change de signe lorsque x passe de c^- à c^+.
2) Le point $(c, f(c))$ est un **point anguleux** de f si en ce point les portions de courbe admettent deux tangentes distinctes.

Exemple 3 Soit f définie par le graphique ci-dessous.

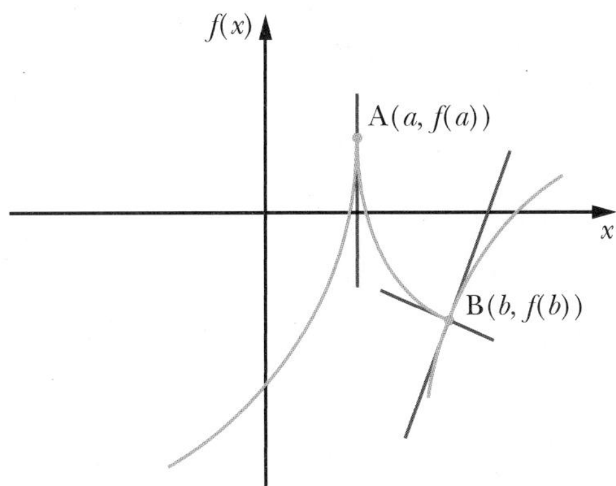

$\mathrm{A}(a, f(a))$ est un point de rebroussement.

$\mathrm{B}(b, f(b))$ est un point anguleux.

Il y a environ 300 ans...

akg-images

Guillaume de L'Hospital 1661-1704

Ni Newton (1642-1727), ni Leibniz (1646-1716), ni de **L'Hospital** (1661-1704) n'ont parlé des cas tels qu'en x_3 et en x_4 de l'exemple 4 suivant. Il faut dire qu'à l'époque, on n'avait pas encore pensé à des fonctions définies par des expressions symboliques différentes sur des intervalles différents.

Exemple 4 Soit f définie par le graphique ci-dessous sur $[a, b[$.

a) Déterminons les nombres critiques de f sur $[a, b[$.

$-f'(a)$ n'existe pas $\left(\text{car nous ne pouvons pas évaluer } \lim\limits_{x \to a^-} \dfrac{f(x) - f(a)}{x - a}\right)$, d'où a est un nombre critique de f.

a, x_1, x_2, x_3, x_4 et x_5 sont les nombres critiques de f sur $[a, b[$

$-f'(x_1) = 0$, d'où x_1 est un nombre critique de f.

$-f'(x_2) = 0$, d'où x_2 est un nombre critique de f.

$-f'(x_3)$ n'existe pas (car la tangente au point $(x_3, f(x_3))$ est verticale), d'où x_3 est un nombre critique de f.

$-f'(x_4)$ n'existe pas (car en ce point nous avons deux tangentes distinctes), d'où x_4 est un nombre critique de f.

$-f'(x_5) = 0$, d'où x_5 est un nombre critique de f.

Remarque b n'est pas un nombre critique de f, car $b \notin \operatorname{dom} f$.

b) Déterminons les points stationnaires de f sur $[a, b[$.

Puisque $f'(x_1) = 0$, $f'(x_2) = 0$ et $f'(x_5) = 0$, les points $(x_1, f(x_1))$, $(x_2, f(x_2))$ et $(x_5, f(x_5))$ sont les points stationnaires de f sur $[a, b[$.

c) Déterminons le point de rebroussement de f sur $[a, b[$.

Puisque la tangente au point $(x_3, f(x_3))$ est verticale et qu'en outre, $f'(x)$ passe du $+$ au $-$ lorsque x passe de x_3^- à x_3^+, le point $(x_3, f(x_3))$ est un point de rebroussement de f.

d) Déterminons le point anguleux de f sur $[a, b[$.

Puisque au point $(x_4, f(x_4))$, nous avons deux tangentes distinctes, le point $(x_4, f(x_4))$ est un point anguleux de f.

Maximum, minimum et test de la dérivée première

Énonçons maintenant un théorème appelé test de la dérivée première qui nous permettra de déterminer les points de maximum relatif et les points de minimum relatif d'une fonction.

THÉORÈME 6.3 Test de la dérivée première

Soit f, une fonction continue sur un intervalle ouvert I, et $c \in$ I, un nombre critique de f, c'est-à-dire $f'(c) = 0$ ou $f'(c)$ n'existe pas.

a) Si $f'(x)$ passe du « + » au « − » lorsque x passe de c^- à c^+, alors $(c, f(c))$ est un point de maximum relatif de f.

b) Si $f'(x)$ passe du « − » au « + » lorsque x passe de c^- à c^+, alors $(c, f(c))$ est un point de minimum relatif de f.

c) Si $f'(x)$ ne change pas de signe lorsque x passe de c^- à c^+, alors $(c, f(c))$ n'est ni un point de maximum relatif ni un point de minimum relatif de f.

Avant de construire un tableau de variation qui nous permettra de déterminer les intervalles de croissance et de décroissance, ainsi que les points de maximum relatif et les points de minimum relatif d'une fonction, donnons un exemple graphique résumant les notions déjà étudiées.

Exemple 1 Soit la fonction f définie par le graphique suivant.

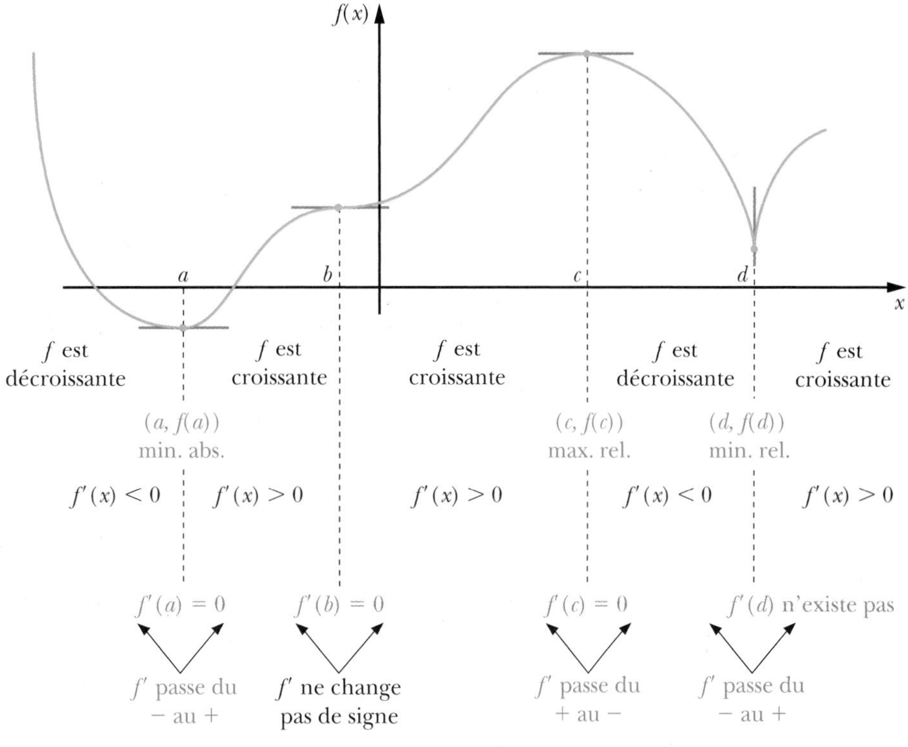

Les points $(a, f(a))$, $(b, f(b))$ et $(c, f(c))$ sont des points stationnaires.

Le point $(d, f(d))$ est un point de rebroussement.

Présentons maintenant, dans un tableau de variation relatif à f', les informations obtenues à partir de la dérivée première de la fonction f pour esquisser le graphique de f.

Il y a environ 1 000 ans...

L'usage de tableaux pour présenter une ou plusieurs informations mathématiques était fort connu chez les Arabes entre 1000 et 1300. Toutefois, ces tableaux n'étaient pas utilisés pour le calcul différentiel puisque ce dernier n'existait pas encore. On les utilisait plutôt pour les calculs algébriques. Ils permettaient de faire des calculs complexes sur les polynômes, par exemple pour en déterminer les racines.

Exemple 2 Soit $f(x) = x^2 - 6x$.

a) Déterminons les intervalles de croissance et de décroissance de f.

Nous savons, d'après le théorème 6.2, que:

a) si $f'(x) > 0$ sur $]a, b[$, alors f est croissante sur $[a, b]$;

b) si $f'(x) < 0$ sur $]a, b[$, alors f est décroissante sur $[a, b]$.

Il faut donc déterminer les valeurs de x pour lesquelles $f'(x) > 0$ et les valeurs de x pour lesquelles $f'(x) < 0$.

Nous pouvons déterminer ces valeurs en trouvant les nombres critiques de f.

1re étape: Calculer et factoriser $f'(x)$, si c'est possible, car la factorisation aide à déterminer les nombres critiques.

$$\begin{aligned} f'(x) &= 2x - 6 \\ &= 2(x - 3) \end{aligned}$$

2e étape: Déterminer les nombres critiques de f.

1) $f'(x) = 0$ si $x = 3$, d'où 3 est un nombre critique.

2) $f'(x)$ est définie $\forall x \in \mathbb{R}$, d'où aucun nouveau nombre critique.

D'où 3 est le nombre critique de f.

3e étape: Construire le tableau de variation relatif à f'.

Afin de déterminer les valeurs de x qui rendent la dérivée positive ou négative, construisons le tableau suivant.

x	$-\infty$	Placer ici le nombre critique déterminé à l'étape 2.	$+\infty$
$f'(x)$	Placer ici le signe (+ ou −) de $f'(x)$ sur l'intervalle ci-dessus.	Ici $f'(x) = 0$ ou $f'(x)$ n'existe pas.	Placer ici le signe (+ ou −) de $f'(x)$ sur l'intervalle ci-dessus.

Sur cet intervalle, $f'(x)$ est toujours de même signe. Sur cet intervalle, $f'(x)$ est toujours de même signe.

Puisque sur l'intervalle $-\infty, 3[$, $f'(x)$ est toujours de même signe, nous pouvons déterminer ce signe en calculant $f'(x)$ pour une valeur quelconque de x, où $x \in -\infty, 3[$.

Par exemple, $f'(0) = -6$, d'où le signe « − ».

Pour l'intervalle $]3, +\infty$, le même raisonnement s'applique.

Par exemple, $f'(10) = 14$, d'où le signe « + ».

Nous obtenons ainsi le tableau de signes ci-contre.

x	$-\infty$	3	$+\infty$
$f'(x)$	−	0	+

Puisque $f'(x) < 0$ sur $-\infty, 3[$, alors f est décroissante sur $-\infty, 3]$.

De même, puisque $f'(x) > 0$ sur $]3, +\infty$, alors f est croissante sur $[3, +\infty$.

Ces informations s'ajoutent au tableau précédent de la façon suivante.

x	$-\infty$	3	$+\infty$
$f'(x)$	−	0	+
f	f est décroissante sur $-\infty, 3]$. Notation ↘	$f(3)$	f est croissante sur $[3, +\infty$. Notation ↗

Ainsi, le tableau devient:

x	$-\infty$	3	$+\infty$
$f'(x)$	$-$	0	$+$
f	↘	-9	↗

b) Déterminons les points de maximum relatif et les points de minimum relatif de f.

Autour du nombre critique 3, $f'(x)$ change de signe, c'est-à-dire passe du « $-$ » au « $+$ » lorsque x passe de 3^- à 3^+; cela équivaut à dire que, à ce nombre critique, f cesse de décroître pour commencer à croître. Ainsi, (3, -9) est un point de minimum relatif de f. De plus, (3, -9) est le point de minimum absolu de f.

Remarque Afin d'alléger l'écriture dans les tableaux et sur les graphiques, on utilise l'abréviation max. pour indiquer les points de maximum relatif et de maximum absolu et l'abréviation min. pour indiquer les points de minimum relatif et de minimum absolu.

Cette information s'ajoute au tableau de variation relatif à f':

x	$-\infty$	3	$+\infty$
$f'(x)$	$-$	0	$+$
f	↘	-9	↗
		min.	

Ce tableau s'appelle le tableau de variation relatif à f'.

c) Esquissons le graphique de f.

Pour ce faire, utilisons les données du tableau de variation précédent.

Nous savons que f est décroissante sur $-\infty, 3]$, c'est-à-dire qu'elle est décroissante jusqu'au point (3, -9). Nous savons aussi que f est croissante sur $[3, +\infty$, c'est-à-dire qu'elle est croissante à partir du point (3, -9).

Marche à suivre:

i) Plaçons d'abord les points qui figurent au tableau de variation.

ii) Identifions les intersections du graphique et des axes, en déterminant $f(0)$, en l'occurrence $f(0) = 0$ et, si c'est possible, les zéros de f, en résolvant $f(x) = 0$, en l'occurrence $x = 0$ et $x = 6$.

iii) Esquissons le graphique de la fonction f.

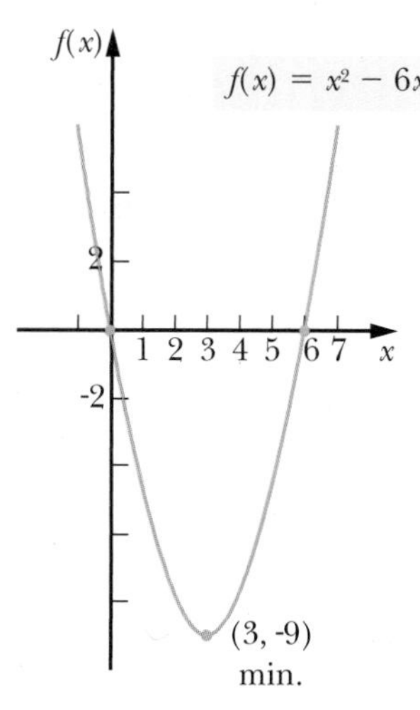

Exemple 3 Soit $f(x) = 2x^3 - 3x^2 - 12x + 10$, où dom $f = \mathbb{R}$.

a) Construisons le tableau de variation relatif à f'.

1re étape: Calculer $f'(x)$.

$$f'(x) = 6x^2 - 6x - 12 = 6(x + 1)(x - 2)$$

2e étape: Déterminer les nombres critiques de f.

1) $f'(x) = 0$ si $x = -1$ ou $x = 2$.

2) $f'(x)$ est définie $\forall x \in \mathbb{R}$.

D'où -1 et 2 sont les nombres critiques de f.

3e étape: Construire le tableau de variation relatif à f'.

Nombres critiques de f par ordre croissant

x	$-\infty$	-1		2	$+\infty$
$f'(x)$	+	0	−	0	+
f	↗	17	↘	-10	↗
		max.		min.	

Du tableau de variation précédent, nous avons:

f est croissante sur $-\infty, -1] \cup [2, +\infty$;

f est décroissante sur $[-1, 2]$;

$(-1, 17)$ est un point de maximum relatif;

$f(-1)$, c'est-à-dire 17, est un maximum relatif de f;

$(2, -10)$ est un point de minimum relatif et

$f(2)$, c'est-à-dire -10, est un minimum relatif de f.

b) Esquissons le graphique de f.

$f(0) = 10$

Les zéros de f sont difficiles à déterminer algébriquement.

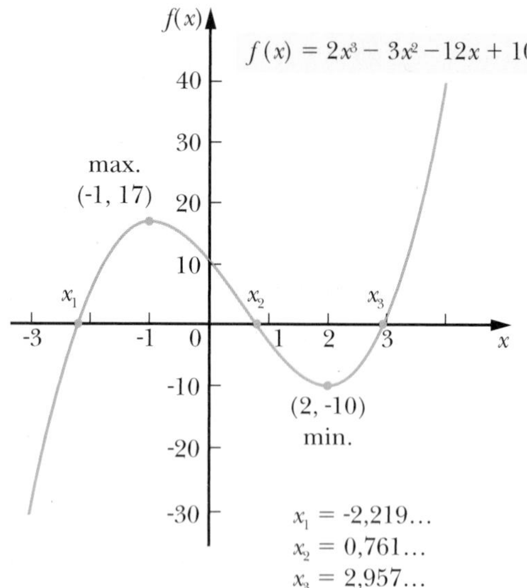

OUTIL TECHNOLOGIQUE

Nous pouvons cependant les déterminer approximativement à l'aide d'un outil technologique approprié.

Par exemple, avec Maple, nous avons:

```
> f:=x->2*x^3-3*x^2-12*x+10;
                f:= x -> 2x³ - 3x² - 12x + 10
> solve(f(x)=0.);
                -2.219115947, 0.7619212620, 2.957194685
```

Exemple 4 Soit $f(x) = 3x^4 - 8x^3 - 6$, définie sur [-1, 3[.

a) Construisons le tableau de variation relatif à f'.

1re étape: Calculer $f'(x)$.

$$f'(x) = 12x^3 - 24x^2$$
$$= 12x^2(x - 2)$$

2e étape: Déterminer les nombres critiques de f.

1) $f'(x) = 0$ si $x = 0$ ou $x = 2$.

2) $f'(x)$ n'existe pas si $x = -1$.

D'où -1, 0 et 2 sont les nombres critiques de f.

3e étape: Construire le tableau de variation relatif à f'.

x	-1		0		2		3
$f'(x)$	∄	−	0	−	0	+	∄
f	5	↘	-6	↘	-22	↗	∄
	max.				min.		

b) Esquissons le graphique de f sur [-1, 3[.

Puisque $f(3)$ n'est pas définie, il faut évaluer $\lim_{x \to 3^-} f(x)$.

$\lim_{x \to 3^-} f(x) = \lim_{x \to 3^-} (3x^4 - 8x^3 - 6) = 21.$

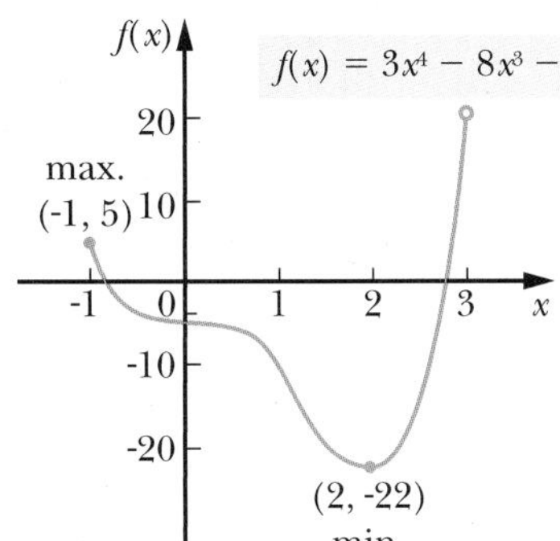

(-1, 5) est un point de maximum relatif et (2, -22) est le point de minimum absolu.

Étudions maintenant quelques exemples de fonctions continues mais non dérivables en certains points.

Exemple 5 Soit $f(x) = \sqrt[3]{x^2 - 4x}$, où dom $f = \mathbb{R}$.

a) Construisons le tableau de variation relatif à f'.

1re étape: Calculer $f'(x)$.

$$f'(x) = \frac{2x - 4}{3\sqrt[3]{(x^2 - 4x)^2}}$$
$$= \frac{2(x - 2)}{3\sqrt[3]{x^2(x - 4)^2}}$$

2e étape: Déterminer les nombres critiques de f.

1) $f'(x) = 0$ si $x = 2$.

2) $f'(x)$ n'existe pas si $x = 0$ ou $x = 4$.

D'où 0, 2 et 4 sont les nombres critiques de f.

3e étape : Construire le tableau de variation relatif à f'.

x	$-\infty$	0		2		4	$+\infty$
$f'(x)$	$-$	$\nexists$	$-$	0	$+$	$\nexists$	$+$
f	↘	0	↘	$\sqrt[3]{-4}$	↗	0	↗
				min.			

b) Esquissons le graphique de f.

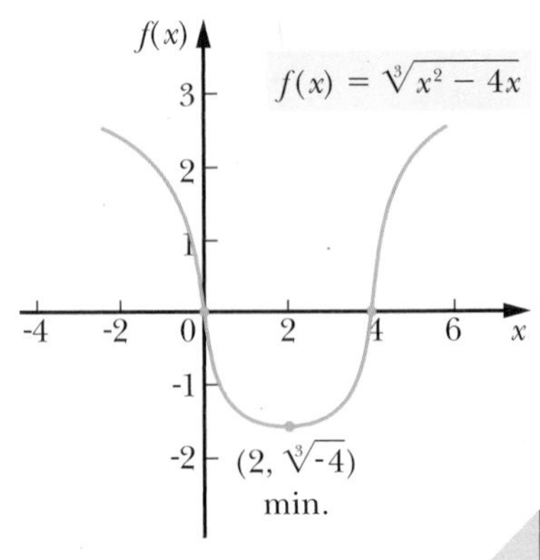

Exemple 6 Soit $f(x) = 5 - \sqrt[3]{(x-4)^2}$, où dom $f = \mathbb{R}$.

Esquissons le graphique de f à l'aide du tableau de variation relatif à f'.

1re étape : Calculer $f'(x)$.

$$f'(x) = \frac{-2}{3\sqrt[3]{(x-4)}}$$

2e étape : Déterminer les nombres critiques de f.

1) $f'(x) \neq 0$, $\forall x \in \mathbb{R}$.

2) $f'(x)$ n'existe pas si $x = 4$.

D'où 4 est le nombre critique de f.

3e étape : Construire le tableau de variation relatif à f'.

x	$-\infty$	4	$+\infty$
$f'(x)$	$+$	$\nexists$	$-$
f	↗	5	↘
		max.	

Esquisse du graphique de f

Le point (4, 5) est un point de rebroussement, car en ce point la tangente à la courbe de f est verticale et $f'(x)$ change de signe lorsque x passe de 4^- à 4^+. (définition 6.7)

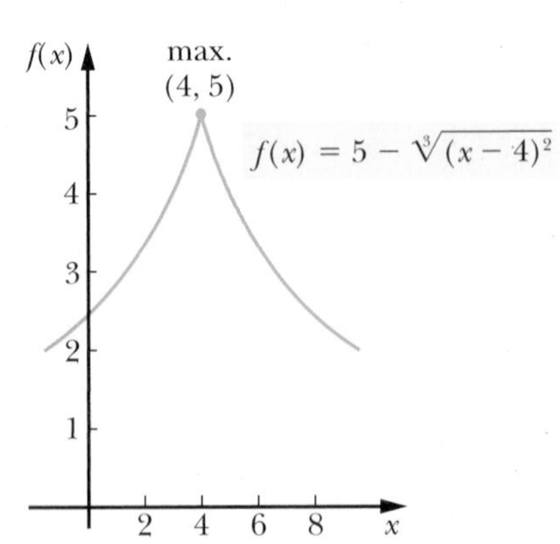

Exemple 7 Soit $f(x) = |x - 2|$, où dom $f = \mathbb{R}$.

Construisons le tableau de variation relatif à f' et esquissons le graphique de f.

1re étape: Calculer $f'(x)$.

Ici, $f(x) = |x-2| = \begin{cases} x - 2 & \text{si} \quad x \geq 2 \\ -(x-2) & \text{si} \quad x < 2 \end{cases}$ (par définition de $|x - 2|$).

Si $x > 2$, $f(x) = x - 2$, d'où $f'(x) = 1$.

Si $x < 2$, $f(x) = -x + 2$, d'où $f'(x) = -1$.

Pour $x = 2$, utilisons la définition de la dérivée en un point.

$$f'(2) = \lim_{h \to 0} \frac{f(2+h) - f(2)}{h} \quad \text{(définition 3.8)}$$

$$= \lim_{h \to 0} \frac{|2 + h - 2| - 0}{h}$$

$$= \lim_{h \to 0} \frac{|h|}{h}$$

À cause de la définition de $|h|$, nous devons évaluer la limite à gauche et la limite à droite.

i) $\lim_{h \to 0^-} \frac{|h|}{h} = \lim_{h \to 0^-} \frac{-h}{h}$ (car $|h| = -h$ si $h < 0$)

$= \lim_{h \to 0^-} -1 = -1$

ii) $\lim_{h \to 0^+} \frac{|h|}{h} = \lim_{h \to 0^+} \frac{h}{h}$ (car $|h| = h$ si $h > 0$)

$= \lim_{h \to 0^+} 1 = 1$

Donc, $\lim_{h \to 0} \frac{|h|}{h}$ n'existe pas.

Ainsi, $f'(2)$ n'existe pas, car la limite à droite n'est pas égale à la limite à gauche.

2e étape: Déterminer les nombres critiques de f.

1) $f'(x) \neq 0$, $\forall x \in \mathbb{R}$.

2) $f'(x)$ n'existe pas si $x = 2$.

D'où 2 est le nombre critique de f.

3e étape: Construire le tableau de variation relatif à f'.

x	$-\infty$	2	$+\infty$
$f'(x)$	$-$	$\nexists$	$+$
f	↘	0	↗
		min.	

Esquisse du graphique de f

Le point $(2, 0)$ est un point anguleux, car en ce point, les portions de courbe admettent deux tangentes distinctes. (définition 6.7)

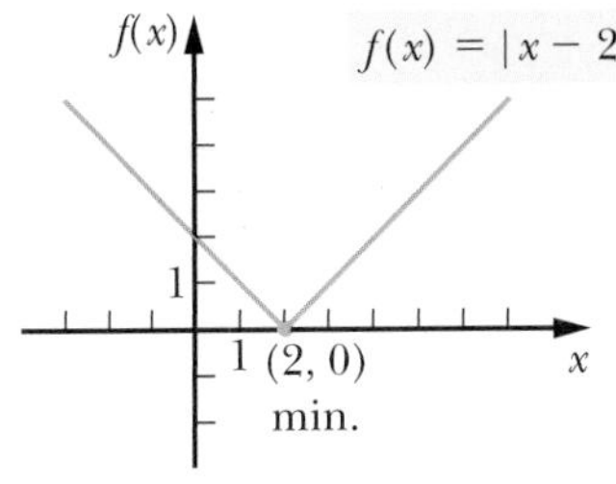

Exemple 8 Soit $f(x) = \sqrt{x^2 + x - 6} - 3$.

a) Déterminons dom f.

$x^2 + x - 6 \geqslant 0$

$(x + 3)(x - 2) \geqslant 0$

D'où dom $f =]-\infty, -3] \cup [2, +\infty[$.

b) Construisons le tableau de variation relatif à f' et esquissons le graphique de f.

1re étape: Calculer $f'(x)$.

$$f'(x) = \frac{2x + 1}{2\sqrt{x^2 + x - 6}} = \frac{2x + 1}{2\sqrt{(x + 3)(x - 2)}}$$

2e étape: Déterminer les nombres critiques de f.

1) $f'(x)$ n'est jamais égale à zéro sur le domaine de f. En effet, $\frac{-1}{2} \notin$ dom f.

2) $f'(x)$ n'existe pas si $x = -3$ ou $x = 2$.

D'où -3 et 2 sont les nombres critiques de f.

3e étape: Construire le tableau de variation.

x	$-\infty$	-3		2	$+\infty$
$f'(x)$	−	∄	∄	∄	+
f	↘	-3	∄	-3	↗
		min.		min.	

Esquisse du graphique de f

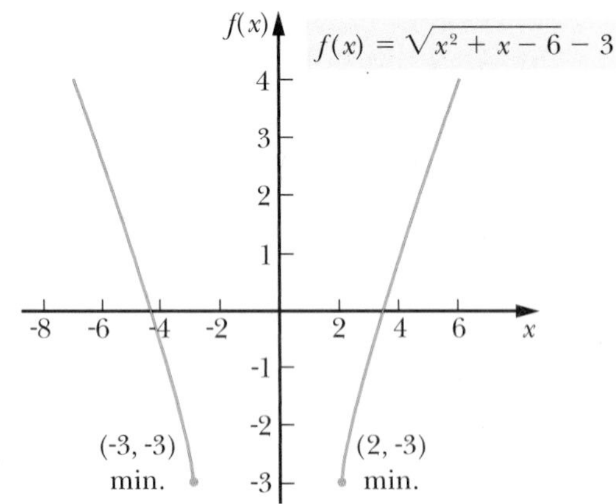

Graphique de f et graphique de f'

Les graphiques d'une fonction et de sa dérivée sont dépendants l'un de l'autre.

Exemple 1 Soit f', la fonction définie par le graphique ci-contre.

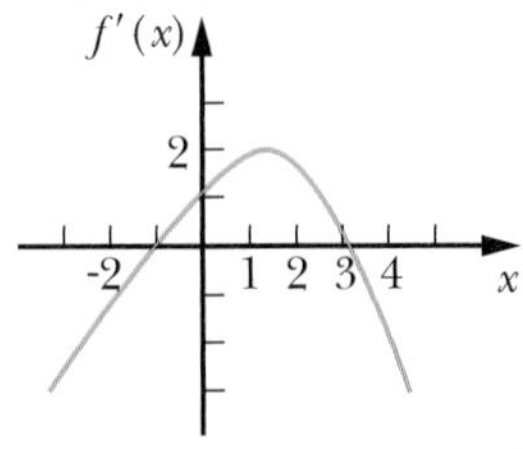

Donnons une esquisse possible du graphique de f en utilisant deux méthodes différentes.

Méthode 1 En utilisant le tableau de variation relatif à f'.

1re étape: Déterminer les nombres critiques de f.

1) $f'(x) = 0$ si $x = -1$ ou $x = 3$ (intersection de la courbe de f' avec l'axe des x).

2) $f'(x)$ est définie, $\forall x \in \mathbb{R}$. D'où -1 et 3 sont les nombres critiques de f.

2e étape: Construire le tableau de variation.

x	$-\infty$	-1		3	$+\infty$
$f'(x)$	$-$	0	$+$	0	$-$
f	↘	$f(-1)$	↗	$f(3)$	↘
		min.		max.	

3e étape: Esquisser le graphique de f.

Même si nous ignorons les valeurs exactes de $f(-1)$ et de $f(3)$, nous pouvons esquisser le graphique de f en utilisant les données du tableau de variation.

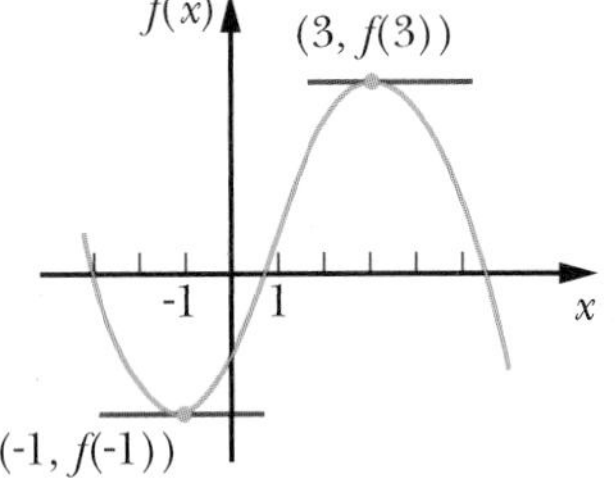

Remarque Il existe une infinité d'esquisses du graphique qui respectent les données du tableau de variation précédent.

Méthode 2 En déduisant, à partir de f', les informations nécessaires à la construction du graphique de f.

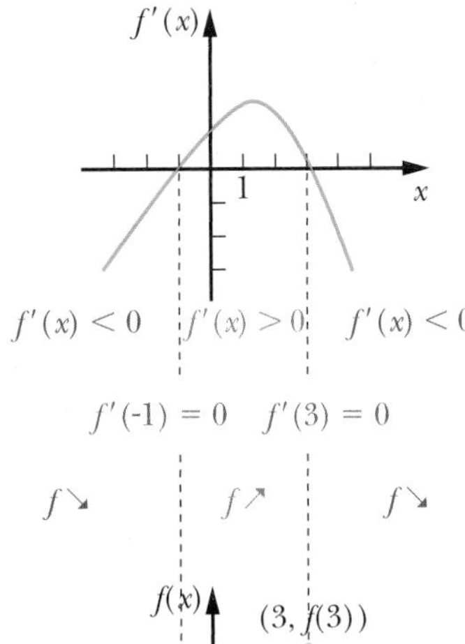

Exemple 2 Soit f, la fonction définie par le graphique ci-contre.

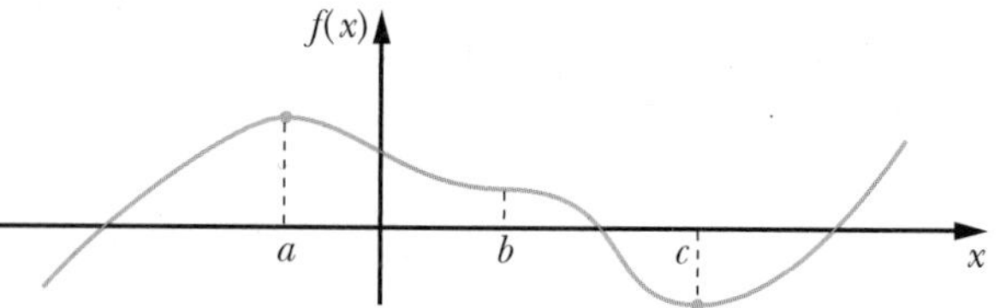

Donnons une esquisse du graphique de f' en indiquant les informations nécessaires à la construction du graphique de f'.

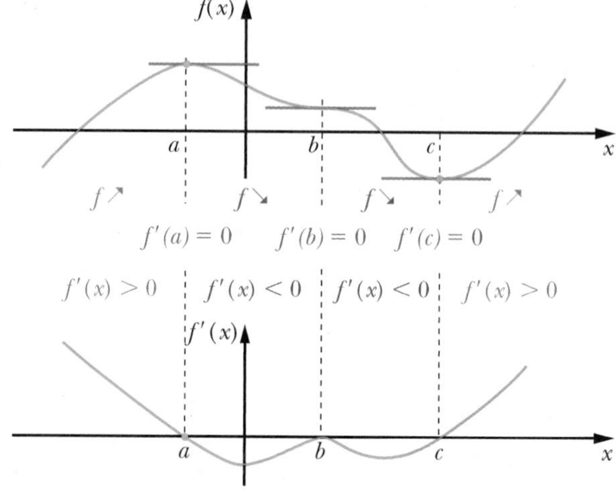

Exercices 6.1

1. Compléter les énoncés suivants, sachant que f est une fonction continue sur $[a, b]$ et $c \in \,]a, b[$.

a) Si $f'(x) > 0$ sur $]a, b[$, alors ....

b) Si $f'(x) < 0$ sur $]a, b[$, alors ....

c) c est un nombre critique de f si ....

d) Si $f'(c) = 0$, alors $(c, f(c))$ est ....

e) Si $f'(x)$ passe du « + » au « − » lorsque x passe de c^- à c^+, alors le point ....

f) Si $f'(x)$ passe du « − » au « + » lorsque x passe de c^- à c^+, alors le point ....

2. Compléter les énoncés suivants, sachant que f, f', f'', etc., sont continues sur $\mathbb{R}$.

a) Si $f''(x) > 0$ sur $]a, b[$, alors f' ....

b) Si $f^{(4)}(x) < 0$ sur $]a, b[$, alors $f^{(3)}$ ....

3. Soit la fonction f définie par le graphique suivant.

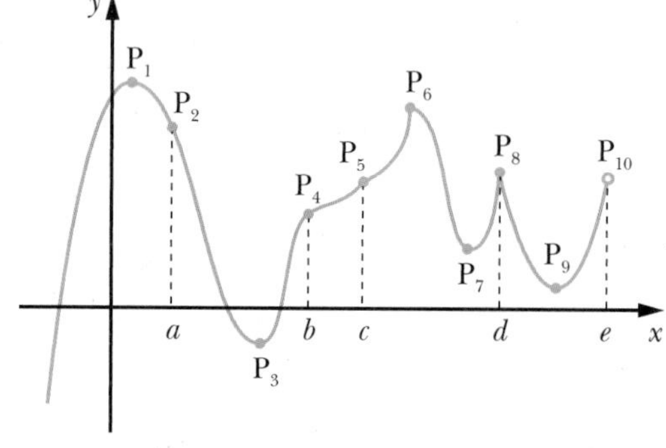

Déterminer les points suivants sur les intervalles donnés.

a) $-\infty, e[$ b) $[a, b]$ c) $]c, d]$

i) Le ou les points de minimum relatif.

ii) Le ou les points de minimum absolu.

iii) Le ou les points de maximum relatif.

iv) Le ou les points de maximum absolu.

v) Le point anguleux.

vi) Le point de rebroussement.

4. Construire le tableau de variation relatif à f' à partir des équations de f'.

a) $f'(x) = x(x-1)^2(x^2-4)$

b) $f'(x) = \dfrac{(x-2)^2(3-x)}{7x^2}$, où $0 \notin \text{dom } f$.

5. Pour chacune des fonctions suivantes, construire le tableau de variation relatif à f' et déterminer, si c'est possible, les intervalles de croissance et de décroissance, les maximums relatifs, les minimums relatifs, les points de maximum relatif et les points de minimum relatif de f.

a) $f(x) = x^3 - 12x + 1$

b) $f(x) = (x^2 - 3x + 4)^3$

c) $f(x) = -4x^5 - 3x^3 + 1$

d) $f(x) = 4x^5 - 5x^4 + 3$

e) $f(x) = \sqrt[5]{x} + 2$

f) $f(x) = \dfrac{x^2 - 9}{x^2 + 9}$ sur $[-2, 3]$

g) $f(x) = 3x^4 - 4x^3$ sur $[-1, +\infty$

h) $f(x) = x^4 - 4x^3 - 20x^2 + 4$ sur $[-2, 4[$

6. Pour chaque fonction, construire le tableau de variation relatif à f' et esquisser le graphique de f en indiquant, s'il y a lieu, les points de maximum relatif, les points de minimum relatif, les points anguleux et les points de rebroussement.

a) $f(x) = x^3 + 6x^2 + 1$

b) $f(x) = 3 + |x - 5|$ sur $]-1, 10]$

c) $f(x) = 7 - (x-2)^2(x+2)^2$

d) $f(x) = \sqrt{3x + 7} - 2$

e) $f(x) = 3 + (4 - 2x)^{\frac{2}{3}}$

f) $f(x) = 3x^5 - 25x^3 + 60x$ sur $-\infty, 2[$

7. Esquisser un graphique possible d'une fonction f, où dom $f = \mathbb{R}$, satisfaisant à toutes les conditions suivantes :

$f'(-5) = 0$ et $f(-5) = -2$;

$f'(-3) \nexists$ et $f(-3) = 2$;

$f'(2) = 0$ et $f(2) = -3$;

$f'(5) = 0$ et $f(5) = 1$;

$f'(x) < 0$ sur $-\infty, -5[\cup]-3, 2[\cup]5, +\infty$;

$f'(x) > 0$ sur $]-5, -3[\cup]2, 5[$.

8. Connaissant le graphique de f, construire le tableau de variation relatif à f'.

a)

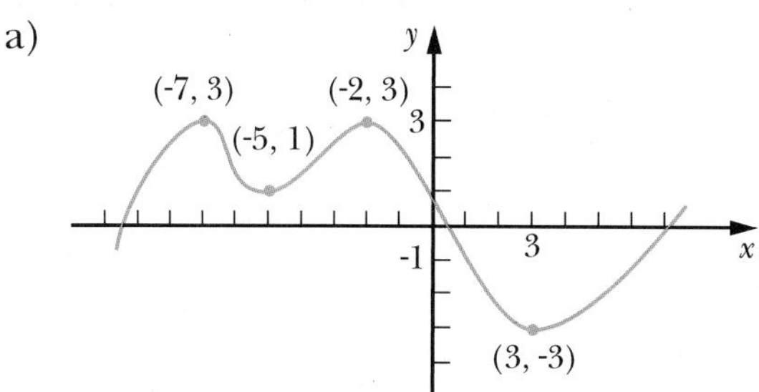

b)

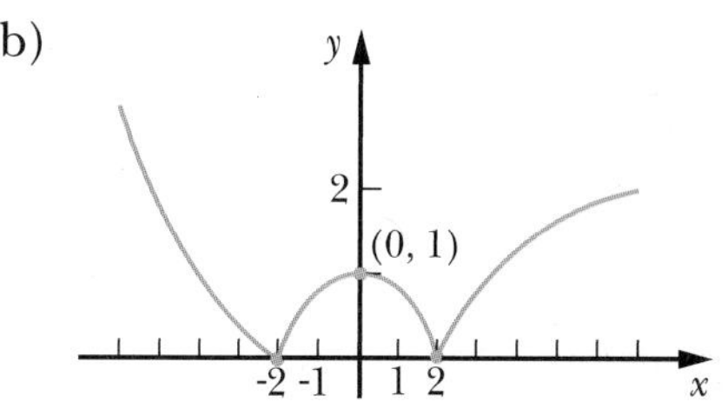

9. Construire le tableau de f relatif à f' et donner une esquisse possible du graphique de f à partir du graphique de $f'(x)$.

a)

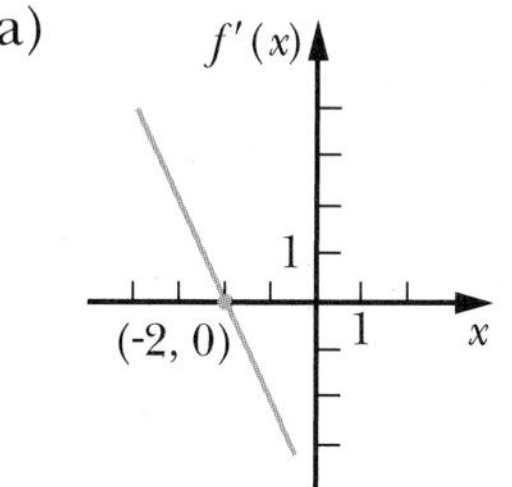

b)

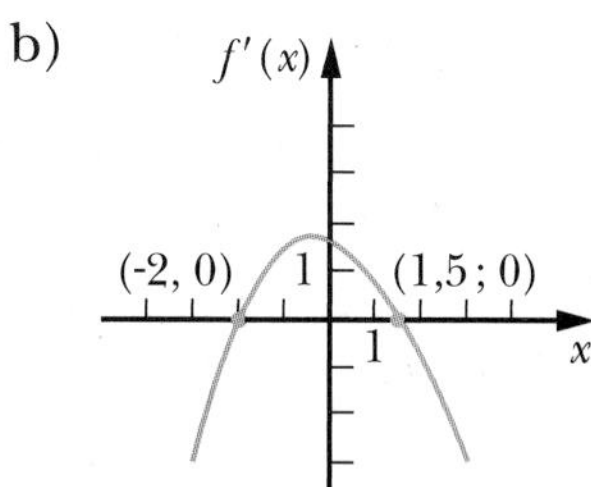

c)

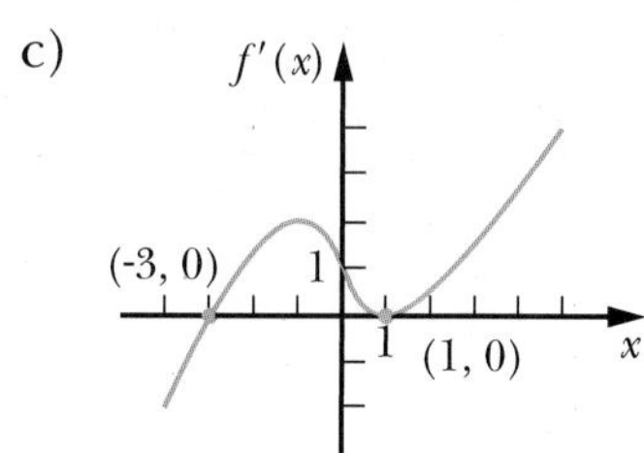

d)

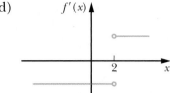

10. Soit les graphiques de différentes fonctions.

a)

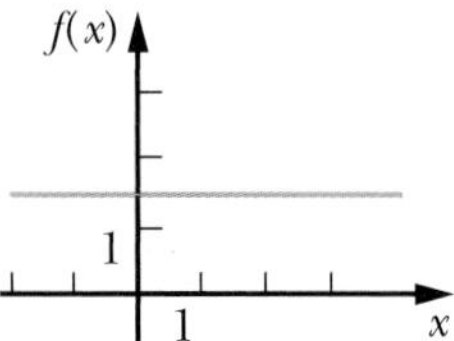

b)

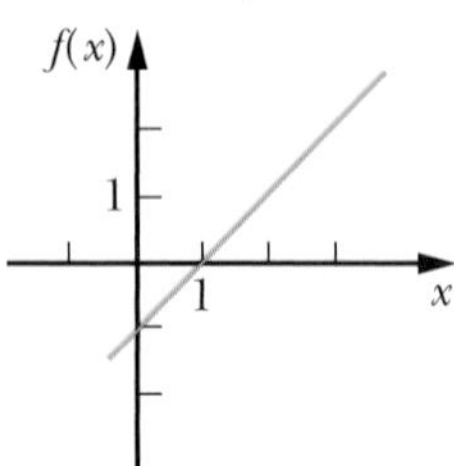

c)

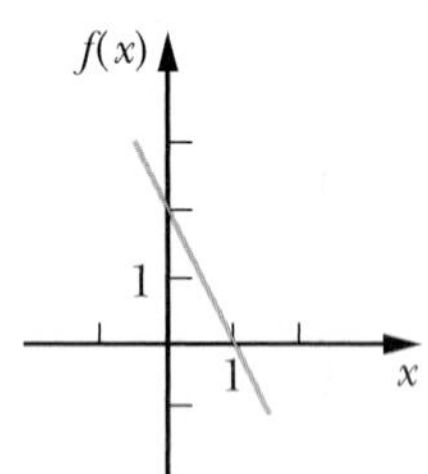

d)

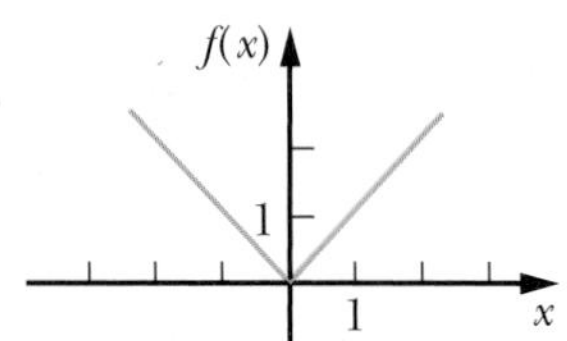

e)

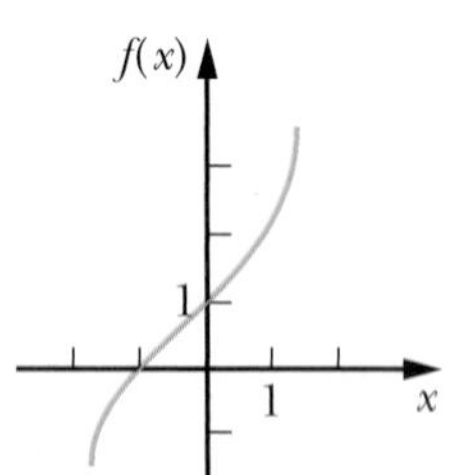

f)

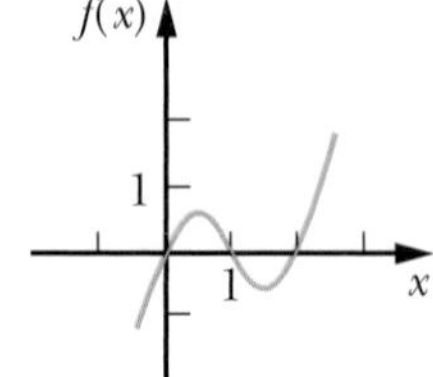

g)

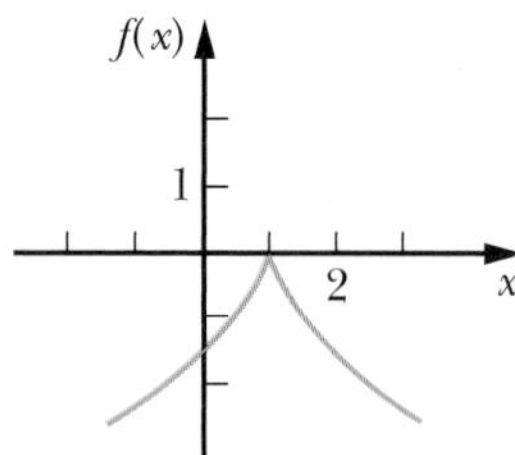

h)

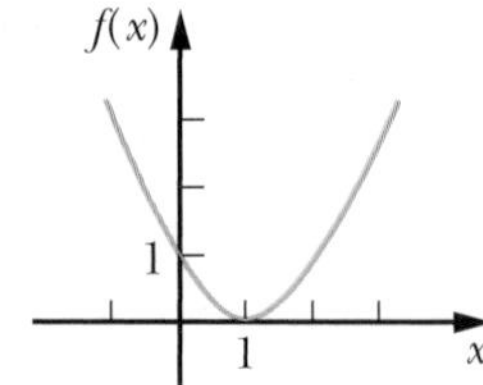

i)

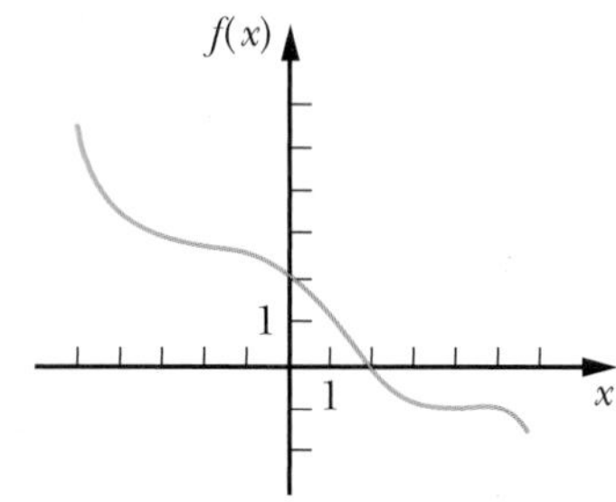

Les graphiques suivants représentent les dérivées des fonctions représentées ci-dessus. Associer à chacune des fonctions f précédentes le graphique qui représente le plus précisément possible la dérivée de cette fonction.

①

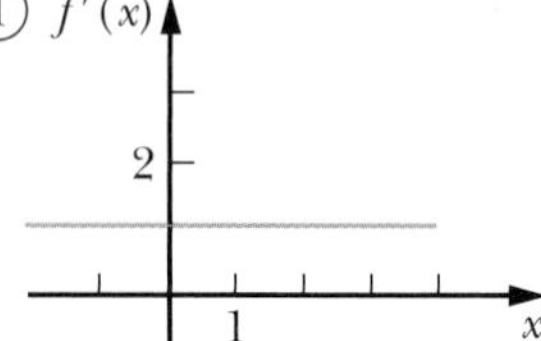

②

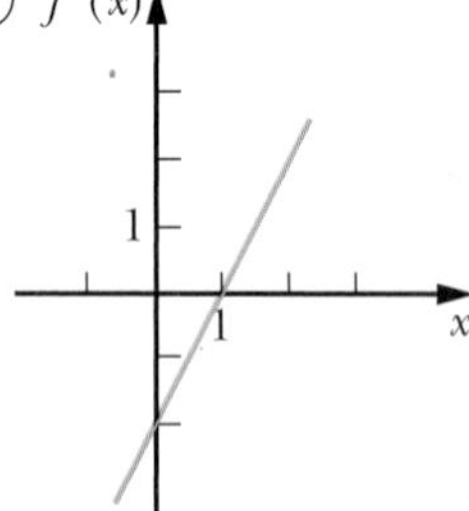

③

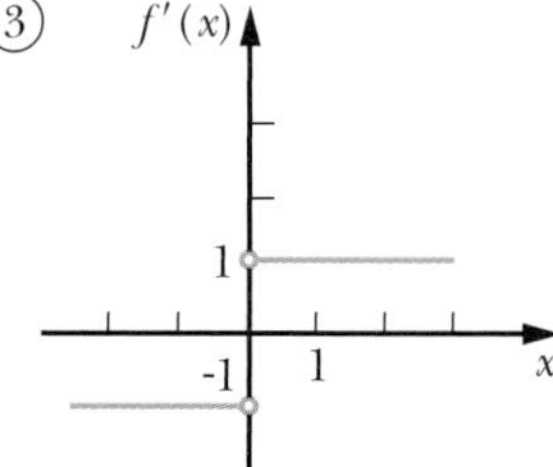

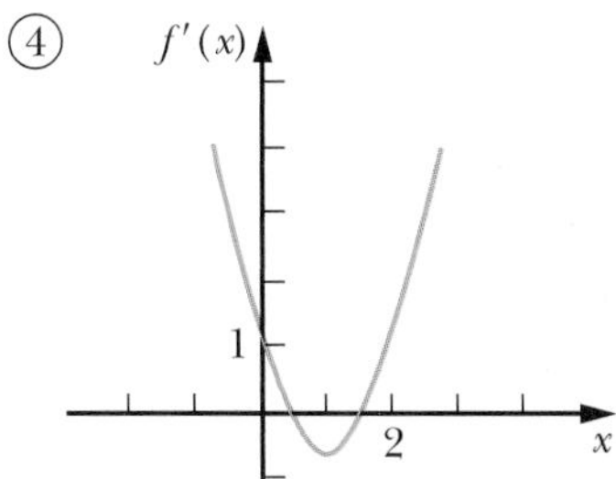

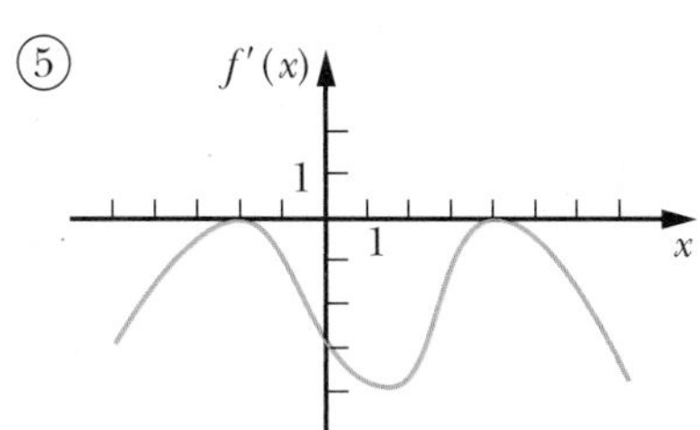

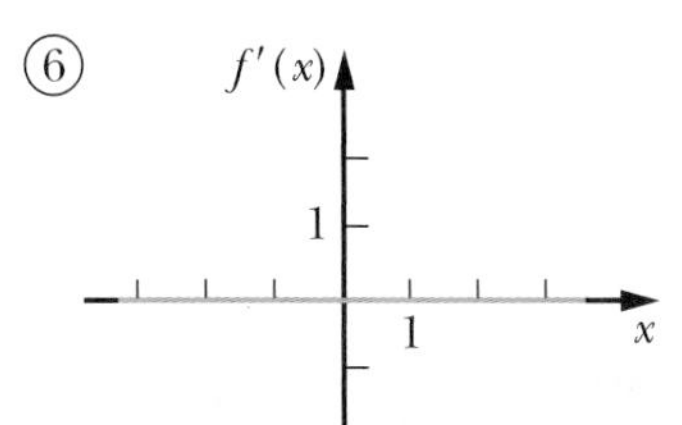

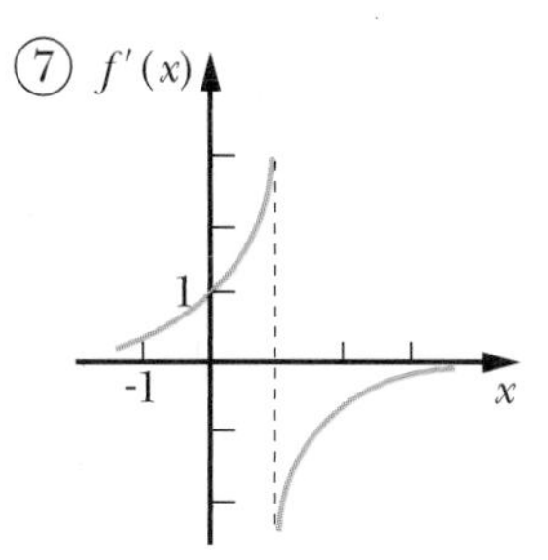

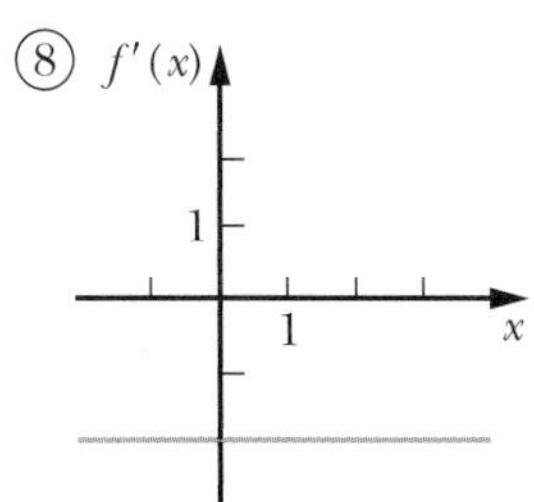

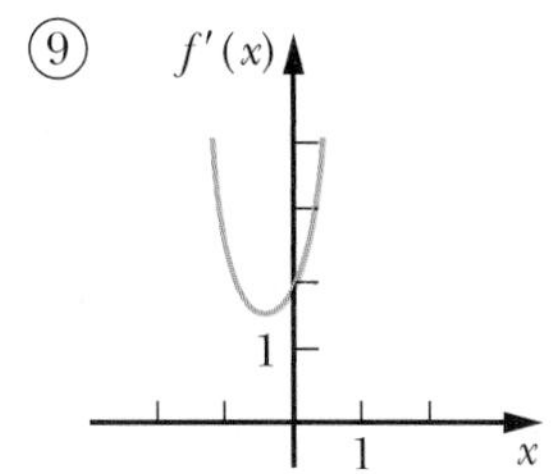

11. Dans les représentations suivantes, déterminer la fonction f, la fonction f' et la fonction g qui n'est pas la dérivée de f.

a)

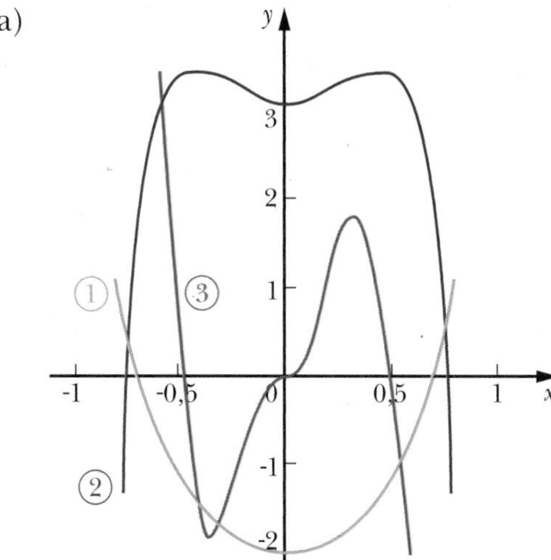

b)

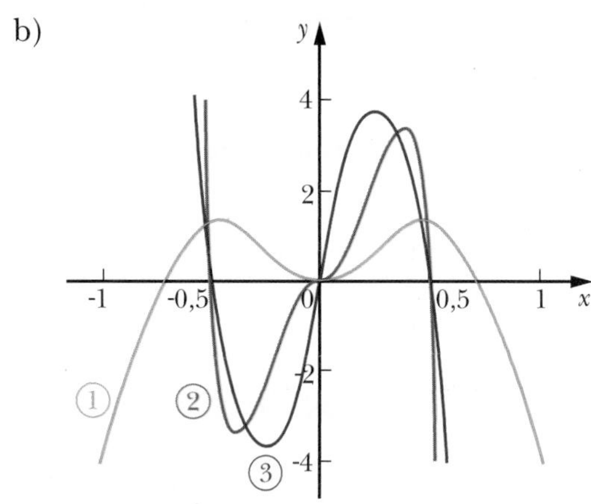

12. Soit f, une fonction continue sur $[a, b]$ telle que f' existe sur $]a, b[$.

a) Démontrer que

i) si f est croissante sur $[a, b]$, alors $f'(x) \geqslant 0$ sur $]a, b[$;

ii) si f est décroissante sur $[a, b]$, alors $f'(x) \leqslant 0$ sur $]a, b[$.

O/T b) Soit $f(x) = 45x^7 - 126x^5 + 105x^3$.

i) À l'aide d'un outil technologique, vérifier que la fonction est croissante sur $[-2, 2]$.

ii) Déterminer algébriquement que $f'(x) \geqslant 0$ sur $]-2, 2[$ et trouver les valeurs de x, où $x \in\ ]-2, 2[$, telles que $f'(x) = 0$.

6.2 Intervalles de concavité vers le haut, intervalles de concavité vers le bas et point d'inflexion

Objectif d'apprentissage

À la fin de cette section, l'élève pourra rassembler dans un tableau de variation les informations relatives aux intervalles de concavité vers le haut, aux intervalles de concavité vers le bas et aux points d'inflexion.

Quantité
CONCAVE VERS LE HAUT
CONCAVE VERS LE BAS
Point d'inflexion
Temps

Plus précisément, l'élève sera en mesure:

- de donner la définition de concavité vers le haut et de concavité vers le bas du graphique d'une fonction;
- de donner la définition d'un point d'inflexion;
- de relier la concavité d'une fonction au signe de sa dérivée seconde;
- de déterminer les intervalles de concavité vers le haut et de concavité vers le bas d'une fonction;
- de déterminer les nombres critiques de f';
- de déterminer les points d'inflexion d'une fonction;
- de construire un tableau de variation relatif à f'';
- de déterminer les points de maximum relatif et les points de minimum relatif d'une fonction à l'aide du test de la dérivée seconde.

Pour esquisser d'une façon plus précise le graphique d'une fonction, nous devons connaître la concavité d'une courbe. Cette information nous sera donnée par le signe de la dérivée seconde.

6

Concavité et point d'inflexion

Il y a environ 300 ans...

© Bettmann/CORBIS

Isaac Newton 1642-1727

La notion de point d'inflexion et sa relation avec la concavité d'une courbe étaient connues des fondateurs du calcul différentiel et intégral. Toutefois, pour les courbes algébriques, les points d'inflexion ne se présentent que sur les courbes de degrés supérieurs à 2. C'est donc dans le contexte de l'étude de ces courbes, particulièrement par **Newton** en 1704, que le point d'inflexion prend toute son importance. Mentionnons que Newton (1642-1727) s'intéressait aussi bien aux fonctions explicites qu'implicites de degré 3. Certaines de ces courbes surprennent. Pour vous en convaincre, tracez la courbe de l'équation $y^2 = x^3$ ou celle de l'équation $x^3 + y^3 = 3xy$.

Définition 6.8

Soit f, une fonction définie sur un intervalle I et continue sur $[a, b]$, où $[a, b] \subseteq \text{I}$.

1) f est **concave vers le haut** sur l'intervalle $[a, b]$ si, sur cet intervalle, la courbe de f est au-dessus de chacune des tangentes que nous pouvons tracer sur $]a, b[$.

2) f est **concave vers le bas** sur l'intervalle $[a, b]$ si, sur cet intervalle, la courbe de f est au-dessous de chacune des tangentes que nous pouvons tracer sur $]a, b[$.

Définition 6.9

Soit f, une fonction continue en $x = c$.

Le point $(c, f(c))$ est un **point d'inflexion** de f si la courbe de f change de concavité au point $(c, f(c))$.

Exemple 1 Soit f, une fonction définie par le graphique suivant.

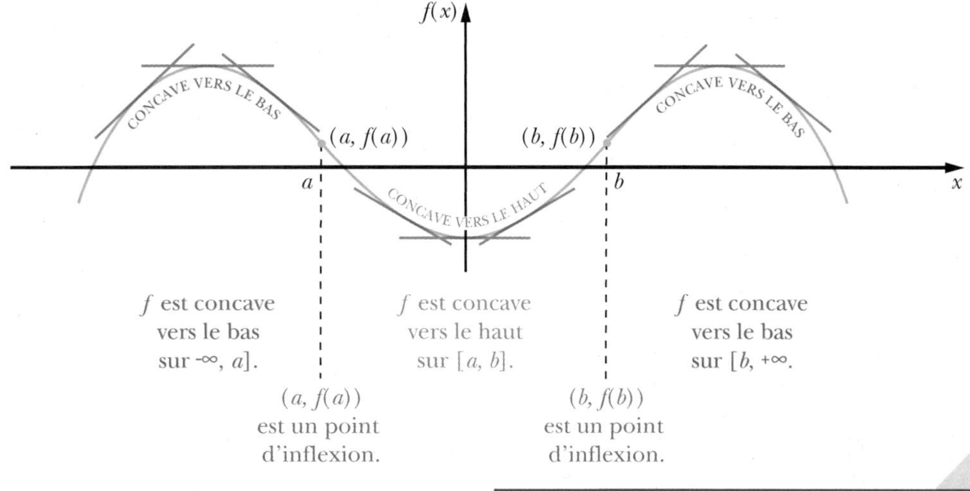

Exemple 2

a) Certains phénomènes tels que le nombre de personnes propageant une rumeur, la quantité d'une substance dans une réaction chimique ou la quantité vendue d'un nouveau produit peuvent être représentés de façon générale par une courbe présentant l'aspect suivant, appelée courbe logistique.

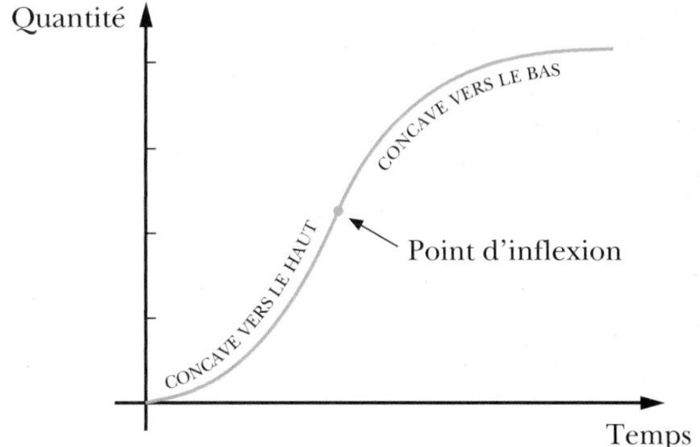

Il y a environ 200 ans...

L'équation logistique

L'appellation de courbe *logistique* fut introduite par le mathématicien belge Pierre François Verhulst (1804-1849) dans un article intitulé « La loi d'accroissement de la population ». Dans l'équation différentielle *logistique,* ce dernier terme, dont le choix est impropre, est supposé se référer à une solution de type logarithmique. Autrefois, le mot *logistique* avait le sens de « calcul ». Ainsi, l'algébriste français François Viète (1540-1603) appelait « logistique spécieuse » le calcul sur les lettres (espèces), autrement dit l'algèbre symbolique.

b) Sur la courbe suivante représentant le dosage d'un acide faible par une base forte, nous constatons que la courbe est parfois concave vers le bas et parfois concave vers le haut.

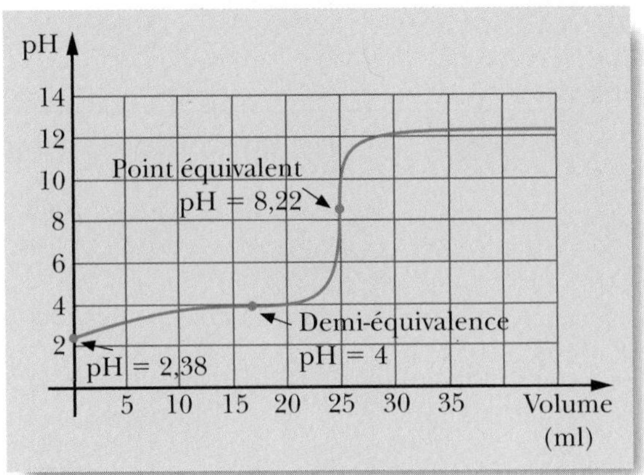

Concavité et signe de la dérivée seconde

Donnons deux exemples qui illustrent le lien entre la concavité d'une courbe et le signe de la dérivée seconde.

Exemple 1 Soit $f(x) = x^2$.

À l'aide du graphique ci-dessous, nous constatons que la courbe de f est concave vers le haut sur $\mathbb{R}$.

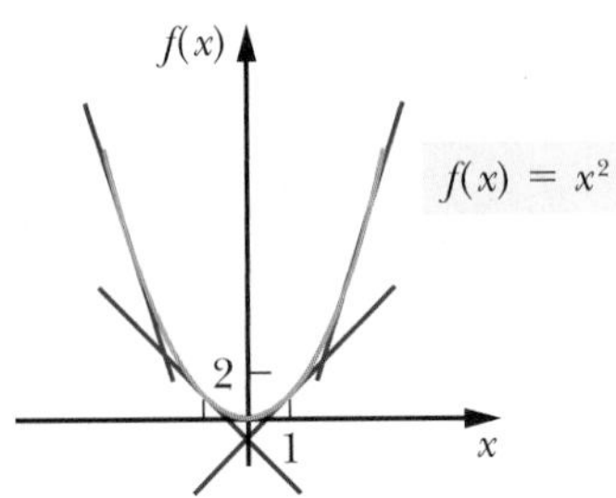

Nous allons relier cette caractéristique au signe de $f''(x)$.

Nous avons $f'(x) = 2x$, qui est une fonction croissante sur $\mathbb{R}$ (*voir* le graphique ci-contre).

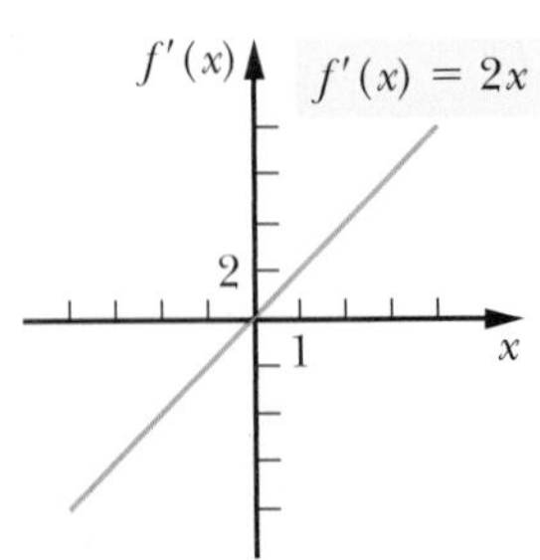

Or, nous savons que lorsqu'une fonction est croissante, sa dérivée est plus grande ou égale à zéro (*voir* Exercices 6.1, nº 12, page 233).

Ainsi, puisque f' est croissante sur $\mathbb{R}$, sa dérivée, c'est-à-dire $f''(x)$, est plus grande ou égale à zéro.

En effet, $f''(x) = 2$, d'où $f''(x) \geq 0$, $\forall\, x \in \mathbb{R}$.

Exemple 2 Soit $f(x) = 3 - x^4$.

À l'aide du graphique ci-contre, nous constatons que la courbe de f est concave vers le bas sur $\mathbb{R}$.

Nous allons relier cette caractéristique au signe de $f''(x)$.

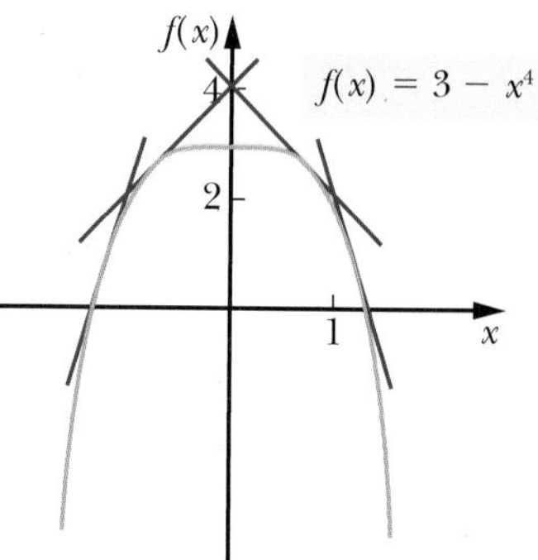

Nous avons $f'(x) = -4x^3$, qui est une fonction décroissante sur $\mathbb{R}$ (*voir* le graphique ci-contre).

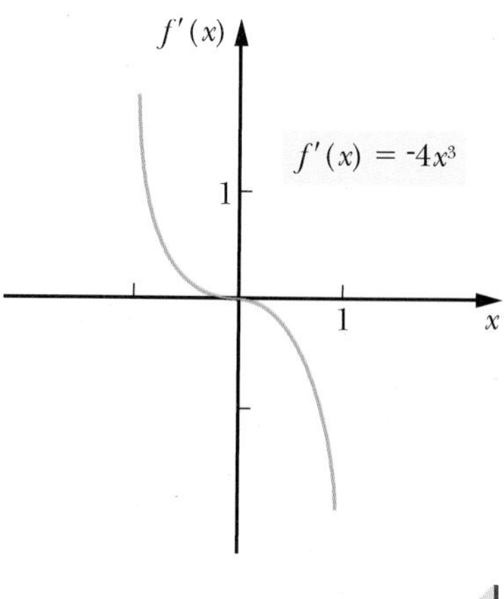

Or, nous savons que lorsqu'une fonction est décroissante, sa dérivée est plus petite ou égale à zéro (*voir* Exercices 6.1, nº 12).

Ainsi, puisque f' est décroissante sur $\mathbb{R}$, sa dérivée, c'est-à-dire $f''(x)$, est plus petite ou égale à zéro.

En effet, $f''(x) = -12x^2$, d'où $f''(x) \leq 0$, $\forall\, x \in \mathbb{R}$.

Énonçons maintenant un théorème, que nous acceptons sans démonstration, qui nous permettra de déterminer si une fonction est concave vers le bas ou concave vers le haut à l'aide du signe de sa dérivée seconde.

6

THÉORÈME 6.4

Soit une fonction f continue sur $[a, b]$ telle que f'' existe sur $]a, b[$.

a) Si $f''(x) > 0$ sur $]a, b[$, alors la courbe de f est concave vers le haut sur $[a, b]$.

b) Si $f''(x) < 0$ sur $]a, b[$, alors la courbe de f est concave vers le bas sur $[a, b]$.

Remarque

1) Si $f''(x) > 0$ sur $-\infty, b[$, sur $]a, +\infty$ ou sur $\mathbb{R}$, alors la courbe de f est concave vers le haut, respectivement sur $-\infty, b]$, $[a, +\infty$ ou $\mathbb{R}$.

2) Si $f''(x) < 0$ sur $-\infty, b[$, sur $]a, +\infty$ ou sur $\mathbb{R}$, alors la courbe de f est concave vers le bas, respectivement sur $-\infty, b]$, $[a, +\infty$ ou $\mathbb{R}$.

Définition 6.10

Soit $c \in \text{dom}\, f'$. Nous disons que c est un **nombre critique de f'** si :

1) $f''(c) = 0$

ou

2) $f''(c)$ n'existe pas.

Exemple 3 Soit $f(x) = (x^2 - 1)^{\frac{4}{3}}$, où dom $f = \mathbb{R}$.

Déterminons les nombres critiques de f'.

Calculons d'abord $f'(x)$ et déterminons dom f'.

$$f'(x) = \frac{4}{3}(x^2 - 1)^{\frac{1}{3}}\, 2x = \frac{8}{3}(x^2 - 1)^{\frac{1}{3}}\, x, \text{ et dom } f' = \mathbb{R}$$

Calculons ensuite $f''(x)$.

$$\begin{aligned} f''(x) &= \frac{8}{9}(x^2 - 1)^{\frac{-2}{3}}\, 2x(x) + \frac{8}{3}(x^2 - 1)^{\frac{1}{3}} \\ &= \frac{16x^2}{9(x^2 - 1)^{\frac{2}{3}}} + \frac{8}{3}(x^2 - 1)^{\frac{1}{3}} \\ &= \frac{16x^2 + 24(x^2 - 1)}{9(x^2 - 1)^{\frac{2}{3}}} \\ &= \frac{8(5x^2 - 3)}{9(x^2 - 1)^{\frac{2}{3}}} \end{aligned}$$

1) $f''(x) = 0$ si $x = -\sqrt{\frac{3}{5}}$ ou $x = \sqrt{\frac{3}{5}}$, donc $-\sqrt{\frac{3}{5}}$ et $\sqrt{\frac{3}{5}}$ sont des nombres critiques de f'.

2) $f''(x)$ n'existe pas si $x = -1$ ou $x = 1$, donc -1 et 1 sont des nombres critiques de f'.

D'où -1, $-\sqrt{\frac{3}{5}}$, $\sqrt{\frac{3}{5}}$ et 1 sont les nombres de f'.

Énonçons maintenant un théorème, que nous acceptons sans démonstration, qui nous permettra de déterminer les points d'inflexion d'une fonction.

THÉORÈME 6.5

Soit f, une fonction continue en $x = c$.

Si $f''(c) = 0$ ou si $f''(c)$ n'existe pas, alors

le point $(c, f(c))$ est un point d'inflexion de $f \Leftrightarrow f''(x)$ change de signe autour de c, c'est-à-dire lorsque x passe de c^- à c^+.

Remarque Si $f''(x)$ ne change pas de signe lorsque x passe de c^- à c^+, alors le point $(c, f(c))$ n'est pas un point d'inflexion.

Donnons un exemple graphique résumant les notions étudiées dans cette section.

Exemple 4 Soit f définie par le graphique suivant.

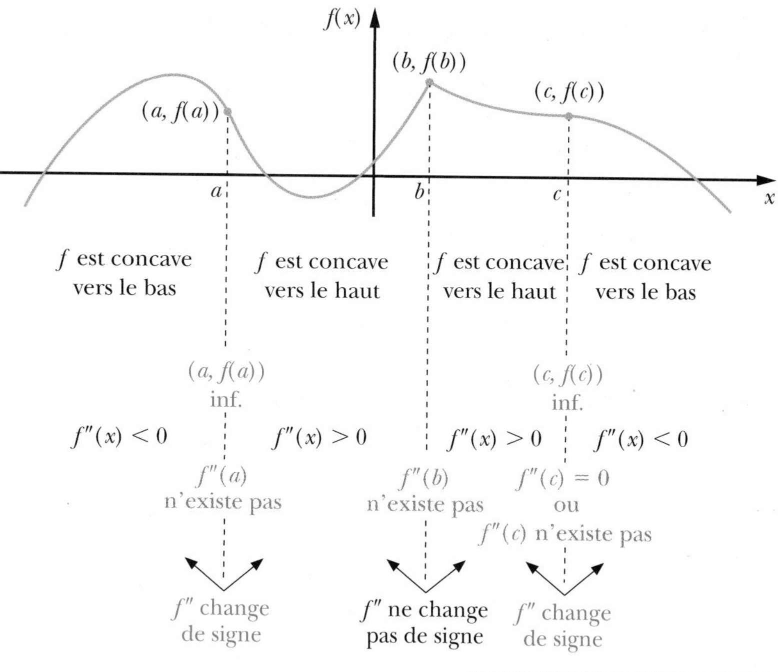

Tableau de variation relatif à f''

Voyons maintenant les étapes nécessaires à la construction du tableau de variation relatif à f''.

Exemple 1 Soit $f(x) = 4x^6 - 3x^5 - 5x^4 + 2$, où dom $f = \mathbb{R}$.

a) Déterminons les intervalles de concavité vers le haut et de concavité vers le bas de la courbe de f.

Nous savons que le type de concavité de la courbe de f nous est donné par le signe de f''.

1re étape : Calculer et factoriser, si c'est possible, $f''(x)$.

$$f'(x) = 24x^5 - 15x^4 - 20x^3$$

$$\begin{aligned} f''(x) &= 120x^4 - 60x^3 - 60x^2 \\ &= 60x^2(2x^2 - x - 1) \\ &= 60x^2(2x + 1)(x - 1) \end{aligned}$$

2e étape : Déterminer les nombres critiques de f'.

1) $f''(x) = 0$ si $x = \frac{-1}{2}$, $x = 0$ ou $x = 1$, d'où $\frac{-1}{2}$, 0 et 1 sont des nombres critiques de f'.

2) $f''(x)$ est définie $\forall x \in \mathbb{R}$, d'où aucun nouveau nombre critique de f'.

D'où $= \frac{-1}{2}$, 0 et 1 sont les nombres critiques de f'.

3e étape: Construire le tableau de variation relatif à f''.

La construction du tableau relatif à f'' ressemble à celle du tableau de f'.

x	$-\infty$	$\frac{-1}{2}$		0		1	$+\infty$
$f''(x)$	$+$	0	$-$	0	$-$	0	$+$
f	f est concave vers le haut sur $-\infty, \frac{-1}{2}\Big]$. Notation: $\cup$	$f\left(\frac{-1}{2}\right)$	f est concave vers le bas sur $\left[\frac{-1}{2}, 0\right]$. Notation: $\cap$	$f(0)$	f est concave vers le bas sur $[0, 1]$. Notation: $\cap$	$f(1)$	f est concave vers le haut sur $[1, +\infty$. Notation: $\cup$

Ainsi, puisque $f''(x) > 0$ sur $-\infty, \frac{-1}{2}\Big[\cup \,]1, +\infty$, alors f est concave vers le haut sur $-\infty, \frac{-1}{2}\Big] \cup [1, +\infty$.

De même, puisque $f''(x) < 0$ sur $\Big]\frac{-1}{2}, 0\Big[\cup \,]0, 1[$, alors f est concave vers le bas sur $\left[\frac{-1}{2}, 1\right]$.

b) Déterminons les points d'inflexion de f.

Nous constatons que, autour de $\frac{-1}{2}$ et de 1, $f''(x)$ change de signe, et que, autour de 0, $f''(x)$ ne change pas de signe.

Ainsi, par le théorème 6.5, les points $\left(\frac{-1}{2}, f\left(\frac{-1}{2}\right)\right)$, c'est-à-dire $\left(\frac{-1}{2}, \frac{59}{32}\right)$, et $(1, f(1))$, c'est-à-dire $(1, -2)$, sont des points d'inflexion de f.

Remarque Pour alléger l'écriture dans les tableaux et sur les graphiques, on utilise l'abréviation inf. pour indiquer les points d'inflexion.

Ces informations s'ajoutent au tableau de variation relatif à f''.

x	$-\infty$	$\frac{-1}{2}$		0		1	$+\infty$
$f''(x)$	$+$	0	$-$	0	$-$	0	$+$
f	$\cup$	$\frac{59}{32}$	$\cap$	2	$\cap$	-2	$\cup$
		inf.				inf.	

Ce tableau s'appelle le tableau de variation relatif à f''.

Remarque Il est impossible de donner l'esquisse d'un graphique seulement à partir du tableau relatif à f'', car ce tableau ne donne aucune information sur la croissance et la décroissance de f. Une analyse plus détaillée sera faite dans la section 6.3.

OUTIL TECHNOLOGIQUE

c) Représentons graphiquement cette fonction à l'aide de Maple.

```
> with(plots):
> f:=x->4*x^6-3*x^5-5*x^4+2;
                    f:=x → 4x⁶ − 3x⁵ − 5x⁴ + 2
> y1:=plot(f(x),x=-1..2,y=-5..5,color=orange):
> p:=plot([[-1/2,59/32],[1,-2],[0,2]],style=point,symbol=circle,color=orange):
> display(y1,p);
```

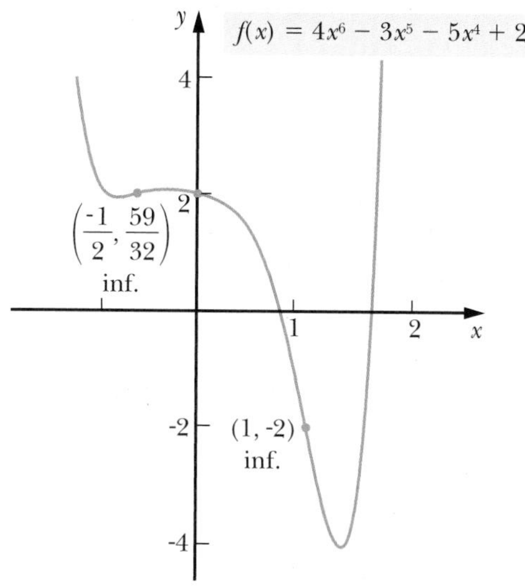

Exemple 2 Soit $f(x) = 9x^{\frac{8}{3}} - 36x^{\frac{5}{3}} + 4$, où dom $f = \mathbb{R}$.

a) Déterminons les intervalles de concavité vers le haut et de concavité vers le bas, et les points d'inflexion de la courbe de f à l'aide du tableau de variation relatif à f''.

1re étape: Calculer $f''(x)$.

$$f'(x) = 24x^{\frac{5}{3}} - 60x^{\frac{2}{3}}$$

$$f''(x) = 40x^{\frac{2}{3}} - 40x^{\frac{-1}{3}}$$

$$= 40\left(\frac{x-1}{x^{\frac{1}{3}}}\right)$$

2e étape: Déterminer les nombres critiques de f'.

1) $f''(x) = 0$ si $x = 1$.

2) $f''(x)$ n'existe pas si $x = 0$.

D'où 0 et 1 sont les nombres critiques de f'.

3e étape: Construire le tableau de variation relatif à f''.

x	$-\infty$	0		1	$+\infty$
$f''(x)$	$+$	$\nexists$	$-$	0	$+$
f	$\cup$	4	$\cap$	-23	$\cup$
		inf.		inf.	

D'où la courbe de f est concave vers le haut sur $-\infty, 0] \cup [1, +\infty$ et concave vers le bas sur $[0, 1]$.

Les points d'inflexion sont $(0, 4)$ et $(1, -23)$.

OUTIL TECHNOLOGIQUE

b) Représentons graphiquement cette fonction à l'aide de Maple.

```
> with(plots):
> f:=x→9*surd(x^8,3)−36*surd(x^5,3)+4:
> c1:=plot(f(x),x=-1..3.5,color=orange):
> p:=plot([[0,4],[1,-23]],style=point,
      symbol=circle,color=orange):
> display(c1,p);
```

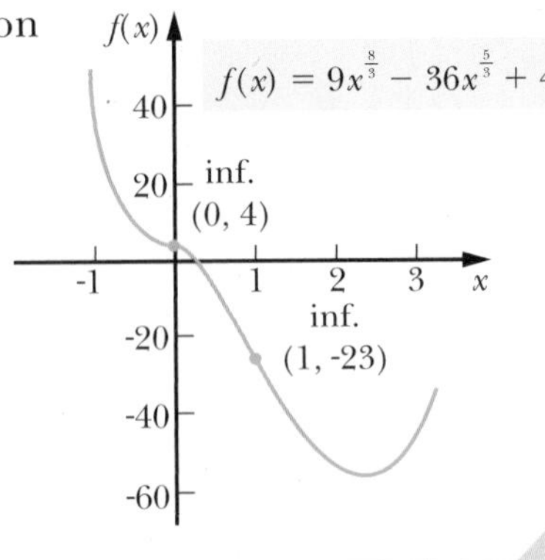

Test de la dérivée seconde

Énonçons maintenant un théorème qui nous permettra, dans certains cas, de déterminer les points de maximum relatif et les points de minimum relatif d'une fonction à l'aide de la dérivée seconde. Nous appelons ce théorème test 1 de la dérivée seconde.

THÉORÈME 6.6 Test I de la dérivée seconde

Soit une fonction f et c, un nombre critique de f, tel que $f'(c) = 0$.

a) Si $f''(c) < 0$, alors $(c, f(c))$ est un point de maximum relatif de f.

b) Si $f''(c) > 0$, alors $(c, f(c))$ est un point de minimum relatif de f.

c) Si $f''(c) = 0$ ou $f''(c)$ n'existe pas, alors nous ne pouvons rien conclure.

Exemple I Soit $f(x) = 3x^5 - 5x^3 + 1$, où dom $f = \mathbb{R}$.

Déterminons les points de maximum relatif et les points de minimum relatif de f à l'aide du test 1 de la dérivée seconde et, dans les cas où le test n'est pas concluant, utilisons le test de la dérivée première.

1re étape: Calculer $f'(x)$.

$$f'(x) = 15x^4 - 15x^2 = 15x^2(x-1)(x+1)$$

2e étape: Déterminer les nombres critiques de f tels que $f'(x) = 0$.

$f'(x) = 0$ si $x = 0$, $x = 1$ ou $x = -1$, d'où 0, 1 et -1 sont des nombres critiques de f.

3e étape: Calculer $f''(x)$.

$$f''(x) = 60x^3 - 30x$$

4e étape: Évaluer $f''(x)$, aux nombres critiques trouvés à la deuxième étape.

Ainsi, $f''(-1) = -30$

$f''(0) = 0$

et $f''(1) = 30$

Puisque $f'(-1) = 0$ et $f''(-1) < 0$, alors $(-1, f(-1))$, c'est-à-dire $(-1, 3)$ est un point de maximum relatif de f;

Puisque $f'(1) = 0$ et $f''(1) > 0$, alors $(1, f(1))$, c'est-à-dire $(1, -1)$, est un point de minimum relatif de f;

Puisque $f'(0) = 0$ et $f''(0) = 0$, alors nous ne pouvons rien conclure au point $(0, f(0))$, c'est-à-dire $(0, 1)$, à l'aide du test 1 de la dérivée seconde.

Dans ce cas, nous pouvons utiliser le test de la dérivée première pour déterminer si le point $(0, 1)$ est un point de maximum, un point de minimum, ou ni l'un ni l'autre.

x	$-\infty$	-1		0		1	$+\infty$
$f'(x)$	$+$	0	$-$	0	$-$	0	$+$
f	↗	3	↘	1	↘	-1	↗
		max.				min.	

Nous constatons que le point $(0, 1)$ n'est ni un maximum ni un minimum de f, car $f'(x)$ ne change pas de signe lorsque x passe de 0^- à 0^+.

Représentation graphique de la courbe de f

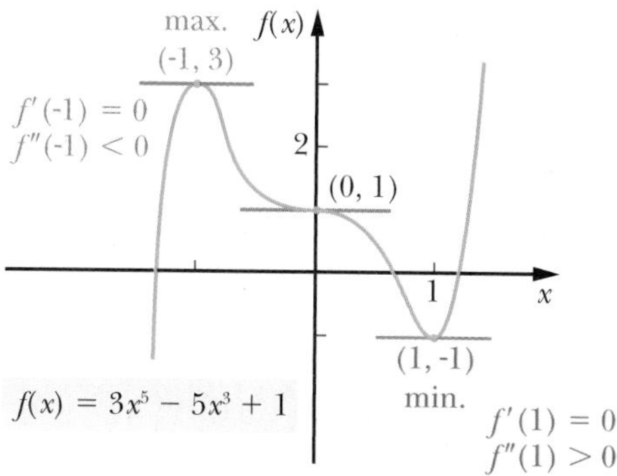

Voici maintenant quatre fonctions donnant des situations différentes lorsque $F'(c) = 0$ et $F''(c) = 0$, ou $F'(c) = 0$ et $F''(c)$ n'existe pas.

Exemple 2 Soit les fonctions f, g, h et k suivantes.

a) $f(x) = x^3$

$f'(x) = 3x^2$

$f''(x) = 6x$

$f'(0) = 0$

$f''(0) = 0$

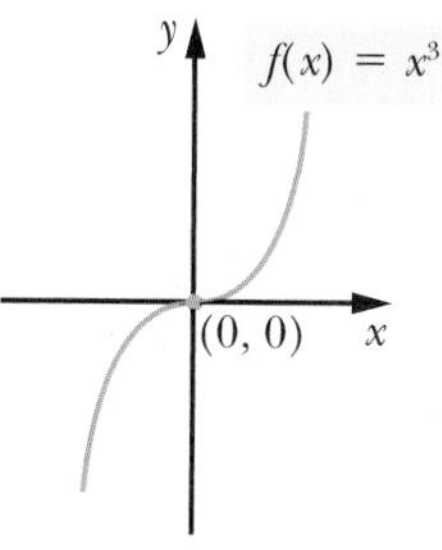

(0, 0) est un point d'inflexion.

b) $g(x) = x^4$

$g'(x) = 4x^3$

$g''(x) = 12x^2$

$g'(0) = 0$

$g''(0) = 0$

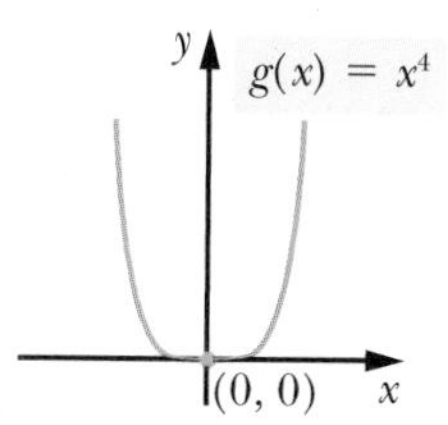

(0, 0) est un point de minimum.

c) $h(x) = -x^6$

$h'(x) = -6x^5$

$h''(x) = -30x^4$

$h''(0) = 0$

$h''(0) = 0$

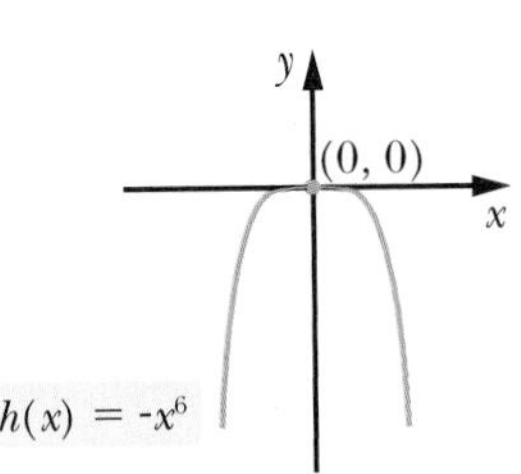

(0, 0) est un point de maximum.

d) $k(x) = -x^{\frac{5}{3}}$

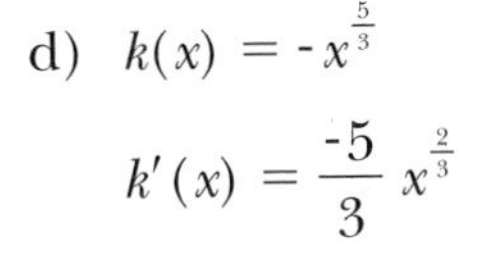

$k'(x) = \dfrac{-5}{3}x^{\frac{2}{3}}$

$k''(x) = \dfrac{-10}{9x^{\frac{1}{3}}}$

$k'(0) = 0$

$k''(0)$ n'existe pas.

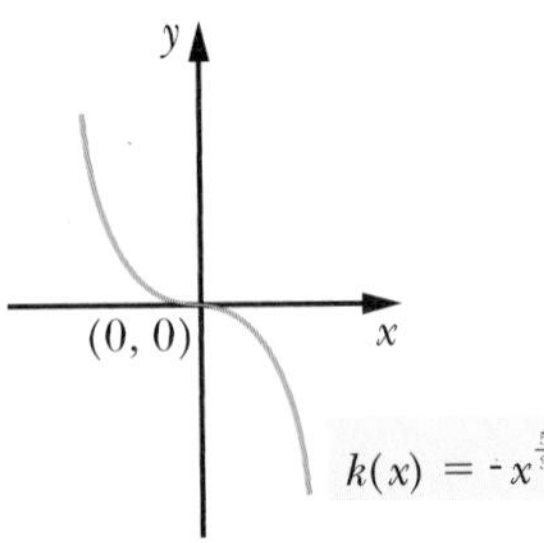

(0, 0) est un point d'inflexion.

Le théorème suivant, que nous appelons test 2 de la dérivée seconde, nous permet dans certains cas de déterminer le point de maximum absolu ou le point de minimum absolu d'une fonction.

6

THÉORÈME 6.7
Test 2 de la dérivée seconde

Soit f, une fonction continue sur I et $c \in$ I, le seul nombre critique de f tel que $f'(c) = 0$.

a) Si $f''(c) < 0$, alors $(c, f(c))$ est le point de maximum absolu de f.

b) Si $f''(c) > 0$, alors $(c, f(c))$ est le point de minimum absolu de f.

c) Si $f''(c) = 0$ ou si $f''(x)$ n'existe pas, alors nous ne pouvons rien conclure.

Exemple 3 À partir des graphiques des fonctions f suivantes, déterminons si nous pouvons utiliser le théorème 6.7 sur l'intervalle I donné, sachant que $f''(c_i)$ est définie et que $f''(c_i) \neq 0$.

a) I = $[a, b]$

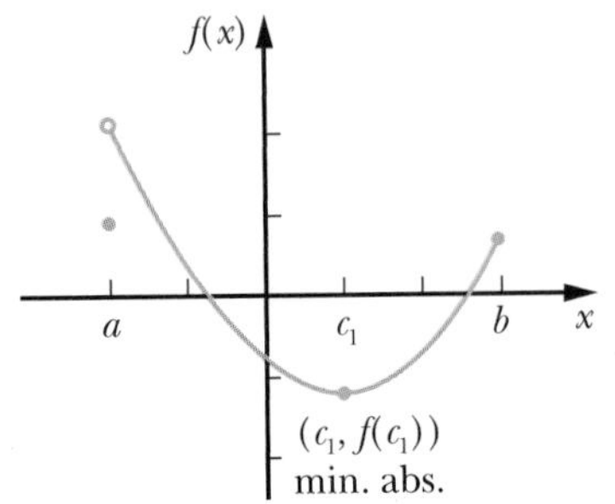

Non, car f n'est pas continue sur $[a, b]$.

b) $I =]a, b]$

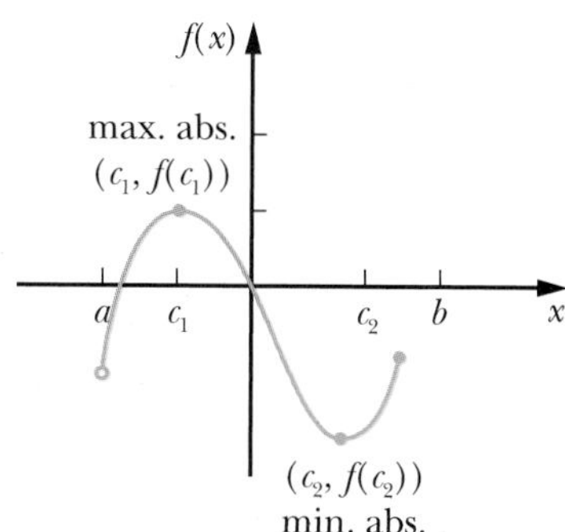

Non, car il existe deux nombres critiques c_1 et $c_2 \in]a, b]$ tels que $f'(c_1) = 0$ et $f'(c_2) = 0$.

c) $I = [a, +\infty$

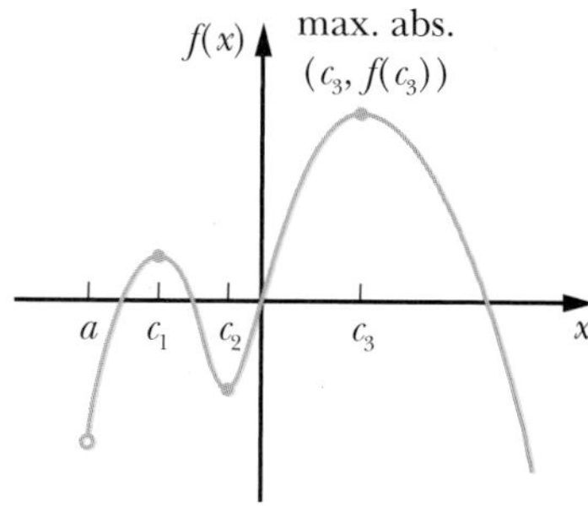

Non, car il existe trois nombres critiques c_1, c_2 et $c_3 \in [a, +\infty$ tels que $f'(c_1) = 0$, $f'(c_2) = 0$ et $f'(c_3) = 0$.

d) $I = -\infty, b[$

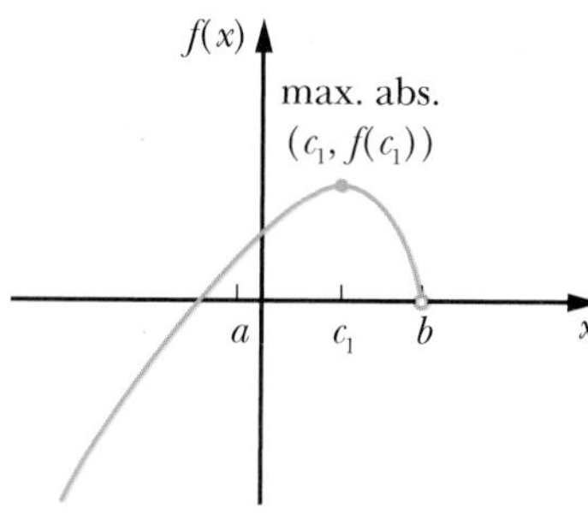

Oui, $(c_1, f(c_1))$ est un maximum absolu, car

- f est continue sur $-\infty, b[$,
- c_1 est le seul nombre critique de f sur $-\infty, b[$ tel que $f'(c_1) = 0$,
- $f''(c_1) < 0$, car f est concave vers le bas.

Exemple 4 Déterminons si nous pouvons utiliser le théorème 6.7 pour déterminer le point de maximum absolu ou le point de minimum absolu pour les fonctions continues suivantes.

a) $P(x) = 8x - x^4$, où dom $P = \mathbb{R}$.

Calculons $P'(x)$ et déterminons le ou les nombres critiques de P tels que $P'(x) = 0$.

$P'(x) = 8 - 4x^3 = 4(2 - x^3)$

$P'(x) = 0$ si $x = \sqrt[3]{2}$.

Donc, $\sqrt[3]{2}$ est le seul nombre critique de P tel que $P'(x) = 0$.

Calculons alors $P''(x)$.

$P''(x) = -12x^2$

Puisque $P'(\sqrt[3]{2}) = 0$ et que $P''(\sqrt[3]{2}) = -12\sqrt[3]{4} < 0$, alors $(\sqrt[3]{2}, P(\sqrt[3]{2}))$ est le point de maximum absolu de P sur $\mathbb{R}$.

b) $A(x) = 2x\sqrt{16 - x^2}$, où dom $A = [-4, 4]$.

Calculons $A'(x)$ et déterminons le ou les nombres critiques de A tels que $A'(x) = 0$.

$$A'(x) = 2\sqrt{16 - x^2} + 2x\frac{1}{2\sqrt{16 - x^2}}(-2x)$$

$$= \frac{2(16 - x^2) - 2x^2}{\sqrt{16 - x^2}}$$

$$= \frac{4(8 - x^2)}{\sqrt{16 - x^2}}$$

$A'(x) = 0$ si $x = -2\sqrt{2}$ ou $2\sqrt{2}$.

Donc, $-2\sqrt{2}$ et $2\sqrt{2}$ sont les nombres critiques de A tels que $A'(x) = 0$.

Puisque nous trouvons deux nombres critiques de A tels que $A'(x) = 0$, nous ne pouvons pas utiliser le théorème 6.7. Il est donc inutile de calculer $A''(x)$ pour déterminer le point de maximum absolu ou le point de minimum absolu, il faudrait utiliser le test de la dérivée première.

Exercices 6.2

1. Compléter les énoncés suivants, sachant que f est une fonction continue sur $\mathbb{R}$.

a) Si $f''(x) > 0$ sur $]a, b[$, alors la courbe de f est ______

b) Si $f''(x) < 0$ sur $]a, +\infty$, alors la courbe de f est ______

c) $(c, f(c))$ est un point d'inflexion de f si la courbe de f ______

d) $(c, f(c))$ est un point d'inflexion de $f \Leftrightarrow f''(x)$ ______

e) Soit une fonction f et c, un nombre critique de f tel que $f'(c) = 0$.

i) Si $f''(c) < 0$, alors ______

ii) Si $f''(c) > 0$, alors ______

iii) Si $f''(c) = 0$ ou si $f''(c)$ n'existe pas, alors ______

2. Sur les graphiques suivants, déterminer

i) les intervalles de concavité vers le haut;

ii) les intervalles de concavité vers le bas;

iii) les points d'inflexion.

a)

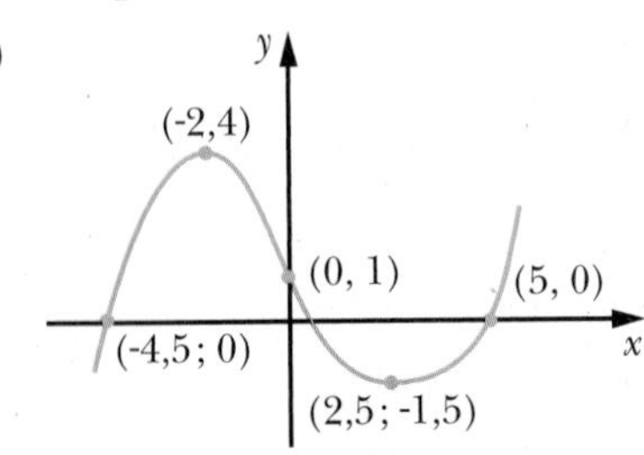

b)

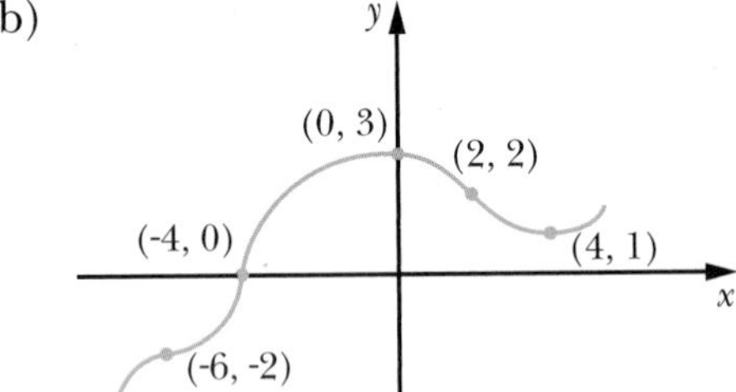

c)

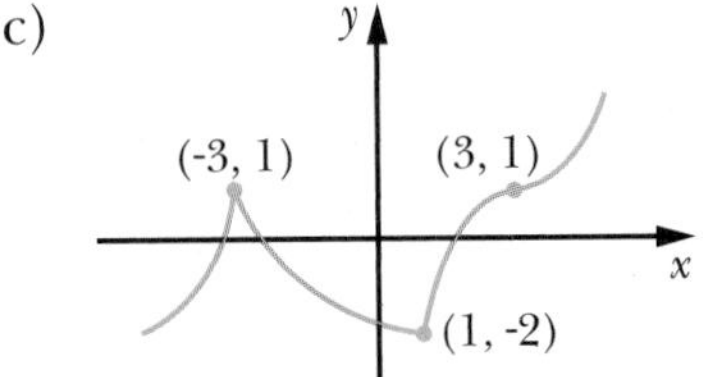

3. Construire le tableau de variation relatif à f'' à partir des équations de f''.

a) $f''(x) = (x - 1)^3(2x + 5)$

b) $f''(x) = (x^2 - 4)(x^2 + 1)(x - 1)^2$

4. Pour chacune des fonctions suivantes, construire le tableau de variation relatif à f'' et déterminer, si c'est possible, les intervalles de concavité vers le haut, les intervalles de concavité vers le bas et les points d'inflexion de f.

a) $f(x) = 5 - (x - 7)^4$

b) $f(x) = 3x - 4$

c) $f(x) = 2x^6 - 5x^4 + 1$

d) $f(x) = \sqrt[3]{3x + 1} - 7$

e) $f(x) = 1 - (x - 4)^{\frac{2}{3}}$

f) $f(x) = (1 - 3x)^3(2x - 3)$

5. Déterminer les points de maximum relatif et les points de minimum relatif des fonctions suivantes, à l'aide du test 1 de la dérivée seconde ou du test de la dérivée première, lorsque cela est nécessaire.

a) $f(x) = x^3 - 3x + 5$

b) $f(x) = (x - 4)^2(x + 4)^2$

c) $f(x) = 5 - (2 - x)^4$

d) $f(x) = x^3 + 3x^2 - 9x + 10$

e) $f(x) = 3x^4 - 4x^3 + 5$

f) $f(x) = x^2 + \dfrac{16}{x}$ sur $[1, 10[$

6. Déterminer les points de maximum absolu ou les points de minimum absolu des fonctions continues suivantes, à l'aide du test 2 de la dérivée seconde ou du test de la dérivée première, lorsque cela est nécessaire.

a) $f(x) = x^4 - 108x + 27$ sur $\mathbb{R}$

b) $g(x) = 3x^2 + \dfrac{4}{x}$ sur $]0, +\infty$

c) $H(x) = 2x^2 - x^4 + 1$ sur $[-3, 2]$

7. Connaissant le graphique de f, construire le tableau de variation relatif à la dérivée seconde, sachant que $f''(x)$ est définie pour tout $x \in \mathbb{R}$.

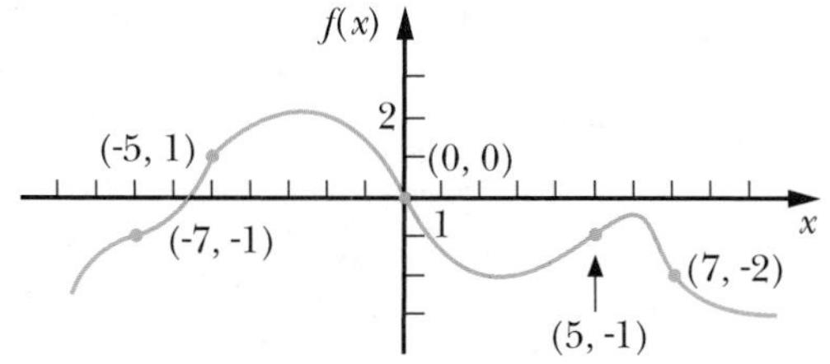

8. Connaissant le graphique de f'', construire le tableau de variation relatif à la dérivée seconde, sachant que $f(x)$ est définie pour tout $x \in \mathbb{R}$.

a)

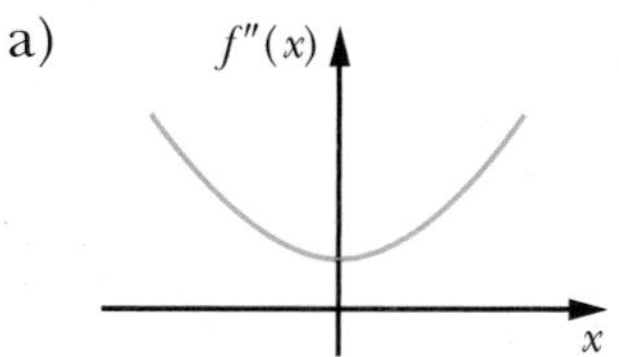

b)

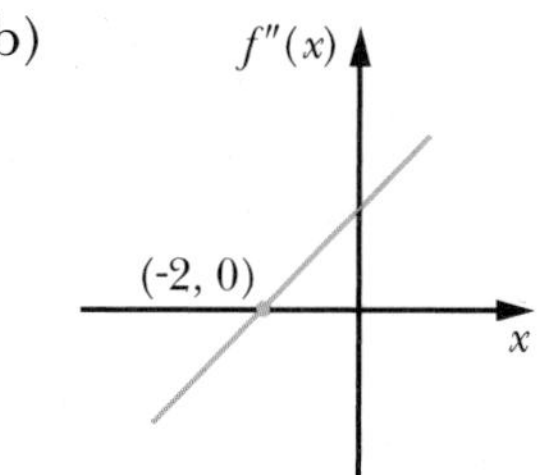

c)

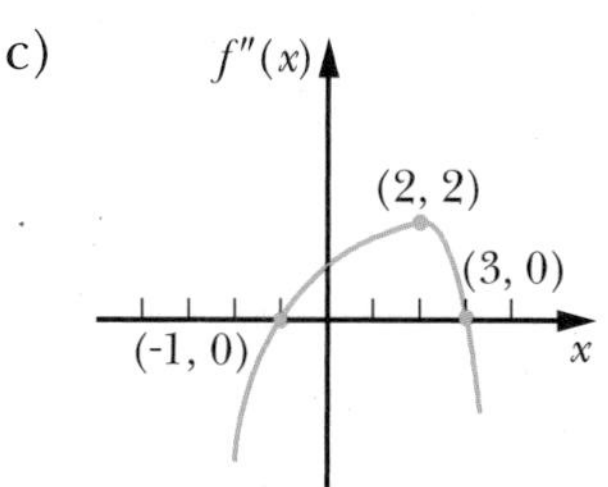

d)

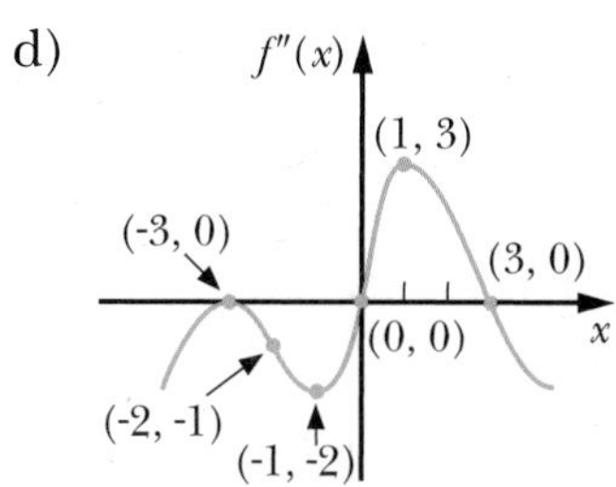

9. Soit trois fonctions continues f, g et h telles que leurs dérivées première et seconde soient également continues.

Construire le tableau de variation relatif à la dérivée seconde, à partir des graphiques suivants.

a)

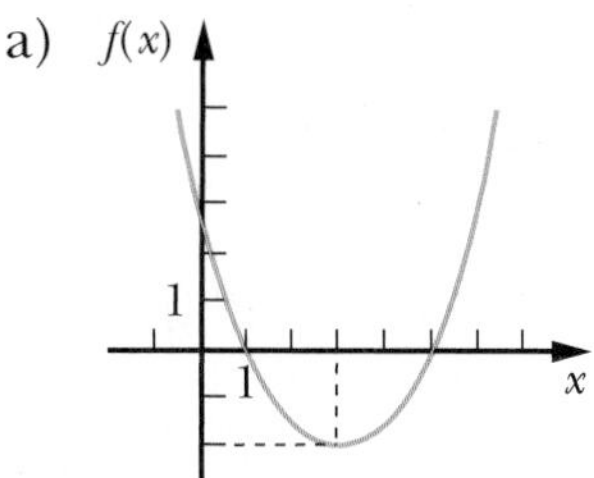

b)

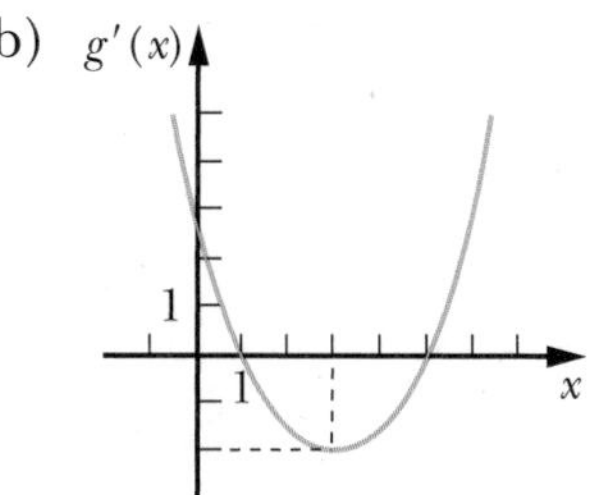

c)

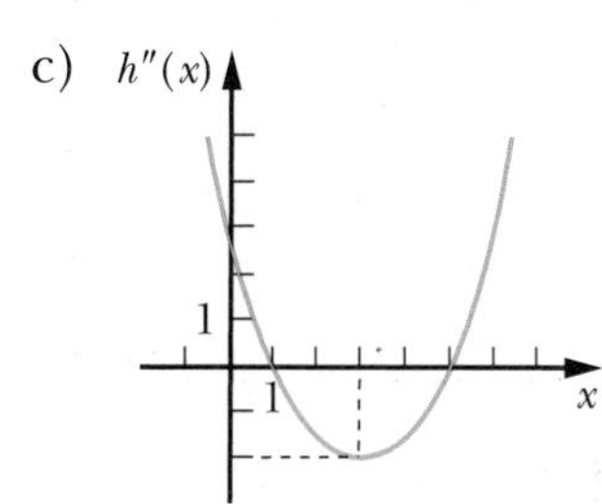

10. Soit les graphiques de différentes fonctions.

a)

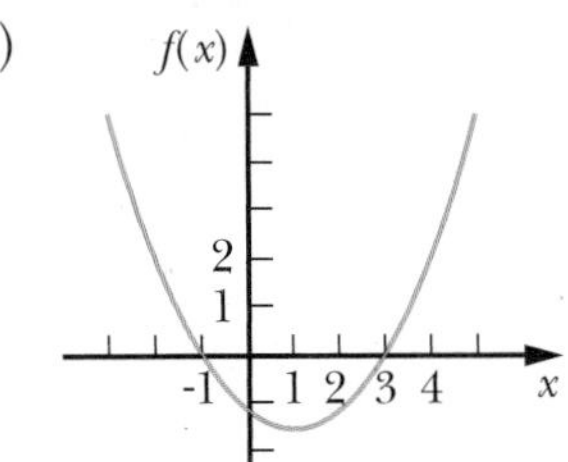

b)

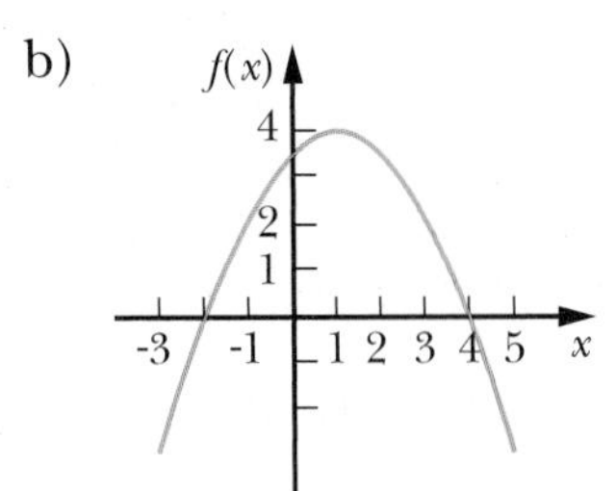

c)

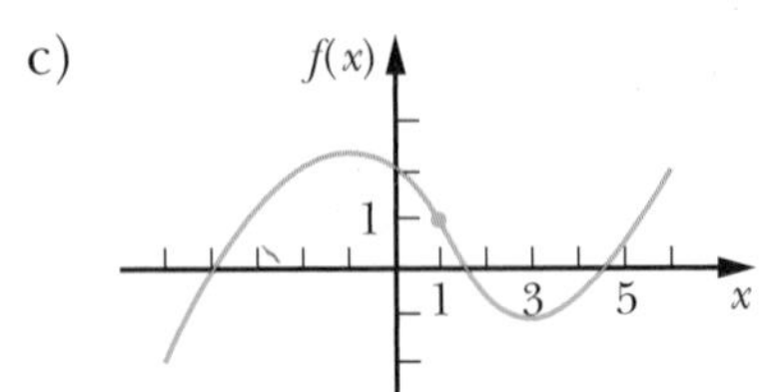

d)

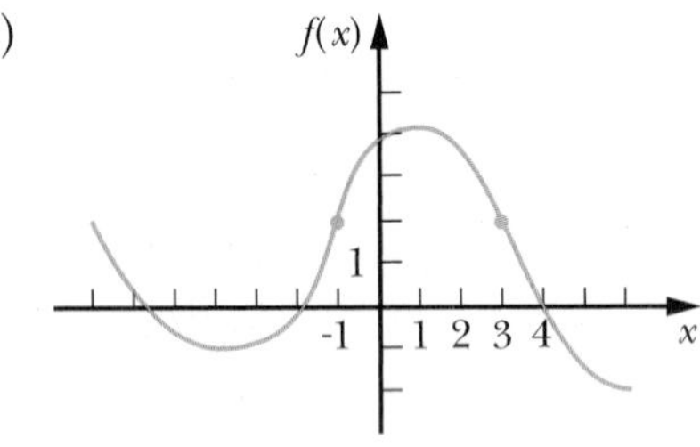

Les graphiques suivants représentent les dérivées secondes des fonctions représentées précédemment. Associer à chacune des fonctions précédentes le graphique qui représente le plus précisément possible la dérivée seconde de cette fonction.

①

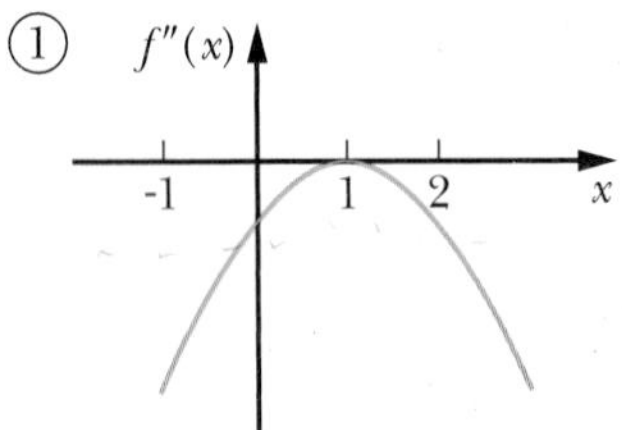

②

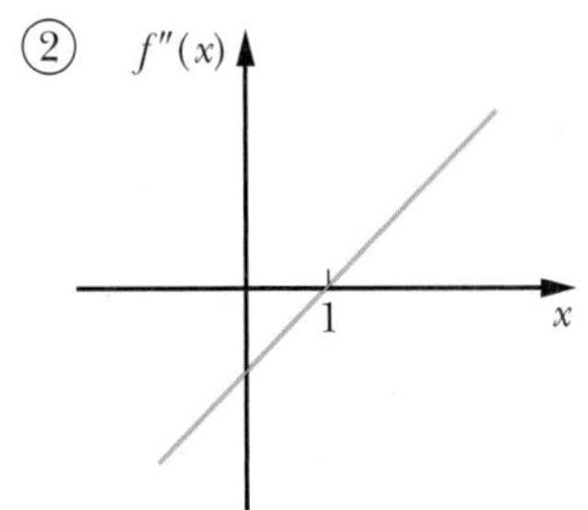

③

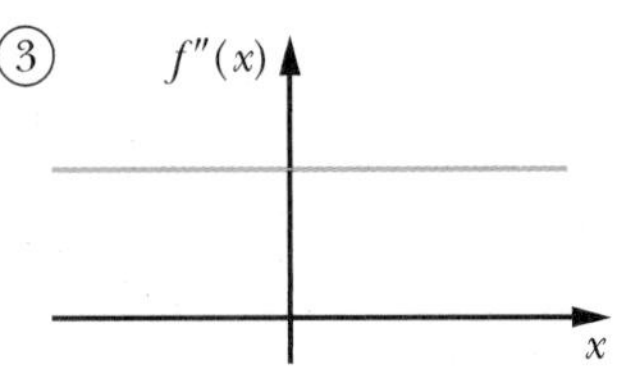

④

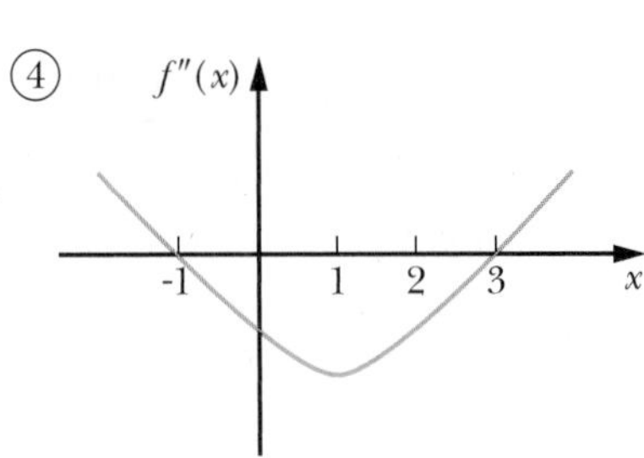

11. Dans les représentations suivantes, déterminer la fonction f, la fonction f'' et la fonction g qui n'est pas la dérivée seconde de f.

a)

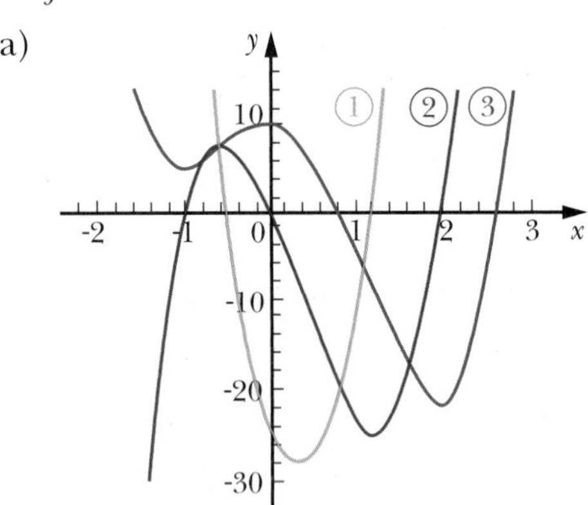

b)

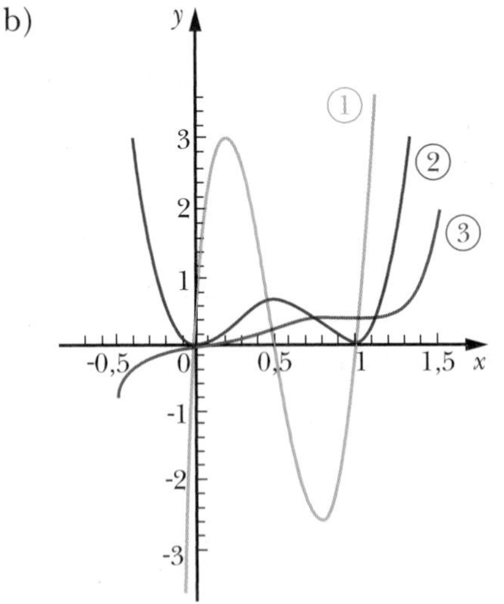

6.3 Analyse de certaines fonctions continues à l'aide des dérivées première et seconde

Objectif d'apprentissage

À la fin de cette section, l'élève pourra rassembler, dans un seul tableau de variation, toutes les informations déduites de la dérivée première et de la dérivée seconde d'une fonction continue, puis de donner une esquisse de son graphique.

x	$-\infty$	-4		-1		5	$+\infty$
$f'(x)$	$-$	$-$	$-$	$\nexists$	$+$	0	$-$
$f''(x)$	$+$	0	$-$	$\nexists$	$-$	$-$	$-$
f	↘∪	9,48...	↘∩	2	↗∩	7,94...	↘∩
E. du G.	↳	(-4; 9,48...)	⤵	(-1, 2)	↱	(5; 7,94...)	⤵
		inf.		min.		max.	

Voici un résumé de certaines notions étudiées dans les sections précédentes.

1. **Croissance et décroissance**

   a) Si $f'(x) > 0$ sur $]a, b[$, alors f est croissante (↗) sur $[a, b]$.

   b) Si $f'(x) < 0$ sur $]a, b[$, alors f est décroissante (↘) sur $[a, b]$.

2. **Test de la dérivée première**

   Soit $c \in \text{dom} f$ tel que $f'(c) = 0$ ou que $f'(c)$ n'existe pas.

   a) Si $f'(x)$ passe du $+$ au $-$ lorsque x passe de c^- à c^+, alors $(c, f(c))$ est un point de maximum relatif de f.

   b) Si $f'(x)$ passe du $-$ au $+$ lorsque x passe de c^- à c^+, alors $(c, f(c))$ est un point de minimum relatif de f.

   c) Si $f'(x)$ ne change pas de signe lorsque x passe de c^- à c^+, alors $(c, f(c))$ n'est ni un point de maximum relatif ni un point de minimum relatif de f.

3. **Concavité**

   a) Si $f''(x) > 0$ sur $]a, b[$, alors f est concave vers le haut ($\cup$) sur $[a, b]$.

   b) Si $f''(x) < 0$ sur $]a, b[$, alors f est concave vers le bas ($\cap$) sur $[a, b]$.

4. **Point d'inflexion**

   Soit $c \in \text{dom} f$ tel que $f''(c) = 0$ ou que $f''(c)$ n'existe pas.

   $(c, f(c))$ est un point d'inflexion de $f \Leftrightarrow f''(x)$ change de signe lorsque x passe de c^- à c^+.

5. **Test 1 de la dérivée seconde**

   Soit c, un nombre critique de f tel que $f'(c) = 0$.

   a) Si $f''(c) < 0$, alors $(c, f(c))$ est un point de maximum relatif de f.

   b) Si $f''(c) > 0$, alors $(c, f(c))$ est un point de minimum relatif de f.

   c) Si $f''(c) = 0$ ou si $f''(c)$ n'existe pas, alors nous ne pouvons rien conclure.

6

Voici maintenant un exemple qui nous permettra d'utiliser plusieurs notions étudiées dans les sections précédentes.

Exemple 1 Soit $f(x) = x^5 - 5x + 2$.

Étudions la fonction f à l'aide des dérivées première et seconde après avoir déterminé dom f et dom f'.

Puisque f est une fonction polynomiale, dom $f = \mathbb{R}$.

1re étape: Calculer $f'(x)$ et déterminer les nombres critiques de f.

$f'(x) = 5x^4 - 5$

$= 5(x+1)(x-1)(x^2+1)$,

donc dom $f' = \mathbb{R}$.

1) $f'(x) = 0$ si $x = -1$ ou $x = 1$, d'où -1 et 1 sont des nombres critiques de f.

2) $f'(x)$ est définie $\forall$ x, d'où aucun nouveau nombre critique de f.

D'où -1, 0 et 1 sont les nombres critiques de f.

2e étape: Calculer $f''(x)$ et déterminer les nombres critiques de f'.

$f''(x) = 20x^3$

1) $f''(x) = 0$ si $x = 0$, d'où 0 est un nombre critique de f'.

2) $f''(x)$ est définie $\forall$ x, d'où aucun nouveau nombre critique de f'.

D'où 0 est le nombre critique de f'.

Voyons maintenant la marche à suivre pour remplir le tableau suivant, appelé tableau de variation relatif à f' et à f''.

x	
$f'(x)$	
$f''(x)$	
f	
E. du G.	

E. du G. Esquisse du graphique

3e étape: Construire le tableau de variation.

Premièrement, ajoutons au tableau précédent les informations relatives au domaine de f, aux nombres critiques de f et de f', et aux images correspondantes de f, c'est-à-dire:

a) disposer sur la ligne de x:

– le domaine de f;

– les nombres critiques de f et de f' placés par ordre croissant.

b) placer sur la ligne de f l'image, si elle existe, de chaque nombre critique.

dom $f = -\infty, +\infty$

nombres critiques

-1, 0, 1

$f(-1) = 6$
$f(0) = 2$
$f(1) = -2$

	x	$-\infty$	-1		0		1	$+\infty$
a)	$f'(x)$							
	$f''(x)$							
b)	f		6		2		-2	
	E. du G.							

Deuxièmement, ajoutons au tableau les informations relatives à $f'(x)$, c'est-à-dire:

c) indiquer sur la ligne de $f'(x)$:

– les endroits où $f'(x) = 0$ et où $f'(x)$ n'existe pas;

– le signe de $f'(x)$ dans chaque case libre;

d) indiquer sur la ligne de f la croissance (↗) ou la décroissance (↘) de f sur chaque intervalle selon le signe de f';

e) indiquer au bas du tableau les maximums relatifs (max.) et les minimums relatifs (min.) de f.

	x	$-\infty$	-1		0		1	$+\infty$
c)	$f'(x)$	+	0	–	–	–	0	+
	$f''(x)$							
d)	f	↗	6	↘	2	↘	-2	↗
	E. du G.							
e)			max.				min.	

Troisièmement, ajoutons au tableau les informations relatives à $f''(x)$, c'est-à-dire:

g) indiquer sur la ligne de $f''(x)$:

– les endroits où $f''(x) = 0$ et où $f''(x)$ n'existe pas;

– le signe de $f''(x)$ dans chaque case libre;

h) indiquer sur la ligne de f la concavité vers le haut (∪) ou la concavité vers le bas (∩) de f sur chaque intervalle selon le signe de f'';

i) indiquer au bas du tableau les points d'inflexion (inf.) de f.

6

	x	$-\infty$	-1		0		1	$+\infty$
	$f'(x)$	+	0	−	−	−	0	+
g)	$f''(x)$	−	−	−	0	+	+	+
h)	f	↗∩	6	↘∩	2	↘∪	-2	↗∪
	E. du G.							
i)			max.		inf.		min.	

Quatrièmement, complétons le tableau de variation f, c'est-à-dire :

j) indiquer sur la ligne E. du G. les informations des lignes précédentes en utilisant les notations suivantes :

↱ signifie croissante ↗ et concave vers le bas ∩ ;

⤴ signifie croissante ↗ et concave vers le haut ∪ ;

↳ signifie décroissante ↘ et concave vers le haut ∪ ;

⤵ signifie décroissante ↘ et concave vers le bas ∩ ;

k) placer sur la ligne E. du G. les coordonnées des points (-1, 6), (0, 2) et (1, -2), qui sont des points de la courbe de f.

Tableau de variation relatif à f' et f''

6

	x	$-\infty$	-1		0		1	$+\infty$
	$f'(x)$	+	0	−	−	−	0	+
	$f''(x)$	−	−	−	0	+	+	+
	f	↗∩	6	↘∩	2	↘∪	-2	↗∪
j) et k)	E. du G.	↱	(-1, 6)	⤵	(0, 2)	↳	(1, -2)	⤴
			max.		inf.		min.	

4e étape : Esquisser le graphique de f.

a) Localiser sur le graphique les points (-1, 6), (0, 2) et (1, -2).

b) Relier ces points en tenant compte des indications de la ligne de l'esquisse du graphique sur chaque intervalle.

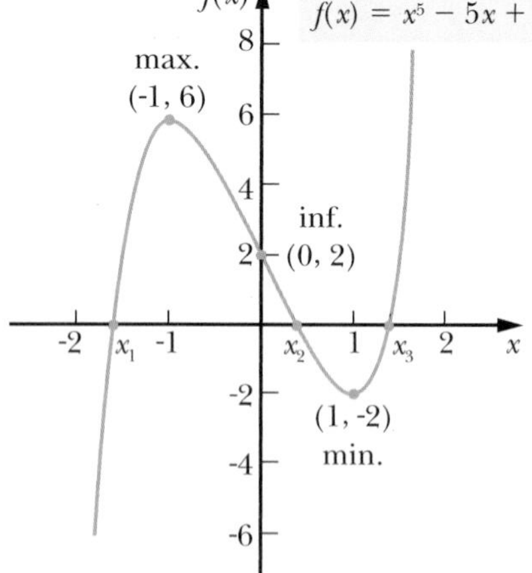

OUTIL TECHNOLOGIQUE

À l'aide d'une calculatrice à affichage graphique ou d'un logiciel approprié, on peut déterminer approximativement les zéros de la fonction.

```
> f:=x->x^5-5*x+2;
                    f:= x -> x^5 - 5x + 2
> solve(f(x)=0.);
          -1.582035769, -0.09597420204 - 1.510795358 I,
          -0.09597420204 + 1.510795358 I, 0.4021023899, 1.371881783
```

Ainsi, les zéros réels de f sont $x_1 = -1{,}582...$, $x_2 = 0{,}402...$ et $x_3 = 1{,}371...$

Exemple 2 Soit $g(x) = |x^5 - 5x + 2|$, où dom $g = \mathbb{R}$.

Donnons une esquisse du graphique de g en utilisant le graphique de f, où $f(x) = x^5 - 5x + 2$ a été étudié à l'exemple 1 précédent.

$$\text{Puisque } g(x) = \begin{cases} x^5 - 5x + 2 & \text{si} \quad (x^5 - 5x + 2) \geqslant 0 \\ -(x^5 - 5x + 2) & \text{si} \quad (x^5 - 5x + 2) < 0 \end{cases}$$

$$\text{c'est-à-dire } g(x) = \begin{cases} x^5 - 5x + 2 & \text{si} \quad x \in [x_1, x_2] \cup [x_3, +\infty \\ -(x^5 - 5x + 2) & \text{si} \quad x \in -\infty, x_1[\cup]x_2, x_3[, \end{cases}$$

où $x_1 = -1{,}582\ldots$, $x_2 = 0{,}402\ldots$ et $x_3 = 1{,}371\ldots$

alors sur $[x_1, x_2] \cup [x_3, +\infty$ le graphique de g coïncide avec celui de f et sur $-\infty, x_1[\cup]x_2, x_3[$ le graphique de g est la réflexion de f par rapport à l'axe des x.

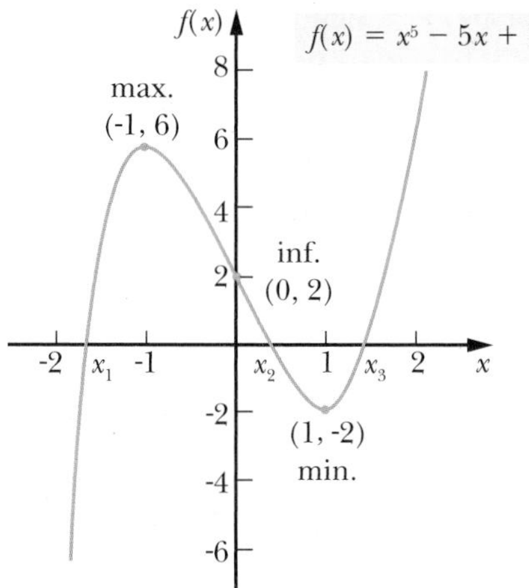

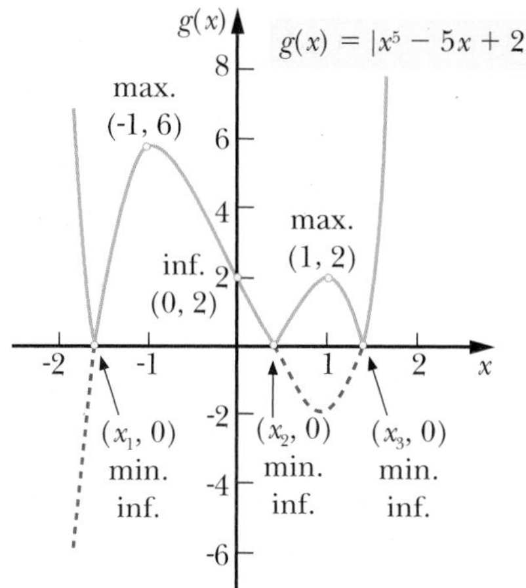

Les points $(x_1, 0)$, $(x_2, 0)$ et $(x_3, 0)$, c'est-à-dire $(-1{,}582\ldots; 0)$, $(0{,}402\ldots; 0)$ et $(1{,}371\ldots; 0)$ sont des points anguleux.

Exemple 3 Soit $f(x) = 3(x + 1)^{\frac{2}{3}} - \dfrac{1}{5}(x + 1)^{\frac{5}{3}} + 2$.

Étudions la fonction f à l'aide des dérivées première et seconde après avoir déterminé dom f et dom f'.

Puisque nous pouvons toujours calculer des racines impaires, c'est-à-dire $\sqrt[3]{(x + 1)^2}$ et $\sqrt[3]{(x + 1)^5}$, dom $f = \mathbb{R}$.

1re étape:

$$f'(x) = \frac{2}{(x + 1)^{\frac{1}{3}}} - \frac{(x + 1)^{\frac{2}{3}}}{3}$$

$$= \qquad\qquad ,$$

donc dom $f' = \mathbb{R} \setminus \{-1\}$.

1) $f'(x) = 0$ si $x = 5$

2) $f'(x)$ n'existe pas si $x = -1$.

D'où -1 et 5 sont les nombres critiques de f.

2e étape:

$$f''(x) = \frac{-2}{3}(x + 1)^{\frac{-4}{3}} - \frac{2}{9}(x + 1)^{\frac{-1}{3}}$$

$$= \frac{-2(x + 4)}{9(x + 1)^{\frac{4}{3}}}$$

1) $f''(x) = 0$ si $x = -4$

2) $f''(x)$ n'existe pas si $x = -1$, où $-1 \notin$ dom f'.

D'où -4 est le nombre critique de f'.

3ᵉ étape: Construire le tableau de variation.

x	$-\infty$	-4		-1		5	$+\infty$
$f'(x)$	$-$	$-$	$-$	$\nexists$	$+$	0	$-$
$f''(x)$	$+$	0	$-$	$\nexists$	$-$	$-$	$-$
f	↘∪	9,48...	↘∩	2	↗∩	7,94...	↘∩
E. du G.	↳	(-4; 9,48...)	↴	(-1, 2)	↱	(5; 7,94...)	↴
		inf.		min.		max.	

4ᵉ étape: Esquisser le graphique de f.

```
> f:=x->3*surd((x+1)^2,3)-surd((x+1)^5,3)/5+2;
```

$$f := x \to 3\ \text{surd}((x+1)^2, 3) - \frac{1}{5}\ \text{surd}((x+1)^5, 3) + 2$$

```
> solve(f(x)=0.);
      15.54040830
```

Ainsi, le zéro réel de f est $x_1 = 15{,}540...$

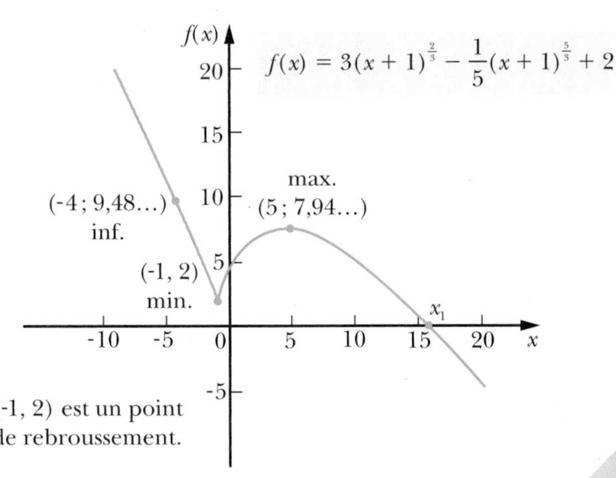

Exercices 6.3

1. Construire le tableau de variation relatif à f' et à f'', puis donner une esquisse du graphique de la fonction f.

a) $f(x) = x^3 - 6x^2 + 5$

b) $f(x) = \sqrt[3]{x-3} - 2$

c) $f(x) = \sqrt[3]{(x+4)^2} - 3$

d) $f(x) = (x-3)^2(x+3)^2$

e) $f(x) = (x+4)^3(x-2)$

f) $f(x) = 2x - 3\sqrt[3]{x^2}$

g) $f(x) = x - 3x^{\frac{1}{3}} + 3$

h) $f(x) = (x^2 - 5)^3$

i) $f(x) = \sqrt{x^2 - 2x - 8}$

j) $f(x) = 3\sqrt[3]{x^2} - x^2 + 5$ sur $[-8, 1]$

k) $f(x) = x\sqrt{9 - x}$ sur $[-9, 9]$

l) $f(x) = x\sqrt{9 - x^2}$

2. Soit $f(x) = \dfrac{x^4 - 4x^3}{27}$ et $g(x) = \left|\dfrac{x^4 - 4x^3}{27}\right|$.

a) Après avoir déterminé dom f, construire le tableau de variation relatif à f' et à f''. Donner une esquisse du graphique de la fonction et déterminer, s'il y a lieu, les points de maximum relatif, les points de minimum relatif, les points d'inflexion, les points de rebroussement, les points anguleux et les zéros de f.

b) Donner une esquisse du graphique de la fonction g en utilisant le graphique de f.

6.4 Asymptotes verticales, asymptotes horizontales et asymptotes obliques

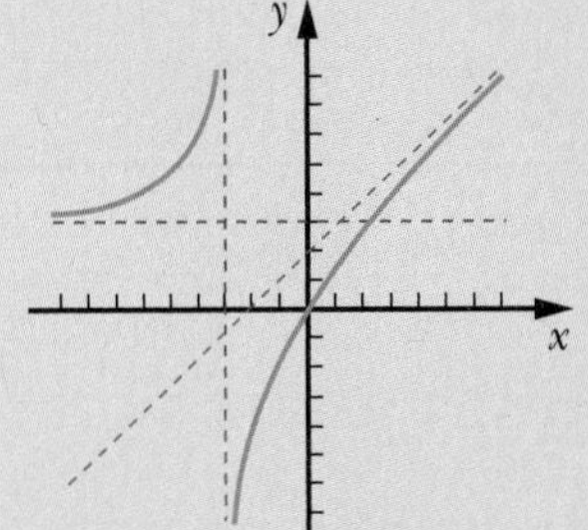

Objectif d'apprentissage

À la fin de cette section, l'élève pourra identifier les asymptotes verticales, les asymptotes horizontales et les asymptotes obliques de la courbe d'une fonction et donner l'esquisse du graphique de la fonction près de ces asymptotes.

Plus précisément, l'élève sera en mesure :

- de donner la définition d'asymptote verticale ;
- de repérer graphiquement les asymptotes verticales de la courbe d'une fonction ;
- de déterminer algébriquement les équations des asymptotes verticales de la courbe d'une fonction ;
- de donner la définition d'asymptote horizontale ;
- de repérer graphiquement les asymptotes horizontales de la courbe d'une fonction ;
- de lever des indéterminations de la forme $\frac{\pm\infty}{\pm\infty}$;
- de lever des indéterminations de la forme $(+\infty - \infty)$ ou $(-\infty + \infty)$;
- de déterminer algébriquement les équations des asymptotes horizontales de la courbe d'une fonction ;
- de donner la définition d'asymptote oblique ;
- de repérer graphiquement les asymptotes obliques de la courbe d'une fonction ;
- de déterminer algébriquement les équations des asymptotes obliques de la courbe d'une fonction.

6

Avant de définir formellement les différents types d'asymptotes (asymptote verticale, asymptote horizontale, asymptote oblique), nous les présentons graphiquement.

Graphiquement, une **asymptote** d'une fonction est une droite de laquelle se rapproche indéfiniment la courbe de la fonction en devenant presque parallèle à cette droite.

Exemple 1 Soit la fonction f définie par le graphique ci-contre.

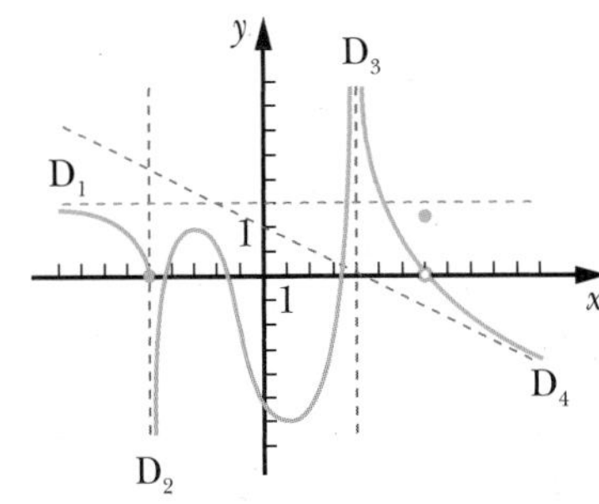

Équation de D_1 : $y = 3$

Équation de D_2 : $x = -5$

Équation de D_3 : $x = 4$

Équation de D_4 : $y = \frac{-1}{2}x + 2$

La droite D_1 est une asymptote horizontale de la courbe de f.

Les droites D_2 et D_3 sont des asymptotes verticales de la courbe de f.

La droite D_4 est une asymptote oblique de la courbe de f.

Il y a environ 2200 ans...

En étudiant les coniques, Apollonius (262-190 av. J.-C.) a utilisé le mot *asymptote* pour la première fois. Toutefois, il lui a attribué un sens plus large que celui qu'on lui donne aujourd'hui, puisqu'il s'appliquait à toute ligne qui ne rencontre pas la courbe.

Notion graphique d'asymptote verticale

Soit la fonction f définie par le graphique ci-dessous, où dom $f = \mathbb{R} \setminus \{-4, 2, 7\}$.

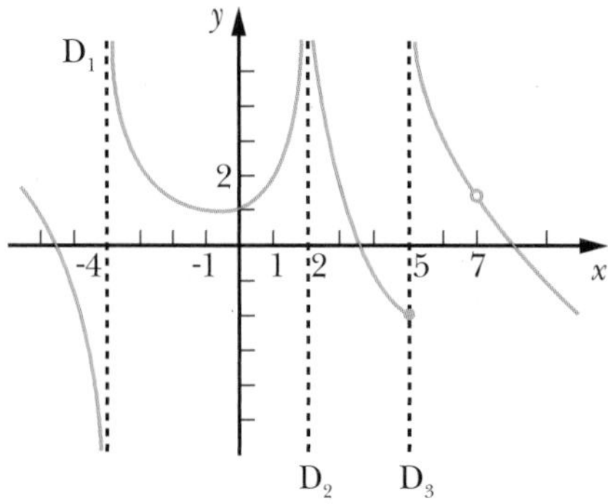

Nous constatons que la fonction f est discontinue en $x = -4$, en $x = 2$, en $x = 5$ et en $x = 7$.

De plus, nous voyons que lorsque les valeurs de x sont aussi près que nous le voulons de -4 par la gauche, la courbe de f s'approche de plus en plus de la droite D_1 et la fonction f prend des valeurs négatives qui tendent vers l'infini négatif, noté $-\infty$. Ainsi, nous écrivons $\lim\limits_{x \to -4^-} f(x) = -\infty$, et la droite D_1, d'équation $x = -4$, est une asymptote verticale de la courbe de f.

De plus, lorsque les valeurs de x sont aussi près que nous le voulons de -4 par la droite, la courbe de f s'approche de plus en plus de la droite D_1 et la fonction f prend des valeurs positives qui tendent vers l'infini positif, noté $+\infty$. Ainsi, nous écrivons $\lim\limits_{x \to -4^+} f(x) = +\infty$.

De même, nous avons

$\lim\limits_{x \to 2^-} f(x) = +\infty$ et $\lim\limits_{x \to 2^+} f(x) = +\infty$, et la droite D_2, d'équation $x = 2$,

est une asymptote verticale de la courbe de f.

Nous avons également

$f(5) = -2$ et $\lim\limits_{x \to 5^+} f(x) = +\infty$, et la droite D_3, d'équation $x = 5$,

est une asymptote verticale de la courbe de f.

Finalement, nous avons

$\lim\limits_{x \to 7} f(x) = 1$, et nous n'avons aucune asymptote verticale à $x = 7$.

Définition d'asymptote verticale

Définition 6.11 La droite d'équation $x = a$, où $a \in \mathbb{R}$, est une **asymptote verticale** de la courbe de f si au moins une des conditions suivantes est vérifiée.

$$\lim_{x \to a^-} f(x) = -\infty \quad \text{ou} \quad \lim_{x \to a^-} f(x) = +\infty \quad \text{ou} \quad \lim_{x \to a^+} f(x) = -\infty \quad \text{ou} \quad \lim_{x \to a^+} f(x) = +\infty$$

Voici quatre représentations graphiques correspondant respectivement aux quatre possibilités de la définition précédente.

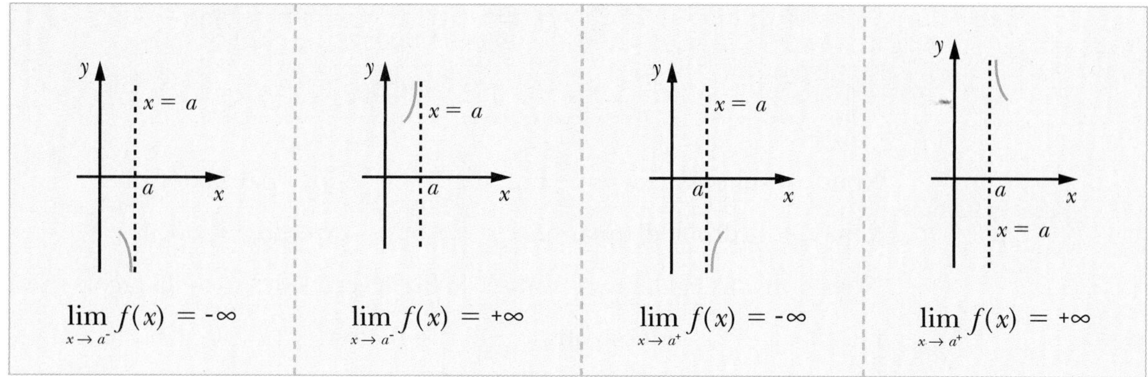

Pour déterminer les équations des asymptotes verticales de la courbe d'une fonction rationnelle, il faut évaluer les limites à gauche et à droite aux valeurs de x qui annulent le dénominateur, car certaines de ces valeurs nous permettront de déterminer ces équations.

Exemple 1 Soit $f(x) = \dfrac{2x + 1}{x - 1}$.

a) Déterminons d'abord dom f.

dom $f = \mathbb{R} \setminus \{1\}$

b) Analysons le comportement de f près de 1.

Limite à gauche

Déterminons d'abord les valeurs de $f(x)$ correspondantes pour $x \to 1^-$.

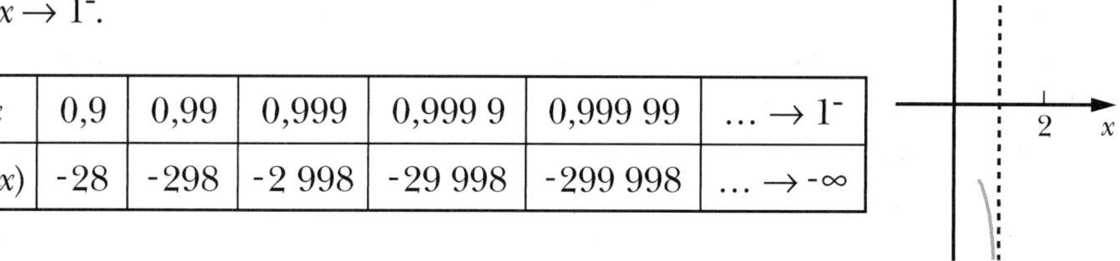

x	0,9	0,99	0,999	0,999 9	0,999 99	$\ldots \to 1^-$
$f(x)$	-28	-298	-2 998	-29 998	-299 998	$\ldots \to -\infty$

Nous présumons alors que $\lim_{x \to 1^-} f(x) = -\infty$. Ainsi, par la définition 6.11, la droite d'équation $x = 1$ est une asymptote verticale.

Pour éviter de construire un tableau de valeurs, nous pouvons faire l'étude de la limite précédente de la façon suivante.

Puisque $x \to 1^-$, nous avons $(x - 1) \to 0$ et $(x - 1) < 0$, d'où $(x - 1) \to 0^-$. Ainsi, nous écrirons

$$\lim_{x \to 1^-} \frac{2x + 1}{x - 1} = -\infty. \qquad \left(\text{forme } \frac{3}{0^-}\right)$$

Remarque Il suffit que la limite à gauche ou la limite à droite soit égale à $+\infty$ ou à $-\infty$ pour conclure qu'une droite est une asymptote verticale. Cependant, si nous voulons donner l'esquisse du graphique d'une fonction près d'une asymptote, il faut évaluer la limite à gauche et la limite à droite, si c'est possible.

Limite à droite Déterminons maintenant les valeurs de $f(x)$ correspondantes pour $x \to 1^+$.

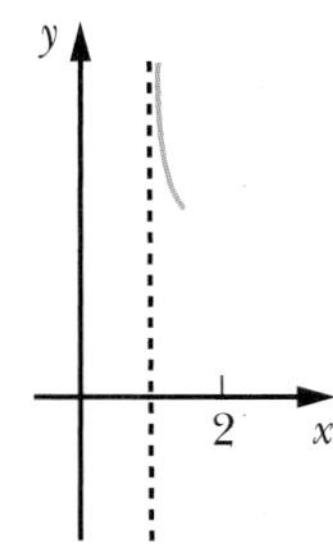

x	1,1	1,01	1,001	1,000 1	1,000 01	$\ldots \to 1^+$
$f(x)$	32	302	3 002	30 002	300 002	$\ldots \to +\infty$

Nous présumons alors que $\lim\limits_{x \to 1^+} f(x) = +\infty$. Ainsi, par la définition 6.11, la droite d'équation $x = 1$ est une asymptote verticale.

Nous pouvons également évaluer la limite précédente de la façon suivante.

Puisque $x \to 1^+$, nous avons $(x - 1) \to 0$ et $(x - 1) > 0$, d'où $(x - 1) \to 0^+$.

Ainsi, nous écrirons

$$\lim_{x \to 1^+} \frac{2x + 1}{x - 1} = +\infty. \qquad \left(\text{forme } \frac{3}{0^+}\right)$$

Remarque Dans un quotient, lorsque le dénominateur tend vers 0 et que le numérateur est différent de 0, alors le quotient tend vers $\pm\infty$, selon le signe du numérateur et du dénominateur.

Ainsi, nous avons:

	Forme du quotient	**Résultat de la limite**	**Exemples**
si $k > 0$	$\frac{k}{0^-}$	$-\infty$	$\lim\limits_{x \to 0^-} \frac{5}{x} = -\infty$ $\left(\text{forme } \frac{5}{0^-}\right)$
si $k > 0$	$\frac{k}{0^+}$	$+\infty$	$\lim\limits_{x \to 2} \frac{7}{(x - 2)^2} = +\infty$ $\left(\text{forme } \frac{7}{0^+}\right)$
si $k < 0$	$\frac{k}{0^-}$	$+\infty$	$\lim\limits_{x \to 4^+} \frac{-3}{(4 - x)} = +\infty$ $\left(\text{forme } \frac{-3}{0^-}\right)$
si $k < 0$	$\frac{k}{0^+}$	$-\infty$	$\lim\limits_{x \to -8^+} \frac{-2}{(x + 8)} = -\infty$ $\left(\text{forme } \frac{-2}{0^+}\right)$

Voici un résumé des étapes à suivre pour identifier les asymptotes verticales de la courbe d'une fonction.

1. Déterminer le domaine de f, car toutes les valeurs de x qui annulent le dénominateur sont susceptibles de donner une asymptote verticale. De plus, si une fonction f est définie sur $]a, b[$, il est possible que les droites d'équation $x = a$ et $x = b$ soient des asymptotes verticales.
2. Il faut vérifier si, à ces valeurs, la définition d'asymptote verticale est satisfaite en évaluant les limites correspondantes.

Exemple 2 Soit $f(x) = \dfrac{3x - 6}{x^2 - 4}$.

Déterminons les équations des asymptotes verticales.

1. dom f = IR \ {-2, 2}, d'où les droites d'équation $x = -2$ et $x = 2$ sont susceptibles d'être des asymptotes verticales.
2. Évaluons les limites.

   i) Pour $x = -2$:

   $$\lim_{x \to -2^-} \frac{3x - 6}{x^2 - 4} = -\infty \quad \left(\text{forme } \frac{-12}{0^+}\right)$$

   Donc, la droite d'équation $x = -2$ est une asymptote verticale. De plus,

   $$\lim_{x \to -2^+} \frac{3x - 6}{x^2 - 4} = +\infty \quad \left(\text{forme } \frac{-12}{0^-}\right)$$

   ii) Pour $x = 2$:

   $\lim\limits_{x \to 2^-} \dfrac{3x - 6}{x^2 - 4}$ est une indétermination de la forme $\dfrac{0}{0}$.

   Levons cette indétermination.

   $$\begin{aligned} \lim_{x \to 2^-} \frac{3x - 6}{x^2 - 4} &= \lim_{x \to 2^-} \frac{3(x - 2)}{(x - 2)(x + 2)} && \text{(en factorisant)} \\ &= \lim_{x \to 2^-} \frac{3}{x + 2} && \text{(en simplifiant, car } (x - 2) \neq 0) \\ &= \frac{3}{4} && \text{(en évaluant la limite)} \end{aligned}$$

De façon analogue, nous avons $\lim\limits_{x \to 2^+} \dfrac{3x - 6}{x^2 - 4} = \dfrac{3}{4}$.

Donc, la droite d'équation $x = 2$ n'est pas une asymptote verticale puisque la définition n'est pas satisfaite.

La représentation graphique ci-contre est une esquisse du graphique de f pour des valeurs de x voisines de -2 et de 2.

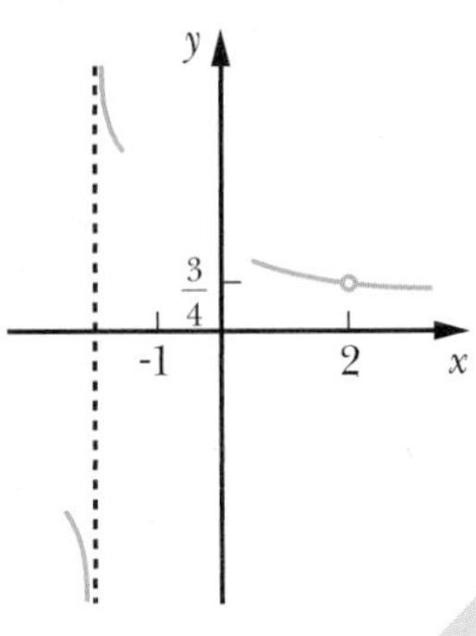

Notion graphique d'asymptote horizontale

Soit la fonction f définie par le graphique ci-contre, où dom f = IR.

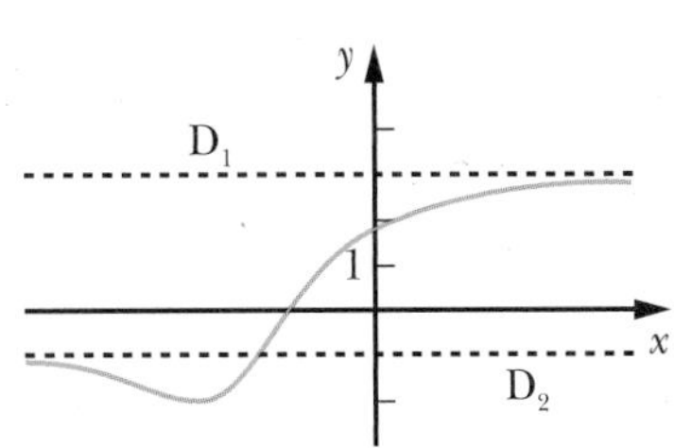

En étudiant le comportement de f, nous voyons que lorsque x tend vers l'infini négatif, noté $x \to -\infty$, la courbe de f s'approche de plus en plus de la droite D_2, dont l'équation est $y = -1$, et que la fonction f prend des valeurs de plus en plus près de -1. Ainsi, nous écrivons $\lim\limits_{x \to -\infty} f(x) = -1$, et la droite D_2 d'équation $y = -1$ est une asymptote horizontale de la courbe de f.

Nous voyons aussi que lorsque x tend vers l'infini positif, noté $x \to +\infty$, la courbe de f s'approche de plus en plus de la droite D_1, dont l'équation est $y = 3$, et que la fonction f prend des valeurs de plus en plus près de 3. Ainsi, nous écrivons $\lim\limits_{x \to +\infty} f(x) = 3$, et la droite D_1 d'équation $y = 3$ est une asymptote horizontale de la courbe de f.

Il y a environ 2000 ans...

Parmi les courbes possédant une asymptote, l'hyperbole n'est pas la seule connue des Grecs. Ainsi, **Nicomède** (vers 180 av. J.-C.), voulant trouver un moyen de diviser un angle en trois parties égales uniquement à l'aide de la règle et du compas, a défini la conchoïde (*voir* la figure), qui possède une asymptote horizontale.

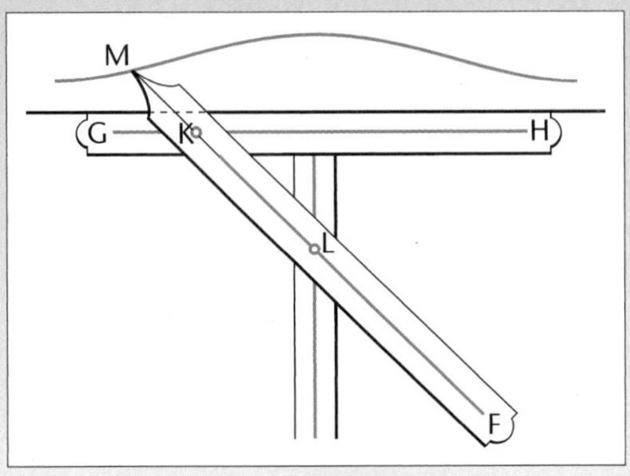

La conchoïde de Nicomède
La courbe est tracée par la pointe M alors que la tige MF bouge autour du point fixe L et que K se déplace le long de la tige GH.

Définition d'asymptote horizontale

Définition 6.12 La droite d'équation $y = b$, où $b \in \mathbb{R}$, est une **asymptote horizontale** de la courbe de f si au moins une des conditions suivantes est vérifiée.

$$\lim_{x \to -\infty} f(x) = b \qquad \text{ou} \qquad \lim_{x \to +\infty} f(x) = b$$

Remarque Si $\lim\limits_{x \to -\infty} f(x) = b$ et $\lim\limits_{x \to +\infty} f(x) = c$, où b et $c \in \mathbb{R}$ et $b \neq c$, alors la courbe de f admet deux asymptotes horizontales dont les équations sont $y = b$ et $y = c$.

Voici quatre représentations graphiques correspondant à au moins une des deux possibilités de la définition 6.12 et de la remarque précédente.

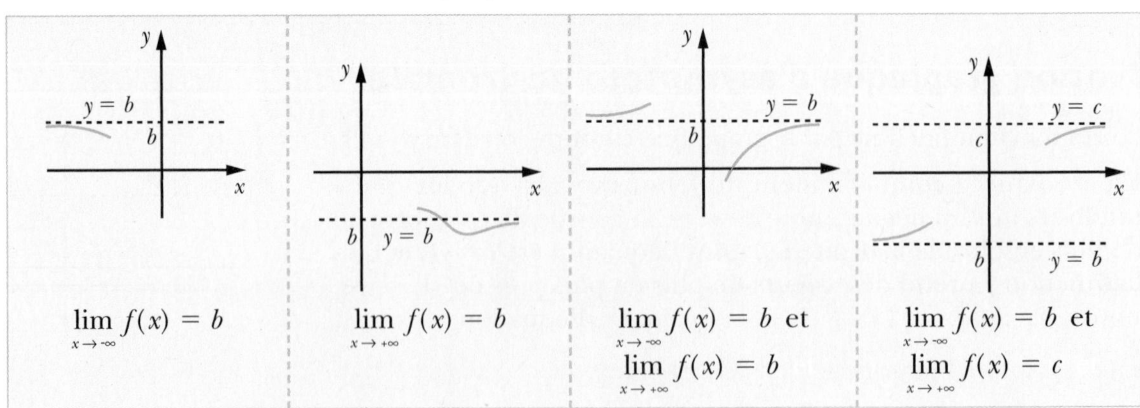

Pour déterminer les équations des asymptotes horizontales de la courbe d'une fonction f, il faut évaluer $\lim\limits_{x \to -\infty} f(x)$ et $\lim\limits_{x \to +\infty} f(x)$.

Exemple 1 Soit $f(x) = \dfrac{7}{x}$, où dom $f = \mathbb{R} \setminus \{0\}$.

Analysons le comportement de f lorsque $x \to -\infty$ et lorsque $x \to +\infty$.

Déterminons d'abord les valeurs de $f(x)$ correspondantes pour $x \to -\infty$.

x	-1 000	-10 000	-10^6	$\ldots \to -\infty$
$f(x)$	$\dfrac{-7}{1\,000} = -0{,}007$	$\dfrac{-7}{10\,000} = -0{,}000\,7$	$\dfrac{-7}{10^6} = -0{,}000\,007$	$\ldots \to 0$

Nous présumons alors que $\lim\limits_{x \to -\infty} f(x) = 0$. Ainsi, par la définition 6.12, la droite d'équation $y = 0$ est l'asymptote horizontale lorsque $x \to -\infty$.

De plus, lorsque $x \to -\infty$, $\left(\dfrac{7}{x}\right) < 0$, la courbe est située au-dessous de l'asymptote, d'où la représentation ci-contre.

Pour éviter de construire un tableau de valeurs, nous pouvons écrire $\lim\limits_{x \to -\infty} \dfrac{7}{x} = 0$. $\quad \left(\text{forme } \dfrac{7}{-\infty}\right)$

Déterminons maintenant les valeurs de $f(x)$ correspondantes pour $x \to +\infty$.

x	1 000	10 000	10^6	$\ldots \to +\infty$
$f(x)$	$\dfrac{7}{1\,000} = 0{,}007$	$\dfrac{7}{10\,000} = 0{,}000\,7$	$\dfrac{7}{10^6} = 0{,}000\,007$	$\ldots \to 0$

Nous présumons alors que $\lim\limits_{x \to +\infty} f(x) = 0$. Ainsi, par la définition 6.12, la droite d'équation $y = 0$ est l'asymptote horizontale lorsque $x \to +\infty$.

De plus, lorsque $x \to +\infty$, $\left(\dfrac{7}{x}\right) > 0$, la courbe est située au-dessus de l'asymptote, d'où la représentation ci-contre.

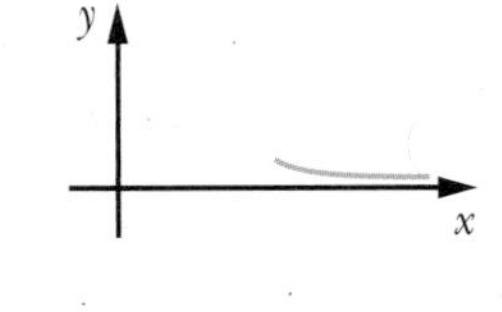

Ainsi, nous pouvons écrire $\lim\limits_{x \to +\infty} \dfrac{7}{x} = 0$. $\quad \left(\text{forme } \dfrac{7}{+\infty}\right)$

Remarque Dans un quotient, lorsque le dénominateur tend vers $\pm\infty$ et que le numérateur tend vers une constante, alors le quotient tend vers 0.

Ainsi, nous avons :

Forme du quotient	**Résultat de la limite**	**Exemples**
$\dfrac{k}{+\infty}$	0	$\lim\limits_{x \to -\infty} \dfrac{3}{(x-2)^2} = 0 \quad \left(\text{forme } \dfrac{3}{+\infty}\right)$
$\dfrac{k}{-\infty}$	0	$\lim\limits_{x \to +\infty} \dfrac{-2}{(4-x)^3} = 0 \quad \left(\text{forme } \dfrac{-2}{-\infty}\right)$

Exemple 2 Soit $f(x) = 7 - \frac{3}{2x-1}$, où dom $f = \mathbb{R}\setminus\left\{\frac{1}{2}\right\}$.

Déterminons les équations des asymptotes horizontales de cette fonction et donnons l'esquisse du graphique de f lorsque $x \to -\infty$ et lorsque $x \to +\infty$.

$$\lim_{x\to-\infty}\left(7 - \frac{3}{2x-1}\right) = \lim_{x\to-\infty} 7 - \lim_{x\to-\infty}\frac{3}{2x-1}$$

$$= 7 - 0 \qquad \left(\text{forme } \frac{3}{-\infty}\right)$$

$$= 7$$

Donc, la droite d'équation $y = 7$ est une asymptote horizontale lorsque $x \to -\infty$.

$$\lim_{x\to+\infty}\left(7 - \frac{3}{2x-1}\right) = \lim_{x\to+\infty} 7 - \lim_{x\to+\infty}\frac{3}{2x-1}$$

$$= 7 - 0 \qquad \left(\text{forme } \frac{3}{+\infty}\right)$$

$$= 7$$

Donc, la droite d'équation $y = 7$ est une asymptote horizontale lorsque $x \to +\infty$.

De plus, lorsque $x \to -\infty$, $\frac{3}{2x-1} < 0$, ainsi $\left(7 - \frac{3}{2x-1}\right) > 7$, et lorsque $x \to +\infty$, $\frac{3}{2x-1} > 0$, ainsi $\left(7 - \frac{3}{2x-1}\right) < 7$, d'où la représentation graphique ci-contre est une esquisse du graphique de f lorsque $x \to -\infty$ et lorsque $x \to +\infty$.

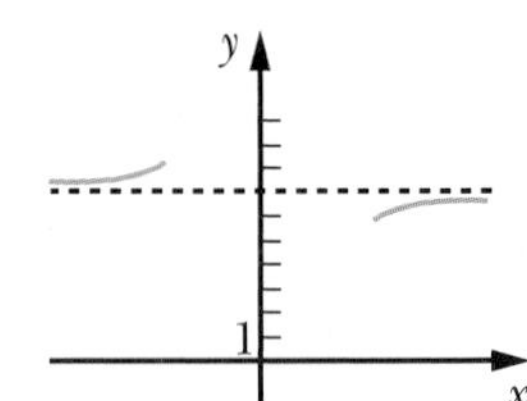

Dans certains calculs de limite, il peut arriver que nous ayons à déterminer le résultat d'opérations avec $\pm\infty$.

Ainsi, pour $k \in \mathbb{R}^+$ et $n \in \{1, 2, 3, ...\}$, nous avons

Forme de l'expression	Résultat de la limite
$+\infty + \infty$	$+\infty$
$-\infty - \infty$	$-\infty$
$+\infty \pm k$	$+\infty$
$-\infty \pm k$	$-\infty$
$k(+\infty)$	$+\infty$
$k(-\infty)$	$-\infty$
$(+\infty)^k$	$+\infty$
$(-\infty)^n$, n pair	$+\infty$
$(-\infty)^n$, n impair	$-\infty$

Toutefois, les formes suivantes

$$\frac{\pm\infty}{\pm\infty},\ (+\infty - \infty) \text{ et } (-\infty + \infty)$$

sont des indéterminations qui seront levées dans les exemples à venir.

Il y a environ 250 ans...

On est toujours un peu troublé par les indéterminations impliquant une différence ou un quotient de quantités qui tendent toutes deux vers zéro ou l'infini. En 1734, le philosophe et évêque irlandais George Berkeley (1685-1753) publie un livre, *The Analyst, or a discourse addressed to an infidel mathematician,* dans lequel il critique le calcul différentiel de Newton. Sa critique vise principalement les manipulations d'expressions contenant des sommes de quantités infiniment petites. Reçus froidement par les mathématiciens de l'époque, ses arguments obligèrent néanmoins ces derniers à se rendre compte de la faiblesse des fondements du calcul différentiel. Ce ne sera qu'au milieu du XIXe siècle, avec la définition de la notion de limite, que des réponses satisfaisantes seront apportées aux arguments de Berkeley.

Indétermination de la forme $\frac{\pm\infty}{\pm\infty}$

Pour lever certaines indéterminations de la forme $\frac{\pm\infty}{\pm\infty}$, nous pouvons

1. mettre en évidence :
   a) au numérateur la plus grande puissance de x figurant au numérateur ;
   b) au dénominateur la plus grande puissance de x figurant au dénominateur ;
2. simplifier la fonction, ce qui permettra, possiblement, d'évaluer la limite.

Exemple 1 Soit $f(x) = \dfrac{2x^2 - 3}{x^2 + 7}$, où dom $f = \mathbb{R}$.

a) Évaluons les limites de cette fonction lorsque $x \to -\infty$ et lorsque $x \to +\infty$ pour déterminer, s'il y a lieu, les équations des asymptotes horizontales.

$\lim\limits_{x\to-\infty} \dfrac{2x^2-3}{x^2+7}$ est une indétermination de la forme $\frac{+\infty}{+\infty}$.

$$\lim_{x\to-\infty} \frac{2x^2-3}{x^2+7} = \lim_{x\to-\infty} \frac{x^2\left(2-\frac{3}{x^2}\right)}{x^2\left(1+\frac{7}{x^2}\right)} \quad \text{(en mettant } x^2 \text{ en évidence, au numérateur et au dénominateur)}$$

$$= \lim_{x\to-\infty} \frac{2-\frac{3}{x^2}}{1+\frac{7}{x^2}} \quad \text{(en simplifiant)}$$

$$= \frac{2-0}{1+0} \quad \left(\text{car } \lim_{x\to-\infty} \frac{3}{x^2} = 0 \left(\text{forme } \frac{3}{+\infty}\right) \text{ et } \lim_{x\to-\infty} \frac{7}{x^2} = 0 \left(\text{forme } \frac{7}{+\infty}\right)\right)$$

$$= 2$$

Donc, la droite d'équation $y = 2$ est une asymptote horizontale lorsque $x \to -\infty$.

De façon analogue, nous avons $\lim\limits_{x\to+\infty} f(x) = 2$.

Donc, la droite d'équation $y = 2$ est une asymptote horizontale lorsque $x \to +\infty$.

Nous pouvons, à l'aide du tableau de variation, déterminer si la courbe de la fonction est située au-dessus ou au-dessous de l'asymptote horizontale.

b) Donnons une esquisse du graphique de f lorsque $x \to -\infty$ et lorsque $x \to +\infty$.

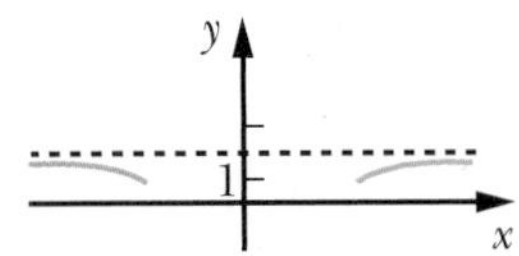

Exemple 2 Soit $f(x) = \dfrac{x^6 + 5}{4x^3 + 3x + 7}$, où dom $f = \mathbb{R} \setminus \{-1\}$.

Déterminons, s'il y a lieu, les équations des asymptotes horizontales de cette fonction.

$\lim\limits_{x \to -\infty} \dfrac{x^6 + 5}{4x^3 + 3x + 7}$ est une indétermination de la forme $\dfrac{+\infty}{-\infty}$.

Levons cette indétermination.

$$\lim_{x \to -\infty} \frac{5}{x^6} = 0 \qquad \lim_{x \to -\infty} \frac{3}{x^2} = 0 \qquad \lim_{x \to -\infty} \frac{7}{x^3} = 0$$

$$\begin{aligned}
\lim_{x \to -\infty} \frac{x^6 + 5}{4x^3 + 3x + 7} &= \lim_{x \to -\infty} \frac{x^6\left(1 + \frac{5}{x^6}\right)}{x^3\left(4 + \frac{3}{x^2} + \frac{7}{x^3}\right)} && \text{(en mettant } x^6 \text{ en évidence au numérateur et } x^3 \text{ en évidence au dénominateur)} \\
&= \lim_{x \to -\infty} \frac{x^3\left(1 + \frac{5}{x^6}\right)}{4 + \frac{3}{x^2} + \frac{7}{x^3}} && \text{(en simplifiant)} \\
&= -\infty && \left(\text{forme } \frac{1}{4}(-\infty)\right)
\end{aligned}$$

Puisque le résultat de l'évaluation de la limite, lorsque $x \to -\infty$, ne donne pas un nombre réel, f n'a pas d'asymptote horizontale lorsque $x \to -\infty$.

$\lim\limits_{x \to +\infty} \dfrac{x^6 + 5}{4x^3 + 3x + 7}$ est une indétermination de la forme $\dfrac{+\infty}{+\infty}$.

Levons cette indétermination.

$$\begin{aligned}
\lim_{x \to +\infty} \frac{x^6 + 5}{4x^3 + 3x + 7} &= \lim_{x \to +\infty} \frac{x^3\left(1 + \frac{5}{x^6}\right)}{4 + \frac{3}{x^2} + \frac{7}{x^3}} \\
&= +\infty && \left(\text{forme } \frac{1}{4}(+\infty)\right)
\end{aligned}$$

Puisque le résultat de l'évaluation de la limite, lorsque $x \to +\infty$, ne donne pas un nombre réel, f n'a pas d'asymptote horizontale lorsque $x \to +\infty$.

Exemple 3 Soit $f(x) = \dfrac{7x + 1}{2x^3 + 2x - 20}$, où dom $f = \mathbb{R} \setminus \{2\}$.

a) Déterminons, s'il y a lieu, les équations des asymptotes horizontales de cette fonction.

$\lim\limits_{x \to -\infty} \dfrac{7x + 1}{2x^3 + 2x - 20}$ est une indétermination de la forme $\dfrac{-\infty}{-\infty}$.

$$\lim_{x \to -\infty} \frac{7x + 1}{2x^3 + 2x - 20} = \lim_{x \to -\infty} \frac{x\left(7 + \dfrac{1}{x}\right)}{x^3\left(2 + \dfrac{2}{x^2} - \dfrac{20}{x^3}\right)}$$ (en mettant x en évidence au numérateur et x^3 en évidence au dénominateur)

$$= \lim_{x \to -\infty} \frac{7 + \dfrac{1}{x}}{x^2\left(2 + \dfrac{2}{x^2} - \dfrac{20}{x^3}\right)}$$ (en simplifiant)

$$= 0$$ $\left(\text{forme } \dfrac{7}{+\infty}\right)$

Donc, la droite d'équation $y = 0$ est une asymptote horizontale lorsque $x \to -\infty$.

$\lim\limits_{x \to +\infty} \dfrac{7x + 1}{2x^3 + 2x - 20}$ est une indétermination de la forme $\dfrac{+\infty}{+\infty}$.

De façon analogue, $\lim\limits_{x \to +\infty} f(x) = 0$.

Donc, la droite d'équation $y = 0$ est une asymptote horizontale lorsque $x \to +\infty$.

b) Donnons une esquisse du graphique de f lorsque $x \to -\infty$ et lorsque $x \to +\infty$.

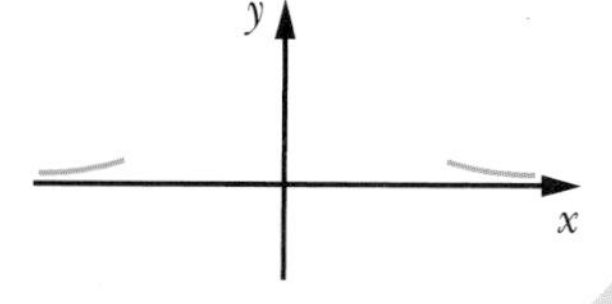

Exemple 4 Soit $f(x) = \dfrac{\sqrt{9x^2 + 4}}{1 - 2x}$, où dom $f = \mathbb{R} \setminus \left\{\dfrac{1}{2}\right\}$.

Déterminons les équations des asymptotes horizontales de cette fonction et donnons l'esquisse du graphique de f lorsque $x \to -\infty$ et lorsque $x \to +\infty$.

$\lim\limits_{x \to -\infty} \dfrac{\sqrt{9x^2 + 4}}{1 - 2x}$ est une indétermination de la forme $\dfrac{+\infty}{+\infty}$.

Levons cette indétermination.

$$\lim_{x \to -\infty} \frac{\sqrt{9x^2 + 4}}{1 - 2x} = \lim_{x \to -\infty} \frac{\sqrt{x^2\left(9 + \dfrac{4}{x^2}\right)}}{1 - 2x}$$ (en mettant x^2 en évidence au numérateur)

$$= \lim_{x \to -\infty} \frac{\sqrt{x^2}\left(\sqrt{9 + \dfrac{4}{x^2}}\right)}{x\left(\dfrac{1}{x} - 2\right)}$$ (en mettant x en évidence au dénominateur)

$$= \lim_{x \to -\infty} \frac{|x|\left(\sqrt{9 + \frac{4}{x^2}}\right)}{x\left(\frac{1}{x} - 2\right)} \qquad (\text{car } \sqrt{x^2} = |x|)$$

$$= \lim_{x \to -\infty} \frac{-x\left(\sqrt{9 + \frac{4}{x^2}}\right)}{x\left(\frac{1}{x} - 2\right)} \qquad (\text{car } |x| = -x \text{ si } x < 0)$$

$$= \lim_{x \to -\infty} \frac{-\left(\sqrt{9 + \frac{4}{x^2}}\right)}{\left(\frac{1}{x} - 2\right)} \qquad (\text{en simplifiant})$$

$$= \frac{-(\sqrt{9 + 0})}{(0 - 2)} \qquad \left(\text{formes } \frac{4}{+\infty} \text{ et } \frac{1}{-\infty}\right)$$

$$= \frac{3}{2}$$

Donc, la droite d'équation $y = \frac{3}{2}$ est une asymptote horizontale lorsque $x \to -\infty$.

$\lim\limits_{x \to +\infty} \frac{\sqrt{9x^2 + 4}}{1 - 2x}$ est une indétermination de la forme $\frac{+\infty}{-\infty}$.

Levons cette indétermination.

$$\lim_{x \to +\infty} \frac{\sqrt{9x^2 + 4}}{1 - 2x} = \lim_{x \to +\infty} \frac{\sqrt{x^2\left(9 + \frac{4}{x^2}\right)}}{1 - 2x} \qquad (\text{en mettant } x^2 \text{ en évidence au numérateur})$$

$$= \lim_{x \to +\infty} \frac{\sqrt{x^2}\left(\sqrt{9 + \frac{4}{x^2}}\right)}{x\left(\frac{1}{x} - 2\right)} \qquad (\text{en mettant } x \text{ en évidence au dénominateur})$$

$$= \lim_{x \to +\infty} \frac{|x|\left(\sqrt{9 + \frac{4}{x^2}}\right)}{x\left(\frac{1}{x} - 2\right)} \qquad (\text{car } \sqrt{x^2} = |x|)$$

$$= \lim_{x \to +\infty} \frac{x\left(\sqrt{9 + \frac{4}{x^2}}\right)}{x\left(\frac{1}{x} - 2\right)} \qquad (\text{car } |x| = x \text{ si } x \geq 0)$$

$$= \lim_{x \to +\infty} \frac{\left(\sqrt{9 + \frac{4}{x^2}}\right)}{\left(\frac{1}{x} - 2\right)} \qquad (\text{en simplifiant})$$

$$= \frac{(\sqrt{9} + 0)}{(0 - 2)} \qquad \left(\text{formes } \frac{4}{+\infty} \text{ et } \frac{1}{+\infty}\right)$$

$$= \frac{-3}{2}$$

Donc, la droite d'équation $y = \frac{-3}{2}$ est une asymptote horizontale lorsque $x \to +\infty$.

La représentation graphique ci-contre est une esquisse du graphique de f lorsque $x \to -\infty$ et lorsque $x \to +\infty$.

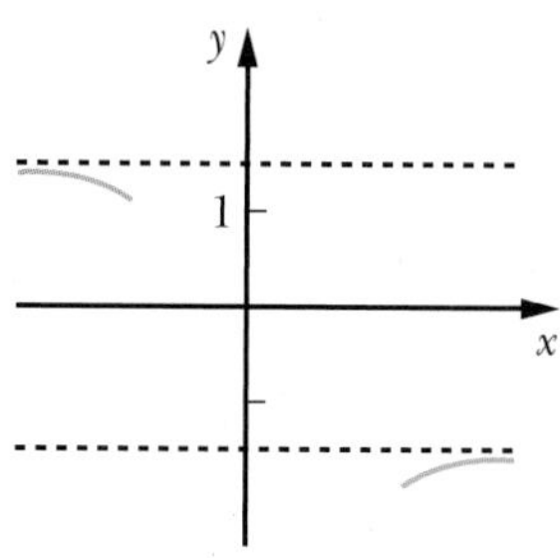

Indétermination de la forme ($+\infty - \infty$) ou ($-\infty + \infty$)

Pour lever certaines indéterminations de la forme ($+\infty - \infty$) ou de la forme ($-\infty + \infty$), nous pouvons

mettre en évidence la plus grande puissance de x, ce qui permettra, possiblement, d'évaluer la limite.

Exemple 1 Calculons $\lim\limits_{x \to -\infty} (2x^3 - x + 1)$ et $\lim\limits_{x \to +\infty} (2x^3 - x + 1)$.

$\lim\limits_{x \to -\infty} (2x^3 - x + 1)$ est une indétermination de la forme ($-\infty + \infty$) et

$\lim\limits_{x \to +\infty} (2x^3 - x + 1)$ est une indétermination de la forme ($+\infty - \infty$).

Levons ces indéterminations.

$$\lim_{x \to -\infty} (2x^3 - x + 1) = \lim_{x \to -\infty} x^3\left(2 - \frac{1}{x^2} + \frac{1}{x^3}\right) \qquad (\text{en mettant } x^3 \text{ en évidence})$$

$$= -\infty \qquad (\text{forme } (-\infty)2)$$

$$\lim_{x \to +\infty} (2x^3 - x + 1) = \lim_{x \to +\infty} x^3\left(2 - \frac{1}{x^2} + \frac{1}{x^3}\right) \qquad (\text{en mettant } x^3 \text{ en évidence})$$

$$= +\infty \qquad (\text{forme } (+\infty)\ 2)$$

Exemple 2 Soit $f(x) = \frac{3x^3 - 4x + 1}{x^3 - 4x^2}$, où dom $f = \mathbb{R} \setminus \{0, 4\}$.

Déterminons les équations des asymptotes horizontales de cette fonction.

$\lim\limits_{x \to -\infty} (3x^3 - 4x + 1)$ est une indétermination de la forme ($-\infty + \infty$).

Levons cette indétermination.

$$\lim_{x \to -\infty} (3x^3 - 4x + 1) = \lim_{x \to -\infty} x^3\left(3 - \frac{4}{x^2} + \frac{1}{x^3}\right) = -\infty \qquad \text{(forme } (-\infty)3\text{)}$$

De plus, $\lim_{x \to -\infty} (x^3 - 4x^2) = -\infty$ (forme $-\infty - \infty$)

Ainsi, $\lim_{x \to -\infty} \dfrac{3x^3 - 4x + 1}{x^3 - 4x^2}$ est une indétermination de la forme $\dfrac{-\infty}{-\infty}$.

$$\lim_{x \to -\infty} \frac{3x^3 - 4x + 1}{x^3 - 4x^2} = \lim_{x \to -\infty} \frac{x^3\left(3 - \frac{4}{x^2} + \frac{1}{x^3}\right)}{x^3\left(1 - \frac{4}{x}\right)}$$ (en mettant x^3 en évidence au numérateur et au dénominateur)

$$= \lim_{x \to -\infty} \frac{\left(3 - \frac{4}{x^2} + \frac{1}{x^3}\right)}{\left(1 - \frac{4}{x}\right)}$$ (en simplifiant)

$$= 3$$

Donc, la droite d'équation $y = 3$ est une asymptote horizontale lorsque $x \to -\infty$.

De façon analogue, nous avons $\lim_{x \to +\infty} f(x) = 3$.

Donc, la droite d'équation $y = 3$ est une asymptote horizontale lorsque $x \to +\infty$.

La représentation ci-contre est une esquisse du graphique de f lorsque $x \to -\infty$ et lorsque $x \to +\infty$.

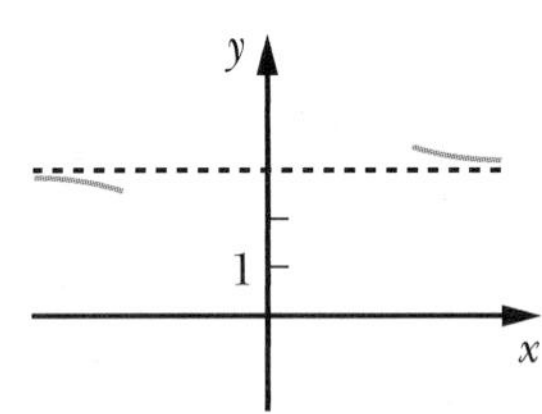

Notion graphique d'asymptote oblique

Soit la fonction f définie par le graphique ci-contre, où dom $f = \mathbb{R} \setminus \{0\}$.

Nous constatons que la courbe de la fonction s'approche de plus en plus de la droite D_1 lorsque $x \to -\infty$. Ainsi, la droite D_1 d'équation $y = -x - 2$ est une asymptote oblique de la courbe de f.

Nous constatons également que, lorsque $x \to +\infty$, la courbe de la fonction s'approche de plus en plus de la droite D_2. Ainsi, la droite D_2 d'équation $y = x + 1$ est une asymptote oblique de la courbe de f.

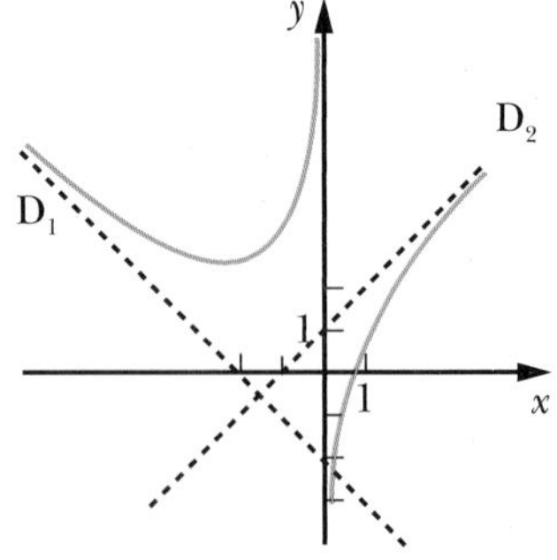

Exemple 1 Soit $f(x) = 2x - 3 + \dfrac{4}{x}$, où dom $f = \mathbb{R} \setminus \{0\}$.

a) Analysons le comportement de cette fonction lorsque $x \to -\infty$ et lorsque $x \to +\infty$.

Nous remarquons d'abord que $\lim_{x \to -\infty} \dfrac{4}{x} = 0$ $\left(\text{forme } \dfrac{4}{-\infty}\right)$

et que $\lim\limits_{x \to +\infty} \frac{4}{x} = 0$ $\left(\text{forme } \frac{4}{+\infty}\right)$

$\lim\limits_{x \to -\infty} f(x) = \lim\limits_{x \to -\infty} \left(2x - 3 + \frac{4}{x}\right) = -\infty$ (forme $-\infty - 3 + 0$)

$\lim\limits_{x \to +\infty} f(x) = \lim\limits_{x \to +\infty} \left(2x - 3 + \frac{4}{x}\right) = +\infty$ (forme $+\infty - 3 + 0$)

Donc, f n'a pas d'asymptote horizontale.

Le terme $\frac{4}{x}$ est négligeable, lorsque $x \to -\infty$ ou lorsque $x \to +\infty$, par rapport au terme $(2x - 3)$; ainsi, nous obtenons la forme suivante :

$$f(x) = \underbrace{2x - 3}_{\text{droite}} + \underbrace{\frac{4}{x}}_{\substack{\text{négligeable} \\ \text{lorsque} \\ x \to -\infty \\ \text{ou} \\ x \to +\infty}}$$

Cela signifie que le graphique de f est aussi près que nous le voulons de la droite d'équation $y = 2x - 3$ lorsque $x \to -\infty$ et lorsque $x \to +\infty$.

Nous disons alors que la droite d'équation $y = 2x - 3$ est une asymptote oblique du graphique de f.

Nous pouvons, à l'aide d'un tableau de variation, déterminer si la courbe de la fonction est située au-dessus ou au-dessous de l'asymptote oblique.

b) Donnons une esquisse du graphique de f lorsque $x \to -\infty$ et lorsque $x \to +\infty$.

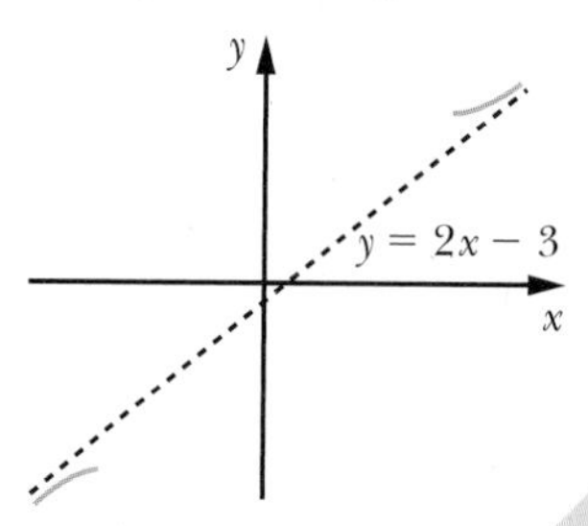

Définition d'asymptote oblique

Définition 6.12 La droite d'équation $y = ax + b$, où $a \in \mathbb{R}$, $a \neq 0$ et $b \in \mathbb{R}$, est une **asymptote oblique** de la courbe de f s'il est possible d'exprimer $f(x)$ sous la forme $f(x) = ax + b + r(x)$, telle que $\lim\limits_{x \to -\infty} r(x) = 0$ ou $\lim\limits_{x \to +\infty} r(x) = 0$.

Exemple 1 Soit $f(x) = \frac{3x^3 - 2x^2 + 8x - 1}{x^2 + 1}$, où dom $f = \mathbb{R}$.

a) Déterminons, s'il y a lieu, les équations des asymptotes obliques de cette fonction.

Vérifions d'abord si nous pouvons transformer f sous la forme $ax + b + r(x)$, où $a \neq 0$.

En effectuant la division, nous obtenons

$$f(x) = \frac{3x^3 - 2x^2 + 8x - 1}{x^2 + 1} = \underbrace{3x - 2}_{ax + b} + \underbrace{\frac{5x + 1}{x^2 + 1}}_{r(x)}.$$

Ainsi, $a = 3$ $(a \neq 0)$, $b = -2$ et $r(x) = \dfrac{5x + 1}{x^2 + 1}$.

Évaluons ensuite $\lim\limits_{x \to -\infty} r(x)$ et $\lim\limits_{x \to +\infty} r(x)$.

$$\lim_{x \to -\infty} r(x) = \lim_{x \to -\infty} \frac{5x + 1}{x^2 + 1} = \lim_{x \to -\infty} \frac{x\left(5 + \frac{1}{x}\right)}{x^2\left(1 + \frac{1}{x^2}\right)} = \lim_{x \to -\infty} \frac{5 + \frac{1}{x}}{x\left(1 + \frac{1}{x^2}\right)} = 0 \quad \left(\text{forme } \frac{5}{-\infty}\right)$$

Donc, la droite d'équation $y = 3x - 2$ est une asymptote oblique lorsque $x \to -\infty$. (définition 6.12)

$$\lim_{x \to +\infty} r(x) = \lim_{x \to +\infty} \frac{5x + 1}{x^2 + 1} = \lim_{x \to +\infty} \frac{x\left(5 + \frac{1}{x}\right)}{x^2\left(1 + \frac{1}{x^2}\right)} = \lim_{x \to +\infty} \frac{5 + \frac{1}{x}}{x\left(1 + \frac{1}{x^2}\right)} = 0 \quad \left(\text{forme } \frac{5}{+\infty}\right)$$

Donc, la droite d'équation $y = 3x - 2$ est une asymptote oblique lorsque $x \to +\infty$. (définition 6.12)

b) Donnons une esquisse du graphique de f lorsque $x \to -\infty$ et lorsque $x \to +\infty$.

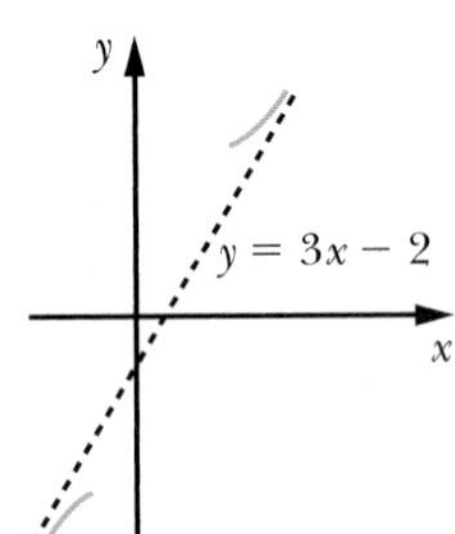

Certaines courbes de fonctions f admettent des asymptotes obliques, mais il est difficile d'exprimer ces fonctions sous la forme $ax + b + r(x)$ (*voir* la définition 6.12).

Dans ce cas, nous utilisons le théorème suivant pour déterminer les équations des asymptotes obliques.

THÉORÈME 6.8

La droite d'équation $y = ax + b$, où $a \in \mathbb{R}$, $a \neq 0$ et $b \in \mathbb{R}$, est une asymptote oblique de la courbe de f, si et seulement si:

1) $\lim\limits_{x \to -\infty} \dfrac{f(x)}{x} = a$ et 2) $\lim\limits_{x \to -\infty} (f(x) - ax) = b$

ou

1) $\lim\limits_{x \to +\infty} \dfrac{f(x)}{x} = a$ et 2) $\lim\limits_{x \to +\infty} (f(x) - ax) = b$

Preuve

($\Rightarrow$) Si $y = ax + b$, où $a \in \mathbb{R}$, $a \neq 0$ et $b \in \mathbb{R}$, est une asymptote oblique de la courbe de f, nous avons par la définition 6.12 que $f(x) = ax + b + r(x)$, et que $\lim\limits_{x \to -\infty} r(x) = 0$ ou $\lim\limits_{x \to +\infty} r(x) = 0$.

Si $\lim\limits_{x \to -\infty} r(x) = 0$, alors

1) $$\lim_{x \to -\infty} \frac{f(x)}{x} = \lim_{x \to -\infty} \frac{ax + b + r(x)}{x} \qquad (\text{car } f(x) = ax + b + r(x))$$

$$= \lim_{x \to -\infty} \left(a + \frac{b}{x} + \frac{r(x)}{x}\right)$$

$$= \lim_{x \to -\infty} a + b \lim_{x \to -\infty} \frac{1}{x} + \lim_{x \to -\infty} \left(r(x) \cdot \frac{1}{x}\right) \qquad (\text{théorème 2.4a})$$

$$= a + 0 + 0 \qquad \left(\text{car } \lim_{x \to -\infty} \frac{1}{x} = 0 \text{ et } \lim_{x \to -\infty} r(x) = 0\right)$$

$$= a$$

2) $$\lim_{x \to -\infty} (f(x) - ax) = \lim_{x \to -\infty} (ax + b + r(x) - ax) \qquad (\text{car } f(x) = ax + b + r(x))$$

$$= \lim_{x \to -\infty} (b + r(x))$$

$$= b \qquad \left(\text{car } \lim_{x \to -\infty} r(x) = 0\right)$$

On procède de façon analogue si $\lim\limits_{x \to +\infty} r(x) = 0$.

($\Leftarrow$) Si $\lim\limits_{x \to -\infty} \dfrac{f(x)}{x} = a$, où $a \in \mathbb{R}$ et $a \neq 0$, et si $\lim\limits_{x \to -\infty} (f(x) - ax) = b$, où $b \in \mathbb{R}$,

en posant $r(x) = f(x) - ax - b$, nous obtenons alors $f(x) = ax + b + r(x)$.

De plus,

$$\lim_{x \to -\infty} r(x) = \lim_{x \to -\infty} ((f(x) - ax) - b)$$

$$= \lim_{x \to -\infty} (f(x) - ax) - \lim_{x \to -\infty} b \qquad (\text{théorème 2.4a})$$

$$= b - b$$

$$= 0$$

D'où la droite d'équation $y = ax + b$ est une asymptote oblique de la courbe de f.

On procède de façon analogue si $\lim\limits_{x \to +\infty} \dfrac{f(x)}{x} = a$, où $a \in \mathbb{R}$ et $a \neq 0$, et

si $\lim\limits_{x \to +\infty} (f(x) - ax) = b$, où $b \in \mathbb{R}$.

■

Exemple 2 Soit $f(x) = 1 + \sqrt{3x^2 + 2}$, où dom $f = \mathbb{R}$.

a) Déterminons, s'il y a lieu, les équations des asymptotes obliques de cette fonction à l'aide du théorème 6.7.

1) Évaluons $\lim\limits_{x \to -\infty} \dfrac{f(x)}{x}$.

$$\lim_{x \to -\infty} \frac{f(x)}{x} = \lim_{x \to -\infty} \frac{1 + \sqrt{3x^2 + 2}}{x} \qquad \left(\text{indétermination de la forme } \frac{+\infty}{-\infty}\right)$$

6

$$= \lim_{x \to -\infty} \frac{1 + \sqrt{x^2\left(3 + \frac{2}{x^2}\right)}}{x}$$

$$= \lim_{x \to -\infty} \frac{1 + \sqrt{x^2}\sqrt{3 + \frac{2}{x^2}}}{x}$$

$$= \lim_{x \to -\infty} \frac{1 + |x|\left(\sqrt{3 + \frac{2}{x^2}}\right)}{x} \qquad (\text{car } \sqrt{x^2} = |x|)$$

$$= \lim_{x \to -\infty} \frac{1 - x\left(\sqrt{3 + \frac{2}{x^2}}\right)}{x} \qquad (\text{car } |x| = -x \text{ si } x < 0)$$

$$= \lim_{x \to -\infty} \left(\frac{1}{x} - \frac{x\left(\sqrt{3 + \frac{2}{x^2}}\right)}{x}\right)$$

$$= \lim_{x \to -\infty} \frac{1}{x} - \lim_{x \to -\infty} \sqrt{3 + \frac{2}{x^2}} \qquad (\text{théorème 2.3c})$$

$$= 0 - \sqrt{3 + 0} \qquad \left(\text{formes } \frac{1}{-\infty} \text{ et } \frac{2}{+\infty}\right)$$

$$= -\sqrt{3}$$

Donc, $a = -\sqrt{3}$.

2) Évaluons $\lim\limits_{x \to -\infty} (f(x) - ax)$, où $a = -\sqrt{3}$.

$$\lim_{x \to -\infty} (f(x) - ax) = \lim_{x \to -\infty} (1 + \sqrt{3x^2 + 2} - (-\sqrt{3}x))$$

(indétermination de la forme $+\infty - \infty$)

$$= \lim_{x \to -\infty} 1 + \lim_{x \to -\infty} (\sqrt{3x^2 + 2} + \sqrt{3}x)$$

(indétermination de la forme $+\infty - \infty$)

$$= 1 + \lim_{x \to -\infty} (\sqrt{3x^2 + 2} + \sqrt{3}x)\left(\frac{\sqrt{3x^2 + 2} - \sqrt{3}x}{\sqrt{3x^2 + 2} - \sqrt{3}x}\right)$$

$$= 1 + \lim_{x \to -\infty} \frac{3x^2 + 2 - 3x^2}{\sqrt{3x^2 + 2} - \sqrt{3}x}$$

$$= 1 + \lim_{x \to -\infty} \frac{2}{\sqrt{3x^2 + 2} - \sqrt{3}x}$$

$$= 1 + 0 \qquad \left(\text{forme } \frac{2}{+\infty}\right)$$

$$= 1.$$

Donc, $b = 1$

D'où la droite d'équation $y = -\sqrt{3}x + 1$ est une asymptote oblique lorsque $x \to -\infty$.

De façon analogue, nous trouvons lorsque $x \to +\infty$, $a = \sqrt{3}$ et $b = 1$.

Donc, la droite d'équation $y_1 = \sqrt{3}x + 1$ est une asymptote oblique lorsque $x \to +\infty$.

b) Donnons une esquisse du graphique de f lorsque $x \to -\infty$ et lorsque $x \to +\infty$.

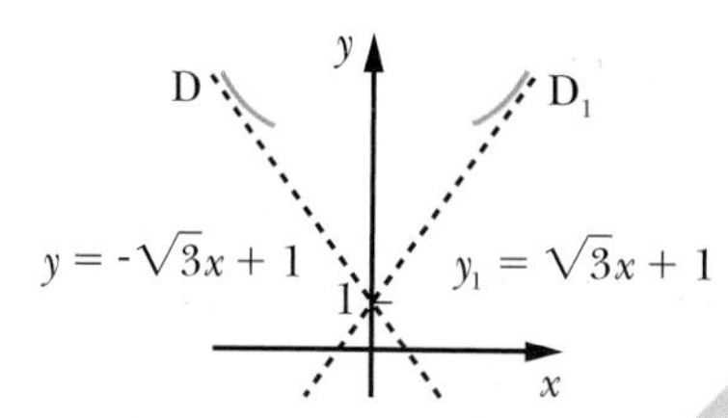

Exercices 6.4

1. Compléter les définitions suivantes.

a) La droite d'équation $x = a$, où $a \in \mathbb{R}$, est une asymptote verticale de la courbe de f si une des conditions suivantes est vérifiée : ....

b) La droite d'équation $y = b$, où $b \in \mathbb{R}$, est une asymptote horizontale de la courbe de f si au moins une des conditions suivantes est vérifiée : ....

c) La droite d'équation $y = ax + b$, où $a \neq 0$, est une asymptote oblique de la courbe de f s'il est possible d'exprimer $f(x)$ sous la forme ....

2. Soit f définie par le graphique ci-dessous.

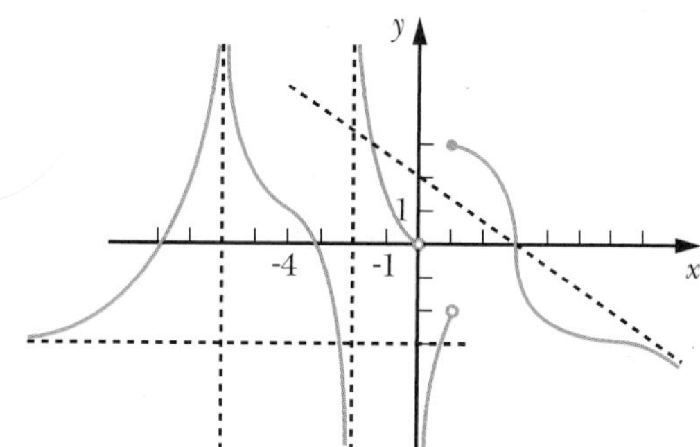

a) Évaluer les limites suivantes.

i) $\lim\limits_{x \to -\infty} f(x)$

ii) $\lim\limits_{x \to -6^-} f(x)$

iii) $\lim\limits_{x \to -6^+} f(x)$

iv) $\lim\limits_{x \to -2^-} f(x)$

v) $\lim\limits_{x \to -2^+} f(x)$

vi) $\lim\limits_{x \to 0^-} f(x)$

vii) $\lim\limits_{x \to 0^+} f(x)$

viii) $\lim\limits_{x \to 1^-} f(x)$

ix) $\lim\limits_{x \to 1^+} f(x)$

x) $\lim\limits_{x \to +\infty} f(x)$

b) Donner l'équation de chaque asymptote.

3. a) Donner une esquisse du graphique d'une fonction f satisfaisant toutes les conditions suivantes :

i) $\lim\limits_{x \to -\infty} f(x) = 2$

ii) $\lim\limits_{x \to -3^-} f(x) = +\infty$

iii) $\lim\limits_{x \to -3^+} f(x) = -\infty$

iv) $\lim\limits_{x \to 2^-} f(x) = 2$

v) $\lim\limits_{x \to 2^+} f(x) = +\infty$

vi) $\lim\limits_{x \to +\infty} f(x) = -1$

b) Donner l'équation de chaque asymptote de la courbe de f.

4. Déterminer, si c'est possible, les équations des asymptotes verticales des fonctions suivantes et donner l'esquisse du graphique de la fonction près de ces asymptotes.

a) $f(x) = \dfrac{3x}{(x-3)^2}$

b) $f(x) = \dfrac{-7x^2}{\sqrt{x+3}}$

c) $f(x) = \dfrac{x^2 + x - 6}{x^2 + 4x + 3}$

d) $f(x) = \dfrac{-x}{(x-1)^2(x+3)}$

e) $f(x) = \left(\dfrac{4x}{x(x-1)(x-2)}\right)^2$

f) $f(x) = \dfrac{\sqrt{x+2}}{(x+4)(x-1)}$

5. Déterminer si les limites suivantes sont indéterminées. Évaluer ces limites.

a) $\lim\limits_{x \to -\infty} (7x^3 - 4x^2 + 7x - 1)$

b) $\lim\limits_{x \to +\infty} (7x^3 - 4x^2 + 7x - 1)$

c) $\lim\limits_{x \to -\infty} (\sqrt{x^2 + 4} + x^3)$

6. Déterminer, si c'est possible, les équations des asymptotes horizontales de chacune des fonctions suivantes, en explicitant les étapes du calcul lorsque la limite est indéterminée.

a) $g(x) = 7 - \dfrac{3}{x+1}$

b) $h(x) = \dfrac{3x^2 - 1}{5x^2 + 4x + 1}$

c) $f(x) = \dfrac{4x^3}{7x^2 + 1}$

d) $k(x) = \dfrac{4x + 1}{\sqrt{x^2 + 9}}$

7. Déterminer, si c'est possible, les équations des asymptotes horizontales des fonctions suivantes et donner l'esquisse du graphique de la fonction près de ces asymptotes.

a) $g(x) = \dfrac{-3x^2}{x - x^4}$

b) $v(t) = \dfrac{\sqrt{t-1}}{t^2} - 3$

c) $h(x) = 5 - \dfrac{\sqrt{4x^2 + 1}}{x}$

d) $k(x) = \dfrac{7}{\sqrt{5 - x}}$

e) $f(u) = \dfrac{u^{\frac{2}{3}} + u}{4 + u^{\frac{3}{4}}}$

f) $f(x) = \dfrac{|5x|}{3 - 2x}$

8. Déterminer, si c'est possible, les équations des asymptotes obliques des fonctions suivantes.

a) $f(x) = 5x - 1 + \dfrac{7}{x^2}$

b) $f(x) = \dfrac{4x^3 - 6x^2 + x - 4}{x^2}$

c) $f(x) = \dfrac{x + 1 + x^3 + 3x^2}{x}$

9. Déterminer les équations des asymptotes obliques des fonctions suivantes et donner l'esquisse du graphique de la fonction près de ces asymptotes.

a) $f(x) = \dfrac{3x^3 + 4x^2 + 5}{x^2}$

b) $f(x) = \dfrac{-2x^2 - 3x + 2}{x + 1}$

c) $f(x) = \sqrt{4x^2 + 9}$

10. Déterminer les équations des asymptotes des fonctions suivantes.

a) $f(x) = \dfrac{2x^2 + 1}{(x-5)(5+3x)}$

b) $g(x) = \dfrac{2x^3 - 4x^2 - 2x + 7}{1 - x^2}$

11. Déterminer la valeur de k telle que :

a) la droite d'équation $x = -1$ soit une asymptote verticale de la courbe définie par $f(x) = \dfrac{5x^2 + 4}{3x + k}$;

b) les droites d'équation $x = 4$ et $x = -4$ soient des asymptotes verticales de la courbe définie par $g(x) = \dfrac{-5x + 7}{(x^2 + k)}$;

c) la droite d'équation $y = 8$ soit une asymptote horizontale de $h(x) = \dfrac{kx + 1}{3x - 4}$ lorsque $x \to +\infty$.

6.5 Analyse de fonctions algébriques

Objectif d'apprentissage

À la fin de cette section, l'élève pourra analyser des fonctions algébriques.

Plus précisément, l'élève sera en mesure :

- de déterminer algébriquement les équations des asymptotes de la courbe d'une fonction ;
- de rassembler, dans un seul tableau de variation, toutes les informations déduites de la dérivée première et de la dérivée seconde d'une fonction algébrique, puis de donner une esquisse de son graphique.

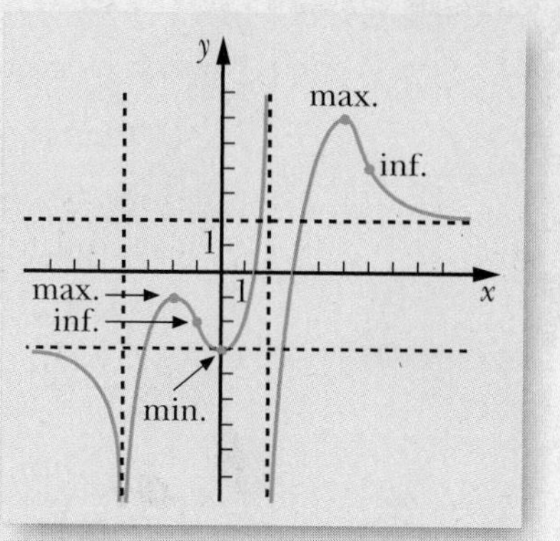

Voici un rappel de quelques notions étudiées dans les sections précédentes.

1. **Croissance et décroissance**

   a) Si $f'(x) > 0$ sur $]a, b[$, alors $f \nearrow$ sur $[a, b]$.

   b) Si $f'(x) < 0$ sur $]a, b[$, alors $f \searrow$ sur $[a, b]$.

2. **Point de maximum et point de minimum**

   Soit $c \in \text{dom} f$ tel que $f'(c) = 0$ ou que $f'(c)$ n'existe pas.

   a) Si $f'(x)$ passe du $+$ au $-$ lorsque x passe de c^- à c^+, alors $(c, f(c))$ est un point de maximum relatif de f.

   b) Si $f'(x)$ passe du $-$ au $+$ lorsque x passe de c^- à c^+, alors $(c, f(c))$ est un point de minimum relatif de f.

3. **Concavité**

   a) Si $f''(x) > 0$ sur $]a, b[$, alors $f \cup$ sur $[a, b]$.

   b) Si $f''(x) < 0$ sur $]a, b[$, alors $f \cap$ sur $[a, b]$.

4. **Point d'inflexion**

   Soit $c \in \text{dom} f$ tel que $f''(c) = 0$ ou que $f''(c)$ n'existe pas.

   $(c, f(c))$ est un point d'inflexion de $f \Leftrightarrow f''(x)$ change de signe lorsque x passe de c^- à c^+.

5. **Asymptotes**

   a) La droite d'équation $x = a$, où $a \in \mathbb{R}$, est une asymptote verticale de la courbe de f si :

   $\lim\limits_{x \to a^-} f(x) = -\infty$ ou $\lim\limits_{x \to a^-} f(x) = +\infty$ ou $\lim\limits_{x \to a^+} f(x) = -\infty$ ou $\lim\limits_{x \to a^+} f(x) = +\infty$.

   b) La droite d'équation $y = b$, où $b \in \mathbb{R}$, est une asymptote horizontale de la courbe de f si :

   $\lim\limits_{x \to -\infty} f(x) = b$ ou $\lim\limits_{x \to +\infty} f(x) = b$.

   c) La droite d'équation $y = ax + b$, où $a \in \mathbb{R}$, $a \neq 0$ et $b \in \mathbb{R}$, est une asymptote oblique de la courbe de f s'il est possible d'exprimer $f(x)$ sous la forme

   $f(x) = ax + b + r(x)$ telle que $\lim\limits_{x \to -\infty} r(x) = 0$ ou $\lim\limits_{x \to +\infty} r(x) = 0$.

Exemple 1 Soit $f(x) = \dfrac{20x^2 - 28x - 28}{(x-1)^2}$.

Analysons cette fonction.

1. **Déterminons le domaine de f.**

   dom $f = \mathbb{R}\setminus\{1\}$. Ainsi, la droite d'équation $x = 1$ est susceptible d'être une asymptote verticale.

2. **Déterminons, si c'est possible, les équations des asymptotes.**

   a) Asymptotes verticales

   $$\lim_{x\to 1^-} \frac{20x^2 - 28x - 28}{(x-1)^2} = -\infty \quad \left(\text{forme } \frac{-36}{0^+}\right)$$

   Donc, la droite d'équation $x = 1$ est une asymptote verticale.

   $$\lim_{x\to 1^+} \frac{20x^2 - 28x - 28}{(x-1)^2} = -\infty \quad \left(\text{forme } \frac{-36}{0^+}\right)$$

   Donc, la droite d'équation $x = 1$ est une asymptote verticale.

   b) Asymptotes horizontales

   $\lim\limits_{x\to -\infty} \dfrac{20x^2 - 28x - 28}{(x-1)^2}$ est une indétermination de la forme $\dfrac{+\infty}{+\infty}$.

   Levons cette indétermination.

   $$\lim_{x\to -\infty} \frac{20x^2 - 28x - 28}{x^2 - 2x + 1} = \lim_{x\to -\infty} \frac{x^2\left(20 - \frac{28}{x} - \frac{28}{x^2}\right)}{x^2\left(1 - \frac{2}{x} + \frac{1}{x^2}\right)} = \lim_{x\to -\infty} \frac{20 - \frac{28}{x} - \frac{28}{x^2}}{1 - \frac{2}{x} + \frac{1}{x^2}} = 20$$

   Donc, la droite d'équation $y = 20$ est une asymptote horizontale lorsque $x \to -\infty$.

   De façon analogue, nous avons $\lim\limits_{x\to +\infty} f(x) = 20$.

   Donc, la droite d'équation $y = 20$ est une asymptote horizontale lorsque $x \to +\infty$.

   c) Asymptotes obliques

   Lorsque $x \to -\infty$ et $x \to +\infty$, nous avons une asymptote horizontale. Il ne peut donc pas y avoir d'asymptote oblique.

3. **Calculons $f'(x)$ et déterminons les nombres critiques de f.**

   $$f'(x) = \left(\frac{20x^2 - 28x - 28}{(x-1)^2}\right)' = \frac{12(7-x)}{(x-1)^3}, \text{ où dom } f' = \mathbb{R}\setminus\{1\}.$$

   $f'(x) = 0$ si $x = 7$ et $f'(x)$ est non définie si $x = 1$.

   Puisque $1 \notin$ dom f, 1 n'est pas un nombre critique de f.

   Donc, 7 est le nombre critique de f.

4. **Calculons $f''(x)$ et déterminons les nombres critiques de f'.**

   $$f''(x) = \left(\frac{12(7-x)}{(x-1)^3}\right)' = \frac{24(x-10)}{(x-1)^4}$$

   $f''(x) = 0$ si $x = 10$ et $f''(x)$ est non définie si $x = 1$.

   Puisque $1 \notin$ dom f', 1 n'est pas un nombre critique de f'.

   Donc, 10 est le nombre critique de f'.

5. Construisons le tableau de variation.

x	$-\infty$		1		7		10		$+\infty$
$f'(x)$		$-$	$\nexists$	$+$	0	$-$	$-$	$-$	
$f''(x)$		$-$	$\nexists$	$-$	$-$	$-$	0	$+$	
f	20	$\searrow\cap$	$\nexists$	$\nearrow\cap$	21	$\searrow\cap$	$20,\overline{8}$	$\searrow\cup$	20
E. du G.	---	↘	⋮	↗	(7, 21)	↘	$(10 ; 20,\overline{8})$	↘	---
					max.		inf.		

Asymptote verticale : $x = 1$

car $\lim\limits_{x \to -\infty} f(x) = 20$
Asymptote horizontale : $y = 20$

car $\lim\limits_{x \to +\infty} f(x) = 20$
Asymptote horizontale : $y = 20$

6. Donnons une esquisse du graphique de *f*.

Déterminons d'abord les intersections de la courbe avec les axes.

Avec l'axe des y: $f(0) = -28$. Donc, A(0, -28) est l'intersection de la courbe avec l'axe des y.

Avec l'axe des x: $x_1 = \dfrac{7 - 3\sqrt{21}}{10}$ et $x_2 = \dfrac{7 + 3\sqrt{21}}{10}$. Donc, $B\left(\dfrac{7 - 3\sqrt{21}}{10}, 0\right)$ et $C\left(\dfrac{7 + 3\sqrt{21}}{10}, 0\right)$ sont les intersections de la courbe avec l'axe des x.

Remarque Dans certains cas, il peut être essentiel d'utiliser un outil technologique pour déterminer les intersections avec l'axe x.

L'élève peut vérifier l'exactitude de son esquisse en traçant le graphique de f à l'aide de Maple.

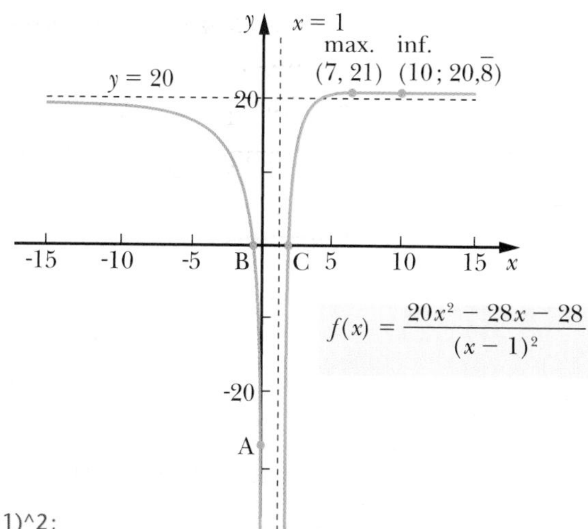


```
> with(plots):
> f:=x→(20*x^2−28*x−28)/(x−1)^2;
                f:= x → (20x² − 28x − 28)/(x − 1)²
> c1:=plot(f(x),x=-15..15,y=-60..30,color=orange):
> c2:=plot(20,x=-15..15,linestyle=DOT,color=black):
> p:=plot([[7,21],[10,f(10)],[0,-28]],style=point,symbol=circle,color=black):
> c3:=plot([1,y,y=-60..30],linestyle=DOT,color=black):
> display(c1,c2,c3,p);
```

6

Exemple 2 Soit $f(x) = \dfrac{-2x^2 - 7x - 8}{x + 2}$.

Analysons cette fonction.

1. **Déterminons le domaine de f.**

   dom $f = \mathbb{R} \setminus \{-2\}$. Ainsi, la droite d'équation $x = -2$ est susceptible d'être une asymptote verticale.

2. **Déterminons, si c'est possible, les équations des asymptotes.**

   a) Asymptotes verticales

   $$\lim_{x \to -2^-} \frac{-2x^2 - 7x - 8}{x + 2} = +\infty \quad \left(\text{forme } \frac{-2}{0^-}\right)$$

   Donc, la droite d'équation $x = -2$ est une asymptote verticale.

   $$\lim_{x \to -2^+} \frac{-2x^2 - 7x - 8}{x + 2} = -\infty \quad \left(\text{forme } \frac{-2}{0^+}\right)$$

   Donc, la droite d'équation $x = -2$ est une asymptote verticale.

   b) Asymptotes horizontales

   $\lim\limits_{x \to -\infty} \dfrac{-2x^2 - 7x - 8}{x + 2}$ est une indétermination de la forme $\dfrac{-\infty}{-\infty}$.

   Levons cette indétermination.

   $$\lim_{x \to -\infty} \frac{-2x^2 - 7x - 8}{x + 2} = \lim_{x \to -\infty} \frac{x^2\left(-2 - \frac{7}{x} - \frac{8}{x^2}\right)}{x\left(1 + \frac{2}{x}\right)} = \lim_{x \to -\infty} \frac{x\left(-2 - \frac{7}{x} - \frac{8}{x^2}\right)}{\left(1 + \frac{2}{x}\right)} = +\infty$$

   Donc, il n'y a pas d'asymptote horizontale lorsque $x \to -\infty$.

   De façon analogue, nous avons $\lim\limits_{x \to +\infty} \dfrac{-2x^2 - 7x - 8}{x + 2} = -\infty$

   Donc, il n'y a pas d'asymptote horizontale lorsque $x \to +\infty$.

   c) Asymptotes obliques

   En effectuant la division $\dfrac{-2x^2 - 7x - 8}{x + 2}$, nous obtenons

   $$\frac{-2x^2 - 7x - 8}{x + 2} = -2x - 3 + \frac{-2}{x + 2}.$$

   En évaluant $\lim\limits_{x \to -\infty} \dfrac{-2}{x + 2}$ et $\lim\limits_{x \to +\infty} \dfrac{-2}{x + 2}$, nous obtenons

   $$\lim_{x \to -\infty} \frac{-2}{x + 2} = 0 \text{ et } \lim_{x \to +\infty} \frac{-2}{x + 2} = 0.$$

   Donc, la droite d'équation $y = -2x - 3$ est l'asymptote oblique lorsque $x \to -\infty$.

   De façon analogue, nous obtenons que la droite d'équation $y = -2x - 3$ est l'asymptote oblique lorsque $x \to +\infty$.

3. Calculons $f'(x)$ et déterminons les nombres critiques de f.

$$f'(x) = \left(\frac{-2x^2 - 7x - 8}{x + 2}\right)' = \frac{-2(x + 1)(x + 3)}{(x + 2)^2}, \text{ où dom } f' = \mathbb{R} \setminus \{-2\}.$$

$f'(x) = 0$ si $x = -1$ ou $x = -3$ et $f'(x)$ est non définie si $x = -2$.

Ainsi, -3 et -1 sont les nombres critiques de f, car $-2 \notin \text{dom } f$.

4. Calculons $f''(x)$ et déterminons les nombres critiques de f'.

$$f''(x) = \left(\frac{-2x^2 - 8x - 6}{(x + 2)^2}\right)' = \frac{-4}{(x + 2)^3}$$

$f''(x) \neq 0$, $\forall x \in \mathbb{R}$ et $f''(x)$ est non définie si $x = -2$.

Ainsi, il n'y a aucun nombre critique de f', car $-2 \notin \text{dom } f'$.

5. Construisons le tableau de variation.

x	$-\infty$		-3		-2		-1		$+\infty$
$f'(x)$		−	0	+	∄	+	0	−	
$f''(x)$		+	+	+	∄	−	−	−	
f	$+\infty$	↘∪	5	↗∪	∄	↗∩	-3	↘∩	$-\infty$
E. du G.		↳	(-3, 5)	⤴	¦	↱	(-1, -3)	⤵	
			min.		Asymptote verticale : $x = -2$		max.		

6. Donnons une esquisse du graphique de f.

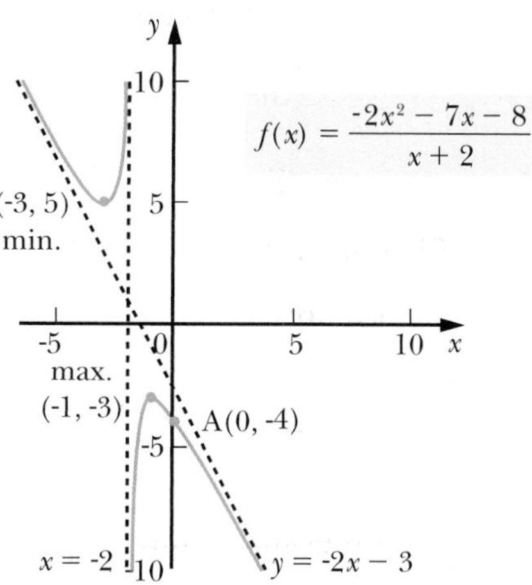

Exercices 6.5

1. À l'aide des données suivantes et du tableau de variation ci-dessous :

$\lim\limits_{x \to -4^-} f(x) = -\infty$, $\lim\limits_{x \to -4^+} f(x) = -\infty$, $\lim\limits_{x \to 2^-} f(x) = +\infty$, $\lim\limits_{x \to 2^+} f(x) = -\infty$, $\lim\limits_{x \to -\infty} f(x) = -3$, $\lim\limits_{x \to +\infty} f(x) = 2$

x	$-\infty$		-4		-2		-1		0		2		5		6		$+\infty$
$f'(x)$		$-$	$\nexists$	$+$	0	$-$	$-$	$-$	0	$+$	$\nexists$	$+$	0	$-$	$-$	$-$	
$f''(x)$		$-$	$\nexists$	$-$	$-$	$-$	0	$+$	$+$	$+$	$\nexists$	$-$	$-$	$-$	0	$+$	
f			$\nexists$		-1		-2		-3		$\nexists$		6		4		

a) déterminer dom f ;

b) donner les équations des asymptotes verticales ;

c) donner les équations des asymptotes horizontales ;

d) déterminer les points de maximum relatif et de minimum relatif ;

e) déterminer les points d'inflexion ;

f) esquisser le graphique de cette fonction.

2. Pour chacune des fonctions suivantes, déterminer le domaine et l'équation des asymptotes, construire le tableau de variation relatif à f' et à f'', et donner une esquisse du graphique de la fonction.

a) $f(x) = \dfrac{x}{x^2 - 4}$

b) $f(x) = x^3 + \dfrac{3}{x}$

c) $f(x) = \dfrac{x^3 + 4}{x^2}$

d) $f(x) = \dfrac{2x^2 - 1}{x^2 - 1}$

e) $f(x) = (x - 2)^2 + \dfrac{1}{(x - 2)^2}$

f) $f(x) = \dfrac{x^2 - 2x - 8}{x^2}$

g) $f(x) = \dfrac{x^3 + 1}{x}$

h) $f(x) = \dfrac{-x^2}{x^2 + 1}$

i) $f(x) = \dfrac{-2x}{\sqrt{x^2 - 1}}$

3. Soit $f(x) = \dfrac{4x^2 - 3x + 3}{x - 1}$.

a) Déterminer, s'il y a lieu, les équations des asymptotes, les points de maximum relatif et absolu, les points de minimum relatif et absolu, les points d'inflexion, et donner une esquisse du graphique de la fonction.

b) En utilisant les résultats obtenus à la question précédente, déterminer, s'il y a lieu, les équations des asymptotes, les points de maximum relatif ou absolu, les points de minimum relatif ou absolu et les points d'inflexion de la fonction $h(x) = \left|\dfrac{4x^2 - 3x + 3}{x - 1}\right|$, et donner une esquisse du graphique de la fonction h.

Réseau de concepts

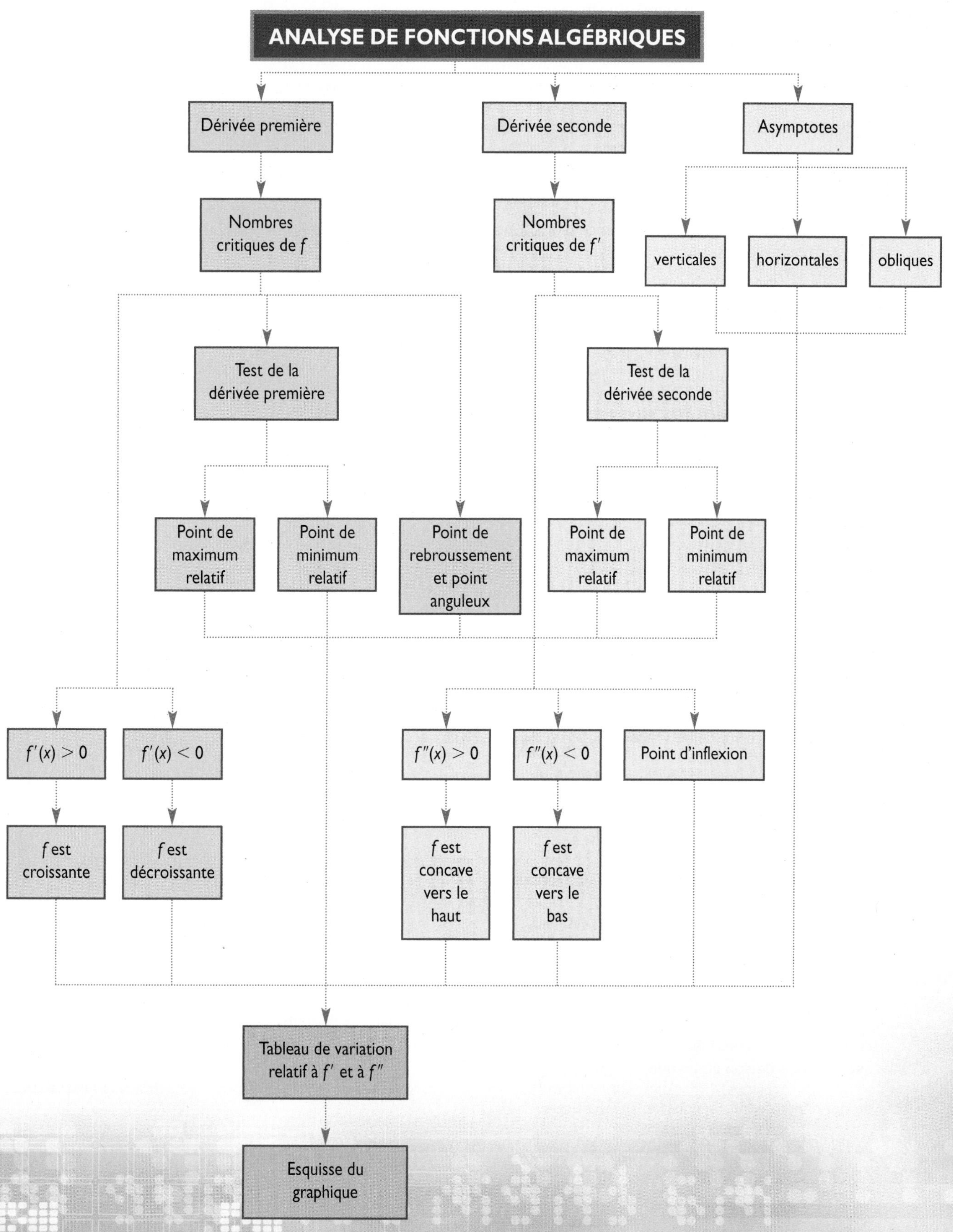

Liste de vérification des apprentissages

RÉPONDRE PAR **OUI** OU PAR **NON.**			
Après l'étude de ce chapitre, je suis en mesure:		**OUI**	**NON**
1.	de donner la définition d'une fonction croissante et d'une fonction décroissante;		
2.	de donner la définition de maximum et de minimum d'une fonction;		
3.	de donner la définition de maximum et de minimum d'une fonction aux extrémités d'un intervalle;		
4.	de relier la croissance et la décroissance d'une fonction au signe de sa dérivée;		
5.	de déterminer les intervalles de croissance et de décroissance d'une fonction;		
6.	de déterminer les nombres critiques de f;		
7.	de donner la définition de point stationnaire, de point de rebroussement et de point anguleux de f;		
8.	de déterminer les points de maximum relatif et les points de minimum relatif d'une fonction à l'aide du test de la dérivée première;		
9.	de construire un tableau de variation relatif à f';		
10.	de donner une esquisse du graphique de f à partir du tableau de variation relatif à f';		
11.	de donner une esquisse du graphique de f', connaissant le graphique de f;		
12.	de donner une esquisse du graphique de f, connaissant le graphique de f';		
13.	de donner la définition de concavité vers le haut et de concavité vers le bas du graphique d'une fonction;		
14.	de donner la définition d'un point d'inflexion;		
15.	de relier la concavité d'une fonction au signe de sa dérivée seconde;		
16.	de déterminer les intervalles de concavité vers le haut et de concavité vers le bas d'une fonction;		
17.	de déterminer les nombres critiques de f';		
18.	de déterminer les points d'inflexion d'une fonction;		
19.	de construire un tableau de variation relatif à f'';		
20.	de déterminer les points de maximum relatif et les points de minimum relatif d'une fonction à l'aide du test de la dérivée seconde;		
21.	de rassembler, dans un seul tableau de variation, toutes les informations déduites de la dérivée première et de la dérivée seconde d'une fonction continue, puis de donner une esquisse de son graphique.		
22.	de donner la définition d'asymptote verticale;		
23.	de repérer graphiquement les asymptotes verticales de la courbe d'une fonction;		

	Après l'étude de ce chapitre, je suis en mesure: (*suite*)	OUI	NON
24.	de déterminer algébriquement les équations des asymptotes verticales de la courbe d'une fonction;		
25.	de donner la définition d'asymptote horizontale;		
26.	de repérer graphiquement les asymptotes horizontales de la courbe d'une fonction;		
27.	de lever des indéterminations de la forme $\frac{\pm\infty}{\pm\infty}$;		
28.	de lever des indéterminations de la forme $(+\infty - \infty)$ ou $(-\infty + \infty)$;		
29.	de déterminer algébriquement les équations des asymptotes horizontales de la courbe d'une fonction;		
30.	de donner la définition d'asymptote oblique;		
31.	de repérer graphiquement les asymptotes obliques de la courbe d'une fonction;		
32.	de déterminer algébriquement les équations des asymptotes obliques de la courbe d'une fonction;		
33.	de rassembler, dans un seul tableau de variation, toutes les informations déduites de la dérivée première et de la dérivée seconde d'une fonction algébrique, puis de donner une esquisse de son graphique.		

Si vous avez répondu **NON** à l'une de ces questions, il serait préférable pour vous d'étudier de nouveau cette notion.

Exercices récapitulatifs

biologie | chimie | administration | physique

1. Déterminer les intervalles de croissance, les intervalles de décroissance et, s'il y a lieu, les points de maximum relatif et les points de minimum relatif des fonctions suivantes.

a) $f(x) = x^6 - 3x^2 + 5$

b) $f(x) = 2x^3 - 6x^2 - 6x + 3$

c) $f(x) = \dfrac{x^2 + x + 1}{x^2 - x + 1}$

d) $f(x) = 4 + \sqrt[5]{(3 - x)^4}$

e) $f(x) = 4 + 2\sqrt[3]{5 - x}$

f) $f(x) = x^3 - 12x + 2$ sur $[0, 5]$

g) $f(x) = x^2 + \dfrac{16}{x} + \dfrac{3}{2}$ sur $[1, 5[$

h) $f(x) = 3x\sqrt{2 - x^2}$

2. Déterminer, si c'est possible, le maximum absolu et le minimum absolu des fonctions suivantes.

a) $f(x) = 3x^3 + x^2 - x + 4$ sur $]0, 3]$

b) $f(x) = x^6 - 3x^4 - 1$ sur $]-3, 2]$

3. Soit f, une fonction continue sur $\mathbb{R}$ telle que $f'(x) = x^2(x - 1)^4(3x^2 + 7)$. Expliquer pourquoi la fonction f ne peut avoir ni maximum ni minimum.

4. Déterminer les intervalles de concavité vers le haut, les intervalles de concavité vers le bas et, si c'est possible, les points d'inflexion de la courbe de f dans les cas suivants.

a) $f(x) = (1 - 4x)^3$

b) $f(x) = (5 - x)^{\frac{4}{3}} + 6$

c) $f(x) = 8x - 3(2 - x)^{\frac{5}{3}}$

d) $f(x) = (x - 1)^2(x + 1)^2$

e) $f(x) = x\sqrt{2 - x^2}$

f) $f(x) = \sqrt{x^2 - 1}$

5. Pour chacune des fonctions suivantes, construire le tableau de variation relatif à f' et à f''. Donner une esquisse du graphique de la fonction et déterminer, s'il y a lieu, les points de maximum relatif, les points de minimum relatif, les points d'inflexion, les points de rebroussement et les points anguleux.

a) $f(x) = 3x^4 - 4x^3 - 12x^2 + 10$

b) $f(x) = 1 - 3x^5 + 5x^3$

c) $f(x) = 2x(4 - x)^3$

d) $f(x) = x^4 - 4x^3 + 4x^2 - 1$

e) $f(x) = (x - 3)\sqrt{9 + x} + 7$

f) $f(x) = \sqrt[3]{(5 - x)} + 3$

g) $f(x) = (5 - x)^{\frac{2}{3}} + 3$

h) $f(x) = (x - 1)^{\frac{5}{3}} - 5(x - 1)^{\frac{2}{3}} + 2$

i) $f(x) = 4 - \dfrac{x + 1}{\sqrt{x - 2}}$ sur $[3, 18]$

6. Soit f, une fonction continue sur $\mathbb{R}$, dont la représentation de f' est donnée par le graphique ci-dessous.

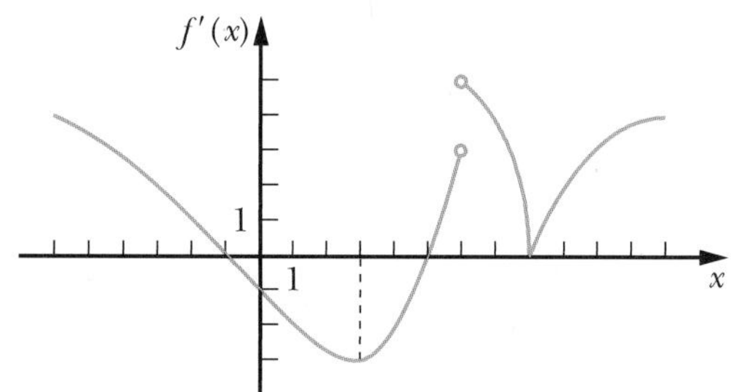

Construire le tableau de variation relatif à f' et à f''.

7. Soit une fonction f dont f' est représentée par le graphique suivant.

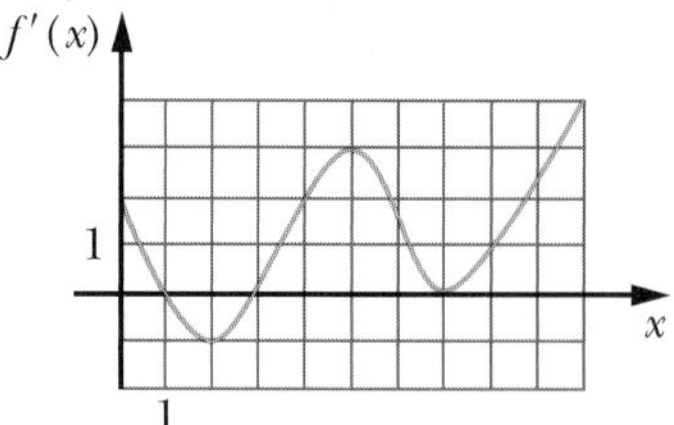

a) Déterminer les valeurs de x telles que $(x, f(x))$ soit un point stationnaire.

b) Déterminer les valeurs de x telles que $(x, f(x))$ soit un point de minimum relatif; un point de maximum relatif.

c) Déterminer les valeurs de x telles que $(x, f(x))$ soit un point d'inflexion.

d) Déterminer la concavité de f en $x = 1$; $x = 4$.

e) Donner une esquisse du graphique de f, sachant que $f(0) = 1$.

8. Donner une esquisse possible du graphique de $f^{(6)}(x)$ et de $f^{(8)}(x)$ si $f^{(7)}(x)$ est représentée par le graphique suivant.

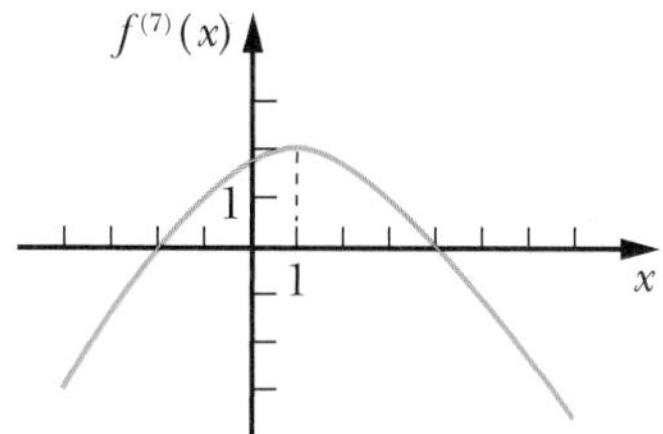

9. Soit trois fonctions, f, g et h, telles que:

$f(x) = g'(x) = h''(x) = 1 - (x - 5)^2$.

Répondre par vrai (V) ou faux (F).

a) Le point $(4, f(4))$ est un point de maximum relatif de f.

b) $g(4)$ est un maximum relatif de g.

c) $g(6)$ est un maximum relatif de g.

d) Le point $(5, f(5))$ est un point d'inflexion de f.

e) Le point $(5, g(5))$ est un point d'inflexion de g.

f) Le point $(5, h(5))$ est un point d'inflexion de h.

g) Les points $(4, h(4))$ et $(6, h(6))$ sont des points d'inflexion de h.

h) La représentation graphique de g est une parabole.

10. Déterminer dans les représentations suivantes la fonction f, la fonction f' et la fonction f''.

a)

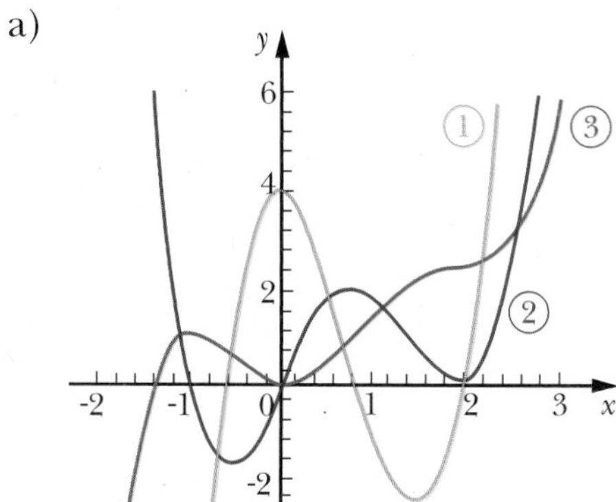

b)

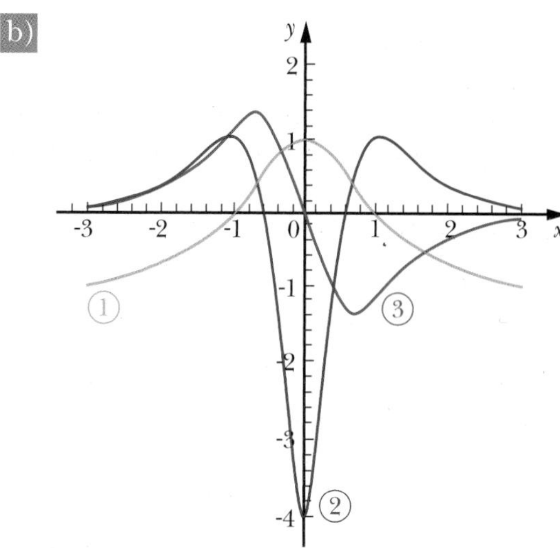

11. Pour les fonctions suivantes:

$f(x) = -6x^6 + 15x^4 - 5$

$g(x) = (x + 4)^3(x - 1)^2$

$h(x) = |-x^3 + 3x^2 - 2|$

a) donner une esquisse du graphique en précisant le point d'intersection avec l'axe des y;

b) si c'est possible, déterminer algébriquement les zéros des fonctions, sinon les déterminer approximativement;

c) déterminer algébriquement les points de maximum relatif et les points de minimum relatif des fonctions;

d) déterminer les points d'inflexion des fonctions;

e) déterminer, si c'est possible, les points anguleux et les points de rebroussement des fonctions.

12. Soit f définie par le graphique suivant.

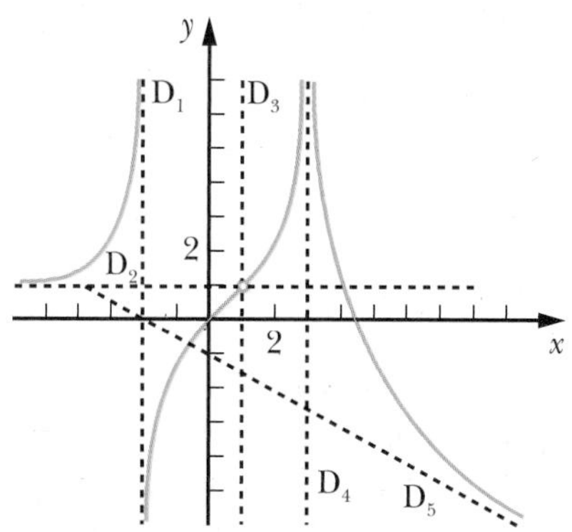

a) Évaluer les limites suivantes.

i) $\lim\limits_{x \to -\infty} f(x)$ ii) $\lim\limits_{x \to -2^+} f(x)$

iii) $\lim_{x \to 1} f(x)$ v) $\lim_{x \to +\infty} f(x)$

iv) $\lim_{x \to 3^-} f(x)$ vi) $\lim_{x \to +\infty} \frac{f(x)}{x}$

b) Donner l'équation de chaque asymptote.

13. Évaluer, si c'est possible, les limites suivantes.

a) $\lim_{x \to 3} \frac{1}{(x-3)^2}$

b) $\lim_{x \to -2} \frac{-4}{x+2}$

c) $\lim_{x \to 0^-} \frac{x + x^2}{x^3 - 4x^2}$

d) $\lim_{x \to -\infty} \frac{2x^3 + 4x^2 + 7}{3x^5 - 5x^3}$

e) $\lim_{x \to +\infty} \frac{\sqrt{3x^2 + 4}}{\sqrt[3]{5 - 8x^3}}$

f) $\lim_{x \to -\infty} \frac{3x^2 - 5x^3 + 2}{5x^2 + x}$

14. Répondre par vrai (V) ou faux (F).

a) Si $\lim_{x \to 1^-} f(x) = +\infty$, alors la droite d'équation $x = 1$ est une asymptote verticale.

b) Si $\lim_{x \to +\infty} f(x) = 7$, alors la droite d'équation $y = 7$ est une asymptote horizontale.

c) Si $\lim_{x \to 7^-} f(x) = -\infty$, alors la droite d'équation $x = 7$ est une asymptote horizontale.

d) Si $\lim_{x \to 1^+} f(x) = 5$, alors la droite d'équation $y = 5$ est une asymptote horizontale.

e) Si $f(x) = 3x - 4 + \frac{1}{x}$, alors la droite d'équation $y = 3x - 4$ est une asymptote oblique.

f) Si $\lim_{x \to 2^-} f(x)$ est une indétermination de la forme $\frac{0}{0}$, alors la droite d'équation $x = 2$ est une asymptote verticale.

g) Une fonction peut avoir quatre asymptotes verticales.

h) Une fonction peut avoir trois asymptotes obliques.

i) Une fonction peut avoir deux asymptotes horizontales.

j) Si $\lim_{x \to 3} f(x) = +\infty$, alors $\lim_{x \to 3} \frac{1}{f(x)} = 0$.

k) Si $\lim_{x \to 3} f(x) = 0$, alors $\lim_{x \to 3} \frac{1}{f(x)} = +\infty$.

l) Si $f(x) = 5 - 2x + \frac{x}{x+1}$, alors la droite d'équation $y = 5 - 2x$ est une asymptote oblique.

15. Déterminer, s'il y a lieu, les équations des asymptotes verticales, horizontales et obliques des fonctions suivantes.

O T Représenter graphiquement les courbes et les asymptotes.

a) $f(x) = \frac{3x^2 + 1}{x^2 - 4}$

b) $f(x) = \frac{5x - 15}{x^2 - 9}$

c) $f(x) = \frac{5x^6 + 4x^2 + 1}{x^3 + 3x^2 - 4x}$

d) $f(x) = \frac{3 - 6x}{\sqrt{4x^2 + 1}}$

e) $f(x) = \frac{4x^2 - 1}{x + 1}$

f) $f(x) = \frac{5x + 1}{\sqrt{x^2 - 4}}$

g) $f(x) = \frac{4x + 3}{|x| - 5}$

h) $f(x) = \frac{5x^2\sqrt{x-2} - 3x\sqrt{x-2} + 4}{x\sqrt{x-2}}$

i) $f(x) = \frac{2x^3 + 3x^2 - 2x - 4}{1 - x^2}$

j) $f(x) = \frac{2x^4}{x^3 - x^2 - 2x}$

k) $f(x) = 2x - 7 + \sqrt{9x^2 + 4}$

16. Pour chacune des fonctions suivantes, déterminer les points de maximum relatif, les points de minimum relatif, les points d'inflexion, les équations des asymptotes, et donner une esquisse du graphique de la fonction.

a) $f(x) = \sqrt{8 - x^3}$

b) $f(x) = \dfrac{2x^2 + x + 2}{x^2 + 1}$

c) $f(x) = \dfrac{x^2 - 2x + 5}{x - 1}$

d) $f(x) = \dfrac{32}{(x^2 - 4)^2}$

e) $f(x) = \dfrac{4x^2 - x^3 + 32}{x^2}$

f) $f(x) = \dfrac{4}{x^3 - 3x}$

g) $f(x) = \dfrac{3x^3}{x^3 - 16}$

h) $f(x) = \dfrac{x}{\sqrt{x} - 1}$

i) $f(x) = \dfrac{4 + 16x - 2x^2}{x(4 - x)}$

j) $f(x) = \left|\dfrac{4 + 16x - 2x^2}{x(4 - x)}\right|$

17. Pour chacune des fonctions suivantes, déterminer les points de maximum relatif, les points de minimum relatif, les points d'inflexion, les équations des asymptotes, et donner une esquisse du graphique de la fonction.

a) $f(x) = \dfrac{\sqrt{x^2 + 4}}{x}$

b) $g(x) = \dfrac{\sqrt{x^2 - 4}}{x}$

c) $h(x) = \dfrac{\sqrt{4 - x^2}}{x}$

d) $f(x) = 2 + \sqrt{x^2 - 4}$

e) $f(x) = \sqrt[3]{(x^2 - 4)^2}$

f) $f(x) = \dfrac{x}{\sqrt{x^2 - 4}} + 2$

18. La fonction ψ, représentant une orbitale p, est donnée par $\psi(x) = \dfrac{3x}{4 + x^2}$, où $|x|$, la distance de l'électron au noyau, est exprimée en unités. Une unité égale 52,9 picomètres (1 picomètre égale 10^{-12} m) et $x \in \,]-10, 10[$.

a) Construire le tableau de variation relatif à ψ' et à ψ''.

b) Donner une esquisse du graphique de la fonction ψ.

19. La fonction énergie potentielle correspondant à la force agissant entre deux atomes dans une particule diatomique peut s'écrire de la manière suivante :

$$U(x) = \frac{c}{x^9} - \frac{d}{x}$$

où c et d sont des constantes positives et x est la distance entre les atomes.

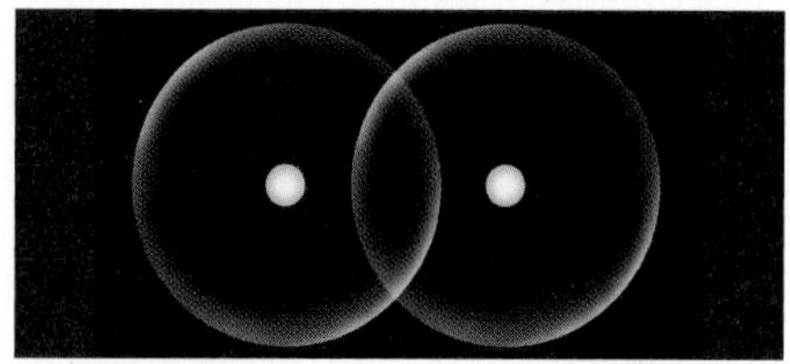

a) Déterminer, si c'est possible, les points de maximum relatif, les points de minimum relatif, les points d'inflexion, les équations des asymptotes, et donner une esquisse du graphique de U si $c = 1$ et $d = 9$.

b) Déterminer la force $F(x)$ entre les atomes et tracer la courbe représentant F en fonction de x, sachant que $F(x) = \dfrac{-dU}{dx}$ si $c = 1$ et $d = 9$.

20. Soit $V(x) = \dfrac{3(x-4)^5}{1\,024} - \dfrac{25(x-4)^3}{64} + 15x + 40$, la fonction représentant les ventes d'une microbrasserie en milliers de dollars, pour l'année 2006, où x est en mois. (Par exemple $x = 0$ correspond aux ventes totales de décembre 2005, $x = 1$ correspond aux ventes totales de janvier 2006, etc.)

a) Représenter la courbe en indiquant les points de maximum, les points de minimum et les points d'inflexion.

Dominique Parent

b) Interpréter en chacun des points de a) les ventes et leur taux de variation.

Problèmes de synthèse

1. Soit trois fonctions continues f, g et h telles que leurs dérivées première et seconde soient également continues. Construire le tableau de variation relatif à la dérivée seconde à l'aide des graphiques suivants.

a)

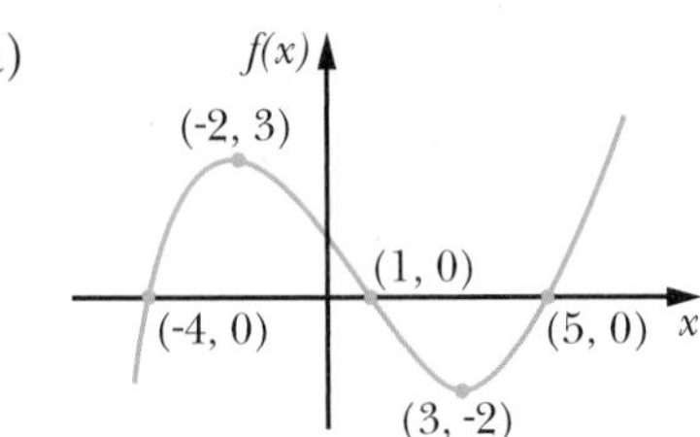

b)

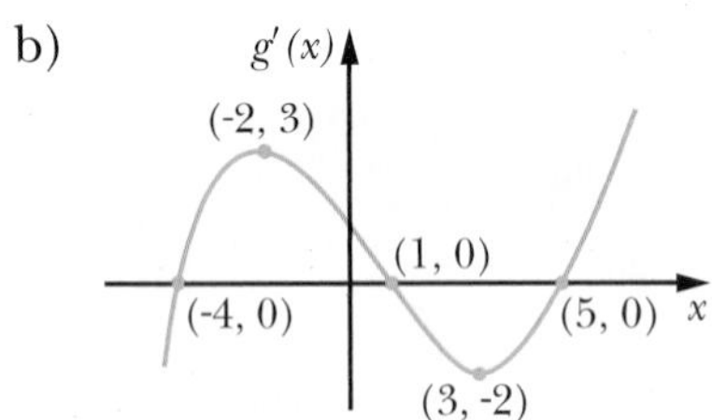

c)

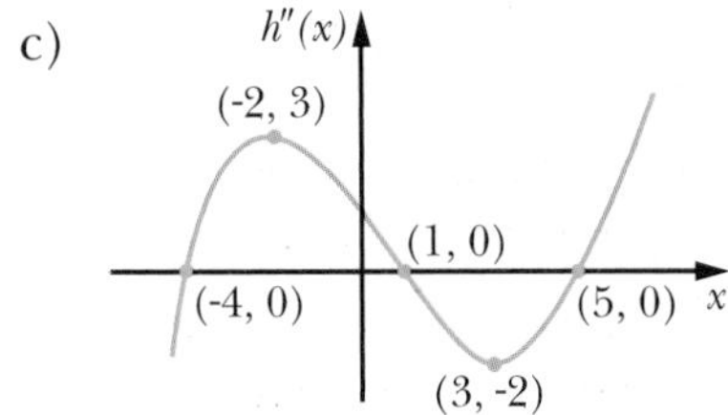

6

2. Évaluer les limites suivantes.

a) $\lim\limits_{x \to 0} \dfrac{\sqrt{9+x}-3}{x}$

b) $\lim\limits_{x \to +\infty} \dfrac{(2x+3)^2}{(x-1)^2}$

c) $\lim\limits_{x \to +\infty} \dfrac{3\sqrt[3]{x^5}-2\sqrt{x}+1}{\sqrt[3]{8x^5}+\sqrt{x}-1}$

d) $\lim\limits_{x \to +\infty} (\sqrt{x+1}-\sqrt{x})$

e) $\lim\limits_{x \to +\infty} (x-\sqrt{x^2+2x})$

f) $\lim\limits_{x \to -\infty} (x-\sqrt{x^2+2x})$

3. Soit $Q(x) = \dfrac{a_nx^n + a_{n-1}x^{n-1} + a_{n-2}x^{n-2} + \ldots + a_1x + a_0}{b_mx^m + b_{m-1}x^{m-1} + b_{m-2}x^{m-2} + \ldots + b_1x + b_0}$,

où $a_n \neq 0$, $b_m \neq 0$, $n \in \mathbb{N}$ et $m \in \mathbb{N}$.

Donner, s'il y a lieu, l'équation de l'asymptote horizontale selon les valeurs de m et de n.

4. Donner, s'il y a lieu, l'équation des asymptotes horizontales, verticales et obliques de chaque fonction selon la valeur de k, où $k \in \mathbb{Z}$.

O T Donner un exemple graphique dans chaque cas.

a) $f(x) = \dfrac{x^k}{kx^2+1}$ b) $f(x) = \dfrac{x^k}{x^2-k}$

5. Soit $f(x) = x^3 + ax^2 + bx + c$.

a) Déterminer la valeur des constantes a, b et c si cette fonction a un maximum relatif en $x = -1$ et un minimum relatif en $x = 5$, et si $f(1) = 4$.

b) Déterminer la valeur des constantes a, b et c si cette fonction a un minimum relatif en $x = 3$ et un point d'inflexion en $(2, 115)$.

c) Déterminer, si c'est possible, une relation entre a et b telle que:

i) f soit croissante sur $\mathbb{R}$;
ii) f soit décroissante sur $\mathbb{R}$;
iii) f possède un minimum relatif et un maximum relatif.

6. Soit $f(x) = k(ax+b)^n + c$, où $k \neq 0$, $a \neq 0$, $n \in \mathbb{N}$ et $n \geqslant 2$.

Déterminer les valeurs de k et de n telles que:

a) f admet un point de minimum relatif et déterminer ce point;

b) f admet un point de maximum relatif et déterminer ce point;

c) f admet un point d'inflexion et déterminer ce point.

7. Soit $f(x) = \begin{cases} 40(x-1)^2 & \text{si } 0 \leqslant x < 2 \\ x^3 - 9x^2 + 68 & \text{si } 2 \leqslant x < 7. \end{cases}$

a) Déterminer si f est continue en $x = 2$ et justifier votre réponse.

b) Déterminer si f est dérivable en $x = 2$ et justifier votre réponse.

c) Après avoir déterminé dom f, construire le tableau de variation relatif à f' et à f''. Donner une esquisse du graphique de la fonction et déterminer, s'il y a lieu, les points de maximum relatif, les points de minimum relatif, les points d'inflexion, les points de rebroussement et les points anguleux.

8. Soit $f(x) = \begin{cases} \sqrt[3]{x} - 2 & \text{si } -1 \leq x < 1 \\ \sqrt[3]{(x-2)^2} & \text{si } 1 \leq x < 5. \end{cases}$

a) Déterminer la valeur de $x \in \text{dom } f$ où la fonction f est susceptible d'être non continue, et vérifier en cette valeur si la fonction est continue.

b) Déterminer les valeurs de $x \in \text{dom } f$ où f est non dérivable et justifier votre réponse.

c) Construire le tableau de variation relatif à f' et à f''. Donner une esquisse du graphique de la fonction et déterminer, s'il y a lieu, les points de maximum relatif, les points de minimum relatif, les points d'inflexion, les points de rebroussement et les points anguleux.

9. Soit $f(x) = x^5 + x^3 + x + 1$.

Sans tracer le graphique de cette fonction, déterminer le nombre de zéros réels de celle-ci.

10. Déterminer, s'il y a lieu, le point de maximum relatif, le point de minimum relatif et les points d'inflexion des courbes définies par:

a) $y = \dfrac{x}{x^2 + a}$, où $a > 0$;

b) $\dfrac{1 + y}{1 - y} = \left(\dfrac{1 + x}{1 - x}\right)^2$, où $y = f(x)$.

11. Donner, si c'est possible, les équations des asymptotes verticales, horizontales et obliques pour chacune des fonctions suivantes.

a) $f(x) = \dfrac{3 - 2|x|}{x - 4}$

b) $f(x) = \begin{cases} 4 + \dfrac{1}{(x-4)(x-2)} & \text{si } x < 2 \\ 3 & \text{si } x = 2 \\ \dfrac{2x^2 - 18}{x - 3} + \dfrac{3}{x} & \text{si } x > 2 \end{cases}$

12. Analyser les fonctions suivantes.

a) $f(x) = x^{\frac{2}{3}}(x - 6)^{\frac{1}{3}}$

b) $f(x) = |x^2 - 9| + |x^2 - 1|$

c) $f(x) = |x^2 - 4| + 2x$ sur $[-3, 3[$

d) $f(x) = \dfrac{x^4 - 15x^2 - 12}{x}$

e) $f(x) = x\sqrt{2 - x^2}$

f) $f(x) = \left|\dfrac{x^2 - 2x + 5}{x - 1}\right|$

g) $f(x) = \sqrt{\dfrac{x - 1}{x - 3}}$

h) $f(x) = \sqrt[3]{\dfrac{2x + 1}{x - 2}}$

13. Soit $f(x) = \dfrac{2x^3 + 5x^2 - 28x + 15}{x^2 + 1}$.

a) Donner l'équation de l'asymptote de f et déterminer le point d'intersection de f et de l'asymptote.

O/T b) Représenter graphiquement f et l'asymptote trouvée en a).

O/T c) Déterminer approximativement les points de maximum relatif, les points de minimum relatif et les points d'inflexion.

O/T d) Déterminer approximativement les zéros de f.

14. Soit f et g, deux fonctions définies sur $[0, 4]$, représentées sur le graphique ci-dessous.

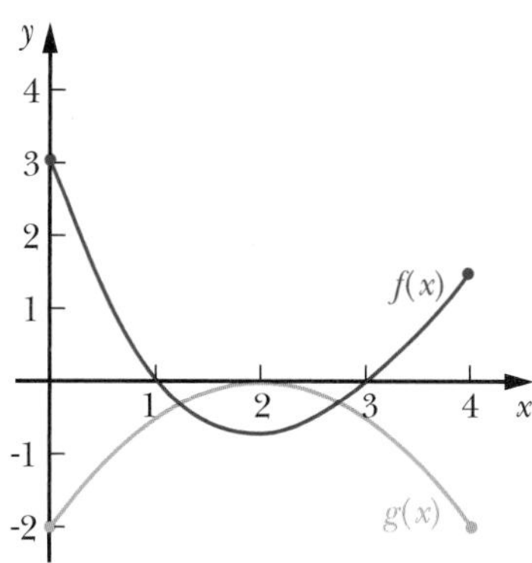

Donner une esquisse sur [0, 4] du graphique des fonctions suivantes:

a) $h_1(x) = \dfrac{1}{g(x)}$

b) $h_2(x) = \dfrac{1}{f(x)}$

c) $h_3(x) = \dfrac{f(x)}{g(x)}$

d) $h_4(x) = \dfrac{g(x)}{f(x)}$

e) $h_5(x) = \dfrac{1}{f(x)\,g(x)}$

15. Soit $f(x) = \dfrac{2}{x}$.

a) Déterminer les points $P(p_1, p_2)$ de la courbe de f tels que la droite passant par Q(1, 1) et par P soit tangente à la courbe de f au point P.

O T b) Vérifier les résultats à l'aide d'un outil technologique.

16.  Une compagnie qui fabrique des calculatrices estime que ses coûts de fabrication sont donnés par $C(q) = 37q + 150\ 000$, où q est la quantité de calculatrices produites et $C(q)$, les coûts de fabrication en dollars.

Dominique Parent

a) Évaluer $C(0)$ et interpréter le résultat.

b) Évaluer $C(100)$ et $\dfrac{C(100)}{100}$. Interpréter ces résultats.

c) Déterminer la fonction $\overline{C}(q)$ qui donne le coût moyen de fabrication par calculatrice.

d) Déterminer le nombre minimal de calculatrices à fabriquer pour que le coût moyen de fabrication par calculatrice soit inférieur à 50 \$/u; à 40 \$/u.

e) Calculer et interpréter $\lim\limits_{q \to +\infty} \overline{C}(q)$.

f) Donner une esquisse du graphique de $\overline{C}(q)$ et déterminer l'équation des asymptotes.

17.  Soit r, la distance centre à centre entre deux molécules. L'énergie potentielle V des molécules séparées par une distance r est représentée par le graphique suivant.

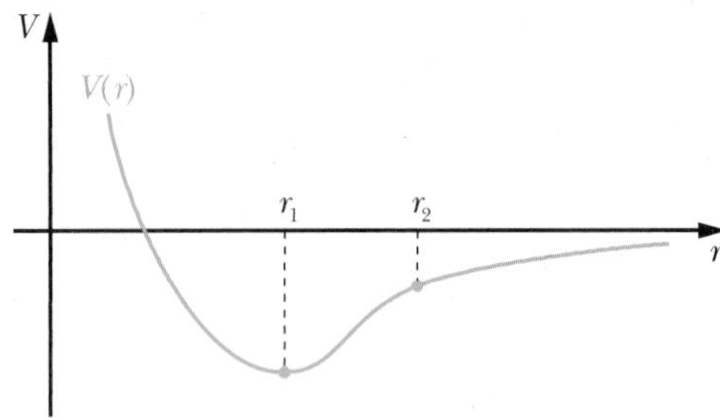

Sachant que la force d'interaction F est donnée par $F = \dfrac{-dV}{dr}$, représenter sur un même système d'axes les courbes de V et de F en indiquant les caractéristiques de $F(r_1)$ et de $F(r_2)$.

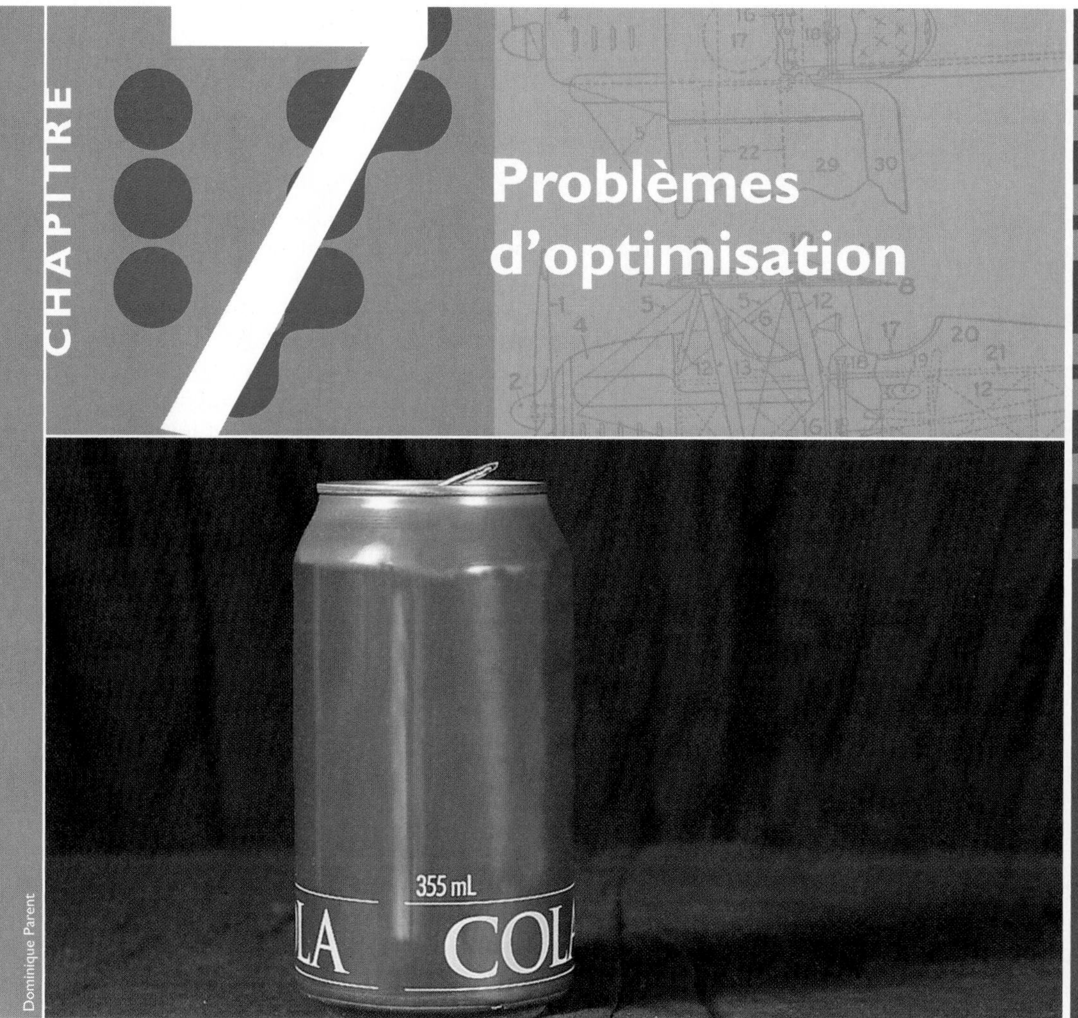

Dominique Parent

Introduction

Dans le chapitre précédent, nous avons appris à déterminer les maximums et les minimums de fonctions à l'aide de la dérivée première. L'objectif principal du présent chapitre est l'identification des optimums, c'est-à-dire des maximums et des minimums de fonctions issues de problèmes d'application. Les étapes à suivre pour résoudre des problèmes d'optimisation sont les suivantes:

- mathématiser le problème, c'est-à-dire: définir les variables; déterminer la quantité à optimiser; chercher, s'il y a lieu, une relation entre les variables; exprimer la quantité à optimiser en fonction d'une seule variable;
- analyser la fonction à optimiser;
- formuler la réponse.

En particulier, à la fin du chapitre l'élève sera en mesure de résoudre le problème suivant:

a) Quelle doit être la relation entre la hauteur et le rayon d'un cylindre circulaire droit, fermé aux extrémités et de volume V pour que sa fabrication nécessite le moins de matériau possible?

b) Déterminer si les dimensions d'une cannette de boisson gazeuse de 355 ml vérifient la relation établie en a). Sinon, quelles devraient être les dimensions de la cannette?

(*Voir* le problème de synthèse n° 20, page 313.)

Perspective historique

OPTIMISATION

Tous les jours, nous cherchons à optimiser une situation. Ainsi, lorsque nous jouons à un jeu, nous voulons optimiser nos chances de gagner. Lorsque nous négocions un prix d'achat, nous tentons d'optimiser notre avoir. Lorsque nous nous déplaçons d'un lieu à un autre, nous cherchons à optimiser le temps pour nous y rendre. Toutefois, ces tentatives d'optimisation ne sont pas nécessairement fondées sur une stratégie préétablie. Or, la recherche d'un optimum, telle qu'elle est vue dans ce cours, répond non seulement à un souci de trouver cet optimum, mais aussi à celui de le faire d'une façon systématique. Autrement dit, comme Descartes et les mathématiciens du XVIIe siècle, nous cherchons à développer une méthode pour aborder ces questions.

Le problème de la brachistochrone (du grec *brachistos* qui signifie « le plus court » et *chronos* qui signifie « temps »)a fait l'objet d'intenses discussions au cours de ce siècle. Ce problème énoncé mais non résolu par Galilée (1564-1642) en 1638 consiste à trouver, dans un plan vertical, la forme d'une courbe reliant deux points de sorte qu'un mobile tombant du point le plus haut atteigne le point le plus bas dans le temps le plus court possible.

© Bettmann/CORBIS

Fermat (1601-1665)

En 1662, **Fermat (1601-1665)** s'attaque à une question du même type en tentant de démontrer mathématiquement la loi de la réfraction, loi qui détermine le changement de direction d'un rayon lumineux passant d'un milieu à un autre (*voir* la figure, où la constante dépend à la fois des deux milieux).

Il remarque d'abord qu'un principe d'économie semble s'appliquer à tout ce qui touche la nature : « La nature opère par les moyens et les chemins les plus aisés et les plus rapides. » Il émet ensuite l'hypothèse (maintenant démontrée) que la lumière est d'autant plus lente que la densité du milieu dans lequel elle se déplace est grande. Il montre que le trajet le plus rapide que peut suivre la lumière entre deux points placés de part et d'autre de la surface de contact entre les deux milieux est précisément celui qui correspond à la loi de la réfraction. Fermat arrive à déterminer non pas la valeur d'un point, mais bien le trajet suivi par la lumière qui minimise le temps pris par la lumière pour aller d'un point à un autre. La question de la réflexion de la lumière sera traitée plus en profondeur dans le problème type de l'introduction du chapitre 9.

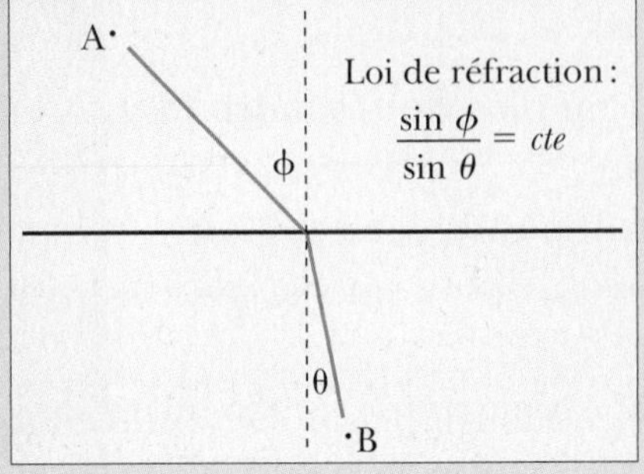

Johann Bernoulli (1667-1748), membre d'une famille de mathématiciens de Bâle, en Suisse, s'inspirant avec succès du travail de Fermat, résolut le problème de la brachistochrone. Il inaugura ainsi un vaste champ des mathématiques appelé calcul des variations. Au cours des XVIIIe et XIXe siècles, la mécanique s'est progressivement construite autour de ce calcul. Les fonctions à minimiser ou à maximiser correspondent alors à l'énergie, à la quantité de mouvement, etc.

En plus du calcul différentiel et du calcul des variations, d'autres domaines des mathématiques traitent d'optimisation. Au secondaire, vous avez peut-être travaillé avec les polygones de contraintes. Si tel est le cas, vous connaissez sans doute un peu ce que l'on appelle la programmation linéaire. Elle a d'abord été développée en Union soviétique à la fin des années 1930 pour résoudre des problèmes d'optimisation de la production dans les usines. Toutefois, ce n'est qu'avec les difficultés liées au déploiement et au ravitaillement des troupes de l'armée américaine au cours de la Seconde Guerre mondiale que les efforts pour résoudre ce genre de problème ont porté fruit. Par ailleurs, le nombre de calculs requis était si imposant qu'il a fallu attendre jusqu'en 1947 avant de pouvoir véritablement mettre la théorie en application en utilisant les remarquables capacités de calcul d'une nouvelle invention, l'ordinateur.

Aujourd'hui, la programmation linéaire joue un rôle très important dans la gestion des affaires. Par exemple, une compagnie aérienne détermine les horaires des pilotes et du personnel des avions de façon à maximiser l'utilisation des avions tout en respectant les conventions collectives, en tenant compte des lieux de résidence des personnes et des endroits où sont situés les aéroports où les avions doivent être régulièrement inspectés.

Test préliminaire

Partie A

1. Déterminer, en fonction de x:

a) l'aire A du rectangle ci-dessous, sachant que $x + y = 8$;

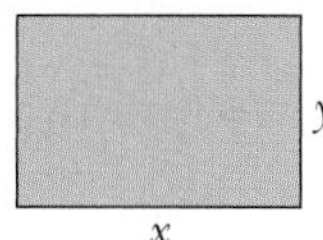

b) le périmètre P du rectangle ci-dessous sachant que $xy = 20$;

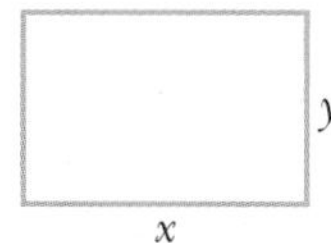

c) l'aire A et le périmètre P du triangle ci-dessous;

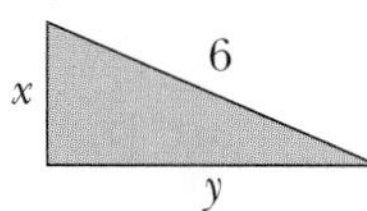

d) l'aire A et le périmètre P du rectangle ci-dessous;

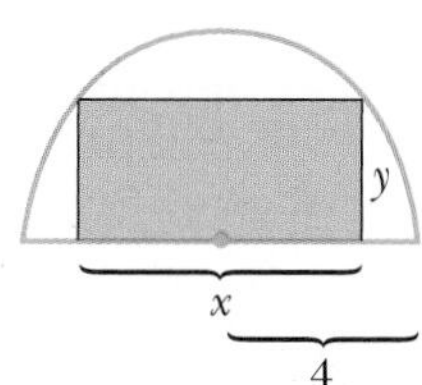

e) l'aire A et le périmètre P du rectangle ci-dessous.

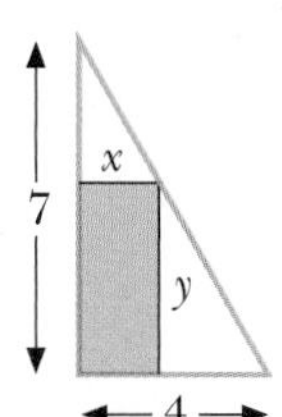

2. Déterminer, en fonction de x:

a) l'aire totale A du parallélépipède ci-dessous, sachant que le volume est de 32 u^3;

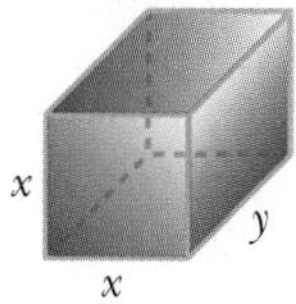

b) le volume V du parallélépipède ci-dessous, sachant que l'aire totale est de 12 u^2;

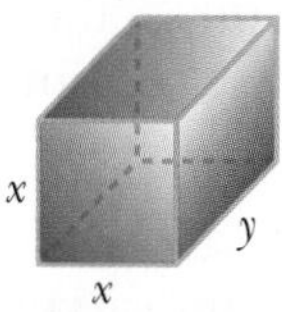

c) l'aire totale A du cylindre ci-dessous, sachant que le volume est de 100 u^3;

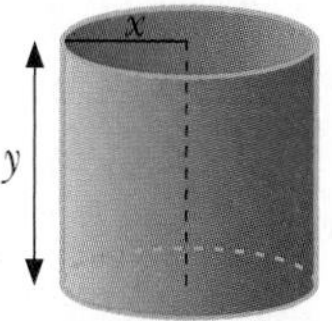

d) le volume V de la sphère ci-dessous, sachant que l'aire est de x u^2;

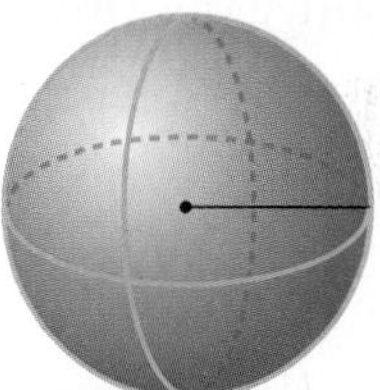

e) l'aire A et le volume V du cône ci-dessous.

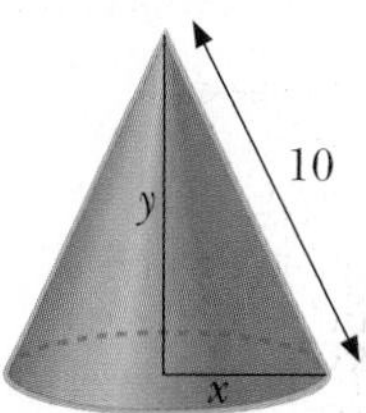

Partie B

1. Calculer $f'(x)$ et déterminer les zéros de $f'(x)$ si

a) $f(x) = \sqrt{10 - x^2}$;

b) $f(x) = x\sqrt{100 - x^2}$.

2. Compléter les énoncés suivants.

a) Si $f'(c) = 0$ et que $f'(x)$ passe du $+$ au $-$ lorsque x passe de c^- à c^+, alors $(c, f(c))$ est ....

b) Si $f'(c) = 0$ et que $f''(c) > 0$, alors $(c, f(c))$ est ....

c) Si f est une fonction strictement croissante sur $[2, 7]$, alors le point .... est un point de minimum absolu de f et le point .... est un point de maximum absolu de f.

7.1 Résolution de problèmes d'optimisation

Objectif d'apprentissage

À la fin de cette section, l'élève pourra résoudre des problèmes d'optimisation.

Plus précisément, l'élève sera en mesure:

- de représenter graphiquement la situation, s'il y a lieu;
- de définir les variables appropriées;
- de déterminer la quantité à optimiser;
- de déterminer, s'il y a lieu, une relation entre les variables;
- d'exprimer la quantité à optimiser en fonction d'une seule variable;
- de déterminer le domaine de la fonction à optimiser;
- de déterminer le maximum (minimum) de la fonction, à l'aide du test de la dérivée première ou du test 2 de la dérivée seconde;
- de formuler adéquatement la réponse.

y x 50

Minimiser le coût de fabrication

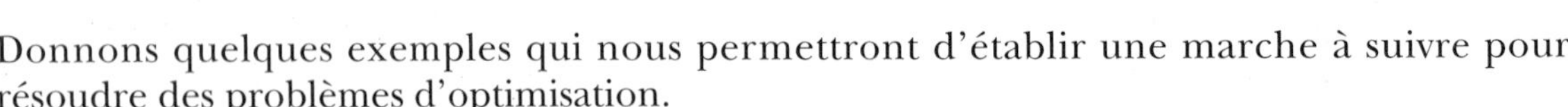

Donnons quelques exemples qui nous permettront d'établir une marche à suivre pour résoudre des problèmes d'optimisation.

Exemple 1 Un homme dispose de 100 m de clôture pour délimiter un terrain rectangulaire. Quelles devront être les dimensions du terrain pour que son aire soit maximale? Calculons cette aire maximale.

Constatons d'abord qu'avec 100 m de clôture, il est possible de délimiter une infinité de terrains rectangulaires dont l'aire sera différente. En voici quelques exemples:

2 m — Périmètre = 100 m — Aire = 96 m^2 — 48 m

5 m — Périmètre = 100 m — Aire = 225 m^2 — 45 m

Dominique Parent

10 m — Périmètre = 100 m — Aire = 400 m^2 — 40 m

20 m — Périmètre = 100 m — Aire = 600 m^2 — 30 m

Nous cherchons la solution optimale.

La première étape de la résolution est la mathématisation du problème.

1. Mathématisation du problème.

Représentation graphique et définition des variables

a) Faisons une représentation graphique chaque fois que cela est possible.

Comme le rectangle est quelconque, désignons la longueur des côtés du rectangle par les variables x et y.

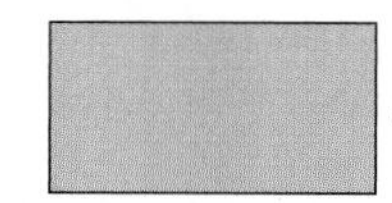

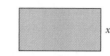

Quantité à optimiser

b) Déterminons la quantité à optimiser.

Dans ce problème, la quantité à optimiser est l'aire A du rectangle qui est fonction des variables x et y.

Ainsi, $A(x, y) = xy$ est la quantité à optimiser.

Nous ne pouvons déterminer le maximum de cette fonction à l'aide de la dérivée, car cette fonction est exprimée à l'aide de deux variables. Cependant, certaines données du problème nous permettent d'exprimer l'une de ces variables en fonction de l'autre.

Relation entre variables

c) Cherchons une relation entre x et y nous permettant d'exprimer l'une de ces variables en fonction de l'autre.

Nous avons 100 m de clôture. Cela signifie que le périmètre du terrain est de 100 m.

Ainsi, $2x + 2y = 100$. De cette équation, nous pouvons isoler x ou y.

En isolant y, nous obtenons $y = \dfrac{100 - 2x}{2}$.

En isolant x, nous obtenons $x = \dfrac{100 - 2y}{2}$.

Fonction à optimiser et domaine

d) Exprimons la quantité à optimiser en fonction d'une seule variable, par exemple x (ou y si l'on a isolé x à l'étape précédente).

De $A(x, y) = xy$, nous obtenons

$$\begin{aligned} A(x) &= x\left(\frac{100 - 2x}{2}\right) \quad \left(\text{en remplaçant } y \text{ par } \frac{100 - 2x}{2}\right) \\ &= x(50 - x) \\ &= 50x - x^2 \end{aligned}$$

D'où $A(x) = 50x - x^2$ est la fonction dont nous devons déterminer le maximum absolu.

Puisque x représente la longueur d'un côté d'un rectangle dont le périmètre est égal à 100, x doit satisfaire à la condition suivante : $0 \leq x \leq 50$.

D'où dom $A = [0, 50]$.

La deuxième étape est l'analyse de la fonction à optimiser.

2. Analyse de la fonction à optimiser.

Comme nous l'avons vu au chapitre 6, le test de la dérivée première (théorème 6.3) ou le test 2 de la dérivée seconde (théorème 6.7) nous permet de déterminer les maximums et les minimums de la fonction à optimiser.

Dans cet exemple, nous analysons cette fonction à l'aide du test de la dérivée première et du test 2 de la dérivée seconde.

Remarque Il n'est pas nécessaire d'utiliser les deux tests ; un seul suffit pour analyser la fonction à optimiser.

TEST DE LA DÉRIVÉE PREMIÈRE

1re étape : Calculer la dérivée de la fonction à optimiser.

$A'(x) = (50x - x^2)'$

$= 50 - 2x$

2e étape : Déterminer les nombres critiques de A.

1) $A'(x) = 0$ si $x = 25$.

Donc, 25 est un nombre critique de A.

2) $A'(x)$ n'existe pas si $x = 0$ ou $x = 50$.

Donc, 0 et 50 sont des nombres critiques de A.

3e étape : Construire le tableau de variation.

x	0		25		50
$A'(x)$	$\nexists$	+	0	−	$\nexists$
A	A(0)	↗	A(25)	↘	A(50)
	min.		max.		min.

Donc, $(25, A(25))$ est le point de maximum absolu de A.

TEST 2 DE LA DÉRIVÉE SECONDE

1re étape : Calculer la dérivée de la fonction à optimiser.

$A'(x) = (50x - x^2)'$

$= 50 - 2x$

2e étape : Déterminer les nombres critiques de A sur $[0, 50]$ tels que $A'(x) = 0$.

$A'(x) = 0$ si $x = 25$.

Donc, 25 est le seul nombre critique de A sur $[0, 50]$ tel que $A'(x) = 0$.

Ainsi, nous pouvons utiliser le théorème 6.7.

3e étape : Calculer la dérivée seconde.

$A''(x) = -2$

Nous avons $A'(25) = 0$ et $A''(25) < 0$.

Donc, $(25, A(25))$ est le point de maximum absolu de A. (théorème 6.7)

Assurons-nous de répondre correctement à la question posée.

3. Formulation de la réponse.

Formulation de la réponse

Ainsi, l'aire du terrain est maximale lorsque x mesure 25 m.

Puisque $y = \dfrac{100 - 2x}{2}$, nous obtenons $y = \dfrac{100 - 50}{2} = 25$ (car $x = 25$).

D'où les dimensions du terrain d'aire maximale sont de 25 m sur 25 m.

Ainsi, la valeur de l'aire maximale est de 25×25, c'est-à-dire 625 m^2.

Voici un résumé des étapes à suivre pour résoudre des problèmes d'optimisation.

1. Mathématiser le problème :
   a) représenter graphiquement la situation lorsque le problème le permet et définir les variables ;
   b) déterminer la quantité à optimiser ;
   c) chercher, s'il y a lieu, une relation entre les variables ;
   d) exprimer la quantité à optimiser en fonction d'une seule variable et déterminer le domaine de cette fonction.
2. Analyser la fonction à optimiser à l'aide du test de la dérivée première ou du test 2 de la dérivée seconde.
3. Formuler la réponse.

Nous présentons maintenant quelques exemples supplémentaires et nous invitons les élèves à tenter de résoudre les problèmes avant de lire la solution que nous proposons.

Exemple 2 Trouvons deux nombres dont la somme du premier et du cube du second est égale à 8, tels que leur produit soit maximal. Déterminons également la valeur du produit maximal.

1. Mathématisation du problème.

a) Définition des variables.

Soit x, le premier nombre et y, le second nombre.

b) Détermination de la quantité à optimiser.

$P(x, y) = xy$ doit être maximal.

c) Recherche d'une relation entre les variables.

$x + y^3 = 8$

D'où $x = 8 - y^3$.

d) Expression de la quantité à optimiser en fonction d'une seule variable.

$$P(x, y) = xy$$
$$P(y) = (8 - y^3)y \quad (\text{car } x = 8 - y^3)$$
$$= 8y - y^4$$

D'où $P(y) = 8y - y^4$ est la fonction dont nous devons déterminer le maximum absolu.

Puisque y est un nombre réel quelconque, alors dom $P = \mathbb{R}$.

2. Analyse de la fonction à optimiser.

1re étape: Calculer la dérivée.

$P'(y) = 8 - 4y^3$

2e étape: Déterminer les nombres critiques de P.

1) $P'(y) = 0$ si

$8 - 4y^3 = 0$

$y = \sqrt[3]{2}$

2) $P'(y)$ est définie $\forall y \in \mathbb{R}$.

Donc, $\sqrt[3]{2}$ est le seul nombre critique de P sur $\mathbb{R}$ tel que $P'(y) = 0$.

Test 2 de la dérivée seconde

3e étape: Calculer la dérivée seconde.

$P''(y) = -12y^2$

Nous avons $P'(\sqrt[3]{2}) = 0$ et $P''(\sqrt[3]{2}) = -12\sqrt[3]{4} < 0$.

Donc, $(\sqrt[3]{2}, P(\sqrt[3]{2}))$ est le point de maximum absolu de P. (théorème 6.7)

3. Formulation de la réponse.

Ainsi, le produit est maximal lorsque $y = \sqrt[3]{2}$.

Puisque $x = 8 - y^3$, nous obtenons $x = 8 - (\sqrt[3]{2})^3 = 6$.

D'où les deux nombres cherchés qui donnent le produit maximal sont $x = 6$ et $y = \sqrt[3]{2}$.

Ainsi, la valeur du produit maximal est donnée par $6\sqrt[3]{2}$, c'est-à-dire 7,559 5...

Nous pouvons trouver une infinité de valeurs de x et de y telles que $x + y^3 = 8$ et calculer leur produit pour constater que le résultat est inférieur à 7,559 5...

OUTIL TECHNOLOGIQUE

Représentons la fonction P, où $P(y) = 8y - y^4$.

```
> plot(8*x-x^4,x=-1..3,y=-10..10,color=orange);
```

Représentation graphique

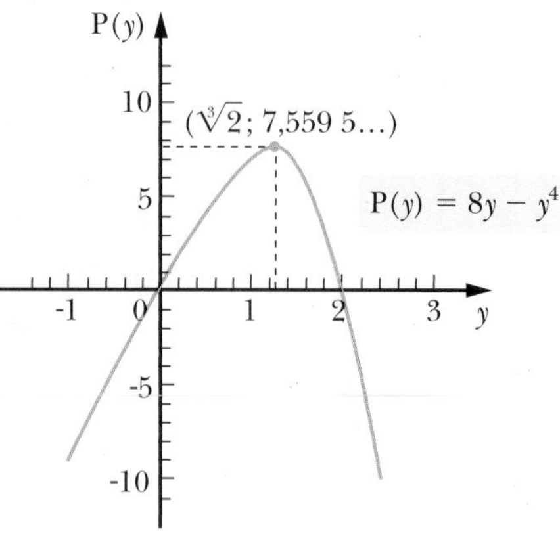

Dominique Parent

Exemple 3 Une ébéniste veut fabriquer un tiroir dont la profondeur, du devant à l'arrière, est de 50 cm et dont le volume est de 10 000 cm³. Si le devant coûte 0,05 \$ par cm², que le fond coûte 0,03 \$ par cm² et que le reste coûte 0,02 \$ par cm², quelles doivent être les dimensions du tiroir pour que le coût de fabrication soit minimal ? Calculons ce coût de fabrication.

1. **Mathématisation du problème.**

   a) Représentation graphique et définition des variables.

   Soit 50 cm pour la profondeur, x cm pour la hauteur et y cm pour la largeur du tiroir.

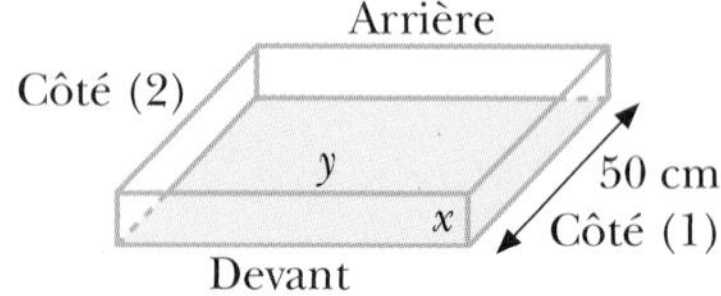

   b) Détermination de la quantité à optimiser.

   Le tiroir est composé de cinq unités dont l'aire et le coût par unité sont donnés dans le tableau ci-dessous.

Unité	Aire de la surface (cm²)	Prix (¢/cm²)	Coût par unité (¢)
Devant	xy	5	$5(xy)$
Côté (1)	$50x$	2	$2(50x)$
Côté (2)	$50x$	2	$2(50x)$
Arrière	xy	2	$2(xy)$
Fond	$50y$	3	$3(50y)$

   Le coût de fabrication C, en ¢, du tiroir est donné par la somme des coûts de fabrication de chacune des cinq unités.

$$C(x, y) = 5xy + 100x + 100x + 2xy + 150y$$

$$= 7xy + 200x + 150y \text{ est à minimiser.}$$

7

c) Recherche d'une relation entre les variables.

Nous connaissons le volume du tiroir, soit 10 000 cm³.

Ainsi, $50xy = 10\,000$

D'où $\quad y = \dfrac{10\,000}{50x} = \dfrac{200}{x}$.

d) Expression de la quantité à optimiser en fonction d'une seule variable.

$$C(x, y) = 7xy + 200x + 150y$$

$$C(x) = 7x\left(\frac{200}{x}\right) + 200x + 150\left(\frac{200}{x}\right) \quad \left(\text{car } y = \frac{200}{x}\right)$$

$$= 1\,400 + 200x + \frac{30\,000}{x}$$

D'où $C(x) = 1\,400 + 200x + \dfrac{30\,000}{x}$, où $x \neq 0$ est la fonction dont nous devons déterminer le minimum absolu.

Puisque x représente la hauteur, $x \geqslant 0$, donc dom $C =]0, +\infty$.

2. Analyse de la fonction à optimiser.

1re étape : Calculer la dérivée.

$$C'(x) = 200 - \frac{30\,000}{x^2}$$

$$= \frac{200x^2 - 30\,000}{x^2}$$

$$= \frac{200(x^2 - 150)}{x^2}$$

2e étape : Déterminer les nombres critiques de C.

1) $C'(x) = 0$ si $x = \pm\sqrt{150}$. Donc, $\sqrt{150}$ est un nombre critique de C. La valeur $-\sqrt{150}$ n'est pas un nombre critique, car $-\sqrt{150} \notin$ dom C.

2) $C'(x)$ est définie $\forall x \in]0, +\infty$.

3e étape : Construire le tableau de variation.

Test de la dérivée première

x	0		$\sqrt{150}$	$+\infty$
$C'(x)$	$\nexists$	$-$	0	$+$
C	$\nexists$	↘	$C(\sqrt{150})$	↗
			min.	

3. Formulation de la réponse.

Ainsi, le coût de fabrication est minimal lorsque x mesure $\sqrt{150}$ cm.

Puisque $y = \dfrac{200}{x}$, nous obtenons $y = \dfrac{200}{\sqrt{150}}$ $\quad$ (car $x = \sqrt{150}$).

D'où les dimensions du tiroir, dont le coût de fabrication est minimal, sont de $\sqrt{150}$ cm sur $\dfrac{200}{\sqrt{150}}$ cm sur 50 cm, c'est-à-dire environ 12,25 cm sur 16,33 cm sur 50 cm.

Le coût de fabrication est donné par

$$C(\sqrt{150}) = 1\,400 + 200\sqrt{150} + \frac{30\,000}{\sqrt{150}} = 6\,298{,}979\ldots\ ¢.$$

D'où le coût de fabrication minimal est d'environ 62,99 \$.

Exemple 4 Déterminons les dimensions du rectangle d'aire maximale que nous pouvons inscrire à l'intérieur d'un demi-cercle dont le rayon est de 4 dm. Calculons cette aire maximale.

1. **Mathématisation du problème.**

a) Représentation graphique et définition des variables.

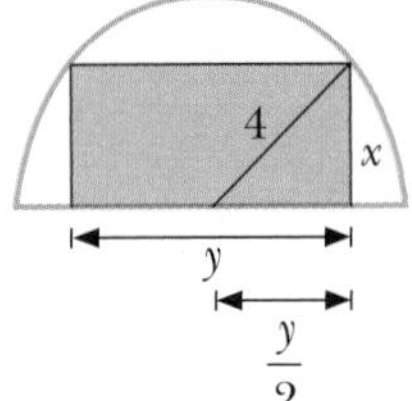

Soit x, la hauteur, et y, la longueur de la base du rectangle.

b) Détermination de la quantité à optimiser.

$A(x, y) = xy$ doit être maximale.

c) Recherche d'une relation entre les variables.

$$x^2 + \left(\frac{y}{2}\right)^2 = 16$$

$$y^2 = 64 - 4x^2$$

$$y = \pm\sqrt{64 - 4x^2}$$

Nous devons prendre la valeur positive de y, puisque y représente la longueur d'un côté.

D'où $y = 2\sqrt{16 - x^2}$.

d) Expression de la quantité à optimiser en fonction d'une seule variable.

$$A(x, y) = xy$$

$$A(x) = x(2\sqrt{16 - x^2}) \quad (\text{car } y = 2\sqrt{16 - x^2})$$

D'où $A(x) = 2x\sqrt{16 - x^2}$ est la fonction dont nous voulons déterminer le maximum absolu, sachant que dom $A = [0, 4]$.

2. **Analyse de la fonction à optimiser.**

1re étape : Calculer la dérivée.

$$A'(x) = 2\sqrt{16 - x^2} + \frac{(-2x^2)}{\sqrt{16 - x^2}}$$

$$= \frac{2(16 - x^2) - 2x^2}{\sqrt{16 - x^2}}$$

$$= \frac{4(8 - x^2)}{\sqrt{16 - x^2}}$$

2e étape : Déterminer les nombres critiques de A.

1) $A'(x) = 0$ si $x = \pm\sqrt{8} = \pm 2\sqrt{2}$.

Donc, $2\sqrt{2}$ est un nombre critique de A.

La valeur $-2\sqrt{2}$ n'est pas un nombre critique, car $-2\sqrt{2} \notin$ dom A.

2) $A'(x)$ n'existe pas si $x = 0$ ou si $x = 4$. Donc, 0 et 4 sont des nombres critiques de A.

3e étape : Construire le tableau de variation.

Test de la dérivée première

x	0		$2\sqrt{2}$		4
$A'(x)$	$\nexists$	$+$	0	$-$	$\nexists$
A	$A(0)$	$\nearrow$	$A(2\sqrt{2})$	$\searrow$	$A(4)$
	min.		max.		min.

3. Formulation de la réponse.

L'aire du rectangle est maximale lorsque $x = 2\sqrt{2}$.

Puisque $y = 2\sqrt{16 - x^2}$, nous obtenons, en remplaçant x par $2\sqrt{2}$,

$$\begin{aligned} y &= 2\sqrt{16 - 8} \\ &= 4\sqrt{2} \end{aligned}$$

Ainsi, la base du rectangle d'aire maximale est égale à $4\sqrt{2}$ dm et sa hauteur est égale à $2\sqrt{2}$ dm.

Donc, l'aire maximale est égale à $(4\sqrt{2})(2\sqrt{2})$, c'est-à-dire 16 dm^2.

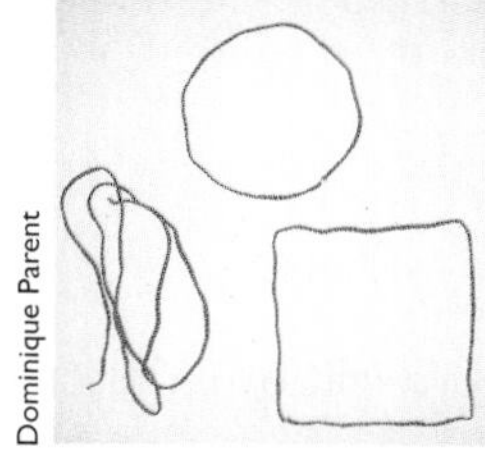
Dominique Parent

Exemple 5 Nous voulons couper, s'il y a lieu, une corde de 200 cm de longueur en deux parties. La première partie servira à former un carré et la seconde partie, un cercle. Où faut-il couper cette corde pour que la somme des aires des figures obtenues soit maximale ?

1. Mathématisation du problème.

a) Représentation graphique et définition des variables.

Soit x, la longueur du côté du carré, et y, la longueur du rayon du cercle.

b) Détermination de la quantité à optimiser.

Aire totale = Aire du carré + Aire du cercle

$A(x, y) = x^2 + \pi y^2$ doit être maximale.

c) Recherche d'une relation entre les variables.

La somme du périmètre du carré et de la circonférence du cercle doit égaler la longueur de la corde, soit 200 cm.

Donc, $4x + 2\pi y = 200$. D'où $x = \dfrac{200 - 2\pi y}{4} = 50 - \dfrac{\pi}{2}y$.

d) Expression de la quantité à optimiser en fonction d'une seule variable.

$$A(x, y) = x^2 + \pi y^2$$

$$\begin{aligned} A(y) &= \left(50 - \frac{\pi}{2}y\right)^2 + \pi y^2 \quad \left(\text{car } x = 50 - \frac{\pi}{2}y\right) \\ &= \left(\frac{\pi^2}{4} + \pi\right)y^2 - 50\pi y + 2\,500 \end{aligned}$$

D'où $A(y) = \left(\frac{\pi^2}{4} + \pi\right)y^2 - 50\pi y + 2\,500$ est la fonction dont il faut déterminer le maximum absolu.

Puisque y représente le rayon du cercle, $y \geqslant 0$.

De plus, x représente la longueur du côté du carré.

Ainsi,

$$x \geqslant 0$$

$$50 - \frac{\pi}{2}y \geqslant 0 \qquad \left(\text{car } x = 50 - \frac{\pi}{2}y\right)$$

$$50 \geqslant \frac{\pi}{2}y$$

$$y \leqslant \frac{100}{\pi}$$

Donc, dom $A = \left[0, \frac{100}{\pi}\right]$.

2. **Analyse de la fonction à optimiser.**

1re étape : Calculer la dérivée.

$$A'(y) = 2\left(\frac{\pi^2}{4} + \pi\right)y - 50\pi$$

2e étape : Déterminer les nombres critiques de A.

1) $A'(y) = 0$ si $y = \frac{100}{\pi + 4}$. Donc, $\frac{100}{\pi + 4}$ est le seul nombre critique de A sur $\left[0, \frac{100}{\pi}\right]$ tel que $A'(y) = 0$.

2) $A'(y)$ n'existe pas si $y = 0$ ou si $y = \frac{100}{\pi}$. Donc, 0 et $\frac{100}{\pi}$ sont des nombres critiques de A.

Test 2 de la dérivée seconde

3e étape : Calculer la dérivée seconde.

$$A''(y) = 2\left(\frac{\pi^2}{4} + \pi\right)$$

Nous avons $A'\left(\frac{100}{\pi + 4}\right) = 0$ et $A''\left(\frac{100}{\pi + 4}\right) > 0$.

Donc, $\left(\frac{100}{\pi + 4}, A\left(\frac{100}{\pi + 4}\right)\right)$ est le point de minimum absolu de A sur $\left[0, \frac{100}{\pi}\right]$. (théorème 6.7)

Or, nous étions à la recherche d'un maximum et non d'un minimum.

Construisons le tableau de variation qui nous permettra de constater que les maximums de cette fonction sont atteints aux extrémités de l'intervalle définissant le domaine de cette fonction.

Test de la dérivée première

y	0		$\dfrac{100}{\pi+4}$		$\dfrac{100}{\pi}$
$A'(y)$	$\nexists$	$-$	0	$+$	$\nexists$
A	$A(0)$	$\searrow$	$A\left(\dfrac{100}{\pi+4}\right)$	$\nearrow$	$A\left(\dfrac{100}{\pi}\right)$
	max.		min.		max.

Pour déterminer le maximum absolu de A, il faut évaluer $A(0)$ et $A\left(\dfrac{100}{\pi}\right)$.

Puisque $A(y) = \left(\dfrac{\pi^2}{4} + \pi\right)y^2 - 50\pi y + 2\,500$

$$A(0) = 2\,500 \text{ et } A\left(\frac{100}{\pi}\right) = \frac{10\,000}{\pi} \approx 3\,183.$$

Ainsi, le maximum absolu est obtenu lorsque $y = \dfrac{100}{\pi}$.

3. **Formulation de la réponse.**

L'aire est maximale lorsque $y = \dfrac{100}{\pi}$ cm.

Puisque $x = 50 - \dfrac{\pi}{2}y$, nous obtenons $x = 50 - \dfrac{\pi}{2}\left(\dfrac{100}{\pi}\right) = 0$, car $y = \dfrac{100}{\pi}$.

Cela signifie que la corde ne doit pas être coupée; elle doit plutôt être utilisée en entier pour former le cercle.

Exercices 7.1

1. Une compagnie disposant de 400 m de clôture veut entourer une partie du terrain attenant à son bâtiment. Déterminer dans les deux cas suivants l'aire maximale de la partie de terrain que la compagnie peut obtenir avec cette longueur de clôture.

a)

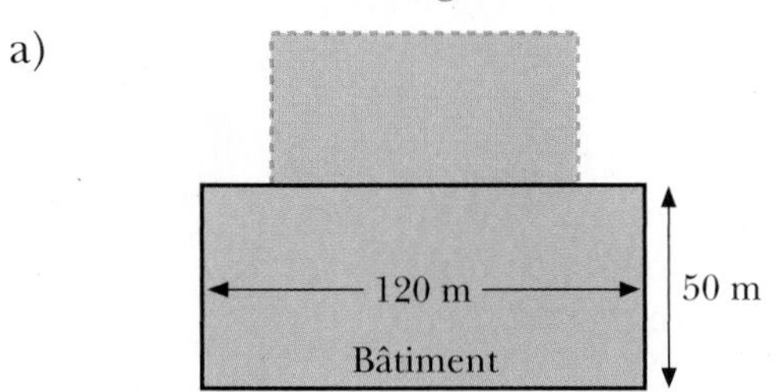

b)

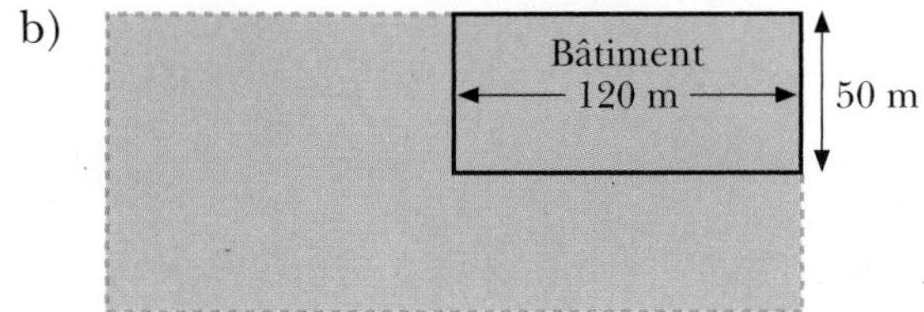

2. On dispose de 120 m de clôture pour entourer un champ rectangulaire. Déterminer les dimensions que le champ doit avoir pour que son aire soit maximale si

a) on le divise en trois lots rectangulaires au moyen de deux clôtures parallèles à l'un des côtés;

b) on le divise en six lots rectangulaires au moyen de cinq clôtures parallèles à l'un des côtés.

3. La somme de deux nombres est 10. Quels sont ces deux nombres si leur produit est maximal?

4. La somme de deux nombres positifs est 100. Quels sont ces deux nombres si le carré du premier ajouté au second donne une somme minimale?

5. Le produit de deux nombres positifs est 16. Quels sont ces deux nombres si le cube du premier ajouté au triple du second donne une somme minimale ?

6. La somme de deux nombres non négatifs est 20. Quels sont ces deux nombres si le premier à la puissance 4 ajouté à 32 fois le second donne une somme maximale ?

7. Une page de cahier de mathématiques a un périmètre de 100 cm.

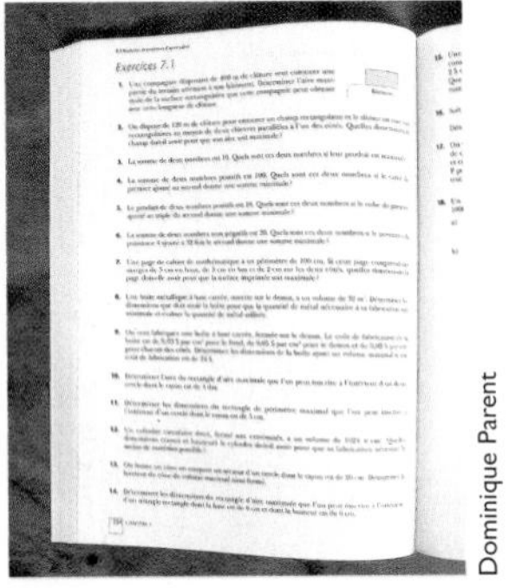

Dominique Parent

Si cette page comprend des marges de 5 cm en haut, de 3 cm en bas et de 2 cm sur les deux côtés, quelles dimensions la page doit-elle avoir pour que la surface imprimée soit maximale ?

8. Une boîte métallique à base carrée, ouverte sur le dessus, a un volume de 32 m^3.

Dominique Parent

Déterminer les dimensions que doit avoir la boîte pour que la quantité de métal nécessaire à sa fabrication soit minimale et évaluer la quantité de métal utilisée.

9. On veut fabriquer une boîte à base carrée, fermée sur le dessus. Le coût de fabrication de la boîte est de 0,03 \$ par cm^2 pour le fond, de 0,05 \$ par cm^2 pour le dessus et de 0,02 \$ par cm^2 pour chacun des côtés. Déterminer les dimensions de la boîte ayant un volume maximal si son coût de fabrication est de 24 \$.

10. Soit un cercle dont le rayon est de 5 cm. Déterminer

a) les dimensions du rectangle d'aire maximale que l'on peut inscrire à l'intérieur de ce cercle ;

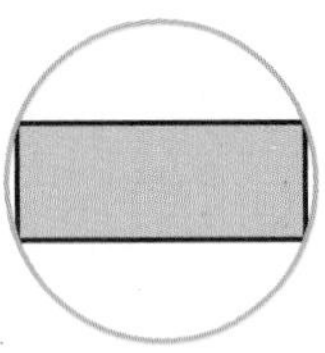

b) les dimensions du rectangle de périmètre maximal que l'on peut inscrire à l'intérieur de ce cercle.

11. Un cylindre circulaire droit, fermé aux extrémités, a un volume de 1 024 π cm^3.

Dominique Parent

Quelles dimensions (rayon et hauteur) le cylindre doit-il avoir pour que sa fabrication nécessite le moins de matériau possible ?

12. On forme un cône en coupant un secteur d'un cercle dont le rayon est de 20 cm. Déterminer la hauteur du cône de volume maximal ainsi formé.

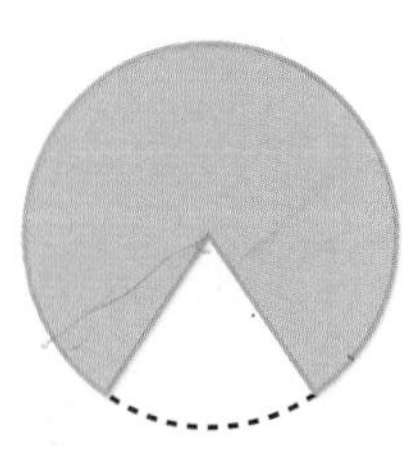

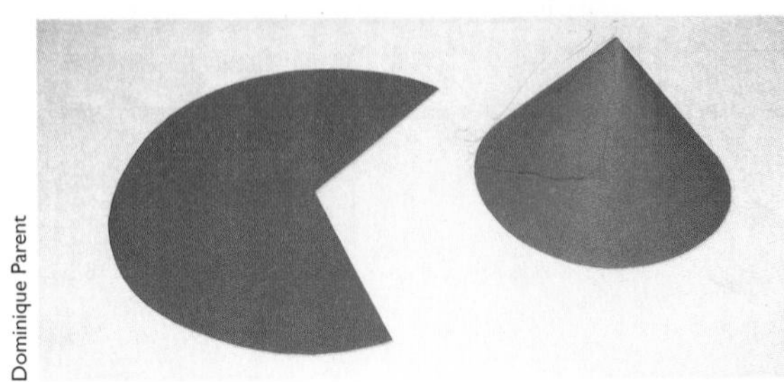

Dominique Parent

13. Déterminer les dimensions du rectangle d'aire maximale que l'on peut inscrire à l'intérieur d'un triangle rectangle dont la base est de 8 cm et dont la hauteur est de 6 cm.

14. Une société ferroviaire est prête à exploiter une ligne Montréal-Toronto si 214 personnes consentent à débourser 300 $ pour l'aller-retour. La société estime que chaque réduction de 2 $ du prix du billet lui permet d'augmenter de 5 le nombre de passagers et de passagères.

Dominique Parent

Quel doit être le nombre de passagers et de passagères pour que la société obtienne un revenu maximal?

15. Soit $f(x) = \dfrac{x^2}{4}$, où $x \in [-3, 4]$.

Déterminer les points de la courbe de f qui sont les plus près et les plus loin du point R(0, 3).

16. On veut construire une route reliant les villes A et B.

Dominique Parent

Le coût de construction entre A et P, région montagneuse, est de 1 200 000 $/km et que celui entre P et B est de 800 000 $/km.

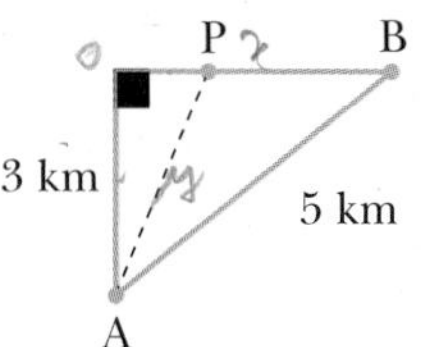

Déterminer la position du point P, par rapport à O, pour que le coût de construction soit minimal et évaluer ce coût de construction.

17. Un silo, formé d'un cylindre circulaire droit surmonté d'une demi-sphère, a un volume de 1 000 m³.

Dominique Parent

a) Si le coût de fabrication de la demi-sphère par mètre carré est quatre fois plus élevé que le coût de fabrication de la surface latérale du cylindre, quelles dimensions le cylindre et la demi-sphère devront-ils avoir pour que le coût de fabrication soit minimal?

b) Si le coût de fabrication de la surface latérale est de 80 $/m², calculer le coût de fabrication du silo.

Réseau de concepts

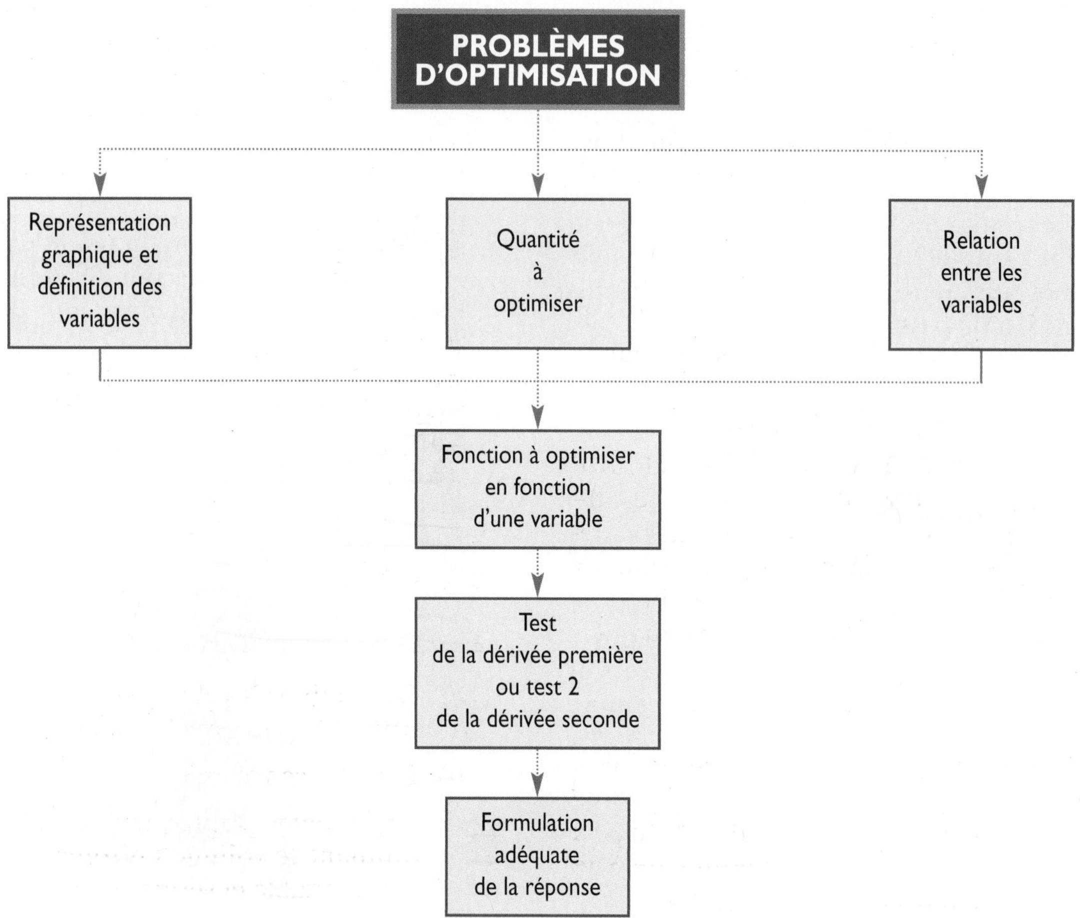

Liste de vérification des apprentissages

7

RÉPONDRE PAR **OUI** OU PAR **NON.**			
Après l'étude de ce chapitre, je suis en mesure:		**OUI**	**NON**
1.	de représenter graphiquement la situation, s'il y a lieu;		
2.	de définir les variables appropriées;		
3.	de déterminer la quantité à optimiser;		
4.	de déterminer, s'il y a lieu, une relation entre les variables;		
5.	d'exprimer la quantité à optimiser en fonction d'une seule variable;		
6.	de déterminer le domaine de la fonction à optimiser;		
7.	de déterminer le maximum (minimum) de la fonction, à l'aide du test de la dérivée première ou du test 2 de la dérivée seconde;		
8.	de formuler adéquatement la réponse.		
Si vous avez répondu **NON** à l'une de ces questions, il serait préférable pour vous d'étudier de nouveau cette notion.			

Exercices récapitulatifs

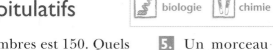

1. La somme de deux nombres est 150. Quels sont ces deux nombres si le produit du cube du premier par le second est maximal?

2. Une boîte droite, à base carrée, fermée sur le dessus et dont le fond est triple, a un volume de 250 cm^3.

a) Déterminer les dimensions que doit avoir la boîte pour que la quantité de matériau nécessaire à sa fabrication soit minimale et calculer le coût de fabrication de cette boîte si elle coûte, pour chaque épaisseur, 0,02 $ par cm^2.

b) Si le coût de fabrication, pour chaque épaisseur, du fond et du dessus, est de 0,01 $ par cm^2 et que celui des faces latérales est de 0,04 $ par cm^2, déterminer les dimensions de la boîte la moins coûteuse ainsi que le coût de fabrication de cette boîte.

3. Il en coûte 240 $ pour un voyage de Montréal à Toronto si l'avion transporte 160 passagers et passagères. La compagnie aérienne estime que chaque réduction de 5 $ du prix du billet lui permet d'augmenter de 8 le nombre de passagers et de passagères.

Dominique Parent

Déterminer le prix du billet qui donnera un revenu maximal à la compagnie aérienne et calculer ce revenu si la capacité de l'avion est de:

a) 336 passagers et passagères;

b) 240 passagers et passagères.

4. Déterminer les dimensions du rectangle de périmètre maximal que l'on peut inscrire dans un demi-cercle dont le rayon est de 7 cm.

5. Un morceau de carton rectangulaire de 24 cm sur 41 cm doit servir à fabriquer une boîte rectangulaire ouverte sur le dessus. Pour faire cette boîte, on découpe un carré dans chacun des quatre coins et on replie les côtés perpendiculairement à la base.

Dominique Parent

a) Déterminer les dimensions de la boîte offrant le plus grand volume.

b) Calculer ce volume.

c) Représenter graphiquement la fonction donnant le volume en fonction d'une seule variable et vérifier le résultat.

6. Le quotient de deux nombres est 10. Quels sont ces deux nombres si la somme du numérateur et du carré du dénominateur est minimale?

7. Quelles doivent être les dimensions d'un terrain rectangulaire dont l'aire est de 400 m^2 pour que son périmètre soit minimal?

8. Un fermier dispose de 200 m de clôture pour délimiter un pré le long d'une route où se trouve déjà une clôture.

À l'aide des figures suivantes déterminer les valeurs de x et de y de façon à maximiser l'aire du pré.

a)

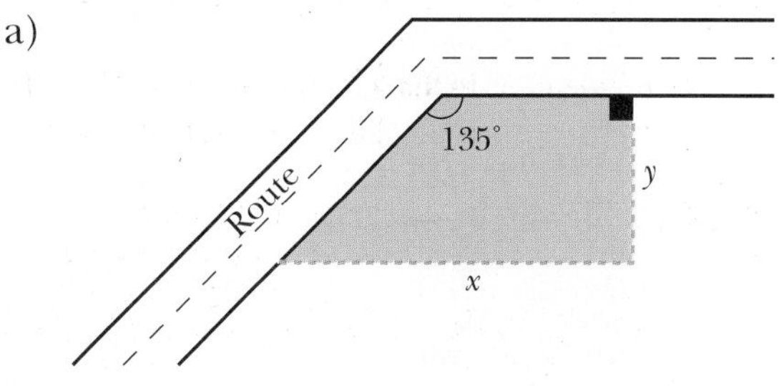

b)

Route

θ y x

$90° < \theta < 180°$

9. Déterminer les dimensions du rectangle d'aire maximale que l'on peut inscrire entre l'axe des x, l'axe des y et la courbe dont l'équation est $y = (x - 9)^2$.

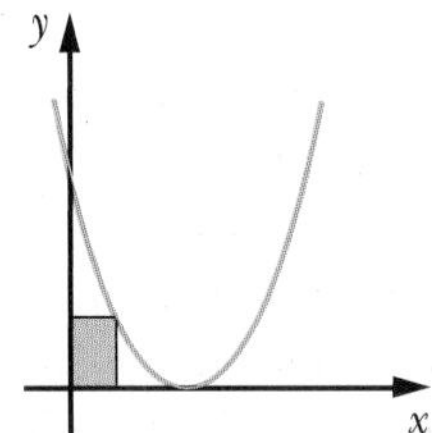

10. Soit $f(x) = \dfrac{x + 1}{\sqrt{x}}$.

a) Déterminer le point Q de la courbe de f le plus près du point P(-1, 0).

b) Déterminer la distance séparant ces points.

c) Représenter graphiquement la courbe de f et les points P et Q.

11. La différence de deux nombres est 25. Quels sont ces deux nombres si le cube de leur produit est minimal ?

12. Les côtés congrus d'un triangle isocèle mesurent 5 cm de longueur. Quelle doit être la longueur du troisième côté pour que l'aire du triangle soit maximale ?

13. Une fenêtre a la forme d'un rectangle surmonté :

a) d'un triangle équilatéral. Le périmètre du rectangle étant de 12 m, déterminer les dimensions de la fenêtre d'aire maximale.

Dominique Parent

b) d'un demi-cercle. Le périmètre du rectangle étant de 6 m, déterminer les dimensions de la fenêtre d'aire maximale.

Dominique Parent

c) d'un demi-cercle. Le périmètre du rectangle est de 8 m. Si le verre utilisé dans la partie rectangulaire laisse passer deux fois plus de lumière que le verre utilisé dans la partie supérieure, déterminer les dimensions de la fenêtre permettant d'obtenir le plus de lumière possible.

14. Soit l'ellipse dont l'équation est

$$\frac{x^2}{9} + \frac{y^2}{4} = 1.$$

a) Déterminer le point P de l'ellipse le plus près du point A(1, 0).

b) Déterminer le point Q de l'ellipse le plus près du point B(0, 1).

c) Déterminer les dimensions du triangle d'aire maximale inscrit à l'intérieur de l'ellipse dans le cas où la base du triangle est parallèle à l'un des axes (considérer les deux cas). Calculer l'aire maximale dans les deux cas.

15. Une page d'un livre a un périmètre de 100 cm. Cette page comprend des marges de 4 cm en haut, de 3 cm en bas et de 2 cm à droite et à gauche.

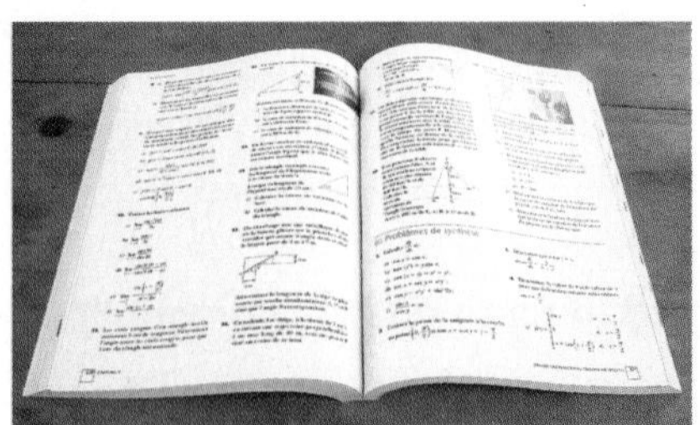
Dominique Parent

Sachant que l'impression est faite sur deux colonnes séparées de 1 cm, déterminer les dimensions de la page pour que la surface imprimée soit maximale.

16. Soit la courbe d'équation $y = 16 - (x - 4)^2$. Déterminer les dimensions du triangle rectangle d'aire maximale que l'on peut inscrire sous la courbe et au-dessus de l'axe des x.

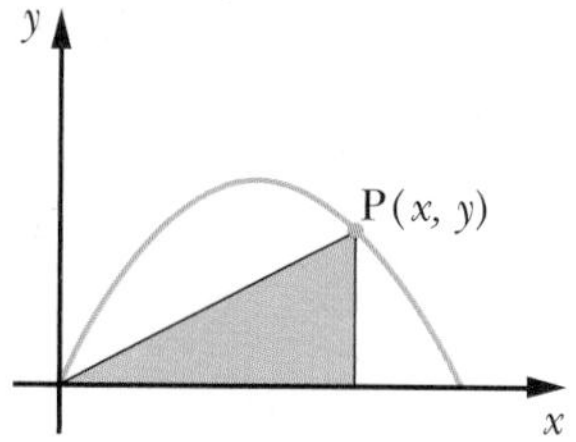

17. La rigidité d'une poutre rectangulaire est égale au produit de sa largeur par le cube de sa hauteur.

Dominique Parent

Pour obtenir une poutre de rigidité maximale, quelles doivent être ses dimensions si l'on utilise un tronc d'arbre de 15 cm de rayon pour la fabriquer?

18. Une piste de course de 500 m entoure un rectangle et deux demi-cercles situés aux extrémités.

Pierre Parent

Quelles doivent être les dimensions du terrain rectangulaire pour que l'aire de celui-ci soit maximale?

19. Un triangle isocèle a:

a) un périmètre de 30 cm. Quelle devrait être la longueur des côtés de ce triangle si l'on veut en maximiser l'aire?

b) une aire de 30 cm². Quelle devrait être la longueur des côtés de ce triangle si l'on veut en minimiser le périmètre?

20. On dispose de 1260 m de clôture pour entourer un terrain rectangulaire et le diviser en 12 lots rectangulaires de mêmes dimensions au moyen de clôtures parallèles aux côtés du terrain. Déterminer les dimensions de chaque lot pour que l'aire totale soit maximale si les terrains sont divisés de la façon suivante.

a) 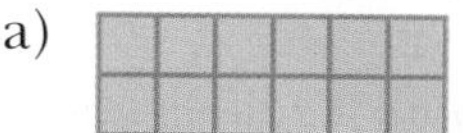

b) 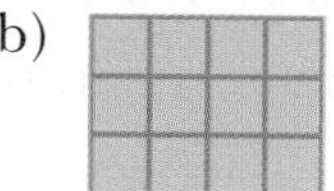

21. On veut construire une route reliant les villes A et B, où la ville A est plus près de la rivière que la ville B.

Sachant que le coût de construction par kilomètre entre AP et RB est le même, déterminer, dans les cas suivants, la position du point P, par rapport à H, pour que la longueur du trajet APRB soit minimale. Quelle est cette longueur?

a) 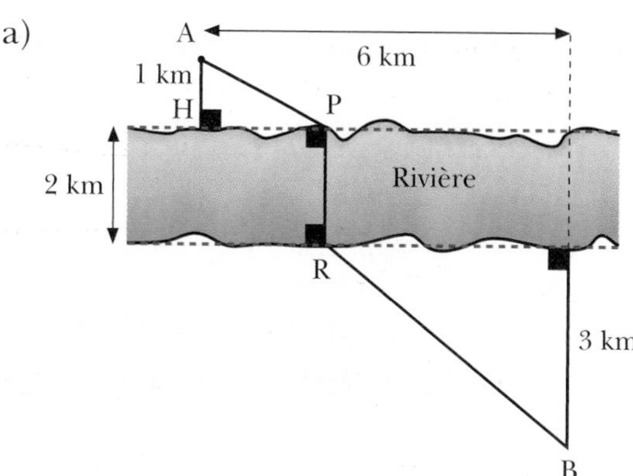

7

b)

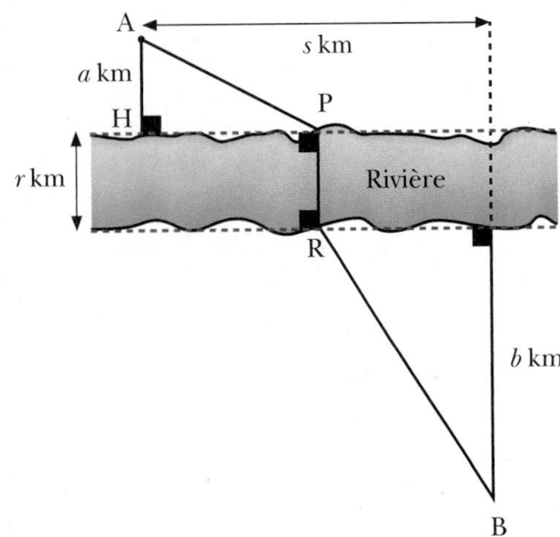

22. Une tige métallique de 6 m de longueur est coupée en 12 sections pour former les arêtes du parallélépipède droit représenté ci-dessous.

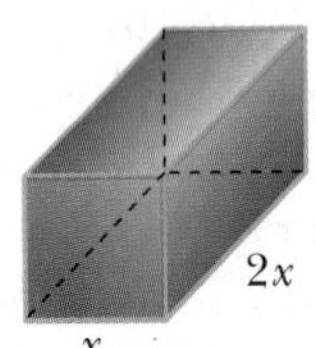

Déterminer la longueur des arêtes du parallélépipède telle que

a) le volume du parallélépipède soit maximal;

b) l'aire totale des faces du parallélépipède soit maximale.

23. Quelles sont les dimensions:

a) du cylindre circulaire droit de volume maximal inscrit dans une sphère dont la longueur du rayon est égale à 6 cm?

b) du cône circulaire droit de volume minimal circonscrit à un cylindre droit dont la longueur du rayon est égale à 6 cm et dont la hauteur est égale à 10 cm?

24. On veut couper, s'il y a lieu, une corde de 400 cm de longueur en deux parties pour former deux figures géométriques.

a) Si la première figure est un cercle et si la seconde est un carré, déterminer la longueur de chacune des parties pour que la somme des aires des figures obtenues soit minimale.

b) Si la première figure est un cercle et si la seconde est un triangle équilatéral, déterminer la longueur de chacune des parties pour que la somme des aires des figures obtenues soit maximale.

25. Soit le cube suivant.

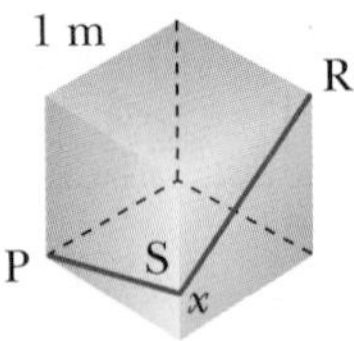

On veut relier par un fil les points R et P en passant par S. Déterminer la valeur de x qui minimise la longueur du fil

a) en utilisant le calcul différentiel;

b) sans utiliser le calcul différentiel.

26. On veut appuyer une échelle contre le mur d'une maison entourée d'une clôture de 2 m de hauteur placée à 1 m de la maison. Sachant que la hauteur de la maison est de 14 m et que le pied de l'échelle ne peut être à plus de 3 m de la maison, déterminer la longueur L de la plus courte échelle utilisable dans les deux cas suivants.

a) En considérant le graphique ci-dessous, déterminer L en fonction de x et calculer la longueur minimale de L.

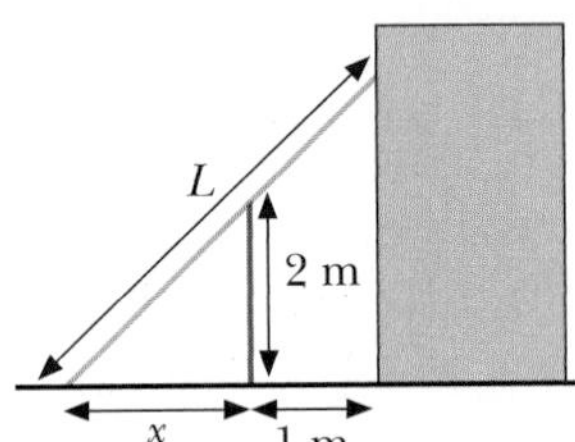

b) En considérant le graphique ci-dessous, déterminer L en fonction de la variable x et calculer la longueur minimale de L.

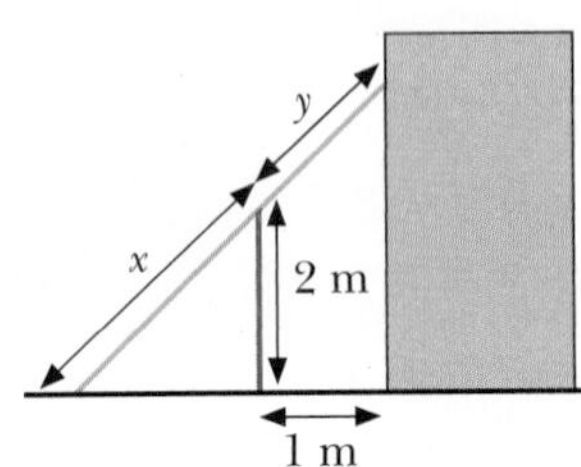

Problèmes de synthèse

1. On dispose de 200 m de clôture pour entourer un terrain rectangulaire et le diviser en plusieurs lots rectangulaires de mêmes dimensions au moyen de clôtures parallèles à l'un des côtés. Déterminer les dimensions du terrain pour que son aire soit maximale si on le subdivise en :

a) 4 lots;

b) n lots.

2. Soit $f(x) = x^2$, où $x \in [-2, 2]$ et $g(x) = \dfrac{1}{\sqrt{x}}$.

a) Déterminer le point de la courbe de f tel que la pente de la droite joignant ce point au point P(3, 5) soit minimale; maximale. Représenter graphiquement f et les deux droites.

b) Déterminer le point Q de la courbe de g tel que la pente de la droite joignant ce point au point P(0, 1) soit minimale et donner la valeur de cette pente. Représenter graphiquement g et la droite.

3. Soit $f(x) = x^4 - 24x^2 + 40x$, où $x \in]-3, 3[$.

a) Déterminer le point sur la courbe de f où la pente de la tangente à la courbe est maximale; minimale.

O/T b) Représenter graphiquement la courbe de f et les deux tangentes.

4. a) Déterminer les points sur la courbe $y = \dfrac{8x}{3x^2 + 4}$ où la pente de la tangente à la courbe est minimale (calculer cette pente); maximale (calculer cette pente).

O/T b) Analyser les résultats précédents en représentant, sur un même système d'axes, la courbe de y et la courbe définissant la pente de la tangente.

5. Diane possède 30 logements qu'elle a l'intention de louer 600 $ par mois. Elle se pose les questions suivantes.

Dominique Parent

a) Si chaque fois que j'augmente le loyer de 25 $, je perds un ou une locataire et que le logement reste inhabité, quel doit être le prix du loyer pour que mon revenu soit maximal?

b) Si j'évalue les dépenses (entretien, impôt foncier, chauffage, etc.) à 40 $ par mois pour un logement inhabité et à 90 $ par mois pour un logement habité, en supposant toujours qu'une augmentation du loyer de 25 $ par mois cause le départ d'un ou d'une locataire, quel doit être le prix du loyer pour que mon profit soit maximal?

6. Soit une capsule formée d'un cylindre droit de hauteur h, où $h \geqslant 0$, et dont les deux extrémités sont des demi-sphères de même rayon que le cylindre.

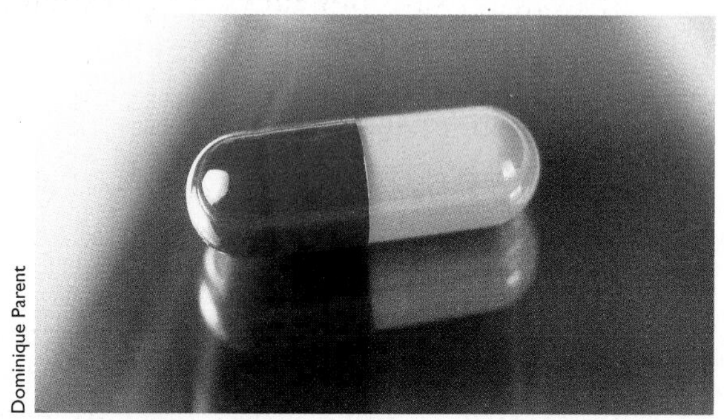
Dominique Parent

Déterminer les dimensions du cylindre et des demi-sphères de sorte que la quantité de matériau nécessaire à la fabrication de la capsule soit minimale si l'on veut insérer $\dfrac{\pi}{12}$ cm^3 de substance médicamenteuse :

a) en remplissant complètement cette capsule;

b) en remplissant le cylindre et une seule demi-sphère.

7. a) Déterminer le point P sur la figure suivante tel que la somme des aires A_1 et A_2 soit maximale.

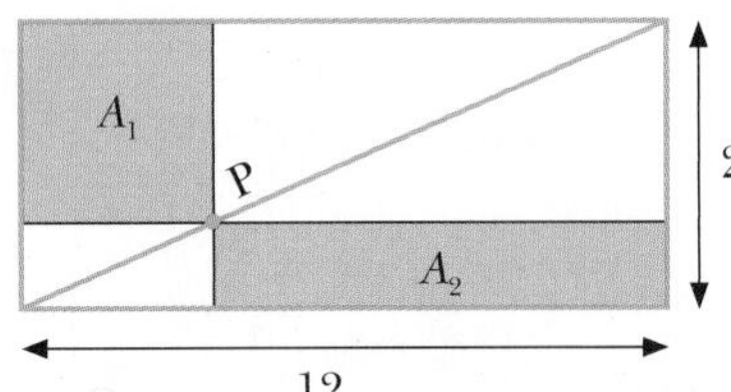

b) Répondre à la même question pour la figure suivante.

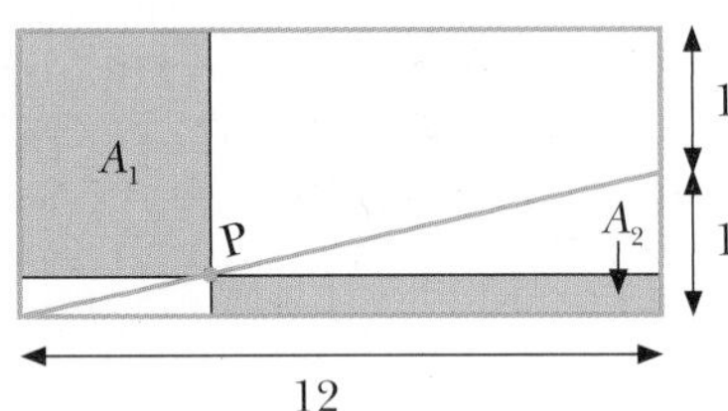

8. Un morceau de carton rectangulaire de 50 cm sur 36 cm doit servir à fabriquer une boîte rectangulaire en le découpant et en le repliant.

Déterminer les dimensions de la boîte offrant le plus grand volume dans les deux cas suivants. Calculer ce volume.

a)

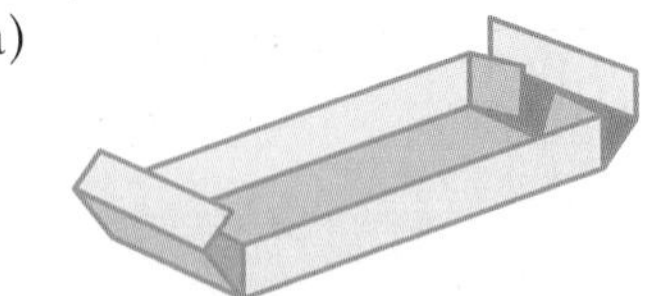

b)

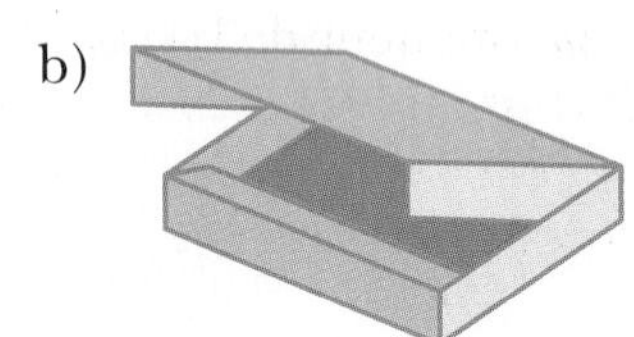

9. Un scout, qui se trouve au point A, veut rejoindre son campement situé au point B, de l'autre côté d'une rivière de 80 m de largeur.

Dominique Parent

Nous savons que P est le point que le scout doit atteindre pour minimiser la durée de son trajet et que son déplacement s'effectue à une vitesse de 2 m/s sur l'eau et de 3 m/s sur la rive.

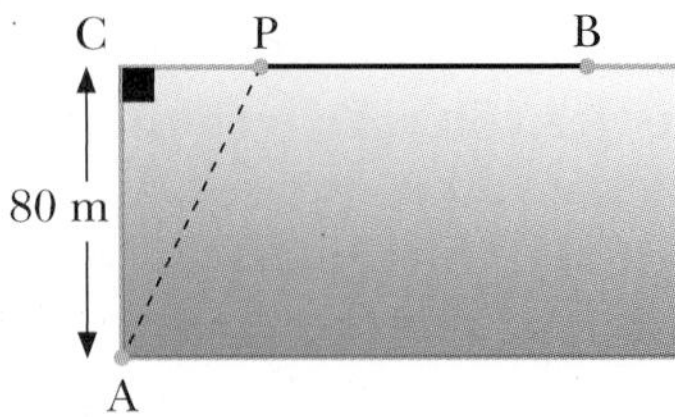

Déterminer la distance entre P et C si :

a) B est à 200 m de C ;

b) B est à 800 m de C ;

c) B est à 50 m de C.

10. Soit la courbe C_1 définie par $x^2 + y^2 = 169$ et la courbe C_2 définie par $(x - 1)^2 + (y - 2)^2 = 4$.

a) Utiliser le calcul différentiel pour déterminer le point de la courbe C_1 le plus près du point A(10, 24) ; le plus loin du point A(10, 24).

b) Déterminer, sans utiliser le calcul différentiel, le point de la courbe C_1 le plus près du point B(-3 ; 1,2) ; le plus loin du point B(-3 ; 1,2).

c) Déterminer le point de la courbe C_2 le plus près du point D(2, 3) ; le plus loin du point D(2, 3).

11. Déterminer les dimensions du rectangle inscrit entre les courbes de f et de g pour que la somme des aires ombrées dans la représentation graphique suivante soit minimale.

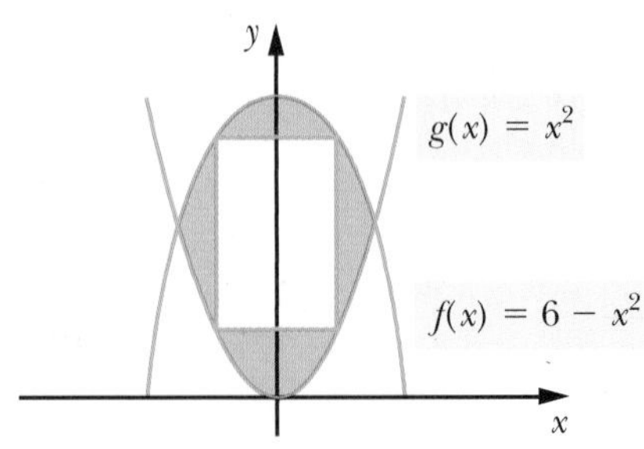

12. La distance initiale entre deux particules A et B, où A est au sud de B, est de 100 m. La particule A se dirige vers l'est à une vitesse de 5 m/s et la particule B se dirige vers le sud à une vitesse de 10 m/s. Déterminer à quel temps la distance séparant A et B sera minimale, et évaluer cette distance minimale.

13. On déménage une tige métallique droite en la faisant glisser sur le plancher d'un corridor qui tourne à angle droit et dont la largeur passe de 2 m à 3 m.

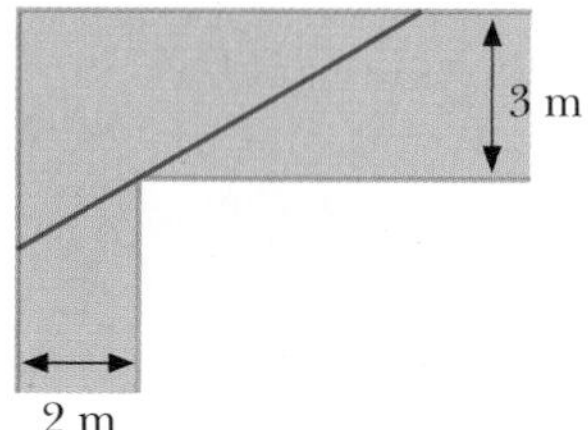

Déterminer la longueur maximale de la tige que l'on peut déménager.

14.  Un pomiculteur doit engager des cueilleurs pour récolter les pommes de ses 500 pommiers qui produisent en moyenne 250 pommes chacun.

Dominique Parent

Il estime que chaque travailleur cueille en moyenne 625 pommes par heure. Le pomiculteur verse à chaque cueilleur un salaire de 9,50 $ l'heure et il doit aussi débourser une somme de 4 $ par cueilleur pour les assurances et les taxes. En outre, il doit engager un superviseur à un taux horaire de 20 $. Déterminer le nombre de cueilleurs qui minimise le coût de la cueillette et calculer ce coût.

15. Déterminer l'aire maximale du trapèze suivant.

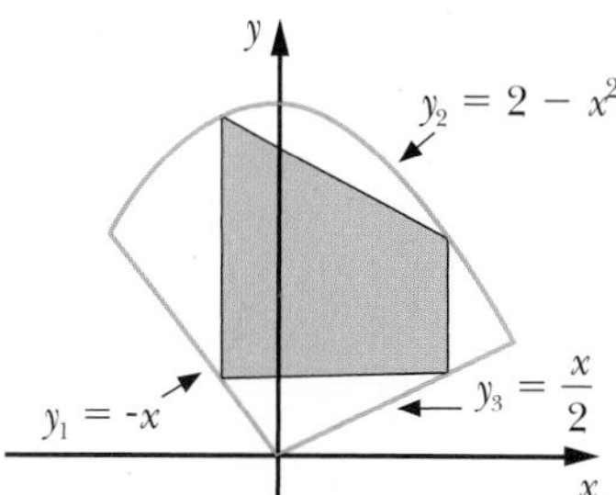

16. Soit $f(x) = (x - 3)^2$, où $x \in [0, 3]$.

Déterminer le point P de la courbe de f tel que le triangle rectangle délimité par les axes et la tangente à la courbe de f au point P soit un triangle rectangle d'aire maximale, et calculer l'aire de ce triangle.

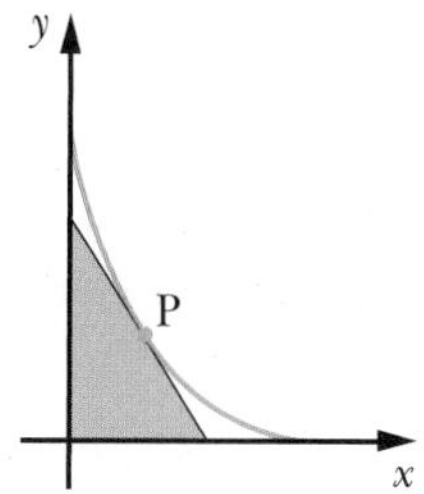

17. Déterminer les dimensions et l'aire du rectangle d'aire maximale que l'on peut inscrire entre l'axe des x et la courbe définie par $y = \frac{4}{x^2 + 4}$.

18. Quelle doit être la longueur de la base d'un trapèze dont les trois autres côtés mesurent respectivement a mètre(s) si l'on veut que l'aire de ce trapèze soit maximale?

19. Quelles sont les dimensions du rectangle d'aire maximale inscrit:

a) à l'intérieur d'un cercle de rayon r;

b) à l'intérieur d'un demi-cercle de rayon r;

c) à l'intérieur d'un triangle rectangle de base b et de hauteur h;

d) à l'intérieur de l'ellipse définie par $\frac{x^2}{a^2} + \frac{y^2}{b^2} = 1$.

7

20. a) Quelle doit être la relation entre la hauteur et le rayon d'un cylindre circulaire droit, fermé aux extrémités et de volume V pour que sa fabrication nécessite le moins de matériau possible?

Dominique Parent

b) Déterminer si les dimensions d'une cannette de boisson gazeuse de 355 ml vérifient la relation établie en a). Sinon, quelles devraient être les dimensions de la cannette?

21. Quelles sont les dimensions et le volume du cône circulaire droit de volume maximal inscrit dans une sphère de rayon r?

22. Le périmètre d'un secteur de cercle est P. Déterminer le rayon et l'angle, en radians, du secteur d'aire maximale.

23. On veut couper, s'il y a lieu, une corde de longueur égale à L cm en deux parties. La première partie servira à former un carré et la seconde, un triangle équilatéral. Déterminer la longueur des côtés du carré et du triangle de façon que la somme des aires des figures obtenues soit minimale; maximale.

24. Déterminer la valeur de x qui minimise $d_1 + d_2$, où d_1 est la distance entre les points $A(0, a)$ et $P(x, 0)$ et d_2 est la distance entre les points $P(x, 0)$ et $B(c, b)$, si $a > 0$, $b > 0$ et $c > 0$.

25. Soit la droite L définie par $Ax + By + C = 0$.

Démontrer que la distance d minimale entre un point $P(x_0, y_0)$ et la droite L est donnée par

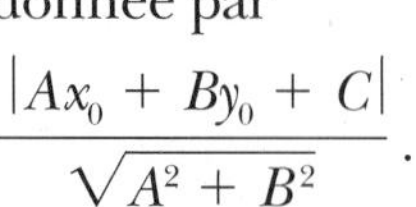

$$\frac{|Ax_0 + By_0 + C|}{\sqrt{A^2 + B^2}}.$$

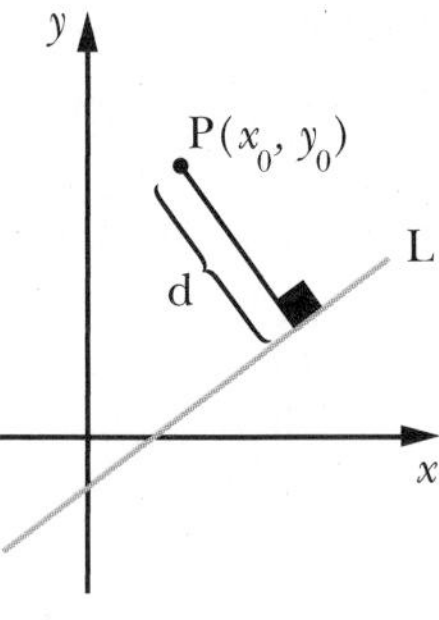

26. Soit le parallélépipède droit suivant.

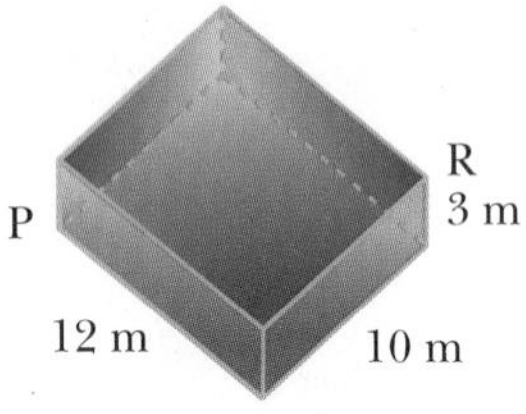

On veut relier par un fil les points R et P en se déplaçant sur les faces du parallélépipède. Déterminer la longueur minimale du fil

a) en utilisant le calcul différentiel;

b) sans utiliser le calcul différentiel.

27. Déterminer, sans utiliser le calcul différentiel, les dimensions du triangle d'aire maximale inscrit dans un cercle de rayon r. Expliquer la réponse obtenue.

28. a) Soit $f(x) = \dfrac{x^2}{3}$, $g(x) = \dfrac{x^2}{15}$ et $h(x) = \dfrac{x^2}{k}$.

i) Déterminer le point P de la courbe de f le plus près de R(0, 5).

ii) Déterminer le point Q de la courbe de g le plus près de R(0, 5).

iii) Déterminer la valeur minimale de k telle que le point de la courbe de h le plus près du point R(0, 5) soit le point O(0, 0).

b) Soit $H(x) = \dfrac{x^2}{a}$ et $S(0, b)$.

Déterminer, selon les valeurs de a et de b, le point T de la courbe de H le plus près du point $S(0, b)$.

CHAPITRE

8 Dérivée des fonctions exponentielles et logarithmiques

Dominique Parent

Introduction

Dans le présent chapitre, nous donnerons quelques applications des fonctions exponentielles et logarithmiques, et nous apprendrons à en calculer la dérivée. Soulignons que la démonstration de la dérivée des fonctions a^x et e^x ne sera pas rigoureuse et fera appel à l'intuition. Il en sera de même de la méthode employée pour déterminer la valeur approximative du nombre e.

Après avoir acquis les notions de dérivées de a^x et de e^x, l'élève pourra calculer les dérivées des fonctions $\ln x$ et $\log_a x$. De plus, l'élève pourra analyser certaines fonctions contenant des fonctions exponentielles et logarithmiques, et résoudre des problèmes d'optimisation.

En particulier, l'élève pourra résoudre, à la fin de ce chapitre, le problème de chimie suivant :

Dans certaines conditions, l'acide oxalique peut se décomposer en acide formique et en dioxyde de carbone :

$$\text{HOOC–COOH} \rightarrow \text{HCOOH} + \text{CO}_2$$

En consultant le graphique ci-contre, qui représente la concentration de l'acide oxalique en fonction du temps, l'élève sera en mesure de déterminer l'équation de cette courbe et de calculer des vitesses moyennes sur des intervalles de temps ainsi que la vitesse instantanée à un temps donné.

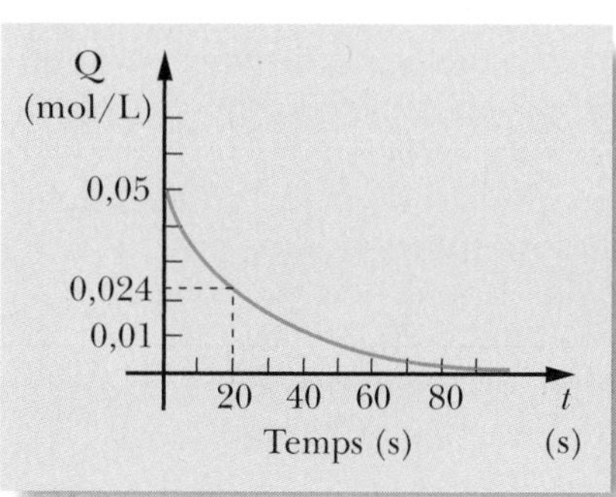

(*Voir* l'exercice récapitulatif n° 20, page 353.)

Perspective historique

LA FONCTION LOGARITHMIQUE

Manipuler de longues listes de nombres a souvent des conséquences surprenantes. Ainsi en est-il des tables de demi-cordes (sinus). Les astronomes indiens du milieu du premier millénaire devaient apprendre ces tables par cœur. Par la force des choses, ils développèrent des moyens mnémotechniques. L'un de ces moyens mena à l'invention du zéro. Par ailleurs, la recherche d'une précision de plus en plus grande dans ces tables porta les astronomes européens des XVIe et XVIIe siècles à vouloir réduire le plus possible la longueur des calculs à faire. L'une des avenues possibles consistait à s'arranger pour remplacer les multiplications ou les divisions par des additions ou des soustractions. Dans ce dessein, certains utilisèrent la formule

$$2 \sin \alpha \sin \beta = \cos(\alpha - \beta) - \cos(\alpha + \beta)$$

qui, effectivement, permet d'effectuer un produit en utilisant une table de cosinus, une addition et deux soustractions. Une autre approche avait aussi été signalée par Nicolas Chuquet (1445-1500) et Michel Stifel (1487-1567) lorsque tous les deux remarquèrent, en examinant la table des puissances successives de deux, qu'au produit de deux puissances de deux correspond l'addition des exposants. Mais, pratiquement, cela ne donnait pas grand-chose puisqu'on était restreint, à cause de la notation exponentielle encore insuffisante, aux produits des puissances entières de deux. En 1614, l'Écossais John Napier (1550-1617) publie le fruit de 20 ans d'efforts. Il s'agit d'une table de sinus qui contient une colonne supplémentaire associant un nombre à chaque sinus, nombre qui permet justement de calculer des rapports de sinus en les ramenant à des différences. Napier appelle ce nombre *logarithme*. Pour calculer ses logarithmes, il a comparé le mouvement de deux points, l'un parcourant une droite infinie à vitesse constante (c'est le logarithme) et l'autre (le nombre dont on cherche le logarithme) parcourant un segment de droite de longueur 10 000 000 à une vitesse variable, proportionnelle à la distance le séparant de l'extrémité du segment vers lequel il se déplace. Étaient mises ainsi en relation une progression arithmétique et une progression géométrique. Ces logarithmes ne sont toutefois pas encore les nôtres puisque Napier ne perçoit pas encore explicitement la base mise en action. On peut s'en rendre compte en remarquant que, pour lui, le logarithme de 1 est 10 000 000 plutôt que 0.

La table des logarithmes de Napier, puis celles, nombreuses et indépendantes du sinus, de plusieurs autres mathématiciens et astronomes du XVIIe siècle, réduisirent grandement les calculs. Pierre-Simon de Laplace (1749-1827), l'un des grands théoriciens de l'astronomie, affirma même, de façon imagée, que l'invention des logarithmes avait doublé de fait la vie des astronomes.

Il est à noter que la table de Napier popularisa une autre innovation importante, la fraction décimale et l'utilisation du point pour séparer la partie entière de la partie fractionnaire. Plusieurs mathématiciens et ingénieurs avaient auparavant promu sans grand succès l'usage de ces nombres. Toutefois, les tables de logarithmes de Napier et de ses successeurs étant écrites avec des nombres décimaux et les logarithmes marquant eux-mêmes un grand progrès dans les techniques de calcul, les astronomes, puis les calculateurs, adoptèrent à partir de ce moment les nombres décimaux.

Il faudra attendre 1742, plus d'un siècle après Napier, pour que les logarithmes soient présentés comme nous le faisons aujourd'hui, c'est-à-dire en tant qu'inverse de l'exponentiation à une base donnée. Pour arriver là, il fallait d'abord que la notation exponentielle avec des exposants fractionnels et irrationnels prenne un sens.

Les logarithmes ont pris naissance dans le giron des fonctions trigonométriques. Ils s'en sont par la suite détachés. Mais pas pour longtemps. Leonhard Euler (1707-1783) connaissait bien une propriété fondamentale de la fonction exponentielle, en l'occurrence que si $y = e^{ax}$, alors la dérivée première de cette fonction est a fois cette fonction, c'est-à-dire $\frac{dy}{dx} = ay$. Il savait de plus que la fonction sinus satisfaisait une propriété un peu similaire, à savoir que $\frac{d^2y}{dx^2} = -y$. En cherchant à déterminer toutes les fonctions satisfaisant certaines propriétés différentielles plus complexes (ce que nous appelons aujourd'hui une équation différentielle), il fut amené à établir en 1739 une relation remarquable qui associe l'exponentielle et les fonctions trigonométriques :

$$e^{\pm ix} = \cos(x) \pm i \sin(x),$$

où i est $\sqrt{-1}$, e, la constante d'Euler, et x, un nombre réel. Par le biais de cette formule, $\sqrt{-1}$ et, plus généralement, les nombres complexes, prirent rapidement une importance nouvelle en mathématiques.

Test préliminaire

Partie A

1. Soit $f(x) = x^4$ et $g(x) = 4^x$. Évaluer:

a) $f(0)$ et $g(0)$;

b) $f(1)$ et $g(1)$;

c) $f(2)$ et $g(2)$;

d) $f(5)$ et $g(5)$;

e) $f(-1)$ et $g(-1)$;

f) $f\left(\frac{1}{2}\right)$ et $g\left(\frac{1}{2}\right)$;

g) $f\left(\frac{-1}{2}\right)$ et $g\left(\frac{-1}{2}\right)$;

h) $f(-5)$ et $g(-5)$.

2. Soit $a \in \mathbb{R}^+$ et $b \in \mathbb{R}^+$. Compléter les expressions suivantes.

a) $a^x a^y =$ ....

b) $\frac{a^x}{a^y} =$ ....

c) $(a^x)^y =$ ....

d) $(ab)^x =$ ....

e) $\left(\frac{a}{b}\right)^x =$ ....

f) $a^0 =$ ....

g) $a^{-x} =$ ....

h) $a^x = a^y \Leftrightarrow$ ....

3. Déterminer la valeur de x dans les égalités suivantes.

a) $5^3 \times 5^6 = 5^x$

b) $\frac{6^4}{6^7} = 6^x$

c) $(8^x)^3 = 8^{15}$

d) $\left(\frac{5}{7}\right)^x = 1$

e) $(5^3)^2 = 5^x$

f) $9^4 = 3^x$

g) $3^4 \times 3^x = 3^9$

h) $7^3 = \frac{1}{7^x}$

i) $\frac{2^5}{2^x} = \frac{1}{2^4}$

j) $10^{2-x} = 100$

k) $2 \times 3^{2x} = 6$

l) $(3^x \times 3^{-5})^2 = 1$

m) $4^{x+1} \times 4^{x-1} = 16$

n) $(5^{x-1})^{x+1} = 5^{15}$

Partie B

1. Soit la fonction $y = f(x)$.
Compléter la définition suivante.

$f'(x) = \lim\limits_{h \to 0}$ ....

2. Compléter la définition suivante.

Si $y = f(u)$ et $u = g(x)$, alors $\frac{dy}{dx} =$ ....

3. Compléter les égalités.

a) $(x^a)' =$ ...., où $a \in \mathbb{R}$

b) $(uv)' =$ ...., où $u = f(x)$ et $v = g(x)$

c) $\left(\frac{u}{v}\right)' =$ ...., où $u = f(x)$ et $v = g(x)$

d) $[g(f(x))]' =$ ....

4. Compléter les énoncés suivants.

a) Si $\lim\limits_{x \to a^+} f(x) = -\infty$, alors la droite d'équation .... est une asymptote ....

b) Si $\lim\limits_{x \to +\infty} f(x) = b$, alors la droite d'équation .... est une asymptote ....

8

8.1 Fonctions exponentielles et logarithmiques

Objectif d'apprentissage

À la fin de cette section, l'élève pourra déterminer le domaine et l'image de fonctions exponentielles et logarithmiques, et il pourra les représenter graphiquement.

Plus précisément, l'élève sera en mesure :

- de déterminer le domaine et l'image de fonctions exponentielles ;
- de représenter graphiquement des fonctions exponentielles ;
- d'utiliser la fonction exponentielle pour résoudre certains problèmes ;
- de donner la définition de logarithme ;
- d'utiliser certaines propriétés des logarithmes ;
- de déterminer le domaine et l'image de fonctions logarithmiques ;
- de représenter graphiquement des fonctions logarithmiques ;
- d'utiliser la fonction logarithme pour résoudre certains problèmes.

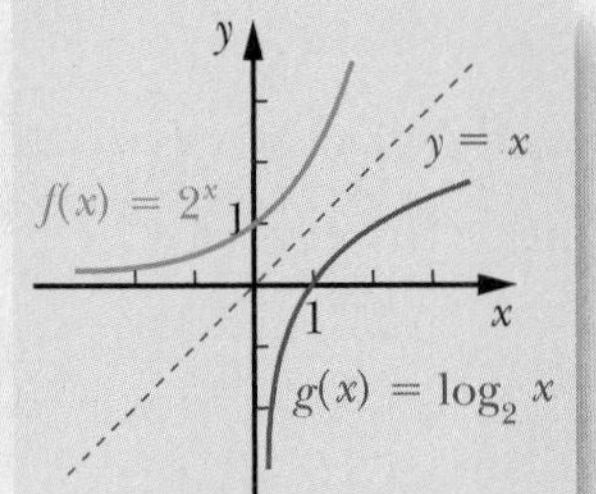

Voici un conte très ancien qui illustre un phénomène de type exponentiel.

Un jour, le roi hindou Shiram décida d'exaucer le vœu, quel qu'il soit, du grand vizir Sissa Ben Dahir, pour le récompenser d'avoir inventé le jeu d'échecs. Un échiquier ayant 64 cases, Sissa fit la demande suivante au roi : « Majesté, donnez-moi 1 grain de blé à placer sur la première case, 2 grains sur la deuxième case, 4 grains sur la troisième, 8 grains sur la quatrième, 16 grains sur la cinquième, et ainsi de suite de façon à couvrir les 64 cases de l'échiquier selon le même principe. » Le roi, étonné, s'exclama : « Est-ce là tout ce que vous désirez, Sissa, sot que vous êtes ? » « Oh ! mon roi, répliqua Sissa, je vous ai demandé plus de grains de blé que vous n'en possédez dans tout votre royaume, que dis-je, plus de grains de blé qu'il n'y en a dans le monde entier ! »

Dominique Parent

Fonctions exponentielles

Définition 8.1 Une **fonction exponentielle** de base a, où $a \in \,]0, +\infty$ et $a \neq 1$, exprimée sous sa forme la plus simple, est une fonction de la forme :

$$f(x) = a^x, \text{ où } x \in \mathbb{R}.$$

Dans ce type de fonction, la variable indépendante apparaît en exposant et la base a est une constante positive différente de 1.

Exemple 1

a) $f(x) = (3{,}7)^x$ est une fonction exponentielle de base 3,7.

b) $g(x) = (0{,}25)^x$ est une fonction exponentielle de base 0,25.

c) $h(x) = (-5)^x$ n'est pas une fonction exponentielle, car $(-5) < 0$.

d) $k(x) = x^3$ n'est pas une fonction exponentielle, car la variable indépendante n'apparaît pas en exposant.

Exemple 2 Déterminons le domaine et l'image des fonctions exponentielles suivantes, et esquissons leurs graphiques.

$$f(x) = 2^x \qquad\qquad g(x) = \left(\frac{1}{3}\right)^x$$

Calculons d'abord certaines valeurs de f et de g lorsque $x < 0$ et lorsque $x \geq 0$.

$x < 0$

x	2^x
-1	0,5
-2	0,25
-10	0,000 976...
-30	$9{,}31... \times 10^{-10}$
-100	$7{,}88... \times 10^{-31}$
⋮	⋮
↓	↓
$-\infty$	0

$x \geq 0$

x	2^x
0	1
1	2
10	1 024
30	$1{,}07... \times 10^{9}$
100	$1{,}26... \times 10^{30}$
⋮	⋮
↓	↓
$+\infty$	$+\infty$

$x < 0$

x	$\left(\frac{1}{3}\right)^x$
-1	3
-2	9
-10	59 049
-30	$2{,}05... \times 10^{14}$
-100	$5{,}15... \times 10^{47}$
⋮	⋮
↓	↓
$-\infty$	$+\infty$

$x \geq 0$

x	$\left(\frac{1}{3}\right)^x$
0	1
1	$0{,}\overline{3}$
10	0,000 016...
30	$4{,}85... \times 10^{-15}$
100	$1{,}94... \times 10^{-48}$
⋮	⋮
↓	↓
$+\infty$	0

Ainsi, il semble que

$$\lim_{x \to -\infty} 2^x = 0 \qquad \lim_{x \to +\infty} 2^x = +\infty$$

Donc, la droite d'équation $y = 0$ est une asymptote horizontale lorsque $x \to -\infty$.

Esquisse du graphique de la fonction f

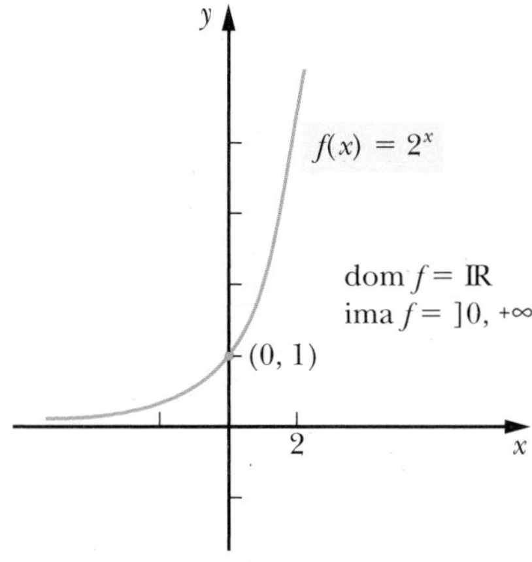

Ainsi, il semble que

$$\lim_{x \to -\infty} \left(\frac{1}{3}\right)^x = +\infty \qquad \lim_{x \to +\infty} \left(\frac{1}{3}\right)^x = 0$$

Donc, la droite d'équation $y = 0$ est une asymptote horizontale lorsque $x \to +\infty$.

Esquisse du graphique de la fonction g

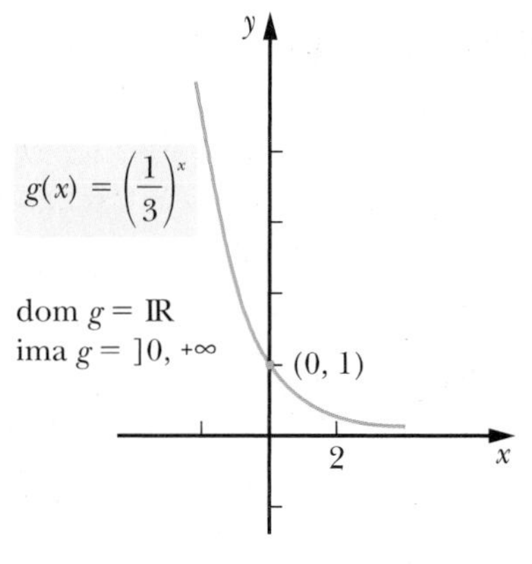

De façon générale, la représentation graphique d'une fonction exponentielle définie par $y = a^x$ dépend de la valeur de la base a, selon que $0 < a < 1$ ou que $a > 1$.

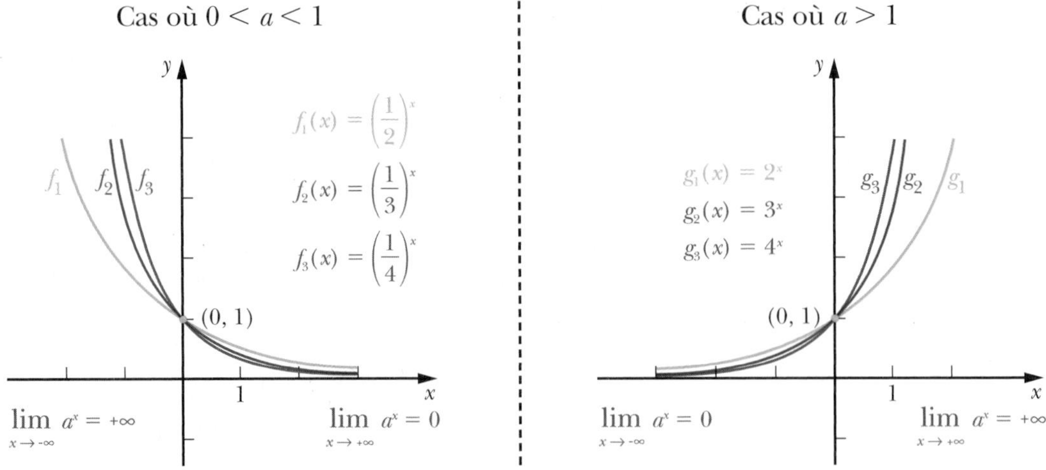

Dans tous les cas, pour les fonctions de la forme $f(x) = a^x$, où $a \in \,]0, +\infty$ et $a \neq 1$, nous avons $\text{dom } f = \mathbb{R}$ et $\text{ima } f = \,]0, +\infty$.

De plus, la droite d'équation $y = 0$ est toujours une asymptote horizontale.

Plusieurs phénomènes, par exemple la croissance et la décroissance d'une population, la décomposition d'un élément radioactif, la croissance d'un investissement, l'effet d'un pesticide sur une population, peuvent s'exprimer à l'aide d'une fonction exponentielle de la forme Q_0a^{kx}, où x est la variable indépendante et Q_0, a et k sont des constantes.

Exemple 3 Supposons que pendant douze heures, le nombre de bactéries d'une culture effectuée en laboratoire double toutes les trois heures, et que la population initiale de cette culture est de 5 000 bactéries.

a) Déterminons la fonction P, qui nous permettra d'évaluer le nombre de bactéries en fonction du temps t, exprimé en heures, à l'aide de quelques exemples de calculs.

Si $t = 0$, alors $P(0) = 5\,000$.

Si $t = 3$, alors $P(3) = 5\,000 \times 2$.

Si $t = 6$, alors $P(6) = (5\,000 \times 2) \times 2 = 5\,000 \times 2^2$.

Si $t = 9$, alors $P(9) = (5\,000 \times 2^2) \times 2 = 5\,000 \times 2^3$.

Si $t = 12$, alors $P(12) = (5\,000 \times 2^3) \times 2 = 5\,000 \times 2^4$.

Nous constatons que la population initiale est toujours multipliée par 2, affecté d'un exposant égal au temps t divisé par 3, où trois heures est le temps nécessaire pour que la population de bactéries double.

Ainsi, $P(t) = 5\,000 \times 2^{\frac{t}{3}}$, où t est exprimé en heures et $P(t)$ est le nombre de bactéries.

b) Évaluons la population de bactéries après 1 heure, 5 heures, 10 heures.

$P(1) = 5\,000 \times 2^{\frac{1}{3}} \approx 6\,300$ bactéries

$P(5) = 5\,000 \times 2^{\frac{5}{3}} \approx 15\,874$ bactéries

$P(10) = 5\,000 \times 2^{\frac{10}{3}} \approx 50\,396$ bactéries

c) Représentons graphiquement la courbe de P, où $t \in$ [0 h, 12 h] et utilisons le graphique pour estimer le temps nécessaire pour que la population soit de 60 000 bactéries.

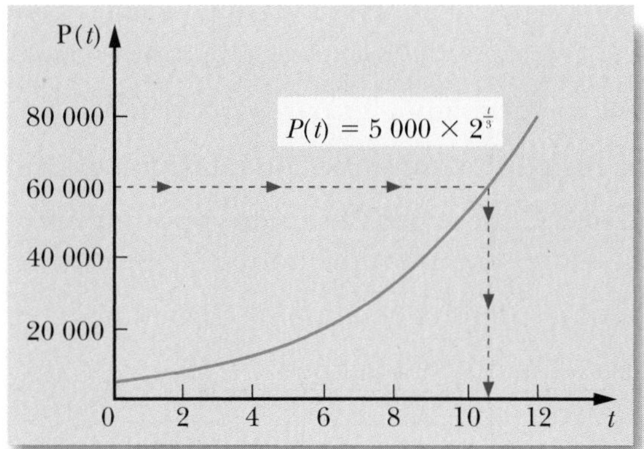

Donc, le temps nécessaire pour avoir une population de 60 000 bactéries est d'environ 10,7 heures.

Dans l'exemple 9, à la page 328, nous verrons une méthode pour résoudre algébriquement l'équation $5\,000 \times 2^{\frac{t}{3}} = 60\,000$.

Exemple 4 Sachant que la demi-vie du radium est de 1600 ans, la demi-vie étant le temps nécessaire pour qu'une quantité donnée (masse, concentration, etc.) diminue de moitié :

a) Déterminons la fonction Q qui nous permettra d'évaluer la masse du radium en fonction du temps t, exprimé en années, si la masse initiale d'une quantité de radium est de R_0 grammes.

Si $t = 0$, alors $Q(0) = R_0$.

Si $t = 1\,600$, alors $Q(1\,600) = R_0 \times \dfrac{1}{2}$.

Si $t = 3\,200$, alors $Q(3\,200) = \left(R_0 \times \dfrac{1}{2}\right)\dfrac{1}{2} = R_0\left(\dfrac{1}{2}\right)^2$.

Si $t = 4\,800$, alors $Q(4\,800) = \left(R_0\left(\dfrac{1}{2}\right)^2\right)\dfrac{1}{2} = R_0\left(\dfrac{1}{2}\right)^3$.

Nous constatons que la quantité initiale R_0 est toujours multipliée par $\dfrac{1}{2}$, affecté d'un exposant égal au temps t divisé par 1 600, où 1 600 ans est le temps nécessaire pour que la quantité de radium diminue de moitié.

Ainsi, $Q(t) = R_0\left(\dfrac{1}{2}\right)^{\frac{t}{1\,600}}$.

b) Déterminons, en fonction de R_0, la quantité de radium après 15 000 ans.

$$Q(15\,000) = R_0\left(\frac{1}{2}\right)^{\frac{15\,000}{1\,600}} \approx 0{,}001\,5\,R_0$$

Il reste donc environ 0,15 % de la quantité initiale R_0, ce qui signifie que 99,85 % de la quantité initiale s'est désintégrée.

8

En général, lorsque le facteur de croissance ou de décroissance d'une quantité donnée est constant, nous pouvons exprimer cette quantité en fonction du temps, à l'aide d'une fonction exponentielle de la forme suivante.

$$Q(t) = Q_0 a^{kt}, \text{ où}$$

Q_0 est la quantité initiale;

a est le facteur de croissance ou de décroissance;

k est l'inverse du temps nécessaire pour qu'une quantité augmente ou diminue du facteur a, par exemple double, triple, diminue de moitié, etc.;

t est la variable indépendante représentant le temps;

$Q(t)$ est la quantité au temps t.

Représentation graphique, où $a > 1$

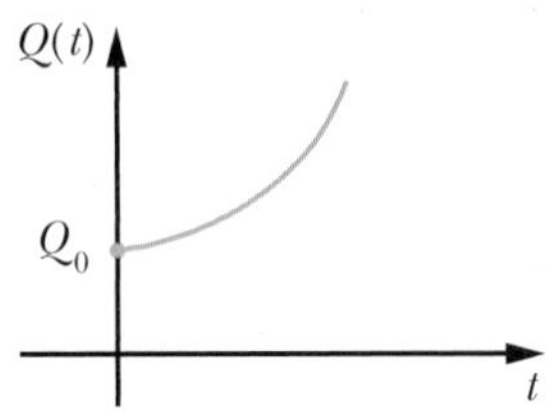

Représentation graphique, où $0 < a < 1$

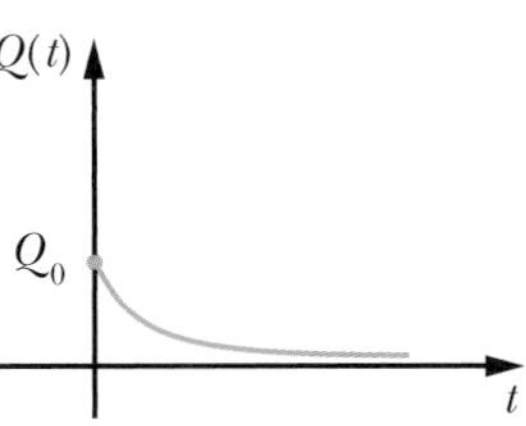

En particulier, pour des investissements financiers nous utilisons la formule d'intérêts composés suivante.

$$A(t) = A_0\left(1 + \frac{j}{n}\right)^{nt}, \text{ où}$$

A_0 est le capital initial;

j est le taux d'intérêt nominal, c'est-à-dire le taux d'intérêt annuel capitalisé une ou plusieurs fois par année;

n est le nombre de capitalisations par année;

t est le nombre d'années;

$A(t)$ est le capital au temps t.

8

ADMINISTRATION

Exemple 5 Soit un capital initial de 2 500 \$.

Calculons le capital après dix ans si

a) i) le taux nominal est de 4 % capitalisé semestriellement.

$$A_1(10) = 2\,500\left(1 + \frac{0{,}04}{2}\right)^{2 \times 10}$$

$$\approx 3\,714{,}87 \text{ \$}$$

ii) le taux nominal est de 4 % capitalisé mensuellement.

$$A_2(10) = 2\,500\left(1 + \frac{0{,}04}{12}\right)^{12 \times 10}$$

$$\approx 3\,727{,}08 \text{ \$}$$

b) i) le taux nominal est de 4,28 % capitalisé hebdomadairement.

$$A_3(10) = 2\,500\left(1 + \frac{0{,}042\,8}{52}\right)^{52 \times 10} \approx 3\,834{,}79\ \$$$

ii) le taux nominal est de 4,3 % capitalisé trimestriellement.

$$A_4(10) = 2\,500\left(1 + \frac{0{,}043}{4}\right)^{4 \times 10} \approx 3\,834{,}33\ \$$$

Fonctions logarithmiques

Il y a environ 400 ans...

Le mot latin *logarithmus* a été inventé par John Napier (1550-1617). Il apparaît dans son ouvrage de 1614 dans lequel il introduit cet outil de calcul. Le terme dérive des mots grecs *arithmos*, nombre, et *logos*, rapport. Il sera francisé en 1628 dans la traduction française du second livre, posthume, de Napier, publié en 1619.

Définition 8.2 Le **logarithme** en base a de K, noté $\log_a K$, où $a \in \left]0, +\infty\right.$ et $a \neq 1$, est défini par l'équivalence suivante :

$$\log_a K = M \Leftrightarrow a^M = K$$

En d'autres termes, le logarithme est égal à l'exposant qu'il faut donner à la base a pour obtenir K.

Exemple 1 Déterminons la valeur de x dans les équations suivantes.

a) $\log_2 8 = x$

$\log_2 8 = x \Leftrightarrow 2^x = 8$, d'où $x = 3$, car $2^3 = 8$.

b) $\log_x 25 = 2$

$\log_x 25 = 2 \Leftrightarrow x^2 = 25$, d'où $x = 5$, car $5^2 = 25$.

c) $\log_{27} x = \dfrac{4}{3}$

$\log_{27} x = \dfrac{4}{3} \Leftrightarrow 27^{\frac{4}{3}} = x$, d'où $x = 81$, car $27^{\frac{4}{3}} = (27^{\frac{1}{3}})^4 = 3^4 = 81$.

d) $\log_{10}\left(\dfrac{1}{100}\right) = x$

$\log_{10}\left(\dfrac{1}{100}\right) = x \Leftrightarrow 10^x = \dfrac{1}{100}$, d'où $x = -2$, car $10^{-2} = \dfrac{1}{100}$.

Remarque Les bases les plus fréquemment utilisées sont « 10 » et « e ». Nous notons respectivement log et ln, les logarithmes dans ces bases, et nous les retrouvons sur les touches des calculatrices.

Ainsi, par la définition 8.2, nous avons

$\log M = K \Leftrightarrow 10^k = M$ (car $\log M = \log_{10} M$)

$\ln M = K \Leftrightarrow e^k = M$ (car $\ln M = \log_e M$)

Exemple 2 Déterminons, à l'aide d'une calculatrice, la valeur de x dans les équations suivantes.

a) $10^x = 500$
$10^x = 500 \Leftrightarrow x = \log 500$
$x = 2{,}698\,9\ldots$

b) $\log x = -0{,}57$
$\log x = -0{,}57 \Leftrightarrow x = 10^{-0{,}57}$
$x = 0{,}269\,1\ldots$

c) $e^x = 2$
$e^x = 2 \Leftrightarrow x = \ln 2$
$x = 0{,}693\,1\ldots$

d) $\ln x = \sqrt{2}$
$\ln x = \sqrt{2} \Leftrightarrow x = e^{\sqrt{2}}$
$x = 4{,}113\,2\ldots$

Nous donnons ici, sans démonstration, certaines propriétés des logarithmes, dans le cas où chaque expression est définie.

1. $\log_a (MN) = \log_a M + \log_a N$
2. $\log_a \left(\dfrac{M}{N}\right) = \log_a M - \log_a N$
3. $\log_a (M^k) = k \log_a M$
4. $\log_a 1 = 0$
5. $\log_a a = 1$
6. $\log_a M = \dfrac{\log_b M}{\log_b a}$ (changement de base)

Exemple 3 Soit $\log_a 2 \approx 0{,}631$, $\log_a 7 \approx 1{,}771$ et $\log_a 12 \approx 2{,}262$.

Évaluons approximativement les expressions suivantes à l'aide des propriétés énumérées précédemment.

a) $\log_a 14$

$$\begin{aligned}\log_a 14 &= \log_a (2 \times 7)\\ &= \log_a 2 + \log_a 7\\ &\approx 0{,}631 + 1{,}771\\ &\approx 2{,}402\end{aligned}$$

b) $\log_a 6$

$$\begin{aligned}\log_a 6 &= \log_a \left(\frac{12}{2}\right)\\ &= \log_a 12 - \log_a 2\\ &\approx 2{,}262 - 0{,}631\\ &\approx 1{,}631\end{aligned}$$

c) $\log_a 8$

$$\begin{aligned}\log_a 8 &= \log_a 2^3\\ &= 3 \times \log_a 2\\ &\approx 3 \times 0{,}631\\ &\approx 1{,}893\end{aligned}$$

d) $\log_2 7$

$$\begin{aligned}\log_2 7 &= \frac{\log_a 7}{\log_a 2}\\ &\approx \frac{1{,}771}{0{,}631}\\ &\approx 2{,}807\end{aligned}$$

e) $\log_a \left(\dfrac{1}{2}\right)$, de deux façons différentes.

Façon 1:

$$\begin{aligned}\log_a \left(\frac{1}{2}\right) &= \log_a 1 - \log_a 2\\ &\approx 0 - 0{,}631\\ &\approx -0{,}631\end{aligned}$$

Façon 2:

$$\begin{aligned}\log_a \left(\frac{1}{2}\right) &= \log_a (2^{-1})\\ &= -1 \times \log_a 2\\ &\approx -0{,}631\end{aligned}$$

Il y a environ 200 ans...

akg-images

G.T. Fechner
1801-1887

Dans la seconde moitié du XIXe siècle, la fonction logarithmique prit une importance nouvelle du fait des études expérimentales des psychologues E.H. Weber (1795-1878) et, surtout, **G.T. Fechner** (1801-1887). Ces derniers s'intéressèrent à la relation qui existe entre l'intensité d'un stimulus et l'intensité de la sensation correspondante. Ils constatèrent que la sensation est une fonction logarithmique du stimulus. Les décibels forment une échelle logarithmique de mesure de l'intensité sensorielle des sons. L'amplitude d'un tremblement de terre est également mesuré à l'aide d'une échelle logarithmique.

Exemple 4 L'amplitude R d'un tremblement de terre, mesurée à l'aide de l'échelle de Richter, est donnée par $R = \log\left(\frac{I}{I_0}\right)$, où I_0 est une valeur standard de comparaison et I est l'intensité mesurée du tremblement de terre.

Par exemple, si $R = 3$ sur l'échelle de Richter

alors, $3 = \log\left(\frac{I}{I_0}\right)$.

Soit $\frac{I}{I_0} = 10^3$

$= 1\ 000$

D'où $I = 1\ 000\ I_0$.

Ce résultat signifie que l'intensité de ce tremblement de terre est 1 000 fois plus forte que la valeur standard de comparaison. Si $R = 4$, on obtient $I = 10\ 000\ I_0$, c'est-à-dire que l'intensité est ici 10 fois plus forte que pour $R = 3$.

Basé sur des mesures relevées lors de tremblements de terre, le tableau suivant présente les dommages qui correspondent à différentes valeurs de R.

Valeur de R	Dommages correspondants
2	Dommages imperceptibles
4,5	Légers dégâts à l'intérieur d'une zone donnée
6,0	Effondrement possible d'édifices
8,0	Dégâts considérables
8,7	Maximum enregistré

8

CHIMIE

Exemple 5 Les concentrations des ions hydronium et des ions hydroxyde dans les solutions aqueuses sont très faibles et s'expriment généralement par des puissances négatives de 10. Par conséquent, les chimistes, à l'instigation en 1909 du Danois Søren Sørensen (1868-1939), préfèrent utiliser la fonction pH définie par exemple par

$$\text{pH} = -\log[H_3O^+].$$

a) Calculons le pH si $[H_3O^+] = 5 \times 10^{-2}$ mol/L.

$$\begin{aligned}\text{pH} &= -\log[H_3O^+]\\ &= -\log(5 \times 10^{-2})\\ &\approx 1{,}3\end{aligned}$$

b) Calculons $[H_3O^+]$ d'une solution dont le pH est égal à 9,56.

$$\begin{aligned}9{,}56 &= -\log[H_3O^+]\\ [H_3O^+] &= 10^{-9{,}56}\\ &\approx 2{,}8 \times 10^{-10} \text{ mol/L}\end{aligned}$$

Exemple 6 Déterminons le domaine et l'image des fonctions logarithmiques suivantes, et esquissons leurs graphiques.

$f(x) = \log_2 x$ | $g(x) = \log_{\frac{1}{3}} x$

Calculons d'abord certaines valeurs de f et de g à l'aide des tableaux de valeurs suivants, après avoir écrit la fonction logarithmique sous la forme exponentielle :

$y = \log_2 x \Leftrightarrow 2^y = x$ (définition 8.2) | $y = \log_{\frac{1}{3}} x \Leftrightarrow \left(\frac{1}{3}\right)^y = x$ (définition 8.2)

Donnons à y certaines valeurs, puis calculons les valeurs de x correspondantes.

$y < 0$

y	x
-1	0,5
-2	0,25
-10	0,000 976...
-30	$9{,}31... \times 10^{-10}$
-100	$7{,}88... \times 10^{-31}$
⋮	⋮
↓	↓
$-\infty$	0

$y \geq 0$

y	x
0	1
1	2
10	1 024
30	$1{,}07... \times 10^{9}$
100	$1{,}26... \times 10^{30}$
⋮	⋮
↓	↓
$+\infty$	$+\infty$

Ainsi, il semble que

$$\lim_{x \to 0^+} \log_2 x = -\infty \qquad \lim_{x \to +\infty} \log_2 x = +\infty$$

Donc, la droite d'équation $x = 0$ est une asymptote verticale.

$y < 0$

y	x
-1	3
-2	9
-10	59 049
-30	$2{,}05... \times 10^{14}$
-100	$5{,}15... \times 10^{47}$
⋮	⋮
↓	↓
$-\infty$	$+\infty$

$y \geq 0$

y	x
0	1
1	$0{,}\overline{3}$
10	0,000 016...
30	$4{,}85... \times 10^{-15}$
100	$1{,}94... \times 10^{-48}$
⋮	⋮
↓	↓
$+\infty$	0

Ainsi, il semble que

$$\lim_{x \to +\infty} \log_{\frac{1}{3}} x = -\infty \qquad \lim_{x \to 0^+} \log_{\frac{1}{3}} x = +\infty$$

Donc, la droite d'équation $x = 0$ est une asymptote verticale.

Esquisse du graphique de la fonction f

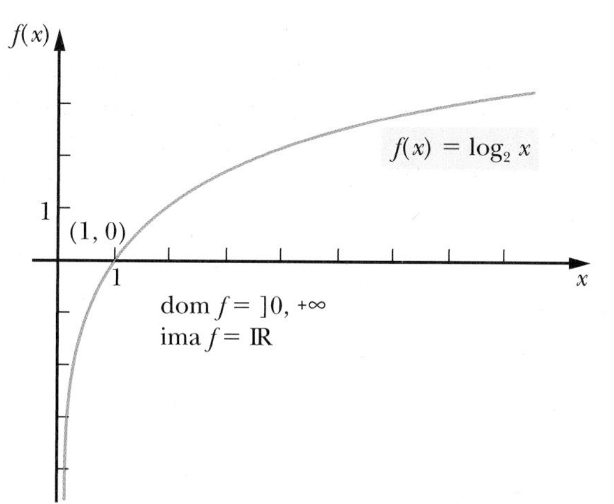

Esquisse du graphique de la fonction g

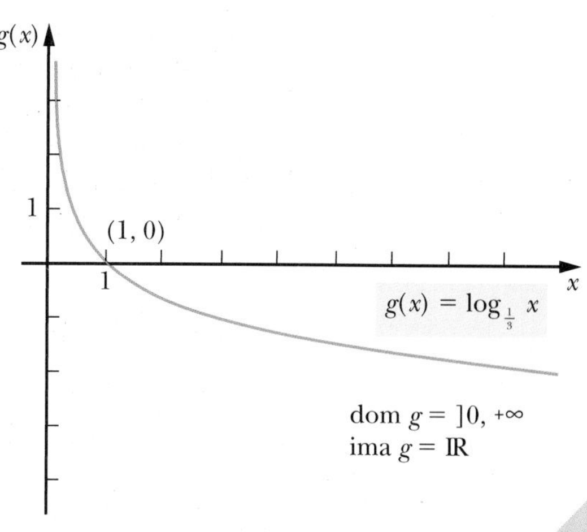

De façon générale, la représentation graphique d'une fonction logarithmique définie par $y = \log_a x$ dépend de la valeur de la base a, selon que $0 < a < 1$ ou que $a > 1$.

Cas où $0 < a < 1$

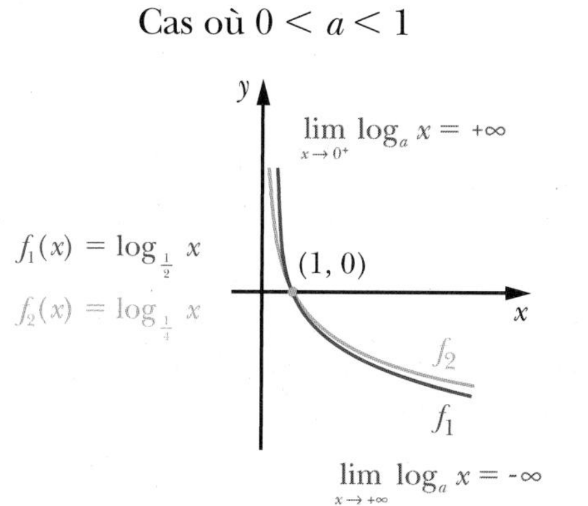

Cas où $a > 1$

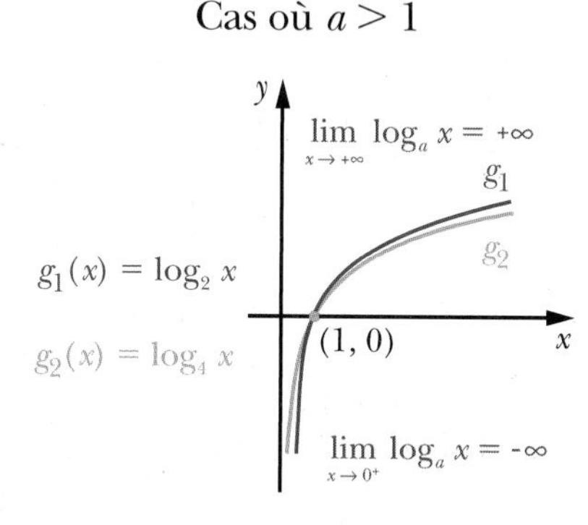

Dans tous les cas, pour les fonctions de la forme $f(x) = \log_a x$, où $a > 0$ et $a \neq 1$, nous avons $\text{dom } f =]0, +\infty$ et $\text{ima } f = \mathbb{R}$.

De plus, la droite d'équation $x = 0$ est toujours une asymptote verticale.

De façon générale, si $f(x) = \log_a g(x)$, alors $\text{dom } f = \{x \in \mathbb{R} \mid g(x) > 0\}$.

Remarque Les graphiques des fonctions réciproques $f(x) = 2^x$ et $g(x) = \log_2 x$ sont symétriques par rapport à la droite d'équation $y = x$.

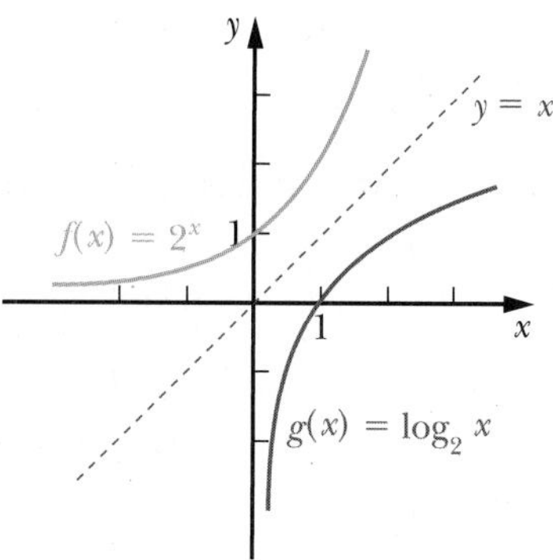

De façon générale, les fonctions $f(x) = a^x$ et $g(x) = \log_a x$, où $a > 0$ et $a \neq 1$, sont des fonctions réciproques dont les graphiques sont symétriques par rapport à la droite d'équation $y = x$.

Exemple 7 Déterminons le domaine des fonctions suivantes.

a) $f(x) = \log_2 (2 - 5x)$

Il faut que $(2 - 5x) > 0$, c'est-à-dire $x < \frac{2}{5}$.

D'où dom $f = \left]-\infty, \frac{2}{5}\right[$.

b) $g(x) = \log_a (9 - x^2)$

Il faut que $(9 - x^2) > 0$, c'est-à-dire $x \in \left]-3, 3\right[$.

D'où dom $g = \left]-3, 3\right[$.

Pour résoudre une équation où l'inconnue est en exposant, nous pouvons utiliser les propriétés des logarithmes.

Exemple 8 Résolvons les équations suivantes.

a) $3^x = 100$

$$3^x = 100 \Leftrightarrow x = \log_3 100 \qquad \text{(définition 8.2)}$$

$$x = \frac{\ln 100}{\ln 3} \qquad \text{(changement de base)}$$

$$x = 4{,}191\,8\ldots$$

b) $\left(\frac{1}{5}\right)^{2-3x} = 2$

$$\left(\frac{1}{5}\right)^{2-3x} = 2 \Leftrightarrow 2 - 3x = \log_{\frac{1}{5}} 2 \qquad \text{(définition 8.2)}$$

$$2 - 3x = \frac{\ln 2}{\ln \frac{1}{5}} \qquad \text{(changement de base)}$$

$$x = \frac{\left(2 - \frac{\ln 2}{\ln \frac{1}{5}}\right)}{3}$$

$$x = 0{,}810\,2\ldots$$

Exemple 9 La population P d'une culture de bactéries est donnée par $P(t) = 5\,000 \times 2^{\frac{t}{3}}$, où t est en heures. (*Voir* l'exemple 3, page 320.)

a) Exprimons t en fonction de P.

$$5\,000 \times 2^{\frac{t}{3}} = \mathrm{P}$$

$$2^{\frac{t}{3}} = \frac{P}{5\,000}$$

Ainsi, $\frac{t}{3} = \log_2\left(\frac{P}{5\,000}\right)$ (définition 8.2)

$$\frac{t}{3} = \frac{\ln\left(\frac{P}{5\,000}\right)}{\ln 2} \qquad \text{(changement de base)}$$

D'où $t = \dfrac{3 \ln\left(\frac{P}{5\,000}\right)}{\ln 2}$.

b) Déterminons le temps nécessaire pour que la population soit de 60 000 unités.

En remplaçant P par 60 000 dans l'équation précédente, nous obtenons

$$t = \frac{3 \ln\left(\frac{60\,000}{5\,000}\right)}{\ln 2} = 10{,}754\,8\ldots$$

D'où $t \approx 10{,}8$ heures.

ADMINISTRATION

Exemple 10 La valeur finale A d'un capital initial A_0, placé pendant un nombre d'années t à un taux d'intérêt i composé annuellement, est donnée par l'équation suivante: $A(t) = A_0(1 + i)^t$.

a) Calculons la valeur finale si nous plaçons un capital initial de 2 000 $ à 4,5 % pendant cinq ans.

$$A(5) = 2\,000(1 + 0{,}045)^5 = 2\,492{,}363\ldots$$

D'où $A \approx 2\,492{,}36$ $.

b) Déterminons le temps nécessaire pour qu'une somme de 2 000 $, placée à 5 %, double.

$$4\,000 = 2\,000(1 + 0{,}05)^t$$
$$2 = (1{,}05)^t$$
$$t = \log_{1{,}05} 2 \qquad \text{(définition 8.2)}$$
$$= \frac{\ln 2}{\ln 1{,}05} \qquad \text{(changement de base)}$$
$$= 14{,}206\ldots$$

D'où $t \approx 14{,}2$ ans.

c) Déterminons le temps nécessaire pour qu'une somme de A_0, placée à 5 %, quadruple.

$$4A_0 = A_0(1 + 0{,}05)^t$$
$$4 = (1{,}05)^t$$
$$\ln 4 = \ln (1{,}05)^t$$
$$\ln 4 = t \ln (1{,}05)$$
$$t = \frac{\ln 4}{\ln (1{,}05)}$$
$$\approx 28{,}413\ldots$$

D'où $t \approx 28{,}4$ ans.

8

Exercices 8.1

1. Isoler la variable x dans les égalités suivantes.

a) $m^x = s$

b) $\log_b x = p$

c) $y = 3^{4x+7}$

d) $y = 2 + \dfrac{\ln(3x-1)}{5}$

2. Sans utiliser une calculatrice, déterminer la valeur de x dans les équations suivantes.

a) $\log_x 25 = 2$

b) $\log_{144} 12 = x$

c) $\log_{0,01} x = \dfrac{1}{2}$

d) $2 \log_3 x = 4$

e) $\log_3 x^2 = 4$

f) $\log_{27} B = \log_{\frac{1}{9}} B^x$

3. Soit $\log_b 3 \approx 0{,}565$, $\log_b 4 \approx 0{,}712$ et $\log_b 5 \approx 0{,}827$. Évaluer approximativement les expressions suivantes à l'aide des propriétés des logarithmes.

a) $\log_b 15$

b) $\log_b 0{,}75$

c) $\log_b 2$

d) $\log_b 60$

e) $\log_b 81$

f) $\log_b \dfrac{12}{5}$

g) $\log_4 5^2$

h) $\log_b \dfrac{9}{20}$

4. a) Évaluer, sans utiliser une calculatrice, $\log_3\left(\dfrac{1}{5}\right)\log_{25} 27$.

b) Démontrer que $\log_a A \log_b B = \log_a B \log_b A$.

c) Évaluer, sans utiliser une calculatrice, $\log_3 16 \log_7 27 \log_2\left(\dfrac{1}{49}\right)$.

5. Pour chacune des fonctions suivantes, déterminer le domaine et l'image, donner l'équation de chaque asymptote, et esquisser le graphique de la fonction.

a) $f(x) = 3^x - 3$

b) $g(x) = -2^x$

c) $f(x) = (0{,}5)^x - 4$

d) $f(x) = \log x$

e) $h(x) = \ln(4 - x)$

f) $v(t) = 2 + \ln(t - 3)$

6. Soit les fonctions suivantes.

a) $y = 3^x$

b) $y = \log_2 x$

c) $y = 1{,}5^x + 1$

d) $y = \log_{\frac{1}{3}} x$

e) $y = \left(\dfrac{1}{3}\right)^x$

f) $y = -5 \times 3^x$

g) $y = \log_4 x$

h) $y = -\left(\dfrac{1}{3}\right)^x$

i) $y = \log_{\frac{1}{4}} x$

j) $y = -3^x$

Associer à chacune des fonctions précédentes le graphique qui la représente le mieux.

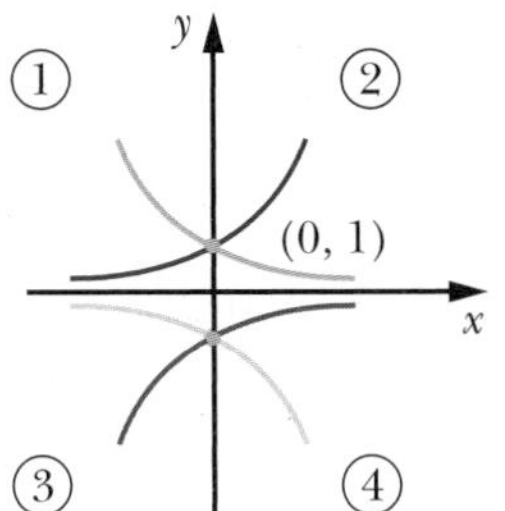

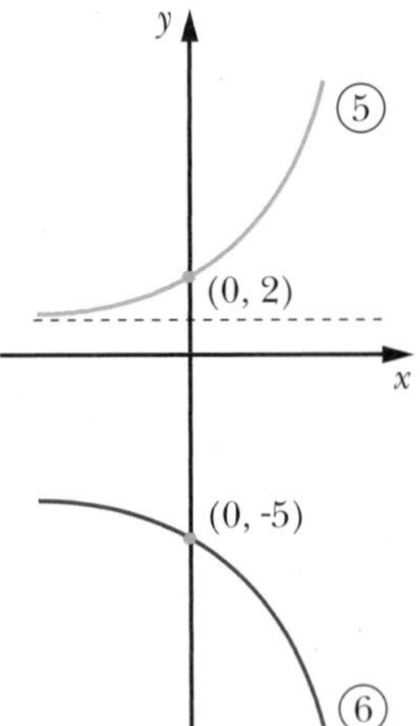

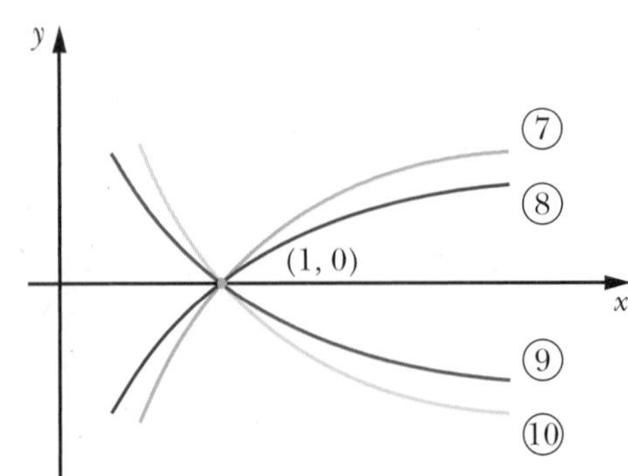

7. Soit la fonction f définie par $f(x) = ka^x$. Déterminer, si c'est possible, les valeurs de k et de a, sachant que le graphique de f passe par les points suivants.

a) $(0, 2)$ et $\left(4, \frac{2}{81}\right)$

b) $(0, -1)$ et $\left(-2, \frac{-1}{9}\right)$

c) $\left(\frac{1}{4}, 5\right)$ et $(-5, -4)$

d) $(1, 2)$ et $(4, 54)$

8. Soit la fonction f définie par $f(x) = \log_a x$. Déterminer, si c'est possible, la valeur de a, sachant que le graphique de f passe par le point suivant.

a) $\left(8, \frac{3}{2}\right)$

b) $(32, -5)$

c) $(5, \ln 5)$

9. Utiliser la fonction $\text{pH} = -\log\,[H^+]$, où $[H^+]$ est la concentration en hydrogène de différentes substances, pour déterminer

a) le pH

i) du lait, où $[H^+] = 4 \times 10^{-7}$ mol/L.

ii) de la bière, où $[H^+] = 3{,}16 \times 10^{-3}$ mol/L.

b) la concentration $[H^+]$ en mol/L

i) du vinaigre, où $\text{pH} = 3{,}1$.

ii) d'une tomate, où $\text{pH} = 4{,}2$.

10. La population d'une culture de bactéries quintuple toutes les 24 heures. Sachant que la population initiale est de 400 bactéries :

a) Déterminer la fonction P qui permet d'évaluer la population en fonction du temps t.

b) Déterminer la population après cinq heures.

c) Déterminer la population après deux jours.

d) Déterminer le temps nécessaire pour que la population de bactéries soit de 50 000.

11. À la suite d'un traitement biologique, le nombre N de hannetons (vers blancs) vivants, en fonction du temps t, est donné par $N(t) = 5\,000\left(\frac{1}{3}\right)^{\frac{t}{2}}$, où t est exprimé en semaines.

a) Déterminer la population initiale de hannetons.

b) Que représente $\frac{1}{3}$ dans la fonction précédente ?

c) Après combien de semaines la population de hannetons aura-t-elle diminué de moitié ?

d) Exprimer t en fonction de N.

12. La valeur d'une auto de 16 000 $ se déprécie de 20 % par année.

Dominique Parent

a) Déterminer la fonction V qui permet de calculer la valeur de cette auto en fonction du temps t.

b) Exprimer t en fonction de V.

c) Calculer la valeur de cette auto après deux ans.

d) Dans combien d'années la valeur de cette auto sera-t-elle la moitié de sa valeur initiale ?

e) Esquisser le graphique de V en fonction de t, où $t \in [0, 10]$.

13. La valeur finale A d'un capital initial A_0, placé pendant un nombre d'années t à un taux d'intérêt i composé continuellement, est donnée par $A = A_0 e^{it}$.

a) Si le taux d'intérêt est de 10 % par année, déterminer le nombre d'années nécessaire pour que le capital initial double.

b) Déterminer le taux d'intérêt approximatif qui permet au capital de tripler en dix ans.

14. Le 26 avril 1986, un réacteur de la centrale nucléaire de Tchernobyl, près de Kiev, en Ukraine, a explosé. Au cours de l'explosion, certains éléments radioactifs ont été projetés dans l'atmosphère et ont contaminé les terres avoisinantes.

Un de ces éléments radioactifs, le césium-137, a une demi-vie de 30 ans.

a) À l'aide de l'équation $Q(t) = Q_0 e^{kt}$, déterminer la valeur de k, Q_0 étant la quantité initiale de césium-137.

b) Déterminer le nombre d'années nécessaire pour que le niveau de radiation de la zone sinistrée redevienne acceptable, si ce niveau, établi par les scientifiques, est de $\frac{Q_0}{2^7}$.

c) Représenter graphiquement Q si $Q_0 = 1$ en situant de façon précise les points $A(a; 0{,}5)$ et $B(b; 0{,}25)$.

8.2 Dérivée des fonctions exponentielles

Objectif d'apprentissage

À la fin de cette section, l'élève pourra calculer la dérivée de fonctions exponentielles de la forme $a^{f(x)}$ et de la forme $e^{f(x)}$.

Plus précisément, l'élève sera en mesure:

- de démontrer la règle de dérivation pour les fonctions de la forme a^x;
- de calculer la dérivée de fonctions contenant des expressions de la forme $a^{f(x)}$;
- de donner la définition du nombre e;
- de démontrer la règle de dérivation pour les fonctions de la forme e^x;
- de calculer la dérivée de fonctions contenant des expressions de la forme $e^{f(x)}$;
- d'analyser des fonctions contenant des fonctions exponentielles;
- de résoudre des problèmes d'optimisation contenant des fonctions exponentielles.

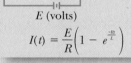

$$I(t) = \frac{E}{R}\left(1 - e^{\frac{-Rt}{L}}\right)$$

Dérivée de a^x

Avant de déterminer de façon générale la dérivée des fonctions de la forme $f(x) = a^x$, calculons la dérivée des fonctions $f(x) = 3^x$ et $g(x) = 5^x$ dans l'exemple suivant.

Exemple 1 Soit $f(x) = 3^x$ et $g(x) = 5^x$.

Évaluons $f'(x)$ et $g'(x)$ en utilisant la définition 3.12.

$$\begin{aligned} f'(x) &= \lim_{h\to 0} \frac{f(x+h) - f(x)}{h} \\ &= \lim_{h\to 0} \frac{3^{x+h} - 3^x}{h} \\ &= \lim_{h\to 0} \frac{3^x 3^h - 3^x}{h} \\ &= \lim_{h\to 0} \frac{3^x(3^h - 1)}{h} \\ &= 3^x\left(\lim_{h\to 0} \frac{3^h - 1}{h}\right) \end{aligned}$$

$$\begin{aligned} g'(x) &= \lim_{h\to 0} \frac{g(x+h) - g(x)}{h} \\ &= \lim_{h\to 0} \frac{5^{x+h} - 5^x}{h} \\ &= \lim_{h\to 0} \frac{5^x 5^h - 5^x}{h} \\ &= \lim_{h\to 0} \frac{5^x(5^h - 1)}{h} \\ &= 5^x\left(\lim_{h\to 0} \frac{5^h - 1}{h}\right) \end{aligned}$$

Remarque Les limites $\lim\limits_{h \to 0} \dfrac{3^h - 1}{h}$ et $\lim\limits_{h \to 0} \dfrac{5^h - 1}{h}$ sont des indéterminations de la forme $\dfrac{0}{0}$ et elles sont indépendantes de x. Elles dépendent respectivement de 3 et de 5.

Estimons $\lim\limits_{h \to 0} \dfrac{3^h - 1}{h}$ en donnant à h des valeurs de plus en plus près de zéro.

Pour $h \to 0^-$, nous avons

h	-0,1	-0,01	-0,001	-0,000 1	-0,000 01	… → 0^-
$\dfrac{3^h - 1}{h}$	1,040…	1,092…	1,098 00…	1,098 55…	1,098 60…	… → 1,098 6…

Pour $h \to 0^+$, nous avons

h	0,1	0,01	0,001	0,000 1	0,000 01	… → 0^+
$\dfrac{3^h - 1}{h}$	1,161…	1,104…	1,099 21…	1,098 67…	1,098 61…	… → 1,098 6…

Il semble donc que $\lim\limits_{h \to 0} \dfrac{3^h - 1}{h} = 1{,}098\ 6\ldots$

Estimons $\lim\limits_{h \to 0} \dfrac{5^h - 1}{h}$ en donnant à h des valeurs de plus en plus près de zéro.

Pour $h \to 0^-$, nous avons

h	-0,1	-0,01	-0,001	-0,000 1	-0,000 01	… → 0^-
$\dfrac{5^h - 1}{h}$	1,486…	1,596…	1,608 14…	1,609 30…	1,609 42…	… → 1,609 4…

Pour $h \to 0^+$, nous avons

h	0,1	0,01	0,001	0,000 1	0,000 01	… → 0^+
$\dfrac{5^h - 1}{h}$	1,746…	1,622…	1,610 73…	1,609 56…	1,609 45…	… → 1,609 4…

8

Il semble donc que $\lim\limits_{h \to 0} \dfrac{5^h - 1}{h} = 1{,}609\ 4\ldots$

En utilisant une calculatrice, nous constatons que $\ln 3 = 1{,}098\ 6\ldots$ et que $\ln 5 = 1{,}609\ 4\ldots$. Nous acceptons donc sans démonstration que :

$$\lim_{h \to 0} \frac{3^h - 1}{h} = \ln 3 \quad \text{et} \quad \lim_{h \to 0} \frac{5^h - 1}{h} = \ln 5.$$

D'où $f'(x) = (3^x)' = 3^x \ln 3$

et $\quad g'(x) = (5^x)' = 5^x \ln 5$.

De façon générale, nous acceptons sans démonstration que :

$$\lim_{h\to 0} \frac{a^h - 1}{h} = \ln a, \text{ où } a > 0 \text{ et } a \neq 1.$$

THÉORÈME 8.1 Si $H(x) = a^x$, où $a \in \,]0, +\infty$ et $a \neq 1$, alors $H'(x) = a^x \ln a$.

Preuve

$$\begin{aligned} H'(x) &= \lim_{h\to 0} \frac{H(x+h) - H(x)}{h} && \text{(définition 3.12)} \\ &= \lim_{h\to 0} \frac{a^{x+h} - a^x}{h} && (\text{car } H(x) = a^x) \\ &= \lim_{h\to 0} \frac{a^x(a^h - 1)}{h} \\ &= a^x\left(\lim_{h\to 0} \frac{a^h - 1}{h}\right) \\ &= a^x \ln a \end{aligned}$$

Exemple 2 Calculons la dérivée des fonctions suivantes.

a) Si $f(x) = 7^x$, alors $f'(x) = 7^x \ln 7$. (théorème 8.1)

b) Si $y = \left(\frac{3}{4}\right)^t$, alors $\frac{dy}{dt} = \left(\frac{3}{4}\right)^t \ln\left(\frac{3}{4}\right)$. (théorème 8.1)

c) Si $g(x) = \frac{4^x}{x^4}$, alors
$$\begin{aligned} g'(x) &= \frac{(4^x)'\, x^4 - 4^x(x^4)'}{(x^4)^2} \\ &= \frac{(4^x \ln 4)\, x^4 - 4^x 4x^3}{x^8} && \text{(théorème 8.1)} \\ &= \frac{x^3\, 4^x(x \ln 4 - 4)}{x^8} \\ &= \frac{4^x\,(x \ln 4 - 4)}{x^5}. \end{aligned}$$

d) Si $f(x) = (3^x + x^3)^3$, alors
$$\begin{aligned} f'(x) &= 3(3^x + x^3)^2(3^x + x^3)' \\ &= 3(3^x + x^3)^2(3^x \ln 3 + 3x^2). \end{aligned}$$

8

Calculons maintenant la dérivée de fonctions composées de la forme $H(x) = a^{f(x)}$.

THÉORÈME 8.2 Si $H(x) = a^{f(x)}$, où $a \in \,]0, +\infty$ et $a \neq 1$, et f est une fonction dérivable, alors $H'(x) = a^{f(x)} \ln a\, f'(x)$.

Preuve

Soit $H(x) = y = a^u$, où $u = f(x)$.

Alors, $\frac{dy}{dx} = \frac{dy}{du}\frac{du}{dx}$ (notation de Leibniz)

$$\frac{d}{dx}(H(x)) = \frac{d}{du}(a^u)\,\frac{d}{dx}(f(x))$$

$$H'(x) = [a^u \ln a]\, f'(x)$$

D'où $[a^{f(x)}]' = a^{f(x)} \ln a\, f'(x)$ (car $u = f(x)$).

Exemple 3 Calculons la dérivée des fonctions suivantes.

a) Si $y = 3^{(x^2 + 3x)}$, alors $\frac{dy}{dx} = 3^{(x^2+3x)} \ln 3\,(x^2 + 3x)'$ (théorème 8.2)

$$= 3^{(x^2+3x)} \ln 3\,(2x + 3)$$

$$= (2x + 3)\,3^{(x^2+3x)} \ln 3.$$

b) Si $y = \left[\left(\frac{1}{2}\right)^{(5^x - x^5)}\right]^3$, alors $\frac{dy}{dx} = 3\left[\left(\frac{1}{2}\right)^{(5^x - x^5)}\right]^2\left[\left(\frac{1}{2}\right)^{(5^x - x^5)}\right]'$

$$= 3\left[\left(\frac{1}{2}\right)^{(5^x - x^5)}\right]^2\left(\frac{1}{2}\right)^{(5^x - x^5)} \ln\left(\frac{1}{2}\right)(5^x - x^5)'$$

(théorème 8.2)

$$= 3\left[\left(\frac{1}{2}\right)^{(5^x - x^5)}\right]^2\left(\frac{1}{2}\right)^{(5^x - x^5)} \ln\left(\frac{1}{2}\right)(5^x \ln 5 - 5x^4)$$

$$= 3\,(5^x \ln 5 - 5x^4)\left[\left(\frac{1}{2}\right)^{(5^x - x^5)}\right]^3 \ln\left(\frac{1}{2}\right).$$

Dérivée de e^x

Il y a environ 250 ans...

Roger Viollet/Topfoto/PONOPRESSE

Leonhard Euler 1707-1783

En 1649, le jésuite belge Alfonso Antonio de Sarasa (1618-1667) remarque que la fonction $A(x)$ donnant l'aire sous l'hyperbole $y = \frac{1}{x}$ entre 1 et x possède la propriété des logarithmes: $A(\alpha\beta) = A(\alpha) + A(\beta)$. Dès lors, l'aire sous l'hyperbole correspond à un logarithme. C'est par ce biais que le nombre e entre vraiment en mathématiques. e est le nombre tel que $A(e) = 1$. C'est **Leonhard Euler** (1707-1783) qui introduira la notation e pour ce nombre, sans que l'on connaisse les raisons de son choix.

Nous allons maintenant étudier une fonction exponentielle avec une base particulière appelée e.

Nous avons vu précédemment que pour la fonction d'équation $f(x) = a^x$, où $a \in\ ]0, +\infty$ et $a \neq 1$,

$$f'(x) = a^x\left(\lim_{h\to 0} \frac{a^h - 1}{h}\right) = a^x \ln a.$$

Il serait intéressant d'avoir un nombre a tel que $\lim_{h\to 0} \frac{a^h - 1}{h} = 1$.

Or, un tel nombre existe et il se note e. Ce nombre e est tel que $\lim_{h\to 0} \frac{e^h - 1}{h} = 1$.

Déterminons approximativement la valeur de e d'après l'égalité précédente.

Cela signifie que pour h voisin de 0, $\dfrac{e^h - 1}{h}$ est aussi près que nous le voulons de 1, c'est-à-dire que

pour $h \approx 0$, nous avons $\dfrac{e^h - 1}{h} \approx 1$

$$e^h - 1 \approx h$$
$$e^h \approx 1 + h$$
$$e \approx (1 + h)^{\frac{1}{h}}.$$

D'où nous pouvons conclure que:

$$e = \lim_{h \to 0} (1 + h)^{\frac{1}{h}}.$$

Estimons la valeur de e en donnant à h des valeurs de plus en plus près de zéro.

Pour $h \to 0^-$, nous avons

h	$\frac{-1}{2}$	$\frac{-1}{10}$	$\frac{-1}{100}$	$\frac{-1}{1\,000}$	$\frac{-1}{10\,000}$	$\frac{-1}{10^6}$	$\ldots \to 0^-$
$(1 + h)^{\frac{1}{h}}$	4	2,867 9…	2,731 9…	2,719 6…	2,718 4…	2,718 28…	… → 2,718 28…

Pour $h \to 0^+$, nous avons

h	$\frac{1}{2}$	$\frac{1}{10}$	$\frac{1}{100}$	$\frac{1}{1\,000}$	$\frac{1}{10\,000}$	$\frac{1}{10^6}$	$\ldots \to 0^+$
$(1 + h)^{\frac{1}{h}}$	2,25	2,593 7…	2,704 8…	2,716 9…	2,718 1…	2,718 28…	… → 2,718 28…

Il semble donc que $\lim\limits_{h \to 0} (1 + h)^{\frac{1}{h}} = 2{,}718\,28\ldots$; ainsi, $e = 2{,}718\,28\ldots$

Nous nous en tiendrons à ce calcul informel, car une démonstration formelle du résultat obtenu dépasserait le cadre du cours. Il est cependant possible d'obtenir, à l'aide d'un ordinateur plus puissant, la valeur suivante: $e \approx 2{,}718\,281\,828\,459\,045\,235$, qui est une valeur plus précise du nombre irrationnel e.

Puisque $e > 1$, nous pouvons esquisser le graphique de la fonction f définie par $f(x) = e^x$ de la façon ci-contre.

8

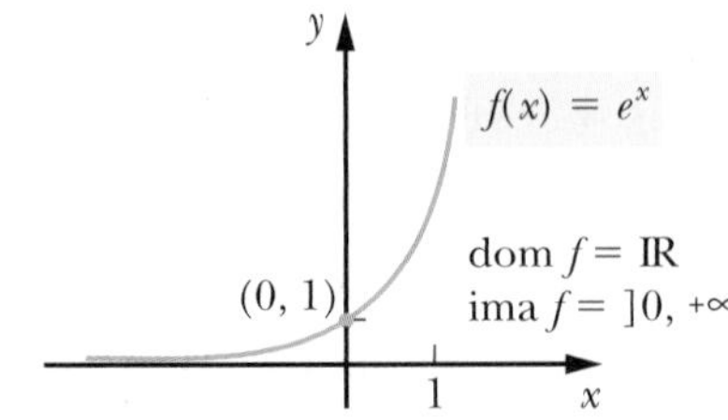

THÉORÈME 8.3 Si $H(x) = e^x$, alors $H'(x) = e^x$.

Preuve

$$H'(x) = \lim_{h \to 0} \frac{H(x + h) - H(x)}{h} \qquad \text{(définition 3.12)}$$

$$= \lim_{h \to 0} \frac{e^{x+h} - e^x}{h} \qquad (\text{car } H(x) = e^x)$$

$$= \lim_{h \to 0} e^x\left(\frac{e^h - 1}{h}\right)$$

$$= e^x\left(\lim_{h \to 0} \frac{e^h - 1}{h}\right)$$

$$= e^x \qquad \left(\text{car } \lim_{h \to 0} \frac{e^h - 1}{h} = 1\right)$$

Exemple 1 Calculons la dérivée des fonctions suivantes.

a) Si $f(x) = x^2e^x$, alors

$$f'(x) = (x^2)'e^x + x^2(e^x)' = 2xe^x + x^2e^x \qquad \text{(théorème 8.3)}$$
$$= xe^x(2 + x).$$

b) Si $y = \left(\dfrac{x}{e^x}\right)^2$, alors

$$\frac{dy}{dx} = 2\left(\frac{x}{e^x}\right)\left(\frac{x}{e^x}\right)'$$

$$= \frac{2x}{e^x}\left[\frac{(x)'e^x - x(e^x)'}{(e^x)^2}\right] = \frac{2x}{e^x}\left[\frac{e^x - xe^x}{e^{2x}}\right] \qquad \text{(théorème 8.3)}$$

$$= \frac{2x(1 - x)}{e^{2x}}.$$

Calculons maintenant la dérivée de fonctions composées de la forme $H(x) = e^{f(x)}$.

THÉORÈME 8.4 Si $H(x) = e^{f(x)}$, où f est une fonction dérivable, alors $H'(x) = e^{f(x)} f'(x)$.

La preuve est laissée à l'élève.

Exemple 2 Calculons la dérivée des fonctions suivantes.

a) Si $f(x) = e^{-x}$, alors $f'(x) = e^{-x}(-x)'$ (théorème 8.4)

$$= e^{-x}(-1)$$
$$= -e^{-x}.$$

b) Si $v(t) = e^{(5t^e - e^t)}$, alors

$$v'(t) = e^{(5t^e - e^t)}\,(5t^e - e^t)' \qquad \text{(théorème 8.4)}$$
$$= e^{(5t^e - e^t)}\,(5et^{e-1} - e^t)$$

Applications de la dérivée à des fonctions exponentielles

Exemple 1 Soit $f(x) = xe^x$.

Analysons cette fonction.

1. **Déterminons le domaine de f.**

   dom $f = \mathbb{R}$

8

2. Déterminons, si c'est possible, les asymptotes horizontales.

$\lim\limits_{x \to -\infty} xe^x$, est une indétermination de la forme $-\infty(0)$.

La façon formelle de lever cette indétermination dépasse le cadre de ce cours. L'étude de ce type d'indétermination sera faite dans le cours de calcul intégral.

Toutefois, à l'aide du tableau de valeurs suivant,

x	-10	-100	-200	$\ldots \to -\infty$
$f(x)$	$-4{,}53\ldots \times 10^{-4}$	$-3{,}72\ldots \times 10^{-42}$	$-2{,}76\ldots \times 10^{-85}$	$\ldots \to 0$

il semble que $\lim\limits_{x \to -\infty} xe^x = 0$.

Donc, la droite de l'équation $y = 0$ est une asymptote horizontale lorsque $x \to -\infty$.

$\lim\limits_{x \to +\infty} xe^x = (+\infty)(+\infty) = +\infty$

Par conséquent, il n'y a pas d'asymptote horizontale lorsque $x \to +\infty$.

3. Calculons $f'(x)$ et déterminons les nombres critiques de f.

$f'(x) = e^x + xe^x = e^x(1 + x)$, où dom $f' = \mathbb{R}$.

$f'(x) = 0$ si $x = -1$. D'où -1 est le nombre critique de f.

4. Calculons $f''(x)$ et déterminons les nombres critiques de f'.

$f''(x) = e^x(1 + x) + e^x = e^x(x + 2)$.

$f''(x) = 0$ si $x = -2$. D'où -2 est le nombre critique de f'.

5. Construisons le tableau de variation.

x	$-\infty$		-2		-1		$+\infty$
$f'(x)$		$-$	$-$	$-$	0	$+$	
$f''(x)$		$-$	0	$+$	$+$	$+$	
f	0	↘ ∩	$\frac{-2}{e^2}$	↘ ∪	$\frac{-1}{e}$	↗ ∪	$+\infty$
E. du G.		↷	$\left(-2, \frac{-2}{e^2}\right)$	↳	$\left(-1, \frac{-1}{e}\right)$	↗	
			inf.		min.		

6. Esquissons le graphique de f.

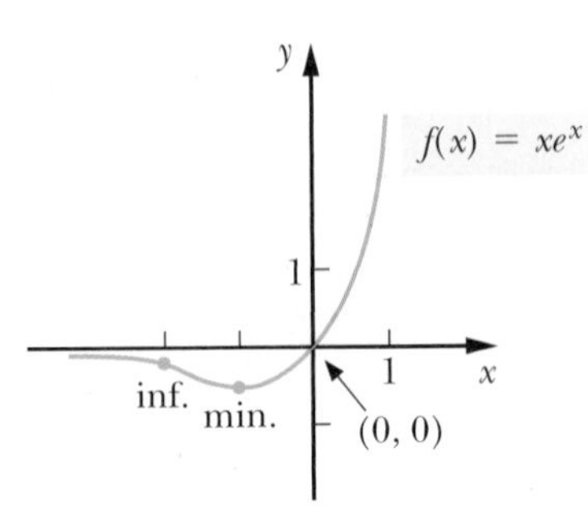

Exemple 2 Soit la courbe définie par $f(x) = e^{-x^2}$. Déterminons les points de la courbe de f qui sont les plus près du point O(0, 0) et calculons la distance séparant ces points et le point O(0, 0).

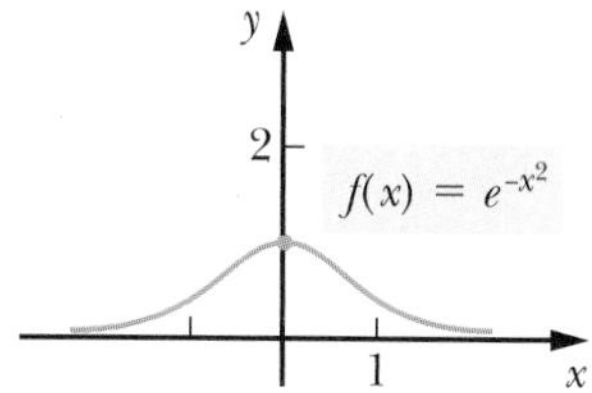

1. Mathématisation du problème.

Soit un point quelconque P(x, y) de la courbe de f.

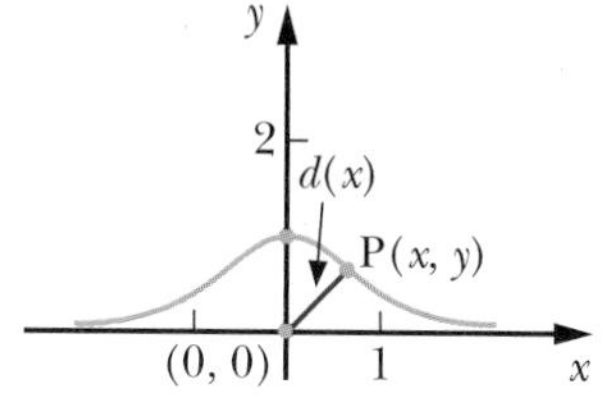

Détermination de la quantité à optimiser.

$d(x, y) = \sqrt{(x-0)^2 + (y-0)^2}$ doit être minimale.

Donc, $d(x) = \sqrt{x^2 + (e^{-x^2})^2}$ (car $y = e^{-x^2}$)

D'où $d(x) = \sqrt{x^2 + e^{-2x^2}}$, où dom $d = \mathbb{R}$.

2. Analyse de la fonction à optimiser.

Calculons $d'(x)$ et déterminons les nombres critiques de d.

$$d'(x) = \frac{x(1 - 2e^{-2x^2})}{\sqrt{x^2 + e^{-2x^2}}}$$

1) $d'(x) = 0$, si $x = 0$ ou si $(1 - 2e^{-2x^2}) = 0$

$$2e^{-2x^2} = 1$$

$$e^{-2x^2} = \frac{1}{2}$$

$$-2x^2 = \ln\left(\frac{1}{2}\right)$$

$$x^2 = \frac{-1}{2}\ln\left(\frac{1}{2}\right)$$

$$x^2 = \frac{-1}{2}(\ln 1 - \ln 2) = \frac{\ln 2}{2}$$

$$x = \pm\sqrt{\frac{\ln 2}{2}}$$

2) $d'(x)$ est définie $\forall x \in \mathbb{R}$.

D'où les nombres critiques de d sont: $0, -\sqrt{\frac{\ln 2}{2}}$ et $\sqrt{\frac{\ln 2}{2}}$.

Construisons le tableau de variation.

Test de la dérivée première

x	$-\infty$	$-\sqrt{\frac{\ln 2}{2}}$		0		$\sqrt{\frac{\ln 2}{2}}$	$+\infty$
$d'(x)$	$-$	0	$+$	0	$-$	0	$+$
d	↘	$\sqrt{\frac{(1 + \ln 2)}{2}}$	↗	1	↘	$\sqrt{\frac{(1 + \ln 2)}{2}}$	↗
		min.		max.		min.	

3. **Formulation de la réponse.**

$\left(-\sqrt{\frac{\ln 2}{2}}, \sqrt{\frac{1}{2}}\right)$ et $\left(\sqrt{\frac{\ln 2}{2}}, \sqrt{\frac{1}{2}}\right)$ sont les points de la courbe les plus près du point O(0, 0) et la distance entre ces points et O(0, 0) est de $\sqrt{\frac{(1 + \ln 2)}{2}}$ unité.

Exercices 8.2

1. Calculer la dérivée des fonctions suivantes.

a) $f(x) = \dfrac{x^3}{e^x}$

b) $f(x) = x8^x$

c) $g(x) = 4x^3e^x$

d) $f(x) = \dfrac{x}{3^x + 10^x}$

e) $x(t) = t^e + e^t$

f) $h(x) = \dfrac{e^x}{e^x - x}$

g) $v(u) = 4\sqrt{\left(\dfrac{1}{3}\right)^u}$

h) $k(x) = (e^x + 2^x)^5$

2. Calculer la dérivée des fonctions suivantes.

a) $f(x) = 3^x + 3^{-x} + 3x$

b) $f(t) = 8^{(2t + t^2)}$

c) $g(x) = e^{3x} - e^{-5x}$

d) $f(u) = (e^u)^4 - e^{4u}$

e) $f(x) = 4^{(x^4)} - (4^x)^4$

f) $g(x) = 5x^2e^{x^2}$

g) $y = e^{\sqrt{x}} + \sqrt{e^x} + e^e$

h) $g(x) = \dfrac{e^x - e^{-x}}{e^{2x}}$

i) $f(t) = e^{6t} + 6^{e^t}$

j) $f(x) = (e^{(e^x)} + 2^{-8x})^4$

3. Démontrer de deux façons que $[(e^x)^n]' = n(e^x)^n$.

4. Calculer la pente de la tangente à la courbe définie par $f(x) = x^2\left(\dfrac{1}{3}\right)^x$ au point $(1, f(1))$.

5. Soit $f(x) = e^{-x}$. Déterminer l'équation de la droite :

a) tangente à la courbe de f au point $(1, f(1))$;

b) normale à la courbe de f au point $(1, f(1))$.

6. Soit $f(x) = 4e^{2x} - 1$. Déterminer, si c'est possible, un point sur la courbe de f de sorte que la tangente à la courbe de f en ce point soit parallèle à :

a) la droite d'équation $y = 8x + 6$;

b) l'axe des x.

7. Déterminer le point de minimum relatif et le point de maximum relatif de g, où $g(x) = \dfrac{x^2}{e^x}$, à l'aide du test 1 de la dérivée seconde.

8. Analyser les fonctions suivantes.

a) $f(x) = e^{-x^2}$

b) $f(x) = (x^2 + 1)e^x$, sachant que $\lim\limits_{x \to -\infty} [(x^2 + 1)e^x] = 0$

9. Déterminer les dimensions du rectangle d'aire maximale que l'on peut inscrire à la gauche de $x = 2$, entre l'axe des x et la courbe dont l'équation est $y = e^x$.

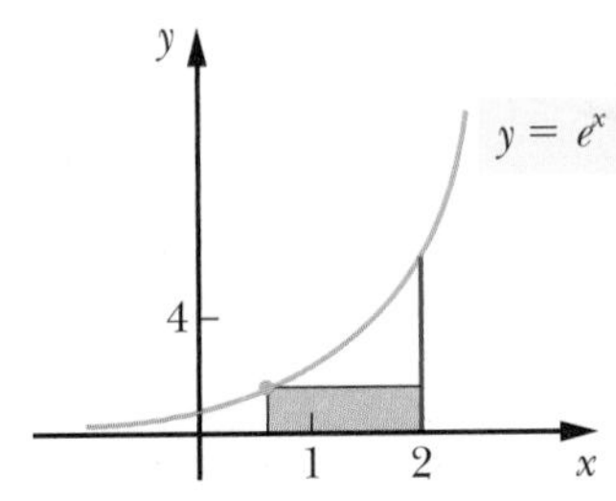

10. À la suite d'une étude, des scientifiques estiment que la quantité accumulée de déchets produits par les habitants d'une ville, dans t années à partir d'aujourd'hui, sera donnée par $Q(t) = \dfrac{1\,000 \times 3^t}{9 + 3^t}$, où $Q(t)$ est exprimée en tonnes métriques.

a) Quelle est la quantité actuelle de déchets?

b) Quel sera le taux de variation moyen de la quantité de déchets au cours des cinq prochaines années?

c) Quel sera le taux de variation instantané dans deux ans?

d) Faire l'analyse complète de cette fonction.

11. Le courant électrique I, en ampères, dans le circuit suivant

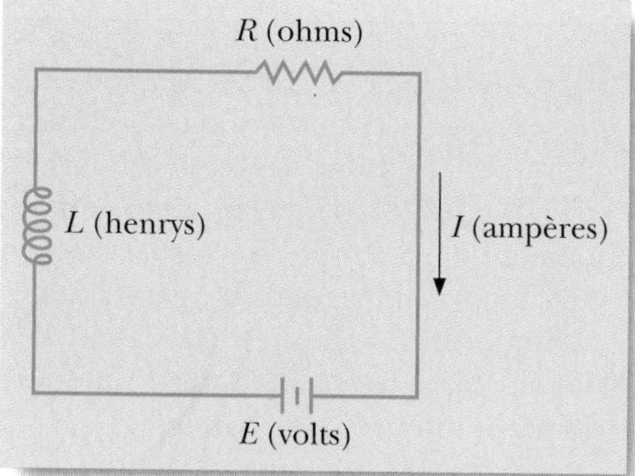

est donné par $I(t) = \dfrac{E}{R}\left(1 - e^{\frac{-Rt}{L}}\right)$, où t est le temps en secondes après que le courant a commencé à circuler. Sachant que $E = 12$ volts, $R = 3$ ohms et $L = 0{,}1$ henry:

a) déterminer le courant circulant dans le circuit après

i) 0,01 seconde;

ii) 0,1 seconde;

iii) 0,5 seconde;

iv) 1 seconde.

O T b) représenter graphiquement la courbe de I, où $t \in [0 \text{ s}, 1 \text{ s}]$.

c) exprimer t en fonction de I de façon générale et trouver t lorsque $I = 2$ ampères avec les valeurs de E, de R et de L données.

8.3 Dérivée des fonctions logarithmiques

Objectif d'apprentissage

À la fin de cette section, l'élève pourra calculer la dérivée de fonctions logarithmiques de la forme $\ln f(x)$ et de la forme $\log_a f(x)$.

Plus précisément, l'élève sera en mesure:

- de démontrer la règle de dérivation pour la fonction $\ln x$;
- de calculer la dérivée de fonctions contenant des expressions de la forme $\ln f(x)$;
- de démontrer la règle de dérivation pour la fonction $\log_a x$;
- de calculer la dérivée de fonctions contenant des expressions de la forme $\log_a f(x)$;
- d'analyser des fonctions contenant des fonctions logarithmiques;
- de résoudre des problèmes d'optimisation contenant des fonctions logarithmiques.

$v(x) = kx^2 \ln\left(\dfrac{1}{x}\right)$

8

Dérivée de ln *x*

Découlant de la définition de *logarithme* donnée à la section 8.1, nous avons la définition suivante.

Définition 8.3

La fonction inverse de la fonction exponentielle, dont la base est e, est appelée **logarithme naturel,** notée ln, et est définie ainsi:

$y = \ln x$ si et seulement si $x = e^y$,

où dom ln $= \,]0, +\infty$ et ima ln $= \mathbb{R}$.

Puisque $\lim\limits_{x \to 0^+} \ln x = -\infty$, nous avons que la droite d'équation $x = 0$ est une asymptote verticale.

La représentation ci-contre est une esquisse du graphique de $f(x) = \ln x$.

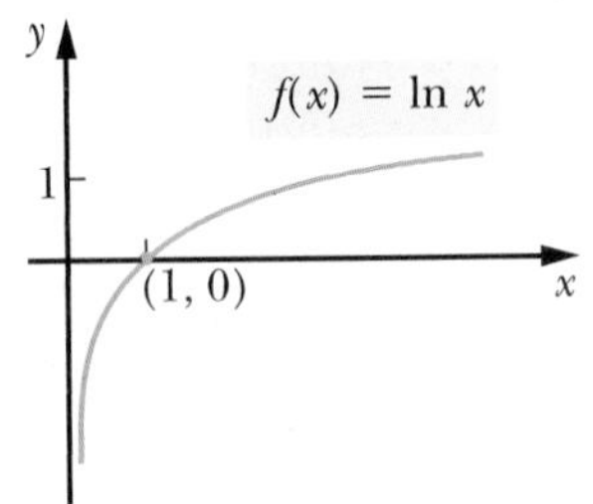

Il y a environ 100 ans...

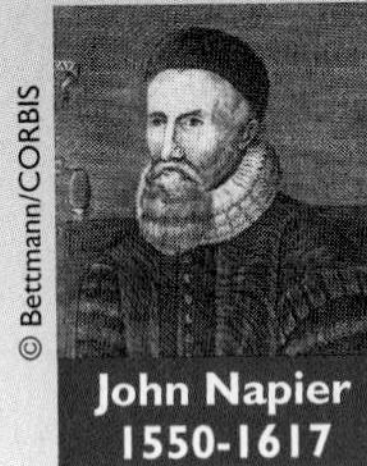

Dans le symbole ln, inventé en 1893 par Irving Stringham (1847-1909), les lettres *l* et *n* correspondent aux premières lettres de *logarithme naturel.* Cependant, plusieurs auteurs parlent aussi de *logarithme népérien* en l'honneur de **John Napier** (1550-1617), l'inventeur des logarithmes. Napier, grand propriétaire terrien, appliquait son esprit profondément pratique aussi bien au développement de la culture sur ses terres qu'à sa passion, le calcul. Non seulement inventa-t-il les logarithmes, mais il inventa aussi un outil de calcul, les bâtons de Napier, qui facilitaient grandement le calcul d'une multiplication. Son tempérament bouillant et ses capacités d'inventeur amenèrent même certains de ses contemporains à lui attribuer des pouvoirs de sorcier.

THÉORÈME 8.5 Si $f(x) = \ln x$, alors $f'(x) = \dfrac{1}{x}$.

Preuve

En posant $y = \ln x$, nous avons $e^y = x$ (définition 8.3)

$e^{\ln x} = x$ (car $y = \ln x$)

$(e^{\ln x})' = (x)'$

$e^{\ln x}(\ln x)' = 1$

Ainsi, $(\ln x)' = \dfrac{1}{e^{\ln x}}$

D'où $(\ln x)' = \dfrac{1}{x}$ (car $e^{\ln x} = x$).

8

Exemple 1 Calculons la dérivée des fonctions suivantes.

a) Si $f(x) = x^4 \ln x$, alors

$$\begin{aligned} f'(x) &= (x^4)' \ln x + x^4 (\ln x)' \\ &= 4x^3 \ln x + x^4 \frac{1}{x} \qquad \text{(théorème 8.5)} \\ &= 4x^3 \ln x + x^3 \\ &= x^3(4 \ln x + 1). \end{aligned}$$

b) Si $g(x) = \ln^5 x$, alors

$$g'(x) = ((\ln x)^5)' = 5 (\ln x)^4 (\ln x)' = \frac{5 \ln^4 x}{x}.$$

Calculons maintenant la dérivée de fonctions composées de la forme $H(x) = \ln f(x)$.

THÉORÈME 8.6 Si $H(x) = \ln f(x)$, où f est une fonction dérivable, alors

$$H'(x) = \left[\frac{1}{f(x)}\right] f'(x) = \frac{f'(x)}{f(x)}.$$

La preuve est laissée à l'élève.

Exemple 2 Calculons la dérivée des fonctions suivantes.

a) Si $g(t) = \ln (t^2 - 5t)$, alors

$$\begin{aligned} g'(t) &= \left(\frac{1}{t^2 - 5t}\right)(t^2 - 5t)' \qquad \text{(théorème 8.6)} \\ &= \frac{2t - 5}{t^2 - 5t}. \end{aligned}$$

b) Si $y = \ln^6 (e^x + \ln x)$, alors

$$\begin{aligned} \frac{dy}{dx} &= 6[\ln (e^x + \ln x)]^5 [\ln (e^x + \ln x)]' \quad (\text{car } \ln^6 (e^x + \ln x) = [\ln (e^x + \ln x)]^6) \\ &= 6[\ln (e^x + \ln x)]^5 \frac{1}{e^x + \ln x} (e^x + \ln x)' \qquad \text{(théorème 8.6)} \\ &= 6[\ln (e^x + \ln x)]^5 \frac{e^x + \frac{1}{x}}{e^x + \ln x} \\ &= 6[\ln (e^x + \ln x)]^5 \frac{xe^x + 1}{x(e^x + \ln x)} \\ &= \frac{6(xe^x + 1)}{x(e^x + \ln x)} \ln^5 (e^x + \ln x). \end{aligned}$$

Dérivée de $\log_a x$

THÉORÈME 8.7 Si $f(x) = \log_a x$, où $a \in]0, +\infty$ et $a \neq 1$, alors $f'(x) = \dfrac{1}{x \ln a}$.

Preuve

Puisque $\log_a x = \dfrac{\ln x}{\ln a}$ $\left(\text{car } \log_a x = \dfrac{\log_e x}{\log_e a}, \text{ changement de base}\right)$

$$(\log_a x)' = \left(\frac{\ln x}{\ln a}\right)'$$

$$= \frac{1}{\ln a}(\ln x)' \quad (\text{car } [kf(x)]' = kf'(x))$$

$$= \frac{1}{\ln a}\frac{1}{x} \quad (\text{théorème 8.5})$$

$$= \frac{1}{x \ln a}.$$

Exemple 1 Calculons la dérivée des fonctions suivantes.

a) Si $f(x) = \log_2 x$, alors

$$f'(x) = \frac{1}{x \ln 2}. \quad (\text{théorème 8.7})$$

b) Si $h(t) = (t^3 + 1) \log t$, alors

$$h'(t) = (t^3 + 1)' \log t + (t^3 + 1)(\log t)'$$

$$= 3t^2 \log t + \frac{(t^3 + 1)}{t \ln 10} \quad (\text{théorème 8.7})$$

c) Si $y = \log^4 x$, alors

$$\frac{dy}{dx} = 4[\log x]^3 (\log x)' \quad (\text{car } \log^4 x = [\log x]^4)$$

$$= 4[\log x]^3 \frac{1}{x \ln 10} \quad (\text{théorème 8.7})$$

$$= \frac{4 \log^3 x}{x \ln 10}.$$

8

Calculons maintenant la dérivée de fonctions composées de la forme $H(x) = \log_a f(x)$.

THÉORÈME 8.8 Si $H(x) = \log_a f(x)$, où $a \in]0, +\infty$ et $a \neq 1$, et f est une fonction dérivable, alors

$$H'(x) = \left[\frac{1}{f(x) \ln a}\right] f'(x) = \frac{f'(x)}{f(x) \ln a}.$$

La preuve est laissée à l'élève.

Exemple 2 Calculons la dérivée des fonctions suivantes.

a) Si $H(x) = \log_8 (x^3 - 10x)$, alors

$$H'(x) = \frac{(x^3 - 10x)'}{(x^3 - 10x) \ln 8} \quad \text{(théorème 8.8)}$$

$$= \frac{3x^2 - 10}{(x^3 - 10x) \ln 8}.$$

b) Si $g(x) = \log (\ln x)$, alors

$$g'(x) = \frac{(\ln x)'}{(\ln x)(\ln 10)} \quad \text{(théorème 8.8)}$$

$$= \frac{1}{x(\ln x)(\ln 10)}. \quad \text{(théorème 8.5)}$$

Applications de la dérivée à des fonctions logarithmiques

Exemple 1 Soit $f(x) = x - 3 - \ln (x + 3)$.

Analysons cette fonction.

1. **Déterminons le domaine de f.**

   Il faut que $(x + 3) > 0$. Donc, dom $f =]\text{-}3, +\infty$.
   D'où $x = -3$ est susceptible d'être une asymptote verticale.

2. **Déterminons, si c'est possible, les asymptotes.**

   a) Asymptotes verticales

   $\lim\limits_{x \to -3^+} [x - 3 - \ln (x + 3)] = -6 - (-\infty) = +\infty$

   Donc, la droite d'équation $x = -3$ est une asymptote verticale.

   b) Asymptotes horizontales

   $\lim\limits_{x \to +\infty} [x - 3 - \ln (x + 3)]$ est une indétermination de la forme $+\infty - \infty$.

   La façon formelle de lever cette indétermination dépasse le cadre de ce cours. Toutefois, à l'aide du tableau de valeurs suivant:

x	1 000	10 000	100 000	$\ldots \to +\infty$
$f(x)$	990,08...	9 987,78...	99 985,48...	$\ldots \to +\infty$

   il semble que $\lim\limits_{x \to +\infty} f(x) = +\infty$.

   Donc, il n'y a pas d'asymptote horizontale.

8

3. Calculons $f'(x)$ et déterminons les nombres critiques de f.

$f'(x) = 1 - \dfrac{1}{x+3} = \dfrac{x+2}{x+3}$, où dom $f' =]-3, +\infty$.

$f'(x) = 0$ si $x = -2$ et $f'(x)$ est non définie si $x = -3$; or, $-3 \notin$ dom f.

Ainsi, -2 est le nombre critique de f.

4. Calculons $f''(x)$ et déterminons les nombres critiques de f'.

$$f''(x) = \frac{1}{(x+3)^2}$$

$f''(x) \neq 0\ \forall x \in \mathbb{R}$ et $f''(x)$ est non définie si $x = -3$; or, $-3 \notin$ dom f'.

Ainsi, il n'y a aucun nombre critique de f'.

5. Construisons le tableau de variation.

x	-3		-2		$+\infty$
$f'(x)$	$\nexists$	$-$	0	$+$	
$f''(x)$	$\nexists$	$+$	$+$	$+$	
f	$\nexists$	↘∪	-5	↗∪	$+\infty$
E. du G.		↳	(-2, -5)	↗	
	asymptote verticale $x = -3$		min.		

6. Esquissons le graphique de f.

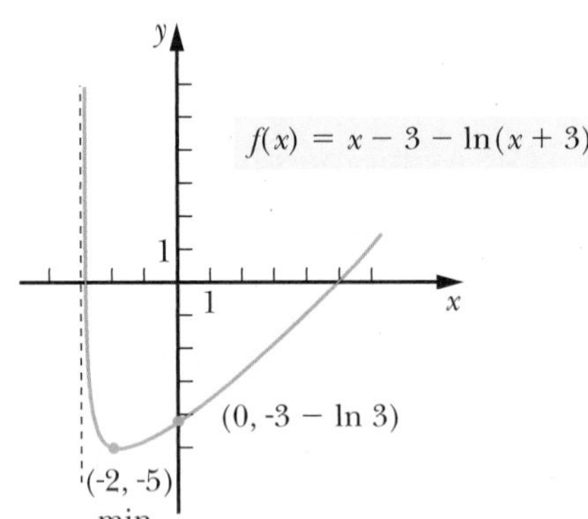

À l'aide d'un outil technologique, nous pouvons déterminer que les zéros de la fonction précédente sont approximativement -2,997 515… et 5,090 717…

Exercices 8.3

1. Calculer la dérivée des fonctions suivantes.

a) $f(x) = \dfrac{\ln x}{x}$

b) $y = x^4 \ln^5 x$

c) $v(t) = \log_3 t - \log^3 t$

d) $z = (\ln x)(\log x)$

e) $y = \sqrt{\ln u}$

f) $y = (x + \ln^2 x)^5$

g) $g(x) = \dfrac{x \ln x}{e^x}$

h) $x = \dfrac{\log t}{\ln t}$

2. Calculer la dérivée des fonctions suivantes.

a) $f(t) = \ln \sqrt{t}$

b) $g(x) = \log_2 (3x^4 + 1)$

c) $y = \sqrt{\ln \sqrt{x}}$

d) $f(x) = \ln (x^3 + \log x)$

e) $h(v) = (v + \ln v^2)^5$

f) $y = \log_{\frac{1}{2}} (3^x + \log_3 x)$

g) $f(x) = \log^{10} x^{10}$

h) $f(x) = \dfrac{\ln x^4}{x^4}$

i) $y = \ln^8 (xe^x)$

j) $g(x) = \ln e^x - e^{\ln x}$

k) $h(w) = \dfrac{\log_4 w^2}{\log_2 w^4}$

3. Démontrer que si $H(x) = \ln f(x)$, où f est dérivable, alors $H'(x) = \dfrac{f'(x)}{f(x)}$.

4. Soit $f(x) = \ln x$.

a) Déterminer l'équation de la tangente à la courbe de f au point où cette courbe coupe l'axe des x.

b) Déterminer l'équation de la tangente à la courbe de f qui est parallèle à la droite d'équation $x - 4y + 4 = 0$.

5. Déterminer les points de maximum relatif et de minimum relatif de la fonction $g(x) = x - 8 \ln x - \dfrac{12}{x}$, à l'aide du tableau relatif à la dérivée première.

6. Soit $f(x) = x + \ln (x^2 + 1)$.

a) Démontrer que la fonction f est toujours croissante.

b) Déterminer les intervalles de concavité vers le bas, les intervalles de concavité vers le haut et les points d'inflexion de f.

7. Analyser les fonctions suivantes.

a) $f(x) = \dfrac{\ln x}{x}$, sachant que $\lim\limits_{x \to +\infty} \dfrac{\ln x}{x} = 0$

b) $g(x) = \ln (x^2 + 4)$

c) $f(x) = x \ln x^2$, sachant que $\lim\limits_{x \to 0} (x \ln x^2) = 0$

d) $h(t) = 2 - \ln^2 t$

8. Déterminer le point Q de la courbe de f, où $f(x) = x^4 \ln x$, tel que la pente P de la droite joignant $Q(x, y)$ au point $O(0, 0)$ soit minimale.

Réseau de concepts

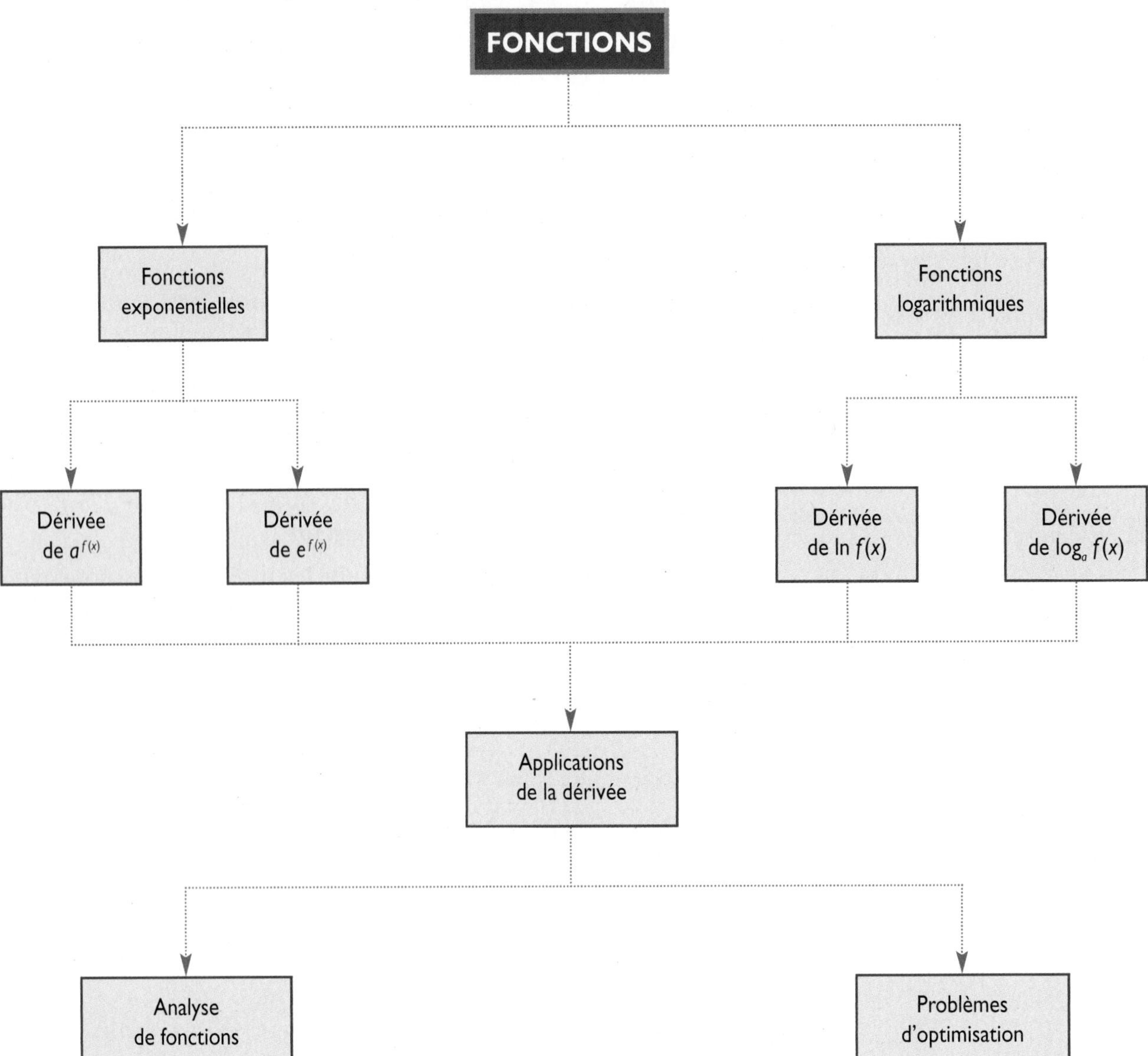

8

Liste de vérification des apprentissages

RÉPONDRE PAR **OUI** OU PAR **NON.**			
Après l'étude de ce chapitre, je suis en mesure:		**OUI**	**NON**
1.	de déterminer le domaine et l'image de fonctions exponentielles;		
2.	de représenter graphiquement des fonctions exponentielles;		
3.	d'utiliser la fonction exponentielle pour résoudre certains problèmes;		
4.	de donner la définition de logarithme;		
5.	d'utiliser certaines propriétés des logarithmes;		
6.	de déterminer le domaine et l'image de fonctions logarithmiques;		
7.	de représenter graphiquement des fonctions logarithmiques;		
8.	d'utiliser la fonction logarithme pour résoudre certains problèmes;		
9.	de démontrer la règle de dérivation pour les fonctions de la forme a^x;		
10.	de calculer la dérivée de fonctions contenant des expressions de la forme $a^{f(x)}$;		
11.	de donner la définition du nombre e;		
12.	de démontrer la règle de dérivation pour les fonctions de la forme e^x;		
13.	de calculer la dérivée de fonctions contenant des expressions de la forme $e^{f(x)}$;		
14.	d'analyser des fonctions contenant des fonctions exponentielles;		
15.	de résoudre des problèmes d'optimisation contenant des fonctions exponentielles;		
16.	de démontrer la règle de dérivation pour la fonction $\ln x$;		
17.	de calculer la dérivée de fonctions contenant des expressions de la forme $\ln f(x)$;		
18.	de démontrer la règle de dérivation pour la fonction $\log_a x$;		
19.	de calculer la dérivée de fonctions contenant des expressions de la forme $\log_a f(x)$;		
20.	d'analyser des fonctions contenant des fonctions logarithmiques;		
21.	de résoudre des problèmes d'optimisation contenant des fonctions logarithmiques.		
Si vous avez répondu **NON** à l'une de ces questions, il serait préférable pour vous d'étudier de nouveau cette notion.			

8

Exercices récapitulatifs

biologie chimie administration physique

1. Calculer la dérivée des fonctions suivantes.

a) $f(x) = e^{-x} + e^{2x}\,x^3$

b) $g(x) = \dfrac{10^{x^2}}{8^{\sqrt{x}}}$

c) $y = \ln x^4 - \ln^4 x$

d) $v(t) = \log_4 (\ln t)$

e) $h(x) = e^{(e^x)}\,x^e$

f) $f(x) = \pi^{(ex)} + e^{(\pi x)} + x^{(e\pi)}$

g) $f(u) = u \ln \dfrac{1}{u}$

h) $f(x) = \dfrac{\ln x}{e^x}$

i) $f(x) = \ln (\log e^x)$

j) $f(x) = \ln (x^2 + e^x) - \ln \left(\dfrac{e^x - 2}{e^x}\right)$

k) $f(x) = \dfrac{x - e^{2x}}{e^{3x} - 4}$

l) $d(x) = \sqrt{\ln x^2}$

m) $f(x) = 7^{-x} + \log (x^3 + e^x)$

n) $c(t) = c_0 (1 + i)^t$

o) $f(x) = \dfrac{e^x + e^{-x}}{e^x - e^{-x}}$

2. a) Quel est le point P sur la courbe d'équation $f(x) = xe^x$ pour lequel l'équation de la droite tangente à la courbe en ce point est donnée par $y = \dfrac{-1}{e}$?

O/T b) Vérifier la pertinence du résultat précédent en représentant graphiquement la courbe et la tangente à l'aide d'un outil technologique.

3. Pour chaque fonction, calculer, si c'est possible, la pente de la tangente à sa courbe au point donné.

a) $f(x) = \dfrac{\ln x}{3x}$, au point $(1, f(1))$

b) $g(x) = \dfrac{e^{-x}}{x^2}$, au point $(2, g(2))$

4. Soit $f(x) = x^3 e^{(4 - x^2)}$.

a) Déterminer l'équation de la tangente à la courbe de f au point $(-2, f(-2))$.

b) Déterminer l'équation de la droite normale à cette tangente.

5. Soit $f(x) = e^{2x + 3}$ et $g(x) = x \ln 3x$.

a) Déterminer les points d'intersection A et B de la tangente à la courbe de f au point $(-1, f(-1))$ avec l'axe des x et l'axe des y.

b) Déterminer le point C de la courbe de f où la tangente à cette courbe est parallèle à la droite d'équation $y = 4x + 1$.

c) Déterminer le point D de la courbe de g où la tangente à cette courbe est parallèle à la droite d'équation $2x + y - 5 = 0$.

6. a) Déterminer un point P de la courbe définie par $g(x) = e^{(x^2 - 9)}$, tel que la droite définie par $y = -6x - 17$ soit tangente à cette courbe.

O/T b) Représenter graphiquement la courbe de g et la tangente précédente.

7. Pour chacune des fonctions suivantes, déterminer le domaine, l'équation des asymptotes, les points de minimum relatif, les points de maximum relatif et les points d'inflexion, et esquisser le graphique de la fonction.

a) $f(x) = (x^2 - 3)e^x$, sachant que $\lim\limits_{x \to -\infty} [(x^2 - 3)e^x] = 0$

b) $f(x) = \ln (3 - x)^2$

c) $f(x) = \dfrac{x}{e^{\frac{x^2}{2}}}$, sachant que $\lim\limits_{x \to -\infty} \dfrac{x}{e^{\frac{x^2}{2}}} = 0$ et $\lim\limits_{x \to +\infty} \dfrac{x}{e^{\frac{x^2}{2}}} = 0$

d) $f(x) = x - \ln (x^2 + 1)$, sachant que $\lim\limits_{x \to +\infty} [x - \ln (x^2 + 1)] = +\infty$

e) $f(x) = \dfrac{x}{2^x}$, sachant que $\lim\limits_{x \to +\infty} \dfrac{x}{2^x} = 0$

f) $f(x) = x \ln x$, sachant que $\lim\limits_{x \to 0^+} (x \ln x) = 0$

g) $f(x) = x^2 - x^2 \ln x$, sachant que $\lim\limits_{x \to 0^+} (x^2 - x^2 \ln x) = 0$

h) $f(x) = 2 - \ln(x^2 + 9)$

i) $f(x) = \dfrac{e^x}{e^x - 1}$

j) $f(x) = 15 + x - 8 \ln x - \dfrac{12}{x}$, sachant que $\lim\limits_{x \to 0^+} f(x) = -\infty$

8. Soit $f(x) = \dfrac{e^x}{x^3}$ et $g(x) = \dfrac{x^3}{e^x}$, où $\lim\limits_{x \to +\infty} \dfrac{e^x}{x^3} = +\infty$.

a) Déterminer dom f et dom g.

b) Déterminer, si c'est possible, les asymptotes verticales de f et de g.

c) Déterminer, si c'est possible, les asymptotes horizontales de f et de g.

d) Construire les tableaux de variation et esquisser les graphiques de f et de g.

9. Soit $f(x) = e^{-x^2}$ et $g(x) = \ln^2 x$.

a) Déterminer, si c'est possible, le point de la courbe de f et le point de la courbe de g où la pente de la tangente à cette courbe est:

i) maximale; ii) minimale.

b) Compléter cette phrase: Les points trouvés en a) sont des points...

O/T c) Représenter graphiquement les courbes de f et de g ainsi que les tangentes déterminées en a).

10. Soit $f(x) = e^{-x}$ sur $-\infty, 3[$.

a) Donner les coordonnées du point P de la courbe de f tel que la pente de la droite D joignant ce point au point A(3, 0) soit maximale.

O/T b) Représenter la courbe de f et la droite D déterminée en a).

c) Compléter cette phrase: La droite D est...

11. Déterminer les dimensions du rectangle d'aire maximale situé sous l'axe des x, entre l'axe des y et la courbe d'équation $y = \ln x$.

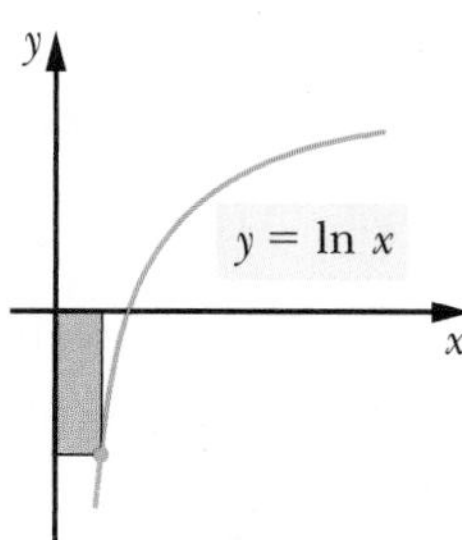

12. a) Déterminer l'aire du rectangle d'aire maximale que l'on peut inscrire entre la courbe définie par $y = e^{\frac{-x^2}{2}}$ et l'axe des x.

O/T b) Représenter la courbe de y et le rectangle trouvé en a).

13. Soit $f(x) = (x + 2)e^{-x}$ et $g(x) = -3x^4 + 6x^2 + 3$.

a) Déterminer les points de maximum et de minimum de f et de g.

O/T b) Déterminer les coordonnées des points d'intersection des courbes de f et de g, en donnant votre réponse avec cinq chiffres significatifs. (Représenter graphiquement avec des intervalles appropriés.)

14. En 1975, la population d'une ville était de 5 000 habitants; en 1990, elle était de 12 500 habitants.

Dominique Parent

Si le facteur de croissance demeure constant:

a) Déterminer la fonction P qui permet d'évaluer la population en fonction du temps t.

b) Exprimer t en fonction de P.

c) Quelle sera la population de cette ville en l'an 2010?

d) En quelle année la population de cette ville a-t-elle été (ou sera-t-elle) d'environ 23 000 habitants?

O/T e) Esquisser le graphique de la fonction P en fonction de t.

O/T f) Esquisser le graphique de t en fonction de P.

8

15. Le sucre, mélangé à un certain liquide, se dissout conformément à l'équation suivante :

$Q(t) = Q_0 e^{kt}$, où $Q(t)$ est la quantité restante de sucre, Q_0, la quantité initiale de sucre, k, un facteur de décroissance et t, le temps en heures écoulé depuis le début du mélange. Au cours d'un mélange, la quantité initiale de sucre est de 20 kg et, après trois heures, il reste 8 kg de sucre non dissous.

Dominique Parent

a) Déterminer la valeur du facteur de décroissance k.

b) Déterminer la fonction donnant le taux de variation de $Q(t)$.

c) Déterminer ce taux de variation cinq heures après le début du mélange, et déterminer la quantité de sucre non dissous à ce moment.

16. Des sociologues, aidés de mathématiciens, ont établi que le nombre de personnes qui propagent une nouvelle dans une ville après t jours est donné par $P(t) = \dfrac{N}{99e^{-2t} + 1}$, où N représente la population de la ville.

Dominique Parent

Dans une ville d'une population de 2 000 000 d'habitants :

a) Déterminer le nombre initial de personnes qui propagent une nouvelle.

b) Déterminer le nombre de personnes qui propagent cette nouvelle après deux jours.

c) Déterminer le temps nécessaire pour que les trois quarts de la population propagent la nouvelle.

d) Démontrer, à l'aide de la dérivée, que le nombre de personnes qui propagent la nouvelle est toujours croissant.

e) Évaluer $\lim_{t \to +\infty} P(t)$ et esquisser le graphique de P.

17. 
À la sortie d'un nouveau disque compact, le taux de croissance des ventes est élevé au début, puis il diminue par la suite.

Dominique Parent

Une compagnie estime que le nombre N de disques vendus en fonction du temps t (en semaines) est donné par

$N(t) = 1\,000\,000\,(1 - e^{\frac{-t}{3}})$.

a) Après combien de semaines le nombre de disques vendus sera-t-il de 500 000 ?

b) Estimer le plus grand nombre possible de disques que la compagnie espère vendre.

c) Démontrer que le taux de variation instantané de $N(t)$ est une fonction décroissante.

O/T d) Esquisser le graphique de N en fonction de t.

18. a) Certains psychologues estiment que, en général, la fonction définie par

$C(x) = \dfrac{5}{3x \ln x - 5x + 10}$ donne une mesure numérique approximative de la capacité d'apprendre d'un enfant âgé de 6 mois à 5 ans, en fonction de son âge x, où x est en années.

Dominique Parent

Déterminer l'âge auquel la capacité d'apprendre d'un enfant est maximale.

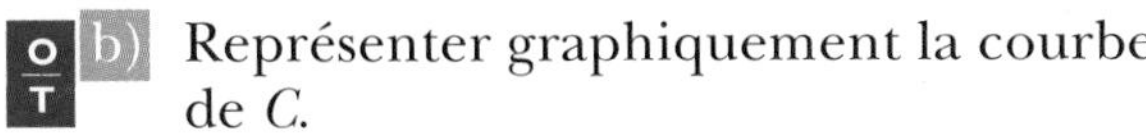
b) Représenter graphiquement la courbe de C.

19. a) Le physicien anglais William Thomson (1824-1907), mieux connu sous le nom de lord Kelvin, a démontré que la vitesse v de transmission d'un signal à l'intérieur d'un câble conducteur sous-marin dépend d'une certaine variable x qui peut être déterminée à partir du diamètre extérieur du câble et du diamètre du fil intérieur.

Sachant que $v(x) = kx^2 \ln\left(\frac{1}{x}\right)$, où k est une constante dépendant de la longueur du câble et de sa qualité, déterminer la valeur de x à laquelle v est maximale.

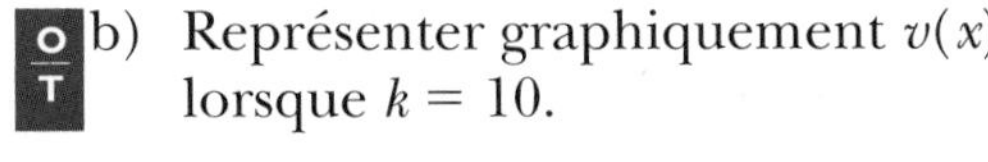
b) Représenter graphiquement $v(x)$ lorsque $k = 10$.

20. Dans certaines conditions, l'acide oxalique peut se décomposer en acide formique et en dioxyde de carbone.

$HOOC-COOH \rightarrow HCOOH + CO_2$, où les quantités sont exprimées en grammes.

Consulter le graphique ci-dessous, qui représente la concentration de l'acide oxalique en fonction du temps.

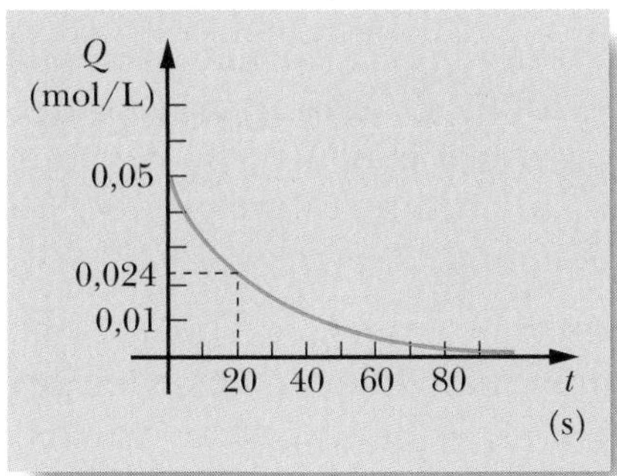

a) Sachant que la quantité Q est donnée par $Q(t) = Q_0e^{kt}$, déterminer l'équation $Q(t)$.

b) Calculer la vitesse moyenne de réaction entre 10 s et 30 s.

c) Déterminer la vitesse initiale de la réaction.

d) Déterminer la vitesse instantanée de la réaction à 40 s.

e) Déterminer la vitesse instantanée de la réaction lorsque Q est égale à 0,04 (mol/L).

21. On sait que la température relative augmente avec l'humidité. L'équation générale qui donne la température relative, en degrés Celsius, en fonction du pourcentage d'humidité, est de la forme $T(h) = T_0e^{kh}$, où h représente le pourcentage d'humidité et T_0, la température réelle. Pour une température réelle de 32 °C, on obtient une température relative de 35 °C à un pourcentage d'humidité de 60 %.

a) Après avoir évalué la valeur de k, déterminer la fonction $T(h)$.

b) Évaluer la température relative si le pourcentage d'humidité passe à 90 %.

c) Esquisse le graphique de la fonction $T(h)$ sur [0 %, 100 %], à l'aide du tableau de variation.

22. La concentration C, en milligrammes par centimètre cube, d'un médicament dans le système sanguin d'une personne adulte est donnée par $C(t) = 0{,}05e^{-0{,}01t}$, où t est en minutes.

a) Déterminer la concentration du médicament après 90 minutes.

b) Déterminer $C_1(t)$, la concentration du même médicament, où t serait exprimé en heures. Utiliser C_1 pour déterminer la concentration après 90 minutes.

c) Calculer le temps nécessaire pour que la concentration du médicament soit réduite de moitié.

O/T d) Représenter sur un même système d'axe les courbes de $C_1(t)$ et de $C_1'(t)$, où $t \in$ [0 h, 5 h].

8

Problèmes de synthèse

1. Calculer $\frac{dy}{dx}$ si:

a) $e^y = e^x + \ln x$;

b) $\log y = x \ln x$;

c) $e^{xy} - x^2y^3 = 0$;

d) $e^x = \frac{xy}{\ln y}$.

2. Déterminer la pente de la tangente à la courbe définie par $e^x \ln y = 2xy$, au point $(0, 1)$.

3. Soit la fonction sinus hyperbolique définie par $\sinh x = \frac{e^x - e^{-x}}{2}$ et la fonction cosinus hyperbolique définie par $\cosh x = \frac{e^x + e^{-x}}{2}$.

a) Calculer $(\sinh x)'$ et $(\cosh x)'$.

b) Démontrer que $\cosh^2 x - \sinh^2 x = 1$.

O T c) Représenter sur un même système d'axes les courbes de $f(x) = \sinh x$ et de $g(x) = \cosh x$.

4. Soit $y = \frac{e^x - e^{-x}}{2}$.

a) Démontrer que $x = \ln (y + \sqrt{y^2 + 1})$.

b) Vérifier que $\frac{dx}{dy} = \frac{1}{\frac{dy}{dx}}$.

5. Soit un mobile se déplaçant de façon rectiligne. Si sa position en fonction du temps est donnée par $x(t) = ae^{\omega t} + be^{-\omega t}$, où t est en secondes et $x(t)$, en centimètres, déterminer:

a) la fonction donnant la vitesse en fonction du temps t;

b) la fonction donnant l'accélération en fonction du temps t.

6. Analyser les fonctions suivantes.

a) $f(x) = x^2\, 2^x$, sachant que $\lim_{x \to -\infty} f(x) = 0$.

b) $f(x) = 2e^x - xe^x + 1$, sachant que $\lim_{x \to -\infty} f(x) = 1$.

c) $f(x) = e^{2x} - 2x$, sachant que $\lim_{x \to +\infty} f(x) = +\infty$.

7. Soit $f(x) = e^{-|x|}$.

a) Exprimer f sous la forme d'une fonction définie par parties.

b) Déterminer si f est continue en $x = 0$.

c) Déterminer si f est dérivable en $x = 0$.

d) Déterminer si le point $O(0, 0)$ est un point de rebroussement ou un point anguleux.

O T e) Représenter graphiquement cette fonction.

8. Soit $f(x) = \ln (e^x - 1)$.

a) Déterminer dom f.

b) Démontrer que $\forall x \in \text{dom } f$, $\ln (e^x - 1) = x + \ln (1 - e^{-x})$.

c) Déterminer l'asymptote oblique de f.

d) Représenter graphiquement cette fonction ainsi que l'asymptote précédente.

e) Représenter graphiquement les fonctions g et h, et déterminer les asymptotes des fonctions si $g(x) = \ln (e^{|x|} - 1)$ et $h(x) = \ln |e^x - 1|$.

9. Soit $f(x) = 3 + \ln \left(\frac{x - 2}{x + 1}\right)$.

a) Faire l'analyse de f.

b) À partir du graphique obtenu en a), déduire le graphique de la fonction $g(x) = \left|3 + \ln \left(\frac{x - 2}{x + 1}\right)\right|$.

c) Faire l'analyse de la fonction h, si $h(x) = 3 + \ln \left|\frac{x - 2}{x + 1}\right|$.

10. a) Déterminer la forme générale des fonctions f, telles que la pente de la tangente à la courbe de ces fonctions soit identique à l'image de f en tout point de f.

b) Déterminer parmi les fonctions obtenues en a) celle qui passe par le point $P(0, 7)$; celle qui passe par le point $R(-1, 7)$.

11. En statistique, la fonction de densité d'une variable aléatoire x suivant une loi normale est définie par $f(x) = \dfrac{1}{\sigma\sqrt{2\pi}}\, e^{\frac{-1}{2}\left(\frac{x-\mu}{\sigma}\right)^2}$, où la constante μ représente l'espérance mathématique de x ($\mu > 0$) et la constante σ^2, la variance ($\sigma > 0$).

Faire l'analyse complète de cette fonction.

12. Soit $f(x) = \begin{cases} e^x - x + k & \text{si } x < 0 \\ -x^3 & \text{si } 0 \leq x < 1 \\ \dfrac{\ln x}{x} - 1 & \text{si } x \geq 1 \end{cases}$.

a) Déterminer, si c'est possible, la valeur de k qui rend la fonction continue en $x = 0$ et déterminer alors si cette fonction est dérivable en $x = 0$.

b) Déterminer si cette fonction est continue et dérivable en $x = 1$.

O/T c) Représenter graphiquement cette fonction selon la valeur de k obtenue en a).

13. Soit $f(x) = x \ln x$.

a) Déterminer l'aire du triangle formé par la tangente à la courbe de f au point $P(e, f(e))$, la normale à cette tangente au même point de la courbe et l'axe des y.

O/T b) Représenter la courbe et le triangle précédent.

14. Soit la courbe définie par $f(x) = e^x$ et la courbe définie par $g(x) = \ln x$.

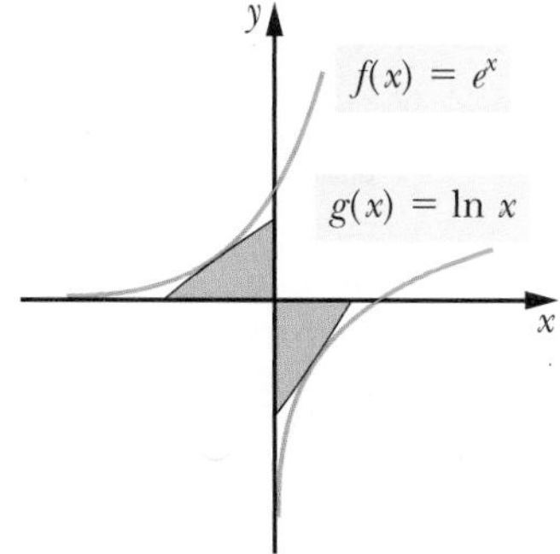

a) Déterminer le point sur la courbe de f où l'aire du triangle rectangle délimité par les axes et la tangente à la courbe de f est maximale. Donner les dimensions de ce triangle rectangle.

b) Déterminer le point sur la courbe de g où l'aire du triangle rectangle délimité par les axes et la tangente à la courbe de g est maximale. Donner les dimensions de ce triangle rectangle.

15. Soit A et B, les points d'intersection de la droite $y + x = e + 1$ avec la courbe des fonctions $f(x) = e^x$ et $g(x) = \ln x$. Déterminer l'aire du triangle OAB, où $O(0, 0)$.

16. Soit les fonctions $f(x) = a^x$ et $g(x) = \log_a x$, où $a > 1$.

a) Déterminer la valeur de a telle que les graphiques de f et de g aient un seul point d'intersection.

b) Déterminer ce point I d'intersection.

O/T c) Vérifier la pertinence de votre résultat en esquissant les graphiques selon différentes valeurs de a.

17. Soit $f(x) = \ln x$ et $g(x) = \dfrac{f(x)}{x}$.

a) Déterminer, si c'est possible, les intervalles de croissance et les intervalles de décroissance de f et de g.

b) Utiliser les résultats obtenus en a) pour démontrer que si $0 < b < a \leq e$, alors $b^a < a^b$ et que si $e \leq b < a$, alors $a^b < b^a$.

c) En déduire, suivant les valeurs du nombre réel a, le nombre de solutions de l'équation $e^{ax} = x$.

O/T d) Vérifier la pertinence de votre résultat à l'aide d'un outil technologique.

18. Une compagnie, dont les revenus actuels sont de 75 000 $, dépense 1 000 $ pour sa publicité. Elle estime que, chaque fois qu'elle double la somme affectée à la publicité, ses revenus augmentent de 10 %. Évaluer la somme qu'elle devra affecter à la publicité pour maximiser ses bénéfices, qui sont définis par la différence entre ses revenus et ses dépenses en matière de publicité.

19. Le revenu d'une compagnie pour un certain produit est donné par $R(x) = 100\,000 - 100\,000\, e^{-0{,}04x}$, où x représente la somme, en milliers de dollars, dépensée pour la publicité du produit.

O/T a) Représenter graphiquement la fonction R.

b) Déterminer la somme à partir de laquelle l'argent investi dans la publicité ne rapporte plus.

20. Des spécialistes ont estimé que la concentration C d'un médicament dans le sang, t minutes après l'injection, est donnée par $C(t) = \dfrac{c}{a - b}(e^{-bt} - e^{-at})$, où a, b et c sont des constantes positives dépendantes du médicament et $a > b$.

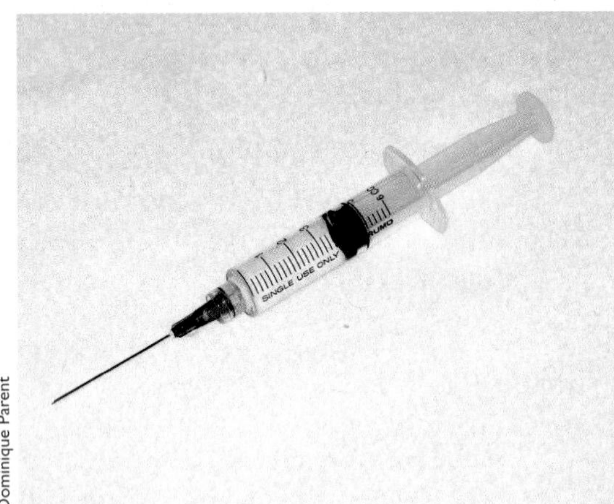

Dominique Parent

a) Déterminer la concentration C maximale.

b) Évaluer $\lim\limits_{t \to +\infty} C(t)$ et interpréter le résultat.

21. Quand on saisit les deux extrémités d'une chaîne simple et qu'on la laisse pendre librement, elle décrit une courbe connue sous le nom de chaînette (ou caténaire). Son équation en coordonnées cartésiennes est de la forme $y = \dfrac{a}{2}\left(e^{\frac{x}{a}} + e^{\frac{-x}{a}}\right)$, où $a > 0$.

Cette courbe est observable dans la nature sous différentes formes: les fils téléphoniques ou électriques entre deux poteaux, la partie supérieure de l'arche de Saint-Louis, etc.

Dominique Parent

a) Déterminer les points de minimum et de maximum de cette fonction si:

i) $a = \dfrac{1}{2}$ et $x \in [-3, 2]$;

ii) $a \in]0, +\infty$ et $x \in [-a, 2a]$.

b) Représenter graphiquement, sur un même système d'axes, les courbes obtenues en posant successivement $a = 1$, $a = 2$ et $a = 3$ dans l'équation précédente, où $x \in [-4, 4]$.

c) Soit la chaînette d'équation

$$f(x) = 5\left(e^{\frac{x}{10}} + e^{\frac{-x}{10}}\right).$$

Déterminer l'équation de la fonction g dont la courbe est symétrique par rapport à la tangente tracée au point de minimum de f. Représenter, sur un même système d'axes, les courbes de f et de g ainsi que la tangente sur $[-6, 6]$.

d) La partie supérieure de l'arche de Saint-Louis a la forme d'une chaînette inversée.

Pierre Parent

Soit $A(x) = K - 8\left(e^{\frac{x}{a}} + e^{\frac{-x}{a}}\right)$, la fonction donnant la hauteur de l'arche pour $x \in [-20, 20]$. Déterminer les valeurs de K et de a, sachant que la hauteur maximale de l'arche est de 192 mètres.

e) La distance séparant les deux colonnes de la partie inférieure de l'arche de Saint-Louis est de 192 mètres. Supposons que la fonction donnant la hauteur des colonnes pour $x \in [-b, b] \setminus [-20, 20]$ est une portion de parabole d'équation $P(x) = C(b^2 - x^2)$.

Déterminer les valeurs de C et de b.

f) Représenter, sur un même système d'axes, les courbes de A et de P.

Dérivée des fonctions trigonométriques

Dominique Parent

Introduction

Dans certains domaines, particulièrement en physique, un grand nombre de phénomènes peuvent être étudiés au moyen des fonctions trigonométriques et de leurs dérivées. Le présent chapitre est consacré à l'étude de la dérivée des fonctions trigonométriques.

En particulier, l'élève pourra résoudre le problème suivant:

Loi de Snell

Un principe général permettant de déterminer les parcours des rayons lumineux a été énoncé par Pierre de Fermat (1601-1665). Selon le **principe de Fermat,** le trajet d'un rayon lumineux entre deux points quelconques P et Q est le parcours qui prend le moins de temps. Ce principe est parfois appelé *principe du temps minimal.* Une conséquence immédiate du principe de Fermat est que, dans un milieu homogène, les rayons lumineux se propagent en ligne droite puisque la ligne droite est la plus courte distance entre deux points. Nous allons maintenant voir comment utiliser le principe de Fermat pour établir la loi de la réfraction, appelée Loi de Snell. La découverte expérimentale de cette relation est attribuée à Willebrord Snell (1580-1626)…

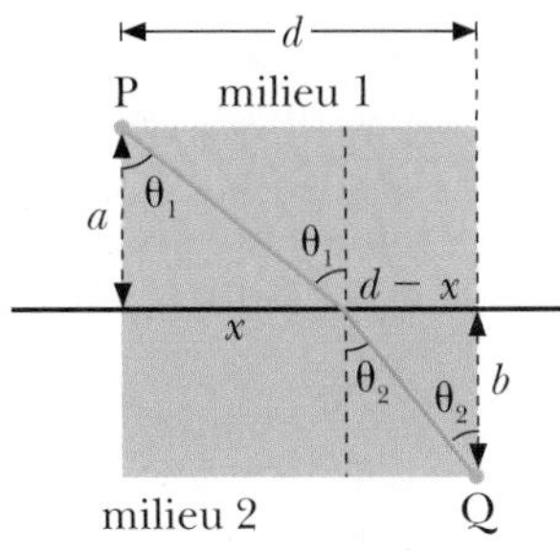

Supposons qu'un rayon lumineux doive se propager de P à Q, P étant dans le milieu 1 et Q, dans le milieu 2. Les points P et Q sont respectivement aux distances a et b de la surface de séparation. La vitesse de la lumière est v_1 dans le milieu 1 et v_2, dans le milieu 2.

Nous allons démontrer la Loi de Snell, c'est-à-dire

$$\frac{\sin \theta_1}{\sin \theta_2} = \frac{v_1}{v_2}.$$

(*Voir* le problème de synthèse n° 19, page 388.)

Perspective historique

LA TRIGONOMÉTRIE

Par une belle nuit d'été, couché dans l'herbe, vous regardez les étoiles. Un lien s'établit entre elles et vous. Rêves et mystères vous envahissent. Bientôt, comme hors du temps, votre esprit vogue parmi ces millions d'étoiles. Il embrasse l'Univers et se confond avec lui. Vous ne pensez certes pas à la trigonométrie. Pourtant, la trigonométrie prend sa source dans ce même désir des hommes de se rapprocher de cette voûte étoilée.

Jusqu'à la Renaissance (XVIe siècle), la trigonométrie n'existe pour ainsi dire pas en dehors des livres d'astronomie où l'on y consacre un chapitre ou une section. Dans le cadre de ses recherches, Ptolémée (100-178 apr. J.-C.), le plus grand astronome de la Grèce antique, a élaboré une table associant aux arcs d'un cercle de rayon 60 la longueur des cordes correspondantes (*voir* la figure), qui vont d'un demi-degré jusqu'à 180 degrés, par intervalles d'un demi-degré.

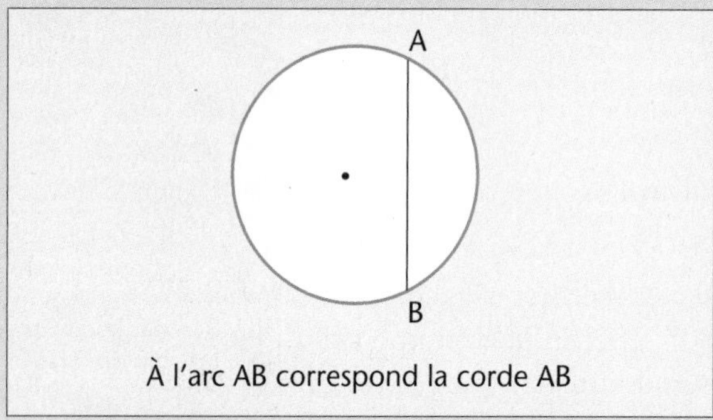

À l'arc AB correspond la corde AB

Grâce à cette table, Ptolémée a pu résoudre plusieurs problèmes liés à l'ajustement de son modèle selon lequel la Terre est au centre de l'Univers, afin qu'il corresponde aux mesures provenant des observations des mouvements apparents du Soleil, des planètes et des étoiles. Cette table est l'ancêtre de nos tables de sinus. Au début du premier millénaire, pour éviter de toujours diviser par deux dans les calculs, les astronomes indiens décident de construire des tables donnant non pas la longueur de la corde, mais celle de la demi-corde, notre sinus. (*Voir* à la section 9.1 l'origine du mot « sinus ».)

On pourrait croire que ces tables sont aussi utiles aux arpenteurs et à tous ceux qui mesurent des distances, par exemple la largeur d'une rivière, la hauteur des édifices, etc. Pourtant, il n'en est rien. En effet, les méthodes utilisées par ces mesureurs reposent uniquement sur l'usage des triangles semblables. En fait, jusqu'à l'époque de Copernic (1474-1543), on agit comme si les techniques utilisées pour l'étude des astres ne peuvent être appliquées aux mesures prises sur la Terre. Il faut peut-être voir là la conséquence de la conception de l'Univers qui existe alors. Dans la foulée d'Aristote, qui pensait que la Terre était au centre de tout, on croit que l'Univers se divise en deux parties : l'espace qui s'étend de la Lune jusqu'à la sphère des étoiles et le monde terrestre. Ces deux mondes répondent à des lois physiques différentes. Par exemple, le mouvement naturel des corps célestes est circulaire, alors que les objets terrestres se déplacent naturellement sur des droites. À la fin du XVIe siècle et dans la première moitié du XVIIe, la physique et la cosmologie aristotéliciennes font l'objet de contestations soutenues. Copernic (1473-1543) déplace le Soleil au centre de l'Univers, puis Kepler (1571-1630) et Galilée (1564-1642) apportent de l'eau au moulin de cette nouvelle vision du monde. Les esprits s'ouvrent à l'idée que les mêmes lois physiques s'appliquent à tous les corps, qu'ils soient célestes ou terrestres. Les outils de la trigonométrie astronomique descendent alors sur terre. Par exemple, en 1595, dans son traité *Trigonometriæ sive, de dimensione triangulis, Liber*, Bartholomeo Pitiscus (1561-1613) invente le terme « trigonométrie » (mesure des triangles) et décrit pour la première fois en Europe une méthode permettant de calculer la hauteur d'une tour en utilisant une table de sinus.

Après l'invention du calcul différentiel et intégral dans le troisième tiers du XVIIe siècle, les fonctions trigonométriques deviennent essentielles à l'étude des phénomènes périodiques. Le pendule devient l'outil par excellence de la mesure du temps. Alors que la navigation vers l'Amérique se révèle une nouvelle source de puissance économique et politique, la mesure du temps, essentielle pour déterminer la position en mer d'un navire, prend une toute nouvelle importance. Vers la fin du XVIIIe siècle, à l'époque de la Révolution française, ces fonctions occupent aussi une place prépondérante dans l'étude du mouvement des fluides. Quelques années plus tard, le Français Joseph Fourier (1769-1830), de retour d'une expédition en Égypte où il a contracté une maladie qui

Perspective historique (*suite*)

le rend très sensible au froid, s'intéresse à la propagation et à la distribution de la chaleur dans un corps solide. Les sommes infinies de fonctions trigonométriques sont au cœur de son étude. De fait, elles marqueront toutes les mathématiques du XIXe siècle, en particulier l'électromagnétisme. L'IMR (imagerie par résonance magnétique), si utile en médecine, constitue aujourd'hui l'une des applications les plus spectaculaires des séries trigonométriques.

Test préliminaire

Partie A

1. Compléter les égalités suivantes.

a) $\sin(x + h) =$ ______

b) $\sin(x - h) =$ ______

c) $\cos(x + h) =$ ______

d) $\cos(x - h) =$ ______

e) $\cos^2 x + \sin^2 x =$ ______

f) $1 + \tan^2 x =$ ______

g) $\cot^2 x + 1 =$ ______

2. Déterminer si les égalités suivantes sont vraies (V) ou fausses (F) pour tout x.

a) $\sin x^2 = (\sin x)^2$

b) $\sin^2 x = (\sin x)^2$

c) $\sin^2 x = \sin x^2$

d) $(\sin x)^2 = \sin^2 x^2$

3. Exprimer les fonctions suivantes en fonction de $\sin x$, de $\cos x$, ou en fonction de $\sin x$ et de $\cos x$.

a) $\tan x$

b) $\cot x$

c) $\sec x$

d) $\csc x$

4. Exprimer les expressions suivantes en fonction de la mesure des côtés a, b et c du triangle rectangle ci-dessous.

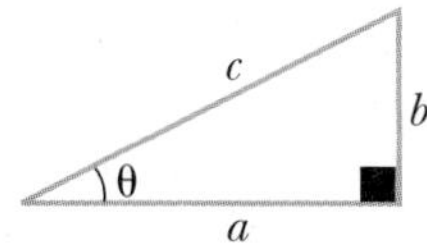

a) $\sin\theta$

b) $\cos\theta$

c) $\tan\theta$

d) $\cot\theta$

e) $\sec\theta$

f) $\csc\theta$

5. Soit le triangle ci-contre.

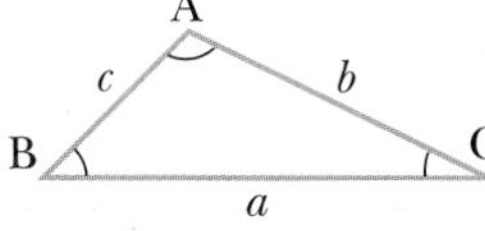

a) Écrire les équations résultant de la loi des sinus.

b) Compléter les égalités suivantes à l'aide de la loi des cosinus.

$c^2 =$ ______

$b^2 =$ ______

$a^2 =$ ______

6. Déterminer les coordonnées des points A, B et C suivants.

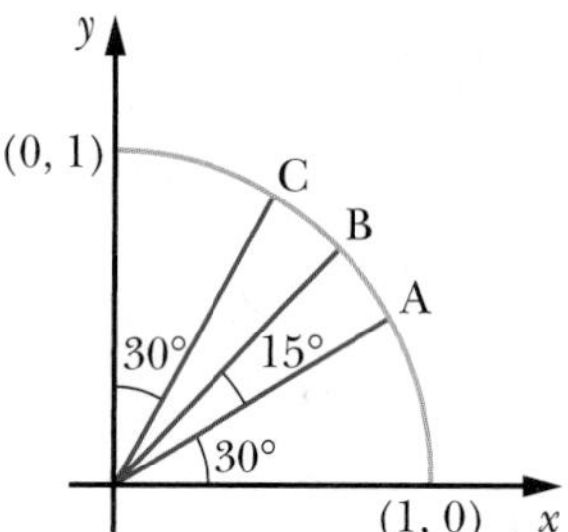

7. Soit le secteur circulaire suivant.

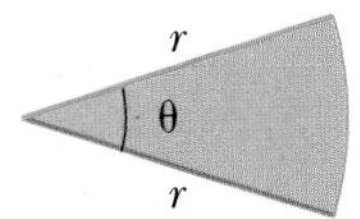

Déterminer en fonction de r et de θ, où θ est en radians:

a) le périmètre P de ce secteur;

b) l'aire A de ce secteur.

Partie B

1. Compléter les énoncés suivants.

a) Si $y = kf(x)$, alors $y' =$ ______

b) Si $y = f(x)\,g(x)$, alors $\dfrac{dy}{dx} =$ ______

9

c) Si $y = \dfrac{f(x)}{g(x)}$, alors $y' =$ ....

d) Si $y = f(u)$ et $u = g(x)$, alors $\dfrac{dy}{dx} =$ ....

2. Compléter les énoncés suivants.

a) Si $f'(x) > 0$ sur $]a, b[$, alors f est ....

b) Si $f''(x) < 0$ sur $]a, b[$, alors f est ....

c) Si $f'(c) = 0$ et $f'(x)$ passe du $+$ au $-$ lorsque x passe de c^- à c^+, alors $(c, f(c))$ est ....

d) Si $f'(c) = 0$ et $f''(c) > 0$, alors $(c, f(c))$ est ....

3. Compléter les énoncés suivants.

a) Si $\lim\limits_{x \to a^+} f(x) = -\infty$, alors ....

b) Si $\lim\limits_{x \to +\infty} f(x) = 4$, alors ....

4. Compléter les énoncés suivants.

a) Si f est une fonction dérivable, alors par définition $f'(x) = \lim\limits_{h \to 0}$ ....

b) Soit f, g et h, trois fonctions continues sur un intervalle ouvert I.

Si $f(x) \leqslant g(x) \leqslant h(x)$ $\forall x \in$ I et si $\lim\limits_{x \to a} f(x) = \lim\limits_{x \to a} h(x) = b$, alors ....

9.1 Dérivée des fonctions sinus et cosinus

Objectif d'apprentissage

À la fin de cette section, l'élève pourra calculer la dérivée de fonctions contenant des fonctions sinus et cosinus.

$$[\sin f(x)]' = [\cos f(x)]\, f'(x)$$
$$[\cos f(x)]' = [-\sin f(x)]\, f'(x)$$

Plus précisément, l'élève sera en mesure :
- de calculer deux limites utilisées dans la preuve des formules de dérivée des fonctions sinus et cosinus ;
- de démontrer la règle de dérivation pour la fonction sinus ;
- de calculer la dérivée de fonctions contenant des expressions de la forme $\sin f(x)$;
- de démontrer la règle de dérivation pour la fonction cosinus ;
- de calculer la dérivée de fonctions contenant des expressions de la forme $\cos f(x)$.

Dans cette section, nous allons démontrer des formules permettant de calculer la dérivée de fonctions contenant les fonctions sinus et cosinus.

Ces formules de dérivées seront utilisées dans la section 9.2 pour démontrer la dérivée des autres fonctions trigonométriques.

Fonction sinus

Il y a environ 1500 ans...

Droits réservés
Aryabhata

D'où vient le mot *sinus* ? L'astronome indien **Aryabhata** (né en 476) employait le terme *jya-ardha* pour désigner la demi-corde. Toutefois, le plus souvent, il n'écrivait que *jya* ou *jiva*. Lorsqu'il fut traduit en arabe, le mot fut transcrit phonétiquement, *jiba*, terme qui n'a pas de sens dans cette langue. Comme l'arabe s'écrit sans nécessairement préciser les voyelles, le mot *jb* se lisait *jaib* qui signifie « ouverture » ou « baie ». Or, en latin, une ouverture ou une baie se traduit par *sinus*. D'ailleurs, la cavité qui se trouve derrière le nez ne s'appelle-t-elle pas aussi *sinus* ?

La représentation graphique ci-contre est une esquisse du graphique de $f(x) = \sin x$, où

dom $f = \mathbb{R}$ et

ima $f = [-1, 1]$.

Cette fonction périodique de période 2π est continue sur $\mathbb{R}$.

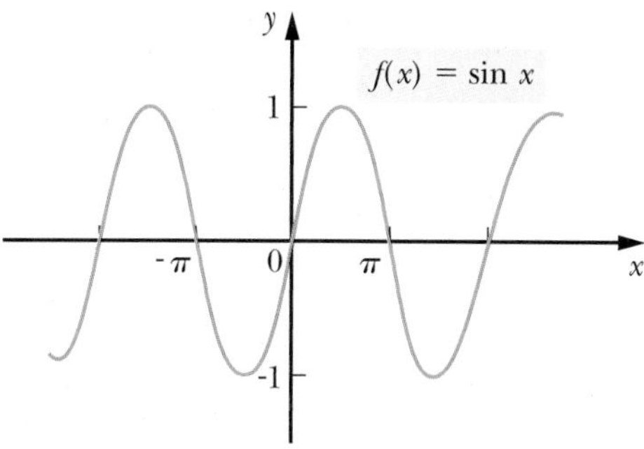

Remarque Les deux lemmes suivants de même que toutes les formules des dérivées de fonctions trigonométriques ne sont valables que pour des angles mesurés en radians. Ainsi, à moins d'indications contraires, la mesure des angles est en radians.

Avant de calculer la dérivée de la fonction $f(x) = \sin x$, à l'aide de la définition de la dérivée, il faut évaluer les deux limites suivantes :

$$\lim_{h \to 0} \frac{\sin h}{h} \quad \text{et} \quad \lim_{h \to 0} \frac{\cos h - 1}{h}.$$

LEMME 1 $\displaystyle\lim_{h \to 0} \frac{\sin h}{h} = 1$

Preuve

Remarquons d'abord que $\displaystyle\lim_{h \to 0} \frac{\sin h}{h}$ est une indétermination de la forme $\dfrac{0}{0}$.

Nous allons lever cette indétermination dans le cas où $0 < h < \dfrac{\pi}{2}$.

À l'aide du graphique ci-contre, nous constatons que aire ΔOCE > aire OAE > aire ΔOAB, c'est-à-dire que $\dfrac{\tan h}{2} > \dfrac{h}{2} > \dfrac{\cos h \sin h}{2}$.

En multipliant par deux et en divisant par $\sin h$, où $\sin h > 0$, nous obtenons

$$\frac{\tan h}{\sin h} > \frac{h}{\sin h} > \frac{\cos h \sin h}{\sin h}$$

Si $a > 0, b > 0$ et $a < b$, alors $\dfrac{1}{b} < \dfrac{1}{a}$

$$\frac{1}{\cos h} > \frac{h}{\sin h} > \cos h \qquad \text{(en simplifiant)}$$

$$\cos h < \frac{\sin h}{h} < \frac{1}{\cos h} \qquad (\text{car } h > 0, \cos h > 0 \text{ et } \sin h > 0)$$

En prenant la limite des trois termes, nous obtenons

$$\lim_{h \to 0^+} \cos h \leqslant \lim_{h \to 0^+} \frac{\sin h}{h} \leqslant \lim_{h \to 0^+} \frac{1}{\cos h}$$

$$1 \leqslant \lim_{h \to 0^+} \frac{\sin h}{h} \leqslant 1 \qquad \left(\text{car } \lim_{h \to 0^+} \cos h = 1 \text{ et } \lim_{h \to 0^+} \frac{1}{\cos h} = 1\right)$$

Donc, $\displaystyle\lim_{h \to 0^+} \frac{\sin h}{h} = 1$ (théorème 2.7, théorème « sandwich »)

Nous pouvons démontrer, de façon analogue, que dans le cas où $\frac{-\pi}{2} < h < 0$,

$$\lim_{h \to 0^-} \frac{\sin h}{h} = 1.$$

D'où $\lim\limits_{h \to 0} \frac{\sin h}{h} = 1.$

■

LEMME 2 $\lim\limits_{h \to 0} \frac{\cos h - 1}{h} = 0$

Preuve

Remarquons d'abord que $\lim\limits_{h \to 0} \frac{\cos h - 1}{h}$ est une indétermination de la forme $\frac{0}{0}$.

Levons cette indétermination.

$$\begin{aligned}
\lim_{h \to 0} \frac{\cos h - 1}{h} &= \lim_{h \to 0} \left[\frac{\cos h - 1}{h} \times \frac{\cos h + 1}{\cos h + 1}\right] \\
&= \lim_{h \to 0} \frac{\cos^2 h - 1}{h\,(\cos h + 1)} \\
&= \lim_{h \to 0} \frac{-\sin^2 h}{h\,(\cos h + 1)} && (\text{car } \sin^2 h + \cos^2 h = 1) \\
&= \lim_{h \to 0} \left[\frac{\sin h}{h} \times \frac{(-\sin h)}{(\cos h + 1)}\right] \\
&= \left(\lim_{h \to 0} \frac{\sin h}{h}\right)\left(\lim_{h \to 0} \frac{-\sin h}{\cos h + 1}\right) && (\text{théorème 2.3 d}) \\
&= (1)\left(\frac{0}{2}\right) && (\text{lemme 1}) \\
&= 0
\end{aligned}$$

■

Dérivée de la fonction sinus

THÉORÈME 9.1 Si $H(x) = \sin x$, alors $H'(x) = \cos x$.

Preuve

$$\begin{aligned}
H'(x) &= \lim_{h \to 0} \frac{H(x + h) - H(x)}{h} && (\text{définition 3.12}) \\
&= \lim_{h \to 0} \frac{\sin\,(x + h) - \sin x}{h} && (\text{car } H(x) = \sin x) \\
&= \lim_{h \to 0} \frac{\sin x \cos h + \cos x \sin h - \sin x}{h} && (\text{car } \sin\,(x + h) = \sin x \cos h + \cos x \sin h) \\
&= \lim_{h \to 0} \left[\frac{\sin x \cos h - \sin x}{h} + \frac{\cos x \sin h}{h}\right]
\end{aligned}$$

9

$$= \lim_{h\to 0}\left[\sin x\frac{\cos h - 1}{h}\right] + \lim_{h\to 0}\left[\cos x\frac{\sin h}{h}\right] \quad \text{(théorème 2.3 a)}$$

$$= \sin x\left[\lim_{h\to 0}\frac{\cos h - 1}{h}\right] + \cos x\left[\lim_{h\to 0}\frac{\sin h}{h}\right] \quad \text{(théorème 2.3 b)}$$

$$= \sin x[0] + \cos x[1] \quad \text{(lemmes 2 et 1)}$$

$$= 0 + \cos x$$

$$= \cos x$$

Exemple 1 Soit $f(x) = x^2 \sin x$ et $y = \dfrac{\sin^3 t}{5}$.

a) Calculons $f'(x)$.

$$f'(x) = (x^2 \sin x)'$$

$$= (x^2)' \sin x + x^2 (\sin x)'$$

$$= 2x \sin x + x^2 \cos x \quad \text{(théorème 9.1)}$$

b) Calculons $\dfrac{dy}{dt}$.

$$\frac{dy}{dt} = \left(\frac{1}{5}(\sin t)^3\right)' \quad (\text{car } \sin^3 t = (\sin t)^3)$$

$$= \frac{1}{5}((\sin t)^3)'$$

$$= \frac{1}{5}3(\sin t)^2 (\sin t)' \quad \text{(dérivation en chaîne)}$$

$$= \frac{3}{5}\sin^2 t \cos t \quad \text{(théorème 9.1)}$$

Déterminons maintenant la dérivée de fonctions composées de la forme $H(x) = \sin f(x)$.

THÉORÈME 9.2 Si $H(x) = \sin f(x)$, où f est une fonction dérivable, alors
$H'(x) = [\cos f(x)]\, f'(x)$.

Preuve

Soit $H(x) = y = \sin u$, où $u = f(x)$. Nous avons

$$\frac{dy}{dx} = \frac{dy}{du}\frac{du}{dx} \quad \text{(notation de Leibniz)}$$

$$\frac{d}{dx}(H(x)) = \frac{d}{du}(\sin u)\,\frac{d}{dx}(f(x))$$

$$H'(x) = [\cos u]\, f'(x)$$

D'où $[\sin f(x)]' = [\cos f(x)]\, f'(x)$. (car $u = f(x)$)

Exemple 2 Soit $H(x) = \sin(x^6 + 4x^2)$ et $x(t) = \sqrt{\sin(t^3 + \sin t)}$.

a) Calculons $H'(x)$.

$$\begin{aligned} H'(x) &= [\cos(x^6 + 4x^2)]\,(x^6 + 4x^2)' \qquad \text{(théorème 9.2)} \\ &= (6x^5 + 8x)\cos(x^6 + 4x^2) \end{aligned}$$

b) Calculons $x'(t)$.

$$\begin{aligned} x'(t) &= [(\sin(t^3 + \sin t))^{\frac{1}{2}}]' \\ &= \frac{1}{2}(\sin(t^3 + \sin t))^{\frac{-1}{2}}(\sin(t^3 + \sin t))' \qquad \text{(dérivation en chaîne)} \\ &= \frac{1}{2(\sin(t^3 + \sin t))^{\frac{1}{2}}}\cos(t^3 + \sin t)(t^3 + \sin t)' \qquad \text{(théorème 9.2)} \\ &= \frac{(3t^2 + \cos t)\cos(t^3 + \sin t)}{2\sqrt{\sin(t^3 + \sin t)}} \end{aligned}$$

Dérivée de la fonction cosinus

La représentation graphique ci-contre est une esquisse du graphique de $f(x) = \cos x$, où

dom $f = \mathbb{R}$ et

ima $f = [-1, 1]$.

Cette fonction périodique de période 2π est continue sur $\mathbb{R}$.

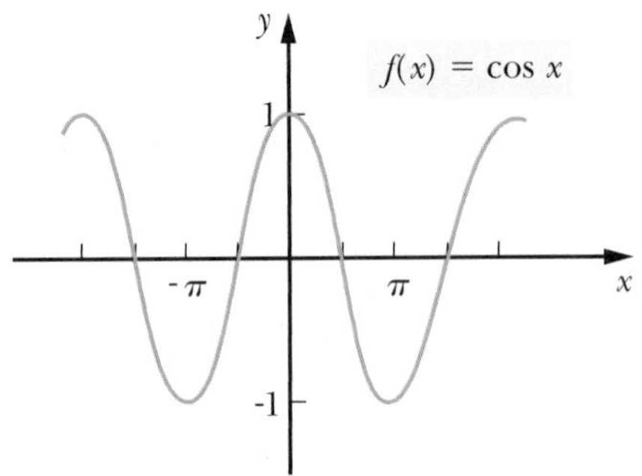

THÉORÈME 9.3 Si $H(x) = \cos x$, alors $H'(x) = -\sin x$.

Preuve

$$\begin{aligned} H'(x) &= \lim_{h \to 0} \frac{H(x + h) - H(x)}{h} \qquad \text{(définition 3.12)} \\ &= \lim_{h \to 0} \frac{\cos(x + h) - \cos x}{h} \qquad \text{(car } H(x) = \cos x) \\ &= \lim_{h \to 0} \frac{\cos x \cos h - \sin x \sin h - \cos x}{h} \qquad \text{(car } \cos(x + h) = \cos x \cos h - \sin x \sin h) \\ &= \lim_{h \to 0} \frac{(\cos x \cos h - \cos x) - \sin x \sin h}{h} \\ &= \lim_{h \to 0} \left[\frac{\cos x(\cos h - 1)}{h} - \frac{\sin x \sin h}{h}\right] \\ &= \lim_{h \to 0} \left[\cos x \frac{(\cos h - 1)}{h}\right] - \lim_{h \to 0} \left[\sin x \frac{\sin h}{h}\right] \qquad \text{(théorème 2.3c)} \end{aligned}$$

$$= \cos x \left[\lim_{h \to 0} \frac{\cos h - 1}{h}\right] - \sin x \left[\lim_{h \to 0} \frac{\sin h}{h}\right] \qquad \text{(théorème 2.3 b)}$$

$$= \cos x[0] - \sin x[1] \qquad \text{(lemmes 2 et 1)}$$

$$= -\sin x$$

Exemple 1 Soit $y = \dfrac{x^2}{\cos x}$. Calculons $\dfrac{dy}{dx}$ et $\left.\dfrac{dy}{dx}\right|_{x = \pi}$.

$$\frac{dy}{dx} = \left(\frac{x^2}{\cos x}\right)'$$

$$= \frac{(x^2)' \cos x - x^2(\cos x)'}{(\cos x)^2}$$

$$= \frac{2x \cos x - x^2(-\sin x)}{\cos^2 x} \qquad \text{(théorème 9.3)}$$

$$= \frac{2x \cos x + x^2 \sin x}{\cos^2 x}$$

$$\left.\frac{dy}{dx}\right|_{x = \pi} = \frac{2\pi \cos \pi + \pi^2 \sin \pi}{\cos^2 \pi} = \frac{2\pi\,(-1) + \pi^2\,(0)}{(-1)^2} = -2\pi$$

Déterminons maintenant la dérivée de fonctions composées de la forme $H(x) = \cos f(x)$.

THÉORÈME 9.4 Si $H(x) = \cos f(x)$, où f est une fonction dérivable, alors
$H'(x) = [-\sin f(x)]\, f'(x)$.

La preuve est laissée à l'élève.

Exemple 2 Soit $y = [\cos (x^4 + 1)]^5$ et $f(x) = \cos (x \sin x)$.

a) Calculons $\dfrac{dy}{dx}$.

$$\frac{dy}{dx} = ([\cos (x^4 + 1)]^5)'$$

$$= 5\,[\cos (x^4 + 1)]^4\,[\cos (x^4 + 1)]' \qquad \text{(dérivation en chaîne)}$$

$$= 5\,[\cos (x^4 + 1)]^4\,[-\sin (x^4 + 1)]\,(x^4 + 1)' \qquad \text{(théorème 9.4)}$$

$$= 5\,[\cos (x^4 + 1)]^4\,[-\sin (x^4 + 1)]\,4x^3$$

$$= -20x^3 \cos^4 (x^4 + 1) \sin (x^4 + 1)$$

b) Calculons $f'(x)$.

$$f'(x) = [\cos (x \sin x)]'$$

$$= [-\sin (x \sin x)]\,(x \sin x)' \qquad \text{(théorème 9.4)}$$

$$= [-\sin (x \sin x)]\,(\sin x + x \cos x)$$

Exercices 9.1

1. Calculer la dérivée des fonctions suivantes.

a) $f(x) = x^3 \sin x$

b) $g(x) = \dfrac{x^4 + 2x}{\sin x}$

c) $x(t) = \sqrt{\sin t}$

d) $y = \dfrac{\cos x}{x}$

e) $f(x) = e^x + (\sin x)(\cos x)$

f) $f(x) = \dfrac{\sin x}{\cos x}$

g) $f(x) = \dfrac{4}{5 \sin x}$

h) $h(x) = \sin^3 x - \cos^3 x$

i) $f(x) = \dfrac{x^3 \cos x}{\sqrt{x + 1}}$

j) $g(x) = \ln (\cos x)$

2. Calculer la dérivée des fonctions suivantes.

a) $f(x) = \sin (7x - 1)$

b) $g(t) = \cos (3 - t^3)$

c) $f(x) = \sin x^2 - 4 \cos (x - x^2)$

d) $g(u) = \cos \left(\dfrac{3u + 4}{u^2}\right)$

e) $f(x) = \sin (\cos x) + \cos (\sin x)$

f) $f(x) = \dfrac{\sin x}{\cos \sqrt{x}}$

g) $f(x) = \dfrac{\cos (3x + 4)}{x^2}$

h) $v(t) = \cos^5 (3t^2 + 4)$

i) $f(x) = \sin^3 (5x^2 - 7^x)$

j) $f(x) = [\cos (x \cos x)]^7$

k) $f(x) = x \sin^7 (x^2 + 1)$

l) $f(\theta) = \cos^2 5\theta + \sin^2 5\theta$

3. Calculer la pente de la tangente à la courbe au point donné.

a) $f(x) = \sin x$, au point $(0, f(0))$

b) $g(t) = \cos t$, au point $\left(\dfrac{\pi}{4}, g\left(\dfrac{\pi}{4}\right)\right)$

c) $f(x) = \dfrac{\sin x}{x^2}$, au point $(\pi, f(\pi))$

d) $h(t) = 6 \sin^4 \dfrac{t}{3}$, au point $(\pi, h(\pi))$

4. Soit $f(x) = \sin 2x$, où $x \in [0, \pi]$ et $g(x) = \cos \dfrac{x}{3}$, où $x \in [0, 6\pi]$.

Déterminer les points de la courbe où

a) la tangente à la courbe de f est horizontale;

b) la tangente à la courbe de g est parallèle à la droite d'équation $x + 6y = 1$.

5. Soit $f(x) = \sin x$ et $g(x) = \cos 4x$. Calculer:

a) $f^{(3)}(x)$ et $g^{(3)}(x)$;

b) $f^{(6)}(x)$ et $g^{(6)}(x)$;

c) $f^{(21)}(x)$ et $g^{(21)}(x)$;

d) $f^{(40)}(x)$ et $g^{(40)}(x)$.

6. Utiliser les lemmes 1 et 2, les théorèmes sur les limites et certaines identités trigonométriques pour évaluer les limites suivantes.

a) $\displaystyle\lim_{x \to 0} \frac{\sin 3x}{x}$

b) $\displaystyle\lim_{x \to 0} \frac{\sin^2 x}{x}$

c) $\displaystyle\lim_{x \to 0} \frac{\cos^2 x - 1}{x^2}$

7. Démontrer le théorème 9.4, à savoir que si $H(x) = \cos f(x)$, où f est une fonction dérivable, alors $H'(x) = [-\sin f(x)]\, f'(x)$.

9.2 Dérivée des fonctions tangente, cotangente, sécante et cosécante

Objectif d'apprentissage

$[\tan f(x)]' = [\sec^2 f(x)]\, f'(x)$

$[\sec f(x)]' = [\sec f(x) \tan f(x)]\, f'(x)$

À la fin de cette section, l'élève pourra calculer la dérivée de fonctions contenant des fonctions tangente, cotangente, sécante et cosécante.

Plus précisément, l'élève sera en mesure :

- de démontrer la règle de dérivation pour la fonction tangente ;
- de calculer la dérivée de fonctions contenant des expressions de la forme $\tan f(x)$;
- de démontrer la règle de dérivation pour la fonction cotangente ;
- de calculer la dérivée de fonctions contenant des expressions de la forme $\cot f(x)$;
- de démontrer la règle de dérivation pour la fonction sécante ;
- de calculer la dérivée de fonctions contenant des expressions de la forme $\sec f(x)$;
- de démontrer la règle de dérivation pour la fonction cosécante ;
- de calculer la dérivée de fonctions contenant des expressions de la forme $\csc f(x)$.

Dans cette section, nous allons démontrer des formules permettant de calculer la dérivée de fonctions contenant les fonctions tangente, cotangente, sécante et cosécante.

Dérivée de la fonction tangente

Il y a environ 400 ans...

Droits réservés

Al-Biruni 973-1048

Les termes *tangente* et *sécante* apparaissent en trigonométrie en 1583, dans un livre de Thomas Finck (1561-1656). Auparavant, on les désignait par des expressions faisant référence à l'ombre d'un bâton. Ainsi, le mathématicien et astronome arabe **al-Biruni** (973-1048) utilisait, respectivement, les expressions *ombre renversée* et *hypoténuse de l'ombre renversée*. On comprend l'origine de cette terminologie en regardant la figure ci-contre, où AC est l'*ombre renversée* et AB, l'*hypoténuse de l'ombre renversée*.

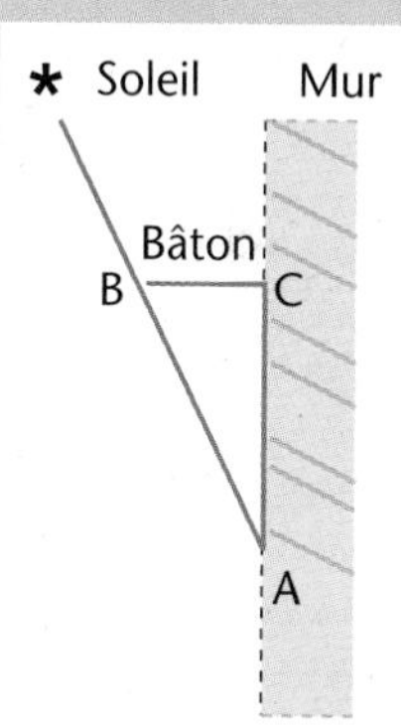

La représentation graphique ci-contre est une esquisse du graphique de $f(x) = \tan x$, où

$\text{dom}\, f = \mathbb{R} \setminus \left\{(2k+1)\,\dfrac{\pi}{2}\right\}$, où $k \in \mathbb{Z}$ et

$\text{ima}\, f = \mathbb{R}$.

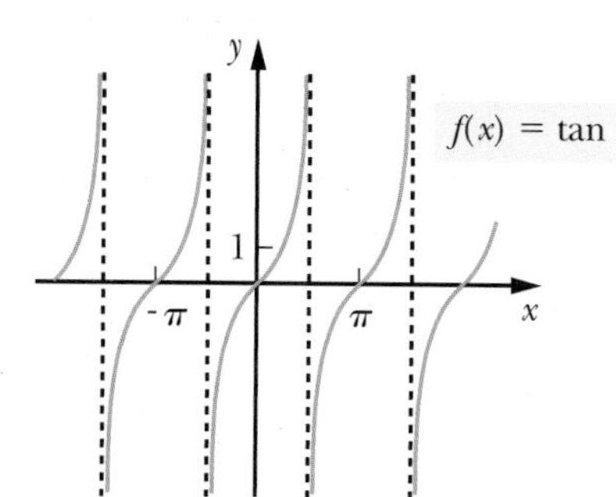

C'est une fonction périodique de période π.

Vérifions, en évaluant la limite appropriée, que la droite d'équation $x = \dfrac{\pi}{2}$ est une asymptote verticale de la courbe de f.

9

$$\lim_{x \to \left(\frac{\pi}{2}\right)^-} \tan x = \lim_{x \to \left(\frac{\pi}{2}\right)^-} \frac{\sin x}{\cos x} = +\infty \qquad \left(\text{forme } \frac{1}{0^+}\right)$$

D'où la droite d'équation $x = \frac{\pi}{2}$ est une asymptote verticale de la courbe de f.

De plus, $\lim_{x \to \left(\frac{\pi}{2}\right)^+} \tan x = \lim_{x \to \left(\frac{\pi}{2}\right)^+} \frac{\sin x}{\cos x} = -\infty \qquad \left(\text{forme } \frac{1}{0^-}\right)$

De façon analogue, nous pouvons vérifier que les droites d'équation…, $x = \frac{-3\pi}{2}$, $x = \frac{-\pi}{2}$, $x = \frac{3\pi}{2}$, …, sont également des asymptotes verticales de la courbe de f.

D'où les droites d'équation $x = (2k + 1)\frac{\pi}{2}$, où $k \in \mathbb{Z}$ sont les asymptotes verticales de la courbe de f.

THÉORÈME 9.5 Si $H(x) = \tan x$, alors $H'(x) = \sec^2 x$.

Preuve

$$\begin{aligned} H'(x) = (\tan x)' &= \left(\frac{\sin x}{\cos x}\right)' \\ &= \frac{(\sin x)' \cos x - (\cos x)' \sin x}{\cos^2 x} \\ &= \frac{\cos x \cos x - (-\sin x) \sin x}{\cos^2 x} && \text{(théorèmes 9.1 et 9.3)} \\ &= \frac{\cos^2 x + \sin^2 x}{\cos^2 x} \\ &= \frac{1}{\cos^2 x} && (\text{car } \cos^2 x + \sin^2 x = 1) \\ &= \sec^2 x && \left(\text{car } \frac{1}{\cos x} = \sec x\right) \end{aligned}$$

Exemple 1 Soit $y = \sqrt{x} \tan x$ et $x(t) = \tan^4 t$.

a) Calculons $\frac{dy}{dx}$.

$$\begin{aligned} \frac{dy}{dx} &= (\sqrt{x} \tan x)' \\ &= (\sqrt{x})' \tan x + \sqrt{x}\,(\tan x)' \\ &= \frac{1}{2\sqrt{x}} \tan x + \sqrt{x} \sec^2 x && \text{(théorème 9.5)} \\ &= \frac{\tan x + 2x \sec^2 x}{2\sqrt{x}}. \end{aligned}$$

b) Calculons $x'(t)$.

$$\begin{aligned} x'(t) &= ((\tan t)^4)' && (\text{car } \tan^4 t = (\tan t)^4) \\ &= 4(\tan t)^3 (\tan t)' && \text{(dérivation en chaîne)} \\ &= 4 \tan^3 t \sec^2 t && \text{(théorème 9.5)} \end{aligned}$$

9

Déterminons maintenant la dérivée de fonctions composées de la forme $H(x) = \tan f(x)$.

THÉORÈME 9.6 Si $H(x) = \tan f(x)$, où f est une fonction dérivable, alors
$H'(x) = [\sec^2 f(x)]\, f'(x)$.

La preuve est laissée à l'élève.

Exemple 2 Soit $f(x) = \tan(x^3 + 4x)$ et $y = \tan^4(\sin x)$.

a) Calculons $f'(x)$.

$$\begin{aligned} f'(x) &= [\sec^2(x^3 + 4x)]\,(x^3 + 4x)' && \text{(théorème 9.6)} \\ &= (3x^2 + 4)\sec^2(x^3 + 4x) \end{aligned}$$

b) Calculons $\dfrac{dy}{dx}$.

$$\begin{aligned} \frac{dy}{dx} &= ([\tan(\sin x)]^4)' \\ &= 4\,[\tan(\sin x)]^3\,[\tan(\sin x)]' && \text{(dérivation en chaîne)} \\ &= 4\,[\tan(\sin x)]^3 \sec^2(\sin x)\,(\sin x)' && \text{(théorème 9.6)} \\ &= 4\,[\tan(\sin x)]^3 \sec^2(\sin x)\cos x \\ &= 4\cos x \tan^3(\sin x)\sec^2(\sin x) \end{aligned}$$

Dérivée de la fonction cotangente

La représentation graphique ci-contre est une esquisse du graphique de $f(x) = \cot x$, où

dom $f = \mathbb{R}\setminus\{k\pi\}$, où $k \in \mathbb{Z}$ et

ima $f = \mathbb{R}$.

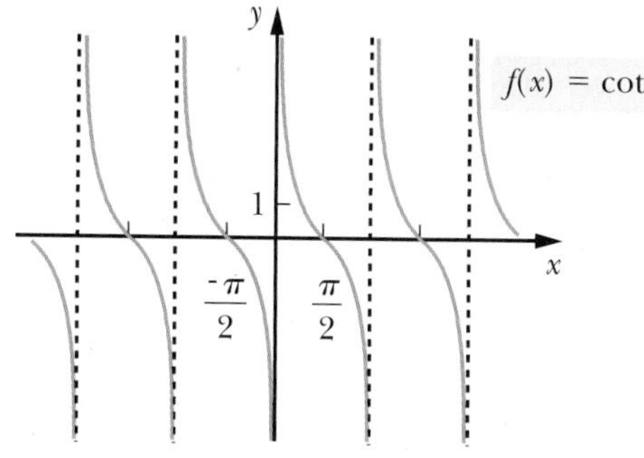

C'est une fonction périodique de période π.

En évaluant les limites appropriées, nous obtenons que les droites d'équation..., $x = -\pi$, $x = 0$, $x = \pi$, $x = 2\pi$, ..., sont des asymptotes verticales.

D'où les droites d'équation $x = k\pi$, où $k \in \mathbb{Z}$, sont les asymptotes verticales de la courbe de f.

THÉORÈME 9.7 Si $H(x) = \cot x$, alors $H'(x) = -\csc^2 x$.

La preuve est laissée à l'élève.

Exemple 1 Soit $f(x) = \dfrac{e^x}{\cot x}$. Calculons $f'(x)$.

$$\begin{aligned} f'(x) &= \frac{(e^x)'\cot x - e^x(\cot x)'}{(\cot x)^2} \\ &= \frac{e^x \cot x - e^x(-\csc^2 x)}{(\cot x)^2} && \text{(théorème 9.7)} \end{aligned}$$

9

$$= \frac{e^x (\cot x + \csc^2 x)}{(\cot x)^2}$$

Déterminons maintenant la dérivée de fonctions composées de la forme $H(x) = \cot f(x)$.

THÉORÈME 9.8 Si $H(x) = \cot f(x)$, où f est une fonction dérivable, alors
$H'(x) = [-\csc^2 f(x)]\, f'(x)$.

La preuve est laissée à l'élève.

Exemple 2 Soit $g(x) = \cot^3 (x^4 + 5 \sin 2x)$. Calculons $g'(x)$.

$$\begin{aligned} g'(x) &= ((\cot (x^4 + 5 \sin 2x))^3)' \\ &= 3(\cot (x^4 + 5 \sin 2x))^2 (\cot (x^4 + 5 \sin 2x))' \\ &= 3 \cot^2(x^4 + 5 \sin 2x)[-\csc^2 (x^4 + 5 \sin 2x)](x^4 + 5 \sin 2x)' \quad \text{(théorème 9.8)} \\ &= -3\,(4x^3 + 10 \cos 2x)[\cot^2 (x^4 + 5 \sin 2x)][\csc^2 (x^4 + 5 \sin 2x)] \end{aligned}$$

Dérivée de la fonction sécante

Il y a environ 1000 ans...

Les fonctions *sécante* et *cosécante* ne commencent à être exploitées qu'au XVe siècle. Pourtant, elles avaient soulevé l'attention d'**Abu'l Wefa** (vers 980). Mais, que ce soit en astronomie ou en arpentage, on ne leur avait trouvé aucune application véritable. Au XVe siècle, dans le nouveau contexte des grandes explorations, elles se révélèrent précieuses dans le calcul de tables pour les navigateurs.

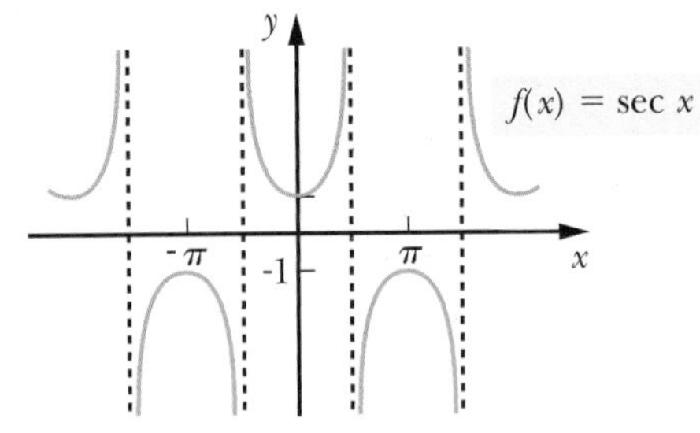

La représentation graphique ci-contre est une esquisse du graphique de $f(x) = \sec x$, où

$\text{dom} f = \mathbb{R} \setminus \left\{(2k + 1)\frac{\pi}{2}\right\}$, où $k \in \mathbb{Z}$ et

$\text{ima} f = -\infty, -1] \cup [1, +\infty$.

C'est une fonction périodique de période 2π.

De plus, les droites d'équation $x = (2k + 1)\frac{\pi}{2}$, où $k \in \mathbb{Z}$, sont les asymptotes verticales de la courbe de f.

9

THÉORÈME 9.9 Si $H(x) = \sec x$, alors $H'(x) = \sec x \tan x$.

Preuve

$$H'(x) = (\sec x)' = \left(\frac{1}{\cos x}\right)' = \frac{(1)' \cos x - (\cos x)'\,(1)}{\cos^2 x}$$

$$= \frac{0 - (-\sin x)}{\cos^2 x} \quad \text{(théorème 9.3)}$$

$$= \frac{\sin x}{\cos^2 x}$$
$$= \left(\frac{1}{\cos x}\right)\left(\frac{\sin x}{\cos x}\right)$$
$$= \sec x \tan x$$

Exemple 1 Soit $y = \sec^3 x$. Calculons $\frac{dy}{dx}$.

$$\frac{dy}{dx} = ((\sec x)^3)'$$
$$= 3\,(\sec x)^2\,(\sec x)'$$
$$= 3 \sec^2 x\,[\sec x \tan x] \quad \text{(théorème 9.9)}$$
$$= 3 \sec^3 x \tan x$$

Déterminons maintenant la dérivée de fonctions composées de la forme $H(x) = \sec f(x)$.

THÉORÈME 9.10 Si $H(x) = \sec f(x)$, où f est une fonction dérivable, alors $H'(x) = [\sec f(x) \tan f(x)]\, f'(x)$.

La preuve est laissée à l'élève.

Exemple 2 Soit $f(x) = \sqrt{\sec(\sin x^2)}$. Calculons $f'(x)$.

$$f'(x) = \left((\sec(\sin x^2))^{\frac{1}{2}}\right)'$$
$$= \frac{1}{2}(\sec(\sin x^2))^{\frac{-1}{2}}(\sec(\sin x^2))' \quad \text{(dérivation en chaîne)}$$
$$= \frac{1}{2(\sec(\sin x^2))^{\frac{1}{2}}}[\sec(\sin x^2)\tan(\sin x^2)]\,(\sin x^2)' \quad \text{(théorème 9.10)}$$
$$= \frac{\sec(\sin x^2)\tan(\sin x^2)(2x\cos x^2)}{2\sqrt{\sec(\sin x^2)}} \quad \text{(théorème 9.2)}$$
$$= x \cos x^2 \tan(\sin x^2)\sqrt{\sec(\sin x^2)}$$

Dérivée de la fonction cosécante

La représentation graphique ci-contre est une esquisse du graphique de $f(x) = \csc x$, où

dom $f = \mathbb{R} \setminus \{k\pi\}$, où $k \in \mathbb{R}$ et

ima $f = -\infty, -1] \cup [1, +\infty$.

C'est une fonction périodique de période 2π.

De plus, les droites d'équation $x = k\pi$, où $k \in \mathbb{Z}$, sont les asymptotes verticales de la courbe de f.

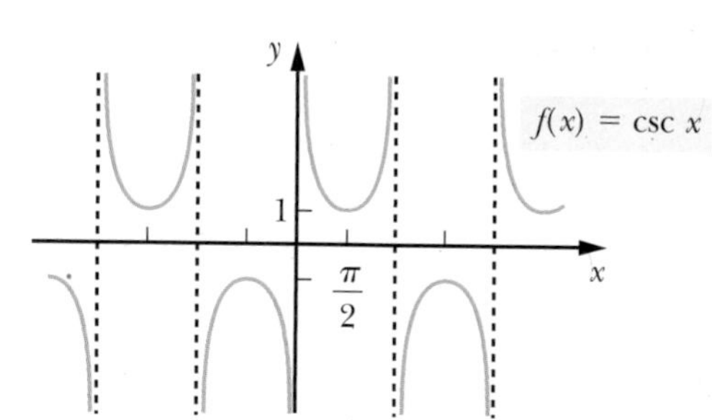

THÉORÈME 9.11 Si $H(x) = \csc x$, alors $H'(x) = -\csc x \cot x$.

La preuve est laissée à l'élève.

Exemple 1 Soit $f(x) = (\ln x)(\csc x)$. Calculons $f'(x)$.

$$\begin{aligned} f'(x) &= (\ln x)'\,(\csc x) + (\ln x)(\csc x)' \\ &= \frac{1}{x}\csc x + (\ln x)(-\csc x \cot x) \quad \text{(théorème 9.11)} \\ &= \frac{\csc x}{x} - (\ln x)\csc x \cot x \end{aligned}$$

Déterminons maintenant la dérivée de fonctions composées de la forme $H(x) = \csc f(x)$.

THÉORÈME 9.12 Si $H(x) = \csc f(x)$, où f est une fonction dérivable, alors
$H'(x) = [-\csc f(x) \cot f(x)]\, f'(x)$.

La preuve est laissée à l'élève.

Exemple 2 Soit $y = \csc(4^x - \tan x)$ et $x(t) = \sqrt[3]{\csc \sqrt{t}}$.

a) Calculons $\dfrac{dy}{dx}$.

$$\begin{aligned} \frac{dy}{dx} &= [-\csc(4^x - \tan x)\cot(4^x - \tan x)]\,(4^x - \tan x)' \quad \text{(théorème 9.12)} \\ &= -(4^x \ln 4 - \sec^2 x)\csc(4^x - \tan x)\cot(4^x - \tan x) \end{aligned}$$

b) Calculons $\dfrac{dx}{dt}$.

Puisque $x(t) = \left(\csc t^{\frac{1}{2}}\right)^{\frac{1}{3}}$,

$$\begin{aligned} \frac{dx}{dt} &= \frac{1}{3}\left(\csc t^{\frac{1}{2}}\right)^{\frac{-2}{3}}\left(\csc t^{\frac{1}{2}}\right)' \\ &= \frac{1}{3}\left(\csc t^{\frac{1}{2}}\right)^{\frac{-2}{3}}\left[-\csc t^{\frac{1}{2}} \cot t^{\frac{1}{2}}\left(t^{\frac{1}{2}}\right)'\right] \quad \text{(théorème 9.12)} \\ &= \frac{-\sqrt[3]{\csc\sqrt{t}}\cot\sqrt{t}}{6\sqrt{t}} \end{aligned}$$

Exercices 9.2

1. Calculer la dérivée des fonctions suivantes.

a) $f(x) = x^3 \tan x$

b) $g(x) = \dfrac{\tan x}{e^x}$

c) $f(t) = \sqrt{\cot t}$

d) $f(x) = \dfrac{x + 2\sin x}{5 \cot x}$

e) $h(x) = \dfrac{x^2 + \sec x}{x^5}$

f) $x(\theta) = \sqrt[3]{\sec^2 \theta}$

g) $f(x) = (x + \cos x) \csc x$

h) $f(x) = 4 \sec^3 x + \dfrac{\csc^5 x}{7}$

2. Calculer la dérivée des fonctions suivantes.

a) $f(x) = \tan (3^x + \tan x)$

b) $f(x) = 5 \sec (x^7 + 1)$

c) $g(t) = 9 \csc t - \csc 7t$

d) $f(x) = (x^3 + \log x) \cot x^5$

e) $y = \dfrac{\csc x^6}{\csc x}$

f) $f(x) = \tan x^5 + \tan^5 x$

g) $f(u) = \cot 5u - \cot^2 (u^3 + 1)$

h) $f(x) = \sec 3x \csc \left(\dfrac{x}{3}\right)$

i) $f(\theta) = \sec (\sec \sqrt{\theta})$

j) $f(x) = \sqrt[5]{\sec x + \sec x^5}$

k) $f(x) = x + \cot (\tan x)$

l) $g(x) = x + \cot x \tan x$

3. Évaluer $f''(x)$ si:

a) $f(x) = \tan x$;

b) $f(x) = \sec 2x$.

4. Calculer la pente de la tangente à la courbe suivante au point donné.

a) $f(x) = \tan x$, au point $(0, f(0))$

b) $g(x) = \sec\left(\dfrac{x}{2}\right)$, au point $\left(\dfrac{\pi}{2}, g\left(\dfrac{\pi}{2}\right)\right)$

c) $x(t) = t \cot t$, au point $\left(\dfrac{\pi}{4}, x\left(\dfrac{\pi}{4}\right)\right)$

d) $h(u) = \dfrac{\csc u}{u}$, au point $\left(\dfrac{\pi}{6}, h\left(\dfrac{\pi}{6}\right)\right)$

5. Démontrer les théorèmes 9.7, 9.11 et 9.10.

a) Si $f(x) = \cot x$, alors $f'(x) = -\csc^2 x$.

b) Si $f(x) = \csc x$, alors $f'(x) = -\csc x \cot x$.

c) Si $H(x) = \sec f(x)$, où f est une fonction dérivable, alors $H'(x) = [\sec f(x) \tan f(x)]\, f'(x)$.

9.3 Applications de la dérivée à des fonctions trigonométriques

Objectif d'apprentissage

À la fin de cette section, l'élève pourra résoudre divers problèmes contenant des fonctions trigonométriques.

Dominique Parent

Plus précisément, l'élève sera en mesure:

- d'analyser des fonctions contenant des fonctions trigonométriques;
- de résoudre des problèmes d'optimisation contenant des fonctions trigonométriques;
- de résoudre des problèmes de taux de variation liés contenant des fonctions trigonométriques.

Il y a environ 200 ans...

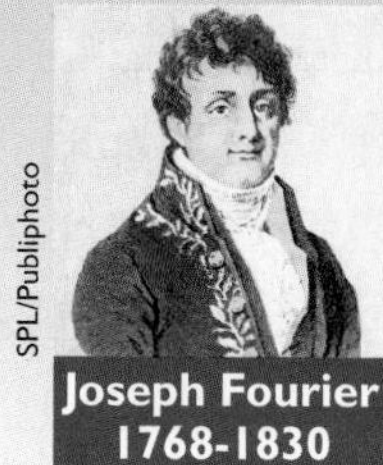

SPL/Publiphoto

Joseph Fourier 1768-1830

Les fonctions trigonométriques sont omniprésentes en physique. Après les travaux de **Joseph Fourier** (1768-1830) sur la représentation de fonctions par une somme infinie de fonctions sinus ou cosinus, elles devinrent encore plus indispensables. Par exemple, aujourd'hui, les séries trigonométriques sont à la base des systèmes de communication, où une même onde porteuse peut contenir plusieurs signaux simultanés pouvant être distingués au moment de la réception.

Certains phénomènes naturels peuvent être représentés par des courbes qui ressemblent à des courbes sinusoïdales.

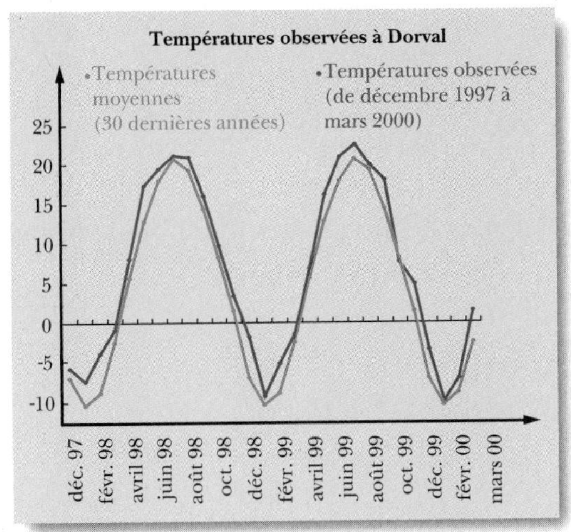

Dans cette section, nous utiliserons les propriétés des dérivées première et seconde pour faire l'analyse des courbes de fonctions contenant des fonctions trigonométriques. De plus, nous allons résoudre des problèmes d'optimisation et des problèmes de taux de variation liés contenant des fonctions trigonométriques.

Analyse de fonctions trigonométriques

Exemple 1 Soit $f(x) = x - \cos x$, où $x \in [0, 2\pi]$.

Analysons cette fonction.

1. **Calculons $f'(x)$ et déterminons les nombres critiques de f.**

$f'(x) = 1 + \sin x$, où $\text{dom} f' =]0, 2\pi[$

$f'(x) = 0$ si $x = \dfrac{3\pi}{2}$, $f'(x)$ n'existe pas si $x = 0$ ou $x = 2\pi$.

D'où 0, $\dfrac{3\pi}{2}$ et 2π sont les nombres critiques de f.

2. **Calculons $f''(x)$ et déterminons les nombres critiques de f'.**

$f''(x) = \cos x$

$f''(x) = 0$ si $x = \dfrac{\pi}{2}$ ou $x = \dfrac{3\pi}{2}$, $f''(x)$ est définie $\forall x \in]0, 2\pi[$.

D'où $\dfrac{\pi}{2}$ et $\dfrac{3\pi}{2}$ sont les nombres critiques de f'.

3. **Construisons le tableau de variation.**

x	0		$\frac{\pi}{2}$		$\frac{3\pi}{2}$		2π
$f'(x)$	$\nexists$	+	+	+	0	+	$\nexists$
$f''(x)$	$\nexists$	+	0	−	0	+	$\nexists$
f	-1	↗∪	$\frac{\pi}{2}$	↗∩	$\frac{3\pi}{2}$	↗∪	$2\pi - 1$
E. du G.	(0, -1)	↗	$\left(\frac{\pi}{2}, \frac{\pi}{2}\right)$	↗	$\left(\frac{3\pi}{2}, \frac{3\pi}{2}\right)$	↗	$(2\pi, 2\pi - 1)$
	min.		inf.		inf.		max.

4. Esquissons le graphique de f.

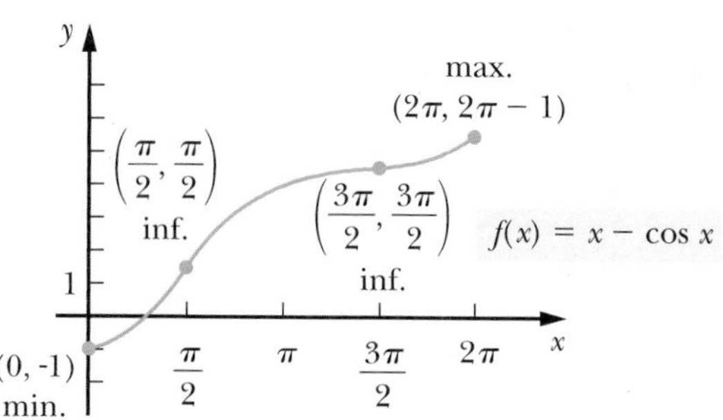

Exemple 2 Soit $f(x) = 8 \sin x - \tan x$, où $x \in \left]\frac{-\pi}{2}, \frac{\pi}{2}\right[$.

Analysons cette fonction.

1. Déterminons, si c'est possible, les asymptotes verticales de cette fonction.

$$\lim_{x \to \left(\frac{-\pi}{2}\right)^+} f(x) = \lim_{x \to \left(\frac{-\pi}{2}\right)^+} (8 \sin x - \tan x) = +\infty$$

Donc, la droite d'équation $x = \frac{-\pi}{2}$ est une asymptote verticale.

$$\lim_{x \to \left(\frac{\pi}{2}\right)^-} f(x) = \lim_{x \to \left(\frac{\pi}{2}\right)^-} (8 \sin x - \tan x) = -\infty$$

Donc, la droite d'équation $x = \frac{\pi}{2}$ est une asymptote verticale.

2. Calculons $f'(x)$ et déterminons les nombres critiques de f.

$$f'(x) = 8 \cos x - \sec^2 x = \frac{8 \cos^3 x - 1}{\cos^2 x}, \text{ où dom } f' = \left]\frac{-\pi}{2}, \frac{\pi}{2}\right[$$

$$f'(x) = 0 \text{ si } x = \frac{-\pi}{3} \text{ ou } x = \frac{\pi}{3}, f'(x) \text{ est définie } \forall x \in \left]\frac{-\pi}{2}, \frac{\pi}{2}\right[.$$

D'où $\frac{-\pi}{3}$ et $\frac{\pi}{3}$ sont les nombres critiques de f.

3. Calculons $f''(x)$ et déterminons les nombres critiques de f'.

$$f''(x) = -8 \sin x - 2 \sec^2 x \tan x = \frac{-2 \sin x\,(4 \cos^3 x + 1)}{\cos^3 x}$$

$$f''(x) = 0 \text{ si } x = 0, f''(x) \text{ est définie } \forall x \in \left]\frac{-\pi}{2}, \frac{\pi}{2}\right[.$$

D'où 0 est le nombre critique de f'.

9

4. Construisons le tableau de variation.

x	$\frac{-\pi}{2}$		$\frac{-\pi}{3}$		0		$\frac{\pi}{3}$		$\frac{\pi}{2}$
$f'(x)$	$\nexists$	$-$	0	$+$	$+$	$+$	0	$-$	$\nexists$
$f''(x)$	$\nexists$	$+$	$+$	$+$	0	$-$	$-$	$-$	$\nexists$
f	$\nexists$	↘∪	$-3\sqrt{3}$	↗∪	0	↗∩	$3\sqrt{3}$	↘∩	$\nexists$
E. du G.	⋮	↘	$\left(\frac{-\pi}{3}, -3\sqrt{3}\right)$	↗	$(0, 0)$	↗	$\left(\frac{\pi}{3}, 3\sqrt{3}\right)$	↘	⋮
			min.		inf.		max.		

5. Esquissons le graphique de f.

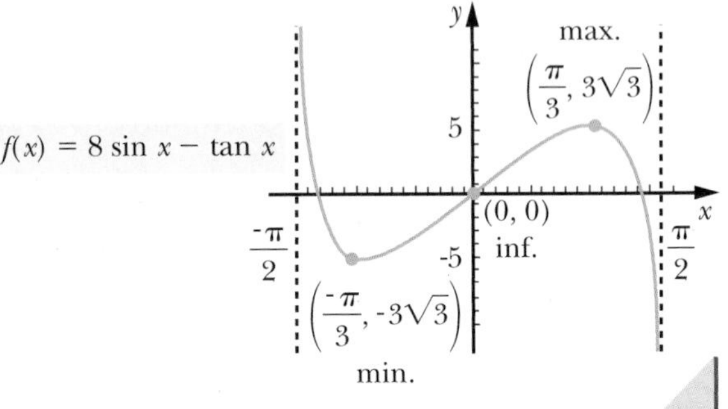

Problèmes d'optimisation

Exemple 1 Un triangle est inscrit dans un demi-cercle dont le rayon mesure 10 cm de telle sorte que le diamètre du demi-cercle soit l'hypoténuse du triangle. Sachant que l'angle inscrit opposé au diamètre est droit, déterminons la valeur de l'angle θ qui maximise l'aire du triangle si θ est l'angle formé par l'hypoténuse et un des côtés adjacents à l'hypoténuse, et calculons cette aire maximale.

1. **Mathématisation du problème.**

   a) Représentation graphique et définition des variables.

   Soit x, la longueur d'un côté du triangle, et y, la longueur de l'autre côté.

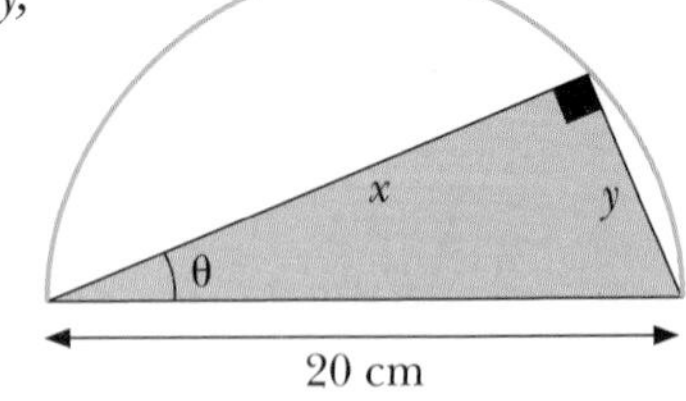

   b) Détermination de la quantité à optimiser.

   $A(x, y) = \frac{xy}{2}$ doit être maximale.

   c) Recherche d'une relation entre les variables.

   Exprimons x et y en fonction de l'angle θ.

   Puisque $\cos \theta = \frac{x}{20}$, alors $x = 20 \cos \theta$ et,

   puisque $\sin \theta = \frac{y}{20}$, alors $y = 20 \sin \theta$.

d) Expression de la quantité à optimiser en fonction d'une seule variable.

Exprimons la quantité à optimiser en fonction de θ.

Puisque $A(x, y) = \dfrac{xy}{2}$, alors

$$A(\theta) = \frac{(20 \cos \theta)(20 \sin \theta)}{2} = 200 \cos \theta \sin \theta, \text{ où dom } A = \left[0, \frac{\pi}{2}\right].$$

2. Analyse de la fonction à optimiser.

1re étape: Calculer $A'(\theta)$ et déterminer les nombres critiques de A.

$A'(\theta) = 200\,(-\sin^2 \theta + \cos^2 \theta)$

1) $A'(\theta) = 0$ si $-\sin^2 \theta + \cos^2 \theta = 0$, c'est-à-dire si

$$\sin^2 \theta = \cos^2 \theta$$

$$\tan^2 \theta = 1 \qquad \left(\text{car } \frac{\sin^2 \theta}{\cos^2 \theta} = \tan^2 \theta\right)$$

$$\tan \theta = \pm 1$$

Puisque $\theta \in \left[0, \dfrac{\pi}{2}\right]$, alors $\theta = \dfrac{\pi}{4}$. Donc, $\dfrac{\pi}{4}$ est un nombre critique de A.

2) $A'(\theta)$ n'existe pas si $\theta = 0$ ou $\theta = \dfrac{\pi}{2}$. Donc, 0 et $\dfrac{\pi}{2}$ sont des nombres critiques de A.

2e étape: Utiliser le test de la dérivée première ou, si c'est possible, le test 2 de la dérivée seconde.

Puisque $\dfrac{\pi}{4}$ est le seul nombre critique de A sur $\left[0, \dfrac{\pi}{2}\right]$, tel que $A'(\theta) = 0$, nous pouvons utiliser le test 2 de la dérivée seconde.

TEST DE LA DÉRIVÉE PREMIÈRE

Construisons le tableau de variation.

θ	0		$\frac{\pi}{4}$		$\frac{\pi}{2}$
$A'(\theta)$	$\nexists$	$+$	0	$-$	$\nexists$
A	$A(0)$	↗	$A\left(\frac{\pi}{4}\right)$	↘	$A\left(\frac{\pi}{2}\right)$
	min.		max.		min.

Donc, $\left(\dfrac{\pi}{4}, A\left(\dfrac{\pi}{4}\right)\right)$ est le point de maximum absolu de A.

TEST 2 DE LA DÉRIVÉE SECONDE

Calculons la dérivée seconde.

$$\begin{aligned} A''(\theta) &= 200(-2 \sin \theta \cos \theta - 2 \sin \theta \cos \theta) \\ &= -800 \sin \theta \cos \theta \end{aligned}$$

Nous avons $A'\left(\dfrac{\pi}{4}\right) = 0$ et $A''\left(\dfrac{\pi}{4}\right) < 0$.

$\left(\text{car } \sin\left(\dfrac{\pi}{4}\right) > 0 \text{ et } \cos\left(\dfrac{\pi}{4}\right) > 0\right)$

Donc, $\left(\dfrac{\pi}{4}, A\left(\dfrac{\pi}{4}\right)\right)$ est le point de maximum absolu de A. (théorème 6.7)

9

3. Formulation de la réponse.

L'aire du triangle est maximale lorsque $\theta = \dfrac{\pi}{4}$.

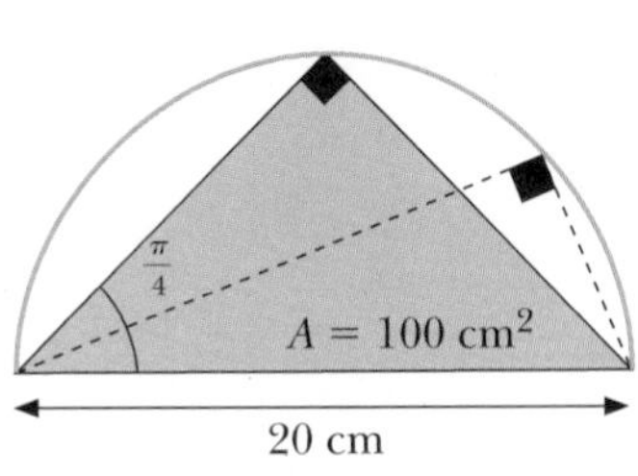

Calculons cette aire maximale.

Puisque $A(\theta) = 200 \cos\theta \sin\theta$,

alors $A\left(\dfrac{\pi}{4}\right) = 200 \cos\dfrac{\pi}{4} \sin\dfrac{\pi}{4} = 100$.

D'où l'aire maximale est de 100 cm^2.

Problèmes de taux de variation liés

Dominique Parent

Exemple 1 Une échelle de 6 m de longueur est appuyée contre un mur. Le pied de l'échelle s'éloigne du mur à la vitesse de 0,5 m/s.

a) Déterminons la fonction donnant le taux de variation de l'angle θ par rapport au temps t.

Soit x, la distance entre le pied de l'échelle et le mur.

Puisque $\sin\theta = \dfrac{x}{6}$, alors $x = 6 \sin\theta$.

Sachant que $\dfrac{dx}{dt} = \dfrac{dx}{d\theta}\dfrac{d\theta}{dt}$, (notation de Leibniz)

nous avons

$$\frac{dx}{dt} = \frac{d}{d\theta}(6\sin\theta)\frac{d\theta}{dt} \qquad (\text{car } x = 6\sin\theta)$$

$$\frac{dx}{dt} = 6\cos\theta\,\frac{d\theta}{dt}$$

$$0{,}5 = 6\cos\theta\,\frac{d\theta}{dt}. \qquad \left(\text{car } \frac{dx}{dt} = 0{,}5 \text{ m/s}\right)$$

Taux de variation $\dfrac{d\theta}{dt}$

D'où $\dfrac{d\theta}{dt} = \dfrac{1}{12\cos\theta}$.

b) Déterminons ce taux lorsque le pied de l'échelle est à 3 m du mur.

Lorsque $x = 3$, $\sin\theta = \dfrac{3}{6}$. Ainsi, $\theta = \dfrac{\pi}{6}$.

D'où $\left.\dfrac{d\theta}{dt}\right|_{x=3} = \left.\dfrac{d\theta}{dt}\right|_{\theta=\frac{\pi}{6}} = \dfrac{1}{12\cos\frac{\pi}{6}} \approx 0{,}096$ rad/s.

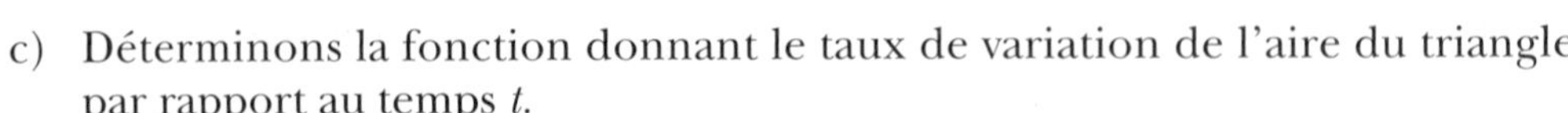

c) Déterminons la fonction donnant le taux de variation de l'aire du triangle par rapport au temps t.

Soit x, la longueur de la base et y, la longueur de la hauteur du triangle.

Soit $A(x,y) = \dfrac{xy}{2}$, l'aire du triangle.

Puisque $\sin\theta = \frac{x}{6}$, alors $x = 6\sin\theta$ et

puisque $\cos\theta = \frac{y}{6}$, alors $y = 6\cos\theta$.

Ainsi, $A(\theta) = \frac{6\sin\theta \, 6\cos\theta}{2} = 18\sin\theta\cos\theta$.

Sachant que $\frac{dA}{dt} = \frac{dA}{d\theta}\frac{d\theta}{dt}$ (notation de Leibniz),

nous avons

$$\frac{dA}{dt} = \frac{d}{d\theta}(18\sin\theta\cos\theta)\frac{d\theta}{dt} \qquad (\text{car } A = 18\sin\theta\cos\theta)$$

$$\frac{dA}{dt} = (18\cos^2\theta - 18\sin^2\theta)\frac{d\theta}{dt}$$

$$\frac{dA}{dt} = (18\cos^2\theta - 18\sin^2\theta)\frac{1}{12\cos\theta}. \qquad \left(\text{car } \frac{d\theta}{dt} = \frac{1}{12\cos\theta}\right)$$

Taux de variation $\frac{dA}{dt}$

D'où $\frac{dA}{dt} = \frac{3(\cos^2\theta - \sin^2\theta)}{2\cos\theta}$, exprimée en m^2/s.

d) Déterminons l'aire A et le taux de variation de l'aire pour les valeurs suivantes de θ.

i) $\theta = \frac{\pi}{6}$

$$A\left(\frac{\pi}{6}\right) = 18\sin\frac{\pi}{6}\cos\frac{\pi}{6} = \frac{9\sqrt{3}}{2} \text{ m}^2$$

$$\left.\frac{dA}{dt}\right|_{\theta=\frac{\pi}{6}} = \frac{3\left(\cos^2\frac{\pi}{6} - \sin^2\frac{\pi}{6}\right)}{2\cos\frac{\pi}{6}} = \frac{\sqrt{3}}{2} \text{ m}^2/\text{s}$$

ii) $\theta = \frac{\pi}{4}$

$$A\left(\frac{\pi}{4}\right) = 18\sin\frac{\pi}{4}\cos\frac{\pi}{4} = 9 \text{ m}^2$$

$$\left.\frac{dA}{dt}\right|_{\theta=\frac{\pi}{4}} = \frac{3\left(\cos^2\frac{\pi}{4} - \sin^2\frac{\pi}{4}\right)}{2\cos\frac{\pi}{4}} = 0 \text{ m}^2/\text{s}$$

iii) $\theta = \frac{\pi}{3}$

$$A\left(\frac{\pi}{3}\right) = 18\sin\frac{\pi}{3}\cos\frac{\pi}{3} = \frac{9\sqrt{3}}{2} \text{ m}^2$$

$$\left.\frac{dA}{dt}\right|_{\theta=\frac{\pi}{3}} = \frac{3\left(\cos^2\frac{\pi}{3} - \sin^2\frac{\pi}{3}\right)}{2\cos\frac{\pi}{3}} = \frac{-3}{2} \text{ m}^2/\text{s}$$

OUTIL TECHNOLOGIQUE

e) Représentons graphiquement la courbe de A et celle de $\frac{dA}{dt}$.

```
> A:=theta→18*sin(theta)*cos(theta);
```

$$A := \theta \to 18\sin(\theta)\cos(\theta)$$

```
> T:=theta→3*((cos(theta))^2−(sin(theta))^2)/(2*cos(theta));
```

$$T := \theta \to \frac{3}{2}\frac{\cos(\theta)^2 - \sin(\theta)^2}{\cos(\theta)}$$

```
> plot([A(theta),T(theta)],theta=0..Pi/2,y=-20..10,color=[red,blue]);
```

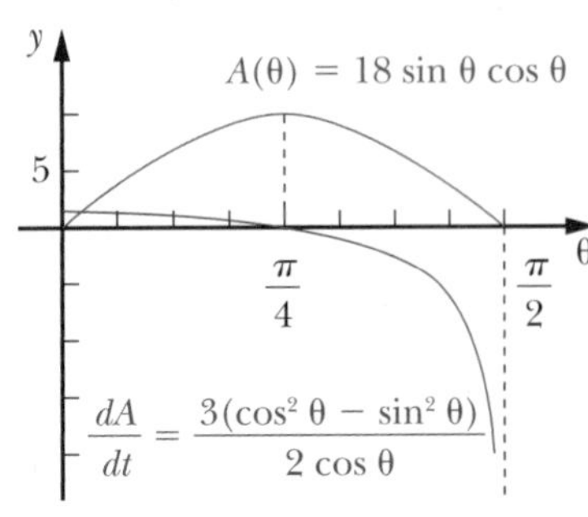

Exercices 9.3

1. Soit $f(x) = 3 + \cos x$, où $x \in \left[\frac{-\pi}{2}, \pi\right]$.

Déterminer les intervalles de concavité vers le haut et de concavité vers le bas de f ainsi que son point d'inflexion.

2. a) Démontrer que la fonction f, définie par $f(x) = x + \sin x$, ne possède ni minimum ni maximum $\forall\, x \in \mathbb{R}$.

OT b) Représenter $f(x)$ sur $[-4\pi, 4\pi]$ et vérifier le résultat obtenu en a).

3. Soit $f(x) = \tan x + \cot x$, où $x \in \left]0, \frac{\pi}{2}\right[$.

a) Déterminer le point stationnaire de f.

b) Déterminer, s'il y a lieu, le minimum absolu et le maximum absolu de f.

4. Pour chacune des fonctions f suivantes, construire le tableau de variation relatif à f' et à f'' et esquisser le graphique correspondant.

a) $f(t) = \sin t - \frac{t}{2}$, où $t \in [0, 2\pi]$.

b) $f(x) = \sin x - x$, où $x \in \left[\frac{-\pi}{2}, \frac{3\pi}{2}\right]$.

c) $f(x) = \sin x + \cos x$, où $x \in [0, 2\pi]$.

5. Un golfeur frappe une balle dont la vitesse initiale est de 40 m/s. En négligeant la résistance de l'air, la portée R, en mètres, de la balle est donnée par $R(\theta) = \frac{v_0^2 \sin 2\theta}{g}$, où $g = 9{,}8$ m/s², v_0 est la vitesse initiale exprimée en mètres par seconde et θ est l'angle entre la trajectoire initiale de la balle et le plan horizontal.

Francine Parent

Déterminer l'angle θ, où $\theta \in \left]\frac{\pi}{18}, \frac{\pi}{2}\right]$, pour lequel la portée R est maximale. Calculer cette portée.

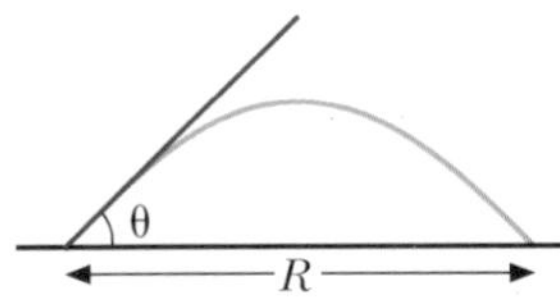

6. À l'aide d'une échelle, on veut atteindre le mur d'un édifice en s'appuyant sur une clôture de 2 m de hauteur et située à 1 m du mur. Déterminer l'angle θ, entre le sol et l'échelle, qui minimisera la longueur de l'échelle joignant le sol au mur. Évaluer la longueur minimale de cette échelle.

7. Une boîte à fleurs est construite avec trois planches de 2 m sur 20 cm.

Dominique Parent

Déterminer l'angle θ, où $\theta \in \left]0, \frac{\pi}{2}\right]$, de façon que la capacité de la boîte soit maximale.

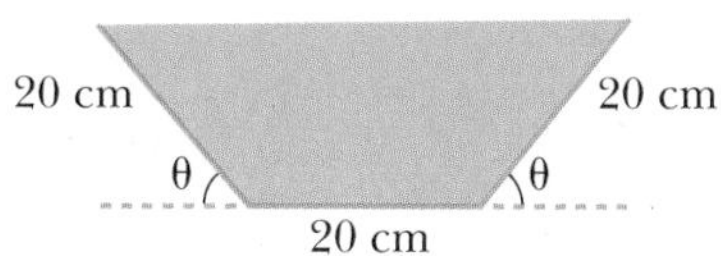

Les planches aux extrémités de la boîte seront fixées seulement après que la capacité aura été déterminée et elles ne proviendront pas des trois planches déjà utilisées.

8. Une caméra est posée sur le sol, à 200 m du lieu où s'élève verticalement un hélicoptère à la vitesse de 90 km/h.

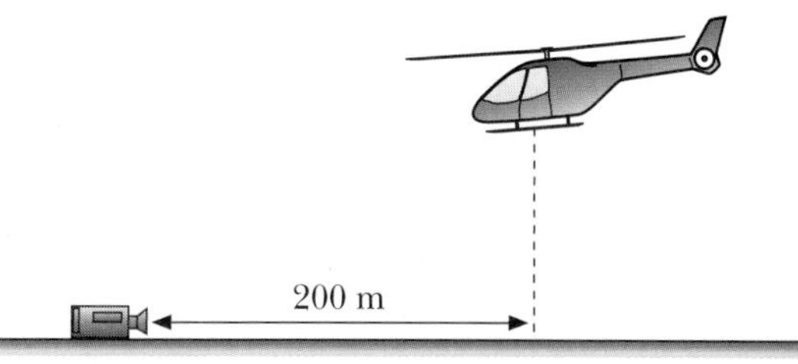

Déterminer la fonction donnant le taux de variation de l'angle d'élévation θ par rapport au temps t :

a) en fonction de l'angle θ ;

b) lorsque $\theta = \frac{\pi}{18}$;

c) lorsque la distance séparant la caméra et l'hélicoptère est de 300 m.

9. Une source lumineuse, située à 100 m d'un mur droit, effectue six tours complets à chaque minute.

a) Déterminer la fonction donnant la vitesse de déplacement du rayon lumineux sur le mur.

b) Déterminer cette vitesse lorsque le rayon lumineux éclaire un point du mur situé à 400 m de cette source.

c) Déterminer le minimum de la fonction vitesse établie en a) et identifier le point qui est alors éclairé.

Réseau de concepts

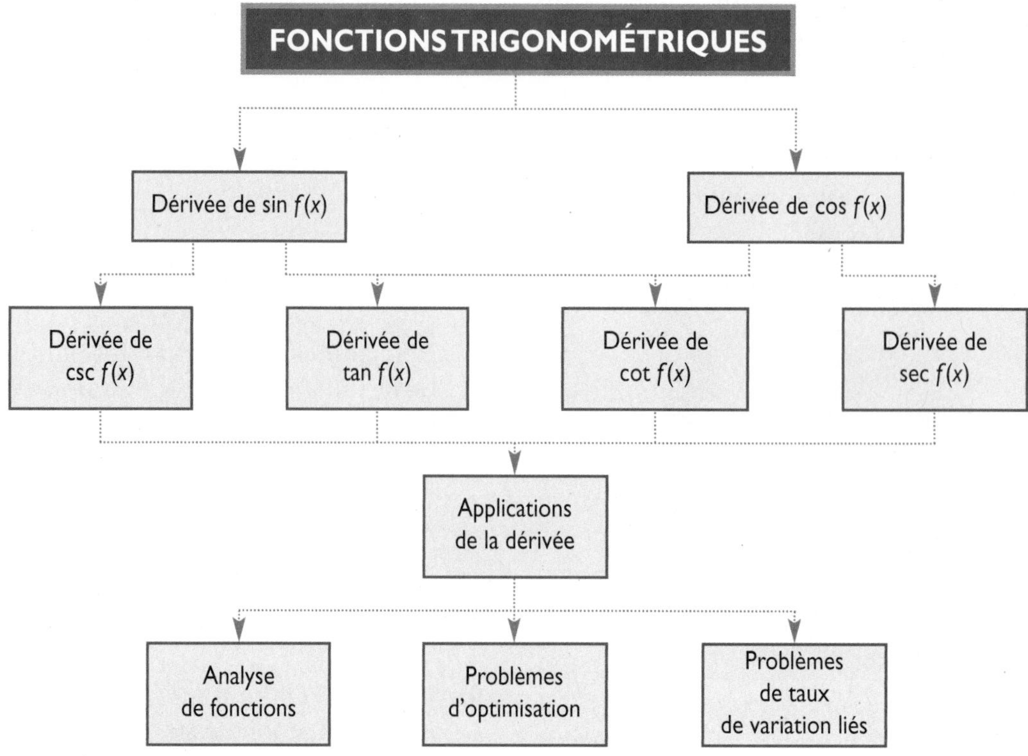

Liste de vérification des apprentissages

RÉPONDRE PAR **OUI** OU PAR **NON.**

	Après l'étude de ce chapitre, je suis en mesure:	OUI	NON
1.	de calculer deux limites utilisées dans la preuve des formules de dérivée des fonctions sinus et cosinus;		
2.	de démontrer la règle de dérivation pour la fonction sinus;		
3.	de calculer la dérivée de fonctions contenant des expressions de la forme sin $f(x)$;		
4.	de démontrer la règle de dérivation pour la fonction cosinus;		
5.	de calculer la dérivée de fonctions contenant des expressions de la forme cos $f(x)$;		
6.	de démontrer la règle de dérivation pour la fonction tangente;		
7.	de calculer la dérivée de fonctions contenant des expressions de la forme tan $f(x)$;		
8.	de démontrer la règle de dérivation pour la fonction cotangente;		
9.	de calculer la dérivée de fonctions contenant des expressions de la forme cot $f(x)$;		
10.	de démontrer la règle de dérivation pour la fonction sécante;		
11.	de calculer la dérivée de fonctions contenant des expressions de la forme sec $f(x)$;		
12.	de démontrer la règle de dérivation pour la fonction cosécante;		
13.	de calculer la dérivée de fonctions contenant des expressions de la forme csc $f(x)$;		
14.	d'analyser des fonctions contenant des fonctions trigonométriques;		
15.	de résoudre des problèmes d'optimisation contenant des fonctions trigonométriques;		
16.	de résoudre des problèmes de taux de variation liés contenant des fonctions trigonométriques.		

Si vous avez répondu **NON** à l'une de ces questions, il serait préférable pour vous d'étudier de nouveau cette notion.

Exercices récapitulatifs

 biologie  chimie  administration  physique

1. Calculer la dérivée des fonctions suivantes.

a) $f(x) = \sin 3x - 3 \sin x$

b) $f(x) = \ln (\cos 3x - \cos^3 2x)$

c) $g(x) = \sin (2^x + \cos x)$

d) $f(t) = \tan t^2 + \tan^2 t$

e) $f(u) = \cos (\tan u^2)$

f) $f(x) = \log (\sec (3x^4 - 2e^x))$

g) $h(\theta) = \cot \dfrac{3\theta}{2} - \dfrac{\cot 3\theta}{2}$

h) $f(x) = \cot \sqrt{x} + \sqrt{\sec x^2}$

i) $f(x) = e^{x^3} \sec 2x$

j) $x(t) = \dfrac{\csc 5t}{t^4}$

k) $f(x) = \tan^3 4x - \sec^5 7x$

l) $g(x) = 12x^3 - 9 \sin 7x + \csc (1 - x^3)$

m) $f(x) = \sec (\sin x) + \sin (\sec x)$

n) $v(t) = e^{\tan 5t} - \sin t \cos t$

o) $f(x) = \tan (x^5 - \tan x^5)$

p) $f(x) = \cot \left(\dfrac{x-1}{x-4}\right)$

2. Calculer la dérivée des fonctions suivantes.

a) $f(x) = \tan 5^x - 3 \sec x + \sin^4 (-2x)$

b) $f(x) = \dfrac{x^2}{\tan \sqrt{x}}$

c) $g(x) = \sqrt[3]{x \cot x}$

d) $f(x) = [x^7 \sec \sqrt{x}]^6$

e) $h(x) = \sin^2 x \cos^3 x$

f) $f(x) = \log_2(\sin x) - x^3 \tan x^2$

g) $f(\theta) = \sin [\tan (\cos \theta)]$

h) $f(x) = \sqrt{\sec (\sin x^2)}$

i) $v(x) = \dfrac{x \cos 3x}{x^2 + 2}$

j) $f(x) = \dfrac{\tan e^{3x}}{1 - \cot 2x}$

k) $x(t) = 5 \sec \left(\dfrac{t}{3}\right) + 3 \cot \left(\dfrac{2}{t}\right)$

l) $f(x) = \pi x \csc \left(\dfrac{-\pi x}{2}\right)$

m) $f(x) = A \sin (\omega x + \phi)$

n) $g(x) = \sin (\cos x) + \sin x \cos x$

o) $f(x) = \dfrac{\tan x^2}{x \cos x}$

p) $f(\theta) = \sin^2 (\theta^3 + 1) + \cos^2 (\theta^3 + 1)$

3. a) Si $f(x) = \cos x$, calculer $f^{(32)}$ et $f^{(41)}(x)$.

Compléter :

$$f^{(n)}(x) = \begin{cases} \dots\dots & \text{si } n = 4k - 3 \\ \dots\dots & \text{si } n = 4k - 2 \\ \dots\dots & \text{si } n = 4k - 1 \\ \dots\dots & \text{si } n = 4k, \end{cases}$$

où $k \in \{1, 2, 3, \dots\}$.

b) Si $g(x) = \cos 2x$, déterminer $g^{(15)}(x)$.

c) Si $H(x) = \sin^2 8x + \cos^2 8x$, déterminer $H^{(9)}(x)$.

d) Si $y = \tan t$, déterminer $\dfrac{d^3y}{dt^3}$.

4. Soit y, une fonction de x, telle que $y = a \cos \omega x + b \sin \omega x$.
Démontrer que $y'' + \omega^2 y = 0$.

5. Déterminer l'équation de la tangente et l'équation de la droite normale à la courbe de f définie par

a) $f(x) = \dfrac{\sin x}{x}$ au point $\left(\dfrac{\pi}{2}, f\left(\dfrac{\pi}{2}\right)\right)$;

b) $f(x) = \tan x$ au point $\left(\dfrac{\pi}{4}, f\left(\dfrac{\pi}{4}\right)\right)$;

c) $f(x) = \cot\left(\dfrac{x}{2}\right)$ au point $(\pi, f(\pi))$.

6. Déterminer les points de maximum relatif et les points de minimum relatif de f si :

a) $f(x) = \sin x^2$, où $x \in \left]-\sqrt{\dfrac{\pi}{2}}, \sqrt{\pi}\right]$;

b) $f(\theta) = \theta \sin \theta$, où $\theta \in \left[0, \dfrac{\pi}{2}\right]$;

c) $f(t) = \sin \left(t - \dfrac{\pi}{2}\right)^2 - 5\left(t - \dfrac{\pi}{2}\right)^2$, où $t \in \,]0, \pi[$.

7. a) Déterminer les intervalles de croissance et les intervalles de décroissance de f, si f est définie par

$$f(x) = \tan\left(\frac{(x^3 - 3x)\pi}{8}\right), \text{ où } x \in]-2, 2[.$$

b) Déterminer les intervalles de concavité vers le haut et les intervalles de concavité vers le bas de f,

si $f(x) = 2\sin x - \sin x \cos x$, où $x \in \left[\frac{-\pi}{2}, \frac{\pi}{2}\right]$.

8. Analyser les fonctions suivantes.

a) $f(x) = \sin^2 x$, où $x \in [0, 2\pi]$

b) $g(x) = 2\cos(\pi x)$, où $x \in [-1, 3]$

c) $v(t) = \dfrac{\sin t}{2 + \cos t}$, où $t \in [-\pi, 2\pi]$

d) $x(t) = \sqrt{3}\sin t + \cos t$, où $t \in [0, \pi]$

e) $f(\theta) = 2\sin^2\theta - \cos^2\theta$, où $\theta \in \left[0, \frac{3\pi}{2}\right[$

9. Évaluer les limites suivantes.

a) $\displaystyle\lim_{x\to 0} \frac{\sin(2x)}{3x}$

b) $\displaystyle\lim_{t\to 0} \frac{\tan t}{3t}$

c) $\displaystyle\lim_{h\to 0} \frac{\sin 5h}{\sin 4h}$

d) $\displaystyle\lim_{\theta\to \pi} \frac{\sin 8(\theta - \pi)}{\tan 3(\theta - \pi)}$

e) $\displaystyle\lim_{x\to \frac{\pi}{2}} \frac{\sin\left(x - \frac{\pi}{2}\right)}{\pi - 2x}$

f) $\displaystyle\lim_{x\to 0} \frac{\sin(x + \pi)}{x}$

10. Les côtés congrus d'un triangle isocèle mesurent 5 cm de longueur. Déterminer l'angle entre les côtés congrus pour que l'aire du triangle soit maximale.

11. Un train T avance vers G.

Si Lyne (L) est à 20 m de G et si le train avance à la vitesse de 18 km/h,

L, θ, 20 m, T, G

déterminer:

a) la fonction donnant le taux de variation de θ par rapport au temps;

b) le taux de variation de θ lorsque le train est à 300 m de Lyne;

c) le taux de variation de θ lorsque le train est à 100 m de G.

12. On forme un cône en enlevant d'un cercle de rayon r cm un secteur circulaire d'angle θ. Déterminer l'angle θ pour que le cône formé ait un volume maximal.

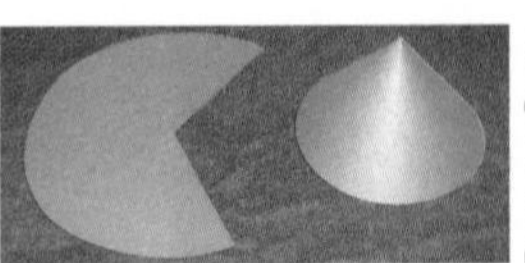

13. La longueur de l'hypoténuse d'un triangle rectangle croît à la vitesse de 4 cm/s.

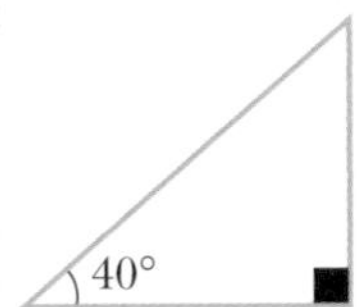

Lorsque la longueur de l'hypoténuse est de 15 cm:

a) calculer la vitesse de variation de la base;

b) calculer la vitesse de variation de l'aire du triangle.

14. On déménage une tige métallique droite en la faisant glisser sur le plancher d'un corridor qui tourne à angle droit et dont la largeur passe de 4 m à 3 m.

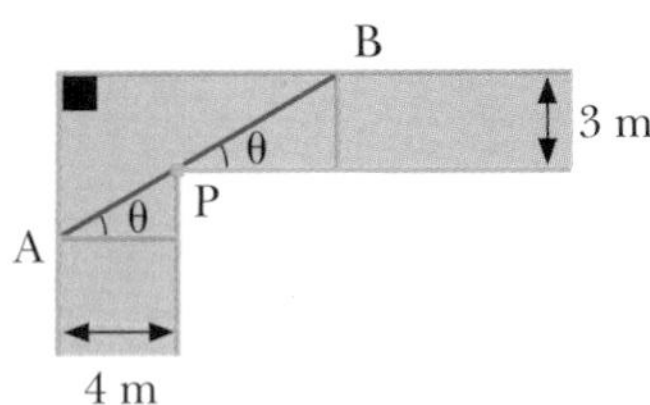

Déterminer la longueur de la tige la plus courte qui touche simultanément A, P et B ainsi que l'angle θ correspondant.

15. Un individu I se dirige, à la vitesse de 2 m/s, en suivant une trajectoire perpendiculaire à un mur long de 40 m, vers un point P situé au centre de ce mur.

P, θ, I

a) Déterminer le taux de variation de l'angle θ par rapport au temps t :

i) lorsque $\theta = \frac{\pi}{3}$;

ii) lorsque I est à 10 m de P.

b) Déterminer l'angle θ si :

i) $\frac{d\theta}{dt} = 0{,}1$ rad/s ;

ii) $\frac{d\theta}{dt} = 0{,}15$ rad/s.

16. On doit suspendre une lampe au-dessus du centre d'une table carrée dont l'aire est de 4 m^2. On sait que l'intensité de la lumière à un point P de la table est directement proportionnelle au sinus de l'angle que forme le rayon lumineux avec la table et inversement proportionnelle à la distance séparant la lampe du point P. Déterminer à quelle hauteur la lampe doit être suspendue au-dessus de la table pour que l'intensité de la lumière soit maximale à chacun des coins de la table.

17. Une personne P observe deux automobiles, A et B, qui roulent respectivement à des vitesses de 80 km/h et de 100 km/h. Calculer le taux de variation de l'angle θ par rapport au temps lorsque A est à 100 m de C, et B, à 70 m de D.

18. Les ailes d'une éolienne tournent à la vitesse constante de 2 tours/min.

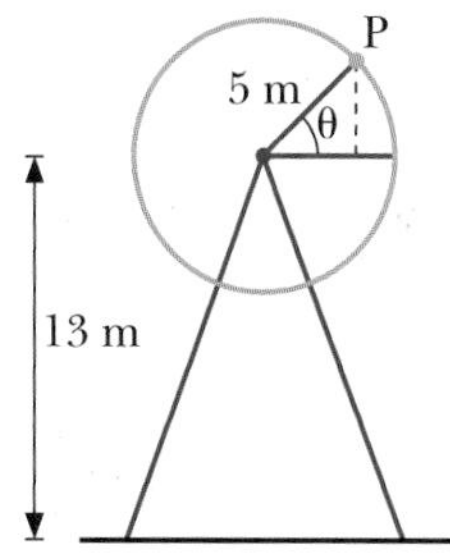

Dominique Parent

Sachant que la longueur des ailes est de 5 m, et qu'un pigeon s'est perché à l'extrémité d'une de ces ailes :

a) Déterminer la hauteur du pigeon en fonction de θ.

b) Déterminer, en fonction de θ, la vitesse de variation de la hauteur du pigeon, par rapport au temps.

c) Déterminer la hauteur et la vitesse de variation de la hauteur du pigeon, par rapport au temps, pour les valeurs de θ suivantes :

i) $\theta = 0°$; iii) $\theta = 180°$.

ii) $\theta = 90°$;

d) Déterminer les valeurs de θ telles que la vitesse de variation de la hauteur du pigeon, par rapport au temps, soit de 0 m/min.

e) Déterminer la hauteur du pigeon lorsque la vitesse de variation, par rapport au temps, est de 10π m/min.

Problèmes de synthèse

1. Calculer $\frac{dy}{dx}$ si :

a) $\sin y = \cos x$;

b) $\tan(y^3) = y \sin(3x^2)$;

c) $\cot(x + y) = e^{x^2} + y^2$;

d) $\csc x + \sec y = x^2y^3$;

e) $\cos y = x^2y^3 + \sin^3 2x$;

f) $\frac{\sin x}{\cos y} = \ln(xy)$.

2. Déterminer l'équation de la tangente à la courbe définie par $\tan x + \cot y = y - \frac{\pi}{2}$ au point $\left(0, \frac{\pi}{2}\right)$.

3. Démontrer que si $\tan y = x$, alors $\frac{dy}{dx} = \frac{1}{1 + x^2}$.

4. Déterminer la valeur de k et la valeur de a pour que les fonctions suivantes soient continues sur $\mathbb{R}$.

a) $f(x) = \begin{cases} \sin x & \text{si} \quad x < \dfrac{\pi}{2} \\ k & \text{si} \quad x = \dfrac{\pi}{2} \\ a + \cos\left(x + \dfrac{\pi}{2}\right) & \text{si} \quad x > \dfrac{\pi}{2} \end{cases}$

b) $g(\theta) = \begin{cases} \dfrac{\sin 4\theta}{\theta} & \text{si} \quad \theta < 0 \\ k & \text{si} \quad \theta = 0 \\ \dfrac{\sin 3\theta}{a\,\theta} & \text{si} \quad \theta > 0 \end{cases}$

5. Soit la représentation ci-contre où $\overline{\text{CB}}$ est tangent au cercle de rayon 1.

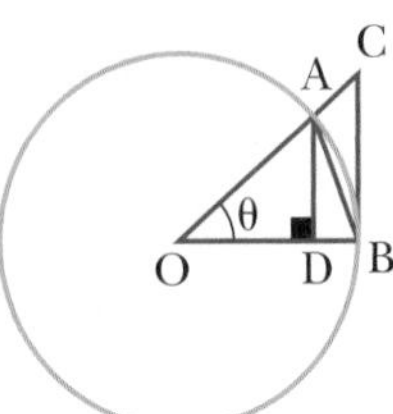

Évaluer les limites suivantes.

a) $\lim\limits_{\theta \to 0} \dfrac{\text{aire du secteur AOB}}{\text{aire } \Delta\text{AOD}}$

b) $\lim\limits_{\theta \to 0} \dfrac{\text{aire } \Delta\text{COB}}{\text{aire } \Delta\text{AOB}}$

c) $\lim\limits_{\theta \to 0} \dfrac{\text{longueur arc AB}}{\text{longueur } \overline{\text{AD}}}$

O/T **6.** Pour chacune des fonctions suivantes, construire le tableau de variation relatif à la dérivée première et à la dérivée seconde, et esquisser le graphique correspondant. Vérifier la pertinence de vos résultats à l'aide d'un outil technologique.

a) $v(t) = \dfrac{2 + \sin t}{2 - \sin t}$, où $t \in \left[0, \dfrac{3\pi}{2}\right]$

b) $f(x) = 2 \sin x + \sin 2x$, où $x \in \left[\dfrac{-\pi}{2}, \pi\right]$

c) $g(x) = \dfrac{\cos x}{1 + \sin x}$,

où $x \in [-\pi, 2\pi] \setminus \left\{\dfrac{-\pi}{2}, \dfrac{3\pi}{2}\right\}$

d) $f(\theta) = \dfrac{\sin \theta}{\theta}$, où $\theta \in]0, +\infty$

e) $f(x) = \ln(\cos x)$, sur $\left]\dfrac{-\pi}{2}, \dfrac{\pi}{2}\right[$

f) $f(x) = e^x \sin x - 1$, sur $[-\pi, \pi[$

g) $f(x) = \dfrac{\sin x}{e^x}$, sur $[0, \pi]$

7. La position x d'un corps oscillant en mouvement harmonique simple sur un axe horizontal est donnée par

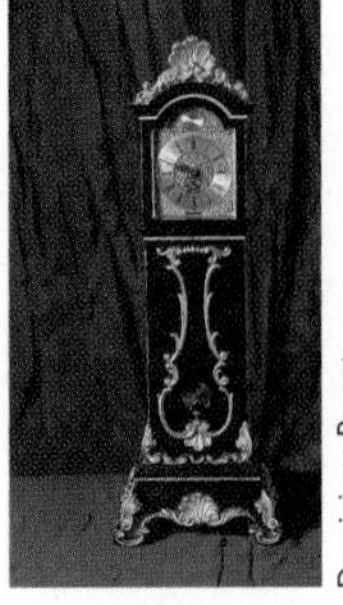
Dominique Parent

$$x(t) = \frac{1}{3} \cos\left(\pi t + \frac{\pi}{6}\right),$$

où t est en secondes et x est en mètres.

a) Déterminer l'amplitude et la période du mouvement de ce corps.

b) Calculer la vitesse v et l'accélération a du corps.

c) Déterminer la position, la vitesse et l'accélération du corps à $t = 1$ s.

d) Calculer la vitesse moyenne du corps sur $[0 \text{ s}, 1 \text{ s}]$.

e) Déterminer le déplacement Δx du corps sur $[0 \text{ s}, 1 \text{ s}]$.

f) Déterminer la distance parcourue par le corps sur $[0 \text{ s}, 1 \text{ s}]$.

8. Une particule qui se déplace sur un axe horizontal est en mouvement harmonique simple lorsque sa position x par rapport à la position d'équilibre varie en fonction du temps t selon la relation

$$x(t) = \text{A} \cos(\omega t + \varphi),$$

où t est en secondes, x est en mètres et A, ω et φ sont des constantes.

a) Déterminer les valeurs maximales de la vitesse v et de l'accélération a d'une particule en mouvement harmonique simple.

b) Exprimer a en fonction de x.

9. La position y d'une voiture contournant des cônes est donnée par $y(t) = \dfrac{\text{W}}{2} \sin\left(\dfrac{\pi}{\text{L}} vt\right)$, où W est la largeur de la voiture, v est la vitesse de la voiture, constante pour un essai, L est la distance en mètres entre les cônes, et t est en secondes.

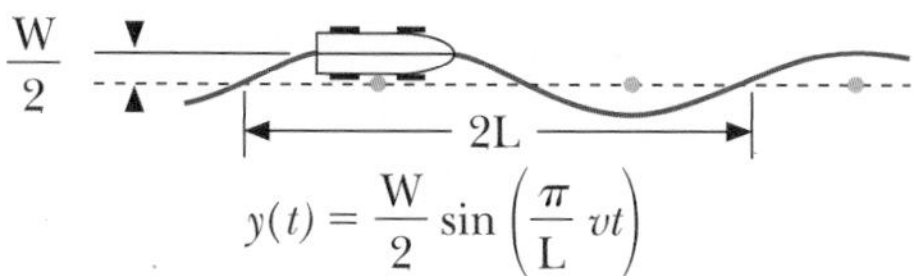

a) Déterminer, en fonction du temps, la vitesse latérale v_l de la voiture.

b) Déterminer, en fonction du temps, l'accélération latérale a_l de la voiture.

10. a) Une municipalité veut transplanter des fleurs dans un parterre dont la forme est un secteur de cercle.

Dominique Parent

Si l'on estime qu'il faut une superficie de 9π m^2 pour transplanter ces fleurs, déterminer le rayon r et l'angle θ du secteur, en radians et en degrés, pour que son périmètre soit minimal.

b) Répondre aux questions posées en a) si la superficie est de A m^2.

11. Soit le triangle ci-contre.

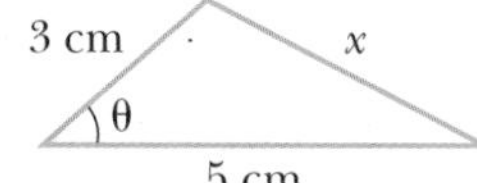

a) Déterminer le taux de variation du troisième côté, par rapport au temps, si le taux de variation de l'angle θ est de 0,4 rad/min lorsque $\theta = \frac{\pi}{6}$.

b) Déterminer le taux de variation de l'angle θ, par rapport au temps, si le taux de variation du troisième côté est de -3 cm/min lorsque $x = 6$ cm.

12. Soit le triangle ci-dessous, où $\frac{dx}{dt} = 2$ cm/min.

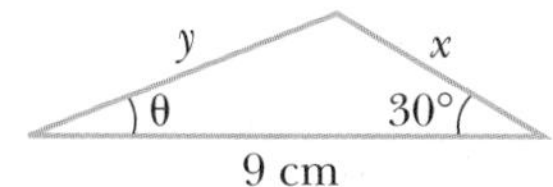

a) Déterminer $\frac{d\theta}{dt}$ en rad/min lorsque $\theta = 30°$.

b) Déterminer $\frac{dy}{dt}$ lorsque $\theta = 45°$.

13. Déterminer le point sur la courbe définie par $f(x) = \cos x$, où $x \in [0, 2\pi]$, tel que la pente de la tangente à la courbe est

a) maximale;

b) minimale.

14. Trois bateaux, A, B et C, partent d'un point O en suivant les trajets illustrés ci-dessous.

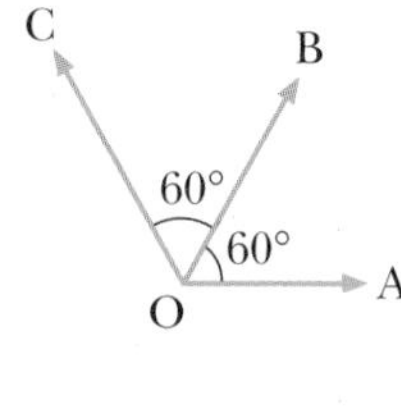

Dominique Parent

Sachant que la vitesse du bateau A est de 12 km/h, celle du bateau B, de 20 km/h et celle du bateau C, de 32 km/h, calculer la vitesse à laquelle varie, après 15 min, la distance séparant:

a) les bateaux A et B;

b) les bateaux B et C;

c) les bateaux A et C.

15. Soit $f(x) = \sqrt{x-4}$ et la droite D joignant l'origine à un point P quelconque de f. Déterminer le point P qui maximise l'angle θ, où θ est l'angle entre D et l'axe des x. Évaluer cet angle maximal.

16. Soit deux automobiles, A et B, se dirigeant vers le nord à des vitesses respectives de 13 m/s et de 25 m/s.

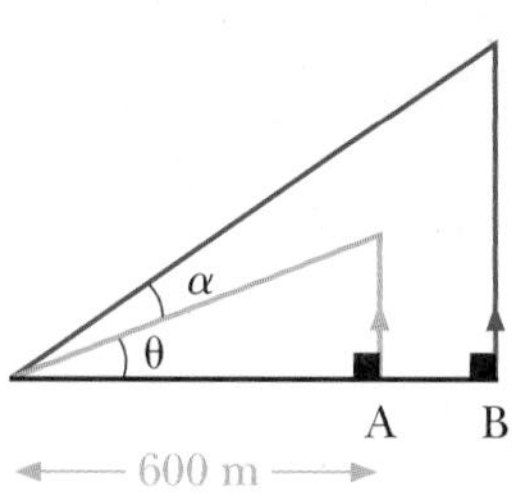

Dominique Parent

Déterminer $\frac{d\alpha}{dt}$ après

a) 16 s;

b) 32 s.

17. La figure ci-dessous représente un système de manivelle, où la distance d entre M et P est constante. Soit x, la distance entre O et P.

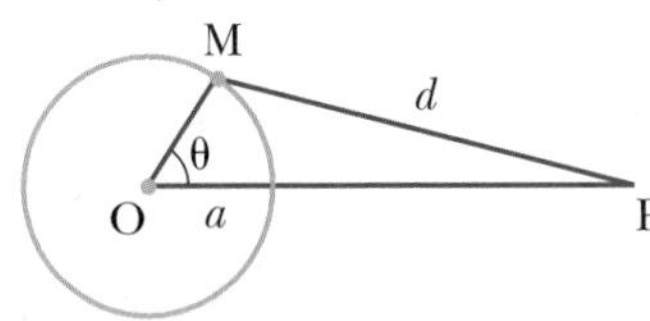

a) Exprimer l'abscisse du point P en fonction de θ.

b) Exprimer $\frac{dx}{dt}$ en fonction de $\frac{d\theta}{dt}$.

18. Une fonction est dite périodique lorsqu'il existe un nombre p positif tel que $f(x + p) = f(x)$; la plus petite valeur de p est appelée la période de f. Soit f, une fonction dérivable de période p. Démontrer que f' est une fonction périodique de période p, en utilisant la définition de la dérivée.

19. Un principe général permettant de déterminer les parcours des rayons lumineux a été énoncé par Pierre de Fermat. Selon le **principe de Fermat,** le trajet d'un rayon lumineux entre deux points quelconques P et Q est le parcours qui prend le moins de temps. Ce principe est parfois appelé *principe du temps minimal.* Une conséquence immédiate du principe de Fermat est que, dans un milieu homogène, les rayons lumineux se propagent en ligne droite puisque la ligne droite est la plus courte distance entre deux points.

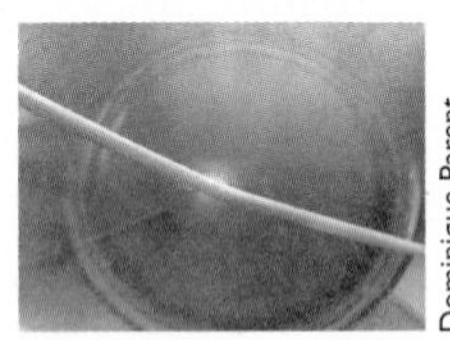

Nous allons maintenant voir comment utiliser le principe de Fermat pour établir la loi de la réfraction, appelée Loi de Snell.

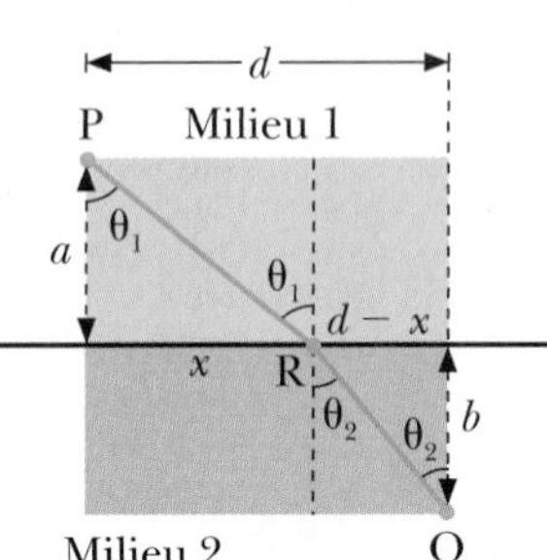

Supposons qu'un rayon lumineux doive se propager de P à Q, P étant dans le milieu 1 et Q, dans le milieu 2. Les points P et Q sont respectivement aux distances a et b de la surface de séparation. La vitesse de la lumière est v_1 dans le milieu 1 et v_2, dans le milieu 2.

a) Exprimer $\overline{PR}$ et $\overline{QR}$ en fonction de a, b, d et x.

b) Soit T_1, le temps pour passer de P à R, et T_2, le temps pour passer de R à Q. Exprimer T_1 et T_2 en fonction de $\overline{PR}$, $\overline{QR}$, v_1 et v_2.

c) Exprimer T, où $T = T_1 + T_2$ en fonction de la variable x et des constantes a, b, d, v_1 et v_2.

d) Démontrer qu'en posant $\frac{dT}{dx} = 0$, nous pouvons obtenir la Loi de Snell, c'est-à-dire $\frac{\sin\theta_1}{\sin\theta_2} = \frac{v_1}{v_2}$.

e) Utiliser le test de la dérivée seconde pour démontrer qu'il existe un minimum lorsque $\frac{dT}{dx} = 0$.

20. Au numéro précédent, on a démontré qu'un rayon lumineux traversant deux milieux différents obéit à la loi suivante: $\frac{\sin\theta_1}{\sin\theta_2} = \frac{v_1}{v_2}$ (Loi de Snell), où $\frac{v_1}{v_2}$ est le rapport entre la vitesse de la lumière dans les deux milieux respectifs.

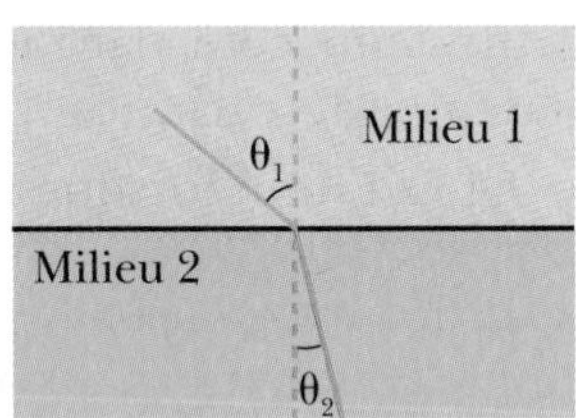

a) Si l'angle d'incidence θ_1 varie au taux de $\frac{d\theta_1}{dt}$, déterminer la fonction donnant le taux de variation de l'angle θ_2 par rapport à t.

b) Dans le cas d'un rayon lumineux passant de l'air (milieu 1) à l'eau (milieu 2), $\frac{v_1}{v_2} = 1{,}33$. Déterminer le taux de variation de l'angle θ_2 si l'angle θ_1 croît au taux de 0,2 rad/s lorsque $\theta_1 = \frac{\pi}{6}$.

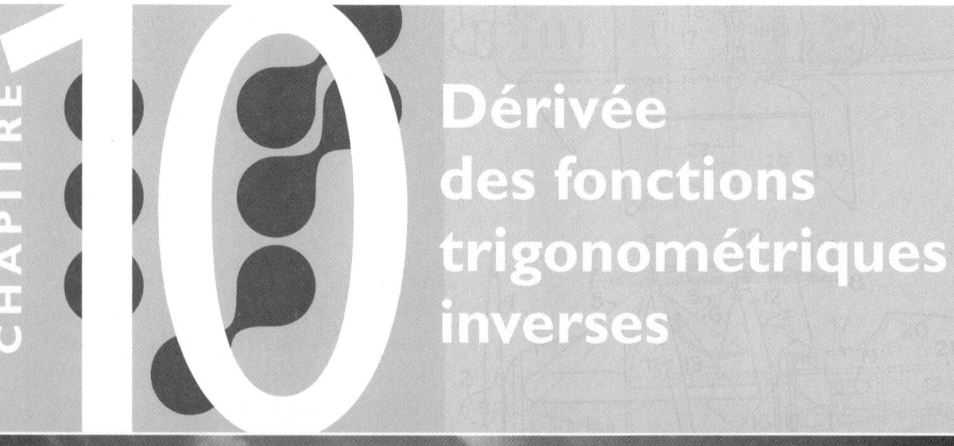

Dérivée des fonctions trigonométriques inverses

Dominique Parent

Introduction

Le présent chapitre est consacré à la définition des fonctions trigonométriques inverses et au calcul de la dérivée de ces fonctions. À la fin de ce chapitre, nous serons en mesure d'analyser quelques fonctions contenant des fonctions trigonométriques inverses, et de résoudre des problèmes d'optimisation et de taux de variation liés. En particulier, l'élève pourra résoudre le problème suivant:

Dans un parc d'attractions, il y a une grande roue dont le rayon est égal à 20 mètres et dont le centre est à 22 mètres au-dessus du sol. Sachant que l'angle au centre de la grande roue varie au rythme de $\frac{\pi}{15}$ radian par seconde:

a) Exprimer la hauteur, par rapport au sol, du siège S en fonction de l'angle θ.
b) Déterminer la fonction v_y donnant la variation de la hauteur du siège en fonction du temps, c'est-à-dire la vitesse verticale du siège.
c) Déterminer la fonction v_x donnant la vitesse horizontale du siège en fonction du temps.
d) Déterminer les valeurs de θ lorsque la vitesse horizontale est nulle.
e) Démontrer que $v_x^2 + v_y^2 = C$, où C est une constante, et évaluer cette constante.
f) Évaluer v_x et v_y lorsque le siège est à 30 mètres au-dessus du sol.

(*Voir* le problème de synthèse n° 12, page 426.)

Perspective historique

FONCTIONS TRIGONOMÉTRIQUES INVERSES

Historiquement, l'idée de fonctions trigonométriques inverses apparaît dès qu'on commence à utiliser les tables de cordes (*voir* la perspective historique du chapitre 9). Dans son célèbre traité *Almagest*, l'astronome grec Ptolémée (vers 100-178 apr. J.-C.) calcule à plusieurs reprises la mesure inconnue d'un angle au centre d'un cercle connu à partir d'informations sur la corde déterminée par cet angle. Dans ce dessein, il utilise sa table de corde qui donne, pour chaque angle au centre dans un cercle de rayon 60, la longueur de la corde correspondante. Pour déterminer la mesure de l'angle au centre correspondant à une corde dont il connaît la longueur, il procède par une règle de trois. En effet, le rapport entre la corde et le rayon dans le cercle connu est le même que le rapport entre une corde, correspondant au même angle au centre dans le cercle de rayon 60, et ce rayon 60. Il détermine ainsi la longueur de cette corde dans le cercle de rayon 60 et, en regardant dans la table l'angle correspondant à cette longueur de corde, il trouve la mesure de l'angle cherchée. Il a donc utilisé la table en la lisant « à l'envers », non pas de l'angle vers la corde, mais plutôt de la corde vers l'angle correspondant. Ptolémée a donc utilisé ce que nous pourrions appeler la fonction Arc corde.

Roger Viollet/Topfoto/ PONOPRESSE

Leonhard Euler (1707-1783)

Même si ce genre de calcul se retrouve très souvent dans les travaux des astronomes, il faut attendre le XIIe siècle pour trouver une table donnant directement la valeur d'un arc de cercle en fonction de la corde qu'elle sous-tend. Cette table est plutôt rudimentaire puisque le rayon du cercle ne mesure que 14 unités et que les cordes mesurent de 1 à 28 unités. Le mathématicien juif Abraham bar Hiyya (vers 1065-1145) a calculé cette table et l'a incluse dans son *Livre de la surface et des mesures* rédigé en hébreu en 1116 pour aider ses coreligionnaires, français aussi bien qu'espagnols, à mesurer leurs champs. Né en Andalousie alors sous domination arabe, il a puisé au riche héritage scientifique du monde arabo-musulman dont il a fait profiter Barcelone, où il s'était installé. Traduit en latin, ce livre connaîtra une large diffusion en Europe par la suite.

Jusqu'au XVIe siècle, on conçoit toujours les fonctions trigonométriques comme des segments dans un cercle de rayon donné. La révolution astronomique déclenchée par Copernic et Kepler et les discussions relatives à la réforme du calendrier julien entreprise par le pape Grégoire XIII incite à avoir une précision des tables de l'ordre de 10^{-7}. Comme il n'existe pas de notations vraiment efficaces pour les calculs impliquant les fractions, les mathématiciens évitent celles-ci et basent leurs calculs sur des cercles de rayon de 10^7 unités. Napier, dans sa table de logarithmes, partira d'un segment mesurant aussi 10^7 unités. Au siècle suivant, l'usage des fractions décimales se répand progressivement et permettra de se rendre compte des avantages à calculer les tables trigonométriques à partir d'un cercle unitaire. Cependant, on ne parle pas encore de fonctions trigonométriques inverses. Elles feront vraiment leur entrée sur la scène mathématique par le biais des séries infinies.

Vers 1530, en Inde, un texte en vers d'un auteur inconnu décrit une série égale à la fonction Arc tangente. Ultérieurement, Jyesthadeva (1530-1610) décrit une façon d'arriver à cette série et en attribue la découverte à Madhava (1350-1425), probablement dans le cadre de ses travaux astronomiques.

En Europe, les fonctions trigonométriques inverses susciteront beaucoup plus tardivement un intérêt. En décembre 1670, James Gregory (1638-1675) fait parvenir une lettre à la Royal Society de Londres dans laquelle il propose, entre autres, une série permettant de calculer Arc sinus. Un mois plus tard, dans une autre lettre, il propose une série correspondant à Arc tangente, en fait la même que Madhava avait trouvée deux cents ans auparavant, mais clairement sans avoir eu connaissance des travaux de ce dernier. Plusieurs autres séries de la sorte seront ensuite trouvées, entre autres par Newton (1642-1727). Au milieu du XVIIIe siècle, le bâlois **Euler** (1707-1783) présente les fonctions trigonométriques et les fonctions trigonométriques inverses sous la forme que nous connaissons maintenant. Le cercle de rayon 1 devient alors fondamental et le restera jusqu'à nos jours.

Test préliminaire

Partie A

1. Tracer le graphique des six fonctions trigonométriques et indiquer le domaine et l'image de chaque fonction.

2. Déterminer l'ensemble des valeurs de θ tel que:

a) $\sin \theta = 1$;

b) $\sin \theta = 0$;

c) $\cos \theta = \frac{-\sqrt{2}}{2}$;

d) $\tan \theta = 1$;

e) $\sec \theta = -1$.

3. Compléter les identités suivantes.

a) $\cos^2 x + \sin^2 x =$ ______

b) $1 + \tan^2 x =$ ______

c) $1 + \cot^2 x =$ ______

d) $\sin (2\theta) =$ ______

e) $\cos (2\theta) =$ ______

4. Exprimer:

a) $\sin x$ en fonction de $\cos x$;

b) $\cos y$ en fonction de $\sin y$;

c) $\tan \theta$ en fonction de $\sec \theta$;

d) $\cot x$ en fonction de $\csc x$;

e) $\sin \left(\frac{\theta}{2}\right)$ en fonction de $\cos \theta$.

5. Exprimer les expressions suivantes en fonction d'une seule fonction trigonométrique d'angle θ.

a) $\sin (\pi - \theta)$

b) $\cos (2\pi - \theta)$

c) $\tan (-\theta)$

d) $\tan (\pi - \theta)$

Partie B

1. Compléter les égalités suivantes.

a) $[\sin f(x)]' =$ ______

b) $[\cos f(x)]' =$ ______

c) $[\tan f(x)]' =$ ______

d) $[\cot f(x)]' =$ ______

e) $[\sec f(x)]' =$ ______

f) $[\csc f(x)]' =$ ______

10.1 Dérivée des fonctions Arc sinus et Arc cosinus

Objectif d'apprentissage

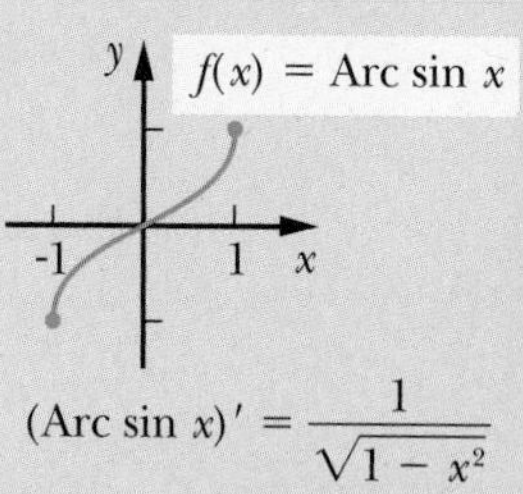

À la fin de cette section, l'élève pourra calculer la dérivée de fonctions contenant des fonctions Arc sin $f(x)$ et Arc cos $f(x)$.

Plus précisément, l'élève sera en mesure:

- de déterminer le domaine et l'image de la fonction Arc sinus;
- de donner la définition de la fonction Arc sinus;
- de représenter graphiquement la fonction Arc sinus;
- de démontrer la règle de dérivation pour la fonction Arc sin x;
- de calculer la dérivée de fonctions contenant des expressions de la forme Arc sin $f(x)$;
- de déterminer le domaine et l'image de la fonction Arc cosinus;
- de donner la définition de la fonction Arc cosinus;
- de représenter graphiquement la fonction Arc cosinus;
- de démontrer la règle de dérivation pour la fonction Arc cos x;
- de calculer la dérivée de fonctions contenant des expressions de la forme Arc cos $f(x)$.

10

Dans cette section, nous allons démontrer des formules permettant de calculer la dérivée de fonctions contenant des fonctions Arc sinus et Arc cosinus.

Dérivée de la fonction Arc sinus

Il y a environ 200 ans...

© Bettmann/CORBIS

Daniel Bernoulli (1700-1782) fut le premier, en 1726, à utiliser un symbole, en l'occurrence *A S.*, pour désigner la fonction *Arc sinus.* En 1774, on trouve une première fois la notation actuelle, *Arc sin,* chez Lagrange (1736-1813). Son usage se répandra surtout sur le continent européen. Les Anglais et, à leur suite les Américains, utiliseront plutôt la notation sin^{-1} proposée en 1813 par l'astronome britannique John Herschel (1792-1871).

Définissons d'abord la fonction Arc sinus, qui est la fonction inverse de la fonction sinus.

Soit le graphique de la fonction définie par $y = \sin x$.

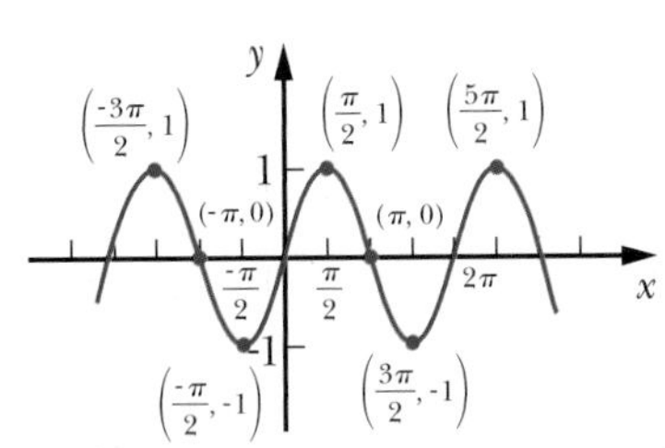

À partir du graphique de la fonction $y = \sin x$, nous obtenons le graphique ci-dessous en faisant une rotation de 180° autour de la droite d'équation $y = x$.

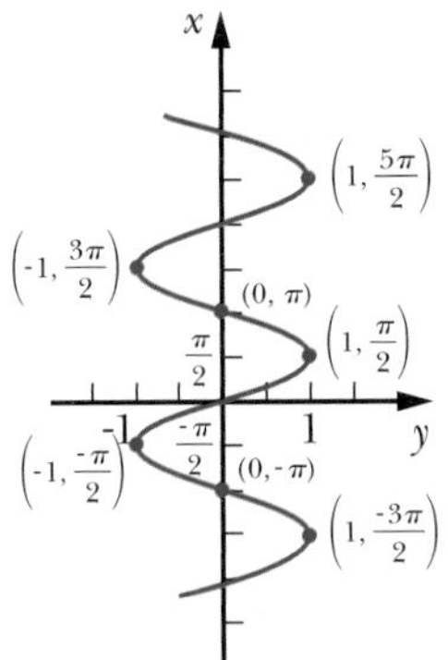

En changeant x pour y et y pour x, nous obtenons le graphique suivant.

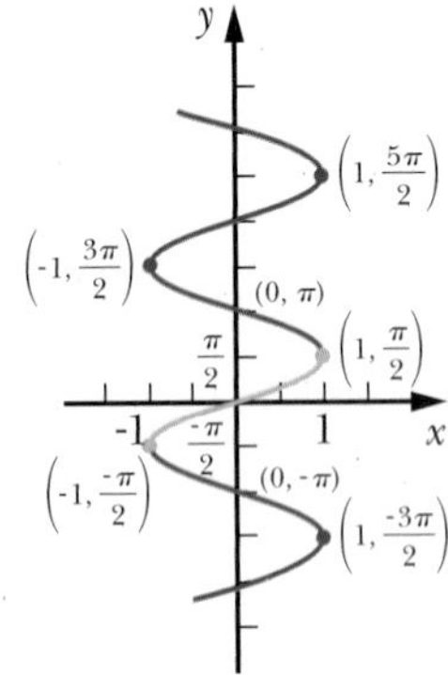

Remarque Ce graphique ne représente pas celui d'une fonction, car pour une valeur de $x \in [-1, 1]$ il existe plus d'une image.

Par contre, si pour $x \in [-1, 1]$ nous choisissons uniquement les valeurs de y qui appartiennent à $\left[\frac{-\pi}{2}, \frac{\pi}{2}\right]$, nous obtenons une fonction que nous appelons Arc sinus.

Définition 10.1

La fonction inverse de la fonction sinus est appelée **Arc sinus** et est définie ainsi :

$y = \text{Arc} \sin x$ si et seulement si $x = \sin y$

pour $x \in [-1, 1]$ et $y \in \left[\frac{-\pi}{2}, \frac{\pi}{2}\right]$.

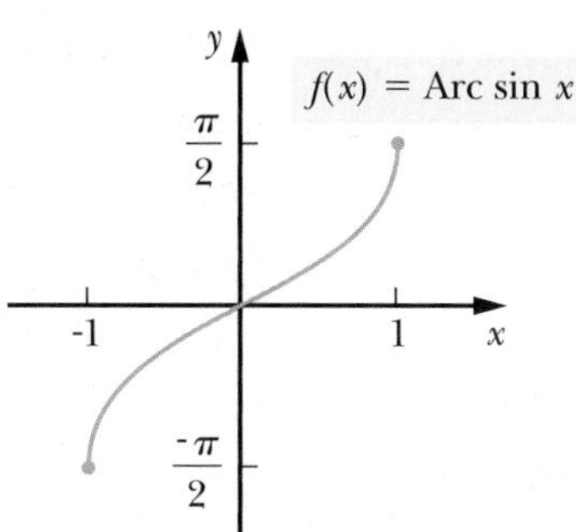

La représentation ci-contre est une esquisse du graphique de $f(x) = \text{Arc sin } x$, où

dom Arc sin $= [-1, 1]$ et

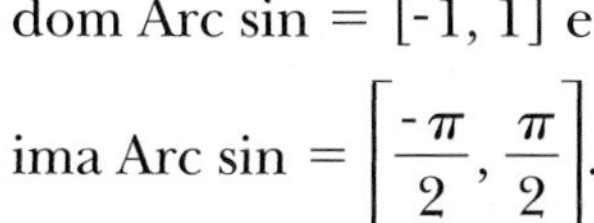
ima Arc sin $= \left[\frac{-\pi}{2}, \frac{\pi}{2}\right]$.

Exemple 1 Évaluons, si c'est possible, les expressions suivantes.

a) $\text{Arc sin}\left(\frac{1}{2}\right)$

Nous cherchons l'angle θ (en radians) dont le sinus est égal à $\frac{1}{2}$, c'est-à-dire $\sin\theta = \frac{1}{2}$, ce qui équivaut à $\theta = \text{Arc sin}\left(\frac{1}{2}\right)$.

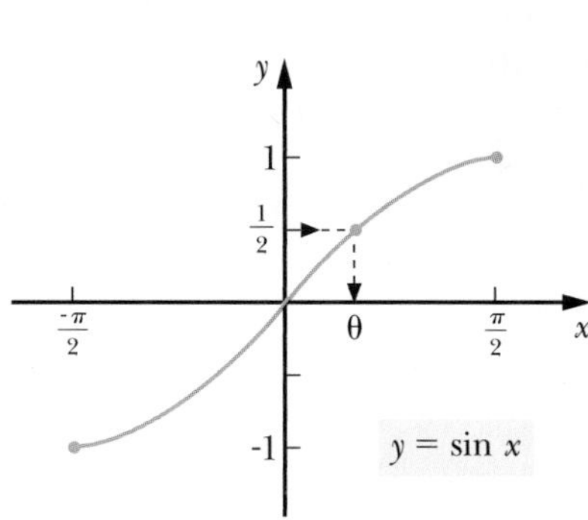

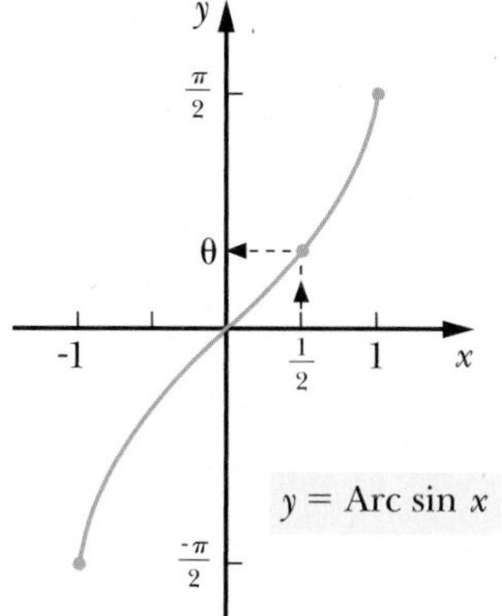

Puisque $\sin\frac{\pi}{6} = \frac{1}{2}$ et que $\frac{\pi}{6} \in \left[\frac{-\pi}{2}, \frac{\pi}{2}\right]$, nous obtenons $\text{Arc sin}\left(\frac{1}{2}\right) = \frac{\pi}{6}$.

b) Arc sin (-1)

Nous cherchons l'angle α (en radians) dont le sinus est égal à -1, c'est-à-dire $\sin\alpha = -1$, ce qui équivaut à $\alpha = \text{Arc sin }(-1)$.

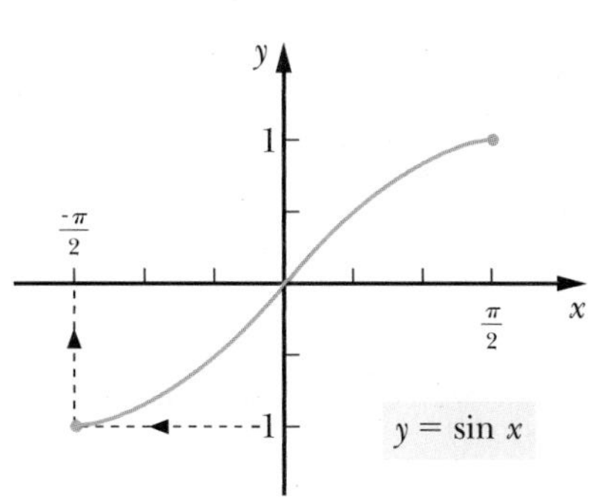

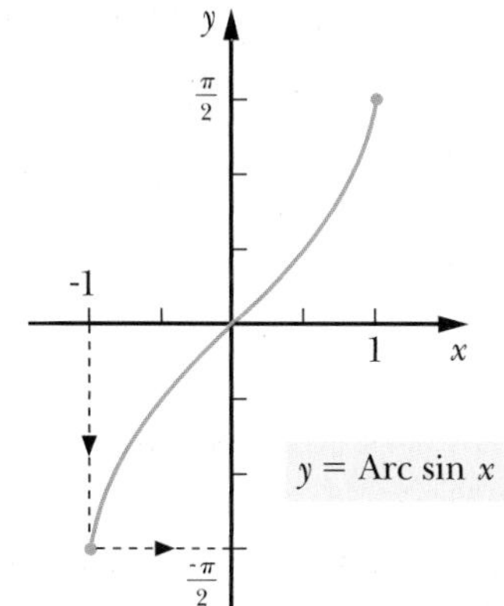

Puisque $\sin\left(\frac{-\pi}{2}\right) = -1$ et que $\frac{-\pi}{2} \in \left[\frac{-\pi}{2}, \frac{\pi}{2}\right]$, nous obtenons $\text{Arc sin }(-1) = \frac{-\pi}{2}$.

c) Arc sin (0,7)

Pour les valeurs non remarquables, nous devons utiliser la calculatrice.

En mode « radian », nous obtenons Arc sin (0,7) = 0,775 3... ;

en mode « degré », nous obtenons Arc sin (0,7) = 44,427...°.

d) Arc sin (1,2)

Arc sin (1,2) est non définie, car $1{,}2 \notin$ dom Arc sin = [-1, 1].

Remarque Les formules des dérivées des fonctions trigonométriques inverses ne sont valables que pour des angles mesurés en radians. C'est pourquoi, à moins d'indication contraire, la mesure des angles est en radians.

Il y a environ 200 ans...

L'utilisation du radian comme unité de mesure d'angle est relativement récente. En 1748, Euler écrit déjà $\sin(2\pi)$ pour le sinus de 360°. Toutefois, ce n'est pas avant le milieu des années 1870, alors que les fonctions trigonométriques deviennent fondamentales en électromagnétisme, que les physiciens verront un avantage à introduire une nouvelle unité de mesure d'angle. En effet, en définissant les fonctions trigonométriques selon des angles mesurés en radians plutôt que des angles mesurés en degrés, les formules de dérivation de ces fonctions se simplifient. Certains facteurs multiplicatifs complexes lorsqu'ils sont exprimés en degrés deviennent égaux à un lorsqu'ils sont mesurés en radians. De plus, le radian allège les calculs en optique, dans le design des engrenages et dans l'étude de l'accélération d'un objet se déplaçant sur une courbe curviligne.

THÉORÈME 10.1 Si $y = \text{Arc sin } x$, alors $\dfrac{dy}{dx} = \dfrac{1}{\sqrt{1 - x^2}}$.

Preuve

$\sin(\text{Arc sin } x) = x$ (car $y = \text{Arc sin } x \Leftrightarrow x = \sin y$, définition 10.1)

$[\sin(\text{Arc sin } x)]' = (x)'$ (en dérivant les deux membres de l'équation)

$[\cos(\text{Arc sin } x)](\text{Arc sin } x)' = 1$ (car $[\sin f(x)]' = [\cos f(x)]\, f'(x)$)

Puisque nous cherchons la dérivée de Arc sin x, nous avons

$$(\text{Arc sin } x)' = \frac{1}{\cos(\text{Arc sin } x)}$$

$$= \frac{1}{\cos y} \qquad (\text{car } y = \text{Arc sin } x)$$

$$= \frac{1}{\sqrt{1 - \sin^2 y}} \qquad \left(\text{car } \cos y = \pm\sqrt{1 - \sin^2 y}, \text{ or } y \in \left[\frac{-\pi}{2}, \frac{\pi}{2}\right] \text{ d'où } \cos y = \sqrt{1 - \sin^2 y}\right)$$

$$= \frac{1}{\sqrt{1 - x^2}} \qquad (\text{car } x = \sin y).$$

Exemple 2 Calculons la dérivée des fonctions suivantes.

a) Si $f(x) = \dfrac{x}{\text{Arc sin } x}$, alors

$$f'(x) = \frac{(x)' \text{ Arc sin } x - x\,(\text{Arc sin } x)'}{(\text{Arc sin } x)^2}$$

$$= \frac{\text{Arc sin } x - x\dfrac{1}{\sqrt{1-x^2}}}{(\text{Arc sin } x)^2} \qquad \text{(théorème 10.1)}$$

$$= \frac{\sqrt{1-x^2}\,\text{Arc sin } x - x}{(\text{Arc sin } x)^2\sqrt{1-x^2}}.$$

b) Si $g(t) = \sqrt{\text{Arc sin } t}$, alors

$$g'(t) = \frac{1}{2}(\text{Arc sin } t)^{\frac{-1}{2}}\,(\text{Arc sin } t)'$$

$$= \frac{1}{2\sqrt{\text{Arc sin } t}\sqrt{1-t^2}}. \qquad \text{(théorème 10.1)}$$

Calculons maintenant la dérivée de fonctions composées de la forme $H(x) = \text{Arc sin } f(x)$.

THÉORÈME 10.2

Si $H(x) = \text{Arc sin } f(x)$, où f est une fonction dérivable, alors

$$H'(x) = \left[\frac{1}{\sqrt{1-[f(x)]^2}}\right] f'(x) = \frac{f'(x)}{\sqrt{1-[f(x)]^2}}.$$

Preuve

Soit $H(x) = y = \text{Arc sin } u$, où $u = f(x)$.

$$\frac{dy}{dx} = \frac{dy}{du}\frac{du}{dx} \qquad \text{(notation de Leibniz)}$$

$$\frac{d}{dx}(H(x)) = \frac{d}{du}(\text{Arc sin } u)\,\frac{d}{dx}(f(x))$$

$$H'(x) = \left[\frac{1}{\sqrt{1-u^2}}\right] f'(x) \qquad \text{(théorème 10.1)}$$

D'où $[\text{Arc sin } f(x)]' = \left[\dfrac{1}{\sqrt{1-[f(x)]^2}}\right] f'(x)$. (car $u = f(x)$)

Exemple 3 Calculons la dérivée des fonctions suivantes.

a) Si $f(x) = \text{Arc sin }(x^3 + 7x)$, alors

$$f'(x) = \left[\frac{1}{\sqrt{1-(x^3+7x)^2}}\right](x^3+7x)' \qquad \text{(théorème 10.2)}$$

$$= \frac{3x^2+7}{\sqrt{1-(x^3+7x)^2}}.$$

10

b) Si $g(u) = \text{Arc sin}\sqrt{u}$, alors

$$g'(u) = \frac{1}{\sqrt{1-(\sqrt{u})^2}}(\sqrt{u})' \quad \text{(théorème 10.2)}$$

$$= \frac{1}{2\sqrt{1-u}\sqrt{u}}.$$

Dérivée de la fonction Arc cosinus

Définissons d'abord la fonction Arc cosinus, qui est la fonction inverse de la fonction cosinus.

Soit le graphique de la fonction définie par $y = \cos x$.

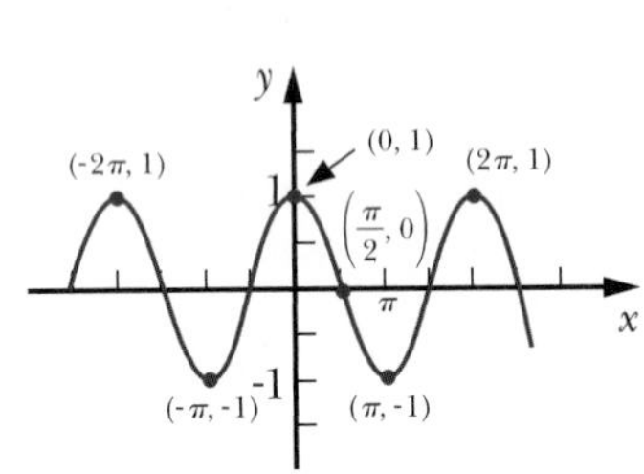

À partir du graphique de la fonction $y = \cos x$, nous obtenons le graphique ci-dessous en faisant une rotation de 180° autour de la droite d'équation $y = x$.

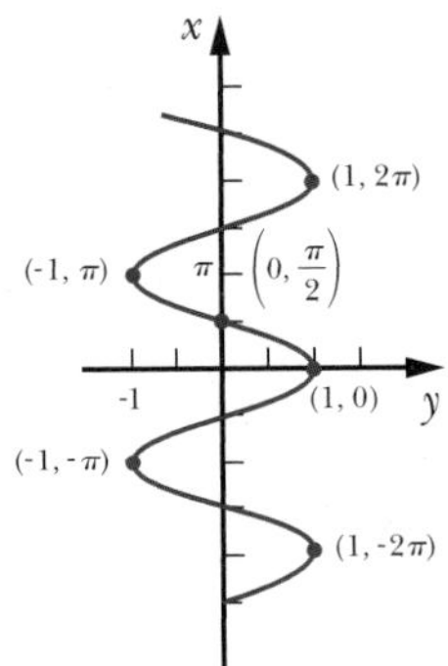

En changeant x pour y et y pour x, nous obtenons le graphique suivant.

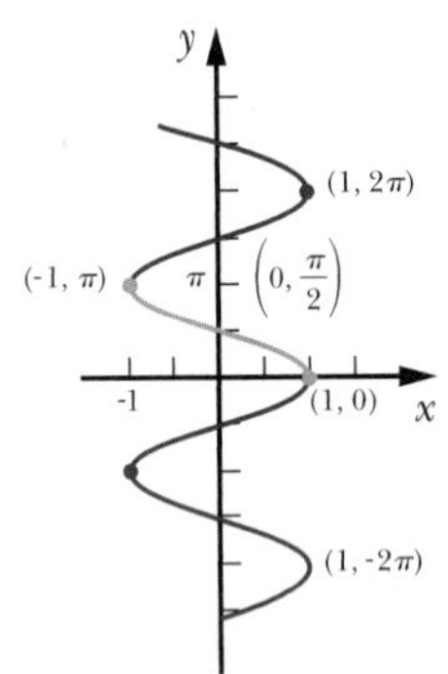

Remarque Ce graphique ne représente pas celui d'une fonction, car pour une valeur de $x \in [-1, 1]$ il existe plus d'une image.

Par contre, si pour $x \in [-1, 1]$ nous choisissons uniquement les valeurs de y qui appartiennent à $[0, \pi]$, nous obtenons une fonction que nous appelons Arc cosinus.

Définition 10.2

La fonction inverse de la fonction cosinus est appelée **Arc cosinus** et est définie ainsi:

$$y = \text{Arc cos}\, x \quad \text{si et seulement si} \quad x = \cos y$$

pour $x \in [-1, 1]$ et $y \in [0, \pi]$.

La représentation ci-contre est une esquisse du graphique de $f(x) = \text{Arc cos } x$, où

dom Arc cos $= [-1, 1]$ et
ima Arc cos $= [0, \pi]$.

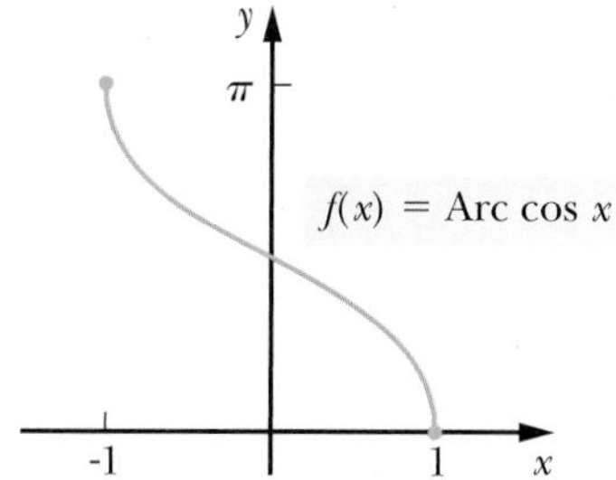

Exemple 1 Évaluons, si c'est possible, les expressions suivantes.

a) Arc cos $= \left(\frac{-1}{2}\right)$ et Arc cos $\left(\frac{1}{2}\right)$

Nous cherchons l'angle θ (en radians) dont le cosinus est égal à $\frac{-1}{2}$, c'est-à-dire $\cos\theta = \frac{-1}{2}$, ce qui équivaut à $\theta = \text{Arc cos}\left(\frac{-1}{2}\right)$ et l'angle α (en radians) dont le cosinus est égal à $\frac{1}{2}$, c'est-à-dire $\cos\alpha = \frac{1}{2}$, ce qui équivaut à $\alpha = \text{Arc cos}\left(\frac{1}{2}\right)$.

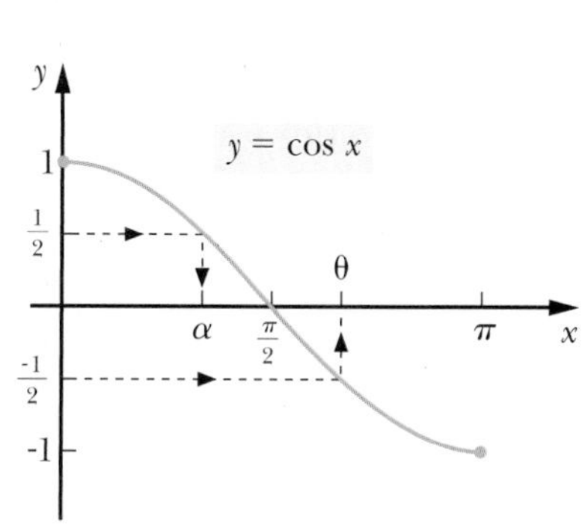

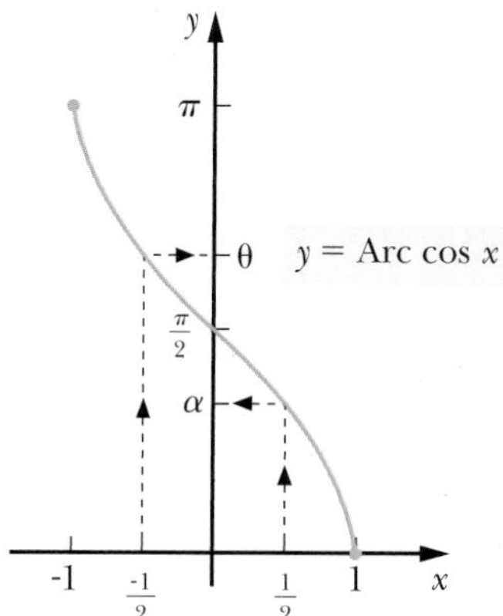

Puisque $\cos\left(\frac{2\pi}{3}\right) = \frac{-1}{2}$ et que $\frac{2\pi}{3} \in [0, \pi]$, nous obtenons

$\text{Arc cos}\left(\frac{-1}{2}\right) = \frac{2\pi}{3}$.

Puisque $\cos\frac{\pi}{3} = \frac{1}{2}$ et que $\frac{\pi}{3} \in [0, \pi]$, nous obtenons $\text{Arc cos}\left(\frac{1}{2}\right) = \frac{\pi}{3}$.

b) Arc cos (-0, 2)

Pour les valeurs non remarquables, nous devons utiliser la calculatrice.

En mode « radian », nous obtenons Arc cos (-0, 2) = 1,772 1... ;

en mode « degré », nous obtenons Arc cos (-0, 2) = 101,536...°.

10

THÉORÈME 10.3 Si $y = \text{Arc} \cos x$, alors $\dfrac{dy}{dx} = \dfrac{-1}{\sqrt{1 - x^2}}$.

Preuve

$$\cos(\text{Arc} \cos x) = x \qquad (\text{car } y = \text{Arc} \cos x \Leftrightarrow x = \cos y, \text{ définition 10.2})$$

$$[\cos(\text{Arc} \cos x)]' = (x)' \qquad (\text{en dérivant les deux membres de l'équation})$$

$$[-\sin(\text{Arc} \cos x)](\text{Arc} \cos x)' = 1 \qquad (\text{car } [\cos f(x)]' = [-\sin f(x)]\, f'(x))$$

Puisque nous cherchons la dérivée de Arc cos x, nous avons

$$(\text{Arc} \cos x)' = \frac{1}{-\sin(\text{Arc} \cos x)}$$

$$= \frac{-1}{\sin y} \qquad (\text{car } y = \text{Arc} \cos x)$$

$$= \frac{-1}{\sqrt{1 - \cos^2 y}} \qquad (\text{car } \sin y = \pm\sqrt{1 - \cos^2 y}, \text{ or } y \in [0, \pi] \text{ d'où } \sin y = \sqrt{1 - \cos^2 y})$$

$$= \frac{-1}{\sqrt{1 - x^2}} \qquad (\text{car } x = \cos y).$$

Exemple 2 Calculons la dérivée des fonctions suivantes.

a) Si $y = (\cos x)(\text{Arc} \cos x)$, alors

$$\frac{dy}{dx} = (\cos x)'(\text{Arc} \cos x) + \cos x\,(\text{Arc} \cos x)'$$

$$= (-\sin x)(\text{Arc} \cos x) + (\cos x)\left(\frac{-1}{\sqrt{1 - x^2}}\right) \qquad (\text{théorème 10.3})$$

b) Si $f(x) = (\text{Arc} \cos x)^5$, alors

$$f'(x) = 5(\text{Arc} \cos x)^4(\text{Arc} \cos x)'$$

$$= 5(\text{Arc} \cos x)^4\left(\frac{-1}{\sqrt{1 - x^2}}\right) \qquad (\text{théorème 10.3})$$

$$= \frac{-5(\text{Arc} \cos x)^4}{\sqrt{1 - x^2}}.$$

Calculons maintenant la dérivée de fonctions composées de la forme $H(x) = \text{Arc} \cos f(x)$.

THÉORÈME 10.4 Si $H(x) = \text{Arc} \cos f(x)$, où f est une fonction dérivable, alors

$$H'(x) = \left[\frac{-1}{\sqrt{1 - [f(x)]^2}}\right] f'(x) = \frac{-f'(x)}{\sqrt{1 - [f(x)]^2}}.$$

La preuve est laissée à l'élève.

Exemple 3 Calculons la dérivée des fonctions suivantes.

a) Si $g(x) = \text{Arc cos } 3x$, alors

$$g'(x) = \frac{-1}{\sqrt{1-(3x)^2}}(3x)' \quad \text{(théorème 10.4)}$$
$$= \frac{-3}{\sqrt{1-9x^2}}$$

b) Si $k(x) = (x^2 \text{ Arc cos } x^3)^{12}$, alors

$$k'(x) = 12(x^2 \text{ Arc cos } x^3)^{11}(x^2 \text{ Arc cos } x^3)'$$
$$= 12(x^2 \text{ Arc cos } x^3)^{11}[(x^2)' \text{ Arc cos } x^3 + x^2(\text{Arc cos } x^3)']$$
$$= 12(x^2 \text{ Arc cos } x^3)^{11}\left[2x \text{ Arc cos } x^3 + \frac{x^2(-1)}{\sqrt{1-(x^3)^2}}3x^2\right] \quad \text{(théorème 10.4)}$$
$$= 12(x^2 \text{ Arc cos } x^3)^{11}\left[2x \text{ Arc cos } x^3 - \frac{3x^4}{\sqrt{1-x^6}}\right].$$

Exercices 10.1

1. Évaluer, si c'est possible, les expressions suivantes.

a) $\text{Arc sin } 0{,}5$

b) $\text{Arc sin}\left(\frac{-\sqrt{3}}{2}\right)$

c) $\text{Arc sin } 2$

d) $\text{Arc cos } (-1)$

e) $\text{Arc cos } \sqrt{2}$

f) $\text{Arc cos } (-0{,}8)$

g) $\sin(\text{Arc sin } 0{,}4)$

h) $\cos(\text{Arc cos } (-0{,}9))$

2. Simplifier les expressions suivantes.

a) $\sin(\text{Arc sin } x)$ c) $\cos(\text{Arc cos } t)$

b) $\sin(\text{Arc cos } u)$ d) $\cos(\text{Arc sin } x)$

3. Calculer la dérivée des fonctions suivantes.

a) $f(x) = \sqrt{x}\,\text{Arc sin } x$

b) $g(x) = \text{Arc sin } (x^7 - 3x)$

c) $y = \sqrt{\text{Arc sin } x^4}$

d) $f(t) = \dfrac{\text{Arc sin } 5t}{5t}$

e) $f(x) = \dfrac{x}{\text{Arc cos } x}$

f) $v(t) = \text{Arc cos } (t^3 - 3t^2 + 1)$

g) $g(u) = u^3 \text{ Arc cos } u^2$

h) $y = \text{Arc cos } (\cos x - \text{Arc cos } x^2)$

i) $h(v) = \text{Arc sin } v + \text{Arc cos } v$

j) $x(t) = \ln(\text{Arc sin } t) - \text{Arc cos } (\ln t)$

k) $f(x) = \text{Arc sin } (\tan x) + \text{Arc cos } (\cot x)$

l) $g(x) = \dfrac{\text{Arc cos } x^2}{\text{Arc sin } x^3}$

4. Soit $g(x) = \text{Arc sin } x$, $k(x) = \text{Arc cos } x$ et $f(x) = \text{Arc sin } x + \text{Arc cos } x$.

a) Déterminer dom f et calculer $f'(x)$.

O/T b) Représenter graphiquement, sur un même système d'axes, les courbes des fonctions f, g et k.

5. Soit $f(x) = \text{Arc sin } 3x$.

a) Déterminer dom f.

O/T b) Esquisser la courbe de f.

c) Calculer la pente de la tangente à la courbe de f au point $P\left(\frac{1}{4}, f\left(\frac{1}{4}\right)\right)$.

d) Déterminer les points de la courbe de f tels que la tangente en ces points ait une pente de 5.

6. Démontrer le théorème 10.4, page 398, en utilisant la notation de Leibniz.

10.2 Dérivée des fonctions Arc tangente et Arc cotangente

Objectif d'apprentissage

À la fin de cette section, l'élève pourra calculer la dérivée de fonctions contenant des fonctions Arc tan $f(x)$ et Arc cot $f(x)$.

Plus précisément, l'élève sera en mesure:

- de déterminer le domaine et l'image de la fonction Arc tangente;
- de donner la définition de la fonction Arc tangente;
- de représenter graphiquement la fonction Arc tangente;
- de démontrer la règle de dérivation pour la fonction Arc tan x;
- de calculer la dérivée de fonctions contenant des expressions de la forme Arc tan $f(x)$;
- de déterminer le domaine et l'image de la fonction Arc cotangente;
- de donner la définition de la fonction Arc cotangente;
- de représenter graphiquement la fonction Arc cotangente;
- de démontrer la règle de dérivation pour la fonction Arc cot x;
- de calculer la dérivée de fonctions contenant des expressions de la forme Arc cot $f(x)$.

$f(x) = \text{Arc tan } x$

$(\text{Arc tan } x)' = \dfrac{1}{1 + x^2}$

Dans cette section, nous allons démontrer des formules permettant de calculer la dérivée de fonctions contenant des fonctions Arc tangente et Arc cotangente.

Dérivée de la fonction Arc tangente

Il y a environ 250 ans...

Le symbole *Arc tan* apparaît en 1774, la même année que le symbole *Arc sin*. La fonction tangente et sa fonction inverse sont plus utiles pour mesurer des distances et des hauteurs qu'elles ne le sont en astronomie.

Définissons d'abord la fonction Arc tangente, qui est la fonction inverse de la fonction tangente.

Soit le graphique de la fonction définie par $y = \tan x$.

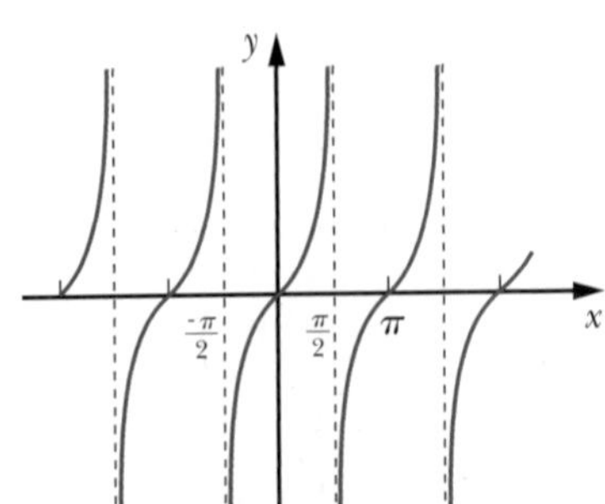

À partir du graphique de la fonction $y = \tan x$, nous obtenons le graphique ci-dessous en faisant une rotation de 180° autour de la droite d'équation $y = x$.

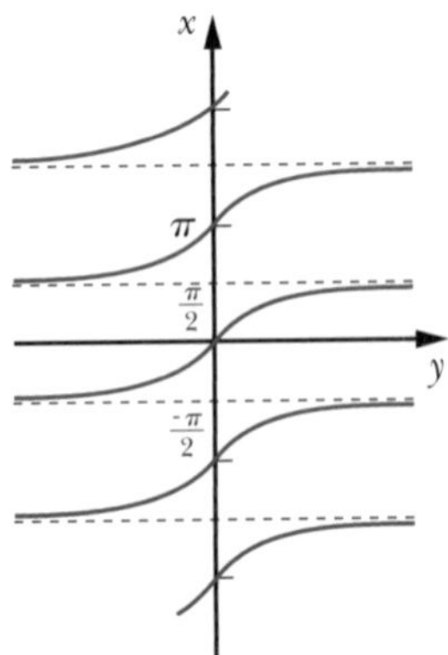

En changeant x pour y et y pour x, nous obtenons le graphique suivant.

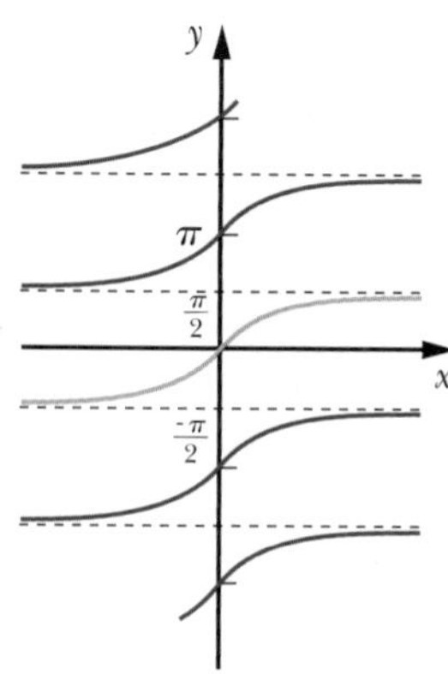

Remarque Ce graphique ne représente pas celui d'une fonction, car pour une valeur de $x \in \mathbb{R}$, il existe plus d'une image.

Par contre, si pour $x \in \mathbb{R}$ nous choisissons uniquement les valeurs de y qui appartiennent à $\left]\frac{-\pi}{2}, \frac{\pi}{2}\right[$, nous obtenons une fonction que nous appelons Arc tangente.

Définition 10.3

La fonction inverse de la fonction tangente est appelée **Arc tangente** et est définie ainsi :

$y = \text{Arc tan } x$ si et seulement si $x = \tan y$

pour $x \in \mathbb{R}$ et $y \in \left]\frac{-\pi}{2}, \frac{\pi}{2}\right[$.

La représentation ci-contre est une esquisse du graphique de $f(x) = \text{Arc tan } x$, où

dom Arc tan $= \mathbb{R}$ et

ima Arc tan $= \left]\frac{-\pi}{2}, \frac{\pi}{2}\right[$.

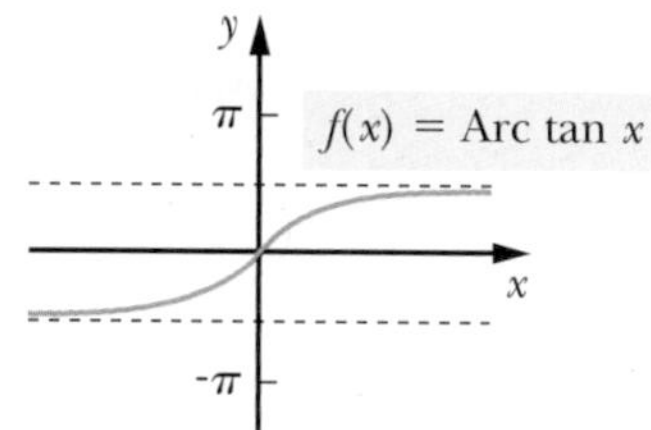

Puisque $\lim\limits_{x \to -\infty} \text{Arc tan } x = \frac{-\pi}{2}$,

alors la droite d'équation $y = \frac{-\pi}{2}$ est une asymptote horizontale lorsque $x \to -\infty$.

Puisque $\lim\limits_{x \to +\infty} \text{Arc tan } x = \frac{\pi}{2}$,

alors la droite d'équation $y = \frac{\pi}{2}$ est une asymptote horizontale lorsque $x \to +\infty$.

Exemple 1 Évaluons les expressions suivantes.

a) Arc tan 1

Nous cherchons l'angle θ (en radians) dont la tangente est égale à 1, c'est-à-dire $\tan \theta = 1$, ce qui équivaut à $\theta = \text{Arc tan } 1$.

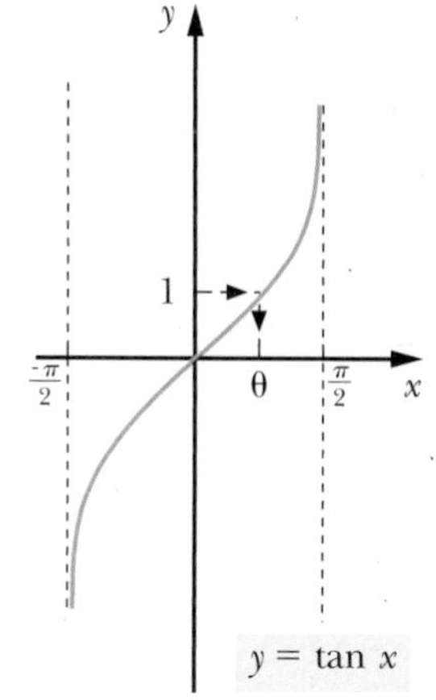

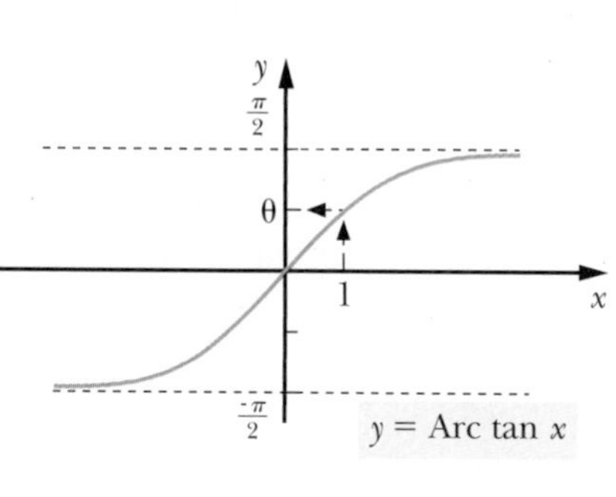

Puisque $\tan \frac{\pi}{4} = 1$ et que $\frac{\pi}{4} \in \left]\frac{-\pi}{2}, \frac{\pi}{2}\right[$, nous obtenons $\text{Arc tan } 1 = \frac{\pi}{4}$.

b) Arc tan 0

$\text{Arc tan } 0 = 0$, car $\tan 0 = 0$ et $0 \in \left]\frac{-\pi}{2}, \frac{\pi}{2}\right[$.

c) Arc tan (-1)

$\text{Arc tan } (-1) = \frac{-\pi}{4}$, car $\tan\left(\frac{-\pi}{4}\right) = -1$ et $\frac{-\pi}{4} \in \left]\frac{-\pi}{2}, \frac{\pi}{2}\right[$.

d) Arc tan 2 500

À l'aide d'une calculatrice,

en mode « radian », nous obtenons Arc tan 2 500 = 1,570…,

en mode « degré », nous obtenons Arc tan 2 500 = 89,977…°.

THÉORÈME 10.5 Si $y = \text{Arc tan } x$, alors $\frac{dy}{dx} = \frac{1}{1 + x^2}$.

Preuve

$\tan (\text{Arc tan } x) = x$ (car $y = \text{Arc tan } x \Leftrightarrow x = \tan y$, définition 10.3)

$[\tan (\text{Arc tan } x)]' = (x)'$ (en dérivant les deux membres de l'équation)

$[\sec^2 (\text{Arc tan } x)](\text{Arc tan } x)' = 1$ (car $[\tan f(x)]' = [\sec^2 f(x)]f'(x)$)

Puisque nous cherchons la dérivée de Arc tan x, nous avons

$$(\text{Arc tan } x)' = \frac{1}{\sec^2 (\text{Arc tan } x)}$$

$$= \frac{1}{\sec^2 y} \quad \text{(car } y = \text{Arc tan } x\text{)}$$

$$= \frac{1}{1 + \tan^2 y} \quad \text{(car } \sec^2 y = 1 + \tan^2 y\text{)}$$

$$= \frac{1}{1 + x^2} \quad \text{(car } x = \tan y\text{).}$$

Exemple 2 Calculons la dérivée des fonctions suivantes.

a) Si $f(x) = (\tan x)(\text{Arc tan } x)$, alors

$$f'(x) = (\tan x)'(\text{Arc tan } x) + (\tan x)(\text{Arc tan } x)'$$

$$= \sec^2 x \,\text{Arc tan } x + \frac{\tan x}{1 + x^2}. \quad \text{(théorème 10.5)}$$

b) Si $y = \ln (\text{Arc tan } u)$, alors

$$\frac{dy}{du} = \frac{1}{\text{Arc tan } u}(\text{Arc tan } u)'$$

$$= \frac{1}{(\text{Arc tan } u)(1 + u^2)}. \quad \text{(théorème 10.5)}$$

10

Calculons maintenant la dérivée de fonctions composées de la forme $H(x) = \text{Arc tan } f(x)$.

THÉORÈME 10.6 Si $H(x) = \text{Arc tan } f(x)$, où f est une fonction dérivable, alors

$$H'(x) = \left[\frac{1}{1 + [f(x)]^2}\right] f'(x) = \frac{f'(x)}{1 + [f(x)]^2}.$$

La preuve est laissée à l'élève.

Exemple 3 Calculons la dérivée des fonctions suivantes.

a) Si $f(x) = \text{Arc tan } (x^2 + 4)^2$, alors

$$f'(x) = \left[\frac{1}{1 + (x^2 + 4)^4}\right]((x^2 + 4)^2)' \quad \text{(théorème 10.6)}$$

$$= \frac{4x(x^2 + 4)}{1 + (x^2 + 4)^4}.$$

b) Si $y = [\text{Arc tan } (3x)]^5$, alors

$$\frac{dy}{dx} = 5[\text{Arc tan } (3x)]^4 \, (\text{Arc tan } (3x))'$$

$$= 5[\text{Arc tan } (3x)]^4 \frac{3}{1 + (3x)^2} \quad \text{(théorème 10.6)}$$

$$= \frac{15[\text{Arc tan } (3x)]^4}{1 + 9x^2}.$$

Dérivée de la fonction Arc cotangente

Définissons d'abord la fonction Arc cotangente, qui est la fonction inverse de la fonction cotangente.

Soit le graphique de la fonction définie par $y = \cot x$.

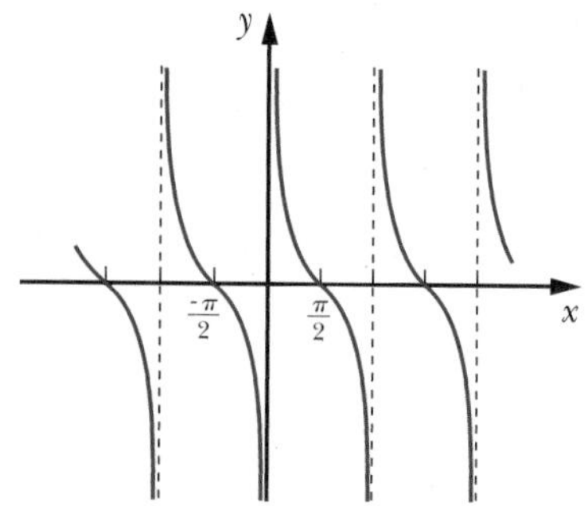

À partir du graphique de la fonction $y = \cot x$, nous obtenons le graphique ci-dessous en faisant une rotation de 180° autour de la droite d'équation $y = x$.

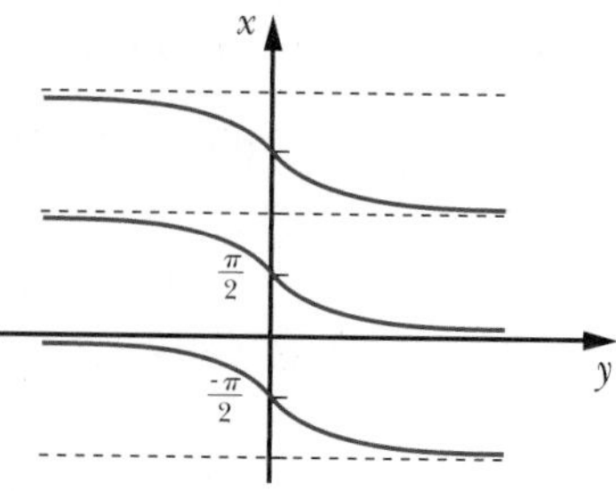

En changeant x pour y et y pour x, nous obtenons le graphique suivant.

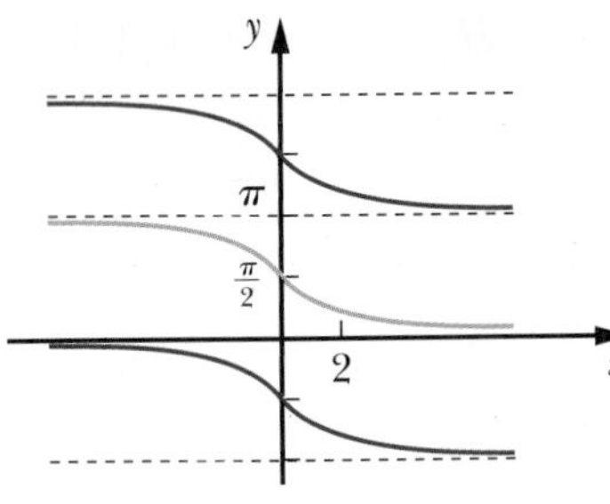

Remarque Ce graphique ne représente pas celui d'une fonction, car pour une valeur de $x \in \mathbb{R}$, il existe plus d'une image.

Par contre, si pour $x \in \mathbb{R}$ nous choisissons uniquement les valeurs de y qui appartiennent à $]0, \pi[$, nous obtenons une fonction que nous appelons Arc cotangente.

Définition 10.4 La fonction inverse de la fonction cotangente est appelée **Arc cotangente** et est définie ainsi :

$$y = \text{Arc cot } x \quad \text{si et seulement si} \quad x = \cot y$$

pour $x \in \mathbb{R}$ et $y \in]0, \pi[$.

La représentation ci-contre est une esquisse du graphique de $f(x) = \text{Arc cot } x$, où

dom Arc cot $= \mathbb{R}$ et
ima Arc cot $=]0, \pi[$.

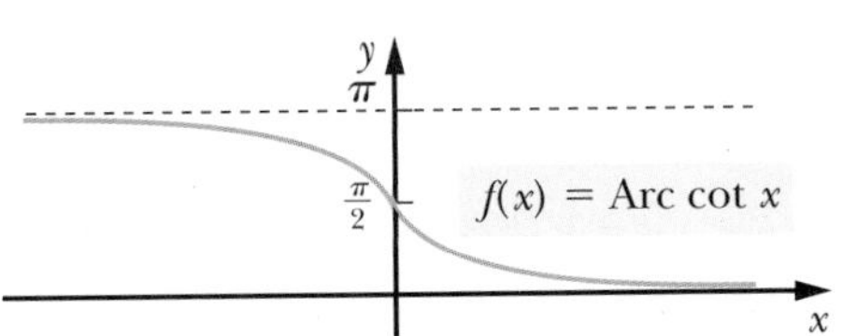

Puisque $\lim\limits_{x \to -\infty} \text{Arc cot } x = \pi$,

alors la droite d'équation $y = \pi$ est une asymptote horizontale lorsque $x \to -\infty$.

Puisque $\lim\limits_{x \to +\infty} \text{Arc cot } x = 0$,

alors la droite d'équation $y = 0$ est une asymptote horizontale lorsque $x \to +\infty$.

Exemple 1 Évaluons les expressions suivantes.

a) Arc cot 0

$$\text{Arc cot } 0 = \frac{\pi}{2}, \text{ car } \cot\left(\frac{\pi}{2}\right) = 0 \text{ et } \frac{\pi}{2} \in]0, \pi[.$$

(*voir* la représentation graphique de la fonction $f(x) = \text{Arc cot } x$)

b) Arc cot (4)

Puisque nous ne retrouvons pas la fonction Arc cot sur les calculatrices, nous devons utiliser la définition 10.4 et choisir judicieusement la valeur qui appartient à $]0, \pi[$.

$$\text{Arc cot } (4) = \theta \Leftrightarrow \cot \theta = 4, \text{ où } \theta \in]0, \pi[.$$

Puisque nous ne retrouvons pas la fonction cot sur les calculatrices, nous utilisons la fonction tan et vérifions si l'angle obtenu appartient à $]0, \pi[$, car

$$\text{ima tan} = \left]\frac{-\pi}{2}, \frac{\pi}{2}\right[\text{ et ima cot} =]0, \pi[\text{ diffèrent.}$$

$$\frac{1}{\tan \varphi} = 4 \qquad \left(\text{car } \cot \varphi = \frac{1}{\tan \varphi}\right)$$

$$\tan \varphi = \frac{1}{4}$$

$$\varphi = \text{Arc tan}\left(\frac{1}{4}\right) \qquad \text{(définition 10.3)}$$

$$\varphi = 0{,}244\ldots$$

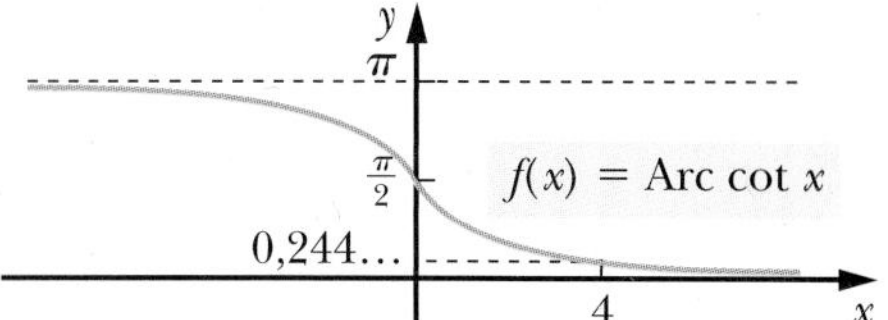

Puisque 0,244... $\in]0, \pi[$, alors $\theta = \varphi = 0{,}244\ldots$

Ainsi, Arc cot (4) = 0,244...

c) Arc cot (-2)

Arc cot $(-2) = \theta \Leftrightarrow \cot \theta = -2$ (définition 10.4)

De la même façon que dans l'exemple b), nous avons

$$\frac{1}{\tan \varphi} = -2 \qquad \left(\text{car } \cot \varphi = \frac{1}{\tan \varphi}\right)$$

$$\tan \varphi = \frac{-1}{2}$$

$\varphi = \text{Arc tan}\,(-0{,}5)$ (définition 10.3)

$\varphi = -0{,}463\ldots$

Puisque $-0{,}463 \notin]0, \pi[$, nous obtenons la valeur en additionnant π à la valeur trouvée (-0,463...), car $\tan(\varphi + \pi) = \tan \varphi$.

Ainsi, $\theta = \varphi + \pi$

$= -0{,}463 + \pi$

$= 2{,}677\ldots$

D'où Arc cot (-2) = 2,677...

Théorème 10.7 Si $y = \text{Arc cot}\, x$, alors $\dfrac{dy}{dx} = \dfrac{-1}{1 + x^2}$.

La preuve est laissée à l'élève.

Exemple 2 Calculons la dérivée de la fonction suivante.

Si $y = \sqrt{\text{Arc cot}\, x}$, alors

$$\frac{dy}{dx} = \frac{1}{2\sqrt{\text{Arc cot}\, x}}\,(\text{Arc cot}\, x)'$$

$$= \frac{-1}{2\sqrt{\text{Arc cot}\, x}\,(1 + x^2)} \qquad \text{(théorème 10.7)}$$

Calculons maintenant la dérivée de fonctions composées de la forme $H(x) = \text{Arc cot}\, f(x)$.

Théorème 10.8 Si $H(x) = \text{Arc cot}\, f(x)$, où f est une fonction dérivable, alors

$$H'(x) = \left[\frac{1}{1 + [f(x)]^2}\right] f'(x) = \frac{f'(x)}{1 + [f(x)]^2}.$$

La preuve est laissée à l'élève.

Exemple 3 Calculons la dérivée de la fonction suivante.

Si $g(x) = \text{Arc cot } (x^3 + 7x)$, alors

$$g'(x) = \left[\frac{-1}{1 + (x^3 + 7x)^2}\right](x^3 + 7x)' \quad \text{(théorème 10.8)}$$

$$= \frac{-(3x^2 + 7)}{1 + (x^3 + 7x)^2}.$$

Exercices 10.2

1. Évaluer les expressions suivantes.

a) $\text{Arc tan } 1$

b) $\text{Arc tan}\left(\frac{-1}{\sqrt{3}}\right)$

c) $\text{Arc tan}\left(\frac{\sqrt{2}}{2}\right)$

d) $\text{Arc cot}\left(\frac{1}{\sqrt{3}}\right)$

e) $\text{Arc cot } 100$

f) $\text{Arc cot } (-\sqrt{3})$

2. Calculer la dérivée des fonctions suivantes.

a) $f(x) = \text{Arc tan } (x^2 + \sin x)$

b) $g(x) = (\tan x + 3x) \text{ Arc tan } x$

c) $y = \sqrt{\text{Arc tan } (x^7 - 1)}$

d) $g(t) = [\text{Arc tan } (\sin t + t^3)]^{12}$

e) $f(x) = (\sin x - 3) \text{ Arc cot } x$

f) $g(u) = \text{Arc cot } (u^2 - \tan u)$

g) $\theta = \sqrt[3]{\text{Arc cot } x^2}$

h) $f(x) = \text{Arc cot } (x^2 + \text{Arc cot } x^3)$

i) $g(v) = (\text{Arc tan } v)(\text{Arc cot } v)$

j) $y = \dfrac{\text{Arc tan } x^2}{\text{Arc cot } 2x}$

k) $f(x) = \ln(\text{Arc tan } e^x)$

l) $f(\theta) = \text{Arc tan}[\text{Arc tan } (\sin \theta)]$

3. Déterminer l'équation de la tangente à la courbe définie par les fonctions suivantes.

a) $f(x) = \text{Arc tan } x$ au point $(0, f(0))$

b) $f(x) = \text{Arc tan } x$ au point $\left(1, \frac{\pi}{4}\right)$

c) $g(x) = \text{Arc cot } (x^2 - 3)$ au point $(2, g(2))$

4. Démontrer le théorème 10.7, à savoir que si $y = \text{Arc cot } x$, alors $\dfrac{dy}{dx} = \dfrac{-1}{1 + x^2}$.

5. Utiliser la notation de Leibniz pour démontrer le théorème 10.6, à savoir que si $H(x) = \text{Arc tan } f(x)$, où f est une fonction dérivable, alors $H'(x) = \left[\dfrac{1}{1 + [f(x)]^2}\right] f'(x)$.

10.3 Dérivée des fonctions Arc sécante et Arc cosécante

Objectif d'apprentissage

À la fin de cette section, l'élève pourra calculer la dérivée de fonctions contenant des fonctions Arc sec $f(x)$ et Arc csc $f(x)$.

Plus précisément, l'élève sera en mesure :

- de déterminer le domaine et l'image de la fonction Arc sécante ;
- de donner la définition de la fonction Arc sécante ;

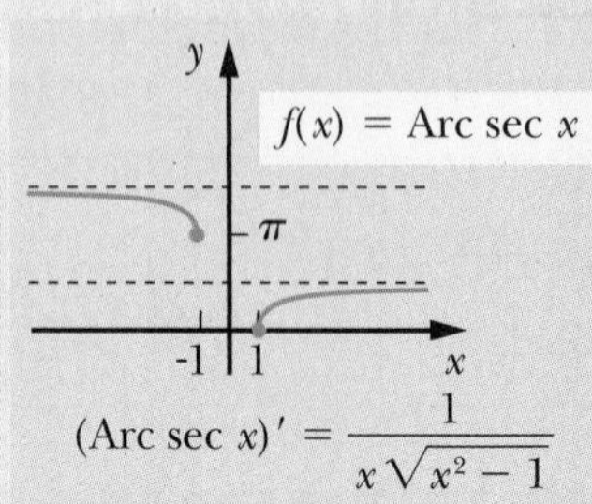

- de représenter graphiquement la fonction Arc sécante ;
- de démontrer la règle de dérivation pour la fonction Arc sec x;
- de calculer la dérivée de fonctions contenant des expressions de la forme Arc sec $f(x)$;
- de déterminer le domaine et l'image de la fonction Arc cosécante ;
- de donner la définition de la fonction Arc cosécante ;
- de représenter graphiquement la fonction Arc cosécante ;
- de démontrer la règle de dérivation pour la fonction Arc csc x;
- de calculer la dérivée de fonctions contenant des expressions de la forme Arc csc $f(x)$.

Dans cette section, nous allons démontrer des formules permettant de calculer la dérivée de fonctions contenant des fonctions Arc sécante et Arc cosécante.

Dérivée de la fonction Arc sécante

Définissons d'abord la fonction Arc sécante, qui est la fonction inverse de la fonction sécante.

Soit le graphique de la fonction définie par $y = \sec x$.

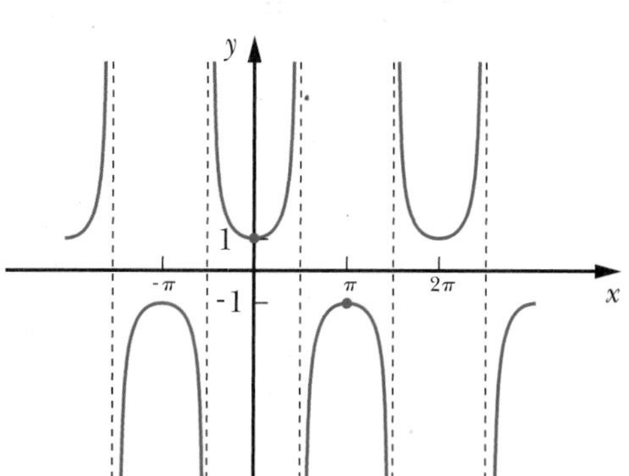

À partir du graphique de la fonction $y = \sec x$, nous obtenons le graphique ci-dessous en faisant une rotation de 180° autour de la droite d'équation $y = x$.

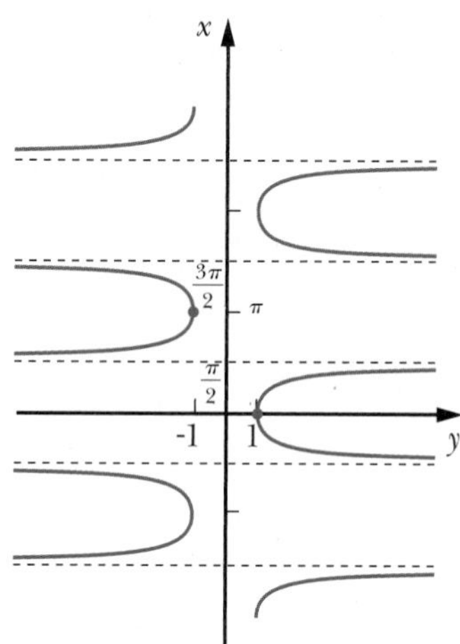

En changeant x pour y et y pour x, nous obtenons le graphique suivant.

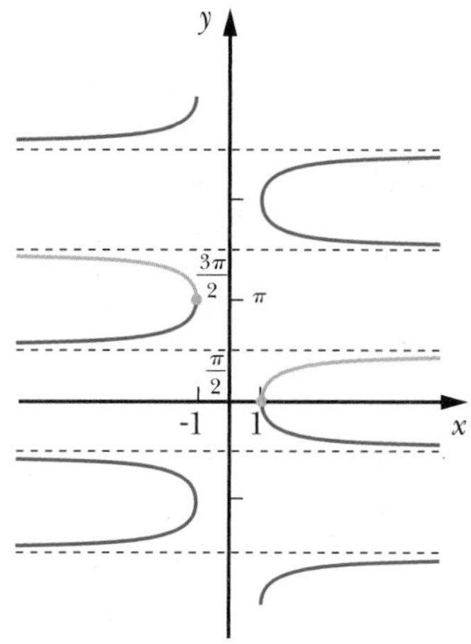

Remarque Ce graphique ne représente pas celui d'une fonction, car pour une valeur de $x \in$ -∞, -1] ∪ [1, +∞ il existe plus d'une image.

Par contre, si pour $x \in$ -∞, -1] ∪ [1, +∞ nous choisissons uniquement les valeurs de y qui appartiennent à $\left[0, \frac{\pi}{2}\right[\cup \left[\pi, \frac{3\pi}{2}\right[$, nous obtenons une fonction que nous appelons Arc sécante.

Définition 10.5 La fonction inverse de la fonction sécante est appelée **Arc sécante** et est définie ainsi :

$y = \text{Arc sec } x$ si et seulement si $x = \sec y$

pour $x \in -\infty, -1] \cup [1, +\infty$ et $y \in \left[0, \frac{\pi}{2}\right[\cup \left[\pi, \frac{3\pi}{2}\right[$.

Remarque Il aurait été également possible de choisir $y \in \left[0, \frac{\pi}{2}\right[\cup \left]\frac{\pi}{2}, \pi\right]$.

La représentation ci-contre est une esquisse du graphique de $f(x) = \text{Arc sec } x$, où

$\text{dom Arc sec} = -\infty, -1] \cup [1, +\infty$ et

$\text{ima Arc sec} = \left[0, \frac{\pi}{2}\right[\cup \left[\pi, \frac{3\pi}{2}\right[$.

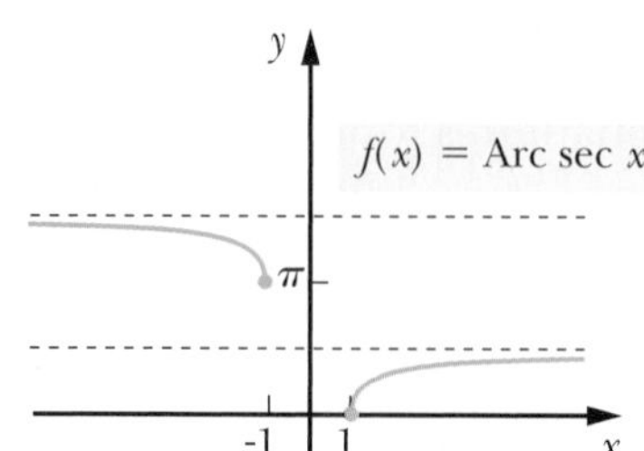

Puisque $\lim\limits_{x \to -\infty} \text{Arc sec } x = \frac{3\pi}{2}$,

alors la droite d'équation $y = \frac{3\pi}{2}$ est une asymptote horizontale lorsque $x \to -\infty$.

Puisque $\lim\limits_{x \to +\infty} \text{Arc sec } x = \frac{\pi}{2}$,

alors la droite d'équation $y = \frac{\pi}{2}$ est une asymptote horizontale lorsque $x \to +\infty$.

Exemple 1 Évaluons les expressions suivantes.

a) Arc sec 1

$\text{Arc sec } 1 = 0$, car $\sec 0 = 1$ et $0 \in \left[0, \frac{\pi}{2}\right[\cup \left[\pi, \frac{3\pi}{2}\right[$.

(*voir* la représentation graphique de la fonction $f(x) = \text{Arc sec } x$)

b) Arc sec 0,5

Arc sec 0,5 n'est pas définie, car $0{,}5 \notin \text{dom Arc sec}$.

c) Arc sec 3

Puisque nous ne retrouvons pas la fonction Arc sec sur les calculatrices, nous devons utiliser la définition 10.5 et choisir judicieusement la valeur qui appartient à $\left[0, \frac{\pi}{2}\right[\cup \left[\pi, \frac{3\pi}{2}\right[$.

$\text{Arc sec } 3 = \theta \Leftrightarrow \sec \theta = 3$, où $\theta \in \left[0, \frac{\pi}{2}\right[\cup \left[\pi, \frac{3\pi}{2}\right[$.

Puisque nous ne retrouvons pas la fonction sec sur les calculatrices, utilisons la fonction cos et vérifions si l'angle appartient à $\left[0, \frac{\pi}{2}\right[\cup \left[\pi, \frac{3\pi}{2}\right[$, car

$\text{ima cos} = [0, \pi]$ et $\text{ima sec} = \left[0, \frac{\pi}{2}\right[\cup \left[\pi, \frac{3\pi}{2}\right[$ diffèrent.

10

$\dfrac{1}{\cos \varphi} = 3$ $\left(\text{car } \sec \varphi = \dfrac{1}{\cos \varphi}\right)$

$\cos \varphi = \dfrac{1}{3}$

$\varphi = \text{Arc } \cos \left(\dfrac{1}{3}\right)$ (définition 10.2)

$\varphi = 1{,}230...$

Puisque $1{,}230... \in \left[0, \dfrac{\pi}{2}\right[\cup \left[\pi, \dfrac{3\pi}{2}\right[$, alors $\theta = \varphi = 1{,}230...$

Ainsi, Arc sec 3 = 1,230...

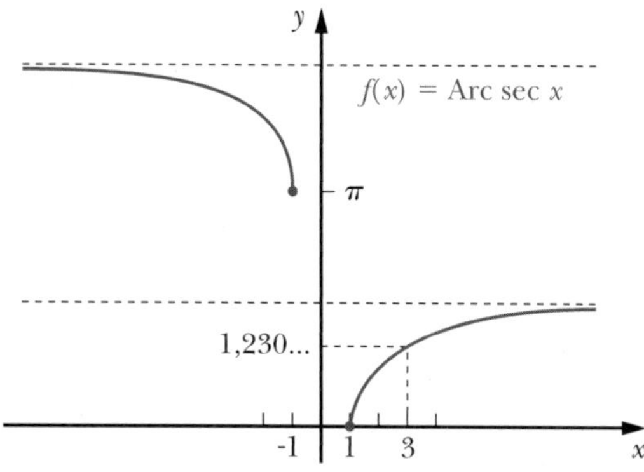

d) Arc sec (-1,5)

Arc sec (-1,5) = θ ⇔ sec θ = -1,5 (définition 10.5)

De la même façon que dans l'exemple c), nous avons

$\dfrac{1}{\cos \varphi} = -1{,}5$ $\left(\text{car } \sec \varphi = \dfrac{1}{\cos \varphi}\right)$

$\cos \varphi = \dfrac{-1}{1{,}5}$

$\varphi = \text{Arc } \cos \left(\dfrac{-1}{1{,}5}\right)$ (définition 10.2)

$\varphi = 2{,}300...$

Puisque $2{,}300... \notin \left[0, \dfrac{\pi}{2}\right[\cup \left[\pi, \dfrac{3\pi}{2}\right[$, nous obtenons la valeur θ en soustrayant la valeur trouvée (2,300...) de 2π. (car $\cos (2\pi - \varphi) = \cos \varphi$)

Ainsi, $\theta = 2\pi - \varphi$

$= 2\pi - 2{,}300...$

$= 3{,}982...$

D'où Arc sec (-1,5) = 3,982...

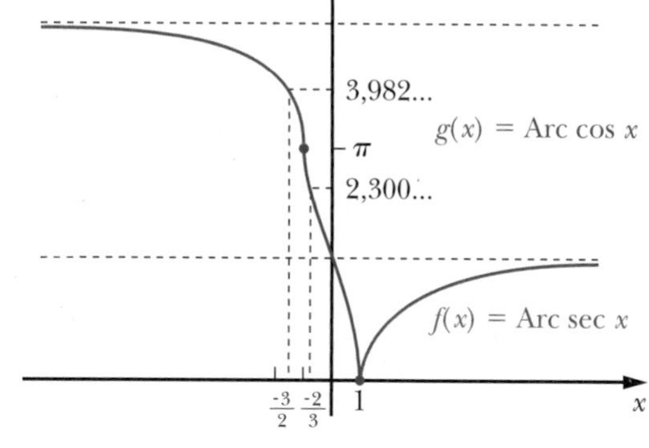

THÉORÈME 10.9 Si $y = \text{Arc sec } x$, alors $\dfrac{dy}{dx} = \dfrac{1}{x\sqrt{x^2 - 1}}$.

Preuve

$$\sec(\text{Arc sec } x) = x \quad \text{(car } y = \text{Arc sec } x \Leftrightarrow x = \sec y\text{, définition 10.5)}$$

$$[\sec(\text{Arc sec } x)]' = (x)' \quad \text{(en dérivant les deux membres de l'équation)}$$

$$[\sec(\text{Arc sec } x)\tan(\text{Arc sec } x)](\text{Arc sec } x)' = 1$$

(car $[\sec f(x)]' = [\sec f(x) \tan f(x)]\, f'(x)$)

Puisque nous cherchons la dérivée de Arc sec x, nous avons

$$(\text{Arc sec } x)' = \frac{1}{\sec(\text{Arc sec } x)\tan(\text{Arc sec } x)}$$

$$= \frac{1}{\sec y \tan y} \quad \text{(car } y = \text{Arc sec } x\text{)}$$

$$= \frac{1}{x\sqrt{\sec^2 y - 1}} \quad \left(\text{car } \sec y = x \text{ et } \tan y = \pm\sqrt{\sec^2 y - 1}\text{, or } y \in \left[0, \frac{\pi}{2}\right[\cup \left[\pi, \frac{3\pi}{2}\right[\text{, d'où } \tan y = \sqrt{\sec^2 y - 1}\right)$$

$$= \frac{1}{x\sqrt{x^2 - 1}} \quad \text{(car } \sec y = x\text{)}.$$

Exemple 1 Calculons la dérivée des fonctions suivantes.

a) Si $f(x) = \dfrac{\text{Arc sec } x}{\sin x - 2}$, alors

$$f'(x) = \frac{(\text{Arc sec } x)'(\sin x - 2) - (\text{Arc sec } x)(\sin x - 2)'}{(\sin x - 2)^2}$$

$$= \frac{\dfrac{\sin x - 2}{x\sqrt{x^2 - 1}} - (\text{Arc sec } x)\cos x}{(\sin x - 2)^2} \quad \text{(théorème 10.9)}$$

b) Si $x(t) = e^{\text{Arc sec } t}$, alors

$$\frac{dx}{dt} = e^{\text{Arc sec } t}(\text{Arc sec } t)'$$

$$= e^{\text{Arc sec } t}\left(\frac{1}{t\sqrt{t^2 - 1}}\right) \quad \text{(théorème 10.9)}$$

Calculons maintenant la dérivée de fonctions composées de la forme $H(x) = \text{Arc sec } f(x)$.

THÉORÈME 10.10 Si $H(x) = \text{Arc sec } f(x)$, où f est une fonction dérivable, alors

$$H'(x) = \left[\frac{1}{f(x)\sqrt{[f(x)]^2 - 1}}\right] f'(x) = \frac{f'(x)}{f(x)\sqrt{[f(x)]^2 - 1}}.$$

La preuve est laissée à l'élève.

Exemple 2 Calculons $\dfrac{dy}{dx}$ si $y = \text{Arc sec}\,(x^3 - \sin x)$.

$$\frac{dy}{dx} = \left[\frac{1}{(x^3 - \sin x)\sqrt{(x^3 - \sin x)^2 - 1}}\right](x^3 - \sin x)' \qquad \text{(théorème 10.10)}$$

$$= \frac{3x^2 - \cos x}{(x^3 - \sin x)\sqrt{(x^3 - \sin x)^2 - 1}}.$$

Dérivée de la fonction Arc cosécante

Définissons d'abord la fonction Arc cosécante, qui est la fonction inverse de la fonction cosécante.

Soit le graphique de la fonction définie par $y = \csc x$.

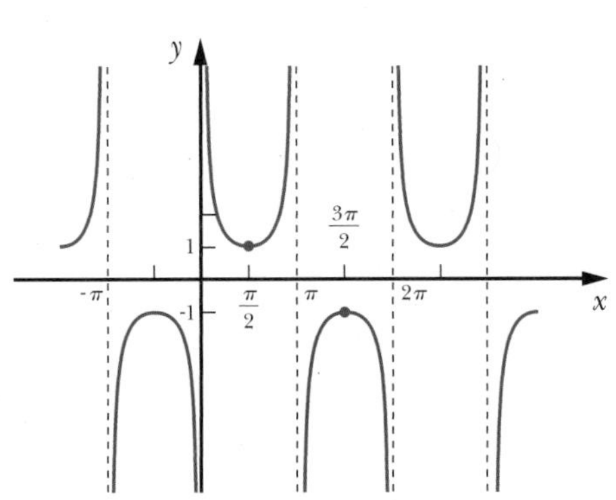

À partir du graphique de la fonction $y = \csc x$, nous obtenons le graphique ci-dessous en faisant une rotation de 180° autour de la droite d'équation $y = x$.

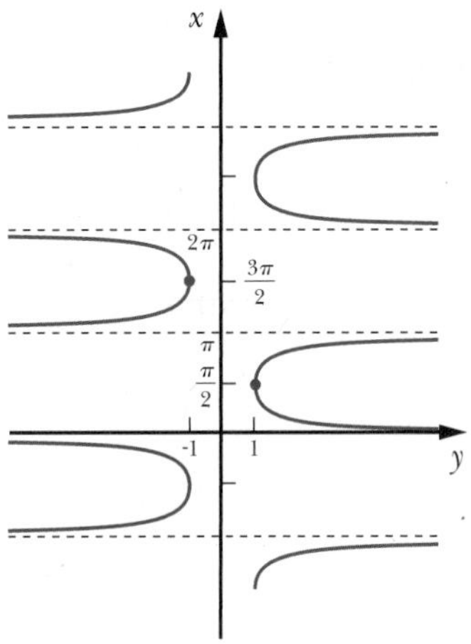

En changeant x pour y et y pour x, nous obtenons le graphique suivant.

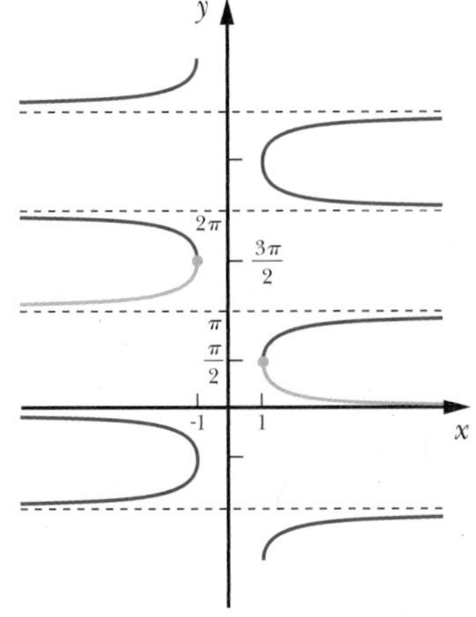

Remarque Ce graphique ne représente pas celui d'une fonction, car pour une valeur de $x \in -\infty, -1] \cup [1, +\infty$ il existe plus d'une image.

Par contre, si pour $x \in -\infty, -1] \cup [1, +\infty$ nous choisissons uniquement les valeurs de y qui appartiennent à $\left]0, \dfrac{\pi}{2}\right] \cup \left]\pi, \dfrac{3\pi}{2}\right]$, nous obtenons une fonction que nous appelons Arc cosécante.

10

Définition 10.6 La fonction inverse de la fonction cosécante est appelée **Arc cosécante** et est définie ainsi :

$$y = \text{Arc csc } x \quad \text{si et seulement si} \quad x = \csc y$$

pour $x \in -\infty, -1] \cup [1, +\infty$ et $y \in \left]0, \frac{\pi}{2}\right] \cup \left]\pi, \frac{3\pi}{2}\right]$.

Remarque Il aurait été également possible de choisir $y \in \left[\frac{-\pi}{2}, 0\right[\cup \left]0, \frac{\pi}{2}\right]$.

La représentation ci-contre est une esquisse du graphique de $f(x) = \text{Arc csc } x$, où

dom Arc csc $= -\infty, -1] \cup [1, +\infty$ et

ima Arc csc $= \left]0, \frac{\pi}{2}\right] \cup \left]\pi, \frac{3\pi}{2}\right]$.

Puisque $\lim\limits_{x \to -\infty} \text{Arc csc } x = \pi$,

alors la droite d'équation $y = \pi$ est une asymptote horizontale lorsque $x \to -\infty$.

Puisque $\lim\limits_{x \to +\infty} \text{Arc csc } x = 0$,

alors la droite d'équation $y = 0$ est une asymptote horizontale lorsque $x \to +\infty$.

Exemple 1 Évaluons les expressions suivantes.

a) Arc csc (-1)

$$\text{Arc csc } (-1) = \frac{3\pi}{2}, \text{ car } \csc\left(\frac{3\pi}{2}\right) = -1 \text{ et } \frac{3\pi}{2} \in \left]0, \frac{\pi}{2}\right] \cup \left]\pi, \frac{3\pi}{2}\right].$$

(*voir* la représentation graphique de la fonction $f(x) = \text{Arc csc } x$)

b) Arc csc 3

Puisque nous ne retrouvons pas la fonction Arc csc sur les calculatrices, nous devons utiliser la définition 10.6 et choisir judicieusement la valeur qui appartient à $\left]0, \frac{\pi}{2}\right] \cup \left]\pi, \frac{3\pi}{2}\right]$.

$$\text{Arc csc } 3 = \theta \Leftrightarrow \csc \theta = 3, \text{ où } \theta \in \left]0, \frac{\pi}{2}\right] \cup \left]\pi, \frac{3\pi}{2}\right].$$

Puisque nous ne retrouvons pas la fonction csc sur les calculatrices, utilisons la fonction sin et vérifions si l'angle appartient à $\left]0, \frac{\pi}{2}\right] \cup \left]\pi, \frac{3\pi}{2}\right]$, car ima sin $= \left[\frac{-\pi}{2}, \frac{\pi}{2}\right]$ et ima csc $= \left]0, \frac{\pi}{2}\right] \cup \left]\pi, \frac{3\pi}{2}\right]$ diffèrent.

$$\frac{1}{\sin \varphi} = 3 \qquad \left(\text{car } \csc \varphi = \frac{1}{\sin \varphi}\right)$$

$$\sin \varphi = \frac{1}{3}$$

$\varphi = \text{Arc sin}\left(\dfrac{1}{3}\right)$ (définition 10.1)

$\varphi = 0{,}339\ldots$

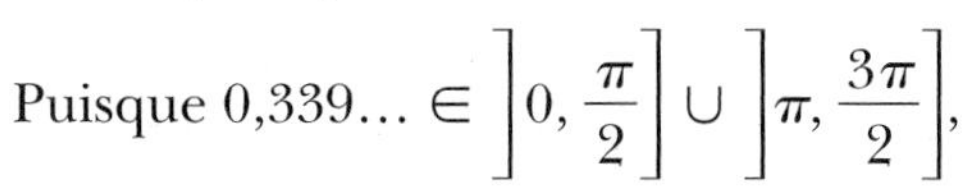

Puisque $0{,}339\ldots \in \left]0, \dfrac{\pi}{2}\right] \cup \left]\pi, \dfrac{3\pi}{2}\right]$,

alors $\theta = \varphi = 0{,}339\ldots$ Ainsi, Arc csc $3 = 0{,}339\ldots$

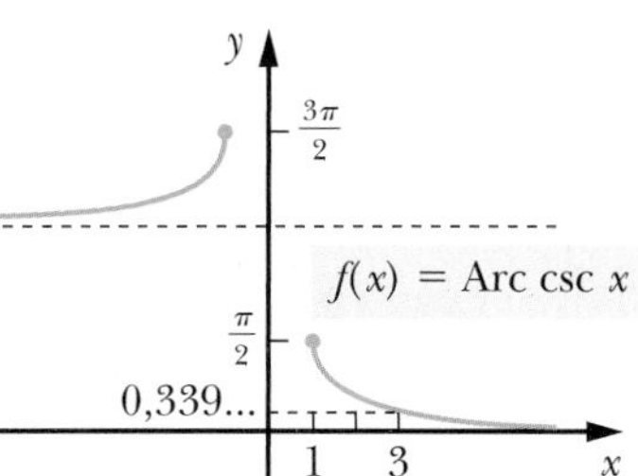

c) Arc csc (-2)

Arc cos $(-2) = \theta \Leftrightarrow \csc \theta = -2$ (définition 10.6)

De la même façon que dans l'exemple b), nous avons

$\dfrac{1}{\sin \varphi} = -2$ $\left(\text{car } \csc \varphi = \dfrac{1}{\sin \varphi}\right)$

$\sin \varphi = \dfrac{-1}{2}$

$\varphi = \text{Arc sin}\left(\dfrac{-1}{2}\right)$ (définition 10.1)

$= \dfrac{-\pi}{6}$

Puisque $\dfrac{-\pi}{6} \notin \left]0, \dfrac{\pi}{2}\right] \cup \left]\pi, \dfrac{3\pi}{2}\right]$, nous obtenons la valeur θ en soustrayant la valeur trouvée $\left(\dfrac{-\pi}{6}\right)$ de π. (car $\sin(\pi - \varphi) = \sin \varphi$)

Ainsi, $\theta = \pi - \varphi$

$= \pi - \left(\dfrac{-\pi}{6}\right)$

$= \dfrac{7\pi}{6}$

D'où Arc csc $(-2) = \dfrac{7\pi}{6}$.

THÉORÈME 10.11 Si $y = \text{Arc csc } x$, alors $\dfrac{dy}{dx} = \dfrac{-1}{x\sqrt{x^2 - 1}}$.

La preuve est laissée à l'élève.

Exemple 2 Calculons la dérivée de la fonction suivante.

Si $g(x) = x^2 \text{ Arc csc } x$, alors

$g'(x) = (x^2)' \text{ Arc csc } x + x^2 (\text{Arc csc } x)'$

$= 2x \text{ Arc csc } x + x^2\left(\dfrac{-1}{x\sqrt{x^2 - 1}}\right)$ (théorème 10.11)

$= 2x \text{ Arc csc } x - \dfrac{x}{\sqrt{x^2 - 1}}$.

Calculons maintenant la dérivée de fonctions composées de la forme $H(x) = \text{Arc csc } f(x)$.

THÉORÈME 10.12 Si $H(x) = \text{Arc csc } f(x)$, où f est une fonction dérivable, alors

$$H'(x) = \left[\frac{-1}{f(x)\sqrt{[f(x)]^2 - 1}}\right] f'(x) = \frac{-f'(x)}{f(x)\sqrt{[f(x)]^2 - 1}}.$$

La preuve est laissée à l'élève.

Exemple 3 Calculons la dérivée de la fonction suivante.

Si $y(t) = [\text{Arc csc } \sqrt[3]{t}]^3$, alors

$$\frac{dy}{dt} = 3[\text{Arc csc } \sqrt[3]{t}]^2[\text{Arc csc } \sqrt[3]{t}]'$$

$$= 3[\text{Arc csc } \sqrt[3]{t}]^2\left(\frac{-1}{\sqrt[3]{t}\sqrt{(\sqrt[3]{t})^2 - 1}}\right)(\sqrt[3]{t})' \quad \text{(théorème 10.12)}$$

$$= 3[\text{Arc csc } \sqrt[3]{t}]^2\left(\frac{-1}{t^{\frac{1}{3}}\sqrt{t^{\frac{2}{3}} - 1}}\right)\frac{1}{3t^{\frac{2}{3}}}$$

$$= \frac{-[\text{Arc csc } \sqrt[3]{t}]^2}{t\sqrt{t^{\frac{2}{3}} - 1}}.$$

Exercices 10.3

1. Évaluer, si c'est possible, les expressions suivantes.

a) Arc sec 2

b) Arc sec (-0,5)

c) Arc sec (-1)

d) Arc csc 1

e) Arc sec (-10)

f) Arc csc (-10)

g) $\text{Arc csc}\left(\csc\left(\frac{5\pi}{2}\right)\right)$

h) $\csc\left(\text{Arc csc}\left(\frac{5\pi}{2}\right)\right)$

2. Calculer la dérivée des fonctions suivantes.

a) $y = \frac{\text{Arc sec } x}{x^4}$

b) $f(\theta) = \text{Arc sec } (2 + \sin \theta)$

c) $f(x) = \text{Arc sec } (3 - \text{Arc sec } x)$

d) $g(x) = (\text{Arc sec } x^3)^5$

e) $f(x) = (x^3 - \cot x) \text{ Arc csc } x$

f) $f(t) = \text{Arc csc } (t^5 - 1)$

g) $h(x) = \text{Arc csc } (x - \text{Arc csc } x)$

h) $f(x) = \sqrt{\text{Arc csc } (x^3 - \sin x)}$

i) $y = (\text{Arc sec } x^2 - \sec x^3)^7$

j) $f(u) = \text{Arc sec } (\sec u + u^3)$

k) $f(x) = (\text{Arc sec } 2x^4)(\text{Arc csc } 4^x)$

l) $v(\theta) = \ln (\text{Arc csc } (\csc \theta))$

3. Déterminer l'équation de la tangente à la courbe définie par les fonctions suivantes.

a) $f(x) = \text{Arc csc } x$ au point $(2, f(2))$

b) $g(t) = \text{Arc sec } \sqrt{t}$ au point $(4, g(4))$

4. Démontrer le théorème 10.11, à savoir que

si $y = \text{Arc csc } x$, alors $\frac{dy}{dx} = \frac{-1}{x\sqrt{x^2 - 1}}$.

10.4 Applications de la dérivée à des fonctions trigonométriques inverses

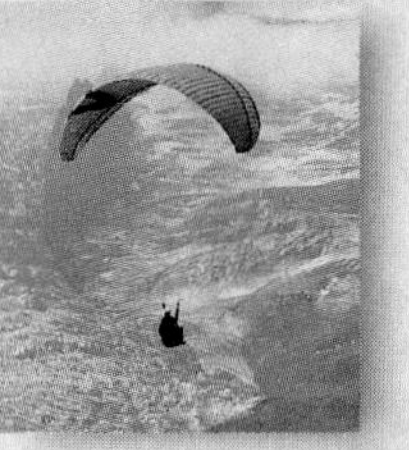

Objectif d'apprentissage

À la fin de cette section, l'élève pourra résoudre divers problèmes contenant des fonctions trigonométriques inverses.
Plus précisément, l'élève sera en mesure :

- d'analyser des fonctions contenant des fonctions trigonométriques inverses ;
- de résoudre des problèmes d'optimisation contenant des fonctions trigonométriques inverses ;
- de résoudre des problèmes de taux de variation liés contenant des fonctions trigonométriques inverses.

Dans cette section, nous utiliserons les propriétés des dérivées première et seconde pour faire l'analyse des courbes de fonctions contenant des fonctions trigonométriques inverses.

De plus, nous allons résoudre des problèmes d'optimisation et des problèmes de taux de variation liés impliquant des fonctions trigonométriques inverses.

Analyse de fonctions trigonométriques inverses

Exemple 1 Analysons la fonction f, définie par $f(x) = 2x + \text{Arc sin } (1 - x)$.

1. **Déterminons le domaine de f.**

$$\begin{aligned} -1 \leqslant\ & (1-x) \leqslant 1 \\ -1 - 1 \leqslant\ & (1-x) - 1 \leqslant 1 - 1 \\ -2 \leqslant\ & -x \leqslant 0 \end{aligned}$$

Ainsi, $0 \leqslant x \leqslant 2$.

Donc, dom $f = [0, 2]$.

2. **Calculons $f'(x)$ et déterminons les nombres critiques de f.**

$$f'(x) = 2 + \frac{-1}{\sqrt{1-(1-x)^2}}, \text{ où dom } f' =]0, 2[.$$

1) $f'(x) = 0$ si $2 - \dfrac{1}{\sqrt{1-(1-x)^2}} = 0$

$$2 = \frac{1}{\sqrt{1-(1-x)^2}}$$

$$2\sqrt{1-(1-x)^2} = 1$$

$$4(1-(1-x)^2) = 1$$

$$-(1-x)^2 = \frac{-3}{4}$$

Donc, $(1-x) = \dfrac{\sqrt{3}}{2}$ ou $(1-x) = \dfrac{-\sqrt{3}}{2}$

$x = 1 - \dfrac{\sqrt{3}}{2}$ ou $x = 1 + \dfrac{\sqrt{3}}{2}$.

2) $f'(x)$ n'existe pas pour $x = 0$ ou $x = 2$.

D'où 0, $1 - \dfrac{\sqrt{3}}{2}$, $1 + \dfrac{\sqrt{3}}{2}$ et 2 sont les nombres critiques de f.

3. Calculons $f''(x)$ et déterminons les nombres critiques de f'.

$$f''(x) = \frac{1 - x}{(1 - (1 - x)^2)^{\frac{3}{2}}}$$

1) $f''(x) = 0$ si $\dfrac{1 - x}{(1 - (1 - x)^2)^{\frac{3}{2}}} = 0$. Donc, $x = 1$.

2) $f''(x)$ est définie $\forall x \in \,]0, 2[$.

D'où 1 est le nombre critique de f'.

4. Construisons le tableau de variation.

x	0		$1 - \frac{\sqrt{3}}{2}$		1		$1 + \frac{\sqrt{3}}{2}$		2
$f'(x)$	$\nexists$	$-$	0	$+$	$+$	$+$	0	$-$	$\nexists$
$f''(x)$	$\nexists$	$+$	$+$	$+$	0	$-$	$-$	$-$	$\nexists$
f	$\frac{\pi}{2}$	$\searrow \cup$	$2 - \sqrt{3} + \frac{\pi}{3}$	$\nearrow \cup$	2	$\nearrow \cap$	$2 + \sqrt{3} - \frac{\pi}{3}$	$\searrow \cap$	$4 - \frac{\pi}{2}$
E. du G.	$\left(0, \frac{\pi}{2}\right)$	↳	(0,13… ; 1,31…)	⤴	(1, 2)	↱	(1,86… ; 2,68…)	⤵	$\left(2, 4 - \frac{\pi}{2}\right)$
	max.		min.		inf.		max.		min.

5. Esquissons le graphique de f.

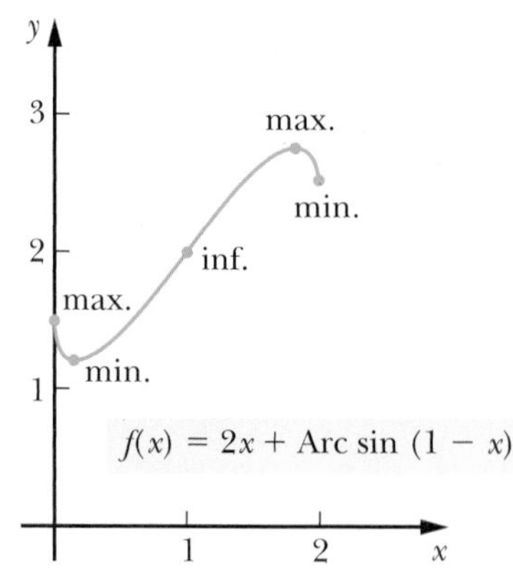

Exemple 2 Analysons la fonction g définie par $g(x) = \text{Arc tan } x - \dfrac{x}{2}$ sur $]-2, 3]$.

1. Calculons $g'(x)$ et déterminons les nombres critiques de g.

$$g'(x) = \frac{1}{1+x^2} - \frac{1}{2} = \frac{1-x^2}{2(1+x^2)}, \text{ où dom } g' =]-2, 3[.$$

1) $g'(x) = 0$ si $\dfrac{1-x^2}{2(1+x^2)} = 0$. Donc, $x = 1$ ou $x = -1$.

2) $g'(x)$ n'existe pas pour $x = 3$.

D'où -1, 1 et 3 sont les nombres critiques de g.

2. Calculons $g''(x)$ et déterminons les nombres critiques de g'.

$$g''(x) = \frac{-2x}{(1+x^2)^2}$$

1) $g''(x) = 0$ si $\dfrac{-2x}{(1+x^2)^2} = 0$. Donc, $x = 0$.

2) $g''(x)$ est définie $\forall x \in]-2, 3[$.

D'où 0 est le nombre critique de g'.

3. Construisons le tableau de variation.

x	-2		-1		0		1		3
$g'(x)$	$\nexists$	$-$	0	$+$	$+$	$+$	0	$-$	$\nexists$
$g''(x)$	$\nexists$	$+$	$+$	$+$	0	$-$	$-$	$-$	$\nexists$
g	$\nexists$	↘∪	$\frac{1}{2} - \frac{\pi}{4}$	↗∪	0	↗∩	$\frac{\pi}{4} - \frac{1}{2}$	↘∩	$\text{Arc tan } 3 - \frac{3}{2}$
E. du G.		↳	(-1 ; -0,28...)	⤴	(0, 0)	↱	(1 ; 0,28...)	⤵	(3 ; -0,25...)
			min.		inf.		max.		min.

De plus, $\lim\limits_{x \to -2^+} \left(\text{Arc tan } x - \dfrac{x}{2}\right) = \text{Arc tan } (-2) + 1 = -0{,}107\ldots$

4. Esquissons le graphique de g.

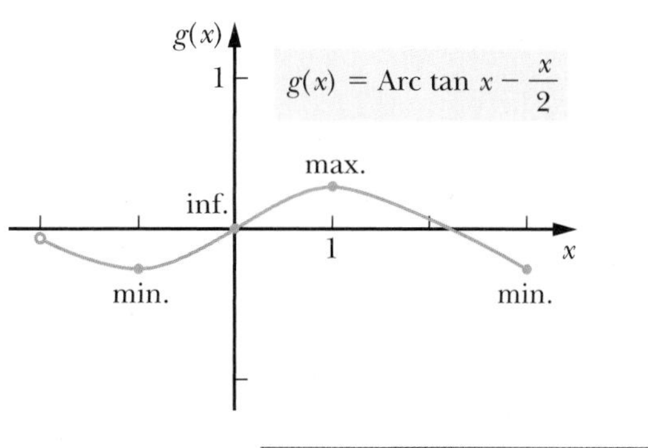

Problèmes d'optimisation

Exemple 1 Sur la courbe définie par $f(x) = \text{Arc sin } x$, déterminons le point où la pente de la tangente à cette courbe est minimale, calculons la valeur de cette pente minimale et représentons graphiquement la courbe de f et la tangente correspondante.

1. **Mathématisation du problème.**

   La pente de la tangente à la courbe définie par $y = \text{Arc sin } x$ doit être minimale. Or, la pente de la tangente à la courbe est donnée par la dérivée.

   On obtient donc $P(x) = m_{\tan} = (\text{Arc sin } x)'$.

   D'où $P(x) = \dfrac{1}{\sqrt{1 - x^2}}$ doit être minimale, où dom $P =]\text{-}1, 1[$.

2. **Analyse de la fonction à optimiser.**

   Calculons $P'(x)$ et déterminons les nombres critiques correspondants.

   $$P'(x) = \frac{x}{\sqrt{(1 - x^2)^3}}$$

   $P'(x) = 0$, si $x = 0$

   D'où 0 est le nombre critique de P.

   Construisons le tableau de variation.

x	-1		0		1
$P'(x)$	∄	$-$	0	$+$	∄
P	∄	↘	$P(0)$	↗	∄
			min.		

3. **Formulation de la réponse.**

   La pente de la tangente à la courbe est minimale au point $(0, f(0))$, c'est-à-dire $(0, \text{Arc sin } 0)$, donc au point $(0, 0)$.

   La pente minimale $= f'(0) = 1$.

Représentation graphique de la courbe et de la tangente de pente minimale

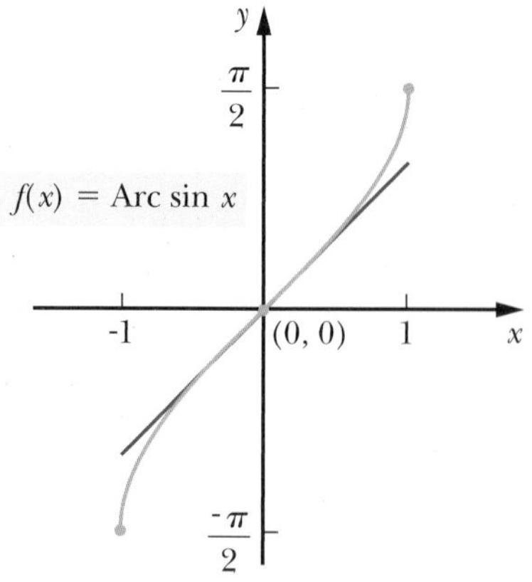

Problèmes de taux de variation liés

Exemple 1 Du haut d'un pont situé à 50 mètres au-dessus d'un point P situé au niveau de l'eau, une personne observe un navire qui se dirige vers P.

Soit x, la distance en mètres entre le navire et P.

a) Exprimons θ, l'angle d'élévation entre le navire et l'observateur, en fonction de x.

Puisque $\tan\theta = \frac{50}{x}$, alors $\theta = \text{Arc tan}\left(\frac{50}{x}\right)$.

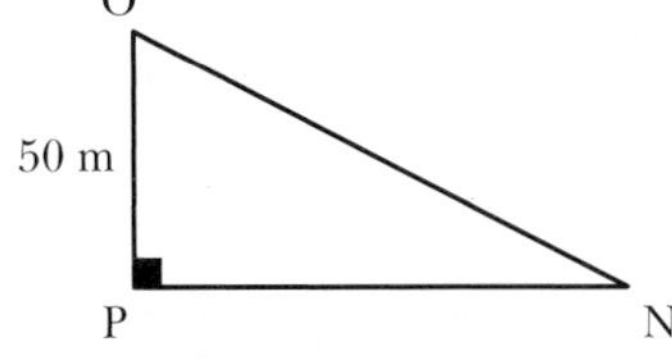

b) Exprimons $\frac{d\theta}{dt}$ en fonction de x et de $\frac{dx}{dt}$.

$$\frac{d\theta}{dt} = \frac{d\theta}{dx}\frac{dx}{dt} \qquad \text{(notation de Leibniz)}$$

$$= \frac{d}{dx}\left[\text{Arc tan}\left(\frac{50}{x}\right)\right]\frac{dx}{dt}$$

$$= \left(\frac{\frac{-50}{x^2}}{1+\left(\frac{50}{x}\right)^2}\right)\frac{dx}{dt} \qquad \text{(théorème 10.6)}$$

D'où $\frac{d\theta}{dt} = \left(\frac{-50}{x^2 + 2\,500}\right)\frac{dx}{dt}$.

c) Déterminons la vitesse de l'angle d'élévation θ lorsque le navire est à une distance de 40 mètres du pont si le navire se dirige vers le point P à la vitesse de 2 m/s.

En posant $\frac{dx}{dt} = -2$ et $x = 40$, nous obtenons

$$\left.\frac{d\theta}{dt}\right|_{x=40\text{ m}} = \left(\frac{-50}{40^2 + 2\,500}\right)(-2)$$

D'où $\left.\frac{d\theta}{dt}\right|_{x=40\text{ m}} = 0{,}024\ldots$ rad/s.

Exercices 10.4

1. Analyser les fonctions suivantes et donner, s'il y a lieu, l'équation des asymptotes.

a) $f(x) = \text{Arc sin}\,x - 3\,\text{Arc cos}\,x$

b) $g(x) = \text{Arc tan}\left(\frac{x^2}{\sqrt{3}}\right)$

c) $v(t) = \text{Arc cot}\,t^3$

2. Soit le segment de droite joignant le point O(0, 0) et un point quelconque de la courbe définie par $f(x) = \sqrt{x-1}$. Déterminer le point P qui maximise l'angle θ formé par l'axe des x et le segment de droite.

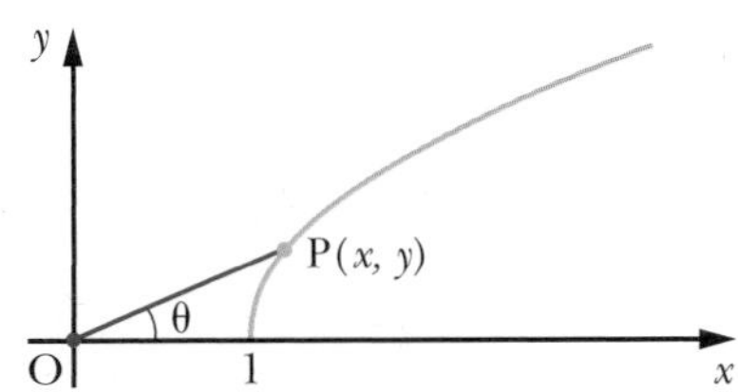

3. Sur la courbe définie par $g(x) = 3x - \text{Arc cot } x$, déterminer le point où la pente de la tangente à cette courbe est maximale et calculer la valeur de cette pente maximale.

4. Soit $y = \text{Arc tan } x$, où $x = g(t)$.

Si $g(2) = 20$ et si $\left.\dfrac{dx}{dt}\right|_{t=2} = 18$, évaluer $\left.\dfrac{dy}{dt}\right|_{t=2}$.

5. Jean-François tient un cerf-volant à l'aide d'une ficelle tendue de 60 mètres de longueur. Le cerf-volant s'élève à la vitesse constante de 5 m/s. Déterminer à quelle vitesse varie l'angle d'élévation θ lorsque le cerf-volant est à 20 mètres au-dessus du sol.

Dominique Parent

Réseau de concepts

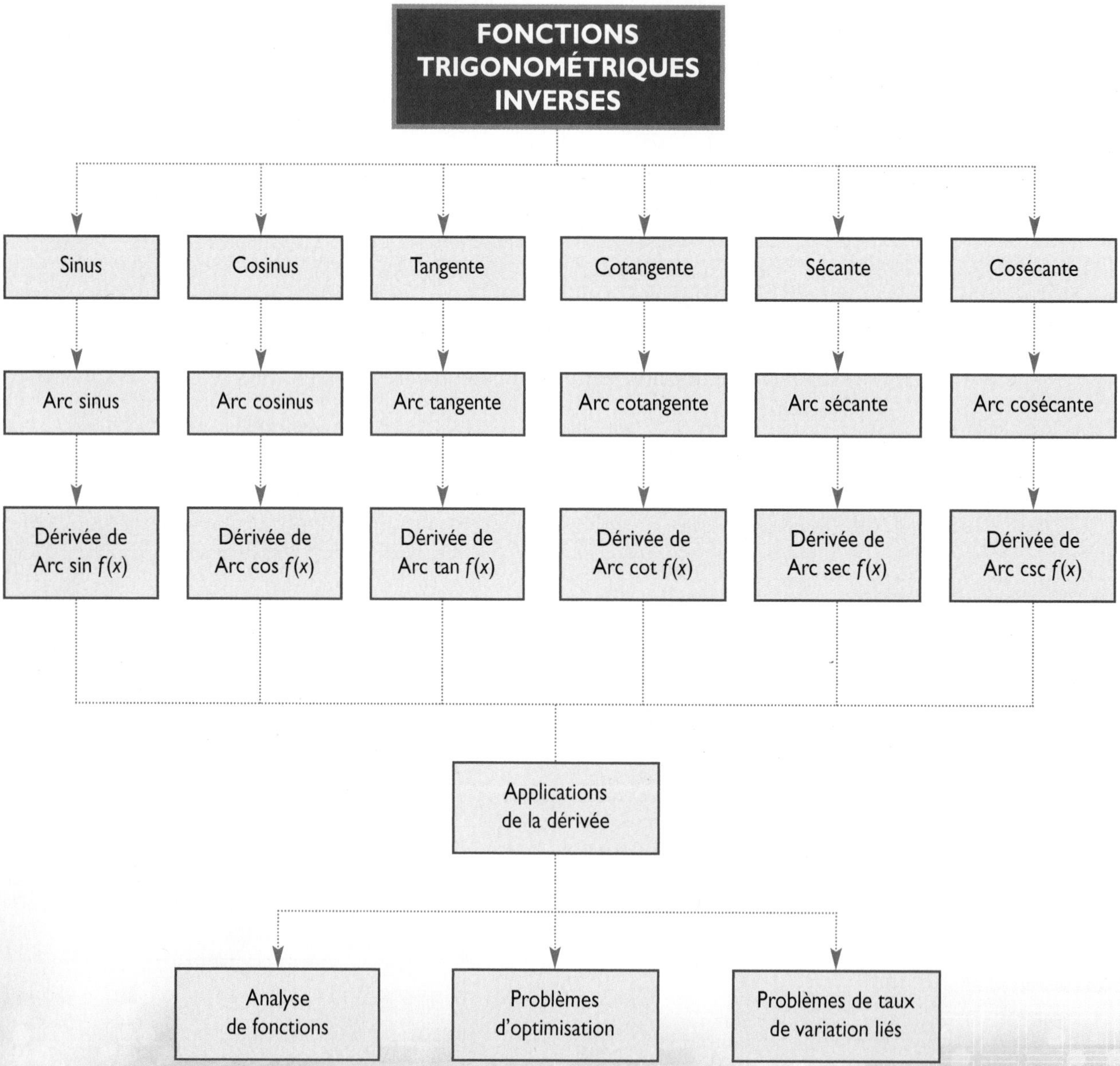

FONCTIONS TRIGONOMÉTRIQUES INVERSES

- Sinus → Arc sinus → Dérivée de Arc sin $f(x)$
- Cosinus → Arc cosinus → Dérivée de Arc cos $f(x)$
- Tangente → Arc tangente → Dérivée de Arc tan $f(x)$
- Cotangente → Arc cotangente → Dérivée de Arc cot $f(x)$
- Sécante → Arc sécante → Dérivée de Arc sec $f(x)$
- Cosécante → Arc cosécante → Dérivée de Arc csc $f(x)$

→ Applications de la dérivée

- Analyse de fonctions
- Problèmes d'optimisation
- Problèmes de taux de variation liés

Liste de vérification des apprentissages

RÉPONDRE PAR **OUI** OU PAR **NON.**			
Après l'étude de ce chapitre, je suis en mesure:		**OUI**	**NON**
1.	de déterminer le domaine et l'image de la fonction Arc sinus;		
2.	de donner la définition de la fonction Arc sinus;		
3.	de représenter graphiquement la fonction Arc sinus;		
4.	de démontrer la règle de dérivation pour la fonction Arc sin x;		
5.	de calculer la dérivée de fonctions contenant des expressions de la forme Arc sin $f(x)$;		
6.	de déterminer le domaine et l'image de la fonction Arc cosinus;		
7.	de donner la définition de la fonction Arc cosinus;		
8.	de représenter graphiquement la fonction Arc cosinus;		
9.	de démontrer la règle de dérivation pour la fonction Arc cos x;		
10.	de calculer la dérivée de fonctions contenant des expressions de la forme Arc cos $f(x)$;		
11.	de déterminer le domaine et l'image de la fonction Arc tangente;		
12.	de donner la définition de la fonction Arc tangente;		
13.	de représenter graphiquement la fonction Arc tangente;		
14.	de démontrer la règle de dérivation pour la fonction Arc tan x;		
15.	de calculer la dérivée de fonctions contenant des expressions de la forme Arc tan $f(x)$;		
16.	de déterminer le domaine et l'image de la fonction Arc cotangente;		
17.	de donner la définition de la fonction Arc cotangente;		
18.	de représenter graphiquement la fonction Arc cotangente;		
19.	de démontrer la règle de dérivation pour la fonction Arc cot x;		
20.	de calculer la dérivée de fonctions contenant des expressions de la forme Arc cot $f(x)$;		
21.	de déterminer le domaine et l'image de la fonction Arc sécante;		
22.	de donner la définition de la fonction Arc sécante;		
23.	de représenter graphiquement la fonction Arc sécante;		

Après l'étude de ce chapitre, je suis en mesure : (*suite*)		OUI	NON
24.	de démontrer la règle de dérivation pour la fonction Arc sec x ;		
25.	de calculer la dérivée de fonctions contenant des expressions de la forme Arc sec $f(x)$;		
26.	de déterminer le domaine et l'image de la fonction Arc cosécante ;		
27.	de donner la définition de la fonction Arc cosécante ;		
28.	de représenter graphiquement la fonction Arc cosécante ;		
29.	de démontrer la règle de dérivation pour la fonction Arc csc x ;		
30.	de calculer la dérivée de fonctions contenant des expressions de la forme Arc csc $f(x)$;		
31.	d'analyser des fonctions contenant des fonctions trigonométriques inverses ;		
32.	de résoudre des problèmes d'optimisation contenant des fonctions trigonométriques inverses ;		
33.	de résoudre des problèmes de taux de variation liés contenant des fonctions trigonométriques inverses.		
Si vous avez répondu **NON** à l'une de ces questions, il serait préférable pour vous d'étudier de nouveau cette notion.			

Exercices récapitulatifs

biologie chimie administration physique

1. Soit le triangle suivant. Déterminer θ:

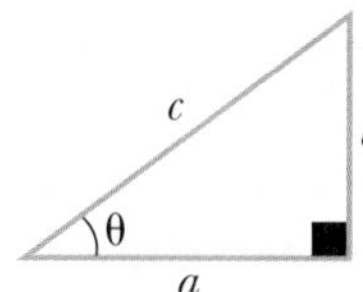

a) en radians si $a = 4$ et $b = 3$;

b) en degrés si $a = 6$ et $c = 9$;

c) en radians et en degrés si $b = 1{,}5$ et $c = 2{,}6$.

2. Évaluer, si c'est possible, les expressions suivantes.

a) $\cos\left(\text{Arc sin}\left(\frac{3}{5}\right)\right)$

b) $\text{Arc cos}\left(\sin\left(\frac{3}{5}\right)\right)$

c) $\text{Arc sin}\left(\sin\left(\frac{3\pi}{2}\right)\right)$

d) $\sin\left(\text{Arc sin}\left(\frac{3\pi}{2}\right)\right)$

e) $\sin(\text{Arc tan}(-5))$

f) $\text{Arc sec } 4 + \text{Arc csc } 3$

3. Déterminer une fonction algébrique, égale à chacune des fonctions suivantes, en précisant le plus grand intervalle où les fonctions sont égales.

a) $\sin(\text{Arc sin } x^2)$

b) $\cos(\text{Arc sin } 2t)$

c) $\tan(\text{Arc sin}(3u - 2))$

4. Calculer la dérivée des fonctions suivantes.

a) $f(x) = \text{Arc sin}(x^3 - 3x)$

b) $g(x) = [x - \text{Arc tan } 2x]^5$

c) $y = \text{Arc sec}(\sin x - x)$

d) $f(u) = u\,\text{Arc sin } u^5$

e) $h(x) = \dfrac{x^2 \cos x}{\text{Arc sin } x}$

f) $f(x) = \text{Arc cos}\left(\dfrac{2x}{1 - x^2}\right)$

g) $z = \sin x\sqrt{\text{Arc tan } x}$

h) $f(x) = \text{Arc csc}(2x - 1) + \text{Arc sec } x^4$

i) $g(x) = \ln(\text{Arc cot}(e^x))$

j) $f(x) = [\text{Arc sec}(\text{Arc tan } x)]^4$

k) $x(t) = \dfrac{\text{Arc sin } t}{\text{Arc cos } t}$

l) $v(t) = t^2 - \sin t\,\text{Arc cot } 3t$

m) $f(x) = \sqrt{\text{Arc cos}(x^3 + \sin x)}$

n) $u = e^{\text{Arc sin } x}\,\text{Arc sin } x$

5. Déterminer l'équation de la tangente à la courbe au point donné ainsi que l'équation de la droite normale au même point.

a) $f(x) = 3x + \text{Arc sin}(1 - x)$ au point $(1, f(1))$

b) $g(x) = \text{Arc tan}(e^{-x})$ au point $(0, g(0))$

c) $f(x) = \text{Arc cot } x^2$ au point $(1, f(1))$

6. La courbe Arc sec x admet une tangente de la forme $y = \frac{3}{2}x + b$. Déterminer la valeur de b.

7. Soit $f(u) = \text{Arc tan}(u^3 - 12u)$.

a) Déterminer les intervalles de croissance, les intervalles de décroissance, le point de maximum relatif et le point de minimum relatif de f.

b) Déterminer les équations des asymptotes de la courbe précédente.

O/T c) Représenter la courbe de la fonction f.

8. Vérifier, à l'aide de la dérivée appropriée, que la fonction $f(x) = \text{Arc sec } x$ est:

a) croissante sur $[1, +\infty$;

b) concave vers le bas sur $-\infty, -1] \cup [1, +\infty$.

9. Soit $g(x) = 3 - \text{Arc tan}(x - 4)^2$.

a) Déterminer le point stationnaire de g.

b) Déterminer les points d'inflexion de g.

O/T c) Représenter graphiquement la courbe de g.

10. O T Représenter graphiquement les courbes suivantes et esquisser le graphique de leur dérivée. Donner également le domaine et l'image des fonctions et de leur dérivée.

a) $f(x) = \text{Arc sin}(\sin x)$

b) $g(x) = \text{Arc cos}(\cos x)$

c) $h(x) = \text{Arc tan}(\tan x)$

d) $k(x) = \text{Arc sec}(\sec x)$

11. Analyser les fonctions suivantes.

a) $f(x) = x \text{Arc sin } x + \sqrt{1 - x^2}$

b) $g(x) = \frac{\pi}{2} + \text{Arc tan}(3 - x)$

c) $x(t) = \text{Arc sin}\left(\frac{\sqrt{3}t}{2}\right) - \sqrt{3}t$

d) $f(x) = \frac{\pi}{2} - 2 \text{ Arc tan } x^2$

12. Sur la courbe définie par $f(x) = 2 \text{ Arc tan } x^2$, déterminer, si c'est possible, le point où la pente de la tangente à cette courbe est:

a) minimale et calculer la valeur de cette pente minimale;

b) maximale et calculer la valeur de cette pente maximale.

13. Du haut d'une falaise de 75 mètres, une personne observe un navire.

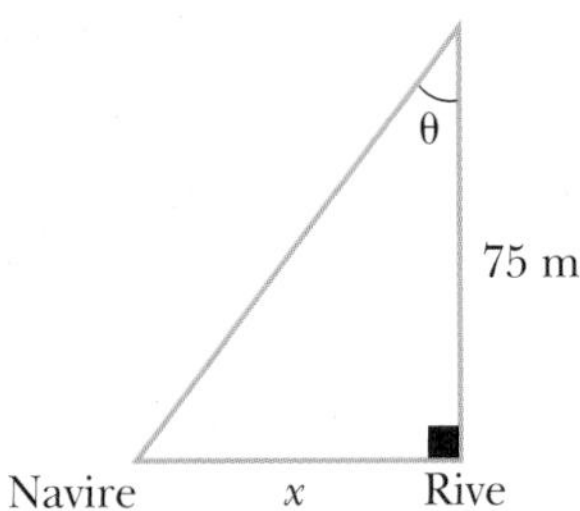

Ce navire se dirige perpendiculairement vers la rive à une vitesse constante.

Dominique Parent

a) Exprimer θ en fonction de x.

b) Exprimer $\frac{d\theta}{dt}$ en fonction de $\frac{dx}{dt}$ et de x.

c) Si la vitesse du navire est de 25 m/min, déterminer la vitesse de variation de l'angle θ lorsque le navire est à 100 mètres du pied de la falaise; lorsque le navire est à 100 mètres de la personne.

d) À quelle distance de la rive le navire se trouve-t-il lorsque $\frac{d\theta}{dt} = -0{,}3$ rad/min?

14. Le bas d'un écran de cinéma de 12 mètres de haut arrive à 6 mètres au-dessus des yeux d'une spectatrice.

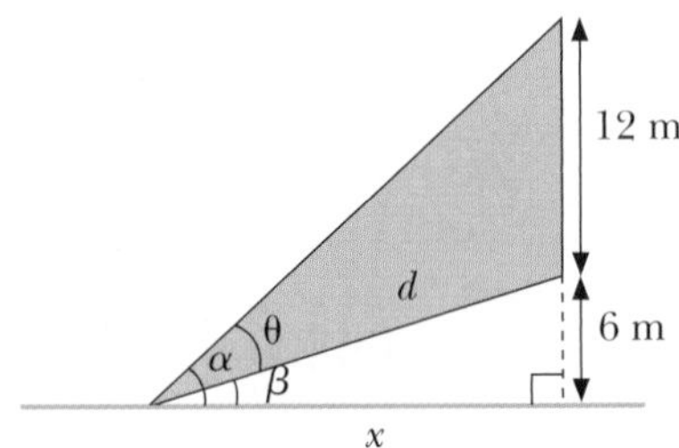

Pierre Parent

a) Exprimer α et β en fonction de x.

b) Exprimer θ en fonction de x.

c) Si l'on obtient la meilleure vision lorsque l'ouverture d'angle θ rapportée à l'écran est maximale, à quelle distance d du bas de l'écran la spectatrice doit-elle se trouver pour avoir la meilleure vision?

Problèmes de synthèse

1. Écrire les expressions suivantes sous une forme qui ne contient aucune fonction trigonométrique ni aucune fonction trigonométrique inverse.

a) $\sin(\text{Arc tan } \theta)$

b) $\sin(2 \text{ Arc sin } x)$

c) $\cos(2 \text{ Arc cos } t)$

d) $\sin\left(\frac{1}{2} \text{ Arc cos } \alpha\right)$

e) $\sin(\text{Arc sin } x + \text{Arc cos } x)$

f) $\cos(\text{Arc sin } u - \text{Arc cos } u^2)$

2. Exprimer les fonctions suivantes à l'aide d'une fonction définie par parties qui ne contient aucune fonction trigonométrique ni aucune fonction trigonométrique inverse. O T Vérifier la pertinence du résultat trouvé à l'aide d'un outil technologique.

a) $f(x) = \text{Arc sin}(\sin x)$

b) $g(x) = \text{Arc sin}(\sin x^2)$

c) $k(x) = \text{Arc tan}(\tan x^2)$

3. Calculer $\frac{dy}{dx}$ dans les cas suivants.

a) $x^2 \text{ Arc tan } y = 4$

b) $\text{Arc tan}(xy) = 3 \text{ Arc sin } x$

c) $x + y^3 = \text{Arc sec } y^2$

d) $e^{\text{Arc tan } y} = x^3$

4. Soit la courbe définie par $2 \text{ Arc sin } x + \text{Arc tan}(3y) = xy$.

Déterminer l'équation de la tangente et de la droite normale à la courbe précédente au point $O(0, 0)$.

5. On peut démontrer que si $f'(x) = g'(x)$, $\forall x \in]a, b[$, alors $\forall x \in [a, b]$ $f(x) = g(x) + k$, où $k \in \mathbb{R}$.

Utiliser la proposition précédente pour démontrer que:

$$2 \text{ Arc tan } x = \text{Arc tan}\left(\frac{2x}{1 - x^2}\right), \forall x \in \mathbb{R}.$$

6. Soit $f(x) = x^2$ et $g(x) = x^2 - 2x + 4$.

a) Déterminer, en degrés, l'angle θ aigu formé par les tangentes aux courbes de f et de g à leur point d'intersection.

b) Représenter graphiquement le résultat.

7. Soit $g(t) = \text{Arc cos } t^2$.

a) Calculer l'aire A du triangle formé par les axes et la tangente à la courbe de g au point $\left(\frac{1}{\sqrt{2}}, g\left(\frac{1}{\sqrt{2}}\right)\right)$.

O T b) Représenter graphiquement la courbe de g et le triangle.

8. Analyser les fonctions suivantes.

a) $f(x) = \frac{\pi}{2} + x - \text{Arc tan } x$

b) $f(x) = \pi - 2x + 4 \text{ Arc tan } x$

c) $f(x) = \ln(x^2 + 1) - 2x \text{ Arc tan } x$, sur $[-1, 1[$

9. Soit le triangle ci-dessous, où θ et α sont en radians.

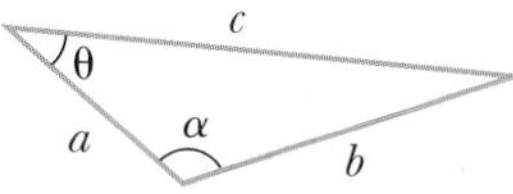

a) À l'aide de la loi des cosinus ou de la loi des sinus, déterminer θ et α, lorsque $a = 3$, $b = 5$ et $c = 6$.

b) À l'aide de la loi des cosinus ou de la loi des sinus, déterminer α en degrés, lorsque $a = 5$, $b = 7$ et $\theta = 52°$.

c) Exprimer $\frac{d\theta}{dt}$ en fonction de $\frac{d\alpha}{dt}$, de α et de θ lorsque l'angle α varie et que la longueur des côtés b et c demeure constante.

10. Le centre du cadran d'une horloge, placée en haut d'une tour, est à 30 mètres au-dessus du sol. Sachant que le diamètre du cadran est de 4 mètres, déterminer à quelle distance du pied de la tour on peut observer le diamètre vertical du cadran sous l'angle le plus grand.

Dominique Parent

10

11. Sur le flanc d'une montagne, un randonneur observe un parapente qui, à un instant donné, est à 150 mètres de lui lorsque l'angle de dépression est de 30°.

Dominique Parent

Si le parapente s'élève verticalement à une vitesse constante de 2 m/s:

a) déterminer le taux de variation, par rapport au temps, de l'angle d'observation θ lorsque l'angle de dépression est de 10°;

b) déterminer le taux de variation, par rapport au temps, de l'angle d'observation θ lorsque l'angle d'élévation est de 25°;

c) déterminer le taux de variation, par rapport au temps, de la distance x séparant l'observateur et le parapente lorsque l'angle de dépression est de 15°;

d) déterminer le taux de variation, par rapport au temps, de la distance x séparant l'observateur et le parapente lorsque l'angle d'élévation est de 45°;

e) déterminer la distance x séparant le randonneur et le parapente lorsque $\frac{dx}{dt} = 0$.

12. Dans un parc d'attractions, il y a une grande roue dont le rayon est égal à 20 mètres et dont le centre est à 22 mètres au-dessus du sol.

Dominique Parent

Sachant que l'angle au centre de la grande roue varie au rythme de $\frac{\pi}{15}$ radian par seconde:

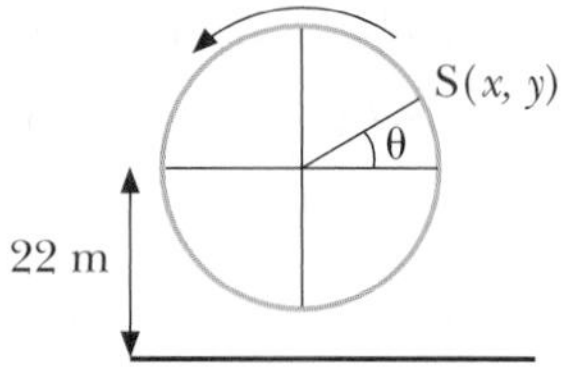

a) Exprimer la hauteur, par rapport au sol, du siège S en fonction de l'angle θ.

b) Déterminer la fonction v_y donnant la variation de la hauteur du siège en fonction du temps, c'est-à-dire la vitesse verticale du siège.

c) Déterminer la fonction v_x donnant la vitesse horizontale du siège en fonction du temps.

d) Déterminer les valeurs de θ lorsque la vitesse horizontale est nulle.

e) Démontrer que $v_x^2 + v_y^2 = C$, où C est une constante, et évaluer cette constante.

f) Évaluer v_x et v_y lorsque le siège est à 30 mètres au-dessus du sol.

13. Soit le terrain de soccer suivant.

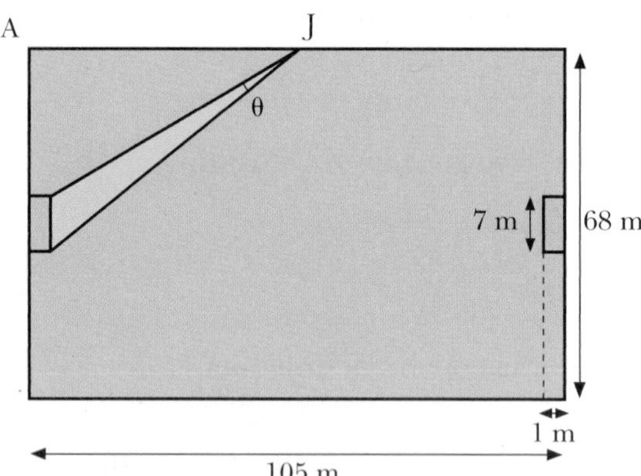

a) Déterminer à quelle distance du coin A le joueur J doit être pour avoir un tir au but avec un angle θ maximal, et évaluer θ.

O T b) Représenter graphiquement la courbe θ en fonction de la distance entre A et J.

Chapitre 1

Test préliminaire (page 3)

1. a) 16 b) -16 c) 45 d) -13

2. a) 2; non définie c) non définie; 0
b) 2; -2 d) $\sqrt{2}$; non définie

3. a) $x(x + 4)$
b) $(x + 5)(x - 1)$
c) $(x - 9)(x + 4)$
d) $x(x - 3)(x + 3)$
e) $-x^2(2x - 3)(3x + 2)$
f) $(x - 1)(x^2 + x + 1)$
g) $(2x + 3)(4x^2 - 6x + 9)$
h) $2(x + 2)(x - 3)^2 (8 - x)$

4. a) $x = 4$ ou $x = \frac{-5}{3}$ c) $x = \frac{-7}{3}$
b) $x = 2$ ou $x = -2$ d) $x = -2$

5. a) $\left[\frac{8}{3}, +\infty\right.$ c) $\left.-\infty, \frac{-1}{3}\right[$ e) $[-1, 4]$
b) $]4{,}5; +\infty$ d) $\left.-\infty, \frac{18}{49}\right]$ f) $\left]-1, \frac{11}{3}\right[$

Exercices

Exercices 1.1 (page 14)

1. a) f est une fonction;
ensemble de départ = {1, 5, 7, 10, 29}
ensemble d'arrivée = {-5, 2, 7, 8}
dom f = {1, 5, 7, 10}
ima f = {-5, 2, 8}
b) f n'est pas une fonction.
c) f n'est pas une fonction.
d) f est une fonction;
ensemble de départ = {a, b, h, i}
ensemble d'arrivée = {-9, 1, 5, 17}
dom f = {a, b, h, i}
ima f = {17}

2. a) n = nombre de lettres, variable indépendante.
p = nombre de points, variable dépendante.
D'où $p = f(n)$.

b)

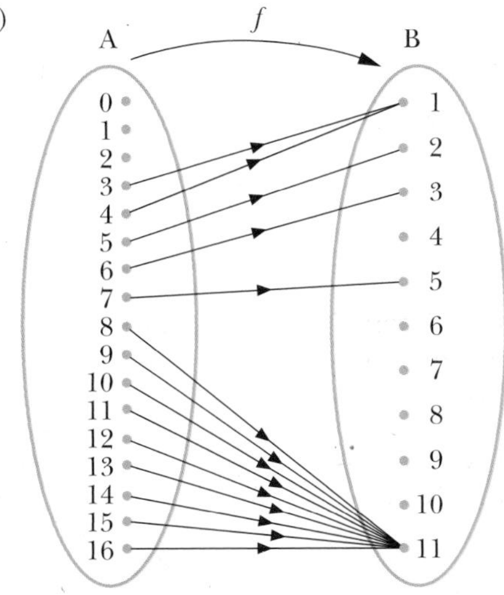

c) dom f = {3, 4, 5, 6, ..., 16}; ima f = {1, 2, 3, 5, 11}

3. a) f est une fonction; dom f = [-4, 3[; ima f = [-2, 3].
b) f n'est pas une fonction.
c) f n'est pas une fonction.
d) f est une fonction; dom f = -∞, 6[; ima f = [1, +∞.

4. a)

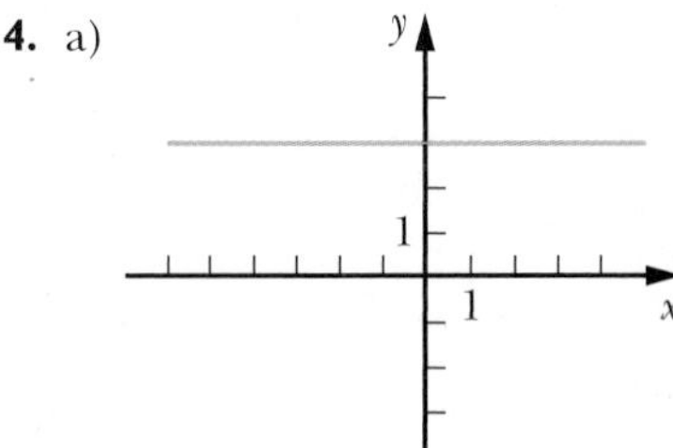

dom $g = \mathbb{R}$;
ima g = {3}

b)

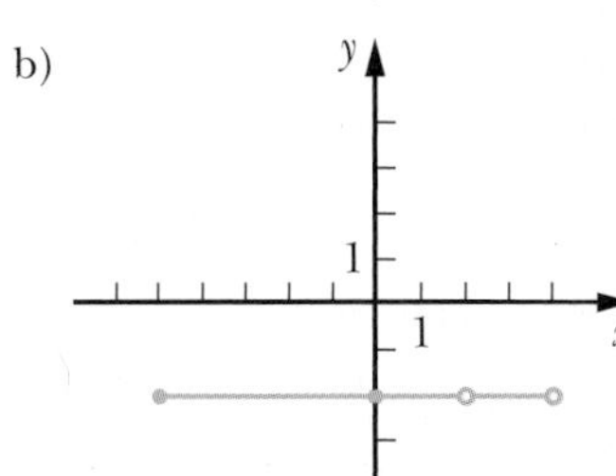

dom f = [-5, 4[\{2};
ima f = {-2}

5. a) $f(x) = 10$
b) $f(x) = 5$
c) $f(x) = -4$
d) $f(x) = 2$ si $x \in [-2, 1[\cup]2, 4]$

6. $a_1 = \frac{6 - 3}{5 - 2} = 1$; a_3 non définie
$a_2 = 0$; $a_4 = \frac{3 - 4}{2 - 0} = \frac{-1}{2}$

7. a) D_4 et D_5 c) D_1 et D_3 e) D_1
b) D_2 d) D_5 f) D_6

8. a) $x = 3(4 - t) - 8 = -3t + 4$

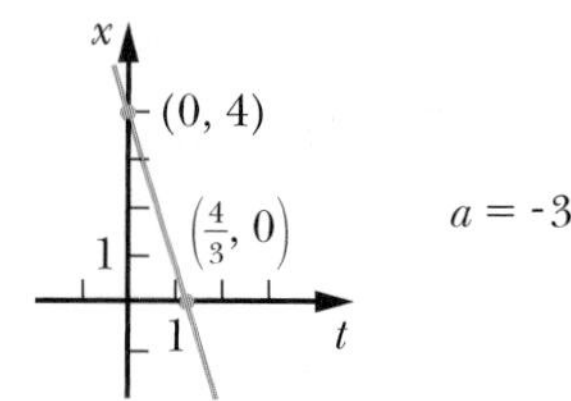

b) $y = \dfrac{2}{3}x - 3$

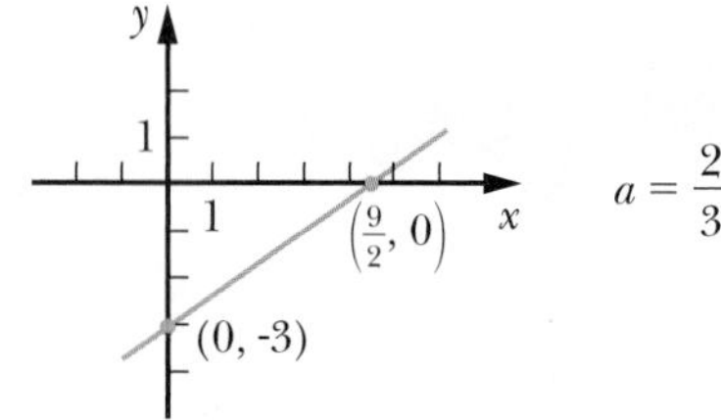

9. a) $y = -7x + b$, car $a = -7$
En remplaçant x par 2 et y par 3, nous obtenons $3 = -7(2) + b$, donc $b = 17$.
D'où $y = -7x + 17$.

b) $a = \dfrac{-2 - 7}{5 - (-2)} = \dfrac{-9}{7}$

Ainsi, $y = \dfrac{-9}{7}x + b$

En remplaçant x par 5 et y par -2, nous obtenons $-2 = \dfrac{-9}{7}(5) + b$, donc $b = \dfrac{31}{7}$.

D'où $y = \dfrac{-9}{7}x + \dfrac{31}{7}$.

c) $a = -3$, car $D_1 // D$
Ainsi, $y = -3x + b$
En remplaçant x par 1 et y par 3, nous obtenons $3 = -3(1) + b$, donc $b = 6$.
D'où $y = -3x + 6$.
La représentation graphique est laissée à l'élève.

d) $a = \dfrac{-1}{2}$, car $D_1 \perp D$

Ainsi, $y = \dfrac{-1}{2}x + b$

En remplaçant x par -5 et y par 2, nous obtenons $2 = \dfrac{-1}{2}(-5) + b$, donc $b = \dfrac{-1}{2}$.

D'où $y = \dfrac{-1}{2}x - \dfrac{1}{2}$.

La représentation graphique est laissée à l'élève.

10. Évaluons la pente a_1 de la droite passant par P et Q, la pente a_2 de la droite passant par P et R, et la pente a_3 de la droite passant par P et S.

$$a_1 = \frac{-3 - 7}{2 - (-3)} = -2; \qquad a_3 = \frac{-100 - 7}{\frac{101}{2} - (-3)} = -2.$$

$$a_2 = \frac{\frac{-97}{3} - 7}{\frac{50}{3} - (-3)} = -2;$$

Puisque $a_1 = a_2 = a_3$, les quatre points sont situés sur une même droite.

11. a) $f(x) = 9 - x^2 = (3 - x)(3 + x)$

Les zéros sont -3 et 3.

Sommet $x = \dfrac{-b}{2a} = \dfrac{-0}{2(-1)} = 0$ et $f(0) = 9$

D'où le sommet est $(0, 9)$.

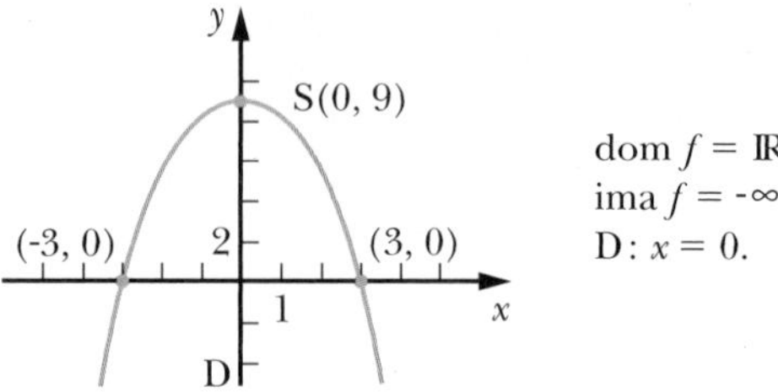

dom $f = \mathbb{R}$;
ima $f = -\infty, 9]$
D: $x = 0$.

b) $g(x) = -x^2 - 2x - 1 = -(x + 1)^2$

Le zéro est -1.

Sommet $x = \dfrac{-b}{2a} = \dfrac{-(-2)}{2(-1)} = -1$ et $g(-1) = 0$

D'où le sommet est $(-1, 0)$.

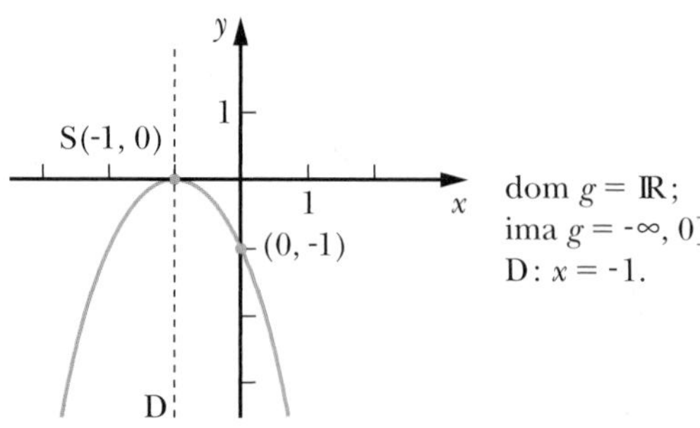

dom $g = \mathbb{R}$;
ima $g = -\infty, 0]$
D: $x = -1$.

c) $v(t) = t^2 + 4t + 5$

Aucun zéro, car $(b^2 - 4ac) = (4^2 - 20) = -4 < 0$

Sommet $x = \dfrac{-b}{2a} = \dfrac{-4}{2} = -2$ et $v(-2) = 1$

D'où le sommet est $(-2, 1)$.

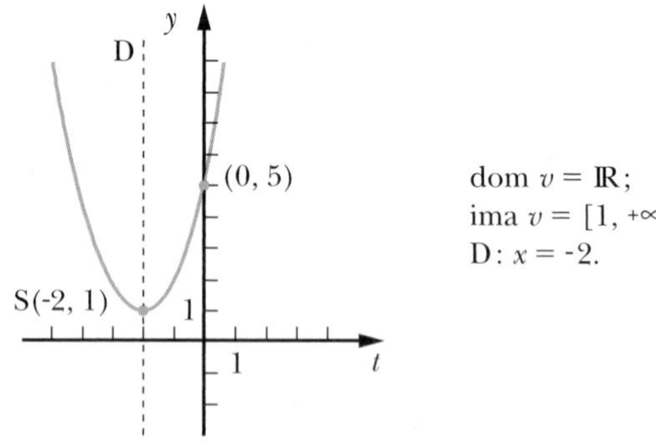

dom $v = \mathbb{R}$;
ima $v = [1, +\infty$
D: $x = -2$.

d) $k(x) = x^2 - 8x + 5$

$x_1 = \dfrac{-(-8) + \sqrt{(-8)^2 - 4(1)(5)}}{2} = 4 + \sqrt{11}$ et

$x_2 = 4 - \sqrt{11}$ sont les zéros.

Sommet $x = \dfrac{-b}{2a} = \dfrac{-(-8)}{2} = 4$ et $k(4) = -11$

D'où le sommet est $(4, -11)$.

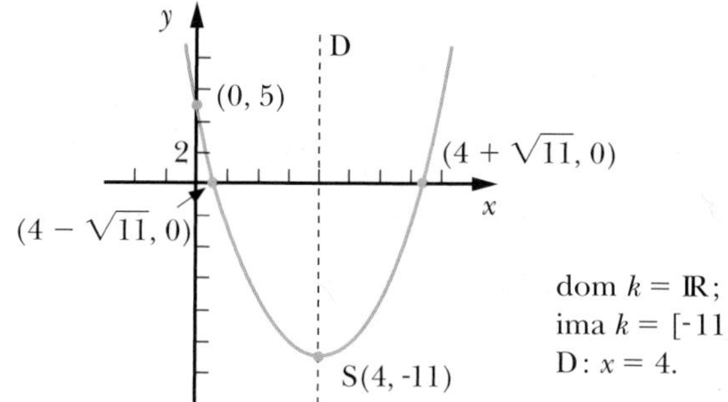

dom $k = \mathbb{R}$;
ima $k = [-11, +\infty$
D: $x = 4$.

12. a) et ②
b) et ⑧
c) et ⑤
d) et ⑩
e) et ①
f) et ⑨

13. a) $a = \dfrac{1\,125 - 900}{250 - 100} = \dfrac{3}{2}$

Ainsi, $C = \dfrac{3}{2}q + b$

En remplaçant q par 100 et C par 900, nous obtenons

$$900 = \frac{3}{2}(100) + b, \text{ donc } b = 750.$$

D'où $C = \dfrac{3}{2}q + 750$.

b) Si $q = 150$, $C = \dfrac{3}{2}(150) + 750 = 975$, donc 975 $

c) Si $C = 1\,233$, $1\,233 = \dfrac{3}{2}q + 750$, donc $q = 322$ articles

d) Si $q = 0$, $C = 750$, donc 750 $

14. a) Soit $P(x) = -x^2 + 104x - 430$, où $x \in [0, 105]$.

Déterminons le sommet S de la parabole

$$x = \frac{-b}{2a} = \frac{-104}{-2} = 52 \text{ et } P(52) = 2\,274$$

Ainsi, S(52, 2 274).

D'où le profit est maximal si $q = 52$ unités.

b) Puisque $P(52) = 2\,274$, le profit maximal est de 2 274 $.

c)

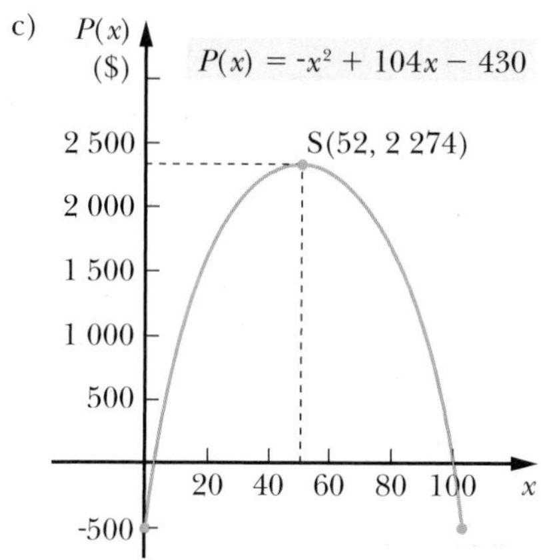

15. a)

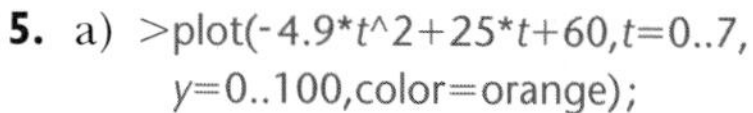

```
>plot(-4.9*t^2+25*t+60,t=0..7,
y=0..100,color=orange);
```

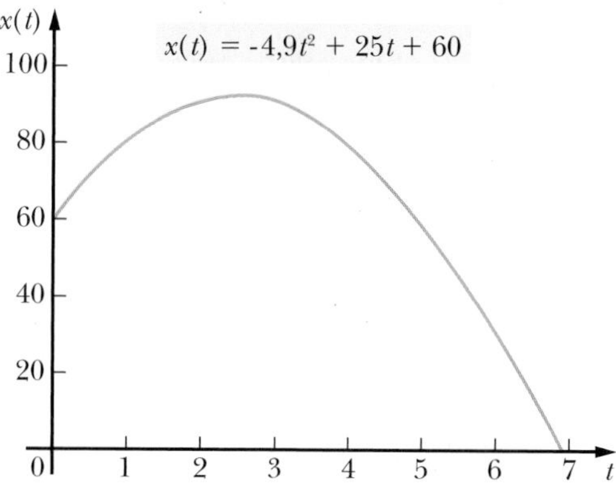


```
>plot(25-9.8*t,t=0..7,color=orange);
```

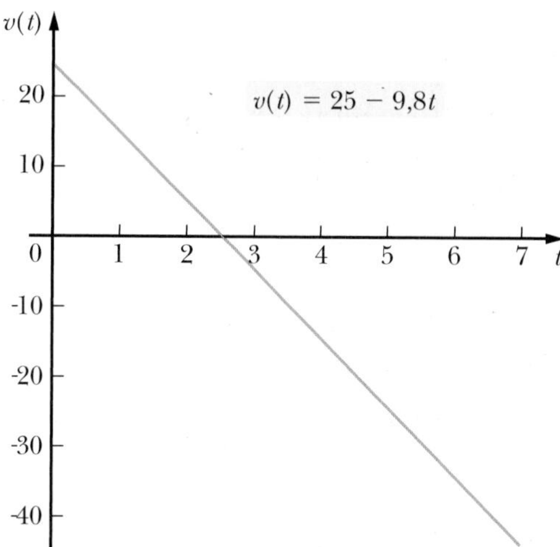

$x(1) = 80{,}1$, donc la pierre est à 80,1 m au-dessus de la rivière après 1 seconde;
$v(1) = 15{,}2$, donc la vitesse de la pierre est de 15,2 m/s après 1 seconde.

b) $x(0) = 60$, donc 60 m

c) $v(0) = 25$, donc 25 m/s

d) La hauteur est maximale au sommet de la parabole,

$$\left(\frac{-b}{2a}, x\left(\frac{-b}{2a}\right)\right), \text{ c'est-à-dire } \left(\frac{-25}{-9{,}8}, x\left(\frac{25}{9{,}8}\right)\right).$$

Puisque $x\left(\dfrac{25}{9{,}8}\right) = 91{,}887\ldots$ et $v\left(\dfrac{25}{9{,}8}\right) = 0$,

la hauteur maximale est d'environ 91,9 m et la vitesse à cet instant égale 0 m/s.

e)
$$x(t) = 0$$
$$-4{,}9t^2 + 25t + 60 = 0$$
$$t_1 = \frac{-25 + \sqrt{25^2 - 4(-4{,}9)60}}{2(-4{,}9)};$$
$$t_2 = \frac{-25 - \sqrt{25^2 - 4(-4{,}9)60}}{2(-4{,}9)}$$

$t_1 = -1{,}779\ldots$ (à rejeter); $t_2 = 6{,}881\ldots$

La pierre touche la rivière au bout d'environ 6,88 s et sa vitesse à cet instant est d'environ 42,4 m/s.

Exercices 1.2 (page 30)

1. a) Fonction polynomiale de degré 4.

c) Fonction polynomiale de degré 11.

e) Fonction polynomiale de degré 2.

2. a) $4x^3 - 2x^2 = 0$
$2x^2(2x - 1) = 0$

D'où les zéros sont 0 et $\frac{1}{2}$.

b) $8(2x + 1)^3 (3x - 2)^5 + 15(2x + 1)^4 (3x - 2)^4 = 0$
$(2x + 1)^3 (3x - 2)^4 [8(3x - 2) + 15(2x + 1)] = 0$
$(2x + 1)^3 (3x - 2)^4 (54x - 1) = 0$

D'où les zéros sont $\frac{-1}{2}$, $\frac{2}{3}$ et $\frac{1}{54}$.

c) $t^3 + 7t^2 - 3t - 21 = 0$
$t^2(t + 7) - 3(t + 7) = 0$
$(t + 7)(t^2 - 3) = 0$
$(t + 7)(t - \sqrt{3})(t + \sqrt{3}) = 0$
D'où les zéros sont -7, $\sqrt{3}$ et $-\sqrt{3}$.

d) $\sqrt{15x^5 - 75x^3 + 60x} = 0$, si
$15x^5 - 75x^3 + 60x = 0$
$15x(x^4 - 5x^2 + 4) = 0$
$15x(x^2 - 4)(x^2 - 1) = 0$
$15x(x - 2)(x + 2)(x - 1)(x + 1) = 0$
D'où les zéros sont 0, 2, -2, 1 et -1.

3. a) $(2x - 4)(5 + 3x) = 0$ si $x = 2$ ou $x = \frac{-5}{3}$

D'où dom $f = \mathbb{R} \setminus \left\{\frac{-5}{3}, 2\right\}$.

b) $(x^2 + 1) \neq 0 \; \forall \, x \in \mathbb{R}$
D'où dom $g = \mathbb{R}$.

c) $(x - 4) = 0$ si $x = 4$ et
$5x - x^2 = x(5 - x) = 0$ si $x = 0$ ou $x = 5$
D'où dom $h = \mathbb{R} \setminus \{0, 4, 5\}$.

d) $(8t - 5) = 0$ si $t = \frac{5}{8}$

D'où dom $x = \mathbb{R} \setminus \left\{\frac{5}{8}\right\}$.

4. a) $(4t^2 + 7) \geqslant 0 \; \forall \, t \in \mathbb{R}$
D'où dom $v = \mathbb{R}$.

b) $(4x - 7) = 0$ si $x = \frac{7}{4}$

D'où dom $g = \mathbb{R} \setminus \left\{\frac{7}{4}\right\}$.

c) $(10 - 2x) > 0$ et $(5x - 12) \geqslant 0$
$-2x > -10$ et $5x \geqslant 12$
$x < 5$ et $x \geqslant \frac{12}{5}$

D'où dom $h = \left[\frac{12}{5}, 5\right[$.

d) On cherche t tel que $t^2 - 9 > 0$.
$t^2 - 9 = (t - 3)(t + 3) = 0$ si $t = 3$ ou $t = -3$

t	$-\infty$	-3		3	$+\infty$
$(t - 3)(t + 3)$	$(-)(-)$	0	$(-)(+)$	0	$(+)(+)$
$t^2 - 9$	$+$	0	$-$	0	$+$

D'où dom $a = -\infty, -3[\, \cup \,]3, +\infty$.

e) On cherche x tel que $-6x^2 + x + 12 \geqslant 0$.
$-6x^2 + x + 12 = (3x + 4)(3 - 2x) = 0$

si $x = \frac{-4}{3}$ ou $x = \frac{3}{2}$

Puisque $(-6x^2 + x + 12)$ est une parabole tournée vers le bas, $(-6x^2 + x + 12) \geqslant 0$ entre les zéros.

D'où dom $f = \left[\frac{-4}{3}, \frac{3}{2}\right]$.

f) On cherche x tel que $\frac{(3 - x)}{x^2 - 1} \geqslant 0$.

$3 - x = 0$ si $x = 3$ et
$x^2 - 1 = (x - 1)(x + 1) = 0$ si $x = 1$ ou $x = -1$

x	$-\infty$	-1		1		3	$+\infty$
$\frac{(3 - x)}{(x - 1)(x + 1)}$	$\frac{(+)}{(-)(-)}$	$\nexists$	$\frac{(+)}{(-)(+)}$	$\nexists$	$\frac{(+)}{(+)(+)}$	0	$\frac{(-)}{(+)(+)}$
$\frac{(3 - x)}{x^2 - 1}$	$+$	$\nexists$	$-$	$\nexists$	$+$	0	$-$

D'où dom $k = -\infty, -1[\, \cup \,]1, 3]$.

5. a) $(x - 5)(2 - 3x) = 0$ si $x = 5$ ou $x = \frac{2}{3}$

D'où dom $f = \mathbb{R} \setminus \left\{\frac{2}{3}, 5\right\}$

$(3 - 2x)(5x + 7) = 0$ si $x = \frac{3}{2}$ ou $x = \frac{-7}{5}$

D'où les zéros sont $\frac{-7}{5}$ et $\frac{3}{2}$.

b) $(x + 4) = 0$ si $x = -4$ et $(7 - 3x) = 0$ si $x = \frac{7}{3}$

D'où dom $g = \mathbb{R} \setminus \left\{-4, \frac{7}{3}\right\}$

$$\frac{3}{x + 4} - \frac{5}{7 - 3x} = \frac{3(7 - 3x) - 5(x + 4)}{(x + 4)(7 - 3x)} = \frac{1 - 14x}{(x + 4)(7 - 3x)}$$

$(1 - 14x) = 0$ si $x = \frac{1}{14}$

D'où le zéro de g est $\frac{1}{14}$.

c) $(x - 5) > 0$, ainsi $x > 5$

D'où dom $h =]5, +\infty$.
$(4 - x)(x - 6) = 0$ si $x = 4$ ou $x = 6$
D'où le zéro de h est 6, car $4 \notin$ dom h.

d) $(4 - t) > 0$, ainsi $t < 4$
D'où dom $f = -\infty, 4[$
$$\sqrt{4-t} - \frac{t}{\sqrt{4-t}} = \frac{(\sqrt{4-t})^2 - t}{\sqrt{4-t}} = \frac{4-2t}{\sqrt{4-t}}$$
$4 - 2t = 0$ si $t = 2$
D'où le zéro de f est 2.

e) $k(x) = \sqrt[4]{(x^2 - x - 2)^3} = \sqrt[4]{[(x-2)(x+1)]^3}$
$[(x-2)(x+1)]^3 = 0$
$(x-2)(x+1) = 0$ si $x = 2$ ou $x = -1$.
Puisque $(x-2)(x+1)$ est une parabole tournée vers le haut, $(x-2)(x+1) \geqslant 0$ à l'extérieur des zéros.
D'où dom $k = -\infty, -1] \cup [2, +\infty$.
Les zéros de k sont -1 et 2.

f) $d(x) = \sqrt[3]{(x^2 - x - 2)^4} = \sqrt[3]{[(x-2)(x+1)]^4}$
dom $d = \mathbb{R}$
Les zéros de d sont -1 et 2 (voir e).

6. a) $(f \circ g)(x) = f(g(x))$
$= f(\sqrt{x+1})$
$= 4 - 5\sqrt{x+1}$;
dom $(f \circ g) = [-1, +\infty$

b) $(g \circ f)(x) = g(f(x))$
$= g(4 - 5x)$
$= \sqrt{(4 - 5x) + 1}$
$= \sqrt{5 - 5x}$;
dom $(g \circ f) = -\infty, 1]$

c) $(k \circ g)(x) = k(g(x))$
$= k(\sqrt{x+1})$
$= \dfrac{1}{4 - 5\sqrt{x+1}}$;
dom $(k \circ g) = [-1, +\infty \setminus \left\{\dfrac{-9}{25}\right\}$

d) $(g \circ g)(x) = g(g(x))$
$= g(\sqrt{x+1})$
$= \sqrt{\sqrt{x+1} + 1}$;
dom $(g \circ g) = [-1, +\infty$

e) $(g \circ (h \circ g))(x) = g(h(g(x))$
$= g(h(\sqrt{x+1}))$
$= g(10 - 3(\sqrt{x+1})^2)$
$= g(7 - 3x)$
$= \sqrt{(7 - 3x) + 1}$
$= \sqrt{8 - 3x}$
Puisque $\sqrt{x+1}$ est définie pour $x \in [-1, +\infty$ et que $\sqrt{8-3x}$ est définie pour $x \in -\infty, \dfrac{8}{3}\Big]$,
dom $(g \circ (h \circ g)) = \left[-1, \dfrac{8}{3}\right]$.

7. a) dom $h =]-3, 7] \setminus \{4\}$
b) dom $f = \mathbb{R} \setminus \{1, 3\}$
c) dom $g = -\infty, 0] \cup]2, 4[\cup]4, +\infty$
d) dom $s = [4, 6[$

8. a) $f(-5) = 24$
b) $f(10) = -295$
c) $f(0) = 5$
d) $f(-1)$ est non définie.
e) $f(4) = 7$
f) $f(7)$ est non définie.

9. a)

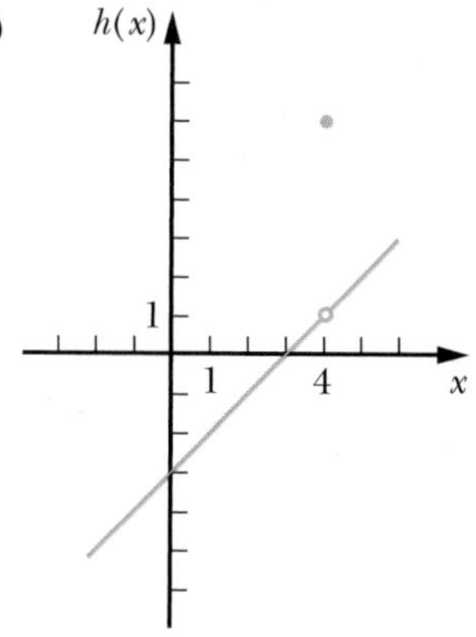

dom $h = \mathbb{R}$

b)

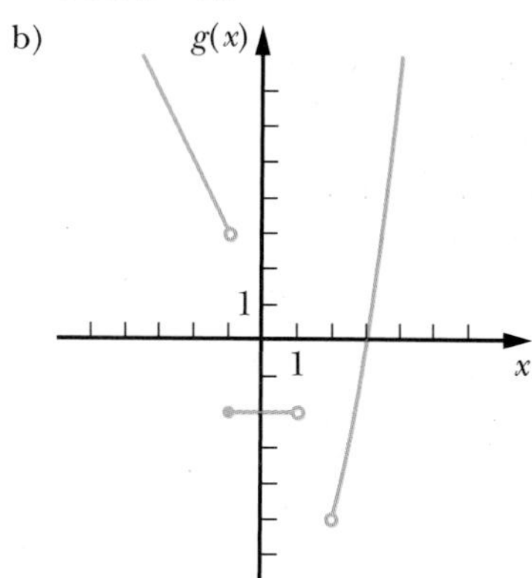

dom $g = -\infty, 1[\cup]2, +\infty$

10. a) $g(x) = \begin{cases} 3x + 5 & \text{si } x \geqslant \dfrac{-5}{3} \\ -3x - 5 & \text{si } x < \dfrac{-5}{3} \end{cases}$

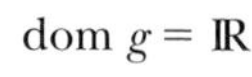

dom $g = \mathbb{R}$

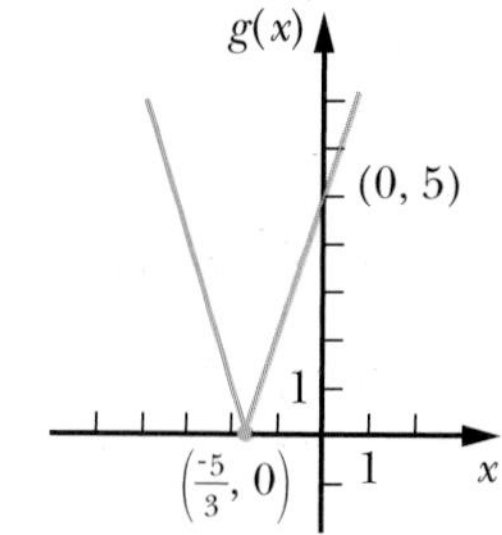

b) $f(x) = \begin{cases} 5 - (2x - 4) & \text{si } (2x - 4) \geqslant 0 \\ 5 - (-(2x - 4)) & \text{si } (2x - 4) < 0, \end{cases}$

c'est-à-dire

$f(x) = \begin{cases} 9 - 2x & \text{si } x \geqslant 2 \\ 1 + 2x & \text{si } x < 2 \end{cases}$

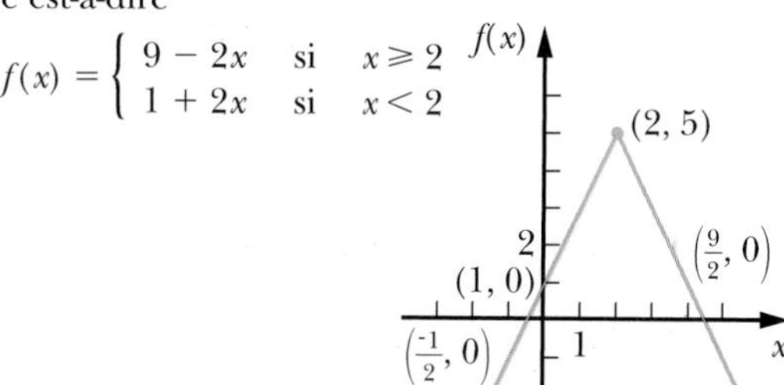

c) $h(x) = \begin{cases} x & \text{si} \quad x \geq 0 \\ -x & \text{si} \quad x < 0 \end{cases}$

dom $h = \mathbb{R}$
La représentation graphique est laissée à l'élève.

11. a) $f(2) = 2$
$g(2) = -2$
$h(2) = 0$

b) $f(-2) = -2$
$g(-2) = 2$
$h(-2) = 0$

c) $f(5{,}9) = 5$
$g(5{,}9) = -6$
$h(5{,}9) = 0{,}9$

d) $f(-5{,}9) = -6$
$g(-5{,}9) = 5$
$h(-5{,}9) = 0{,}1$

12. a) 100 \$; 100 \$; 100 \$; 150 \$

b) $s(h) = \begin{cases} 100 & \text{si} \quad 0 \leq h < 4 \\ 25h & \text{si} \quad 4 \leq h \leq 24 \end{cases}$

c) dom $s = [0, 24]$

d)

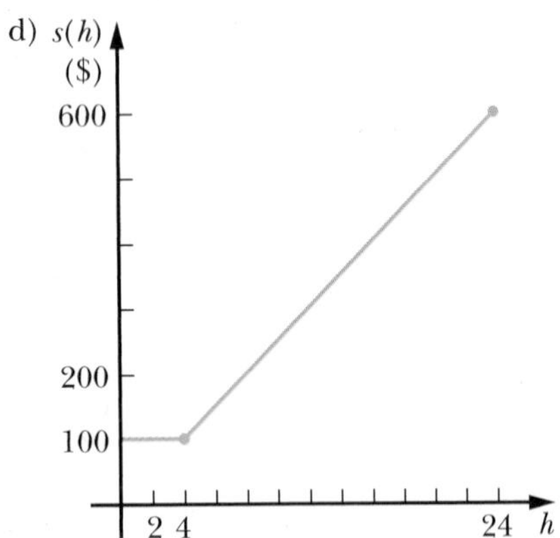

13. a) $P(4) = 12\,000\sqrt{4} + 40\,000 = 64\,000$,
donc 64 000 habitants;
$P(8) = 12\,000\sqrt{8} + 40\,000 = 73\,941{,}12...$,
donc environ 73 941 habitants.

b) $12\,000\sqrt{t} + 40\,000 = 80\,000$
$12\,000\sqrt{t} = 40\,000$
$\sqrt{t} = \dfrac{10}{3}$
$t = 11{,}\overline{1}$
D'où environ 11 années.

14. a)
```
>with(plottools):
>f:=t→1-t^3:
>RandomTools[Generate](integer(range=1..100))/100:
>t1:=(%):
>c1:=plot(f(t),t=0..1,color=orange):
>r:=rectangle([0,0],[t1,f(t1)],color=yellow):
>plots[display](c1,r,scaling=constrained);
```

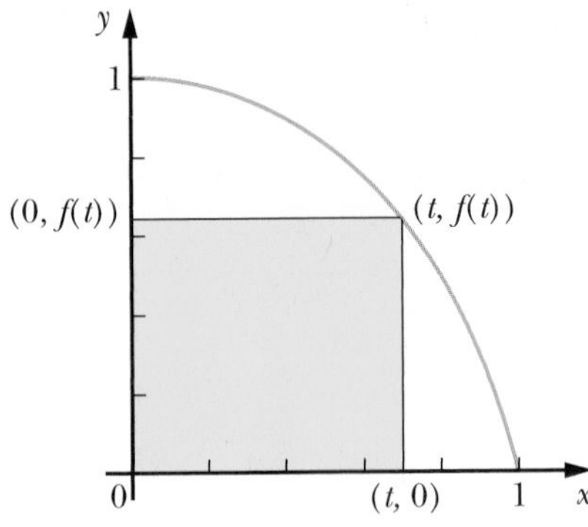

b) $A(t) = tf(t) = t(1 - t^3)$
D'où $A(t) = t - t^4$; dom $A = [0, 1]$.

c)
```
>A:=t→t*(1-t^3):
>plot(A(t),t=0..1,color=orange,scaling=constrained);
```

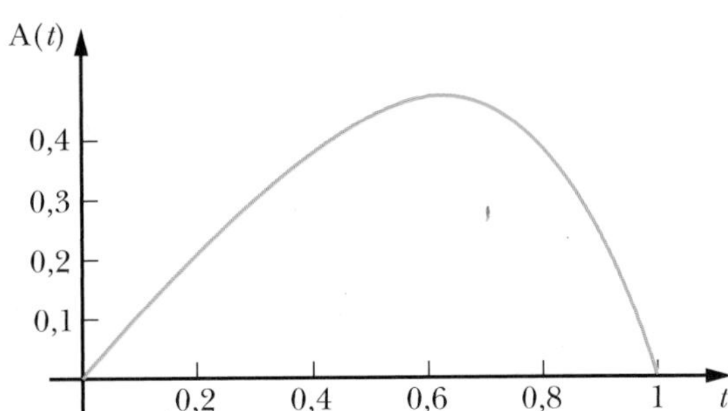

d)
```
>with(Optimization):
>Maximize(A(t),t=0..1);
          [0.472470393710577419,
        [t = 0.629960523274740058]
>c2:=plot(A(t),t=0..1,color=orange):
>v1:=plot([0.6299,y,y=0..0.4724],linestyle=4,
     color=black):
>h1:=plot(0.4724,t=0..0.6299,linestyle=4,
     color=black):
>with(plots):
>display(c2,v1,h1,scaling=constrained);
```

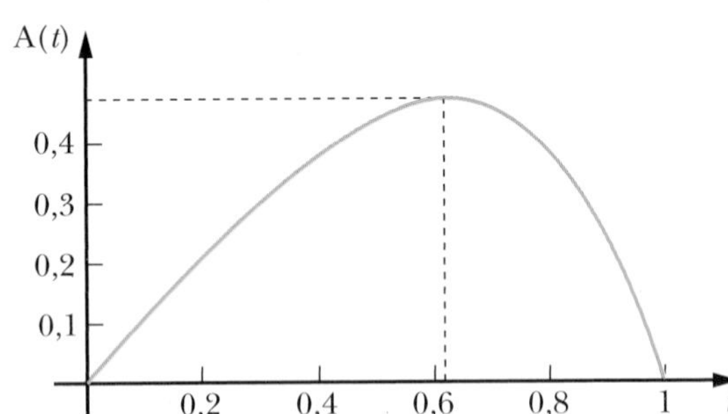

L'aire est maximale pour $t \approx 0{,}63$ et l'aire maximale est d'environ $0{,}472\,47u^2$.

Exercices récapitulatifs *(page 34)*

1. a) Aucune
b) f_1
c) f_2
d) f_1, f_2 et f_6
e) f_1, f_2, f_3, f_5 et f_6
f) f_1, f_2, f_3, f_4, f_5 et f_6

3. a) $x \in -\infty, -5] \cup [2, +\infty$

b) $x \in]-3, 3[$

c) $x \in \left[-4, \frac{1}{3}\right[\cup \left\{\frac{5}{3}\right\}$

4. a) $\left[\frac{-8}{3}, +\infty\right.$

b) $\mathbb{R}$

c) $[0, 4[$

d) $\varnothing$

e) $]4, +\infty \setminus \{5\}$

f) $\mathbb{R}$

5. a) $\mathbb{R} \setminus \{-5, 0, 1, 4\}$

b) $]-6, 3] \setminus \{-5, 0, 1\}$

c) $-\infty, -1[\cup]-1, 0[\cup [1, +\infty$

6. a) $y = -4$

b) $y = 6x + 1$

c) $y = 7$

d) $x = -3$

e) $y = \frac{x}{3} - 5$

8. a)

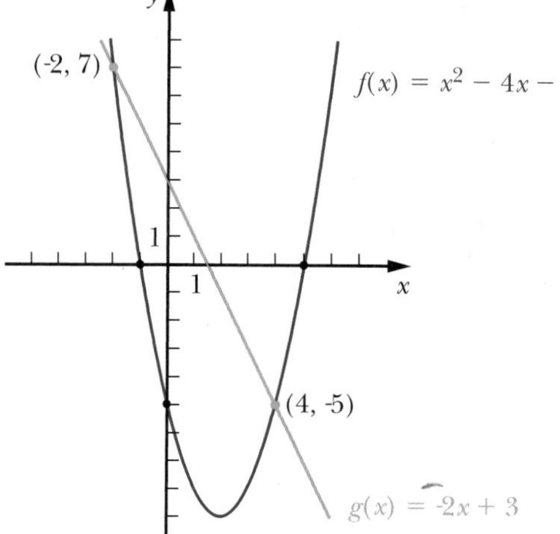

b) Les points d'intersection sont P(-2, 7) et Q(4, -5).

c) $y = -2x - 6$

9. a) $k \in -\infty, -12[\cup]12, +\infty$

b) $k = \pm 12$

c) $k \in]-12, 12[$

10. a) dom $g = \mathbb{R}$

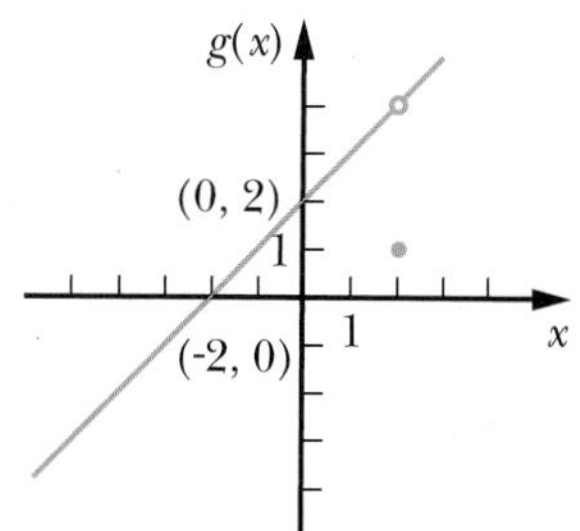

b) dom $h = \mathbb{R}$

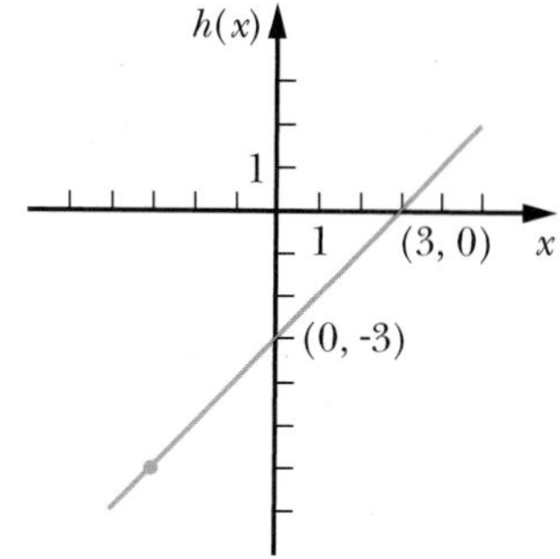

11. a) $(f \circ f \circ f)(x) = x$ et dom $(f \circ f \circ f) = \mathbb{R} \setminus \{0, 1\}$

b) dom $(f \circ g) = \mathbb{R} \setminus \{-1, 1\}$ et dom $(g \circ f) = \mathbb{R} \setminus \{1\}$

c) $x = 0$

12. a) $a - b = 1$

18. 4 cm ; 1 024 cm³

Problèmes de synthèse *(page 37)*

1. a) $19x + 2y - 4 = 0$

b) $25x + 3y + 18 = 0$

4. a) ($a = 1$ et $b = 0$) ou ($a = 0$ et $b = 0$) ou ($a = 0$ et $b = 1$)

b) $a = 0$ et $(2c - b + 1) = 0$

5. a) $-\infty, 4] \setminus \{3\}$

b) $-\infty, -2] \cup]-1, 1[\cup [2, +\infty$

8. a) $y = -3x + 10$

b) Aire $= \frac{50}{3}\ u^2$

10. Distance minimale = 1,6 u

11. a) $S(x) = 4x - \frac{x^2}{3}$

b) $12\ u^2$

13. a) $T(x) = \begin{cases} 0{,}04 & \text{si} \quad 1\,000 \leqslant x \leqslant 5\,000 \\ 0{,}045 & \text{si} \quad 5\,000 < x \leqslant 25\,000 \\ 0{,}05 & \text{si} \quad x > 25\,000 \end{cases}$

c) $I(x) = \begin{cases} 0{,}04x & \text{si} \quad 1\,000 \leqslant x \leqslant 5\,000 \\ 0{,}045x & \text{si} \quad 5\,000 < x \leqslant 25\,000 \\ 0{,}05x & \text{si} \quad x > 25\,000 \end{cases}$

2

Chapitre 2

Test préliminaire (page 43)

Partie A

1. a) $\frac{ad}{bc}$

b) $2x(x + 2)$

c) $\frac{1}{(x - 3)^2}$

d) $-x$

e) $\frac{1}{2x}$

f) $-(x + 3)$

2. a) $\sqrt{x} - 7$

b) $\sqrt{x + 7} + \sqrt{7}$

c) $\sqrt{3x - 5} + \sqrt{3x + 4}$

3. a) $(\sqrt{x} - 5)(\sqrt{x} + 5) = x - 25$

b) $(\sqrt{x} + \sqrt{5})(\sqrt{x} - \sqrt{5}) = x - 5$

c) $(\sqrt{x} - \sqrt{3x - 5})(\sqrt{x} + \sqrt{3x - 5}) = 5 - 2x$

d) $(\sqrt{a + b} + \sqrt{c - d})(\sqrt{a + b} - \sqrt{c - d})$
$= a + b - c + d$

4. a) $x^2 + 1$

b) $x^3 + x - 2$

5. a) $a^2 - b^2 = (a - b)(a + b)$

b) $x^3 - 8 = (x - 2)(x^2 + 2x + 4)$

c) $27 + x^3 = (3 + x)(9 - 3x + x^2)$

d) $(x + h)^3 - x^3 = h(3x^2 + 3xh + h^2)$

Partie B

1. a) $\mathbb{R}$

b) $\mathbb{R} \setminus \left\{\frac{-5}{2}, 3\right\}$

c) $\mathbb{R} \setminus \{-3, 4\}$

d) $\left]\frac{-7}{3}, +\infty\right.$

e) $-\infty, 5]$

f) $[0, +\infty \setminus \{1\}$

g) $\mathbb{R} \setminus \{0, -\sqrt{7}, \sqrt{7}\}$

h) $[2, 5[$

i) $\mathbb{R} \setminus \{-5, 5\}$

j) $[-1, 2]$

2. a) i) $f(0) = 0$

ii) $f(1)$ est non définie.

iii) $f(2) = 4$

iv) $f(3)$ est non définie.

v) $f(4) = -1$

b)

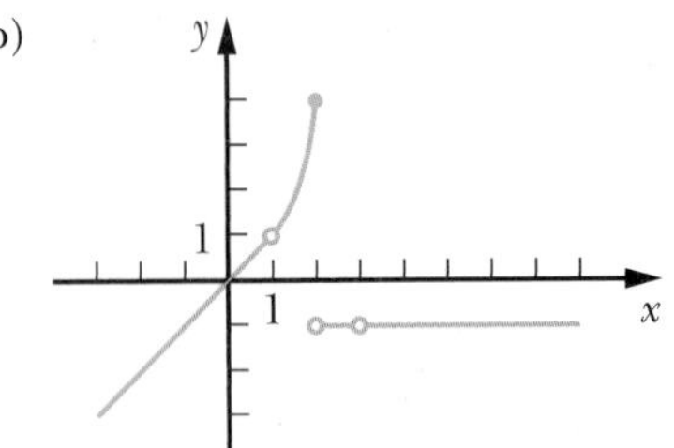

dom $f = \mathbb{R} \setminus \{1, 3\}$

3. $[-4, +\infty \setminus \{-3, -1, 0, 2, 5\}$

Exercices

Exercices 2.1 (page 54)

1. a) $\lim_{x \to -2^+} f(x) = 10$

b) $\lim_{x \to 5^-} f(x) = -3$

c) $\lim_{x \to 5} f(x) = -9$

2. a) Plus les valeurs données à x sont voisines de 3 par la droite, plus les valeurs calculées pour $f(x)$ sont aussi près que nous le voulons de 0.

b) Plus les valeurs données à x sont voisines de $\frac{1}{2}$ par la gauche, plus les valeurs calculées pour $h(x)$ sont aussi près que nous le voulons de $\frac{-4}{9}$.

c) Plus les valeurs données à x sont voisines de -5, plus les valeurs calculées pour $g(x)$ sont aussi près que nous le voulons de 8.

3. a) 6; $\lim_{x \to 3^-} f(x) = 6$

b) $\lim_{x \to 3^+} f(x) = 3$

c) $\lim_{x \to 3} f(x)$ n'existe pas.

4. a)

x	1,5	1,9	1,99	1,999	... → 2^-
$f(x)$	4,75	8,03	8,900 3	8,990 003	... → 9

x	2,5	2,1	2,01	2,001	... → 2^+
$f(x)$	14,75	10,03	9,100 3	9,010 003	... → 9

b) $\lim_{x \to 2^-} (3x^2 - 2x + 1) = 9$

c) $\lim_{x \to 2^+} (3x^2 - 2x + 1) = 9$

d) $\lim_{x \to 2} (3x^2 - 2x + 1) = 9$

5. a) dom $f = \mathbb{R} \setminus \{-2\}$

b)

x	-2,1	-2,01	-2,001	-2,000 1	... → -2^-
$f(x)$	-4,1	-4,01	-4,001	-4,000 1	... → -4

Il semble donc que $\lim_{x \to -2^-} f(x) = -4$.

c)

x	-1,9	-1,99	-1,999	-1,999 9	... → -2^+
$f(x)$	-3,9	-3,99	-3,999	-3,999 9	... → -4

Il semble donc que $\lim_{x \to -2^+} f(x) = -4$.

d) $\lim_{x \to -2} f(x) = -4$

e)

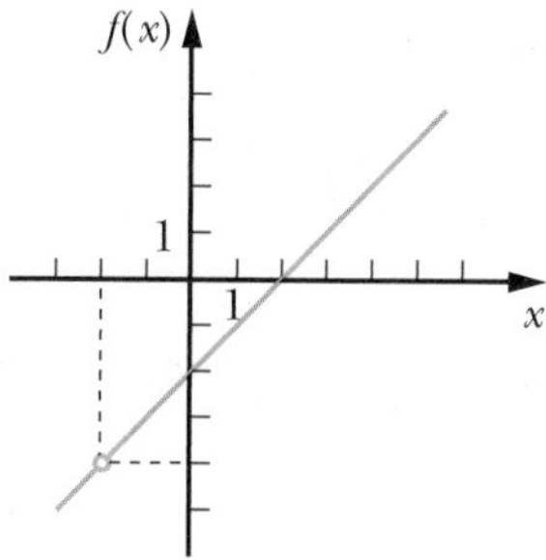

6. a)

x	1,5	1,9	1,99	1,999	$\dots \to 2^-$
$f(x)$	0,5	0,9	0,99	0,999	$\dots \to 1$

Il semble donc que $\lim_{x \to 2^-} f(x) = 1$.

b)

x	2,5	2,1	2,01	2,001	$\dots \to 2^+$
$f(x)$	0,5	0,1	0,01	0,001	$\dots \to 0$

Il semble donc que $\lim_{x \to 2^+} f(x) = 0$.

c) Puisque $\lim_{x \to 2^-} f(x) \neq \lim_{x \to 2^+} f(x)$, $\lim_{x \to 2} f(x)$ n'existe pas.

(théorème 2.1)

d), e) et f) Laissé à l'élève.

7. a) dom $f = \mathbb{R} \setminus \{1\}$

b)

x	$f(x)$
0,5	-1,230 7...
0,9	-1,259 8...
0,99	-1,251 2...
0,999	-1,250 1...
0,999 9	-1,250 0...
⋮	⋮
↓	↓
1^-	-1,25

Il semble donc que $\lim_{x \to 1^-} f(x) = -1,25$.

x	$f(x)$
1,5	-1,142 8...
1,1	-1,235 1...
1,01	-1,248 7...
1,001	-1,249 8...
1,000 1	-1,249 9...
⋮	⋮
↓	↓
1^+	-1,25

Il semble donc que $\lim_{x \to 1^+} f(x) = -1,25$.

D'où $\lim_{x \to 1} f(x) = -1,25$.

8. a)

x	$f(x)$
0,1	0,000 146 4
0,01	0,000 000 1
0,001	$1,464\,1 \times 10^{-8}$
⋮	⋮
↓	↓
0^+	?

x	$f(x)$
-0,1	0,000 065 6
-0,01	0
-0,001	$6,561 \times 10^{-9}$
⋮	⋮
↓	↓
0^-	?

b) et c) Laissé à l'élève.

d) $\lim_{x \to 0} (x + 0,01)^4 = \left[\lim_{x \to 0} (x + 0,01)\right]^4$ (théorème 2.5b)

$= \left[\lim_{x \to 0} x + \lim_{x \to 0} 0,01\right]^4$ (théorème 2.3a)

$= (0 + 0,01)^4$ (théorèmes 2.2b et a)

$= (0,01)^4$

9. a) $\lim_{x \to 2} \left(3x - \dfrac{x^7}{8}\right) = \lim_{x \to 2} (3x) - \lim_{x \to 2} \dfrac{x^7}{8}$ (théorème 2.3a)

$= 3\left(\lim_{x \to 2} x\right) - \dfrac{1}{8} \lim_{x \to 2} x^7$

(théorème 2.3b)

$= 3(2) - \dfrac{1}{8}(2)^7$

(théorèmes 2.2b et 2.5a)

$= -10$

b) Calculons d'abord la limite du dénominateur.

$\lim_{x \to -1} (4 + x^3)^3 = \left[\lim_{x \to -1} (4 + x^3)\right]^3$ (théorème 2.5b)

$= \left[\lim_{x \to -1} 4 + \lim_{x \to -1} x^3\right]^3$ (théorème 2.3a)

$= [4 + (-1)^3]^3$ (théorèmes 2.2a et 2.5a)

$= 27$

Ainsi, $\lim_{x \to -1} \dfrac{x}{(4 + x^3)^3} = \dfrac{\lim_{x \to -1} x}{\lim_{x \to -1} (4 + x^3)^3}$

(théorème 2.3e)

$= \dfrac{-1}{27}$ (théorème 2.2a)

c) dom $[x\sqrt{x^2 - 1}] = -\infty, -1] \cup [1, +\infty$

$\lim_{x \to 2} [x\sqrt{x^2 - 1}] = \left[\lim_{x \to 2} x\right]\left[\lim_{x \to 2} \sqrt{x^2 - 1}\right]$

(théorème 2.3d)

$= 2\sqrt{\lim_{x \to 2} (x^2 - 1)}$

(théorèmes 2.2b et 2.6)

$= 2\sqrt{\lim_{x \to 2} x^2 - \lim_{x \to 2} 1}$

(théorème 2.3c)

$= 2\sqrt{2^2 - 1}$

(théorèmes 2.5a et 2.2a)

$= 2\sqrt{3}$

d) dom $[\sqrt{4 - x^2}] = [-2, 2]$

$\lim_{x \to 2} \sqrt{4 - x^2}$ n'existe pas.

10. a) $\lim_{x \to a} [f(x) - g(x)] = \lim_{x \to a} f(x) - \lim_{x \to a} g(x)$

(théorème 2.3c)

$= 9 - (-8)$

$= 17$

b) $\lim_{x \to a} [2\,g(x)\,f(x) - 5\,h(x)]$

$= \lim_{x \to a} [2\,g(x)f(x)] - \lim_{x \to a} [5\,h(x)]$ (théorème 2.3c)

$= 2 \lim_{x \to a} [g(x)\,f(x)] - 5\left[\lim_{x \to a} h(x)\right]$ (théorème 2.3b)

$= 2\left[\lim_{x \to a} g(x)\right]\left[\lim_{x \to a} f(x)\right] - 5(0)$ (théorème 2.3d)

$= 2\,(-8)(9)$

$= -144$

c) Calculons d'abord la limite du dénominateur.

$\lim_{x\to a} \sqrt{f(x)} = \sqrt{\lim_{x\to a} f(x)}$ (théorème 2.6)

$= \sqrt{9} = 3$

Ainsi, $\lim_{x\to a} \dfrac{\sqrt[3]{g(x)}}{\sqrt{f(x)}} = \dfrac{\lim_{x\to a} \sqrt[3]{g(x)}}{\lim_{x\to a} \sqrt{f(x)}}$ (théorème 2.3e)

$= \dfrac{\sqrt[3]{\lim_{x\to a} g(x)}}{3}$ (théorème 2.6)

$= \dfrac{\sqrt[3]{-8}}{3}$

$= \dfrac{-2}{3}$

d) Calculons d'abord la limite du dénominateur.

$\lim_{x\to a} [g(x) - g(a)] = \lim_{x\to a} [g(x) - 4]$ (car $g(a) = 4$)

$= \lim_{x\to a} g(x) - \lim_{x\to a} 4$ (théorème 2.3c)

$= -8 - 4$

$= -12$ (théorème 2.2a)

Ainsi,

$\lim_{x\to a} \dfrac{f(x) - f(a)}{g(x) - g(a)} = \dfrac{\lim_{x\to a} [f(x) - 3]}{\lim_{x\to a} [g(x) - 4]}$ (théorème 2.3e et $f(a) = 3$)

$= \dfrac{\lim_{x\to a} f(x) - \lim_{x\to a} 3}{-12}$ (théorème 2.3c)

$= \dfrac{9 - 3}{-12}$ (théorème 2.2a)

$= \dfrac{-1}{2}$

11. a) $\lim_{x\to 3} (x^2 - 6x + 13) = 4$ et $\lim_{x\to 3} (-x^2 + 6x - 5) = 4$

D'où $\lim_{x\to 3} g(x) = 4$. (théorème 2.7)

b) $\lim_{x\to 4} (x^2 - 6x + 13) = 5$ et $\lim_{x\to 4} (-x^2 + 6x - 5) = 3$

D'où on ne peut pas évaluer $\lim_{x\to 4} g(x)$.

c)

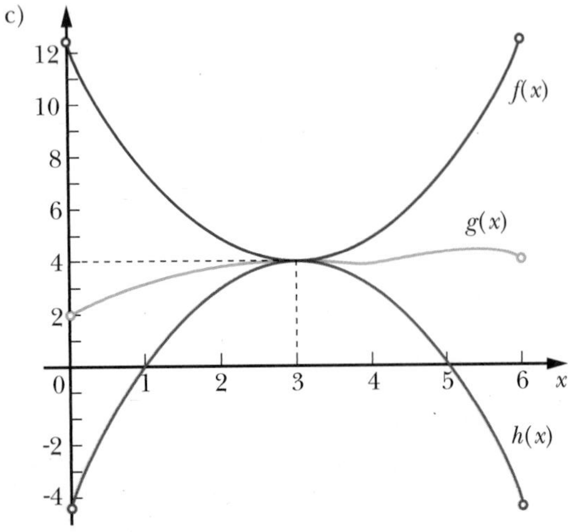

Exercices 2.2 (page 60)

1. c), d) et e)

2. a)

x	7,9	7,99	7,999	7,999 9	... $\to 8^-$
$f(x)$	0,083 682...	0,083 368...	0,083 336...	0,083 333...	... $\to 0{,}08\overline{3}$

Il semble donc que $\lim_{x\to 8^-} f(x) = 0{,}08\overline{3}$.

x	8,1	8,01	8,001	8,000 1	... $\to 8^+$
$f(x)$	0,082 988...	0,083 298...	0,083 329...	0,083 332	... $\to 0{,}08\overline{3}$

Il semble donc que $\lim_{x\to 8^+} f(x) = 0{,}08\overline{3}$.

D'où $\lim_{x\to 8} \dfrac{\sqrt[3]{x} - 2}{x - 8} = 0{,}08\overline{3}$.

b)

x	-0,5	-0,1	-0,01	-0,001	... $\to 0^-$
$f(x)$	0,958...	0,998...	0,999 9...	0,999 999...	... $\to 1$

Il semble donc que $\lim_{x\to 0^-} f(x) = 1$.

x	0,5	0,1	0,01	0,001	... $\to 0^+$
$f(x)$	0,958...	0,998...	0,999 9...	0,999 999...	... $\to 1$

Il semble donc que $\lim_{x\to 0^+} f(x) = 1$.

D'où $\lim_{x\to 0} \dfrac{\sin x}{x} = 1$.

3. a) $\lim_{x\to 0} \dfrac{x^2 + 3x}{5x}$ $\left(\text{indétermination de la forme } \dfrac{0}{0}\right)$

$\lim_{x\to 0} \dfrac{x^2 + 3x}{5x} = \lim_{x\to 0} \dfrac{x(x + 3)}{5x}$ (en factorisant)

$= \lim_{x\to 0} \dfrac{x + 3}{5}$ (en simplifiant, car $x \neq 0$)

$= \dfrac{3}{5}$ (en évaluant la limite)

b) $\lim_{u\to -5} \dfrac{u + 5}{u^2 - 25}$ $\left(\text{indétermination de la forme } \dfrac{0}{0}\right)$

$\lim_{u\to -5} \dfrac{u + 5}{u^2 - 25} = \lim_{u\to -5} \dfrac{(u + 5)}{(u + 5)(u - 5)}$ (en factorisant)

$= \lim_{u\to -5} \dfrac{1}{(u - 5)}$ (en simplifiant, car $(u + 5) \neq 0$)

$= \dfrac{-1}{10}$ (en évaluant la limite)

c) $\lim_{x\to 9} \dfrac{3 - \sqrt{x}}{x - 9}$ $\left(\text{indétermination de la forme } \dfrac{0}{0}\right)$

$\lim_{x\to 9} \dfrac{3 - \sqrt{x}}{x - 9}$

$= \lim_{x\to 9} \left[\left(\dfrac{3 - \sqrt{x}}{x - 9}\right)\left(\dfrac{3 + \sqrt{x}}{3 + \sqrt{x}}\right)\right]$ (conjugué)

$= \lim_{x\to 9} \dfrac{9 - x}{(x - 9)(3 + \sqrt{x})}$ (en effectuant)

$= \lim_{x\to 9} \dfrac{-1}{3 + \sqrt{x}}$ (en simplifiant, car $(x - 9) \neq 0$)

$= \dfrac{-1}{6}$ (en évaluant la limite)

d) $\lim\limits_{t \to -1} \dfrac{t^2 - 3t - 4}{t^3 - 1} = 0$ (en évaluant la limite)

e) $\lim\limits_{x \to 1} \dfrac{x^5 - x}{x - 1}$ $\left(\text{indétermination de la forme } \dfrac{0}{0}\right)$

$\lim\limits_{x \to 1} \dfrac{x^5 - x}{x - 1} = \lim\limits_{x \to 1} \dfrac{x(x-1)(x+1)(x^2+1)}{x - 1}$ (en factorisant)

$= \lim\limits_{x \to 1} x(x+1)(x^2+1)$ (en simplifiant, car $(x - 1) \neq 0$)

$= 4$ (en évaluant la limite)

f) $\lim\limits_{x \to 0} \dfrac{3x}{4 - (2 - x)^2}$ $\left(\text{indétermination de la forme } \dfrac{0}{0}\right)$

$\lim\limits_{x \to 0} \dfrac{3x}{4 - (2 - x)^2} = \lim\limits_{x \to 0} \dfrac{3x}{4 - (4 - 4x + x^2)}$

$= \lim\limits_{x \to 0} \dfrac{3x}{4x - x^2}$

$= \lim\limits_{x \to 0} \dfrac{3x}{x(4 - x)}$ (en factorisant)

$= \lim\limits_{x \to 0} \dfrac{3}{4 - x}$ (en simplifiant, car $x \neq 0$)

$= \dfrac{3}{4}$ (en évaluant la limite)

g) $\lim\limits_{x \to 1} \dfrac{x^2 - 1}{\dfrac{1}{x} - 1}$ $\left(\text{indétermination de la forme } \dfrac{0}{0}\right)$

$\lim\limits_{x \to 1} \dfrac{x^2 - 1}{\dfrac{1}{x} - 1} = \lim\limits_{x \to 1} \dfrac{x^2 - 1}{\dfrac{1 - x}{x}}$ (en effectuant)

$= \lim\limits_{x \to 1} \dfrac{x(x^2 - 1)}{1 - x}$

$= \lim\limits_{x \to 1} \dfrac{x(x-1)(x+1)}{-(x - 1)}$ (en factorisant)

$= \lim\limits_{x \to 1} -x(x + 1)$ (en simplifiant, car $(x - 1) \neq 0$)

$= -2$ (en évaluant la limite)

h) $\lim\limits_{x \to 2} \dfrac{x^3 - 8}{x^2 - 4}$ $\left(\text{indétermination de la forme } \dfrac{0}{0}\right)$

$\lim\limits_{x \to 2} \dfrac{x^3 - 8}{x^2 - 4}$

$= \lim\limits_{x \to 2} \dfrac{(x-2)(x^2+2x+4)}{(x-2)(x+2)}$ (en factorisant)

$= \lim\limits_{x \to 2} \dfrac{(x^2+2x+4)}{(x+2)}$ (en simplifiant, car $(x - 2) \neq 0$)

$= 3$ (en évaluant la limite)

i) $\lim\limits_{h \to 0} \dfrac{\dfrac{1}{\sqrt{x+h}} - \dfrac{1}{\sqrt{x}}}{h}$ $\left(\text{indétermination de la forme } \dfrac{0}{0}\right)$

$\lim\limits_{h \to 0} \dfrac{\dfrac{1}{\sqrt{x+h}} - \dfrac{1}{\sqrt{x}}}{h}$

$= \lim\limits_{h \to 0} \dfrac{\dfrac{\sqrt{x} - \sqrt{x+h}}{\sqrt{x+h}\sqrt{x}}}{h}$ (en effectuant)

$= \lim\limits_{h \to 0} \dfrac{\sqrt{x} - \sqrt{x+h}}{h\sqrt{x+h}\sqrt{x}}$

$= \lim\limits_{h \to 0} \left[\left(\dfrac{\sqrt{x} - \sqrt{x+h}}{h\sqrt{x+h}\sqrt{x}}\right)\left(\dfrac{\sqrt{x} + \sqrt{x+h}}{\sqrt{x} + \sqrt{x+h}}\right)\right]$ (conjugué)

$= \lim\limits_{h \to 0} \dfrac{x - (x + h)}{h\sqrt{x+h}\sqrt{x}(\sqrt{x} + \sqrt{x+h})}$ (en effectuant)

$= \lim\limits_{h \to 0} \dfrac{-h}{h\sqrt{x+h}\sqrt{x}(\sqrt{x} + \sqrt{x+h})}$

$= \lim\limits_{h \to 0} \dfrac{-1}{\sqrt{x+h}\sqrt{x}(\sqrt{x} + \sqrt{x+h})}$ (en simplifiant, car $h \neq 0$)

$= \dfrac{-1}{2x\sqrt{x}}$ (en évaluant la limite)

j) $\lim\limits_{x \to 2} \dfrac{x^5 - 2x^4 + x^2 - x - 2}{-x^3 - 2x^2 + 10x - 4}$ $\left(\begin{array}{c}\text{indétermination} \\ \text{de la forme } \dfrac{0}{0}\end{array}\right)$

$= \lim\limits_{x \to 2} \dfrac{\dfrac{x^5 - 2x^4 + x^2 - x - 2}{x - 2}}{\dfrac{-x^3 - 2x^2 + 10x - 4}{x - 2}}$ (car $(x - 2) \neq 0$)

$= \lim\limits_{x \to 2} \dfrac{x^4 + x + 1}{-x^2 - 4x + 2}$ (en effectuant)

$= \dfrac{-19}{10}$ (en évaluant la limite)

4. a) $\lim\limits_{x \to 1} \dfrac{\sqrt[4]{x} - \dfrac{1}{\sqrt[4]{x}}}{3 - 2x - x^2}$ $\left(\text{indétermination de la forme } \dfrac{0}{0}\right)$

$= \lim\limits_{x \to 1} \dfrac{\dfrac{\sqrt{x} - 1}{\sqrt[4]{x}}}{(1 - x)(x + 3)}$

$= \lim\limits_{x \to 1} \left[\left(\dfrac{\sqrt{x} - 1}{\sqrt[4]{x}(1 - x)(x + 3)}\right)\left(\dfrac{\sqrt{x} + 1}{\sqrt{x} + 1}\right)\right]$ (conjugué)

$= \lim\limits_{x \to 1} \dfrac{(x - 1)}{-\sqrt[4]{x}(x - 1)(x + 3)(\sqrt{x} + 1)}$

$= \lim\limits_{x \to 1} \dfrac{-1}{\sqrt[4]{x}(x + 3)(\sqrt{x} + 1)}$ (en simplifiant, car $(x - 1) \neq 0$)

$= \dfrac{-1}{8}$ (en évaluant la limite)

b) $\lim\limits_{t \to 9} \dfrac{3t^{\frac{-3}{2}} - \dfrac{\sqrt{t}}{27}}{t^{\frac{1}{2}} - 3}$ $\left(\text{indétermination de la forme } \dfrac{0}{0}\right)$

$$= \lim_{t\to 9} \frac{\frac{3}{t\sqrt{t}} - \frac{\sqrt{t}}{27}}{\sqrt{t} - 3}$$

$$= \lim_{t\to 9} \frac{81 - t^2}{27t\sqrt{t}(\sqrt{t} - 3)}$$

$$= \lim_{t\to 9} \left[\left(\frac{81 - t^2}{27t\sqrt{t}(\sqrt{t} - 3}\right)\left(\frac{\sqrt{t} + 3}{\sqrt{t} + 3}\right)\right] \quad \text{(conjugué)}$$

$$= \lim_{t\to 9} \frac{(9 - t)(9 + t)(\sqrt{t} + 3)}{27t\sqrt{t}(t - 9)}$$

$$= \lim_{t\to 9} \frac{-(9 + t)(\sqrt{t} + 3)}{27t\sqrt{t}} \quad \text{(en simplifiant, car } (t - 9) \neq 0\text{)}$$

$$= \frac{-4}{27} \quad \text{(en évaluant la limite)}$$

c) $\lim\limits_{x\to 2} \dfrac{\sqrt{11 - x} - 3}{2 - \sqrt{x + 2}}$ $\left(\text{indétermination de la forme } \dfrac{0}{0}\right)$

$$= \lim_{x\to 2} \left[\left(\frac{\sqrt{11 - x} - 3}{2 - \sqrt{x + 2}}\right)\left(\frac{\sqrt{11 - x} + 3}{\sqrt{11 - x} + 3}\right)\right] \quad \text{(conjugué)}$$

$$= \lim_{x\to 2} \frac{2 - x}{(2 - \sqrt{x + 2})(\sqrt{11 - x} + 3)}$$

$\left(\text{indétermination de la forme } \dfrac{0}{0}\right)$

$$= \lim_{x\to 2} \left[\left(\frac{(2 - x)}{(2 - \sqrt{x+2})(\sqrt{11 - x} + 3)}\right)\left(\frac{2 + \sqrt{x+2}}{2 + \sqrt{x+2}}\right)\right]$$

(conjugué)

$$= \lim_{x\to 2} \frac{(2 - x)(2 + \sqrt{x + 2})}{(2 - x)(\sqrt{11 - x} + 3)}$$

$$= \lim_{x\to 2} \frac{2 + \sqrt{x + 2}}{\sqrt{11 - x} + 3} \quad \text{(en simplifiant, car } (2 - x) \neq 0\text{)}$$

$$= \frac{2}{3} \quad \text{(en évaluant la limite)}$$

d) $\lim\limits_{h\to 0} \dfrac{5(x + h)^2 - 7(x + h) - 5x^2 + 7x}{h}$

$\left(\text{indétermination de la forme } \dfrac{0}{0}\right)$

$$= \lim_{h\to 0} \frac{5(x^2 + 2xh + h^2) - 7x - 7h - 5x^2 + 7x}{h}$$

$$= \lim_{h\to 0} \frac{5x^2 + 10xh + 5h^2 - 7h - 5x^2}{h}$$

$$= \lim_{h\to 0} \frac{10xh + 5h^2 - 7h}{h}$$

$$= \lim_{h\to 0} \frac{h(10x + 5h - 7)}{h}$$

$$= \lim_{h\to 0} (10x + 5h - 7) \quad \text{(en simplifiant, car } h \neq 0\text{)}$$

$$= 10x - 7 \quad \text{(en évaluant la limite)}$$

e) $\lim\limits_{\Delta x\to 0} \dfrac{\sqrt{x + \Delta x} - \sqrt{x}}{\Delta x}$ $\left(\text{indétermination de la forme } \dfrac{0}{0}\right)$

$$= \lim_{\Delta x\to 0} \left[\left(\frac{\sqrt{x + \Delta x} - \sqrt{x}}{\Delta x}\right)\left(\frac{\sqrt{x + \Delta x} + \sqrt{x}}{\sqrt{x + \Delta x} + \sqrt{x}}\right)\right]$$

(conjugué)

$$= \lim_{\Delta x\to 0} \frac{(x + \Delta x) - x}{\Delta x(\sqrt{x + \Delta x} + \sqrt{x})}$$

$$= \lim_{\Delta x\to 0} \frac{\Delta x}{\Delta x(\sqrt{x + \Delta x} + \sqrt{x})}$$

$$= \lim_{\Delta x\to 0} \frac{1}{\sqrt{x + \Delta x} + \sqrt{x}} \quad \text{(en simplifiant, car } \Delta x \neq 0\text{)}$$

$$= \frac{1}{\sqrt{x} + \sqrt{x}} \quad \text{(en évaluant la limite)}$$

$$= \frac{1}{2\sqrt{x}}$$

Exercices 2.3 (*page 71*)

1. a) $\left.\begin{array}{l}\lim\limits_{x\to -4^-} f(x) = -2 \\ \lim\limits_{x\to -4^+} f(x) = -2\end{array}\right\}$, donc $\lim\limits_{x\to -4} f(x) = -2$.

b) $\left.\begin{array}{l}\lim\limits_{x\to 2^-} f(x) = 2 \\ \lim\limits_{x\to 2^+} f(x) = -3\end{array}\right\}$, donc $\lim\limits_{x\to 2} f(x)$ n'existe pas.

c) $\left.\begin{array}{l}\lim\limits_{x\to 4^-} f(x) = 0 \\ \lim\limits_{x\to 4^+} f(x) = 0\end{array}\right\}$, donc $\lim\limits_{x\to 4} f(x) = 0$.

2. a) $f(-5)$ est non définie.

b) $f(2) = 1$

c) $f(-2) = 2$

d) $f(4)$ est non définie.

e) $\lim\limits_{x\to -2^-} f(x) = -2$

f) $\lim\limits_{x\to 2^+} f(x) = -2$

g) $\lim\limits_{x\to 2^-} f(x) = 3$

h) $\lim\limits_{x\to 2} f(x)$ n'existe pas.

i) $\lim\limits_{x\to -5} f(x) = 2$

j) $\lim\limits_{x\to -4} f(x) = 0$

3.

En $x =$	-5	-2	0	3	6
f est continue.	F	F	V	F	F
La 1[re] condition est satisfaite.	F	V	V	V	F
La 2[e] condition est satisfaite.	V	V	V	F	F
La 3[e] condition est satisfaite.	F	F	V	F	F

4. a) $\left.\begin{array}{l}\lim\limits_{x\to -5^-} f(x) = \lim\limits_{x\to -5^-} x^2 = 25 \\ \lim\limits_{x\to -5^+} f(x) = \lim\limits_{x\to -5^+} x = -5\end{array}\right\}$, donc $\lim\limits_{x\to -5} f(x)$ n'existe pas.

b) $\left.\begin{array}{l}\lim\limits_{x\to 0^-} f(x) = \lim\limits_{x\to 0^-} (1 - x) = 1 \\ \lim\limits_{x\to 0^+} f(x) = \lim\limits_{x\to 0^+} (x^2 + 4) = 4\end{array}\right\}$, donc $\lim\limits_{x\to 0} f(x)$ n'existe pas.

$\left.\begin{array}{l}\lim\limits_{x\to 3^-} f(x) = \lim\limits_{x\to 3^-} (x^2 + 4) = 13 \\ \lim\limits_{x\to 3^+} f(x) = \lim\limits_{x\to 3^+} (5x - 2) = 13\end{array}\right\}$, donc $\lim\limits_{x\to 3} f(x) = 13$.

c) $\lim_{x\to 2^-} f(x) = \lim_{x\to 2^-} \frac{x^2-4}{x-2}$ $\left(\text{Ind. } \frac{0}{0}\right)$

$= \lim_{x\to 2^-} \frac{(x-2)(x+2)}{x-2}$

$= \lim_{x\to 2^-} (x+2)$ (car $(x-2) \neq 0$)

$= 4$

$\lim_{x\to 2^+} f(x) = \lim_{x\to 2^+} 2x = 4$

, donc $\lim_{x\to 2} f(x) = 4$.

5. a) 1) $f(0) = -4$

2) $\lim_{x\to 0} f(x) = \lim_{x\to 0} (3x^2 - 4) = -4$

3) $\lim_{x\to 0} f(x) = f(0)$

D'où f est continue en $x = 0$.

b) 1) $f(-1) = 3$

2) $\lim_{x\to -1^-} f(x) = \lim_{x\to -1^-} (x+6) = 5$
$\lim_{x\to -1^+} f(x) = \lim_{x\to -1^+} 5x^2 = 5$, donc $\lim_{x\to -1} f(x) = 5$.

3) $\lim_{x\to -1} f(x) \neq f(-1)$

D'où f est discontinue en $x = -1$.

c) 1) $f(1) = 2$

2) $\lim_{x\to 1^-} f(x) = \lim_{x\to 1^-} \frac{7x^2+1}{4x} = 2$
$\lim_{x\to 1^+} f(x) = \lim_{x\to 1^+} (3x^2 - 1) = 2$, donc $\lim_{x\to 1} f(x) = 2$.

3) $\lim_{x\to 1} f(x) = f(1)$

D'où f est continue en $x = 1$.

6. a) Puisque f est une fonction polynomiale, f est continue sur IR.

b) Puisque $-2 \notin \text{dom } f$, f est discontinue en $x = -2$.

c) Puisque $\left\{3, -3, \frac{-2}{5}\right\} \notin \text{dom } f$, f est discontinue en $x = 3$, $x = -3$ et $x = \frac{-2}{5}$.

d) i) Vérifions si f est continue en $x = -1$.

1) $f(-1) = 4$

2) $\lim_{x\to -1^-} f(x) = \lim_{x\to -1^-} (2x+6) = 4$
$\lim_{x\to -1^+} f(x) = \lim_{x\to -1^+} (x^2+3) = 4$, donc $\lim_{x\to -1} f(x) = 4$.

3) $\lim_{x\to -1} f(x) = f(-1)$

D'où f est continue en $x = -1$.

ii) Vérifions si f est continue en $x = 2$.

1) $f(2) = 7$

2) $\lim_{x\to 2^-} f(x) = \lim_{x\to 2^-} (x^2+3) = 7$
$\lim_{x\to 2^+} f(x) = \lim_{x\to 2^+} (7-3x) = 1$, donc $\lim_{x\to 2} f(x)$ n'existe pas.

D'où f est discontinue en $x = 2$.

7. a) F d) F g) V
b) V e) V h) V
c) V f) F i) F

8. a) i) V; ii) F; iii) V; iv) F
b) i) F; ii) V; iii) F; iv) V
c) i) F; ii) F; iii) V; iv) V

9. Puisque f est une fonction polynomiale, f est continue sur $[-2, 2]$. Il suffit d'évaluer:

$f(-2) = 32$

$f(-1) = -3$

$f(0) = 10$

$f(1) = 23$

$f(2) = 84$

a) Il existe au moins un $c \in\,]1, 2[$ tel que $f(c) = 60$.

b) Il existe au moins un $c_1 \in\,]-2, -1[$ tel que $f(c_1) = 15$ et il existe au moins un $c_2 \in\,]0, 1[$ tel que $f(c_2) = 15$.

c) Il existe au moins un $c_3 \in\,]-2, -1[$ tel que $f(c_3) = 0$ et il existe au moins un $c_4 \in\,]-1, 0[$ tel que $f(c_4) = 0$.

d) >plot(x^6−x^4+13*x+10,x=-2..2, y=-10..90,color=orange);

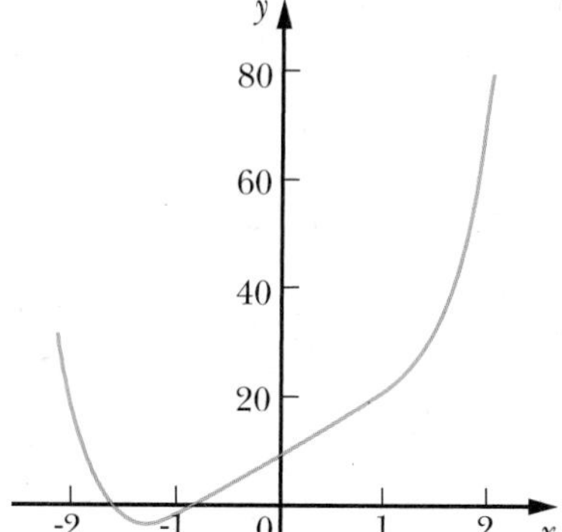

Exercices récapitulatifs *(page 75)*

1. a) 0,75 b) Environ 1,609 4

2. a) 32 d) $\frac{-1}{2}$

b) -8 e) $\frac{4}{2+\sqrt{2}} = 2(2-\sqrt{2})$

c) 12 f) $\frac{16}{961}$

4. a) $\frac{3}{2}$

b) 0

c) $\frac{-1}{16}$

d) -17

10. a) $\lim_{x \to a} h(x) = L$

b) Impossible d'évaluer $\lim_{x \to b} f(x)$.

c) $\lim_{x \to c} \frac{1}{h(x)} = \frac{1}{N}$

11. a) i) 5 ii) N'existe pas. iii) 70

b) i) 0 ii) 3 iii) N'existe pas.

c) i) N'existe pas. ii) 0

13. a) i) f est discontinue en $x = -1$.

ii) f est continue en $x = 2$.

b) g est continue en $x = 4$.

14. a) f est continue en $x = 1$, si $k = 3$.

b) f est discontinue en $x = -2$, pour tout $k \in \mathbb{R}$.

15. [7, 8]

3

Problèmes de synthèse *(page 78)*

3. a) $3a$ b) 0 c) 4

4. a) $x \to 5^+$

b) $x \to \left(\frac{2}{3}\right)^-$

c) $x \to 8^-$ et $x \to 8^+$

6. a) $a = -3$ b) $a = -3$

9. a) $k_1 = \frac{-1}{2}$ et $k_2 = \frac{-8}{3}$

b) $a = 1$ et $b = 3$

11. a) 0 b) $+\infty$ c) 4

Chapitre 3

Test préliminaire *(page 83)*

Partie A

1. a) $f(x + h) = 7(x + h) + 2 = 7x + 7h + 2$

b) $g(x + h) = 5$

c) $s(2 + h) = (2 + h)^2 - 4(2 + h) - 5 = h^2 - 9$

d) $f(-3 + h) = (-3 + h)^3 - 2(-3 + h)$
$= h^3 - 9h^2 + 25h - 21$

e) $g(x + h) = \sqrt{3 - 2(x + h)} = \sqrt{3 - 2x - 2h}$

f) $v(t + h) = \frac{t + h}{2(t + h) + 3} + 5 = \frac{11t + 11h + 15}{2t + 2h + 3}$

2. a) $\frac{(x + h)^2 - x^2}{h} = \frac{x^2 + 2xh + h^2 - x^2}{h}$

$= \frac{2xh + h^2}{h}$

$= \frac{h(2x + h)}{h}$

$= 2x + h \quad \text{si } h \neq 0$

b) $\frac{\frac{1}{(x + h)^2} - \frac{1}{x^2}}{h} = \frac{\frac{x^2 - (x^2 + 2xh + h^2)}{x^2(x + h)^2}}{h}$

$= \frac{-2xh - h^2}{x^2(x + h)^2\, h}$

$= \frac{-h(2x + h)}{x^2(x + h)^2\, h}$

$= \frac{-(2x + h)}{x^2(x + h)^2} \quad \text{si } h \neq 0$

3. a) $(a - b)(a + b)$

b) $(a - b)(a^2 + ab + b^2)$

c) $(a - b)(a + b)(a^2 + b^2)$

d) $(a^{\frac{1}{3}} - b^{\frac{1}{3}})(a^{\frac{1}{3}} + b^{\frac{1}{3}})$

e) $(a^{\frac{1}{2}} - b^{\frac{1}{2}})(a + a^{\frac{1}{2}}b^{\frac{1}{2}} + b)$

f) $(a^{\frac{1}{3}} - b^{\frac{1}{3}})(a^{\frac{2}{3}} + a^{\frac{1}{3}}b^{\frac{1}{3}} + b^{\frac{2}{3}})$

4. a) $a = -2$

b) $a = \frac{4}{3}$, car $y = \frac{4}{3}x - 3$

c) $a = \frac{-3}{4}$

d) $a = \frac{\frac{2}{3} - \left(\frac{-2}{5}\right)}{\frac{-5}{6} - \frac{3}{4}} = \frac{-64}{95}$

e) $a = \frac{f(7) - f(-2)}{7 - (-2)} = \frac{8 - 8}{9} = 0$

5. a)

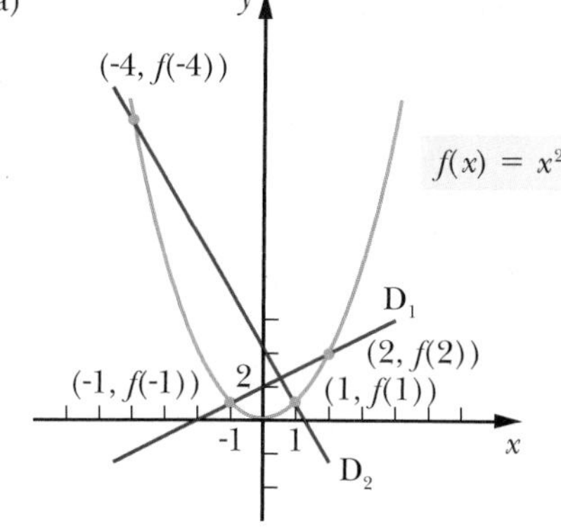

b) $a_1 = \dfrac{f(2) - f(-1)}{2 - (-1)} = 1$

c) $a_2 = \dfrac{f(-4) - f(1)}{-4 - 1} = -3$

6. a) $(\sqrt{3} - \sqrt{3 + x})(\sqrt{3} + \sqrt{3 + x}) = 3 - (3 + x) = -x$

b) $\left(\dfrac{1}{\sqrt{x}} + \dfrac{1}{5}\right)\left(\dfrac{1}{\sqrt{x}} - \dfrac{1}{5}\right) = \dfrac{1}{x} - \dfrac{1}{25} = \dfrac{25 - x}{25x}$

Partie B

1. a) $\lim\limits_{h\to 0} \dfrac{2xh + h^2}{h} = \lim\limits_{h\to 0} \dfrac{h(2x + h)}{h}$

$= \lim\limits_{h\to 0} (2x + h)$ (car $h \neq 0$)

$= 2x$

b) $\lim\limits_{x\to a} \dfrac{x^2 - a^2}{x - a} = \lim\limits_{x\to a} \dfrac{(x - a)(x + a)}{x - a}$

$= \lim\limits_{x\to a} (x + a)$ (car $(x - a) \neq 0$)

$= 2a$

c) $\lim\limits_{h\to 0} \dfrac{\sqrt{x + h} - \sqrt{x}}{h}$

$= \lim\limits_{h\to 0} \left[\left(\dfrac{\sqrt{x + h} - \sqrt{x}}{h}\right)\left(\dfrac{\sqrt{x + h} + \sqrt{x}}{\sqrt{x + h} + \sqrt{x}}\right)\right]$

$= \lim\limits_{h\to 0} \dfrac{(x + h) - x}{h(\sqrt{x + h} + \sqrt{x})}$

$= \lim\limits_{h\to 0} \dfrac{h}{h(\sqrt{x + h} + \sqrt{x})}$

$= \lim\limits_{h\to 0} \dfrac{1}{\sqrt{x + h} + \sqrt{x}}$ (car $h \neq 0$)

$= \dfrac{1}{2\sqrt{x}}$

d) $\lim\limits_{h\to 0} \dfrac{\dfrac{1}{x + h} - \dfrac{1}{x}}{h} = \lim\limits_{h\to 0} \dfrac{\dfrac{x - (x + h)}{x(x + h)}}{h}$

$= \lim\limits_{h\to 0} \dfrac{-h}{hx(x + h)}$

$= \lim\limits_{h\to 0} \dfrac{-1}{x(x + h)}$ (car $h \neq 0$)

$= \dfrac{-1}{x^2}$

Exercices

Exercices 3.1 (page 93)

1. a) $\Delta y = f(x + \Delta x) - f(x)$

b) $\text{TVM}_{[x,\, x + h]} = \dfrac{f(x + h) - f(x)}{h}$

c) … la sécante à la courbe de f passant par les points $P(x, f(x))$ et $Q(x + h, f(x + h))$.

d)

y
f(x + h)
Q
f(x + h) − f(x)
P
f(x)
h
x
x + h
x

2. a) $\Delta y = f(5) - f(-1) = 18 - (-6) = 24$

b) $\Delta y = f(3) - f(-2) = \sqrt{2} - \sqrt{7}$

c) $\Delta y = f(5) - f(2) = 7 - 7 = 0$

d) $\Delta y = f(-1 + h) - f(-1)$

$= [(-1 + h)^2 - 3(-1 + h)] - 4$

$= 1 - 2h + h^2 + 3 - 3h - 4$

$= h^2 - 5h$

e) $\Delta y = f(x + h) - f(x)$

$= \dfrac{1}{x + h} - \dfrac{1}{x}$

$= \dfrac{x - (x + h)}{(x + h)x}$

$= \dfrac{-h}{(x + h)x}$

3. a) $\text{TVM}_{[x,\, x + h]} = \dfrac{[-(x + h)^2 + 8(x + h) + 2] - (-x^2 + 8x + 2)}{h}$

$= \dfrac{-x^2 - 2xh - h^2 + 8x + 8h + 2 + x^2 - 8x - 2}{h}$

$= \dfrac{-2xh - h^2 + 8h}{h} = \dfrac{h(-2x - h + 8)}{h}$

$= -2x - h + 8$ ($h \neq 0$)

b) $\text{TVM}_{[x,\, x + \Delta x]} = \dfrac{(-5) - (-5)}{\Delta x}$

$= 0$ (car $\Delta x \neq 0$)

c) $\text{TVM}_{[x,\, x+h]} = \dfrac{[(x+h)^3 - 2(x+h)] - (x^3 - 2x)}{h}$

$= \dfrac{x^3 + 3x^2h + 3xh^2 + h^3 - 2x - 2h - x^3 + 2x}{h}$

$= \dfrac{3x^2h + 3xh^2 + h^3 - 2h}{h}$

$= \dfrac{h(3x^2 + 3xh + h^2 - 2)}{h}$

$= 3x^2 + 3xh + h^2 - 2 \quad (h \neq 0)$

3

d) $\text{TVM}_{[t,\, t+\Delta t]} = \dfrac{\dfrac{5}{4(t+\Delta t) - 1} - \dfrac{5}{4t - 1}}{\Delta t}$

$= \dfrac{5(4t-1) - 5[4(t+\Delta t) - 1]}{[4(t+\Delta t) - 1](4t-1)}\,\dfrac{1}{\Delta t}$

$= \dfrac{20t - 5 - 20t - 20\Delta t + 5}{[4(t+\Delta t) - 1](4t-1)\,\Delta t}$

$= \dfrac{-20\Delta t}{[4(t+\Delta t) - 1](4t-1)\,\Delta t}$

$= \dfrac{-20}{[4(t+\Delta t) - 1](4t-1)} \quad (\Delta t \neq 0)$

e) $\text{TVM}_{[x,\, x+h]} = \dfrac{\sqrt{5(x+h) - 3} - \sqrt{5x - 3}}{h}$

$= \dfrac{\sqrt{5(x+h) - 3} - \sqrt{5x - 3}}{h} \times \dfrac{\sqrt{5(x+h) - 3} + \sqrt{5x - 3}}{\sqrt{5(x+h) - 3} + \sqrt{5x - 3}}$

$= \dfrac{[5(x+h) - 3] - (5x - 3)}{h(\sqrt{5(x+h) - 3} + \sqrt{5x - 3})}$

$= \dfrac{5}{\sqrt{5(x+h) - 3} + \sqrt{5x - 3}} \quad (h \neq 0)$

f) $\text{TVM}_{[x,\, x+\Delta x]} = \dfrac{\dfrac{1}{\sqrt{x+\Delta x}} - \dfrac{1}{\sqrt{x}}}{\Delta x}$

$= \dfrac{\dfrac{\sqrt{x} - \sqrt{x+\Delta x}}{\sqrt{x+\Delta x}\sqrt{x}}}{\Delta x}$

$= \dfrac{\left(\dfrac{\sqrt{x} - \sqrt{x+\Delta x}}{\sqrt{x+\Delta x}\sqrt{x}}\right)\left(\dfrac{\sqrt{x} + \sqrt{x+\Delta x}}{\sqrt{x} + \sqrt{x+\Delta x}}\right)}{\Delta x}$

$= \dfrac{x - (x+\Delta x)}{\sqrt{x+\Delta x}\sqrt{x}(\sqrt{x} + \sqrt{x+\Delta x})}\,\dfrac{1}{\Delta x}$

$= \dfrac{-\Delta x}{\sqrt{x+\Delta x}\sqrt{x}(\sqrt{x} + \sqrt{x+\Delta x})}\,\dfrac{1}{\Delta x}$

$= \dfrac{-1}{\sqrt{x+\Delta x}\sqrt{x}(\sqrt{x} + \sqrt{x+\Delta x})}$

$(\Delta x \neq 0)$

4. a) $\dfrac{\Delta y}{\Delta x} = \dfrac{f(x+\Delta x) - f(x)}{\Delta x}$

$= \dfrac{[2(x+\Delta x)^2 - 7(x+\Delta x) + 4] - [2x^2 - 7x + 4]}{\Delta x}$

$= 4x + 2\Delta x - 7$ (après simplifications et $\Delta x \neq 0$)

b) $\dfrac{\Delta x}{\Delta t} = \dfrac{x(t+\Delta t) - x(t)}{\Delta t}$

$= \dfrac{\dfrac{t+\Delta t}{1 - 3(t+\Delta t)} - \dfrac{t}{1 - 3t}}{\Delta t}$

$= \dfrac{1}{(1 - 3t - 3\Delta t)(1 - 3t)}$ (après simplifications et $\Delta t \neq 0$)

5. a) $\text{TVM}_{[2,\, 2+h]} = \dfrac{f(2+h) - f(2)}{h}$

$= \dfrac{(2+h)^3 - 1 - (8 - 1)}{h}$

$= \dfrac{8 + 12h + 6h^2 + h^3 - 1 - 7}{h}$

$= \dfrac{h(h^2 + 6h + 12)}{h}$

$= h^2 + 6h + 12 \quad (h \neq 0)$

En remplaçant h par 3, nous obtenons $\text{TVM}_{[2,\, 5]} = (3)^2 + 6(3) + 12 = 39$.

b) $\text{TVM}_{[0,\, \Delta t]} = \dfrac{f(0+\Delta t) - f(0)}{\Delta t}$

$= \dfrac{\sqrt{3 - \Delta t} - \sqrt{3}}{\Delta t}$

$= \dfrac{\sqrt{3 - \Delta t} - \sqrt{3}}{\Delta t}\left(\dfrac{\sqrt{3 - \Delta t} + \sqrt{3}}{\sqrt{3 - \Delta t} + \sqrt{3}}\right)$

$= \dfrac{3 - \Delta t - 3}{\Delta t(\sqrt{3 - \Delta t} + \sqrt{3})}$

$= \dfrac{-1}{\sqrt{3 - \Delta t} + \sqrt{3}} \quad (\Delta t \neq 0)$

En remplaçant Δt par 2, nous obtenons $\left.\dfrac{\Delta x}{\Delta t}\right|_{[0,\, 2]} = \dfrac{-1}{\sqrt{3 - 2} + \sqrt{3}} = \dfrac{-1}{1 + \sqrt{3}}$.

c) $\text{TVM}_{[1,\, 1+\Delta x]} = \dfrac{f(1+\Delta x) - f(1)}{\Delta x}$

$= \dfrac{[3(1+\Delta x) - (1+\Delta x)^2] - (3 - 1)}{\Delta x}$

$= \dfrac{3 + 3\Delta x - 1 - 2\Delta x - (\Delta x)^2 - 2}{\Delta x}$

$= \dfrac{\Delta x(1 - \Delta x)}{\Delta x} = 1 - \Delta x \quad (\Delta x \neq 0)$

$m_{sec} = \text{TVM}_{[1,\, 3]}$

$= \dfrac{2(1 - 2)}{2}$ (en remplaçant Δx par 2)

$= -1$

6. a) $\text{TVM}_{[x,\, x+h]} = \dfrac{f(x+h) - f(x)}{h}$

$= \dfrac{[(x+h)^2 - 3(x+h) - 4] - [x^2 - 3x - 4]}{h}$

$= 2x - 3 + h$

(après simplifications et $h \neq 0$)

b) i) En remplaçant x par -2, $\text{TVM}_{[-2,\, -2+h]} = -7 + h$

ii) En remplaçant x par -2 et h par 3, $\text{TVM}_{[-2,\, 1]} = -4$

iii) En remplaçant x par 5 et h par 2, $\text{TVM}_{[5,\, 7]} = 9$

iv) En remplaçant x par $\dfrac{-5}{4}$ et h par $\dfrac{11}{12}$,

$\text{TVM}_{\left[\frac{-5}{4},\, \frac{-1}{3}\right]} = \dfrac{-55}{12}$

c) i) $m_{\text{sec}} = \text{TVM}_{[-2,\, 1]} = -4$ ii) $m_{\text{sec}} = \text{TVM}_{[5,\, 7]} = 9$

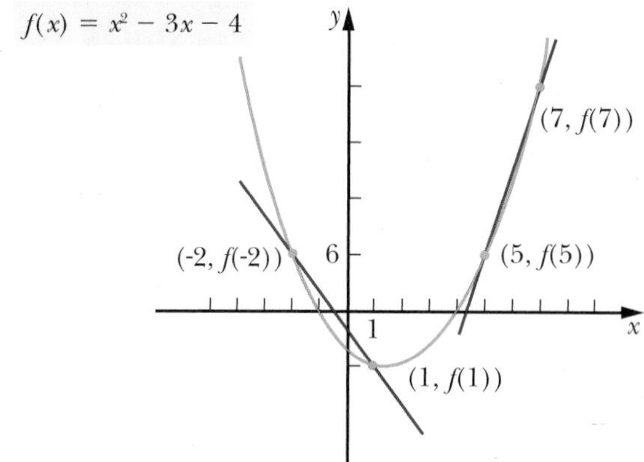

7. a) $\text{TVM}_{[1\text{ m},\, 2\text{ m}]} = \dfrac{V(2) - V(1)}{2 - 1} = 7\text{ m}^3/\text{m}$

b) $\text{TVM}_{[1\text{ m},\, 3\text{ m}]} = \dfrac{V(3) - V(1)}{3 - 1} = 13\text{ m}^3/\text{m}$

c) $\text{TVM}_{[2\text{ m},\, 3\text{ m}]} = \dfrac{V(3) - V(2)}{3 - 2} = 19\text{ m}^3/\text{m}$

d) $\text{TVM}_{[a\text{ m},\, b\text{ m}]} = \dfrac{V(b) - V(a)}{b - a} = \dfrac{b^3 - a^3}{b - a}$

$= (b^2 + ba + a^2)\text{ m}^3/\text{m}$

8. a) Lorsque $h = 12$ cm, $V(r) = 12\pi r^2$,

$\text{TVM}_{[5\text{ cm},\, 6\text{ cm}]} = \dfrac{V(6) - V(5)}{6 - 5} = 132\pi\text{ cm}^3/\text{cm}$

b) Lorsque $r = 12$ cm, $V(h) = 144\pi h$,

$\text{TVM}_{[5\text{ cm},\, 6\text{ cm}]} = \dfrac{V(6) - V(5)}{6 - 5} = 144\pi\text{ cm}^3/\text{cm}$

9. a) Environ 8 580 − 8 500 = 80 unités

$\text{TVM}_{[10\text{ h},\, 12\text{ h}]} \approx \dfrac{80}{2} = 40\text{ u/h}$

b) Environ 8 510 − 8 570 = -60 unités

$\text{TVM}_{[9\text{ h},\, 13\text{ h}]} \approx \dfrac{-60}{4} = -15\text{ u/h}$

c) Environ 8 600 − 8 570 = 30 unités

$\text{TVM}_{[9\text{ h},\, 16\text{ h}]} \approx \dfrac{30}{7} = 4{,}28\ldots\text{ u/h}$

d) Environ 11 080 − 10 580 = 500 unités

$\text{TVM}_{[\text{mardi, jeudi}]} \approx \dfrac{500}{2} = 250\text{ u/jour}$

e) Environ 10 250 − 10 250 = 0 unité

$\text{TVM}_{[\text{juill., oct.}]} \approx \dfrac{0}{3} = 0\text{ u/mois}$

f) $\text{TVM}_{[9\text{ h},\, 10\text{ h}]} \approx \dfrac{8\,500 - 8\,570}{10 - 9} = -70\text{ u/h}$

g) $\text{TVM}_{[\text{mercr., jeudi}]} \approx \dfrac{11\,080 - 10\,720}{1} = 360\text{ u/jour}$

10. a) TVM des ventes de 1999 à 2004 $\approx \dfrac{20 - 10}{2004 - 1999}$

$= \dfrac{10}{5} = 2$ milliards $/année

b) TVM des exportations de 2003 à 2005

$\approx \dfrac{20 - 13}{2005 - 2003} = \dfrac{7}{2} = 3{,}5$ milliards $/année

c) TVM des emplois de 1997 à 2005

$\approx \dfrac{93\,000 - 52\,000}{2005 - 1997} = \dfrac{41\,000}{8} = 5\,125$ emplois/année

11. a) Pente du premier segment de droite

$= \dfrac{5\text{ km} - 0\text{ km}}{5\text{ min} - 0\text{ min}}$

$= 1$ km/min ;

0,3 km/min ; 0 km/min ; -0,5 km/min ; -0,3 km/min.

b) $v_{[0\text{ min},\, 5\text{ min}]} = \dfrac{5\text{ km} - 0\text{ km}}{5\text{ min} - 0\text{ min}} = 1$ km/min ;

0,3 km/min ; 0 km/min ; -0,5 km/min ; -0,3 km/min.

c) Elles sont identiques.

12. a) $v_{[0\text{ s},\, 2\text{ s}]} = \dfrac{x(2) - x(0)}{2 - 0}$

$= \dfrac{44{,}1 - 24{,}5}{2} = 9{,}8\text{ m/s}$

b) $v_{[0\text{ s},\, 4\text{ s}]} = \dfrac{x(4) - x(0)}{4 - 0}$

$= \dfrac{24{,}5 - 24{,}5}{4} = 0\text{ m/s}$

c) $v_{[2\text{ s},\, 4\text{ s}]} = \dfrac{x(4) - x(2)}{4 - 2}$

$= \dfrac{24{,}5 - 44{,}1}{2} = -9{,}8\text{ m/s}$

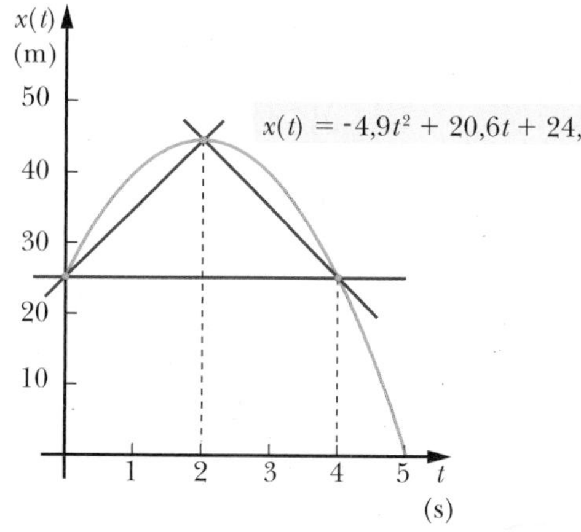

13. a) $v_{[3\text{ s}, 6\text{ s}]} = \dfrac{x(6) - x(3)}{6 - 3} = \dfrac{21 - 6}{3} = 5 \text{ m/s}$

b) $v_{[3\text{ s}, 5\text{ s}]} = \dfrac{x(5) - x(3)}{5 - 3} = \dfrac{\frac{625}{81} + 5 - 6}{2} \approx 3{,}36 \text{ m/s}$

c) $v_{[3\text{ s}, 4\text{ s}]} = \dfrac{x(4) - x(3)}{4 - 3} = \dfrac{\frac{256}{81} + 5 - 6}{1} \approx 2{,}16 \text{ m/s}$

d) $v_{[3\text{ s}, 3{,}3\text{ s}]} = \dfrac{x(3{,}3) - x(3)}{3{,}3 - 3} = \dfrac{6{,}464\,1 - 6}{0{,}3}$

$= 1{,}547 \text{ m/s}$

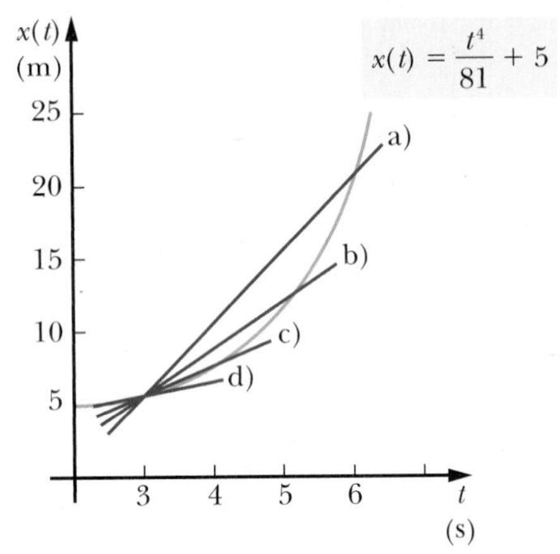

Exercices 3.2 (page 109)

1. Les droites tangentes sont D_2, D_5, D_6 et D_{10}.

2. a) i) $f'(0) = \lim\limits_{h \to 0} \dfrac{f(0 + h) - f(0)}{h}$

$= \lim\limits_{h \to 0} \dfrac{(h^2 - 4) - (-4)}{h}$

$= \lim\limits_{h \to 0} \dfrac{h^2}{h}$

$= \lim\limits_{h \to 0} h \quad (\text{car } h \neq 0)$

$= 0$

La pente de la tangente à la courbe de f au point A(0, -4) est égale à 0.

ii) $\text{TVI}_{x=3} = f'(3)$

$= \lim\limits_{h \to 0} \dfrac{f(3 + h) - f(3)}{h}$

$= \lim\limits_{h \to 0} \dfrac{[(3 + h)^2 - 4] - (5)}{h}$

$= \lim\limits_{h \to 0} \dfrac{9 + 6h + h^2 - 9}{h}$

$= \lim\limits_{h \to 0} \dfrac{6h + h^2}{h}$

$= \lim\limits_{h \to 0} \dfrac{h(6 + h)}{h}$

$= \lim\limits_{h \to 0} (6 + h) \quad (\text{car } h \neq 0)$

$= 6$

La pente de la tangente à la courbe de f au point B(3, 5) est égale à 6.

iii)

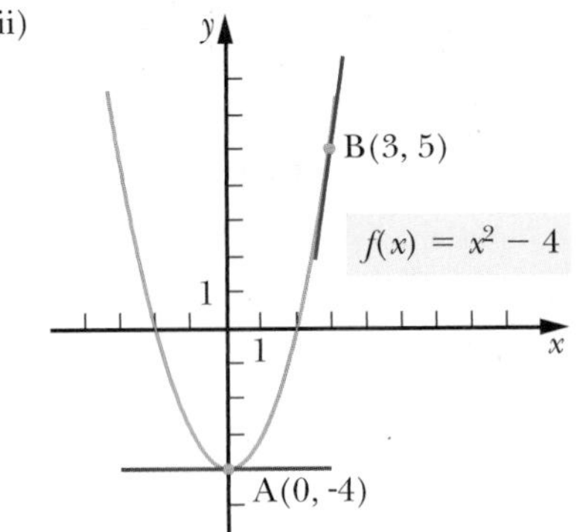

b) i) $\text{TVI}_{x=-2} = g'(-2)$

$= \lim\limits_{\Delta x \to 0} \dfrac{g(-2 + \Delta x) - g(-2)}{\Delta x}$

$= \lim\limits_{\Delta x \to 0} \dfrac{[4 - 2(-2 + \Delta x)] - 8}{\Delta x}$

$= \lim\limits_{\Delta x \to 0} \dfrac{-2\Delta x}{\Delta x}$

$= \lim\limits_{\Delta x \to 0} (-2) \quad (\text{car } \Delta x \neq 0)$

$= -2$

ii) $g'(3) = \lim\limits_{\Delta x \to 0} \dfrac{g(3 + \Delta x) - g(3)}{\Delta x}$

$= \lim\limits_{\Delta x \to 0} \dfrac{[4 - 2(3 + \Delta x)] - (-2)}{\Delta x}$

$= \lim\limits_{\Delta x \to 0} \dfrac{-2\Delta x}{\Delta x}$

$= \lim\limits_{\Delta x \to 0} (-2) \quad (\text{car } \Delta x \neq 0)$

$= -2$

iii) Les tangentes sont confondues avec la droite.

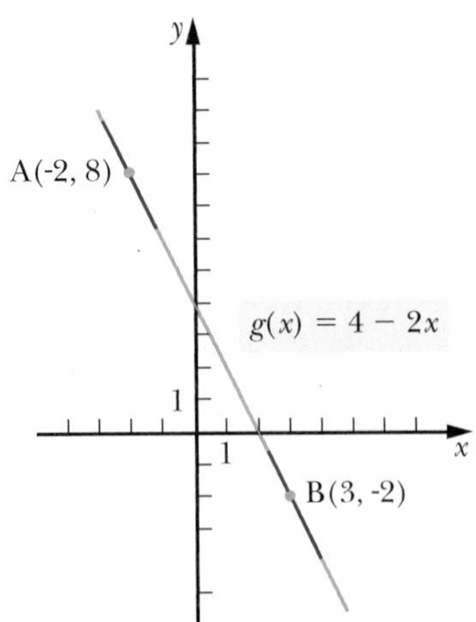

c) i) $h'(5) = \lim\limits_{x \to 5} \dfrac{h(x) - h(5)}{x - 5}$

$= \lim\limits_{x \to 5} \dfrac{(4 + \sqrt{x}) - (4 + \sqrt{5})}{x - 5}$

$$= \lim_{x \to 5} \frac{\sqrt{x} - \sqrt{5}}{x - 5}$$

$$= \lim_{x \to 5} \left[\left(\frac{\sqrt{x} - \sqrt{5}}{x - 5}\right)\left(\frac{\sqrt{x} + \sqrt{5}}{\sqrt{x} + \sqrt{5}}\right)\right]$$

$$= \lim_{x \to 5} \frac{(x - 5)}{(x - 5)(\sqrt{x} + \sqrt{5})}$$

$$= \lim_{x \to 5} \frac{1}{\sqrt{x} + \sqrt{5}} \quad (\text{car } x \neq 5)$$

$$= \frac{1}{2\sqrt{5}}$$

ii) $k'(-1) = \lim_{x \to -1} \frac{k(x) - k(-1)}{x - (-1)}$

$$= \lim_{x \to -1} \frac{x^4 - (-1)^4}{x + 1}$$

$$= \lim_{x \to -1} \frac{x^4 - 1}{x + 1}$$

$$= \lim_{x \to -1} \frac{(x - 1)(x + 1)(x^2 + 1)}{(x + 1)}$$

$$= \lim_{x \to -1} (x - 1)(x^2 + 1) \quad (\text{car } x \neq -1)$$

$$= -4$$

3. a) $f'(-1) = \lim_{h \to 0} \frac{f(-1 + h) - f(-1)}{h}$

$$= \lim_{h \to 0} \frac{[(-1 + h)^3 + 1] - 0}{h}$$

$$= \lim_{h \to 0} \frac{-1 + 3h - 3h^2 + h^3 + 1}{h}$$

$$= \lim_{h \to 0} \frac{3h - 3h^2 + h^3}{h}$$

$$= \lim_{h \to 0} \frac{h(3 - 3h + h^2)}{h}$$

$$= \lim_{h \to 0} (3 - 3h + h^2) \quad (\text{car } h \neq 0)$$

$$= 3$$

b) $f'(0) = \lim_{h \to 0} \frac{f(0 + h) - f(0)}{h}$

$$= \lim_{h \to 0} \frac{(h^3 + 1) - 1}{h}$$

$$= \lim_{h \to 0} \frac{h^3}{h}$$

$$= \lim_{h \to 0} h^2 \quad (\text{car } h \neq 0)$$

$$= 0$$

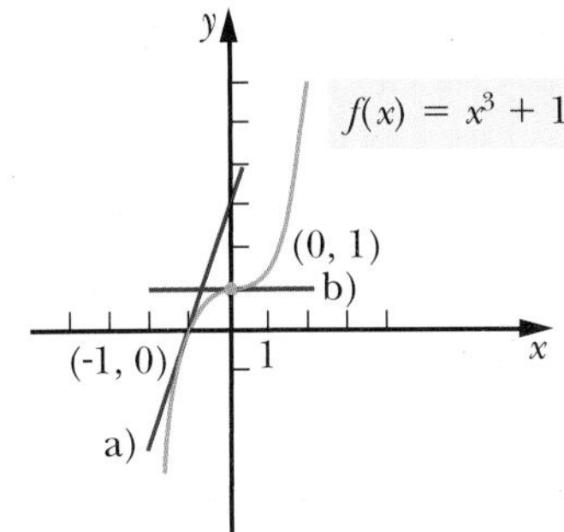

c) $g'(3) = \lim_{h \to 0} \frac{g(3 + h) - g(3)}{h}$

$$= \lim_{h \to 0} \frac{5 - 5}{h}$$

$$= \lim_{h \to 0} \frac{0}{h}$$

$$= \lim_{h \to 0} 0 \quad (\text{car } h \neq 0)$$

$$= 0$$

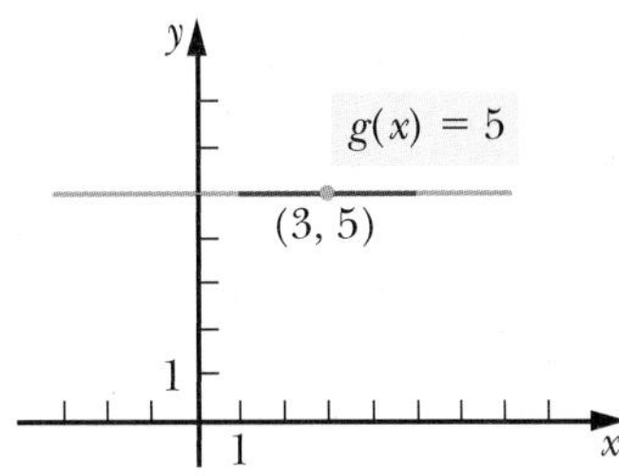

d) $k'(-4) = \lim_{h \to 0} \frac{k(-4 + h) - k(-4)}{h}$

$$= \lim_{h \to 0} \frac{(-2) - (-2)}{h}$$

$$= \lim_{h \to 0} \frac{0}{h}$$

$$= \lim_{h \to 0} 0 \quad (\text{car } h \neq 0)$$

$$= 0$$

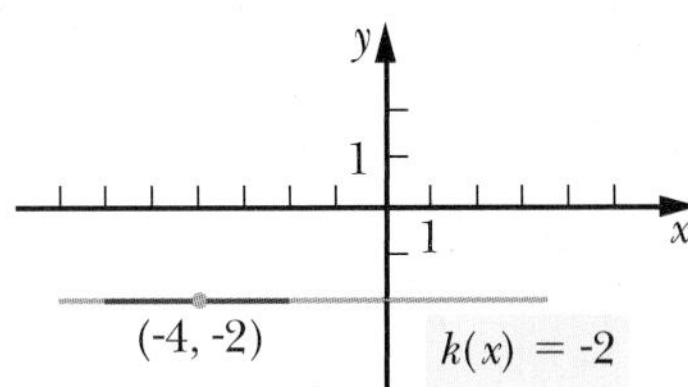

4. a) $m_{\tan\,(-2,\, f(-2))} = f'(-2)$

$$= \lim_{h \to 0} \frac{f(-2 + h) - f(-2)}{h}$$

$$= \lim_{h \to 0} \frac{\sqrt{2 + h} - \sqrt{2}}{h}$$

$$= \lim_{h \to 0} \left[\left(\frac{\sqrt{2 + h} - \sqrt{2}}{h}\right)\left(\frac{\sqrt{2 + h} + \sqrt{2}}{\sqrt{2 + h} + \sqrt{2}}\right)\right]$$

$$= \lim_{h \to 0} \frac{(2 + h) - 2}{h(\sqrt{2 + h} + \sqrt{2})}$$

$$= \lim_{h \to 0} \frac{h}{h(\sqrt{2 + h} + \sqrt{2})}$$

$$= \lim_{h \to 0} \frac{1}{\sqrt{2 + h} + \sqrt{2}} \quad (\text{car } h \neq 0)$$

$$= \frac{1}{2\sqrt{2}}$$

$$\frac{y - f(-2)}{x - (-2)} = f'(-2)$$

$$\frac{y - \sqrt{2}}{x + 2} = \frac{1}{2\sqrt{2}}$$

$$y = \frac{1}{2\sqrt{2}}(x + 2) + \sqrt{2}$$

D'où $y = \dfrac{1}{2\sqrt{2}}x + \dfrac{3}{\sqrt{2}}$.

b) $m_{\tan\,(2,\,f(2))} = \lim\limits_{h \to 0} \dfrac{f(2 + h) - f(2)}{h}$

$$= \lim_{h \to 0} \frac{[(2 + h)^2 - 6(2 + h) + 13] - 5}{h}$$

$$= \lim_{h \to 0} \frac{4 + 4h + h^2 - 12 - 6h + 13 - 5}{h}$$

$$= \lim_{h \to 0} \frac{-2h + h^2}{h}$$

$$= \lim_{h \to 0} \frac{h(-2 + h)}{h}$$

$$= \lim_{h \to 0} (-2 + h) \quad \text{(car } h \neq 0\text{)}$$

$$= -2$$

$$\frac{y - f(2)}{x - 2} = f'(2)$$

$$\frac{y - 5}{x - 2} = -2$$

$$y = -2(x - 2) + 5$$

D'où $y = -2x + 9$.

5. $\text{TVI}_{x=2} = f'(2)$

$$= \lim_{x \to 2} \frac{f(x) - f(2)}{x - 2}$$

$$= \lim_{x \to 2} \frac{\dfrac{1}{\sqrt{2x + 1}} - \dfrac{1}{\sqrt{5}}}{x - 2}$$

$$= \lim_{x \to 2} \frac{\sqrt{5} - \sqrt{2x + 1}}{(x - 2)\sqrt{2x + 1}\sqrt{5}}$$

$$= \lim_{x \to 2} \left[\left(\frac{\sqrt{5} - \sqrt{2x + 1}}{(x - 2)\sqrt{2x + 1}\sqrt{5}}\right)\left(\frac{\sqrt{5} + \sqrt{2x + 1}}{\sqrt{5} + \sqrt{2x + 1}}\right)\right]$$

$$= \lim_{x \to 2} \frac{5 - (2x + 1)}{(x - 2)\sqrt{2x + 1}\sqrt{5}(\sqrt{5} + \sqrt{2x + 1})}$$

$$= \lim_{x \to 2} \frac{-2(x - 2)}{(x - 2)\sqrt{2x + 1}\sqrt{5}(\sqrt{5} + \sqrt{2x + 1})}$$

$$= \lim_{x \to 2} \frac{-2}{\sqrt{2x + 1}\sqrt{5}(\sqrt{5} + \sqrt{2x + 1})} \quad \text{(car } x \neq 2\text{)}$$

$$= \frac{-1}{5\sqrt{5}}$$

6. a)

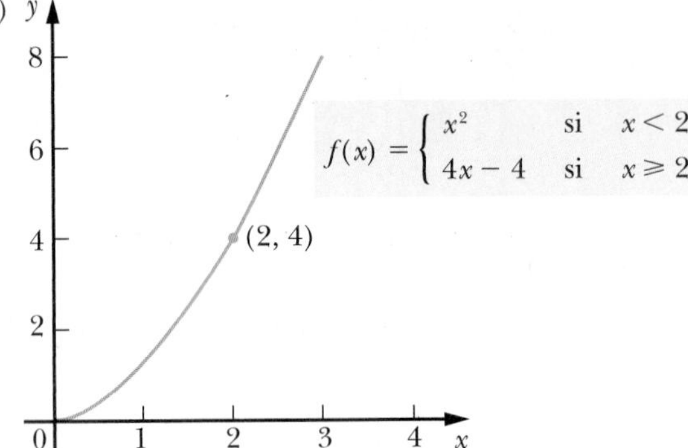

$$f(x) = \begin{cases} x^2 & \text{si } x < 2 \\ 4x - 4 & \text{si } x \geq 2 \end{cases}$$

Par définition, $f'(2) = \lim\limits_{x \to 2} \dfrac{f(x) - f(2)}{x - 2}$, si cette limite existe.

Puisque f est définie par parties, il faut calculer la limite à gauche et la limite à droite.

$$\lim_{x \to 2^-} \frac{f(x) - f(2)}{x - 2} = \lim_{x \to 2^-} \frac{x^2 - 4}{x - 2}$$

$$= \lim_{x \to 2^-} \frac{(x - 2)(x + 2)}{(x - 2)}$$

$$= \lim_{x \to 2^-} (x + 2) \quad \text{(car } x \neq 2\text{)}$$

$$= 4$$

$$\lim_{x \to 2^+} \frac{f(x) - f(2)}{x - 2} = \lim_{x \to 2^+} \frac{4x - 4 - 4}{x - 2}$$

$$= \lim_{x \to 2^+} \frac{4(x - 2)}{(x - 2)}$$

$$= \lim_{x \to 2^+} 4 \quad \text{(car } x \neq 2\text{)}$$

$$= 4$$

donc, $\lim\limits_{x \to 2} \dfrac{f(x) - f(2)}{x - 2} = 4$

D'où $f'(2) = 4$.

b)

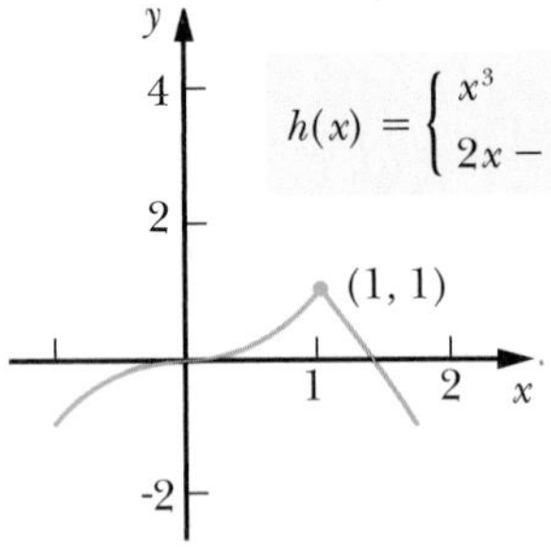

$$h(x) = \begin{cases} x^3 & \text{si } x \leq 1 \\ 2x - 2 & \text{si } x > 1 \end{cases}$$

(1, 1)

Par définition $h'(1) = \lim\limits_{x \to 1} \dfrac{h(x) - h(1)}{x - 1}$, si cette limite existe.

Calculons la limite à gauche et la limite à droite.

$$\lim_{x \to 1^-} \frac{h(x) - h(1)}{x - 1} = \lim_{x \to 1^-} \frac{x^3 - 1}{x - 1}$$

$$= \lim_{x \to 1^-} (x^2 + x + 1) \quad \text{(car } x \neq 1\text{)}$$

$$= 3$$

$$\lim_{x\to 1^+} \frac{h(x) - h(1)}{x - 1} = \lim_{x\to 1^+} \frac{(2 - x^2) - 1}{x - 1}$$
$$= \lim_{x\to 1^+} \frac{1 - x^2}{x - 1}$$
$$= \lim_{x\to 1^+} \frac{(1 - x)(1 + x)}{-(1 - x)}$$
$$= \lim_{x\to 1^+} -(1 + x) \quad (\text{car } x \neq 1)$$
$$= -2$$

Ainsi, $\lim_{x\to 1} \frac{h(x) - h(1)}{x - 1}$ n'existe pas.

D'où $h'(1)$ est non définie.

7. Laissé à l'élève.

8. a) Si $\Delta t = 1$ s, $v_{[2\text{ s}, 3\text{ s}]} = \frac{x(3) - x(2)}{3 - 2} = \frac{65,9 - 60,4}{1}$
$= 5,5$ m/s

Si $\Delta t = 0,1$ s, $v_{[2\text{ s}, 2,1\text{ s}]} = \frac{x(2,1) - x(2)}{2,1 - 2}$
$= \frac{61,391 - 60,4}{0,1} = 9,91$ m/s

Si $\Delta t = 0,01$ s, $v_{[2\text{ s}, 2,01\text{ s}]} = \frac{x(2,01) - x(2)}{2,01 - 2}$
$= \frac{60,503\,51 - 60,4}{0,01} = 10,351$ m/s

Si $\Delta t = 0,001$ s, $v_{[2\text{ s}, 2,001\text{ s}]} = 10,395\,1$ m/s

Si $\Delta t = 0,000\,1$ s, $v_{[2\text{ s}, 2,000\,1\text{ s}]} \approx 10,399\,6$ m/s

Ainsi, il semble que

$$\lim_{\Delta t\to 0^+} \frac{x(2 + \Delta t) - x(2)}{\Delta t} = 10,4 \text{ m/s}$$

L'élève peut vérifier que nous obtenons le même résultat lorsque $\Delta t \to 0^-$.

D'où $v_{t = 2\text{ s}} = 10,4$ m/s.

b) $v_{t = 2\text{ s}} = \lim_{\Delta t\to 0} \frac{x(2 + \Delta t) - x(2)}{\Delta t}$
$$= \lim_{\Delta t\to 0} \frac{[-4,9(2 + \Delta t)^2 + 30(2 + \Delta t) + 20] - 60,4}{\Delta t}$$
$$= \lim_{\Delta t\to 0} \frac{-4,9(4 + 4\Delta t + (\Delta t)^2) + 60 + 30\Delta t + 20 - 60,4}{\Delta t}$$
$$= \lim_{\Delta t\to 0} \frac{-19,6\Delta t - 4,9(\Delta t)^2 + 30\Delta t}{\Delta t}$$
$$= \lim_{\Delta t\to 0} \frac{\Delta t(10,4 - 4,9\Delta t)}{\Delta t}$$
$$= \lim_{\Delta t\to 0} (10,4 - 4,9\Delta t) \quad (\text{car } \Delta t \neq 0)$$
$$= 10,4 \text{ m/s}$$

c) $v_{t = 4\text{ s}} = -9,2$ m/s

d)

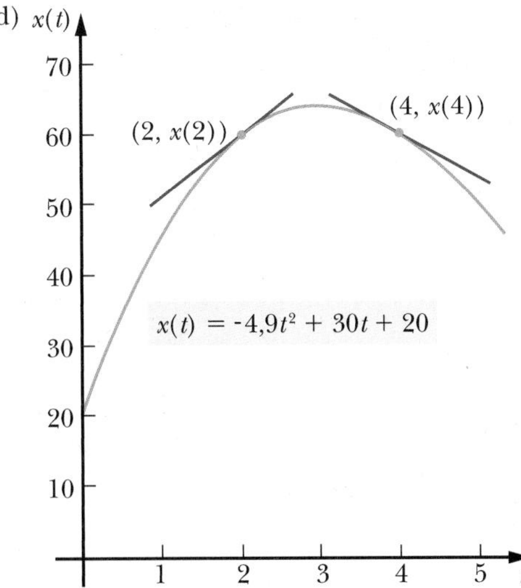

9. a) $v_{t = 6\text{ h}}$ = pente de la tangente à la courbe au point P(6, $x(6)$).

Ainsi, $v_{t = 6\text{ h}} = 0$ km/h, car la tangente est parallèle à l'axe horizontal.

b) $v_{t = 3\text{ h}} > 0$, car la pente de la tangente à la courbe au point Q(3, $x(3)$) est positive.

10. a) $f(-1) < 0$

b) $f'(-1) > 0$

c) $f(1) > 0$

d) $f'(1) = 0$

e) $f(2) > 0$

f) $f'(2) < 0$

Exercices 3.3 *(page 116)*

1. $f'(x)$ correspond à la pente de la tangente à la courbe de f au point $(x, f(x))$.

2. a) $f(0) = 10$ et $f'(0) = 3$

b) $g(0) = 1$ et $g'(0) = 0$

c) $g(-1) = 0$ et $g'(-1)$ est non définie.

3. a) $f'(x) = \lim_{h\to 0} \frac{f(x + h) - f(x)}{h}$
$$= \lim_{h\to 0} \frac{x + h - x}{h}$$
$$= \lim_{h\to 0} \frac{h}{h}$$
$$= \lim_{h\to 0} 1 \quad (\text{car } h \neq 0)$$
$$= 1$$

b) $f'(x) = \lim_{h\to 0} \frac{f(x + h) - f(x)}{h}$
$$= \lim_{h\to 0} \frac{[(x + h)^2 + 2(x + h) - 3] - (x^2 + 2x - 3)}{h}$$
$$= \lim_{h\to 0} \frac{x^2 + 2xh + h^2 + 2x + 2h - 3 - x^2 - 2x + 3}{h}$$

$= \lim\limits_{h \to 0} \dfrac{h(2x + h + 2)}{h}$

$= \lim\limits_{h \to 0} (2x + h + 2)$ (car $h \neq 0$)

$= 2x + 2$

c) $f'(x) = \lim\limits_{h \to 0} \dfrac{f(x + h) - f(x)}{h}$

$= \lim\limits_{h \to 0} \dfrac{\sqrt{x + h + 1} - \sqrt{x + 1}}{h}$

$= \lim\limits_{h \to 0} \left[\left(\dfrac{\sqrt{x+h+1} - \sqrt{x+1}}{h}\right)\left(\dfrac{\sqrt{x+h+1} + \sqrt{x+1}}{\sqrt{x+h+1} + \sqrt{x+1}}\right)\right]$

$= \lim\limits_{h \to 0} \dfrac{(x + h + 1) - (x + 1)}{h(\sqrt{x + h + 1} + \sqrt{x + 1})}$

$= \lim\limits_{h \to 0} \dfrac{h}{h(\sqrt{x + h + 1} + \sqrt{x + 1})}$

$= \lim\limits_{h \to 0} \dfrac{1}{\sqrt{x + h + 1} + \sqrt{x + 1}}$ (car $h \neq 0$)

$= \dfrac{1}{\sqrt{x + 1} + \sqrt{x + 1}}$

$= \dfrac{1}{2\sqrt{x + 1}}$

4. a) $\dfrac{dy}{dx} = \lim\limits_{\Delta x \to 0} \dfrac{f(x + \Delta x) - f(x)}{\Delta x}$

$= \lim\limits_{\Delta x \to 0} \dfrac{(-2) - (-2)}{\Delta x}$

$= \lim\limits_{\Delta x \to 0} \dfrac{0}{\Delta x}$

$= \lim\limits_{\Delta x \to 0} 0$ (car $\Delta x \neq 0$)

$= 0$

b) $\dfrac{dy}{dx} = \lim\limits_{\Delta x \to 0} \dfrac{f(x + \Delta x) - f(x)}{\Delta x}$

$= \lim\limits_{\Delta x \to 0} \dfrac{[3(x + \Delta x) - 2] - (3x - 2)}{\Delta x}$

$= \lim\limits_{\Delta x \to 0} \dfrac{3x + 3\Delta x - 2 - 3x + 2}{\Delta x}$

$= \lim\limits_{\Delta x \to 0} \dfrac{3\Delta x}{\Delta x}$

$= \lim\limits_{\Delta x \to 0} 3$ (car $\Delta x \neq 0$)

$= 3$

c) $\dfrac{dy}{dx} = \lim\limits_{\Delta x \to 0} \dfrac{f(x + \Delta x) - f(x)}{\Delta x}$

$= \lim\limits_{\Delta x \to 0} \dfrac{[(x + \Delta x)^3 - 2(x + \Delta x)] - (x^3 - 2x)}{\Delta x}$

$= \lim\limits_{\Delta x \to 0} \dfrac{x^3 + 3x^2\Delta x + 3x(\Delta x)^2 + (\Delta x)^3 - 2x - 2\Delta x - x^3 + 2x}{\Delta x}$

$= \lim\limits_{\Delta x \to 0} \dfrac{\Delta x(3x^2 + 3x\Delta x + (\Delta x)^2 - 2)}{\Delta x}$

$= \lim\limits_{\Delta x \to 0} (3x^2 + 3x\Delta x + (\Delta x)^2 - 2)$ (car $\Delta x \neq 0$)

$= 3x^2 - 2$

5. a) $g'(x) = \lim\limits_{t \to x} \dfrac{g(t) - g(x)}{t - x}$

$= \lim\limits_{t \to x} \dfrac{\frac{3}{t} - \frac{3}{x}}{t - x}$

$= \lim\limits_{t \to x} \dfrac{\frac{3x - 3t}{tx}}{t - x}$

$= \lim\limits_{t \to x} \dfrac{3(x - t)}{tx(t - x)}$

$= \lim\limits_{t \to x} \dfrac{-3}{tx}$ (car $t \neq x$)

$= \dfrac{-3}{x^2}$

b) $g'(x) = \lim\limits_{t \to x} \dfrac{g(t) - g(x)}{t - x}$

$= \lim\limits_{t \to x} \dfrac{t^{\frac{2}{3}} - x^{\frac{2}{3}}}{t - x}$

$= \lim\limits_{t \to x} \dfrac{(t^{\frac{1}{3}} - x^{\frac{1}{3}})(t^{\frac{1}{3}} + x^{\frac{1}{3}})}{(t^{\frac{1}{3}} - x^{\frac{1}{3}})(t^{\frac{2}{3}} + t^{\frac{1}{3}}x^{\frac{1}{3}} + x^{\frac{2}{3}})}$

$= \lim\limits_{t \to x} \dfrac{(t^{\frac{1}{3}} + x^{\frac{1}{3}})}{(t^{\frac{2}{3}} + t^{\frac{1}{3}}x^{\frac{1}{3}} + x^{\frac{2}{3}})}$ (car $t \neq x$)

$= \dfrac{2x^{\frac{1}{3}}}{3x^{\frac{2}{3}}}$

$= \dfrac{2}{3x^{\frac{1}{3}}}$

c) $g'(x) = \lim\limits_{t \to x} \dfrac{g(t) - g(x)}{t - x}$

$= \lim\limits_{t \to x} \dfrac{(t^4 - 1) - (x^4 - 1)}{t - x}$

$= \lim\limits_{t \to x} \dfrac{t^4 - x^4}{t - x}$

$= \lim\limits_{t \to x} \dfrac{(t - x)(t + x)(t^2 + x^2)}{t - x}$

$= \lim\limits_{t \to x} \dfrac{(t + x)(t^2 + x^2)}{1}$ (car $t \neq x$)

$= (2x)(2x^2)$

$= 4x^3$

6. Puisque le TVI est égal à la dérivée de la fonction, nous obtenons, par un procédé analogue à celui utilisé aux numéros **3**, **4** et **5**:

a) TVI $= 0$

b) TVI $= 3$

c) TVI $= \dfrac{-1}{u^2}$

7. Puisque $\lim\limits_{\Delta x \to 0} \dfrac{\Delta y}{\Delta x} = \lim\limits_{\Delta x \to 0} \dfrac{f(x + \Delta x) - f(x)}{\Delta x}$, en calculant, nous obtenons:

a) $\dfrac{-1}{2\sqrt{x^3}}$

b) $3x^2$

c) $-10x - 7$

8. a) Méthode 1

Soit $y = ax + b$, l'équation de L.

Puisque $a = g'\left(\dfrac{-1}{2}\right) = \dfrac{10}{9}$,

donc $y = \dfrac{10}{9}x + b$.

De plus, L passe par $P\left(\dfrac{-1}{2}, \dfrac{-5}{12}\right)$. En remplaçant x par $\dfrac{-1}{2}$ et y par $\dfrac{-5}{12}$, nous obtenons $\dfrac{-5}{12} = \dfrac{10}{9}\left(\dfrac{-1}{2}\right) + b$.

Donc, $b = \dfrac{5}{36}$.

D'où L: $y = \dfrac{10}{9}x + \dfrac{5}{36}$.

Méthode 2

$$\frac{y - g'\left(\frac{-1}{2}\right)}{x - \left(\frac{-1}{2}\right)} = g'\left(\frac{-1}{2}\right)$$

$$\frac{y - \left(\frac{-5}{12}\right)}{x + \frac{1}{2}} = \frac{10}{9}$$

$$y = \frac{10}{9}\left(x + \frac{1}{2}\right) - \frac{5}{12}$$

D'où L: $y = \dfrac{10}{9}x + \dfrac{5}{36}$.

b) $N: y = \dfrac{-9}{10}x - \dfrac{13}{5}$

3

Exercices récapitulatifs *(page 119)*

1. a) i) 0

ii) 0

b) i) -3

ii) -3

c) i) $-3x^2 - 3xh - h^2 - 2x - h$

ii) $-h^2 + 5h - 8$

2. a) 100 m/min

b) 20 m/min

c) -120 m/min

d) 0 m/min

3. a) $v_{[0\text{ s}, 1\text{ s}]} = -2$ cm/s

b) $v_{[1\text{ s}, 2\text{ s}]} = 4$ cm/s

c) $v_{[0\text{ s}, 2\text{ s}]} = 1$ cm/s

6. a) Environ -0,45 %/km

7. a) $f'(-3) = 29$

b) $g'\left(\dfrac{-1}{2}\right) = 8$

c) $\left.\dfrac{dx}{dt}\right|_{t=1,5} = 4,7$

8. a) i) $f'(x) = -3$

b) i) $g'(x) = 2x - 1$

c) i) $\dfrac{dx}{dt} = \dfrac{-10}{t^3}$

d) i) $v'(t) = 1 - \dfrac{1}{t^2}$

e) i) $\dfrac{dP}{dt} = \dfrac{3}{2\sqrt{3t + 2}}$

f) i) $f'(x) = \dfrac{-7}{(1 - 5x)^2}$

9. a) $v_{[2\text{ s}, 4\text{ s}]} = -0,375$ m/s

b) $v_{t = 2\text{ s}} = -1$ m/s

c) $v_{t = 4\text{ s}} = -0,125$ m/s

13. a) $A(x) = 6x^2$, exprimée en cm²

b) Variation de $A = 234$ cm²

c) $\text{TVM}_{[6\text{ cm}, 9\text{ cm}]} = 90$ cm²/cm

d) $\text{TVM}_{[3\text{ cm}, 6\text{ cm}]} = 54$ cm²/cm

15. a) Variation de $A = 96\pi$ cm²

b) $\text{TVM}_{[2\text{ s}, 4\text{ s}]} = 24\pi$ cm²/s

c) $\text{TVM}_{[2\text{ cm}, 4\text{ cm}]} = 6\pi$ cm²/cm

16. a) $f'(1) = 4$; $f'(2)$ est non définie; $f'(3) = -10$.

Problèmes de synthèse *(page 123)*

2. a) $f'(x) = \dfrac{15x^4}{4}$ et $f'(-2) = 60$

b) $\dfrac{dx}{dt} = 2at + b$ et $\left.\dfrac{dx}{dt}\right|_{t=1,5} = 3a + b$

c) $\dfrac{dy}{dx} = \dfrac{x}{\sqrt{x^2+1}}$ et $\left.\dfrac{dy}{dx}\right|_{x=-1} = \dfrac{-\sqrt{2}}{2}$

d) $g'(x) = \dfrac{2}{3x^3} - \dfrac{2}{3x^2}$ et $g'(1) = 0$

e) $h(x) = \dfrac{2(5x-2)}{(1-5x)\sqrt{1-5x}}$ et $h'(0) = -4$

f) $f'(x) = 3 + \dfrac{1}{2\sqrt{x}}$ et $f'\left(\dfrac{1}{4}\right) = 4$

4. a) $f(g(0)) \approx 1$

b) $g(f(0)) \approx 1{,}7$

c) $f(g(2)) \approx 1$

d) $g(f(2)) \approx 2{,}5$

e) $f(g'(1)) \approx 2{,}3$

f) $g(f'(1)) \approx 0{,}5$

6. a) f est continue en $A(1, f(1))$;
f est dérivable en $A(1, f(1))$ et $f'(1) = 2$.

b) f est continue en $B(2, f(2))$;
f est dérivable en $B(2, f(2))$ et $f'(2) = 0$.

11. $a = \dfrac{2}{3}$ et $b = 7$

12. a) $-f'(a)$

b) $f'(a)$

c) $2f'(a)$

13. $f'(x) = f(x)$

4

Chapitre 4

Test préliminaire *(page 129)*

Partie A

1. a) $x^{\frac{1}{2}}$

b) $x^{\frac{5}{3}}$

c) $x^{\frac{-3}{4}}$

d) $x^{\frac{-7}{5}}$

e) $x^{\frac{3}{2}}$

f) $x^{\frac{-1}{2}}$

2. a) $\sqrt[3]{x^2}$

b) $\dfrac{1}{\sqrt{x^3}}$

c) $\sqrt[4]{x^5}$

d) $\dfrac{1}{\sqrt[20]{x^9}}$

3. a) $(2x+3)^2 + 4 = 4x^2 + 12x + 13$

b) $2(x^2+4) + 3 = 2x^2 + 11$

c) $(x^2+4)^2 + 4 = x^4 + 8x^2 + 20$

d) $(\sqrt{3x-1})^2 + 4 = 3x + 3$

e) $\sqrt{3\sqrt{3x-1} - 1}$

f) $(2\sqrt{3x-1} + 3)^2 + 4 = 12x + 12\sqrt{3x-1} + 9$

4. a) $6! = 6 \cdot 5 \cdot 4 \cdot 3 \cdot 2 \cdot 1 = 720$

b) $10! = 3\,628\,800$

c) $\dfrac{69!}{68!} = 69$

d) $\dfrac{73!}{70!} = 73 \cdot 72 \cdot 71 = 373\,176$

e) $\dfrac{200!}{202!} = \dfrac{1}{202 \cdot 201} = \dfrac{1}{40\,602}$

Partie B

1. a) $f'(x)$

b) $g'(x)$

c) $H'(x)$

d) $f'(y)$

2. … pente de la tangente à la courbe d'équation $y = f(x)$ au point $(a, f(a))$.

3. a) $\lim\limits_{x \to a} [k f(x)] = k \lim\limits_{x \to a} f(x)$

b) $\lim\limits_{x \to a} [f(x) \pm g(x)] = \lim\limits_{x \to a} f(x) \pm \lim\limits_{x \to a} g(x)$

c) $\lim\limits_{x \to a} [f(x)\, g(x)] = \left(\lim\limits_{x \to a} f(x)\right)\left(\lim\limits_{x \to a} g(x)\right)$

Exercices

Exercices 4.1 (page 136)

1. a) … 0 b) … 1 c) … rx^{r-1}

2. a) $f'(x) = 0$ (théorème 4.1)

b) $H'(x) = 1$ (théorème 4.2)

c) $\dfrac{df}{dt} = 0$ (théorème 4.1)

d) $\dfrac{d}{dt}(x) = 1$ (théorème 4.2)

e) $\dfrac{d}{du}(u) = 1$ (théorème 4.2)

f) $\dfrac{d}{ds}(\pi) = 0$ (théorème 4.1)

3. a) $y' = 9x^8$

b) $f'(x) = \dfrac{7}{4}x^{\frac{3}{4}}$

c) $h'(x) = (x^{-4})' = -4x^{-5} = \dfrac{-4}{x^5}$

d) $\dfrac{d}{dt}\left(\dfrac{1}{\sqrt{t}}\right) = \dfrac{d}{dt}(t^{\frac{-1}{2}}) = \dfrac{-1}{2}t^{\frac{-3}{2}} = \dfrac{-1}{2t^{\frac{3}{2}}}$

e) $f'(u) = 1$

f) $g'(x) = \pi x^{\pi - 1}$

4. a) $f'(x) = \left(x^{\frac{2}{5}}\right)' = \dfrac{2}{5}x^{\frac{-3}{5}} = \dfrac{2}{5x^{\frac{3}{5}}} = \dfrac{2}{5\sqrt[5]{x^3}}$

b) $g'(x) = (x^{\frac{1}{4}})' = \dfrac{1}{4}x^{\frac{-3}{4}} = \dfrac{1}{4x^{\frac{3}{4}}} = \dfrac{1}{4\sqrt[4]{x^3}}$

c) $h'(x) = (x^{\frac{3}{2}})' = \dfrac{3}{2}x^{\frac{1}{2}} = \dfrac{3\sqrt{x}}{2}$

d) $f'(t) = (t^{\frac{-2}{3}})' = \dfrac{-2}{3}t^{\frac{-5}{3}} = \dfrac{-2}{3t^{\frac{5}{3}}} = \dfrac{-2}{3\sqrt[3]{t^5}}$

5. a) $f'(x) = 0$, d'où

$m_{\tan(\sqrt{3}, f(\sqrt{3}))} = f'(\sqrt{3}) = 0$

$m_{\tan(-1, f(-1))} = f'(-1) = 0.$

b) $g'(x) = 1$, d'où

$m_{\tan(-10, g(-10))} = g'(-10) = 1$

$m_{\tan(8, g(8))} = g'(8) = 1.$

c) $h'(x) = 6x^5$, d'où

$m_{\tan(-3, h(-3))} = h'(-3) = -1\,458$

$m_{\tan(3, h(3))} = h'(3) = 1\,458.$

d) $k'(x) = \dfrac{-5}{2\sqrt{x^7}}$, d'où

$m_{\tan(1, k(1))} = \dfrac{-5}{2}$

$m_{\tan\left(\frac{1}{2}, k\left(\frac{1}{2}\right)\right)} = -20\sqrt{2}.$

Exercices 4.2 (*page 147*)

1. a) $(kf(x))' = kf'(x)$

b) $\dfrac{d}{dx}(f(x) + g(x)) = \dfrac{d}{dx}(f(x)) + \dfrac{d}{dx}(g(x))$

c) $[f(x)\,g(x)]' = f'(x)\,g(x) + f(x)\,g'(x)$

d) $\left(\dfrac{u}{v}\right)' = \dfrac{u'v - uv'}{v^2}$

2. a) $f'(x) = 0$

b) $v'(t) = 1$

c) $g'(x) = (5x^3)'$
$= 5(x^3)'$
$= 5(3x^2)$
$= 15x^2$

d) $\dfrac{d}{dt}\left(\dfrac{3t}{4}\right) = \dfrac{3}{4}\dfrac{d}{dt}(t)$
$= \dfrac{3}{4}(1)$
$= \dfrac{3}{4}$

e) $f'(x) = \left(\dfrac{-9}{5}x^{\frac{-1}{4}}\right)'$
$= \dfrac{-9}{5}(x^{\frac{-1}{4}})'$
$= \dfrac{-9}{5}\left(\dfrac{-1}{4}x^{\frac{-5}{4}}\right)$
$= \dfrac{9}{20x^{\frac{5}{4}}}$

f) $f'(u) = \left(\dfrac{5}{8}u^{-1}\right)'$
$= \dfrac{5}{8}(u^{-1})'$
$= \dfrac{5}{8}(-1u^{-2})$
$= \dfrac{-5}{8u^2}$

g) $f'(x) = (8x^3 - 4x^2 + 9x - 1)'$
$= (8x^3)' - (4x^2)' + (9x)' - (1)'$
$= 24x^2 - 8x + 9$

h) $\dfrac{d}{dt}\left(\dfrac{t^{\frac{1}{2}}}{2} + t^2 - 5t^{-2}\right) = \dfrac{d}{dt}\left(\dfrac{t^{\frac{1}{2}}}{2}\right) + \dfrac{d}{dt}(t^2) - \dfrac{d}{dt}(5t^{-2})$
$= \dfrac{1}{4\sqrt{t}} + 2t + \dfrac{10}{t^3}$
$= \dfrac{t^{\frac{5}{2}} + 8t^4 + 40}{4t^3}$

i) $g'(x) = \left(4x^{\frac{-1}{3}} - 5x^8 + \dfrac{x^{-3}}{6} - \dfrac{3}{4}\right)'$
$= (4x^{\frac{-1}{3}})' - (5x^8)' + \left(\dfrac{x^{-3}}{6}\right)' - \left(\dfrac{3}{4}\right)'$
$= \dfrac{-4}{3\sqrt[3]{x^4}} - 40x^7 - \dfrac{1}{2x^4}$
$= \dfrac{-8x^{\frac{8}{3}} - 240x^{11} - 3}{6x^4}$

j) $x'(t) = \left(\dfrac{1}{2}at^2 + v_0 t + x_0\right)'$
$= \left(\dfrac{1}{2}at^2\right)' + (v_0 t)' + (x_0)'$
$= at + v_0$

3. a) $y' = (3x + 1)'(2 - 5x^3) + (3x + 1)(2 - 5x^3)'$
$= 3(2 - 5x^3) + (3x + 1)(-15x^2)$
$= 6 - 60x^3 - 15x^2$

b) $x'(t) = (t^{\frac{1}{2}} - t)'(4t^3 - 2t^2 + 5) + (t^{\frac{1}{2}} - t)(4t^3 - 2t^2 + 5)'$

$= \left(\frac{1}{2}t^{\frac{-1}{2}} - 1\right)(4t^3 - 2t^2 + 5) + (t^{\frac{1}{2}} - t)(12t^2 - 4t)$

$= \left(\frac{1}{2\sqrt{t}} - 1\right)(4t^3 - 2t^2 + 5) + (\sqrt{t} - t)(12t^2 - 4t)$

$= 14\sqrt{t^5} - 5\sqrt{t^3} + \frac{5}{2\sqrt{t}} - 16t^3 + 6t^2 - 5$

c) $g'(t) = (t^3)'(5t^2 - 4)(3 - t^4) + t^3(5t^2 - 4)'(3 - t^4) + t^3(5t^2 - 4)(3 - t^4)'$

$= 3t^2(5t^2 - 4)(3 - t^4) + t^3(10t)(3 - t^4) + t^3(5t^2 - 4)(-4t^3)$

$= -45t^8 + 28t^6 + 75t^4 - 36t^2$

$= t^2(-45t^6 + 28t^4 + 75t^2 - 36)$

d) $f'(x) = [x(3x - 1)]' - [(2x - 5)(4 - 3x^2)]'$

$= [(x)'(3x - 1) + x(3x - 1)'] - [(2x - 5)'(4 - 3x^2) + (2x - 5)(4 - 3x^2)']$

$= (3x - 1) + x(3) - [2(4 - 3x^2) + (2x - 5)(-6x)]$

$= 18x^2 - 24x - 9$

4. a) $f'(x) = \frac{(2x)'(x + 1) - 2x(x + 1)'}{(x + 1)^2}$

$= \frac{2(x + 1) - 2x}{(x + 1)^2}$

$= \frac{2}{(x + 1)^2}$

b) $g'(t) = \frac{(t^2 + t + 2)'t - (t^2 + t + 2)(t)'}{t^2}$

$= \frac{(2t + 1)t - (t^2 + t + 2)'}{t^2}$

$= \frac{t^2 - 2}{t^2}$

c) $f'(x) = \frac{(x - 4x^2)'\,2x^3 - (x - 4x^2)(2x^3)'}{(2x^3)^2}$

$= \frac{(1 - 8x)2x^3 - (x - 4x^2)6x^2}{4x^6}$

$= \frac{2x - 1}{x^3}$

d) $H'(x) = \frac{(2x^4)'(2x^4 + 1) - 2x^4(2x^4 + 1)'}{(2x^4 + 1)^2}$

$= \frac{8x^3(2x^4 + 1) - 2x^4\,8x^3}{(2x^4 + 1)^2}$

$= \frac{8x^3}{(2x^4 + 1)^2}$

e) $d'(t) = \frac{(4t^2 - 5)'(5 - 4t^3) - (4t^2 - 5)(5 - 4t^3)'}{(5 - 4t^3)^2}$

$= \frac{8t(5 - 4t^3) - (4t^2 - 5)(-12t^2)}{(5 - 4t^3)^2}$

$= \frac{4t(4t^3 - 15t + 10)}{(5 - 4t^3)^2}$

f) $f'(x) = \frac{(\sqrt{x})'(1 - x) - \sqrt{x}(1 - x)'}{(1 - x)^2}$

$= \frac{\frac{1}{2\sqrt{x}}(1 - x) - \sqrt{x}(-1)}{(1 - x)^2}$

$= \frac{1 + x}{2\sqrt{x}(1 - x)^2}$

5. a) i) $f'(x) = (4x^5)'$

$= 4(x^5)'$ (théorème 4.5)

$= 4(5x^4)$

$= 20x^4$

ii) $f'(x) = (4)'x^5 + 4(x^5)'$ (théorème 4.7)

$= (0)x^5 + 4(5x^4)$

$= 20x^4$

b) i) $x'(t) = \left(\frac{5}{t^2}\right)'$

$= 5(t^{-2})'$ (théorème 4.5)

$= 5(-2t^{-3})$ (théorème 4.4)

$= \frac{-10}{t^3}$

ii) $x'(t) = \frac{(5)'t^2 - 5(t^2)'}{(t^2)^2}$ (théorème 4.8)

$= \frac{(0)t^2 - 5(2t)}{t^4}$

$= \frac{-10}{t^3}$

c) 1re façon

$f'(x) = \left(\frac{6x^5 + 1}{2x^3}\right)'$

$= \left(\frac{6x^5}{2x^3} + \frac{1}{2x^3}\right)'$

$= 3(x^2)' + \frac{1}{2}(x^{-3})'$ (théorèmes 4.6 et 4.5)

$= 6x - \frac{3}{2}x^{-4}$

$= \frac{3(4x^5 - 1)}{2x^4}$

2e façon

$f'(x) = \frac{(6x^5 + 1)'\,2x^3 - (6x^5 + 1)(2x^3)'}{(2x^3)^2}$ (théorème 4.8)

$= \frac{(30x^4)\,2x^3 - (6x^5 + 1)\,6x^2}{4x^6}$

$= \frac{24x^7 - 6x^2}{4x^6}$

$= \frac{3(4x^5 - 1)}{2x^4}$

6. a) $y' = 8x + 24$ b) $y' = x^{\frac{1}{4}} - x^{\frac{5}{2}}$

c) $y' = 20x^3 + 6x - \dfrac{10}{3\sqrt[3]{x^2}}$

d) $y' = 8(3x^2 + 5) - 12x$

e) $y' = 4x^3 - 4x^{-5} = \dfrac{4(x^8 - 1)}{x^5}$

f) $y' = \dfrac{1}{2\sqrt{x}}(2x^2 + 7x - 4) + \sqrt{x}(4x + 7)$

$= \dfrac{10x^2 + 21x - 4}{2\sqrt{x}}$

g) $y' = \dfrac{-3}{(x - 1)^2}$

h) $y' = 7\left[\dfrac{3(2x + 3) - 2(3x + 2)}{(2x + 3)^2}\right] = \dfrac{35}{(2x + 3)^2}$

i) $y' = 2(3x - 3)(4 - 5x) + (2x + 1)3(4 - 5x) + (2x + 1)(3x - 3)(-5)$
$= -3(30x^2 - 26x - 1)$

j) $y' = \dfrac{-7x^6}{(x^7 - 1)^2} - \dfrac{2x}{(9 - x^2)^2}$

k) $y' = \dfrac{\left(1 - \dfrac{1}{2\sqrt{x}}\right)(x + \sqrt{x}) - (x - \sqrt{x})\left(1 + \dfrac{1}{2\sqrt{x}}\right)}{(x + \sqrt{x})^2}$

$= \dfrac{\sqrt{x}}{(x + \sqrt{x})^2}$

l) $y' = \dfrac{1}{\sqrt{7}}\left(\dfrac{1}{2\sqrt{x}}\right) + \sqrt{7}\left(\dfrac{-1}{2}x^{\frac{-3}{2}}\right)$

$= \dfrac{(x - 7)}{2x\sqrt{7x}}$

m) $y' = \dfrac{nx^{n-1}(x^n - 1) - nx^{n-1}x^n}{(x^n - 1)^2} = \dfrac{-nx^{n-1}}{(x^n - 1)^2}$

n) $y' = \dfrac{n}{x^{n+1}}$

o) $y' = \dfrac{(n + 1)x^n(x^n + 1) - (x^{n+1})(nx^{n-1})}{(x^n + 1)^2}$

$= \dfrac{x^n(n + 1 + x^n)}{(x^n + 1)^2}$

p) $y' = \left(\dfrac{x}{x + 1}\right)' + \left(\dfrac{x + 1}{x^2}\right)'$

$= \dfrac{(x)'(x + 1) - x(x + 1)'}{(x + 1)^2} + \dfrac{(x + 1)'(x^2) - (x + 1)(x^2)'}{(x^2)^2}$

$= \dfrac{(x + 1) - x}{(x + 1)^2} + \dfrac{x^2 - 2x(x + 1)}{(x^2)^2}$

$= \dfrac{-(4x^2 + 5x + 2)}{x^3(x + 1)^2}$

q) $\dfrac{dy}{dx} = \dfrac{[\sqrt{x}(10 - x)]'(x^3 - 8) - \sqrt{x}(10 - x)(x^3 - 8)'}{(x^3 - 8)^2}$

$= \dfrac{[(\sqrt{x})'(10 - x) + \sqrt{x}(10 - x)'](x^3 - 8) - \sqrt{x}(10 - x)\,3x^2}{(x^3 - 8)^2}$

$= \dfrac{\left[\dfrac{1}{2}x^{\frac{-1}{2}}(10 - x) + \sqrt{x}(-1)\right](x^3 - 8) - 3x^2\sqrt{x}(10 - x)}{(x^3 - 8)^2}$

$= \dfrac{3x^4 - 50x^3 + 24x - 80}{2\sqrt{x}(x^3 - 8)^2}$

r) $\dfrac{dy}{dx} = \dfrac{(4x^3 - x^2)'(x + 1)\sqrt[4]{x} - (4x^3 - x^2)[(x + 1)\sqrt[4]{x}]'}{[(x + 1)\sqrt[4]{x}]^2}$

$= \dfrac{(12x^2 - 2x)(x + 1)\sqrt[4]{x} - (4x^3 - x^2)[(x + 1)'\sqrt[4]{x} + (x + 1)(\sqrt[4]{x})']}{[(x + 1)\sqrt[4]{x}]^2}$

$= \dfrac{(12x^2 - 2x)[(x + 1)\sqrt[4]{x}] - (4x^3 - x^2)\left[\sqrt[4]{x} + (x + 1)\dfrac{1}{4}x^{\frac{-3}{4}}\right]}{[(x + 1)\sqrt[4]{x}]^2}$

$= \dfrac{x^{\frac{3}{4}}(28x^2 + 41x - 7)}{4(x + 1)^2}$

7. a) $\dfrac{dy}{dx} = \dfrac{4x^3(2 - 3x) + 3x^4}{(2 - 3x)^2} = \dfrac{x^3(8 - 9x)}{(2 - 3x)^2}$

b) $\left.\dfrac{dy}{dx}\right|_{x = 1} = -1$

c) $m_{\tan\left(-1,\ \frac{1}{5}\right)} = \left.\dfrac{dy}{dx}\right|_{x = -1} = \dfrac{-17}{25}$

d) En posant $\dfrac{dy}{dx} = 0$,

nous obtenons $\dfrac{x^3(8 - 9x)}{(2 - 3x)^2} = 0$.

Donc, $x = 0$ ou $x = \dfrac{8}{9}$.

Les points O(0, 0) et $P\left(\dfrac{8}{9}, \dfrac{-2\,048}{2\,187}\right)$.

e) Laissé à l'élève.

8. Puisque $f(x) = x^3 - 3x^2$, alors $f'(x) = 3x^2 - 6x$.

a) De $f(x) = 0$
$x^3 - 3x^2 = 0$
$x^2(x - 3) = 0$, nous obtenons $x = 0$ ou $x = 3$.
D'où
$m_{\tan(0, f(0))} = f'(0) = 0$
$m_{\tan(3, f(3))} = f'(3) = 9$.

b) De $f'(x) = 0$
$3x^2 - 6x = 0$
$3x(x - 2) = 0$, nous obtenons $x = 0$ ou $x = 2$.
D'où les points $A(0, f(0))$ et $B(2, f(2))$, c'est-à-dire $A(0, 0)$ et $B(2, -4)$.

c) De $f'(x) = -3$
$3x^2 - 6x = -3$
$3x^2 - 6x + 3 = 0$
$3(x - 1)^2 = 0$, nous obtenons $x = 1$.
D'où le point $P(1, f(1))$, c'est-à-dire $P(1, -2)$.

d) Laissé à l'élève.

9. a) $p(x) = \dfrac{840 - x}{3}$

b) $R(x) = xp(x) = x\left(\dfrac{840 - x}{3}\right) = 280x - \dfrac{x^2}{3}$

c) $R'(x) = 280 - \dfrac{2x}{3}$

d) $R'(x) = 0$, si $x = 420$ unités

10. a) $M'(x) = \dfrac{xC'(x) - C(x)}{x^2}$

b) Si $M'(x) = 0$, alors $xC'(x) - C(x) = 0$

D'où $C'(x) = \dfrac{C(x)}{x} = M(x)$.

11. a) $H'(x) = [f(x) + g(x) + k(x)]'$

$= [(f(x) + g(x)) + k(x)]'$

(car $f(x) + g(x) + k(x) = (f(x) + g(x)) + k(x)$)

$= (f(x) + g(x))' + k'(x)$ (théorème 4.6)

$= f'(x) + g'(x) + k'(x)$ (théorème 4.6)

b) $H'(x) = \lim\limits_{h \to 0} \dfrac{H(x+h) - H(x)}{h}$ (par définition)

$= \lim\limits_{h \to 0} \dfrac{[f(x+h) - g(x+h)] - [f(x) - g(x)]}{h}$

$= \lim\limits_{h \to 0} \dfrac{f(x+h) - g(x+h) - f(x) + g(x)}{h}$

$= \lim\limits_{h \to 0} \dfrac{f(x+h) - f(x) - g(x+h) + g(x)}{h}$

$= \lim\limits_{h \to 0} \left[\dfrac{f(x+h) - f(x)}{h} - \dfrac{g(x+h) - g(x)}{h}\right]$

$= \left[\lim\limits_{h \to 0} \dfrac{f(x+h) - f(x)}{h}\right] - \left[\lim\limits_{h \to 0} \dfrac{g(x+h) - g(x)}{h}\right]$

$= f'(x) - g'(x)$

(par définition de $f'(x)$ et de $g'(x)$)

Exercices 4.3 (page 155)

1. a) $\dfrac{dy}{dx} = r[f(x)]^{r-1} f'(x)$

b) $\dfrac{dy}{dx} = \dfrac{dy}{du}\dfrac{du}{dx}$

c) $\dfrac{d}{dx}\left(\dfrac{d^2y}{dx^2}\right) = \dfrac{d^3y}{dx^3}$

2. a) $f'(x) = 7(x^4 + 1)^6 (x^4 + 1)'$

$= 7(x^4 + 1)^6 (4x^3)$

$= 28x^3(x^4 + 1)^6$

b) $g'(t) = 10(1 - 5t^4)^9(1 - 5t^4)'$

$= 10(1 - 5t^4)^9 (-20t^3)$

$= -200t^3(1 - 5t^4)^9$

c) $\dfrac{dy}{dx} = \dfrac{7}{2}(5x^2 - 3x + 2)^{\frac{5}{2}} (5x^2 - 3x + 2)'$

$= \dfrac{7}{2}(5x^2 - 3x + 2)^{\frac{5}{2}} (10x - 3)$

d) $f'(x) = \dfrac{1}{2}(x^5 + 1)^{\frac{-1}{2}} (x^5 + 1)'$

$= \dfrac{1}{2(x^5 + 1)^{\frac{1}{2}}} (5x^4)$

$= \dfrac{5x^4}{2\sqrt{x^5 + 1}}$

e) $g'(x) = 3\left[\dfrac{x+1}{x-1}\right]^2 \left(\dfrac{x+1}{x-1}\right)'$

$= \dfrac{3(x+1)^2}{(x-1)^2} \dfrac{(x-1) - (x+1)}{(x-1)^2}$

$= \dfrac{-6(x+1)^2}{(x-1)^4}$

f) $x'(t) = \dfrac{1}{2}\left(\dfrac{mt}{1+t}\right)^{\frac{-1}{2}}\left(\dfrac{mt}{1+t}\right)'$

$= \dfrac{1}{2\sqrt{\dfrac{mt}{1+t}}} \dfrac{m(1+t) - mt}{(1+t)^2}$

$= \dfrac{1}{2}\sqrt{\dfrac{1+t}{mt}} \dfrac{m}{(1+t)^2}$

3. a) $f'(x) = 5\dfrac{1}{3}(8 - x)^{\frac{-2}{3}} (8 - x)'$

$= \dfrac{5}{3(8 - x)^{\frac{2}{3}}} (-1)$

$= \dfrac{-5}{3\sqrt[3]{(8 - x)^2}}$

b) $g'(x) = 3(-3x + 7x^2)^2(-3x + 7x^2)' - \dfrac{7(3 - 5x^4)^6}{6} (3 - 5x^4)'$

$= 3(-3x + 7x^2)^2(-3 + 14x) + \dfrac{70x^3(3 - 5x^4)^6}{3}$

c) $\dfrac{dy}{dx} = 5[(x^3 + 2x)^4 + 3x]^4[(x^3 + 2x)^4 + 3x]'$

$= 5[(x^3 + 2x)^4 + 3x]^4[4(x^3 + 2x)^3(x^3 + 2x)' + 3]$

$= 5[(x^3 + 2x)^4 + 3x]^4[4(x^3 + 2x)^3(3x^2 + 2) + 3]$

d) $f'(t) = [(t^2 + 1)^3]'(1 - t^3)^4 + (t^2 + 1)^3[(1 - t^3)^4]'$

$= 3(t^2 + 1)^2(t^2 + 1)'(1 - t^3)^4 + (t^2 + 1)^3 4(1 - t^3)^3(1 - t^3)'$

$= 3(t^2 + 1)^2(2t)(1 - t^3)^4 + (t^2 + 1)^3 4(1 - t^3)^3(-3t^2)$

$= 6t(t^2 + 1)^2(1 - t^3)^4 - 12t^2(t^2 + 1)^3(1 - t^3)^3$

$= 6t(t^2 + 1)^2(1 - t^3)^3[(1 - t^3) - 2t(t^2 + 1)]$

$= 6t(t^2 + 1)^2(1 - t^3)^3(1 - 2t - 3t^3)$

e) $\dfrac{dx}{dt} = \left[\dfrac{(t^3 + 1)^{35}}{(1 - t)^7}\right]'$

$= \dfrac{[(t^3 + 1)^{35}]'(1 - t)^7 - (t^3 + 1)^{35}[(1 - t)^7]'}{[(1 - t)^7]^2}$

$= \dfrac{35(t^3 + 1)^{34}(3t^2)(1 - t)^7 - (t^3 + 1)^{35}7(1 - t)^6(-1)}{(1 - t)^{14}}$

$= \dfrac{7(t^3 + 1)^{34}(1 - t)^6[15t^2(1 - t) + (t^3 + 1)]}{(1 - t)^{14}}$

$= \dfrac{7(t^3 + 1)^{34}(15t^2 - 14t^3 + 1)}{(1 - t)^8}$

f) $f'(x) = \frac{1}{2}(x^2 + \sqrt{3x})^{\frac{-1}{2}}[x^2 + (3x)^{\frac{1}{2}}]'$

$= \frac{1}{2\sqrt{x^2 + \sqrt{3x}}}\left(2x + \frac{1}{2}(3x)^{\frac{-1}{2}}(3)\right)$

$= \frac{1}{2\sqrt{x^2 + \sqrt{3x}}}\left(2x + \frac{3}{2\sqrt{3x}}\right)$

4. Calculons d'abord $f'(x)$.

$f'(x) = [(4x-1)^2]'(2-3x)^2 + (4x-1)^2[(2-3x)^2]'$
$= 2(4x-1)(4)(2-3x)^2 + (4x-1)^2 2(2-3x)(-3)$
$= 2(4x-1)(2-3x)[4(2-3x) - 3(4x-1)]$
$= 2(4x-1)(2-3x)(11-24x)$

a) $m_{\tan(0, f(0))} = f'(0) = -44$ et $y = -44x + 4$

b) $m_{\tan(\frac{1}{4}, f(\frac{1}{4}))} = f'\left(\frac{1}{4}\right) = 0$;

au point $A\left(\frac{1}{4}, f\left(\frac{1}{4}\right)\right)$, la tangente à la courbe de f est parallèle à l'axe des x.

c) En posant $f'(x) = 0$, nous obtenons $2(4x-1)(2-3x)(11-24x) = 0$.

Donc, $x = \frac{1}{4}$, $x = \frac{2}{3}$ ou $x = \frac{11}{24}$.

D'où $A\left(\frac{1}{4}, f\left(\frac{1}{4}\right)\right)$, $B\left(\frac{2}{3}, f\left(\frac{2}{3}\right)\right)$ et $C\left(\frac{11}{24}, f\left(\frac{11}{24}\right)\right)$,

c'est-à-dire $A\left(\frac{1}{4}, 0\right)$, $B\left(\frac{2}{3}, 0\right)$ et $C\left(\frac{11}{24}, \frac{625}{2\,304}\right)$.

d) Laissé à l'élève.

5. a) $\frac{dx}{dt} = 12t - 5$ et $\left.\frac{dx}{dt}\right|_{t=2} = 19$

b) $\frac{dz}{dy} = \frac{-1}{y^2}$ et $\left.\frac{dz}{dy}\right|_{y=-3} = \frac{-1}{9}$

c) $\frac{dy}{dt} = \frac{dy}{dx}\frac{dx}{dt} = \frac{1}{2\sqrt{x}}(12t-5) = \frac{12t-5}{2\sqrt{x}}$

Lorsque $t = -1$, nous avons $x = 6(-1)^2 - 5(-1) = 11$.

Ainsi, $\left.\frac{dy}{dt}\right|_{t=-1} = \frac{12(-1)-5}{2\sqrt{11}} = \frac{-17}{2\sqrt{11}}$.

d) $\frac{dz}{dx} = \frac{dz}{dy}\frac{dy}{dx} = \frac{-1}{y^2}\frac{1}{2\sqrt{x}} = \frac{-1}{2y^2\sqrt{x}}$

Lorsque $x = \frac{1}{9}$, nous avons $y = \sqrt{\frac{1}{9}} = \frac{1}{3}$.

Ainsi, $\left.\frac{dz}{dx}\right|_{x=\frac{1}{9}} = \frac{-1}{2\left(\frac{1}{3}\right)^2\sqrt{\frac{1}{9}}} = \frac{-27}{2}$.

e) $\frac{dz}{dt} = \frac{dz}{dy}\frac{dy}{dx}\frac{dx}{dt} = \frac{-1}{y^2}\frac{1}{2\sqrt{x}}(12t-5) = \frac{5-12t}{2y^2\sqrt{x}}$

Lorsque $t = 3$, nous avons $x = 6(3)^2 - 5(3) = 39$ et $y = \sqrt{39}$.

Ainsi, $\left.\frac{dz}{dt}\right|_{t=3} = \frac{5-12(3)}{2(\sqrt{39})^2\sqrt{39}} = \frac{-31}{78\sqrt{39}}$.

6. a) $f(x) = 2x^3 - \frac{x^2}{4} + 5x$ $\qquad f'''(x) = 12$

$f'(x) = 6x^2 - \frac{x}{2} + 5$ $\qquad f^{(4)}(x) = 0$

$f''(x) = 12x - \frac{1}{2}$ $\qquad f^{(5)}(x) = 0$

b) $f(x) = x^7 + 3x^2 + 4$ $\qquad f'''(x) = 210x^4$

$f'(x) = 7x^6 + 6x$ $\qquad f^{(4)}(x) = 840x^3$

$f''(x) = 42x^5 + 6$ $\qquad f^{(5)}(x) = 2\,520x^2$

c) $f(x) = \frac{1}{x} = x^{-1}$ $\qquad f'''(x) = -6x^{-4}$

$f'(x) = -1x^{-2}$ $\qquad f^{(4)}(x) = 24x^{-5}$

$f''(x) = 2x^{-3}$ $\qquad f^{(5)}(x) = -120x^{-6}$

d) $f(x) = \sqrt{x} = x^{\frac{1}{2}}$ $\qquad f'''(x) = \frac{3}{8}x^{\frac{-5}{2}}$

$f'(x) = \frac{1}{2}x^{\frac{-1}{2}}$ $\qquad f^{(4)}(x) = \frac{-15}{16}x^{\frac{-7}{2}}$

$f''(x) = \frac{-1}{4}x^{\frac{-3}{2}}$ $\qquad f^{(5)}(x) = \frac{105}{32}x^{\frac{-9}{2}} = \frac{105}{32\sqrt{x^9}}$

e) $f(x) = \sqrt[3]{x} = x^{\frac{1}{3}}$ $\qquad f'''(x) = \frac{10}{27}x^{\frac{-8}{3}}$

$f'(x) = \frac{1}{3}x^{\frac{-2}{3}}$ $\qquad f^{(4)}(x) = \frac{-80}{81}x^{\frac{-11}{3}}$

$f''(x) = \frac{-2}{9}x^{\frac{-5}{3}}$ $\qquad f^{(5)}(x) = \frac{880}{243}x^{\frac{-14}{3}} = \frac{880}{243x^{\frac{14}{3}}}$

f) $f(x) = \frac{x^5+1}{x^2} = x^3 + x^{-2}$

$f'(x) = 3x^2 - 2x^{-3}$

$f''(x) = 6x + 6x^{-4}$

$f'''(x) = 6 - 24x^{-5}$

$f^{(4)}(x) = 120x^{-6}$

$f^{(5)}(x) = -720x^{-7} = \frac{-720}{x^7}$

7. a) $f^{(4)}(x) = 120x$

b) $y^{(9)} = 0$

c) $\frac{d^2x}{dt^2} = 9{,}8$

d) $\frac{d^3y}{dx^3} = 30(x^3+1)^2(91x^6 + 38x^3 + 1)$

e) $f^{(2)}(1) = -4$

f) $\left.\frac{d^3y}{dx^3}\right|_{x=4} = \frac{105}{4}$

8. a) $f'(x) = 5x^4$

$f''(x) = 5 \cdot 4x^3$

$f'''(x) = 5 \cdot 4 \cdot 3x^2$

$f^{(4)}(x) = 5 \cdot 4 \cdot 3 \cdot 2x$

$f^{(5)}(x) = 5 \cdot 4 \cdot 3 \cdot 2 \cdot 1 = 5!$

$f^{(6)}(x) = 0$, car $f^{(5)}(x)$ est une constante.

Ainsi, $f^{(k)}(x) = 0$, pour $k > 5$.

4

b) $f'(x) = nx^{n-1}$

$f''(x) = n(n-1)x^{n-2}$

$f'''(x) = n(n-1)(n-2)x^{n-3}$

$\vdots$

$f^{(n-1)}(x) = n(n-1)(n-2)\ldots 3 \cdot 2 \cdot x$

$f^{(n)}(x) = n(n-1)(n-2)\ldots 3 \cdot 2 \cdot 1 = n!$

$f^{(k)}(x) = 0$, pour $k > n$

c) $f^{(k)}(x) = 0$

9. a) La pente de la tangente à la courbe de f' au point $A(1, f'(1))$ est donnée par $f''(1)$.

Puisque $f(x) = x^4$

$f'(x) = 4x^3$

$f''(x) = 12x^2$

$m_{\tan\,(1,\,f'(1))} = f''(1) = 12$

b) La pente de la tangente à la courbe g'' au point $B(2, g''(2))$ est donnée par $g^{(3)}(2)$.

Puisque $g(t) = (4 - 3t)^5$

$g'(t) = -15(4 - 3t)^4$

$g''(t) = 180(4 - 3t)^3$

$g^{(3)}(t) = -1\,620(4 - 3t)^2$

$m_{\tan\,(2,\,g''(2))} = g^{(3)}(2) = -6\,480$

Exercices 4.4 *(page 161)*

1. b) et d)

2. a)

$$\frac{d}{dx}(x^3 - 4y^3) = \frac{d}{dx}(5 - 3x^2)$$

$$\frac{d}{dx}(x^3) - \frac{d}{dx}(4y^3) = \frac{d}{dx}(5) - \frac{d}{dx}(3x^2)$$

$$3x^2 - \frac{d}{dy}(4y^3)\frac{dy}{dx} = 0 - 6x$$

$$-12y^2\frac{dy}{dx} = -6x - 3x^2$$

$$\frac{dy}{dx} = \frac{-6x - 3x^2}{-12y^2} = \frac{x(2+x)}{4y^2}$$

b)

$$\frac{d}{dx}\left(\frac{x^3}{y^2}\right) = \frac{d}{dx}(5x^2 + 6y^3)$$

$$\frac{\frac{d}{dx}(x^3)y^2 - x^3\frac{d}{dx}(y^2)}{(y^2)^2} = \frac{d}{dx}(5x^2) + \frac{d}{dx}(6y^3)$$

$$\frac{3x^2y^2 - x^3\frac{d}{dy}(y^2)\frac{dy}{dx}}{y^4} = 10x + \frac{d}{dy}(6y^3)\frac{dy}{dx}$$

$$\frac{3x^2y^2 - 2x^3y\frac{dy}{dx}}{y^4} = 10x + 18y^2\frac{dy}{dx}$$

$$3x^2y^2 - 2x^3y\frac{dy}{dx} = 10xy^4 + 18y^6\frac{dy}{dx}$$

$$3x^2y^2 - 10xy^4 = 2x^3y\frac{dy}{dx} + 18y^6\frac{dy}{dx}$$

$$\frac{dy}{dx}(2x^3y + 18y^6) = 3x^2y^2 - 10xy^4$$

$$\frac{dy}{dx} = \frac{3x^2y^2 - 10xy^4}{2x^3y + 18y^6} = \frac{xy(3x - 10y^2)}{2(x^3 + 9y^5)}$$

c)

$$\frac{d}{dt}(3t^2u - 4tu^2) = \frac{d}{dt}(9)$$

$$\left[\frac{d}{dt}(3t^2)u + 3t^2\frac{d}{dt}(u)\right] - \left[\frac{d}{dt}(4t)u^2 + 4t\frac{d}{dt}(u^2)\right] = 0$$

$$\left[6tu + 3t^2\frac{d}{du}(u)\frac{du}{dt}\right] - \left[4u^2 + 4t\frac{d}{du}(u^2)\frac{du}{dt}\right] = 0$$

$$6tu + 3t^2\frac{du}{dt} - 4u^2 - 4t(2u)\frac{du}{dt} = 0$$

$$\frac{du}{dt}(3t^2 - 8tu) = 4u^2 - 6tu$$

$$\frac{du}{dt} = \frac{4u^2 - 6tu}{3t^2 - 8tu} = \frac{2u(2u - 3t)}{t(3t - 8u)}$$

d)

$$\frac{d}{dx}(x^2 + y^2)^{\frac{1}{2}} = \frac{d}{dx}(2x^2 + 4)$$

$$\frac{1}{2}(x^2 + y^2)^{\frac{-1}{2}}\frac{d}{dx}(x^2 + y^2) = \frac{d}{dx}(2x^2) + \frac{d}{dx}(4)$$

$$\frac{1}{2\sqrt{x^2 + y^2}}\left[\frac{d}{dx}(x^2) + \frac{d}{dx}(y^2)\right] = 4x$$

$$\frac{1}{2\sqrt{x^2 + y^2}}\left[2x + \frac{d}{dy}(y^2)\frac{dy}{dx}\right] = 4x$$

$$2x + 2y\frac{dy}{dx} = 8x\sqrt{x^2 + y^2}$$

$$2y\frac{dy}{dx} = 8x\sqrt{x^2 + y^2} - 2x$$

$$\frac{dy}{dx} = \frac{8x\sqrt{x^2 + y^2} - 2x}{2y} = \frac{x(4\sqrt{x^2 + y^2} - 1}{y}$$

3. Calculons d'abord $\frac{dy}{dx}$.

$$\frac{d}{dx}(x^2 + 3y) = \frac{d}{dx}(5 - 6x)$$

$$\frac{d}{dx}(x^2) + \frac{d}{dx}(3y) = \frac{d}{dx}(5) - \frac{d}{dx}(6x)$$

$$2x + 3\frac{dy}{dx} = -6.$$

Donc, $\frac{dy}{dx} = \frac{-6 - 2x}{3}$.

a) $m_{\tan\,(-1,\,\frac{10}{3})} = \frac{-6 - 2(-1)}{3} = \frac{-4}{3}$; $y = \frac{-4}{3}x + 2$.

b) $\frac{dy}{dx} = 0$

$\frac{-6 - 2x}{3} = 0$. Donc, $x = -3$.

D'où $P\left(-3, \frac{14}{3}\right)$ est le point cherché.

4. Calculons d'abord $\frac{dy}{dx}$.

$$\frac{d}{dx}(x^2y^2 + x^3y^3) = \frac{d}{dx}(-4)$$

$$\frac{d}{dx}(x^2y^2) + \frac{d}{dx}(x^3y^3) = 0$$

$$2xy^2 + 2x^2y\frac{dy}{dx} + 3x^2y^3 + 3x^3y^2\frac{dy}{dx} = 0.$$

Donc, $\dfrac{dy}{dx} = \dfrac{-2xy^2 - 3x^2y^3}{2x^2y + 3x^3y^2} = \dfrac{y(-2 - 3xy)}{x(2 + 3xy)}$.

D'où $m_{\tan\,(1,\,-2)} = \dfrac{(-2)(-2 - 3(1)(-2))}{(1)(2 + 3(1)(-2))} = 2$;

$y = 2x - 4$.

5. a) Soit $x^2 + y^2 = r^2$, l'équation du cercle où $r^2 = (1)^2 + (-\sqrt{3})^2 = 4$.

Ainsi, $x^2 + y^2 = 4$ est l'équation du cercle.

Calculons $\dfrac{dy}{dx}$.

$$\frac{d}{dx}(x^2 + y^2) = \frac{d}{dx}(4)$$

$$2x + 2y\frac{dy}{dx} = 0.$$

Donc, $\dfrac{dy}{dx} = \dfrac{-x}{y}$.

D'où $m_{\tan\,(1,\,-\sqrt{3})} = \dfrac{-1}{-\sqrt{3}} = \dfrac{1}{\sqrt{3}}$.

b) Le point cherché est $P(-1, \sqrt{3})$.

6. Calculons $\dfrac{dy}{dx}$.

$$\frac{d}{dx}(4x^2 + 9y^2 - 36) = \frac{d}{dx}(0)$$

$$8x + 18y\frac{dy}{dx} = 0.$$

Donc, $\dfrac{dy}{dx} = \dfrac{-4x}{9y}$.

En remplaçant x par $\sqrt{5}$ dans $4x^2 + 9y^2 - 36 = 0$, nous trouvons $4(\sqrt{5})^2 + 9y^2 - 36 = 0$

$$9y^2 = 16$$

$$y^2 = \frac{16}{9}.$$

Donc, $y = \dfrac{-4}{3}$ ou $y = \dfrac{4}{3}$.

D'où $m_{\tan\,(\sqrt{5},\,\frac{4}{3})} = \dfrac{-4(\sqrt{5})}{9\left(\frac{4}{3}\right)} = \dfrac{-\sqrt{5}}{3}$

et $m_{\tan\,(\sqrt{5},\,\frac{-4}{3})} = \dfrac{-4(\sqrt{5})}{9\left(\frac{-4}{3}\right)} = \dfrac{\sqrt{5}}{3}$.

7. a) $\dfrac{d}{dx}(y^5 + 2y^3 + x) = \dfrac{d}{dx}(0)$

$$5y^4\frac{dy}{dx} + 6y^2\frac{dy}{dx} + 1 = 0$$

D'où $\dfrac{dy}{dx} = \dfrac{-1}{5y^4 + 6y^2}$.

b) $x = -y^5 - 2y^3$

$$\frac{dx}{dy} = -5y^4 - 6y^2$$

c) $\dfrac{dy}{dx} = \dfrac{-1}{5y^4 + 6y^2} = \dfrac{1}{-5y^4 - 6y^2} = \dfrac{1}{\dfrac{dx}{dy}}$

8. Calculons d'abord $\dfrac{dy}{dx}$.

$$\frac{d}{dx}(2y^3) = \frac{d}{dx}(xy + 7)$$

$$6y^2\frac{dy}{dx} = y + x\frac{dy}{dx}.$$

Donc, $\dfrac{dy}{dx} = \dfrac{y}{6y^2 - x}$.

En isolant x, nous trouvons $x = \dfrac{2y^3 - 7}{y} = 2y^2 - \dfrac{7}{y}$.

Donc, $\dfrac{dx}{dy} = 4y + \dfrac{7}{y^2} = \dfrac{4y^3 + 7}{y^2}$.

Puisque $\dfrac{dy}{dx} = \dfrac{y}{6y^2 - x}$

$$= \frac{y}{6y^2 - \left(2y^2 - \frac{7}{y}\right)} \quad \left(\text{car } x = 2y^2 - \frac{7}{y}\right)$$

$$= \frac{y}{4y^2 + \frac{7}{y}}$$

$$= \frac{y^2}{4y^3 + 7}$$

$$= \frac{1}{\left(\frac{4y^3 + 7}{y^2}\right)} = \frac{1}{\frac{dx}{dy}}$$

9. a) $\dfrac{d}{dP}((P + 8V^{-2})(V - 0{,}05)) = \dfrac{d}{dP}(15{,}2)$

$$\left(1 - 16V^{-3}\frac{dV}{dP}\right)(V - 0{,}05) + (P + 8V^{-2})\frac{dV}{dP} = 0$$

$$V - 0{,}05 - 16V^{-2}\frac{dV}{dP} + 0{,}8V^{-3}\frac{dV}{dP} + P\frac{dV}{dP} + 8V^{-2}\frac{dV}{dP} = 0$$

$$\frac{dV}{dP}(-16V^{-2} + 0{,}8V^{-3} + P + 8V^{-2}) = 0{,}05 - V$$

$$\frac{dV}{dP} = \frac{0{,}05 - V}{\left(P - \frac{8}{V^2} + \frac{0{,}8}{V^3}\right)}$$

$$\left.\frac{dV}{dP}\right|_{\substack{P=8\\V=1}} = \frac{0{,}05 - 1}{(8 - 8 + 0{,}8)}$$

$$= \frac{-0{,}95}{0{,}8}$$

$$= \frac{-19}{16}$$

b) $V = \frac{-19}{16}P + b$

$1 = \frac{-19}{16}(8) + b$ (car $V = 1$ et $P = 8$)

$\frac{21}{2} = b$

D'où $V = \frac{-19}{16}P + \frac{21}{2}$

c)
```
> with (plots):
> c1:=implicitplot((P+8/V^2)*(V−0.05)=15.2,
    P=0..10,V=0..8,color=orange):
> c2:=plot((-19/16)*P+(21/2),P=0..10,V=0..8,
    color=blue):
> display(c1,c2);
```

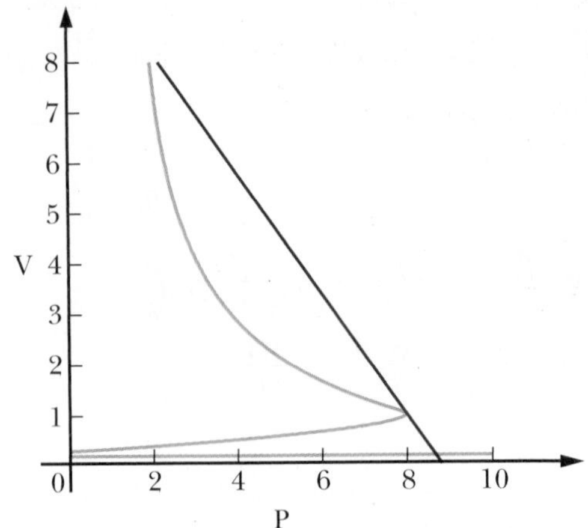

Exercices récapitulatifs *(page 164)*

1. a) $\frac{dy}{dx} = \frac{1}{x^{\frac{2}{3}}} - \frac{21}{16x^{\frac{7}{4}}} - x^{\frac{3}{2}}$

b) $\frac{dy}{dx} = -42(1 - 7x)^5$

d) $\frac{dy}{dx} = 2x + \frac{3}{2\sqrt{3x+1}}$

f) $\frac{dy}{dx} = \frac{\frac{x}{2\sqrt{x}} - (\sqrt{x} + 1)}{x^2} = \frac{-\sqrt{x} - 2}{2x^2}$

g) $\frac{dy}{dx} = 5(2 - x)^4(-1)(7x + 3) + (2 - x)^5 7$

$= (2 - x)^4(-42x - 1)$

j) $\frac{dy}{dx} = \frac{(7 - 3x^2)}{15(3 + 7x - x^3)^{\frac{2}{3}}} + \frac{4}{x^2}$

2. a) $f'(x) = \frac{-1}{\sqrt{x^3}} - \frac{2}{\sqrt[3]{x^4}} + \frac{1}{40\sqrt[5]{x^4}}$

b) $g'(x) = \frac{(2x-1)(x^3+2) - 3x^2(x^2 - x + 1)}{(x^3+2)^2}$

$= \frac{-x^4 + 2x^3 - 3x^2 + 4x - 2}{(x^3+2)^2}$

c) $x'(t) = -(b - at)^4$

d) $f'(x) = 5\left[(\sqrt[3]{x-1} + (x - 7)\frac{1}{3}(x-1)^{\frac{-2}{3}}\right]$

$= \frac{10(2x - 5)}{3(x-1)^{\frac{2}{3}}}$

e) $f'(u) = \frac{196u^6(1 - 2u^7)^{\frac{5}{2}}}{5}$

4. a) $f'''(x) = 60x^2 - \frac{6}{5}$ et $f^{(7)}(x) = 0$

b) $\frac{d^4y}{dx^4} = 360x^2 - \frac{3\,024}{x^{10}}$ et $\frac{d^6y}{dx^6} = 720 - \frac{332\,640}{x^{12}}$

c) $\frac{d^2x}{dt^2} = \frac{-2}{9\sqrt[3]{(1-t)^5}} + \frac{6}{\sqrt{(2t+1)^5}}$ et

$\frac{d^3x}{dt^3} = \frac{-10}{27\sqrt[3]{(1-t)^8}} - \frac{30}{\sqrt{(2t+1)^7}}$

5. a) 8 ; 2

b) -1 728 ; 0

c) non définie ; $\frac{-55}{27}$

6. a) $\frac{dy}{dx} = \frac{-4x - 3y}{3x - 2y}$

b) $\frac{dy}{dx} = \frac{-5}{6y + 15y^2}$

c) $\frac{dy}{dx} = \frac{y^2(1 + 3x^2y)}{x^2(-1 - 3xy^2)}$

7. a) $\frac{dy}{dx} = \frac{-4x}{9y}$; $m_{\tan(-1,-2)} = \frac{-2}{9}$

b) $\frac{dy}{dx} = \frac{-2xy^2 - 3x^2y^3}{2x^2y + 3x^3y^2}$; $m_{\tan(1,-2)} = 2$

c) $\frac{dy}{dx} = \frac{-y}{x - 4y\sqrt{xy}}$; $m_{\tan(2,8)} = \frac{4}{63}$

8. a) $\frac{du}{dt} = -4t^3$; $\left.\frac{du}{dt}\right|_{t=-2} = 32$

b) $\frac{dy}{du} = \left(10x - \frac{1}{2\sqrt{x}}\right)9u^2$; $\left.\frac{dy}{du}\right|_{u=2} = 8\,996{,}4$

15. a) $y = \frac{-9}{4\sqrt{7}}x + \frac{12}{\sqrt{7}}$

b) $a = \frac{16}{3}$ et $b = \frac{12}{\sqrt{7}}$

c) $y = \frac{-9}{4\sqrt{7}}x - \frac{12}{\sqrt{7}}$

Problèmes de synthèse *(page 167)*

2. a) Oui, au point A(3, -5)

b) Non

3. A(-1, f(-1)), c'est-à-dire A(-1, 1), et

$B\left(\frac{7}{8}, f\left(\frac{7}{8}\right)\right)$, c'est-à-dire $B\left(\frac{7}{8}, \frac{-14\,827}{2\,048}\right)$

4. a) $x_1 = -3$ et $x_2 = 2$

6. a) $a = \frac{71}{32}$ ou $a = \frac{73}{32}$

b) $b = \frac{-\sqrt{3}}{2}$ et $c = \frac{\sqrt{3}}{2}$

7. A = 16 u^2

8. a) $f'(0) = 10$ b) $f'(3) = 0$ c) $H'(0) = 9$

10. $a = \frac{-1}{4}$ et $b = \frac{5}{4}$

12. $P\left(\frac{6a-1}{2a}, \frac{-64a^2+1}{4a}\right)$ et $Q\left(\frac{6a+1}{2a}, \frac{-64a^2+1}{4a}\right)$

14. A = $2u^2$

17. a) $p = 300 - \frac{x}{4}$, exprimé en dollars.

b) $R(x) = 300x - \frac{x^2}{4}$, exprimé en dollars.

c) $P(x) = 240x - \frac{x^2}{4} - 500$, exprimé en dollars.

Chapitre 5

Test préliminaire *(page 173)*

Partie A

1. a) Aire = x^2 Périmètre = $4x$

b) Aire = xy Périmètre = $2x + 2y$

c) Aire = xh Périmètre = $2x + 2y$

d) Aire = $\frac{(x+y)\,h}{2}$ Périmètre = $x + w + y + z$

e) Aire = $\frac{xh}{2}$ Périmètre = $x + y + z$

f) Aire = πr^2 Circonférence = $2\pi r$

2. a) Volume = x^3 Aire = $6x^2$

b) Volume = xyz Aire = $2xy + 2yz + 2xz$

c) Volume = $\frac{4}{3}\pi r^3$ Aire = $4\pi r^2$

3. a) Volume = $\pi r^2 h$

Aire latérale = $2\pi rh$

Aire totale = $2\pi rh + 2\pi r^2$

b) Volume = $\frac{1}{3}\pi r^2 h$

Aire latérale = $\pi r\sqrt{r^2 + h^2}$

Aire totale = $\pi r\sqrt{r^2 + h^2} + \pi r^2$

4. a) $-4{,}9x^2 + 39{,}2x - 47{,}775 = 0$, d'où

$x_1 = \frac{-39{,}2 - \sqrt{600{,}25}}{-9{,}8} = 6{,}5$ et

$x_2 = \frac{-39{,}2 + \sqrt{600{,}25}}{-9{,}8} = 1{,}5$.

b) $120x^2 - 469x - 806 = 0$, d'où

$x_1 = \frac{469 - \sqrt{606\,841}}{240} = -1{,}291\overline{6}$ et

$x_2 = \frac{469 + \sqrt{606\,841}}{240} = 5{,}2$.

Partie B

1. a) $\text{TVM}_{[x,\, x+h]} = \frac{f(x+h) - f(x)}{h}$

b) $\text{TVI} = \lim_{h \to 0} \frac{f(x+h) - f(x)}{h}$

c) $f'(x) = \lim_{h \to 0} \frac{f(x+h) - f(x)}{h}$

2. a) $f'(x) = \frac{60}{(2x+1)^2} + 5$

b) $f(33) = \frac{11\,025}{67}$;

$$\frac{-30}{2x+1} + 5x = 33$$

$$-30 + 5x\,(2x+1) = 33\,(2x+1)$$

$$10x^2 - 61x - 63 = 0$$

D'où $x_1 = -0{,}9$ et $x_2 = 7$.

c) $f'(33) = \dfrac{22\,505}{4\,489}$;

$$\frac{60}{(2x+1)^2} + 5 = 33$$

$$(2x+1)^2 = \frac{60}{28}$$

$$x_1 = \frac{-1 - \sqrt{\dfrac{15}{7}}}{2} = -1{,}231\ldots \text{ et}$$

$$x_2 = \frac{-1 + \sqrt{\dfrac{15}{7}}}{2} = 0{,}231\ldots$$

3. a) $f'(t) = \dfrac{3}{2\sqrt{3t+1}} - 2$

b) $\sqrt{3t+1} - 2t + 5 = -20$

$$\sqrt{3t+1} = 2t - 25$$

$$3t + 1 = (2t - 25)^2$$

$$4t^2 - 103t + 624 = 0$$

En résolvant la dernière équation, nous trouvons $t = 9{,}75$ et $t = 16$.

En remplaçant t par 9,75 dans l'équation initiale, cette dernière n'est pas vérifiée, donc $t = 9{,}75$ n'est pas une solution.

5

En remplaçant t par 16 dans l'équation initiale, cette dernière est vérifiée.

D'où $t = 16$ est la seule solution.

c) $\dfrac{3}{2\sqrt{3t+1}} - 2 = 5$

$$\frac{3}{14} = \sqrt{3t+1}$$

$$3t + 1 = \left(\frac{3}{14}\right)^2$$

$$t = \frac{\left(\dfrac{3}{14}\right)^2 - 1}{3}$$

D'où $t = \dfrac{-187}{588}$.

4. a) $\dfrac{dz}{dt} = \dfrac{dz}{dx}\dfrac{dx}{dt}$

b) $\dfrac{dz}{dt} = \left(\dfrac{12}{5}x^2 + \dfrac{21}{4x^4}\right)\dfrac{3 - 2t}{2\sqrt{3t - t^2}}$

lorsque $t = 1$, $x = \sqrt{2}$

D'où $\left.\dfrac{dz}{dt}\right|_{t=1} = \dfrac{489}{160\sqrt{2}}$.

Exercices

Exercices 5.1 (page 189)

1. a) $v_{[1\text{ s}, 6\text{ s}]} = \dfrac{x(6) - x(1)}{6 - 1} = \dfrac{102{,}9 - 78{,}4}{5} = 4{,}9$ m/s.

$v_{[4\text{ s}, 6\text{ s}]} = \dfrac{x(6) - x(4)}{6 - 4} = \dfrac{102{,}9 - 122{,}5}{2} = -9{,}8$ m/s.

b) $v(t) = x'(t) = -9{,}8t + 39{,}2$, exprimée en m/s.

$a(t) = v'(t) = -9{,}8$, exprimée en m/s².

c) $v(0) = -9{,}8(0) + 39{,}2 = 39{,}2$ m/s

d) $x(2) = 102{,}9$ m, $v(2) = 19{,}6$ m/s et $a(2) = -9{,}8$ m/s²

$x(7) = 78{,}4$ m, $v(7) = -29{,}4$ m/s et $a(7) = -9{,}8$ m/s²

e) $a_{[2\text{ s}, 5\text{ s}]} = \dfrac{v(5) - v(2)}{5 - 2} = \dfrac{-9{,}8 - 19{,}6}{3} = -9{,}8$ m/s²

f) Puisque $a(t) = -9{,}8$ est une fonction constante, $a_{[t_1, t_2]} = -9{,}8$ m/s².

g) La balle atteint sa hauteur maximale lorsque $v(t) = 0$, c'est-à-dire $-9{,}8t + 39{,}2 = 0$, d'où $t = 4$ s.

Hauteur maximale $= x(4) = 122{,}5$ m

h) Hauteur initiale $= x(0) = 44{,}1$ m

Il faut résoudre $x(t) = 44{,}1$, c'est-à-dire

$$-4{,}9t^2 + 39{,}2t + 44{,}1 = 44{,}1$$

$$-4{,}9t^2 + 39{,}2t = 0.$$

Donc, $t = 0$ s (à rejeter) et $t = 8$ s.

i) La balle touche le sol lorsque $x(t) = 0$, c'est-à-dire $-4{,}9t^2 + 39{,}2t + 44{,}1 = 0$.

Donc, $t = -1$ s (à rejeter) et $t = 9$ s

$v(9) = -49$ m/s.

j)
```
> plot(-4.9*t^2+39.2*t+44.1,t=0..9,color=orange);
```

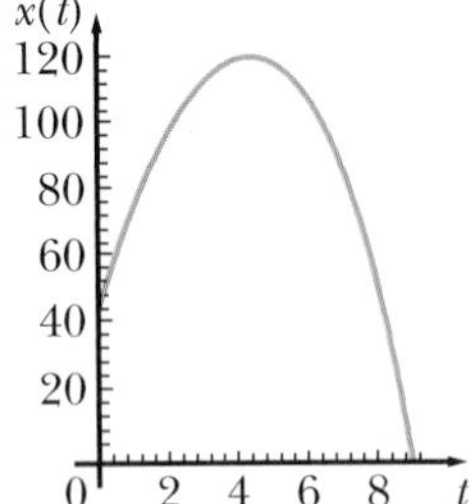


```
> plot(-9.8*t+39.2,t=0..9,color=orange);
```

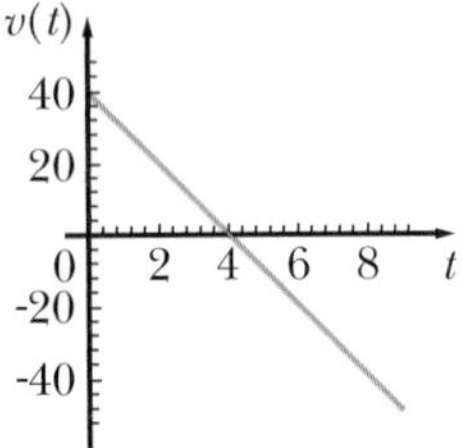

```
> plot(-9.8,t=0..9,a=-20..1,color=orange);
```

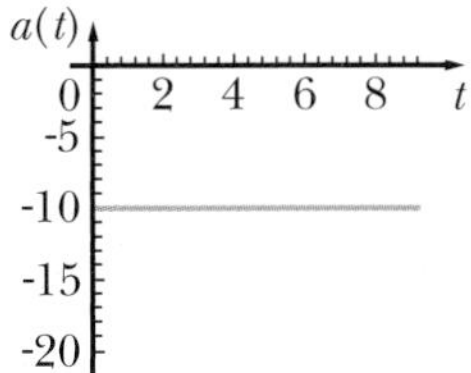

2. a) $v(t) = x'(t) = \dfrac{648\ 000}{(t+120)^2} - 20$, exprimée en m/s.

$a(t) = v'(t) = \dfrac{-1\ 296\ 000}{(t+120)^3}$, exprimée en m/s^2.

b) $v(0) = 25$ m/s

$a(0) = -0{,}75$ m/s^2

c) Le train s'immobilise lorsque $v(t) = 0$, c'est-à-dire

$\dfrac{648\ 000}{(t+120)^2} - 20 = 0$.

Donc, $t = -300$ s (à rejeter) et $t = 60$ s.

D'où $t = 60$ s.

d) Distance parcourue $= x(60) - x(0)$

$= 600 - 0$

$= 600$ m

e) Il faut résoudre $x(t) = 300$, c'est-à-dire

$\dfrac{-648\ 000}{(t+120)} - 20t + 5\ 400 = 300$

$\dfrac{-648\ 000}{(t+120)} = 20t - 5\ 100$

$20(t^2 - 135t + 1\ 800) = 0$

Donc, $t = 15$ s et $t = 120$ s (à rejeter).

D'où $v(15) = 15{,}\overline{5}$ m/s.

f)
```
> plot(-648000/(t+120)-20*t+5400,t=0..60,
  color=orange);
```

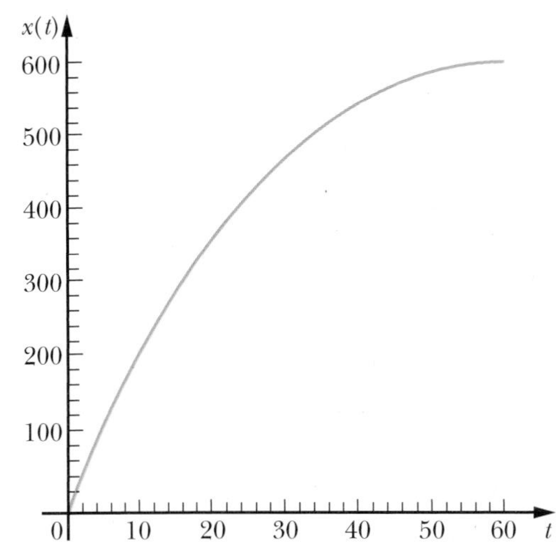


```
> plot(64800/(t+120)^2-20,t=0..60,color=orange);
```

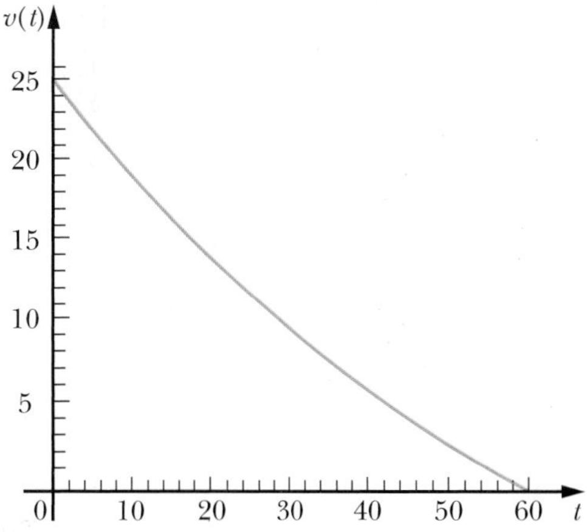


```
> plot(-1296000/(t+120)^3,t=0..60,a=-1..0,
  color=orange);
```

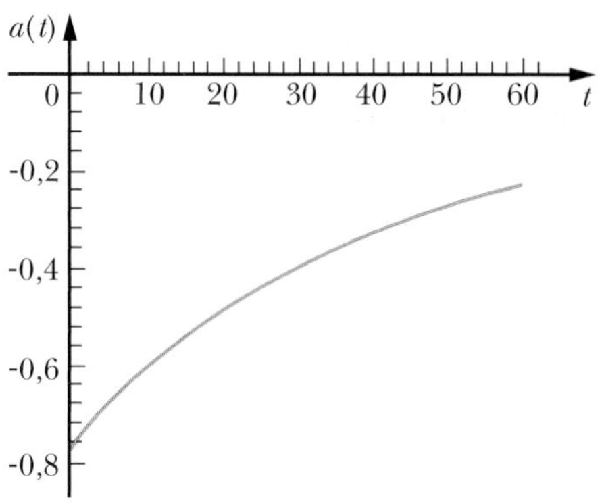

g) Du graphique de $v(t)$:

si $v(t) = 10$ m/s, $t \approx 27$ s.

Du graphique de $x(t)$, $x(27) \approx 450$ m.

Du graphique de $a(t)$, $a(27) \approx -0{,}4$ m/s^2.

3. a) $v(t) = x'(t) = \dfrac{t^2}{100} + \dfrac{t}{100}$, exprimée en m/s.

b) $a(t) = v'(t) = \dfrac{t}{50} + \dfrac{1}{100}$, exprimée en m/s^2.

c) $F = ma$. Donc, $F(t) = 3\left(\dfrac{t}{50} + \dfrac{1}{100}\right)$, exprimée en N.

d) $F(0) = 0{,}03$ N

e) En posant $F(t) = 0{,}4$

$3\left(\dfrac{t}{50} + \dfrac{1}{100}\right) = 0{,}4$

D'où $t = 6{,}1\overline{6}$ s.

4. a) $T(t) = \dfrac{dQ}{dt}$

$= -\left[\dfrac{\frac{3}{2}\sqrt{t}(300 + 25t) - 25(30\ 000 + \sqrt{t^3})}{(300 + 25t)^2}\right]$

$$\text{D'où } T(t) = \frac{1\,500\,000 - 25\sqrt{t^3} - 900\sqrt{t}}{2(300 + 25t)^2},$$

exprimé en mg/s.

b) $Q(0) = 0$ mg; $Q(25) \approx 67{,}4$ mg

c) $T(25) \approx 0{,}87$ mg/s; $T(50) \approx 0{,}31$ mg/s

d)
```
> with(student):
> with(plots):
> Q:=t->100-((30000+t^(3/2)))/(300+25*t);
```

$$Q:=t \to 100 - \frac{30000 + t^{\frac{3}{2}}}{300 + 25t}$$

```
> c1:=plot(Q(t), t=0..80,Q=0..100,color=orange):
> c2:=showtangent (Q(t), t=25,t=5..50,Q=0..100,
  color=blue):
> c3:=showtangent (Q(t), t=50,t=20..80,Q=0..100,
  color=blue):
> display(c1,c2,c3);
```

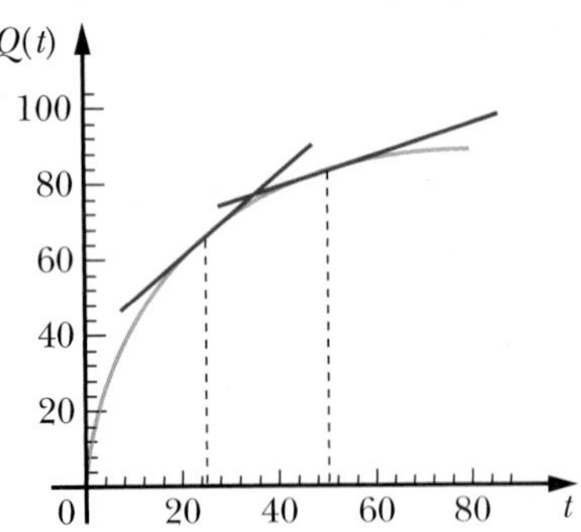

e)
```
> T:=diff(Q(t),t);
```

$$T:=-\frac{3}{2}\,\frac{\sqrt{t}}{300 + 25t} + 25\,\frac{30000 + t^{\frac{3}{2}}}{(300 + 25t)^2}$$

```
> plot(T(t), t=0..80,T=0..8,color=orange);
```

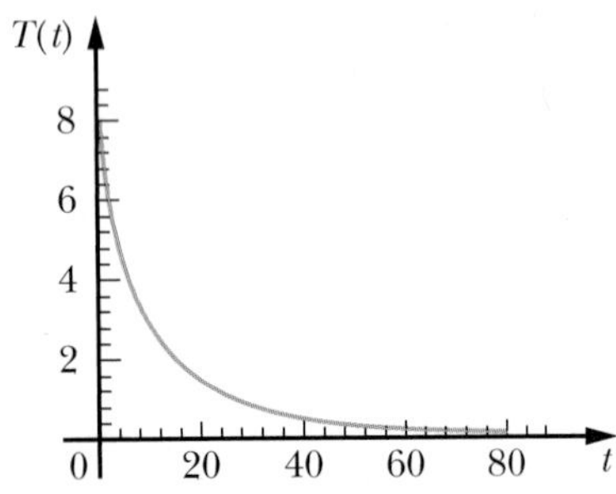

Le taux de variation instantané T est toujours positif et décroissant sur]0 s, 80 s[, ce qui signifie que la quantité Q augmente de plus en plus lentement.

5. a) $T(x) = \dfrac{dV}{dx}$

$= \dfrac{d}{dx}(x^3)$

$= 3x^2$, exprimé en cm³/cm.

b) $V(10) = 1\,000$ cm³; $T(10) = 300$ cm³/cm.

c) $T(x) = 3x^2 = 4\,800$, d'où $x = 40$.

Ainsi, $V(40) = 64\,000$ cm³.

d) $V(x) = x^3 = 2\,197$, d'où $x = 13$.

Ainsi, $T(13) = 507$ cm³/cm.

6. a) $T_r(r, h) = \dfrac{d}{dr}\left(\dfrac{\pi r^2 h}{3}\right) = \dfrac{2\pi rh}{3}$, exprimé en cm³/cm.

b) i) $T_r(2, 3) = 4\pi$ cm³/cm

ii) $T_r(5, 3) = 10\pi$ cm³/cm

iii) $T_r(6, 3) = 12\pi$ cm³/cm

c) $T_h(r, h) = \dfrac{d}{dh}\left(\dfrac{\pi r^2 h}{3}\right) = \dfrac{\pi r^2}{3}$, exprimé en cm³/cm.

d) i) $T_h(6, 2) = 12\pi$ cm³/cm

ii) $T_h(6, 3) = 12\pi$ cm³/cm

iii) $T_h(6, 6) = 12\pi$ cm³/cm

e) $T_r(r, h) = T_h(r, h)$. Ainsi, $\dfrac{2\pi rh}{3} = \dfrac{\pi r^2}{3}$, d'où $2h = r$.

7. a) $C_m(q) = C'(q) = 6q$, exprimé en \$.

b) i) $C_{mar}(15) = C(16) - C(15) = 93$ \$ et $C_m(15) = 90$ \$;

ii) $C_{mar}(25) = C(26) - C(25) = 153$ \$ et $C_m(25) = 150$ \$.

c) $R_m(q) = R'(q) = -2q + 200$, exprimé en \$.

d) i) $R_{mar}(25) = R(26) - R(25) = 149$ \$ et $R_m(25) = 150$ \$;

ii) $R_{mar}(47) = R(48) - R(47) = 105$ \$ et $R_m(47) = 106$ \$.

e) $P(q) = R(q) - C(q) = -4q^2 + 200q - 1\,000$

f)

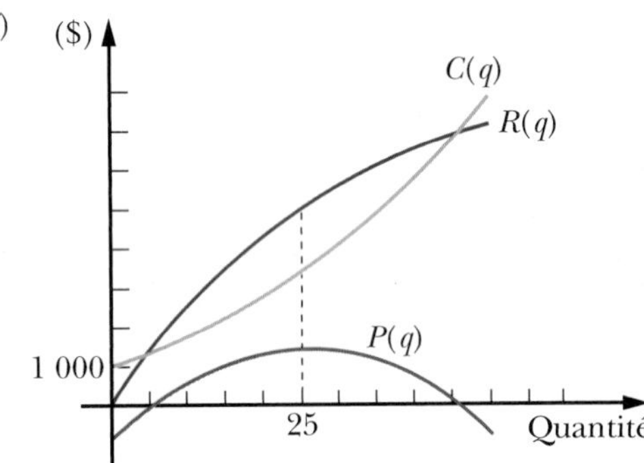

g) Sachant que le profit peut être maximal lorsque $R'(q) = C'(q)$, c'est-à-dire $-2q + 200 = 6q$, on obtient $q = 25$ unités.

On constate graphiquement que le profit est maximal lorsque $q = 25$.

D'où $P_{max} = P(25) = 1\,500$ \$.

8. a) $N(0) = 16\,000$ satellites

b) $\text{TVM}_{[2,\,6]} = \dfrac{N(6) - N(2)}{6 - 2} = 150$ satellites/année

c) $T(t) = N'(t) = 20t + 70$, exprimé en satellites/année.

$T(4) = 150$ satellites/année.

d) En posant $T(t) = 170$

$20t + 70 = 170$

D'où $t = 5$ ans.

Ainsi, $N(5) = 16\,600$ satellites.

9. a) $T(x) = N'(x) = \dfrac{40x^2 + 160x - 44}{(x + 2)^2}$,

exprimé en hab./empl.

b) $N(60) = 2\,323{,}29\ldots$, donc environ 2 323 habitants.
$T(60) = 39{,}946\ldots$, donc environ 39,95 hab./empl.

c) $N(x) = 3\,922$, d'où $x = 100$ emplois. Ainsi,
$T(100) = 39{,}980\ldots$, donc environ 39,98 hab./empl.

10. a) $E(0) = 31\,250$ $;

En posant $E(t) = 0$

$50t^2 - 2\,500t + 31\,250 = 0$

$50(t - 25)^2 = 0$

D'où $t = 25$ ans.

b) En posant $E(t) = 15\,625$

$50t^2 - 2\,500t + 31\,250 = 15\,625$

$50t^2 - 2\,500t + 15\,625 = 0$

$25(2t^2 - 100t + 625) = 0$

Donc, $t \approx 42{,}67$ (à rejeter) et $t \approx 7{,}32$ ans.

c) $\text{TVM}_{[2,\,5]} = \dfrac{E(5) - E(2)}{5 - 2} = -2\,150$ $/an

d) $T(t) = E'(t) = 100t - 2\,500$, exprimé en $/année.

e) $T(10) = 100(10) - 2\,500 = -1\,500$ $/année

f) En posant $T(t) = -1\,800$

$100t - 2\,500 = -1\,800$

Donc, $t = 7$ ans

D'où $E(7) = 16\,200$ $.

Exercices 5.2 *(page 197)*

1. a) $\dfrac{dV}{dt} = \dfrac{dV}{dr}\dfrac{dr}{dt}$

$= \dfrac{d}{dr}\left(\dfrac{4\pi r^3}{3}\right)\dfrac{dr}{dt}$

$= (4\pi r^2)\,(2)$

$= 8\pi r^2$, exprimé en cm³/s.

b) $\left.\dfrac{dV}{dt}\right|_{r = 5\text{ cm}} = 200\pi$ cm³/s

c) $V(r) = \dfrac{4\pi r^3}{3} = 2\,304\pi$, d'où $r = 12$ cm

$\left.\dfrac{dV}{dt}\right|_{r = 12\text{ cm}} = 1\,152\pi$ cm³/s

2. $\dfrac{dV}{dt} = \dfrac{dV}{dr}\dfrac{dr}{dt}$

$-4 = \dfrac{d}{dr}\left(\dfrac{4\pi r^3}{3}\right)\dfrac{dr}{dt}$

$-4 = 4\pi r^2 \dfrac{dr}{dt}$

Donc, $\dfrac{dr}{dt} = \dfrac{-1}{\pi r^2}$, exprimé en cm/mois.

$\left.\dfrac{dr}{dt}\right|_{r = 5\text{ cm}} = \dfrac{-1}{25\pi} \approx -0{,}013$ cm/mois

3. a) $\dfrac{dA}{dt} = \dfrac{dA}{dr}\dfrac{dr}{dt}$

$= \dfrac{d}{dr}(\pi r^2)\,\dfrac{d}{dt}(-t^2 + 6t + 1)$

$= (2\pi r)(-2t + 6)$, exprimé en cm²/s.

b) Lorsque $t = 2$, on obtient $r = 9$ cm.

D'où $\left.\dfrac{dA}{dt}\right|_{t = 2\text{ s}} = 36\pi$ cm²/s.

Lorsque $t = 5$, on obtient $r = 6$ cm.

D'où $\left.\dfrac{dA}{dt}\right|_{t = 5\text{ s}} = -48\pi$ cm²/s.

c) Lorsque $r = 7{,}75$, on obtient $t = \dfrac{3}{2}$ ou $t = \dfrac{9}{2}$.

D'où $\left.\dfrac{dA}{dt}\right|_{t = \frac{3}{2}\text{ s}} = 46{,}5\pi$ cm²/s et

$\left.\dfrac{dA}{dt}\right|_{t = \frac{9}{2}\text{ s}} = -46{,}5\pi$ cm²/s.

d) $\dfrac{dA}{dt} = 0$, d'où $t = 3$ s. Ainsi, $r = 10$ cm.

Donc, $A = 100\pi$ cm².

4. a) Soit x, la distance entre le bas de l'échelle et le mur, et y, la distance entre le haut de l'échelle et le bas du mur.

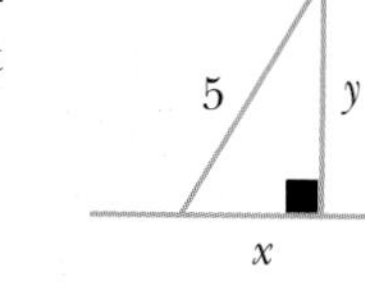

$x^2 + y^2 = 25$ (Pythagore)

$2x\dfrac{dx}{dt} + 2y\dfrac{dy}{dt} = 0$

$\dfrac{dy}{dt} = \dfrac{-x}{y}\dfrac{dx}{dt}$

$= \dfrac{-x}{y}(1{,}5)$ $\left(\text{car } \dfrac{dx}{dt} = 1{,}5\right)$.

Lorsque $x = 2$, $y = \sqrt{21}$.

D'où $\left.\dfrac{dy}{dt}\right|_{x = 2\text{ cm}} \approx -0{,}65$ m/s.

b) Lorsque $y = 3$, $x = 4$.

D'où $\left.\dfrac{dy}{dt}\right|_{y = 3\text{ m}} = -2$ m/s.

5. a) $\dfrac{h}{r} = \dfrac{300}{75}$ (triangles semblables)

D'où $h = 4r$.

Ainsi, $V = \dfrac{\pi r^2(4r)}{3} = \dfrac{4\pi r^3}{3}$

$\dfrac{dV}{dt} = \dfrac{dV}{dr}\dfrac{dr}{dt}$

$-6\,000 = \dfrac{d}{dr}\left(\dfrac{4\pi r^3}{3}\right)\dfrac{dr}{dt}$

$-6\,000 = 4\pi r^2 \dfrac{dr}{dt}$

Donc, $\dfrac{dr}{dt} = \dfrac{-1\,500}{\pi r^2}$, exprimé en cm/s.

Lorsque $h = 150$, nous avons $r = 37{,}5$ cm.

D'où $\left.\dfrac{dr}{dt}\right|_{h = 150 \text{ cm}} = \dfrac{-1\,500}{\pi(37{,}5)^2} \approx -0{,}34$ cm/s.

b) De a) $r = \dfrac{h}{4}$.

Ainsi, $V = \dfrac{1}{3}\pi\left(\dfrac{h}{4}\right)^2 h = \dfrac{\pi h^3}{48}$

$$\frac{dV}{dt} = \frac{dV}{dh}\frac{dh}{dt}$$

$$-6\,000 = \frac{d}{dh}\left(\frac{\pi h^3}{48}\right)\frac{dh}{dt}$$

$$-6\,000 = \frac{\pi h^2}{16}\frac{dh}{dt}$$

Donc, $\dfrac{dh}{dt} = \dfrac{-96\,000}{\pi h^2}$, exprimé en cm/s.

D'où $\left.\dfrac{dh}{dt}\right|_{h = 150 \text{ cm}} = \dfrac{-96\,000}{\pi(150)^2} \approx -1{,}36$ cm/s.

c) Soit v, le volume du cylindre.

$$v = \pi(50)^2 h = 2\,500\pi h$$

$$\frac{dv}{dt} = \frac{dv}{dh}\frac{dh}{dt}$$

$$6\,000 = \frac{d}{dh}(2\,500\pi h)\frac{dh}{dt}$$

$$6\,000 = 2\,500\pi\frac{dh}{dt}$$

Donc, $\dfrac{dh}{dt} = \dfrac{12}{5\pi}$, exprimé en cm/s.

Pour un rayon de 50 cm, la hauteur du liquide augmente à une vitesse constante d'environ 0,76 cm/s.

6. a) D'une part, $V(t) = 5\sqrt{t} + 34$ et

$V(x) = x^3$, où x est l'arête.

D'autre part, $\dfrac{dV}{dt} = \dfrac{dV}{dx}\dfrac{dx}{dt}$

$$\frac{d}{dt}(5\sqrt{t} + 34) = \frac{d}{dx}(x^3)\frac{dx}{dt}$$

$$\frac{5}{2\sqrt{t}} = 3x^2\frac{dx}{dt}.$$

Donc, $\dfrac{dx}{dt} = \dfrac{5}{6x^2\sqrt{t}}$, exprimé en cm/s.

Lorsque $t = 36$, $V = 5\sqrt{36} + 34 = 64$.

Ainsi, $x^3 = 64$, donc $x = 4$.

D'où $\left.\dfrac{dx}{dt}\right|_{t = 36 \text{ s}} = \dfrac{5}{6(4)^2\sqrt{36}} \approx 0{,}008\,7$ cm/s.

b) Nous avons $A = 6x^2$.

$$\frac{dA}{dt} = \frac{dA}{dx}\frac{dx}{dt}$$

$$= \frac{d}{dx}(6x^2)\left(\frac{5}{6x^2\sqrt{t}}\right) \quad \text{(voir a)}$$

$$= 12x\left(\frac{5}{6x^2\sqrt{t}}\right)$$

Donc, $\dfrac{dA}{dt} = \dfrac{10}{x\sqrt{t}}$, exprimé en cm²/s.

D'où $\left.\dfrac{dA}{dt}\right|_{t = 36 \text{ s}} = \dfrac{10}{4\sqrt{36}} = 0{,}41\overline{6}$ cm²/s.

7. a) Nous avons $\dfrac{dx}{dt} = 2$ cm/s et nous cherchons $\dfrac{dy}{dt}$.

$$\frac{d}{dt}\left(\frac{x^2}{25} + \frac{y^2}{9}\right) = \frac{d}{dt}(1)$$

$$\frac{d}{dt}\left(\frac{x^2}{25}\right) + \frac{d}{dt}\left(\frac{y^2}{9}\right) = 0$$

$$\frac{d}{dx}\left(\frac{x^2}{25}\right)\frac{dx}{dt} + \frac{d}{dy}\left(\frac{y^2}{9}\right)\frac{dy}{dt} = 0$$

$$\frac{2x}{25}(2) + \frac{2y}{9}\frac{dy}{dt} = 0$$

D'où $\dfrac{dy}{dt} = \dfrac{-18x}{25y}$, exprimé en cm/s.

b) De $\dfrac{x^2}{25} + \dfrac{y^2}{9} = 1$, nous avons $y = \dfrac{3}{5}\sqrt{25 - x^2}$,

(car $y \geq 0$).

Si $x = -3$, alors $y = \dfrac{12}{5}$. D'où $\left.\dfrac{dy}{dt}\right|_{x = -3 \text{ cm}} = 0{,}9$ cm/s.

Si $x = 0$, alors $y = 3$. D'où $\left.\dfrac{dy}{dt}\right|_{x = 0 \text{ cm}} = 0$ cm/s.

Si $x = 4$, alors $y = \dfrac{9}{5}$. D'où $\left.\dfrac{dy}{dt}\right|_{x = 4 \text{ cm}} = -1{,}6$ cm/s.

8. a) Soit x, la distance entre la femme et le réverbère, et y, la longueur de l'ombre.

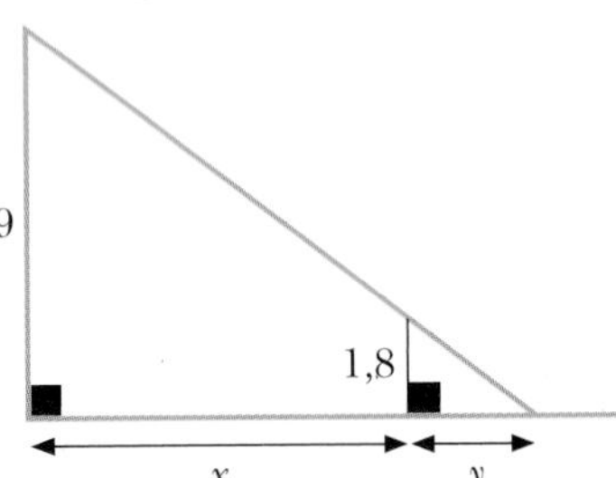

$\dfrac{x + y}{9} = \dfrac{y}{1{,}8}$ (triangles semblables)

D'où $4y = x$.

$$\frac{d}{dt}(4y) = \frac{d}{dt}(x)$$

$$\frac{d}{dy}(4y)\frac{dy}{dt} = \frac{dx}{dt}$$

$$4\frac{dy}{dt} = 2{,}2$$

D'où $\dfrac{dy}{dt} = \dfrac{2{,}2}{4} = 0{,}55$ m/s.

b) $\dfrac{d}{dt}(x + y) = \dfrac{dx}{dt} + \dfrac{dy}{dt}$

$= 2{,}2 + 0{,}55$

$= 2{,}75$ m/s

9. a) Soit *y*, la hauteur de la boîte, et *x*, la distance horizontale parcourue par la boîte.

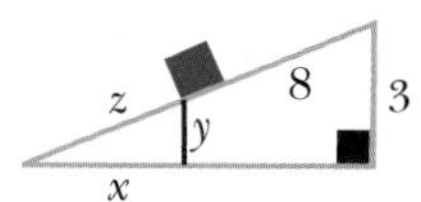

$\frac{y}{z} = \frac{3}{8}$ (triangles semblables)

Donc, $y = \frac{3}{8}z$

$\frac{dy}{dt} = \frac{d}{dt}\left(\frac{3}{8}z\right)$

$= \frac{3}{8}\frac{dz}{dt}$

$= \frac{3}{8}(2)$

D'où $\frac{dy}{dt} = 0{,}75$ m/s.

b) $\frac{x}{z} = \frac{\sqrt{64 - 9}}{8} = \frac{\sqrt{55}}{8}$

Donc, $x = \frac{\sqrt{55}}{8}z$

$\frac{dx}{dt} = \frac{d}{dt}\left(\frac{\sqrt{55}}{8}z\right)$

$= \frac{\sqrt{55}}{8}\frac{dz}{dt}$

$= \frac{\sqrt{55}}{8}(2)$

D'où $\frac{dx}{dt} \approx 1{,}85$ m/s.

10. a) $\frac{dP}{dt} = \frac{dP}{dq}\frac{dq}{dt}$

$= \frac{d}{dq}\left[5\,000\left(8 + \frac{5}{q}\right)\right]\frac{dq}{dt}$

$= \left(\frac{-25\,000}{q^2}\right)(-2)$

D'où $\frac{dP}{dt} = \frac{50\,000}{q^2}$, exprimé en \$/jour.

b) Lorsque $P = 50\,000$

$5\,000\left(8 + \frac{5}{q}\right) = 50\,000$. Ainsi $q = 2{,}5$.

Donc, $\left.\frac{dP}{dt}\right|_{P = 50\,000} = \frac{50\,000}{(2{,}5)^2} = 8\,000$ \$/jour.

Exercices récapitulatifs *(page 200)*

2. a) 3 000 individus

b) 180 ind./année

c) $222{,}\overline{2}$ ind./année

d) 3 600 individus

4. a) 77π cm³; 25π cm³; 113π cm³.

b) 51π cm³; 64π cm³; 132π cm³.

c) $T_r(r, h) = 2\pi rh$, exprimé en cm³/cm; 30π cm³/cm.

d) $T_h(r, h) = \pi r^2$, exprimé en cm³/cm; 9π cm³/cm.

7. a) $T_r(t) = \frac{3}{2\sqrt{3t + 4}}$, exprimé en cm/s; 0,3 cm/s.

b) $T_h(t) = 6t$, exprimé en cm/s; 24 cm/s.

c) $T_V(t) = \pi(27t^2 + 24t + 3)$, exprimé en cm³/s; environ 658π cm³/s.

9. a) La hauteur diminue à une vitesse d'environ 0,104 cm/s.

b) L'aire diminue à une vitesse de 5,95 cm²/s.

c) L'aire augmente à une vitesse d'environ 2,479 cm²/s.

d) $13\sqrt{2}$ cm

11. a) $\frac{dA}{dh} = \frac{2h}{\sqrt{3}}$, exprimé en cm²/cm;

$\frac{dA}{dx} = \frac{\sqrt{3}x}{2}$, exprimé en cm²/cm;

$\frac{dA}{dt} = \frac{-40h}{\sqrt{3}(t + 1)^2}$, exprimé en cm²/s.

12. a) 0,75 m/s

b) Environ 1,31 m/s.

14. 6,5 m/min

16. a) 54π cm³; 12 cm.

b) $T_V(t) = -3$, exprimé en cm³/s.

c) $T_h(t) = \frac{-4}{\pi h}$, exprimé en cm/s.

d) $\frac{-2}{3\pi} \approx -0{,}21$ cm/s

e) $\frac{-2}{3\pi\sqrt{2}} \approx -0{,}15$ cm/s

f) $\frac{-4}{\pi(4{,}083...)} \approx -0{,}31$ cm/s

5

Problèmes de synthèse *(page 204)*

1. a) Environ 82,49 km/h

b) Environ 83,56 km/h

c) Environ 87,31 m ; environ 269 m.

3. a) Environ 19,23 m/s

b) Environ 4,45 s

5. a) 1,2 m/s

b) Environ 0,358 m/s

c) Environ 6,124 m/s

6. a) $T_h(t) = \text{-}2$ cm/min b) 6,3 cm/min

8. a) Environ 0,006 9 m/min

b) Environ $0{,}00\overline{5}$ m/min

10. a) 3 cm³/cm² ; 0,5 cm³/cm².

b) 16π cm²

11. a) $\dfrac{1\,024\pi}{3}$ cm³

b) $\dfrac{dh}{dt} = \dfrac{100}{\pi(h^2 - 64)}$, exprimé en cm/h.

c) Environ -20,02 cm/h ; environ -0,66 cm/h ; environ -0,497 cm/h.

d) $r = \sqrt{16h - h^2}$

e) $\dfrac{dr}{dt} = \left(\dfrac{8 - h}{\sqrt{16h - h^2}}\right)\left(\dfrac{100}{\pi(h^2 - 64)}\right)$, exprimé en cm/h.

f) Environ -0,88 cm/h ; environ -0,38 cm/h.

g) Environ 10,72 h

13. a) $\dfrac{dx}{dt} = \dfrac{1}{\sqrt{3x}\sqrt{t + 12}}$, exprimé en cm/s.

b) Environ 0,02 cm/s

c) Environ 108,95 s

d) $T_{A_C}(t) = \dfrac{\pi}{6\sqrt{3}\sqrt{t + 12}}$, exprimé en cm²/s.

e) Environ 0,006 cm²/s

16. a) $\dfrac{dx}{dt} = \begin{cases} \dfrac{y}{\sqrt{100 - y^2}}\left(\dfrac{20 - 2t^2}{\sqrt{20 - t^2}}\right) & \text{si } 0 < t < \sqrt{10} \\ \dfrac{\text{-}y}{\sqrt{100 - y^2}}\left(\dfrac{20 - 2t^2}{\sqrt{20 - t^2}}\right) & \text{si } \sqrt{10} < t < \sqrt{20} \end{cases}$

b) $\left.\dfrac{dx}{dt}\right|_{y = 8} = 4$ cm/min ou $\left.\dfrac{dx}{dt}\right|_{y = 8} = 8$ cm/min ;

$\left.\dfrac{dx}{dt}\right|_{x = 2} \approx 2{,}83$ cm/min.

c) $\dfrac{dA}{dt} = \begin{cases} \left(\dfrac{y^2 + 5\sqrt{100 - y^2} - 50}{\sqrt{100 - y^2}}\right)\left(\dfrac{20 - 2t^2}{\sqrt{20 - t^2}}\right) & \text{si } 0 < t < \sqrt{10} \\ \left(\dfrac{\text{-}y^2 + 5\sqrt{100 - y^2} + 50}{\sqrt{100 - y^2}}\right)\left(\dfrac{20 - 2t^2}{\sqrt{20 - t^2}}\right) & \text{si } \sqrt{10} < t < \sqrt{20} \end{cases}$

d) $\left.\dfrac{dA}{dt}\right|_{x = 4} = 22$ cm²/min ;

$\left.\dfrac{dA}{dt}\right|_{y = 6} \approx 12{,}26$ cm²/min ou

$\left.\dfrac{dA}{dt}\right|_{y = 6} \approx \text{-}76{,}37$ cm²/min.

Chapitre 6

Test préliminaire *(page 211)*

Partie A

1. a) –

b) –

c) +

d) –

e) –

f) –

2. a) $x = 4$ ou $x = \dfrac{\text{-}7}{3}$

b) $x = 2$ ou $x = \text{-}3$

c) $x = 0$, $x = \text{-}2$, $x = 2$ ou $x = \text{-}1$

d) $x = \text{-}1$, $x = 0$ ou $x = 1$

e) $x = \text{-}1$ ou $x = \dfrac{7}{8}$

f) $x = \text{-}1$, $x = 0$ ou $x = 1$

g) $x = \text{-}5$ ou $x = 5$

h) $x = 1$ ou $x = -2$

i) Il n'y a aucune solution.

3.

x	$-\infty$	0		3		4	$+\infty$
$x^3(x-4)$	$+$	0	$-$	$-$	$-$	0	$+$
$4x^2(x-3)$	$-$	0	$-$	0	$+$	$+$	$+$

4. a) 0,000 2 ; 0

b) 0,005 ; 0,000 07 ; 0,000 000 15

c) 3 000 ; 8 000 000 ; 9 000 000 000

d) -200 000 ; -70 000 000 000

5. a) A + B est positif et infiniment grand.

b) A − B est impossible à déterminer.

c) AB est positif et infiniment grand.

d) $\frac{A}{B}$ est impossible à déterminer.

e) $\frac{-A}{50}$ est négatif et infiniment grand.

6. a) $\text{dom } f = \mathbb{R} \setminus \left\{\frac{-4}{5}, 2\right\}$

b) $\text{dom } g = \mathbb{R} \setminus \{-2, -1, 2, 4\}$

c) $\text{dom } f = [-4, +\infty \setminus \{0\}$

d) $\text{dom } k =]-5, -2] \cup [2, 5[$

e) $\text{dom } h = -\infty, -5[\cup [-2, 2] \cup [5, +\infty$

7. $D_1 : y = 1$; $D_2 : x = -2$; $D_3 : y = \frac{1}{2}x + 1$

8. a) $x^2 - x + 1$

b) $4x + 1 + \frac{5}{x-2}$

c) $x^2 - 1 + \frac{2}{x^2+1}$

d) $3x - 2 + \frac{5x+1}{x^2+1}$

e) $-5x + 6 + \left(\frac{-4}{2x-3}\right)$

Partie B

1. a) $\lim\limits_{x \to 1} \frac{x^2 + 2x - 3}{x^2 - 1}$ $\left(\text{indétermination de la forme } \frac{0}{0}\right)$

$$= \lim_{x \to 1} \frac{(x-1)(x+3)}{(x-1)(x+1)} = \lim_{x \to 1} \frac{(x+3)}{(x+1)} = 2$$

b) $\lim\limits_{x \to 4} \frac{\sqrt{x} - 2}{x - 4}$ $\left(\text{indétermination de la forme } \frac{0}{0}\right)$

$$= \lim_{x \to 4} \left(\frac{\sqrt{x}-2}{x-4}\right)\left(\frac{\sqrt{x}+2}{\sqrt{x}+2}\right) = \lim_{x \to 4} \frac{(x-4)}{(x-4)(\sqrt{x}+2)}$$

$$= \lim_{x \to 4} \frac{1}{\sqrt{x}+2} = \frac{1}{4}$$

2. a) $f'(x) = (3x-2)^3(75x+14) = 0$ si $x = \frac{2}{3}$ ou si $x = \frac{-14}{75}$

b) $f'(x) = \frac{36x}{(x^2+9)^2} = 0$ si $x = 0$

c) $f'(x) = \frac{3(2-x)}{(x^2+6)\sqrt{x^2+6}} = 0$ si $x = 2$

3. $f(x) = x\left(\frac{x^2}{3} - 2x - 5\right) = 0$

si $x = 0$, si $x = 3 - 6\sqrt{\frac{2}{3}}$ ou si $x = 3 + 6\sqrt{\frac{2}{3}}$

$f'(x) = x^2 - 4x - 5 = (x-5)(x+1) = 0$

si $x = 5$ ou si $x = -1$

$f''(x) = 2x - 4 = 2(x-2) = 0$ si $x = 2$

Exercices

Exercices 6.1 (page 230)

1. a) … f est croissante sur $[a, b]$.

b) … f est décroissante sur $[a, b]$.

c) … $f'(c) = 0$ ou si $f'(c)$ n'existe pas.

d) … un point stationnaire de f.

e) … $(c, f(c))$ est un point de maximum relatif de f.

f) … $(c, f(c))$ est un point de minimum relatif de f.

2. a) … est croissante sur $[a, b]$.

b) … est décroissante sur $[a, b]$.

3.

	a)	b)	c)
i) min. relatif	P_3, P_7, P_9	P_3	P_7
ii) min. absolu	aucun	P_3	P_7
iii) max. relatif	P_1, P_6, P_8	P_2, P_4	P_6, P_8
iv) max. absolu	P_1	P_2	P_6
v) point anguleux	P_6	aucun	P_6
vi) point de rebroussement	P_8	aucun	aucun

4. a) Nombres critiques : -2, 0, 1 et 2

x	$-\infty$	-2		0		1		2	$+\infty$
$f'(x)$	$-$	0	$+$	0	$-$	0	$-$	0	$+$
f	↘	$f(-2)$	↗	$f(0)$	↘	$f(1)$	↘	$f(2)$	↗
		min.		max.				min.	

b) Nombres critiques : 2 et 3

x	$-\infty$	0		2		3	$+\infty$
$f'(x)$	$+$	$\nexists$	$+$	0	$+$	0	$-$
f	↗	$\nexists$	↗	$f(2)$	↗	$f(3)$	↘
						max.	

5. a) $f'(x) = 3x^2 - 12 = 3(x - 2)(x + 2)$

nombres critiques : -2 et 2

x	$-\infty$	-2		2	$+\infty$
$f'(x)$	$+$	0	$-$	0	$+$
f	↗	17	↘	-15	↗
		max.		min.	

f est croissante sur $-\infty, -2] \cup [2, +\infty$;

f est décroissante sur $[-2, 2]$;

max. rel. : 17 ;

min. rel. : -15 ;

point de max. rel. : (-2, 17) ;

point de min. rel. : (2, -15).

b) $f'(x) = 3(x^2 - 3x + 4)^2(2x - 3)$; nombre critique : $\frac{3}{2}$

x	$-\infty$	$\frac{3}{2}$	$+\infty$
$f'(x)$	$-$	0	$+$
f	↘	$\left(\frac{7}{4}\right)^3$	↗
		min.	

f est croissante sur $\left[\frac{3}{2}, +\infty\right.$;

f est décroissante sur $\left.-\infty, \frac{3}{2}\right]$;

min. rel. : $\left(\frac{7}{4}\right)^3$;

point de min. rel. : $\left(\frac{3}{2}, \left(\frac{7}{4}\right)^3\right)$.

c) $f'(x) = x^2(-20x^2 - 9)$; nombre critique : 0

x	$-\infty$	0	$+\infty$
$f'(x)$	$-$	0	$-$
f	↘	1	↘

f est décroissante sur $\mathbb{R}$.

d) $f'(x) = 20x^4 - 20x^3 = 20x^3(x - 1)$

nombres critiques : 0 et 1

x	$-\infty$	0		1	$+\infty$
$f'(x)$	$+$	0	$-$	0	$+$
f	↗	3	↘	2	↗
		max.		min.	

f est croissante sur $-\infty, 0] \cup [1, +\infty$;

f est décroissante sur $[0, 1]$;

max. rel. : 3 ;

min. rel. : 2 ;

point de max. rel. : (0, 3) ;

point de min. rel. : (1, 2).

e) $f'(x) = \dfrac{1}{5\sqrt[5]{x^4}}$; nombre critique : 0

x	$-\infty$	0	$+\infty$
$f'(x)$	$+$	$\nexists$	$+$
f	↗	2	↗

f est croissante sur $\mathbb{R}$.

f) $f'(x) = \dfrac{36x}{(x^2 + 9)^2}$; nombre critique : 0

x	-2		0		3
$f'(x)$	$\nexists$	$-$	0	$+$	$\nexists$
f	$\frac{-5}{13}$	↘	-1	↗	0
	max.		min.		max.

f est croissante sur $[0, 3]$;

f est décroissante sur $[-2, 0]$;

max. rel. : $\frac{-5}{13}$ et 0 ;

min. rel. : -1 ;

point de max rel. : $\left(-2, \frac{-5}{13}\right)$ et (3, 0)

point de min. rel. : (0, -1)

g) $f'(x) = 12x^3 - 12x^2 = 12x^2(x - 1)$

nombres critiques : -1, 0 et 1

x	-1		0		1	$+\infty$
$f'(x)$	$\nexists$	$-$	0	$-$	0	$+$
f	7	↘	0	↘	-1	↗
	max.				min.	

f est croissante sur $[1, +\infty$;
f est décroissante sur $[-1, 1]$;
max. rel.: 7;
min. rel.: -1;
point de max. rel.: (-1, 7);
point de min. rel.: (1, -1).

h) $f'(x) = 4x^3 - 12x^2 - 40x$
$= 4x(x^2 - 3x - 10)$
$= 4x(x - 5)(x + 2)$

nombres critiques: -2 et 0

x	-2		0		4
$f'(x)$	∄	+	0	−	∄
f	-28	↗	4	↘	∄
	min.		max.		

f est croissante sur $[-2, 0]$;
f est décroissante sur $[0, 4[$;
max. rel.: 4;
min. rel.: -28;
point de max. rel.: (0, 4);
point de min. rel.: (-2, -28).

6. a) $f'(x) = 3x(x + 4)$

nombres critiques: -4 et 0

x	$-\infty$	-4		0	$+\infty$
$f'(x)$	+	0	−	0	+
f	↗	33	↘	1	↗
		max.		min.	

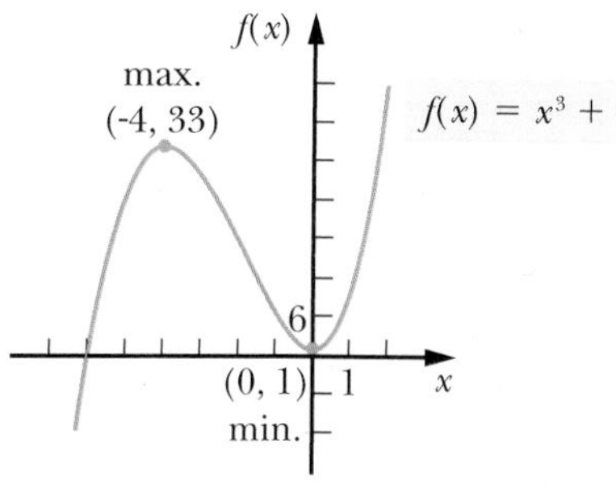

b) $f'(x) = \begin{cases} 1 & \text{si} \quad x > 5 \\ -1 & \text{si} \quad x < 5 \end{cases}$

nombre critique: 5

x	-1		5		10
$f'(x)$	∄	−	∄	+	∄
f	∄	↘	3	↗	8
			min.		max.

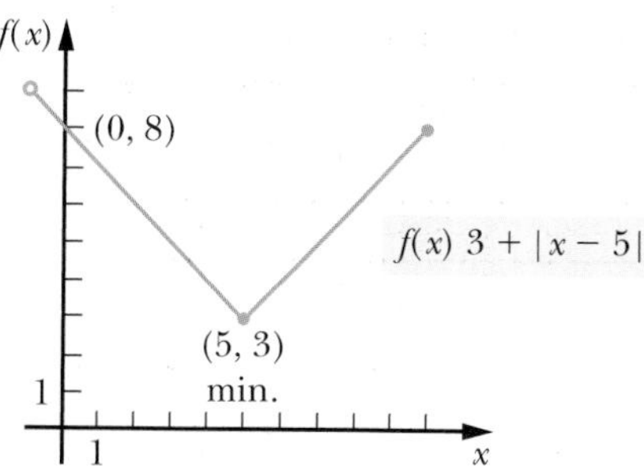

(5, 3) est un point anguleux.

c) $f'(x) = -4x(x - 2)(x + 2)$

nombres critiques: -2, 0 et 2

x	$-\infty$	-2		0		2	$+\infty$
$f'(x)$	+	0	−	0	+	0	−
f	↗	7	↘	-9	↗	7	↘
		max.		min.		max.	

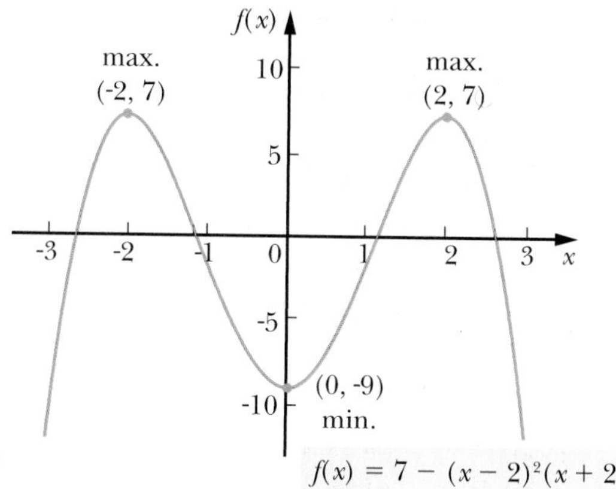

d) $\text{dom} f = \left[\frac{-7}{3}, +\infty\right.$

$f'(x) = \dfrac{3}{2\sqrt{3x + 7}}$

nombre critique: $\dfrac{-7}{3}$

x	$\frac{-7}{3}$	$+\infty$
$f'(x)$	∄	+
f	-2	↗
	min.	

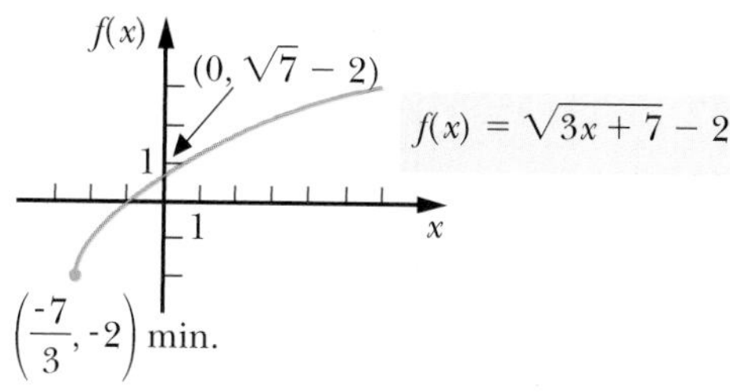

e) $f'(x) = \dfrac{-4}{3(4-2x)^{\frac{1}{3}}}$

nombre critique : $x = 2$

x	$-\infty$	2	$+\infty$
$f'(x)$	$-$	$\nexists$	$+$
f	↘	3	↗
		min.	

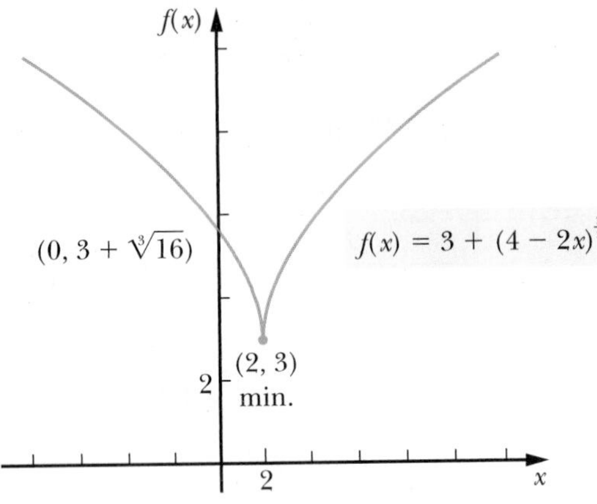

(2, 3) est un point de rebroussement.

f) $f'(x) = 15(x-2)(x+2)(x-1)(x+1)$

nombres critiques : -2, -1, 1 et 2

x	$-\infty$	-2		-1		1		2
$f'(x)$	$+$	0	$-$	0	$+$	0	$-$	$\nexists$
f	↗	-16	↘	-38	↗	38	↘	$\nexists$
		max.		min.		max.		

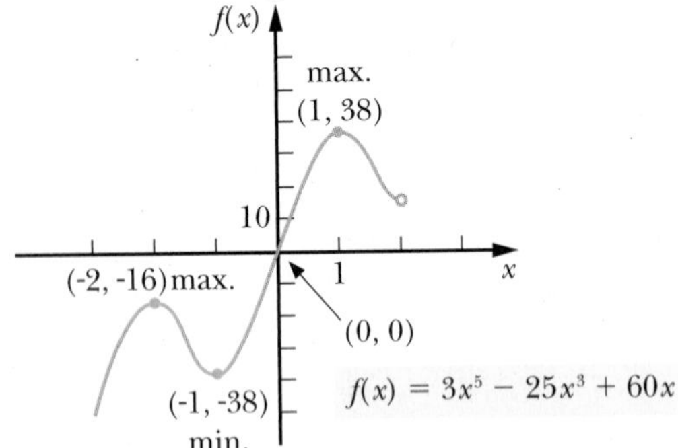

7.

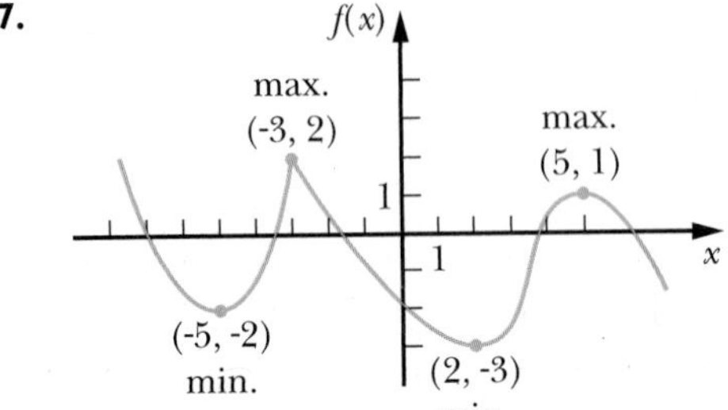

8. a)

x	$-\infty$	-7		-5		-2		3	$+\infty$
$f'(x)$	$+$	0	$-$	0	$+$	0	$-$	0	$+$
f	↗	3	↘	1	↗	3	↘	-3	↗
		max.		min.		max.		min.	

b)

x	$-\infty$	-2		0		2	$+\infty$
$f'(x)$	$-$	$\nexists$	$+$	0	$-$	$\nexists$	$+$
f	↘	0	↗	1	↘	0	↗
		min.		max.		min.	

9. a)

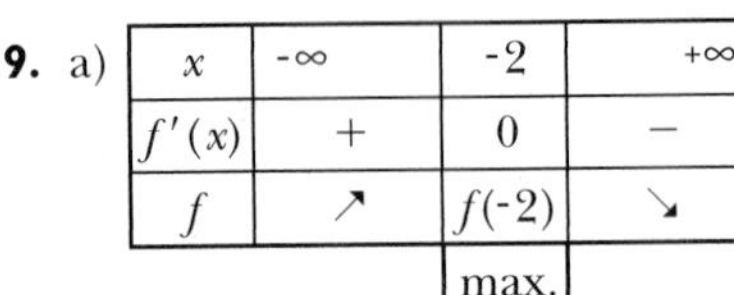

x	$-\infty$	-2	$+\infty$
$f'(x)$	$+$	0	$-$
f	↗	$f(-2)$	↘
		max.	

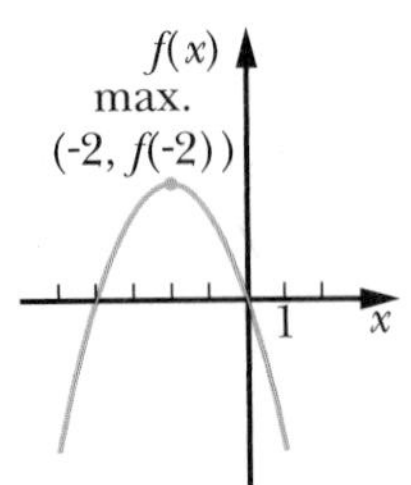

b)

x	$-\infty$	-2		1,5	$+\infty$
$f'(x)$	$-$	0	$+$	0	$-$
f	↘	$f(-2)$	↗	$f(1{,}5)$	↘
		min.		max.	

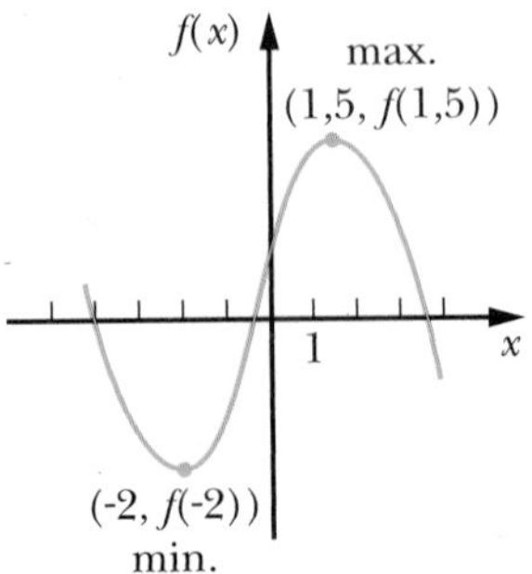

c)

x	$-\infty$	-3		1	$+\infty$
$f'(x)$	$-$	0	$+$	0	$+$
f	↘	$f(-3)$	↗	$f(1)$	↗
		min.			

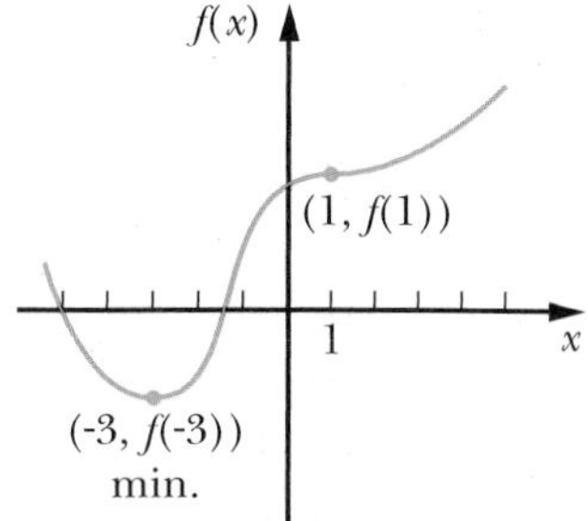

d)

x	$-\infty$	2	$+\infty$
$f'(x)$	$-$	$\nexists$	$+$
f	↘	$f(2)$	↗
		min.	

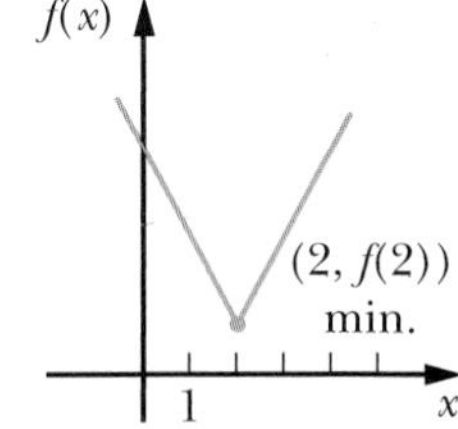

10. Les graphiques associés sont les suivants.

a) et ⑥ d) et ③ g) et ⑦
b) et ① e) et ⑨ h) et ②
c) et ⑧ f) et ④ i) et ⑤

11. a) ① et g ② et f ③ et f'
b) ① et f ② et g ③ et f'

12. a) i) Soit f, une fonction croissante $[a, b]$.

Soit $x \in \,]a, b[$ et $h \neq 0$ tels que $(x + h) \in \,]a, b[$.
Puisque $h \neq 0$, $h > 0$ ou $h < 0$.

Cas 1 $h > 0$

Puisque $h > 0$, $x < (x + h)$

$$f(x) \leq f(x + h) \quad \text{(définition 6.1 2))}$$

$$f(x + h) - f(x) \geq 0$$

$$\frac{f(x + h) - f(x)}{h} \geq 0$$

$$(\text{car } f(x + h) - f(x) \geq 0 \text{ et } h > 0)$$

En passant à la limite, nous avons

$$\lim_{h \to 0^+} \frac{f(x + h) - f(x)}{h} \geq 0$$

$$\left(\text{car } \frac{f(x + h) - f(x)}{h} \geq 0\right)$$

Cas 2 $h < 0$

Puisque $h < 0$, $(x + h) < x$

$$f(x + h) \leq f(x) \quad \text{(définition 6.1 2))}$$

$$f(x + h) - f(x) \leq 0$$

$$\frac{f(x + h) - f(x)}{h} \geq 0$$

$$(\text{car } f(x + h) - f(x) \leq 0 \text{ et } h < 0)$$

En passant à la limite, nous avons

$$\lim_{h \to 0^-} \frac{f(x + h) - f(x)}{h} \geq 0$$

$$\left(\text{car } \frac{f(x + h) - f(x)}{h} \geq 0\right)$$

Puisque $\displaystyle\lim_{h \to 0^+} \frac{f(x + h) - f(x)}{h} \geq 0$ et que

$\displaystyle\lim_{h \to 0^-} \frac{f(x + h) - f(x)}{h} \geq 0$, alors

$$\lim_{h \to 0} \frac{f(x + h) - f(x)}{h} \geq 0.$$

Donc, $f'(x) \geq 0$ $\left(\text{car } f'(x) = \displaystyle\lim_{h \to 0} \frac{f(x + h) - f(x)}{h}\right)$

D'où si f est croissante sur $[a, b]$, alors $f'(x) \geq 0$ sur $]a, b[$.

ii) Laissé à l'élève.

b) i) La vérification est laissée à l'élève.

ii) $f'(x) = 315x^6 - 630x^4 + 315x^2$
$= 315x^2\,(x^4 - 2x^2 + 1)$
$= 315x^2\,(x^2 - 1)^2$
$= 315x^2\,(x - 1)^2(x + 1)^2$

Donc, $f'(x) \geq 0$ sur $]-2, 2[$
et $f'(x) = 0$ si $x = -1$, $x = 0$ ou $x = 1$.

Exercices 6.2 *(page 246)*

1. a) ... concave vers le haut sur $[a, b]$.
b) ... concave vers le bas sur $[a, +\infty$.
c) ... change de concavité au point $(c, f(c))$.
d) ... change de signe lorsque x passe de c^- à c^+.
e) i) ... $(c, f(c))$ est un point de maximum relatif de f.
ii) ... $(c, f(c))$ est un point de minimum relatif de f.
iii) ... nous ne pouvons rien conclure.

2. a) i) Concave vers le haut sur $[0, +\infty$.
ii) Concave vers le bas sur $-\infty, 0]$.
iii) Point d'inflexion: $(0, 1)$.

b) i) Concave vers le haut sur $[-6, -4] \cup [2, +\infty$.
ii) Concave vers le bas sur $-\infty, -6] \cup [-4, 2]$.
iii) Points d'inflexion: $(-6, -2)$, $(-4, 0)$ et $(2, 2)$.

c) i) Concave vers le haut sur $-\infty, 1] \cup [3, +\infty$.
ii) Concave vers le bas sur $[1, 3]$.
iii) Points d'inflexion: $(1, -2)$ et $(3, 1)$.

3. a) Nombres critiques: $\dfrac{-5}{2}$ et 1

x	$-\infty$	$\frac{-5}{2}$		1	$+\infty$
$f''(x)$	$+$	0	$-$	0	$+$
f	$\cup$	$f\left(\frac{-5}{2}\right)$	$\cap$	$f(1)$	$\cup$
		inf.		inf.	

b) Nombres critiques : -2, 1 et 2

x	$-\infty$	-2		1		2	$+\infty$
$f''(x)$	+	0	−	0	−	0	+
f	∪	$f(-2)$	∩	$f(1)$	∩	$f(2)$	∪
		inf.				inf.	

4. a) $f''(x) = -12(x - 7)^2$; nombre critique : 7

x	$-\infty$	7	$+\infty$
$f''(x)$	−	0	−
f	∩	5	∩

f est concave vers le bas sur $\mathbb{R}$.

b) $f''(x) = 0$; nombres critiques : $\{x \mid x \in \mathbb{R}\}$

x	$-\infty$	$+\infty$
$f''(x)$	0	
f	ni concave vers le haut, ni concave vers le bas	

Remarque La représentation graphique de $f(x) = 3x - 4$ est une droite.

c) $f''(x) = 60x^2(x - 1)(x + 1)$;
nombres critiques : -1, 0 et 1

x	$-\infty$	-1		0		1	$+\infty$
$f''(x)$	+	0	−	0	−	0	+
f	∪	-2	∩	1	∩	-2	∪
		inf.				inf.	

f est concave vers le haut sur $-\infty, -1] \cup [1, +\infty$;
f est concave vers le bas sur $[-1, 1]$;
points d'inflexion : $(-1, -2)$ et $(1, -2)$.

d) $f''(x) = \dfrac{-2}{(3x + 1)^{\frac{5}{3}}}$; $f''(x)$ n'existe pas si $x = \dfrac{-1}{3}$.

x	$-\infty$	$\frac{-1}{3}$	$+\infty$
$f''(x)$	+	∄	−
f	∪	-7	∩
		inf.	

f est concave vers le haut sur $-\infty, \dfrac{-1}{3}\Big]$;

f est concave vers le bas sur $\Big[\dfrac{-1}{3}, +\infty$;

point d'inflexion : $\left(\dfrac{-1}{3}, -7\right)$.

e) $f''(x) = \dfrac{2}{9(x - 4)^{\frac{4}{3}}}$; $f''(x)$ n'existe pas si $x = 4$.

x	$-\infty$	4	$+\infty$
$f''(x)$	+	∄	+
f	∪	1	∪

f est concave vers le haut sur $\mathbb{R}$.

f) $f''(x) = 18(1 - 3x)(12x - 11)$;
nombres critiques : $\dfrac{1}{3}$ et $\dfrac{11}{12}$

x	$-\infty$	$\frac{1}{3}$		$\frac{11}{12}$	$+\infty$
$f''(x)$	−	0	+	0	−
f	∩	0	∪	$\frac{2\,401}{384}$	∩
		inf.		inf.	

f est concave vers le bas sur $-\infty, \dfrac{1}{3}\Big] \cup \Big[\dfrac{11}{12}, +\infty$;

f est concave vers le haut sur $\left[\dfrac{1}{3}, \dfrac{11}{12}\right]$;

points d'inflexion : $\left(\dfrac{1}{3}, 0\right)$ et $\left(\dfrac{11}{12}, \dfrac{2\,401}{384}\right)$.

5. a) $f'(x) = 3(x + 1)(x - 1)$ et $f''(x) = 6x$;
$f'(-1) = 0$ et $f''(-1) = -6 < 0$, d'où $(-1, 7)$ est un point de maximum relatif de f.
$f'(1) = 0$ et $f''(1) = 6 > 0$, d'où $(1, 3)$ est un point de minimum relatif de f.

b) $f'(x) = 4x(x - 4)(x + 4)$ et $f''(x) = 12x^2 - 64$;
$f'(-4) = 0$ et $f''(-4) = 128 > 0$, d'où $(-4, 0)$ est un point de minimum relatif de f.
$f'(0) = 0$ et $f''(0) = -64 < 0$, d'où $(0, 256)$ est un point de maximum relatif de f.
$f'(4) = 0$ et $f''(4) = 128 > 0$, d'où $(4, 0)$ est un point de minimum relatif de f.

c) $f'(x) = 4(2 - x)^3$ et $f''(x) = -12(2 - x)^2$;
$f'(2) = 0$ et $f''(2) = 0$, d'où nous ne pouvons rien conclure.
Construisons le tableau de variation relatif à f'.

x	$-\infty$	2	$+\infty$
$f'(x)$	+	0	−
f	↗	5	↘
		max.	

D'où $(2, 5)$ est un point de maximum relatif de f.

d) $f'(x) = 3(x + 3)(x - 1)$ et $f''(x) = 6x + 6$;
$f'(-3) = 0$ et $f''(-3) = -12 < 0$,
d'où $(-3, 37)$ est un point de maximum relatif de f.
$f'(1) = 0$ et $f''(1) = 12 > 0$,
d'où $(1, 5)$ est un point de minimum relatif de f.

e) $f'(x) = 12x^2(x - 1)$ et $f''(x) = 36x^2 - 24x$;
$f'(1) = 0$ et $f''(1) = 12 > 0$,
d'où $(1, 4)$ est un point de minimum relatif de f.
$f'(0) = 0$ et $f''(0) = 0$,
d'où nous ne pouvons rien conclure.
Construisons le tableau de variation relatif à f'.

x	$-\infty$	0		1	$+\infty$
$f'(x)$	−	0	−	0	+
f	↘	5	↘	4	↗
				min.	

6

D'où (0, 5) n'est ni un point de minimum, ni un point de maximum.

f) $f'(x) = 2x - \frac{16}{x^2} = \frac{2(x^3 - 8)}{x^2}$ sur]1, 10[et

$f''(x) = 2 + \frac{32}{x^3}$ sur]1, 10[;

$f'(2) = 0$ et $f''(2) = 6 > 0$,

d'où (2, 12) est un point de minimum relatif de f.

Pour les extrémités, construisons le tableau de variation relatif à f'.

x	1		2		10
$f'(x)$	$\nexists$	$-$	0	$+$	$\nexists$
f	17	↘	12	↗	$\nexists$
	max.		min.		

D'où (1, 17) est un point de maximum relatif de f.

6. a) $f(x) = x^4 - 108x + 27$ sur IR

$f'(x) = 4x^3 - 108 = 4(x^3 - 27)$

$f'(x) = 0$ si $x = 3$

Puisque 3 est le seul nombre critique de f tel que $f'(x) = 0$, nous pouvons utiliser le théorème 6.7. En calculant $f''(x)$, nous trouvons $f''(x) = 12x^2$.

Ainsi, $f'(3) = 0$ et $f''(3) = 108 > 0$.

D'où A(3, $f(3)$) est le point de minimum absolu de f sur IR.

b) $g(x) = 3x^2 + \frac{4}{x}$ sur]0, +∞

$g'(x) = 6x - \frac{4}{x^2} = \frac{2(3x^3 - 2)}{x^2}$

$g'(x) = 0$ si $x = \sqrt[3]{\frac{2}{3}}$

Puisque $\sqrt[3]{\frac{2}{3}}$ est le seul nombre critique de g tel que $g'(x) = 0$, nous pouvons utiliser le théorème 6.7.

En calculant $g''(x)$, nous trouvons $g''(x) = 6 + \frac{8}{x^3}$.

Ainsi, $g'\left(\sqrt[3]{\frac{2}{3}}\right) = 0$ et $g''\left(\sqrt[3]{\frac{2}{3}}\right) = 18 > 0$.

D'où B$\left(\sqrt[3]{\frac{2}{3}}, g\left(\sqrt[3]{\frac{2}{3}}\right)\right)$ est le point de minimum absolu de g sur]0, +∞.

c) $H(x) = 2x^2 - x^4 + 1$ sur [-3, 2]

$H'(x) = 4x - 4x^3 = 4x(1 - x)(1 + x)$

$H'(x) = 0$ si $x = -1$, $x = 0$ ou $x = 1$

Puisque nous trouvons trois nombres critiques tels que $H'(x) = 0$, nous ne pouvons pas utiliser le théorème 6.7.

Construisons le tableau de variation relatif à H'.

x	-3		-1		0		1		2
$H'(x)$	$\nexists$	$+$	0	$-$	0	$+$	0	$-$	$\nexists$
H	-62	↗	2	↘	1	↗	2	↘	-7
	min. abs.		max. abs.		min.		max. abs.		min.

D'où A(-3, -62) est le point de minimum absolu de H sur [-3, 2] et les points B(-1, 2) et C(1, 2) sont les points de maximum absolu de H sur [-3, 2].

7.

x	-∞	-7		-5		0		5		7	+∞
$f''(x)$	$-$	0	$+$	0	$-$	0	$+$	0	$-$	0	$+$
f	∩	-1	∪	1	∩	0	∪	-1	∩	-2	∪
		inf.		inf.		inf.		inf.		inf.	

8. a)

x	-∞	+∞
$f''(x)$	$+$	
f	∪	

b)

x	-∞	-2	+∞
$f''(x)$	$-$	0	$+$
f	∩	$f(-2)$	∪
		inf.	

c)

x	-∞	-1		3	+∞
$f''(x)$	$-$	0	$+$	0	$-$
f	∩	$f(-1)$	∪	$f(3)$	∩
		inf.		inf.	

d)

x	-∞	-3		0		3	+∞
$f''(x)$	$-$	0	$-$	0	$+$	0	$-$
f	∩	$f(-3)$	∩	$f(0)$	∪	$f(3)$	∩
				inf.		inf.	

9. a)

x	-∞	3	+∞
$f''(x)$	$+$	$f''(3)$	$+$
f	∪	-2	∪

Remarque : $f''(3) = 0$ ou $f''(3) > 0$

b)

x	-∞	3	+∞
$g''(x)$	$-$	0	$+$
g	∩	$g(3)$	∪
		inf.	

c)

x	-∞	1		5	+∞
$h''(x)$	$+$	0	$-$	0	$+$
h	∪	$h(1)$	∩	$h(5)$	∪
		inf.		inf.	

10. a) et ③ c) et ②
b) et ① d) et ④

11. a) ① f'' ② g ③ f
b) ① f'' ② g ③ f

Exercices 6.3 (page 254)

1. a) dom $f = \mathbb{R}$; $f'(x) = 3x(x-4)$ et $f''(x) = 6x - 12$;

x	$-\infty$	0		2		4	$+\infty$
$f'(x)$	+	0	−	−	−	0	+
$f''(x)$	−	−	−	0	+	+	+
f	↗∩	5	↘∩	-11	↘∪	-27	↗∪
E. du G.	↱	(0, 5)	⤵	(2, -11)	⤷	(4, -27)	⤴
		max.		inf.		min.	

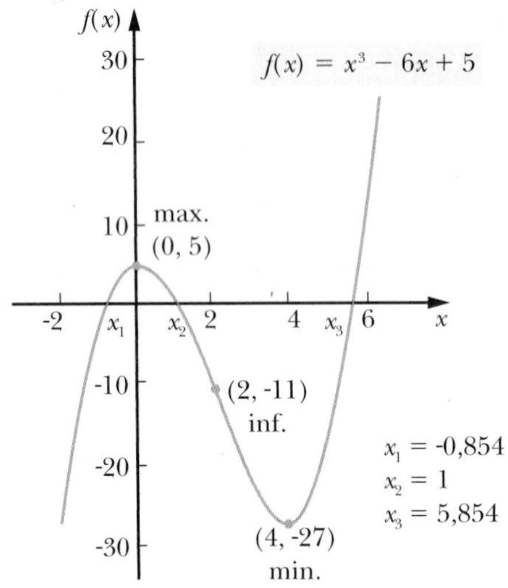

b) dom $f = \mathbb{R}$; $f'(x) = \dfrac{1}{3\sqrt[3]{(x-3)^2}}$ et

$$f''(x) = \frac{-2}{9\sqrt[3]{(x-3)^5}};$$

x	$-\infty$	3	$+\infty$
$f'(x)$	+	∄	+
$f''(x)$	+	∄	−
f	↗∪	-2	↗∩
E. du G.	⤴	(3, -2)	↱
		inf.	

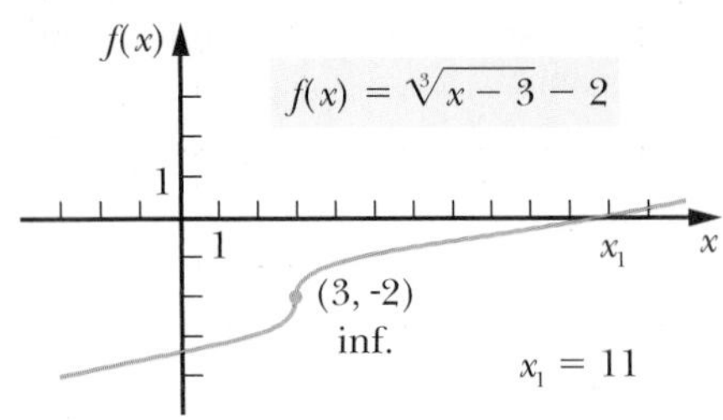

c) dom $f = \mathbb{R}$; $f'(x) = \dfrac{2}{3\sqrt[3]{(x+4)}}$ et

$$f''(x) = \frac{-2}{9\sqrt[3]{(x+4)^4}};$$

x	$-\infty$	-4	$+\infty$
$f'(x)$	−	∄	+
$f''(x)$	−	∄	−
f	↘∩	-3	↗∩
E. du G.	⤵	(-4, -3)	↱
		min.	

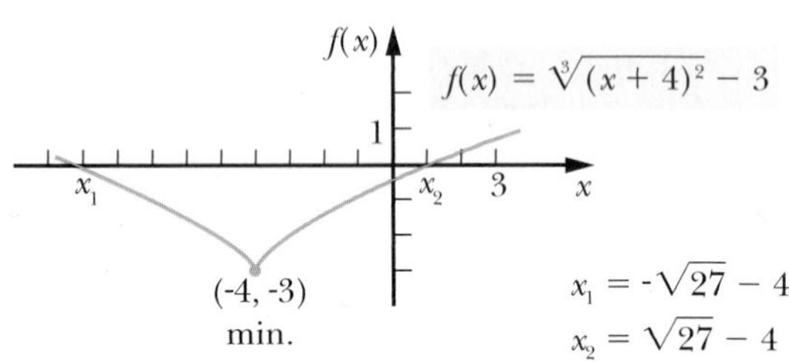

(-4, -3) est un point de rebroussement.

d) dom $f = \mathbb{R}$; $f'(x) = 4x(x-3)(x+3)$ et
$f''(x) = 12(x^2 - 3)$;

x	$-\infty$	-3		$-\sqrt{3}$		0		$\sqrt{3}$		3	$+\infty$
$f'(x)$	−	0	+	+	+	0	−	−	−	0	+
$f''(x)$	+	+	+	0	−	−	−	0	+	+	+
f	↘∪	0	↗∪	36	↗∩	81	↘∩	36	↘∪	0	↗∪
E. du G.	⤷	(-3, 0)	⤴	$(-\sqrt{3}, 36)$	↱	(0, 81)	⤵	$(\sqrt{3}, 36)$	⤷	(3, 0)	⤴
		min.		inf.		max.		inf.		min.	

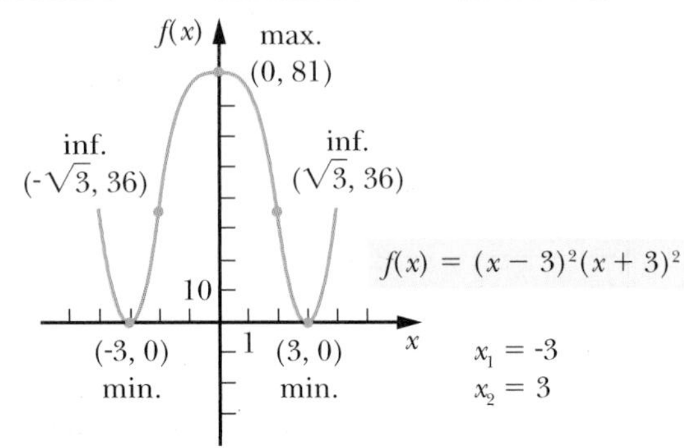

e) dom $f = \mathbb{R}$; $f'(x) = (x + 4)^2(4x - 2)$ et
$f''(x) = 12(x + 4)(x + 1)$;

x	$-\infty$	-4		-1		$\frac{1}{2}$	$+\infty$
$f'(x)$	$-$	0	$-$	$-$	$-$	0	$+$
$f''(x)$	$+$	0	$-$	0	$+$	$+$	$+$
f	↘∪	0	↘∩	-81	↘∪	$\frac{-2\,187}{16}$	↗∪
E. du G.	↳	$(-4, 0)$	↴	$(-1, -81)$	↳	$\left(\frac{1}{2}, \frac{-2\,187}{16}\right)$	⤴
		inf.		inf.		min.	

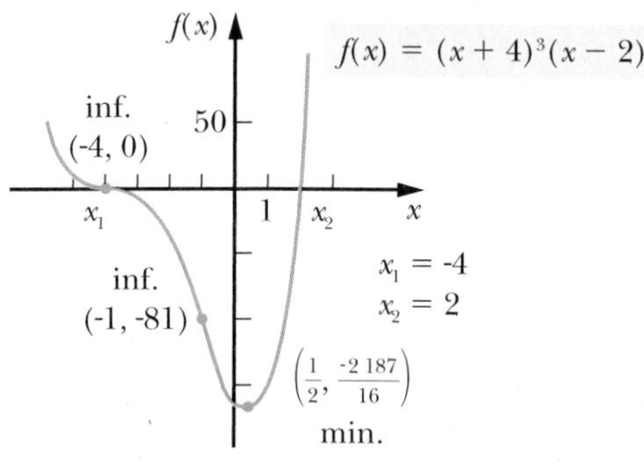

f) dom $f = \mathbb{R}$; $f'(x) = \dfrac{2(\sqrt[3]{x} - 1)}{\sqrt[3]{x}}$ et

$$f''(x) = \frac{2}{3\sqrt[3]{x^4}} ;$$

x	$-\infty$	0		1	$+\infty$
$f'(x)$	$+$	∄	$-$	0	$+$
$f''(x)$	$+$	∄	$+$	$+$	$+$
f	↗∪	0	↘∪	-1	↗∪
E. du G.	⤴	$(0, 0)$	↳	$(1, -1)$	⤴
		max.		min.	

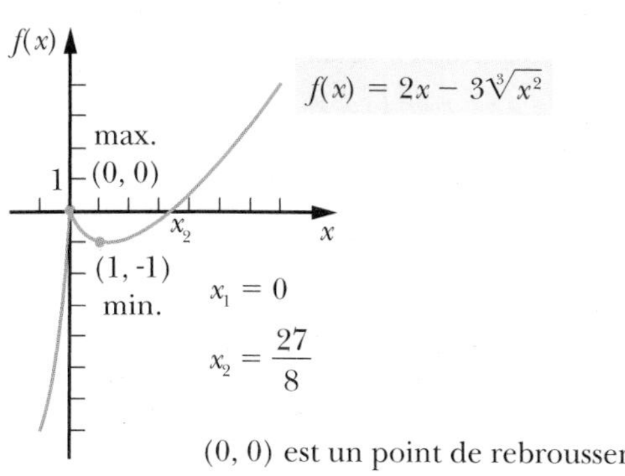

(0, 0) est un point de rebroussement.

g) dom $f = \mathbb{R}$: $f'(x) = \dfrac{x^{\frac{2}{3}} - 1}{x^{\frac{2}{3}}}$ et $f''(x) = \dfrac{2}{3x^{\frac{5}{3}}}$;

x	$-\infty$	-1		0		1	$+\infty$
$f'(x)$	$+$	0	$-$	∄	$-$	0	$+$
$f''(x)$	$-$	$-$	$-$	∄	$+$	$+$	$+$
f	↗∩	5	↘∩	3	↘∪	1	↗∪
E. du G.	↱	$(-1, 5)$	↴	$(0, 3)$	↳	$(1, 1)$	⤴
		max.		inf.		min.	

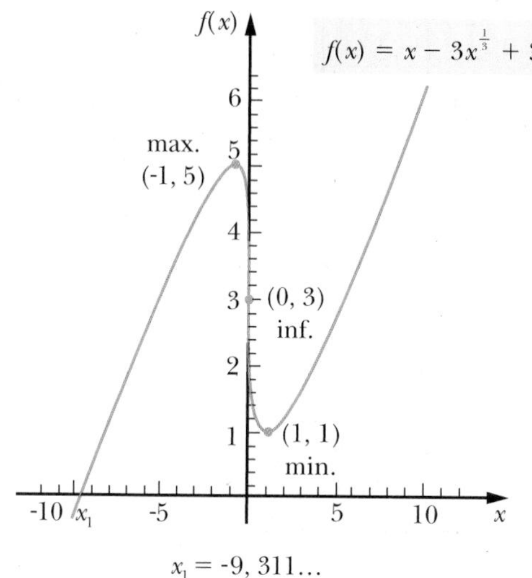

h) dom $f = \mathbb{R}$; $f'(x) = 6x(x^2 - 5)^2$ et
$f''(x) = 30(x^2 - 5)(x^2 - 1)$;

x	$-\infty$	$-\sqrt{5}$		-1		0		1		$\sqrt{5}$	$+\infty$
$f'(x)$	$-$	0	$-$	$-$	$-$	0	$+$	$+$	$+$	0	$+$
$f''(x)$	$+$	0	$-$	0	$+$	$+$	$+$	0	$-$	0	$+$
f	↘∪	0	↘∩	-64	↘∪	-125	↗∪	-64	↗∩	0	↗∪
E. du G.	↳	$(-\sqrt{5}, 0)$	↴	$(-1, -64)$	↳	$(0, -125)$	⤴	$(1, -64)$	↱	$(\sqrt{5}, 0)$	⤴
		inf.		inf.		min.		inf.		inf.	

6

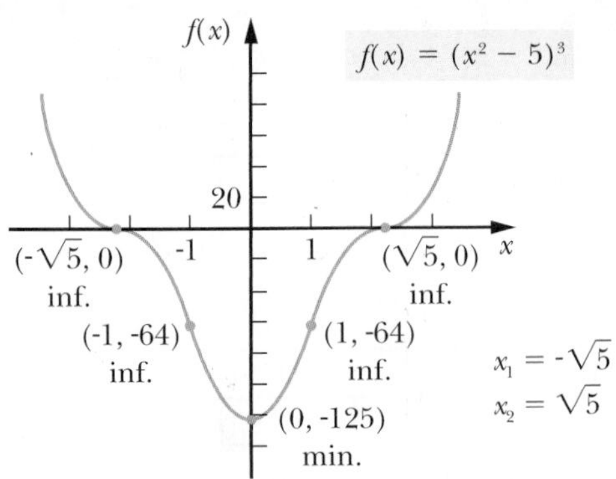

i) $f(x) = \sqrt{(x+2)(x-4)}$, dom $f = -\infty, -2] \cup [4, +\infty$

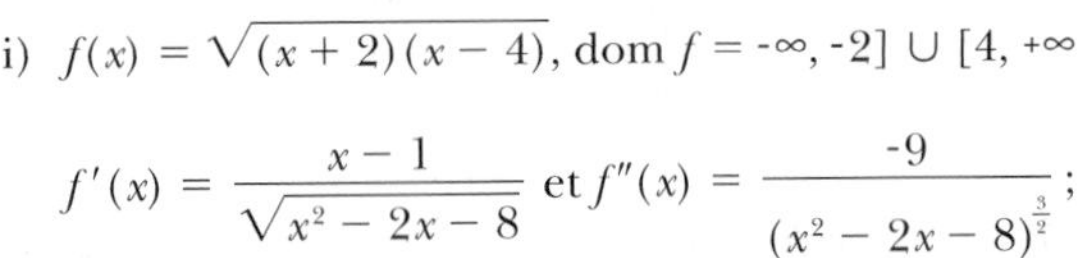

$$f'(x) = \frac{x-1}{\sqrt{x^2-2x-8}} \text{ et } f''(x) = \frac{-9}{(x^2-2x-8)^{\frac{3}{2}}};$$

x	$-\infty$	-2		4	$+\infty$
$f'(x)$	−	∄	∄	∄	+
$f''(x)$	−	∄	∄	∄	−
f	↘∩	0	∄	0	↗∩
E. du G.	⤵	(-2, 0)		(4, 0)	↷
		min.		min.	

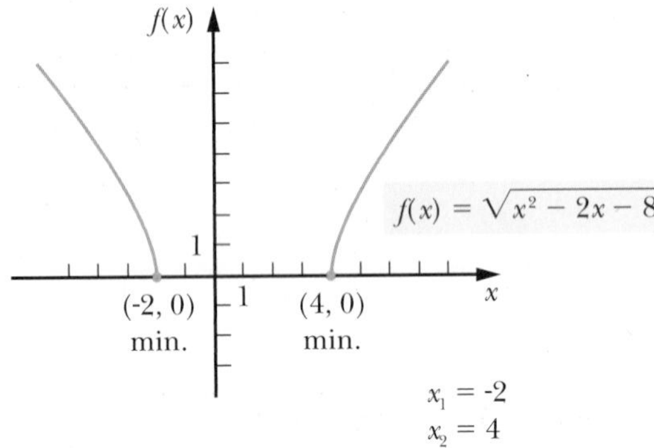

j) dom $f = [-8, 1]$;

$$f'(x) = \frac{2}{x^{\frac{1}{3}}} - 2x = \frac{2(1 - x^{\frac{4}{3}})}{x^{\frac{1}{3}}} \text{ et}$$

$$f''(x) = \frac{-2}{3x^{\frac{4}{3}}} - 2 = \frac{-2(1 + 3x^{\frac{4}{3}})}{3x^{\frac{4}{3}}};$$

x	-8		-1		0		1
$f'(x)$	∄	+	0	−	∄	+	∄
$f''(x)$	∄	−	−	−	0	−	∄
f	-47	↗∩	7	↘∩	5	↗∩	7
E. du G.	(-8, -47)	↷	(-1, 7)	⤵	(0, 5)	↷	(1, 7)
	min.		max.		min.		max.

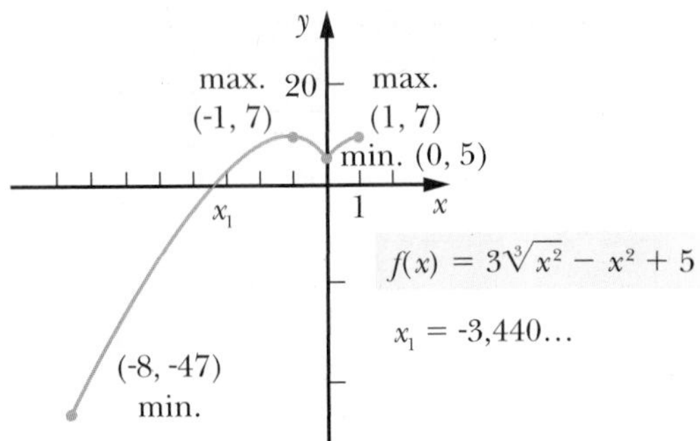

Le point minimum (0, 5) est un point de rebroussement.

k) dom $f = [-9, 9]$;

$$f'(x) = \frac{3(6-x)}{2(9-x)^{\frac{1}{2}}} \text{ et } f''(x) = \frac{3(x-12)}{4(9-x)^{\frac{3}{2}}};$$

x	-9		6		9
$f'(x)$	∄	+	0	−	∄
$f''(x)$	∄	−	−	−	∄
f	-38,2...	↗∩	10,39...	↘∩	0
E. du G.	(-9 ; -38,2...)	↷	(6 ; 10,39...)	⤵	(9, 0)
	min.		max.		min.

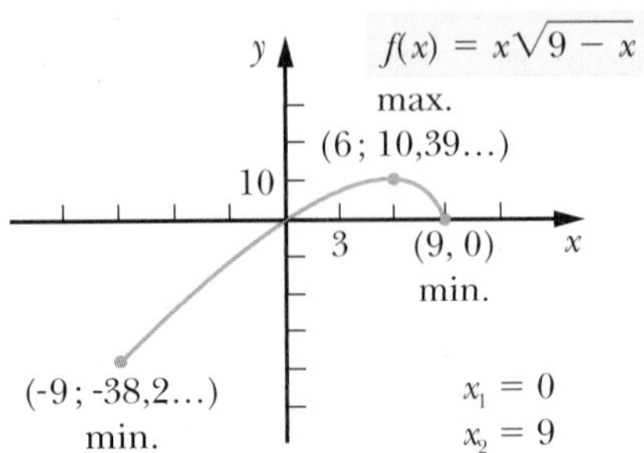

l) dom $f = [-3, 3]$;

$$f'(x) = \frac{9 - 2x^2}{(9-x^2)^{\frac{1}{2}}} \text{ et } f''(x) = \frac{x(2x^2 - 27)}{(9-x^2)^{\frac{3}{2}}};$$

x	-3		$-\sqrt{4,5}$		0		$\sqrt{4,5}$		3
$f'(x)$	∄	−	0	+	+	+	0	−	∄
$f''(x)$	∄	+	+	+	0	−	−	−	∄
f	0	↘∪	-4,5	↗∪	0	↗∩	4,5	↘∩	(3, 0)
E. du G.	(-3, 0)	↳	$(-\sqrt{4,5}; -4,5)$	⤴	(0, 0)	↱	$(\sqrt{4,5}; 4,5)$	↴	(3, 0)
	max.		min.		inf.		max.		min.

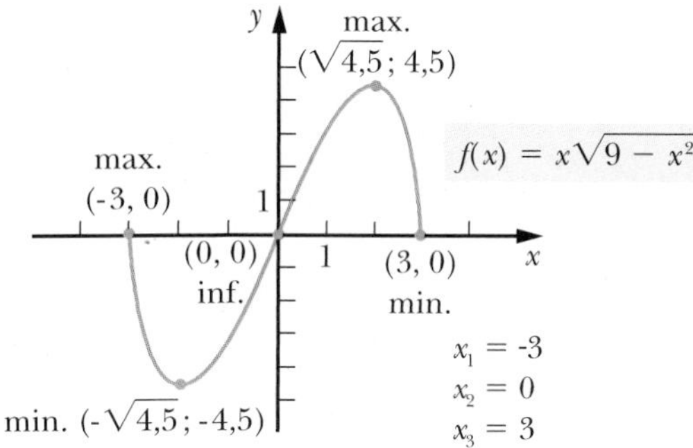

2. a) dom $f = \mathbb{R}$; $f'(x) = \dfrac{4x^2(x-3)}{27}$ et

$$f''(x) = \frac{12x(x-2)}{27}$$

x	$-\infty$	0		2		3	$+\infty$
$f'(x)$	−	0	−	−	−	0	+
$f''(x)$	+	0	−	0	+	+	+
f	↘∪	0	↘∩	$\frac{-16}{27}$	↘∪	-1	↗∪
E. du G.	↳	(0, 0)	↴	$\left(2, \frac{-16}{27}\right)$	↳	(3, -1)	⤴
		inf.		inf.		min.	

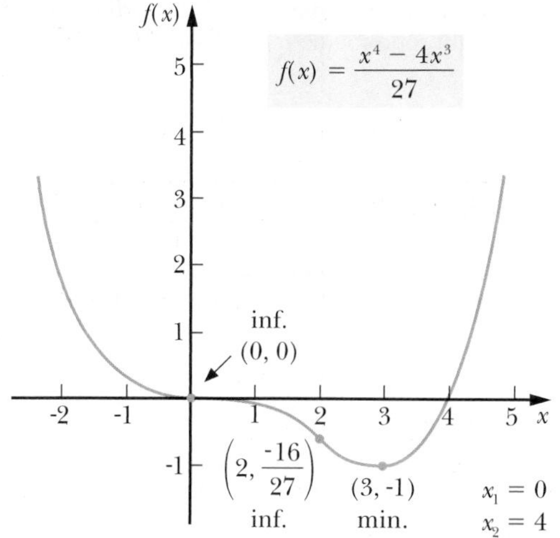

b) dom $g = \mathbb{R}$;

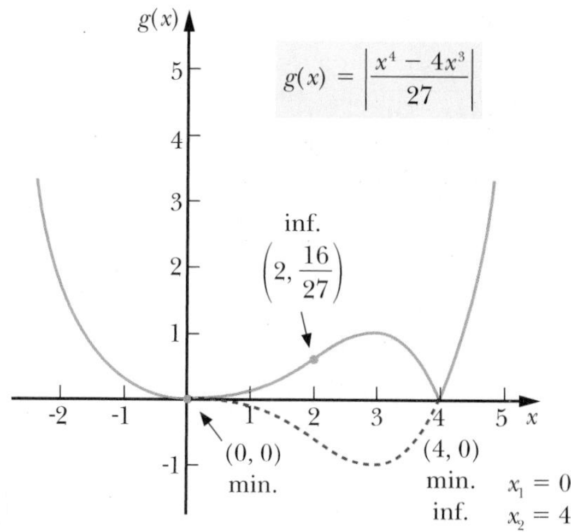

(4, 0) est un point anguleux.

Exercices 6.4 (page 273)

1. a) ... $\lim\limits_{x \to a^-} f(x) = -\infty$, $\lim\limits_{x \to a^-} f(x) = +\infty$, $\lim\limits_{x \to a^+} f(x) = -\infty$ ou $\lim\limits_{x \to a^+} f(x) = +\infty$.

b) ... $\lim\limits_{x \to -\infty} f(x) = b$ ou $\lim\limits_{x \to +\infty} f(x) = b$.

c) ... $f(x) = ax + b + r(x)$ telle que $\lim\limits_{x \to -\infty} r(x) = 0$ ou $\lim\limits_{x \to +\infty} r(x) = 0$.

2. a) i) -3 ii) $+\infty$ iii) $+\infty$ iv) $-\infty$ v) $+\infty$ vi) 0 vii) $-\infty$ viii) -2 ix) 3 x) $-\infty$

b) Asymptotes verticales : $x = -6$, $x = -2$ et $x = 0$

Asymptote horizontale : $y = -3$

Asymptote oblique : $y = \dfrac{-2}{3}x + 2$

3. a) Le graphique ci-dessous n'est évidemment pas le seul qui répond aux quatre conditions.

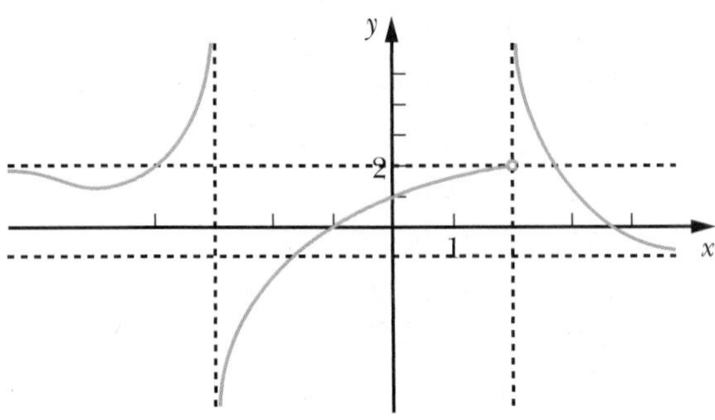

b) Asymptotes verticales : $x = -3$ et $x = 2$

Asymptotes horizontales : $y = 2$ et $y = -1$

4. a) dom $f = \mathbb{R} \setminus \{3\}$;

$\lim\limits_{x \to 3^-} \dfrac{3x}{(x-3)^2} = +\infty \left(\text{forme } \dfrac{9}{0^+}\right)$

$\lim\limits_{x \to 3^+} \dfrac{3x}{(x-3)^2} = +\infty \left(\text{forme } \dfrac{9}{0^+}\right)$.

Donc, la droite d'équation $x = 3$ est une asymptote verticale.

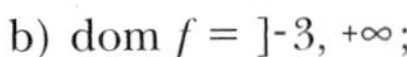

b) dom $f =]-3, +\infty$;

$\lim\limits_{x \to -3^+} \dfrac{-7x^2}{\sqrt{x+3}} = -\infty \left(\text{forme } \dfrac{-63}{0^+}\right)$.

Donc, la droite d'équation $x = -3$ est une asymptote verticale.

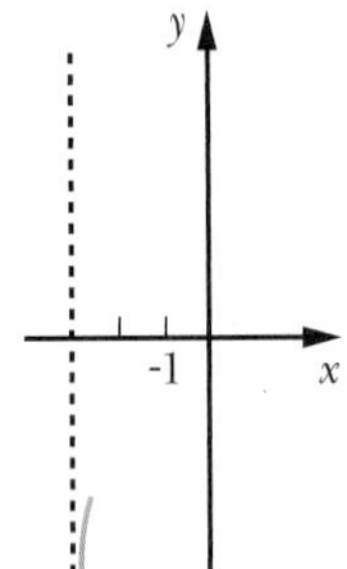

c) dom $f = \mathbb{R} \setminus \{-3, -1\}$;

i) Pour $x = -3$, $\lim\limits_{x \to -3^-} \dfrac{x^2 + x - 6}{x^2 + 4x + 3}$ est une indétermination de la forme $\dfrac{0}{0}$.

Levons cette indétermination.

$$\lim_{x \to -3^-} \frac{x^2 + x - 6}{x^2 + 4x + 3} = \lim_{x \to -3^-} \frac{(x+3)(x-2)}{(x+3)(x+1)}$$

(en factorisant)

$$= \lim_{x \to -3^-} \frac{(x-2)}{(x+1)}$$

(en simplifiant, car $(x + 3) \neq 0$)

$$= \frac{5}{2}.$$

De même, $\lim\limits_{x \to -3^+} \dfrac{x^2 + x - 6}{x^2 + 4x + 3} = \dfrac{5}{2}$.

Donc, la droite d'équation $x = -3$ n'est pas une asymptote verticale.

ii) Pour $x = -1$,

$$\lim_{x \to -1^-} \frac{x^2 + x - 6}{x^2 + 4x + 3} = \lim_{x \to -1^-} \frac{(x+3)(x-2)}{(x+3)(x+1)} = \lim_{x \to -1^-} \frac{(x-2)}{(x+1)} = +\infty \quad \left(\text{forme } \frac{-3}{0^-}\right)$$

$$\lim_{x \to -1^+} \frac{x^2 + x - 6}{x^2 + 4x + 3} = \lim_{x \to -1^+} \frac{(x+3)(x-2)}{(x+3)(x+1)} = \lim_{x \to -1^+} \frac{(x-2)}{(x+1)} = -\infty \quad \left(\text{forme } \frac{-3}{0^+}\right)$$

Donc, la droite d'équation $x = -1$ est une asymptote verticale.

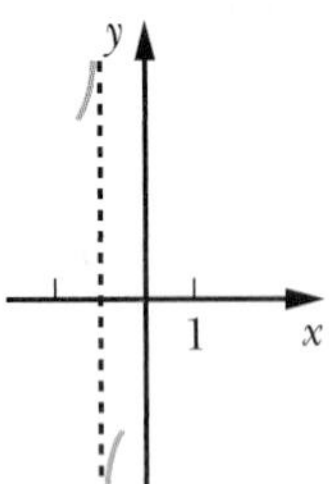

d) Les droites d'équation $x = -3$ et $x = 1$ sont des asymptotes verticales.

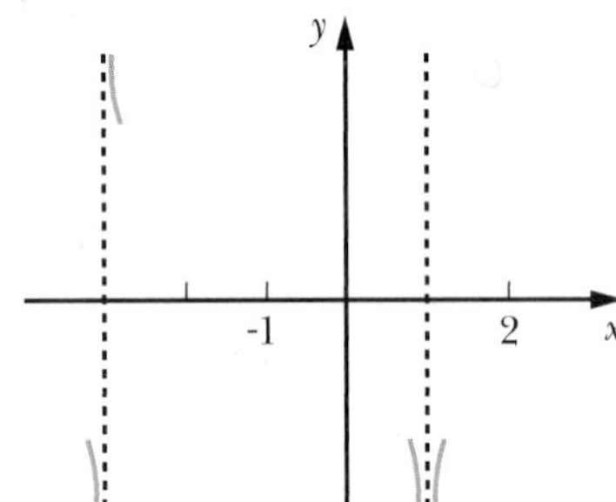

e) Les droites d'équation $x = 1$ et $x = 2$ sont des asymptotes verticales.

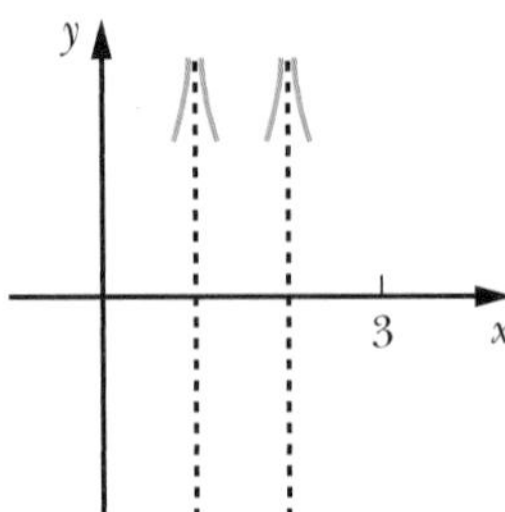

f) La droite d'équation $x = 1$ est une asymptote verticale.

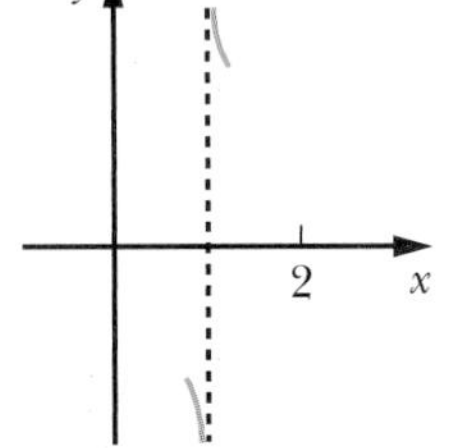

5. a) $\lim_{x \to -\infty} (7x^3 - 4x^2 + 7x - 1) = -\infty$

b) Indétermination de la forme $(+\infty - \infty)$:

$$\lim_{x \to +\infty} (7x^3 - 4x^2 + 7x - 1) = \lim_{x \to +\infty} x^3\left(7 - \frac{4}{x} + \frac{7}{x^2} - \frac{1}{x^3}\right) = +\infty$$

c) Indétermination de la forme $(+\infty - \infty)$:

$$\lim_{x \to -\infty} (\sqrt{x^2 + 4} + x^3) = \lim_{x \to -\infty} \left(\sqrt{x^2\left(1 + \frac{4}{x^2}\right)} + x^3\right)$$

$$= \lim_{x \to -\infty} \left(\sqrt{x^2}\sqrt{1 + \frac{4}{x^2}} + x^3\right)$$

$$= \lim_{x \to -\infty} \left(|x|\sqrt{1 + \frac{4}{x^2}} + x^3\right)$$

$$= \lim_{x \to -\infty} \left(-x\sqrt{1 + \frac{4}{x^2}} + x^3\right)$$

$$= \lim_{x \to -\infty} x^3\left(\frac{-\left(\sqrt{1 + \frac{4}{x^2}}\right)}{x^2} + 1\right)$$

$$= -\infty$$

6. a) $\lim_{x \to -\infty} \left(7 - \frac{3}{x+1}\right) = 7$ et $\lim_{x \to +\infty} \left(7 - \frac{3}{x+1}\right) = 7$

Donc, la droite d'équation $y = 7$ est une asymptote horizontale.

b) $$\lim_{x \to -\infty} \frac{3x^2 - 1}{5x^2 + 4x + 1} = \lim_{x \to -\infty} \frac{x^2\left(3 - \frac{1}{x^2}\right)}{x^2\left(5 + \frac{4}{x} + \frac{1}{x^2}\right)}$$

$$= \lim_{x \to -\infty} \frac{3 - \frac{1}{x^2}}{5 + \frac{4}{x} + \frac{1}{x^2}} = \frac{3}{5} \text{ et}$$

$$\lim_{x \to +\infty} \frac{3x^2 - 1}{5x^2 + 4x + 1} = \frac{3}{5}$$

Donc, la droite d'équation $y = \frac{3}{5}$ est une asymptote horizontale.

c) $$\lim_{x \to -\infty} \frac{4x^3}{7x^2 + 1} = \lim_{x \to -\infty} \frac{4x^3}{x^2\left(7 + \frac{1}{x^2}\right)} = \lim_{x \to -\infty} \frac{4x}{7 + \frac{1}{x^2}} = -\infty$$

Donc, f n'a pas d'asymptote horizontale lorsque $x \to -\infty$.

$$\lim_{x \to +\infty} \frac{4x^3}{7x^2 + 1} = +\infty$$

Donc, f n'a pas d'asymptote horizontale lorsque $x \to +\infty$.

d) $$\lim_{x \to -\infty} \frac{4x + 1}{\sqrt{x^2 + 9}} = \lim_{x \to -\infty} \frac{x\left(4 + \frac{1}{x}\right)}{\sqrt{x^2}\sqrt{1 + \frac{9}{x^2}}}$$

$$= \lim_{x \to -\infty} \frac{x\left(4 + \frac{1}{x}\right)}{-x\left(\sqrt{1 + \frac{9}{x^2}}\right)} = -4$$

Donc, la droite d'équation $y = -4$ est une asymptote horizontale lorsque $x \to -\infty$.

$$\lim_{x \to +\infty} \frac{4x + 1}{\sqrt{x^2 + 9}} = \lim_{x \to +\infty} \frac{x\left(4 + \frac{1}{x}\right)}{x\left(\sqrt{1 + \frac{9}{x^2}}\right)} = 4$$

Donc, la droite d'équation $y = 4$ est une asymptote horizontale lorsque $x \to +\infty$.

7. a) La droite d'équation $y = 0$ est une asymptote horizontale.

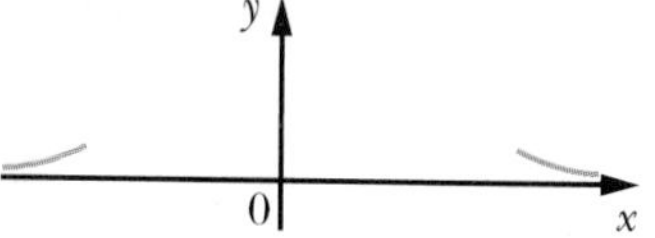

b) La droite d'équation $y = -3$ est une asymptote horizontale.

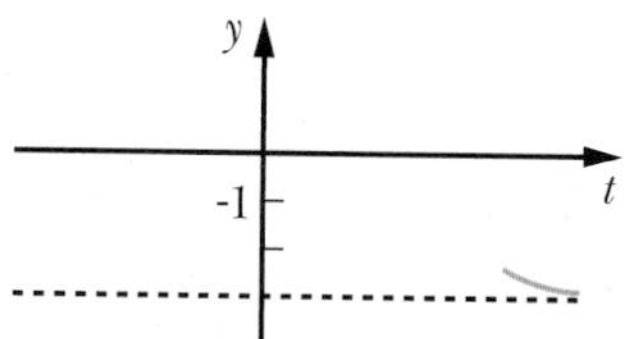

c) $\lim_{x \to -\infty} \left(5 - \frac{\sqrt{4x^2 + 1}}{x}\right) = 7$. Donc, la droite d'équation $y = 7$ est une asymptote horizontale lorsque $x \to -\infty$.

$\lim_{x \to +\infty} \left(5 - \frac{\sqrt{4x^2 + 1}}{x}\right) = 3$. Donc, la droite d'équation $y = 3$ est une asymptote horizontale lorsque $x \to +\infty$.

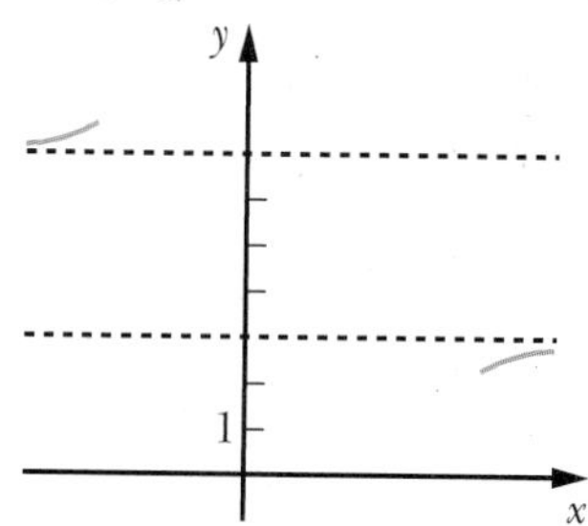

d) La droite d'équation $y = 0$ est une asymptote horizontale lorsque $x \to -\infty$.

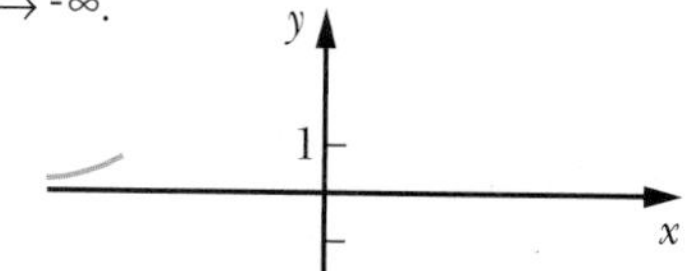

e) f n'a aucune asymptote horizontale.

f) La droite d'équation $y = \frac{5}{2}$ est une asymptote horizontale lorsque $x \to -\infty$ et la droite d'équation $y = \frac{-5}{2}$ est une asymptote horizontale lorsque $x \to +\infty$.

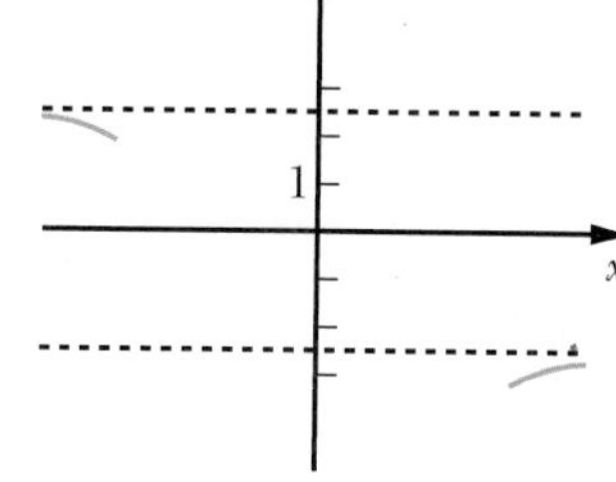

8. a) Puisque $f(x) = 5x - 1 + \dfrac{7}{x^2}$, que $\lim\limits_{x \to -\infty} \dfrac{7}{x^2} = 0$ et que $\lim\limits_{x \to +\infty} \dfrac{7}{x^2} = 0$, alors la droite d'équation $y = 5x - 1$ est une asymptote oblique.

b) $f(x) = \dfrac{4x^3 - 6x^2 + x - 4}{x^2} = 4x - 6 + \dfrac{x - 4}{x^2}$

Puisque $\lim\limits_{x \to -\infty} \dfrac{x-4}{x^2} = \lim\limits_{x \to -\infty} \dfrac{x\left(1 - \dfrac{4}{x}\right)}{x^2}$

$= \lim\limits_{x \to -\infty} \dfrac{1 - \dfrac{4}{x}}{x} = 0$

et que $\lim\limits_{x \to +\infty} \dfrac{x-4}{x^2} = 0$, alors la droite d'équation $y = 4x - 6$ est une asymptote oblique.

c) $f(x) = 3x + 1 + \left(x^2 + \dfrac{1}{x}\right)$

Puisque $\lim\limits_{x \to -\infty} \left(x^2 + \dfrac{1}{x}\right) = +\infty$, d'où $\lim\limits_{x \to -\infty} r(x) \neq 0$, et que $\lim\limits_{x \to +\infty} \left(x^2 + \dfrac{1}{x}\right) = +\infty$, d'où $\lim\limits_{x \to +\infty} r(x) \neq 0$, alors f n'a pas d'asymptote oblique.

9. a) Puisque $f(x) = 3x + 4 + \dfrac{5}{x^2}$, que $\lim\limits_{x \to -\infty} \dfrac{5}{x^2} = 0$ et que $\lim\limits_{x \to +\infty} \dfrac{5}{x^2} = 0$, alors la droite d'équation $y = 3x + 4$ est une asymptote oblique.

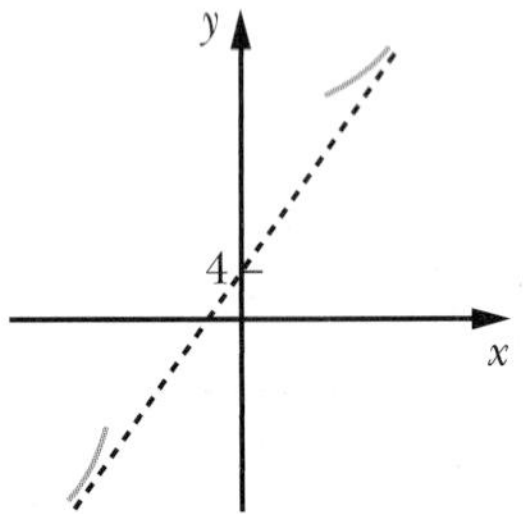

b) Puisque $f(x) = -2x - 1 + \dfrac{3}{x+1}$,

que $\lim\limits_{x \to -\infty} \dfrac{3}{x+1} = 0$ et que $\lim\limits_{x \to +\infty} \dfrac{3}{x+1} = 0$, alors la droite d'équation $y = -2x - 1$ est une asymptote oblique.

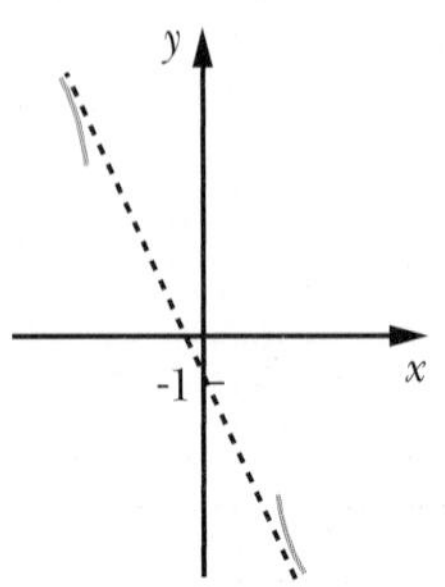

c) $\lim\limits_{x \to -\infty} \dfrac{f(x)}{x} = \lim\limits_{x \to -\infty} \dfrac{\sqrt{4x^2 + 9}}{x}$ $\left(\text{indétermination de la forme } \dfrac{+\infty}{-\infty}\right)$

$= \lim\limits_{x \to -\infty} \dfrac{|x|\sqrt{4 + \dfrac{9}{x^2}}}{x}$

$= \lim\limits_{x \to -\infty} \left(-\sqrt{4 + \dfrac{9}{x^2}}\right) = -2$

Donc, $a = -2$;

$\lim\limits_{x \to -\infty} [f(x) - ax] = \lim\limits_{x \to -\infty} [\sqrt{4x^2 + 9} + 2x]$

(indétermination de la forme $+\infty - \infty$)

$= \lim\limits_{x \to -\infty} \left[[\sqrt{4x^2 + 9} + 2x] \dfrac{[\sqrt{4x^2 + 9} - 2x]}{[\sqrt{4x^2 + 9} - 2x]}\right]$

$= \lim\limits_{x \to -\infty} \dfrac{9}{\sqrt{4x^2 + 9} - 2x} = 0$. Donc, $b = 0$.

D'où la droite d'équation $y = -2x$ est une asymptote oblique lorsque $x \to -\infty$.

$\lim\limits_{x \to +\infty} \dfrac{f(x)}{x} = \lim\limits_{x \to +\infty} \dfrac{\sqrt{4x^2 + 9}}{x}$

$= \lim\limits_{x \to +\infty} \dfrac{|x|\sqrt{4 + \dfrac{9}{x^2}}}{x} = \lim\limits_{x \to +\infty} \sqrt{4 + \dfrac{9}{x^2}} = 2$

Donc, $a = 2$;

$\lim\limits_{x \to +\infty} [f(x) - ax] = \lim\limits_{x \to +\infty} [\sqrt{4x^2 + 9} - 2x]$

$= \lim\limits_{x \to +\infty} \left[[\sqrt{4x^2 + 9} - 2x] \dfrac{[\sqrt{4x^2 + 9} + 2x]}{[\sqrt{4x^2 + 9} + 2x]}\right]$

$= \lim\limits_{x \to +\infty} \dfrac{9}{\sqrt{4x^2 + 9} + 2x} = 0$. Donc, $b = 0$.

D'où la droite d'équation $y = 2x$ est une asymptote oblique lorsque $x \to +\infty$.

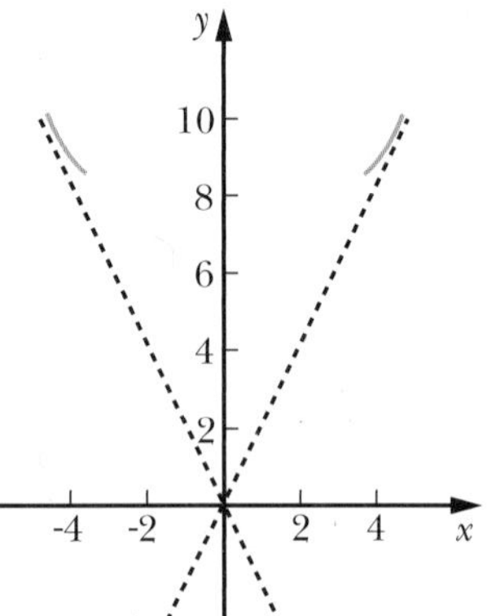

10. a) Asymptotes verticales: les droites d'équation $x = \dfrac{-5}{3}$ et $x = 5$

Asymptote horizontale: la droite d'équation $y = \dfrac{2}{3}$

b) Asymptotes verticales: les droites d'équation $x = -1$ et $x = 1$

Asymptote oblique: la droite d'équation $y = -2x + 4$

11. a) En posant $3(-1) + k = 0$, on obtient $k = 3$.

Puisque $\lim\limits_{x\to -1^-} \dfrac{5x^2+4}{3x+3} = -\infty \left(\text{forme } \dfrac{9}{0^-}\right)$,

alors la droite d'équation $x = -1$ est une asymptote verticale pour $k = 3$ et il n'y a pas d'asymptote verticale si $k \neq 3$.

b) En posant $(\pm 4)^2 + k = 0$, on obtient $k = -16$.

Puisque $\lim\limits_{x\to -4^-} \dfrac{-5x+7}{x^2-16} = +\infty \left(\text{forme } \dfrac{27}{0^+}\right)$ et

que $\lim\limits_{x\to 4^-} \dfrac{-5x+7}{x^2-16} = +\infty \left(\text{forme } \dfrac{-13}{0^-}\right)$,

alors les droites d'équations $x = -4$ et $x = 4$ sont des asymptotes verticales pour $k = -16$ et il n'y a pas d'asymptote verticale si $k \neq -16$.

c) $\lim\limits_{x\to +\infty} \dfrac{kx+1}{3x-4} = \lim\limits_{x\to +\infty} \dfrac{x\left(k + \dfrac{1}{x}\right)}{x\left(3 - \dfrac{4}{x}\right)}$

$= \lim\limits_{x\to +\infty} \dfrac{k + \dfrac{1}{x}}{3 - \dfrac{4}{x}}$

$= \dfrac{k}{3}$

En posant $\dfrac{k}{3} = 8$, on obtient $k = 24$.

Exercices 6.5 *(page 280)*

1. a) dom $f = \mathbb{R} \setminus \{-4, 2\}$

b) Asymptotes verticales: $x = -4$ et $x = 2$

c) Asymptotes horizontales: $y = -3$ et $y = 2$

d) max. rel.: $(-2, -1)$ et $(5, 6)$

min. rel.: $(0, -3)$

e) Points d'inflexion: $(-1, -2)$ et $(6, 4)$

f)

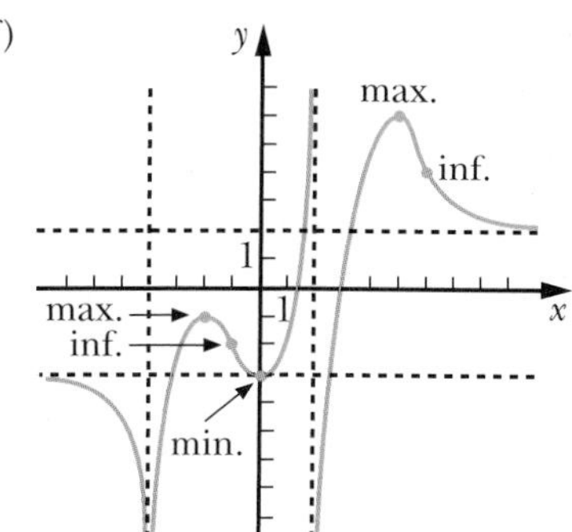

2. a) dom $f = \mathbb{R} \setminus \{-2, 2\}$; A.V.: $x = -2$ et $x = 2$; A.H.: $y = 0$

$f'(x) = \dfrac{-x^2-4}{(x^2-4)^2}$ et $f''(x) = \dfrac{2x(x^2+12)}{(x^2-4)^3}$

x	$-\infty$		-2		0		2		$+\infty$
$f'(x)$		$-$	∄	$-$	$-$	$-$	∄	$-$	
$f''(x)$		$-$	∄	$+$	0	$-$	∄	$+$	
f	0	↘∩	∄	↘∪	0	↘∩	∄	↘∪	0
E. du G.		↷		↳	$(0, 0)$	↷		↳	
					inf.				

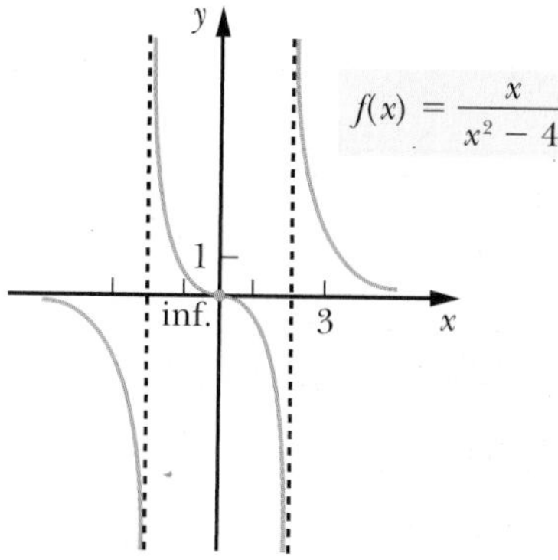

b) dom $f = \mathbb{R} \setminus \{0\}$; A.V.: $x = 0$

$f'(x) = \dfrac{3(x^4-1)}{x^2}$ et $f''(x) = \dfrac{6(x^4+1)}{x^3}$

x	$-\infty$		-1		0		1		$+\infty$
$f'(x)$		$+$	0	$-$	∄	$-$	0	$+$	
$f''(x)$		$-$	$-$	$-$	∄	$+$	$+$	$+$	
f	$-\infty$	↗∩	-4	↘∩	∄	↘∪	4	↗∪	$+\infty$
E. du G.		↗	$(-1, -4)$	↷		↳	$(1, 4)$	↗	
			max.				min.		

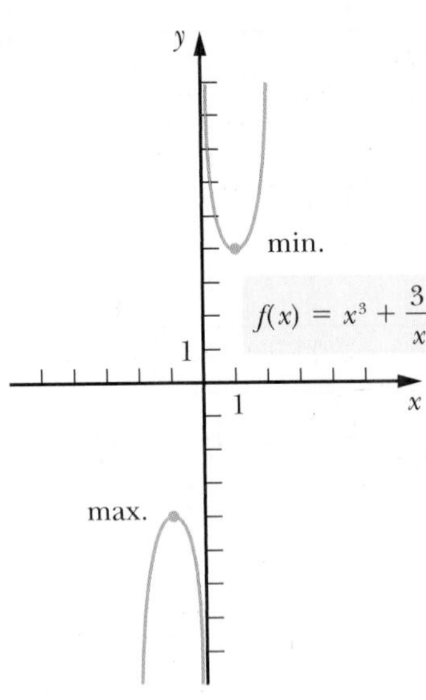

0		1		+∞
0	−	∄	−	
−	−	∄	+	
1	↘∩	∄	↘∪	2
(0, 1)	↘		↘	
max.				

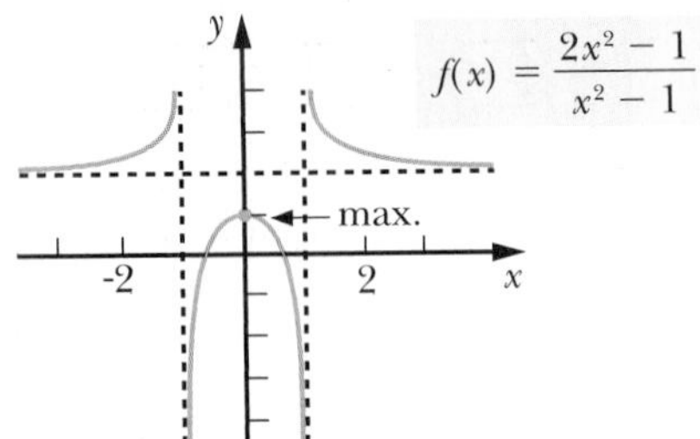

c) dom $f = \mathbb{R} \setminus \{0\}$; A.V. : $x = 0$; A.O. : $y = x$

$$f'(x) = \frac{x^3 - 8}{x^3} \text{ et } f''(x) = \frac{24}{x^4}$$

x	-∞		0		2		+∞
$f'(x)$		+	∄	−	0	+	
$f''(x)$		+	∄	+	+	+	
f	-∞	↗∪	∄	↘∪	3	↗∪	+∞
E. du G.		↗		↘	(2, 3)	↗	
					min.		

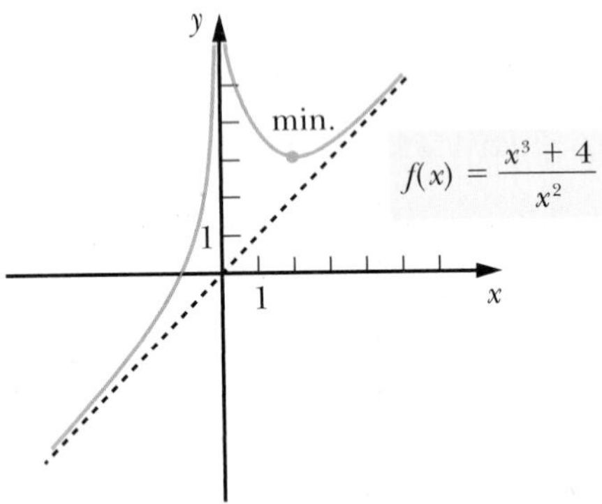

d) dom $f = \mathbb{R} \setminus \{-1, 1\}$; A.V. : $x = -1$ et $x = 1$; A.H. : $y = 2$

$$f'(x) = \frac{-2x}{(x^2 - 1)^2} \text{ et } f''(x) = \frac{2(3x^2 + 1)}{(x^2 - 1)^3}$$

x	-∞		-1	
$f'(x)$		+	∄	+
$f''(x)$		+	∄	−
f	2	↗∪	∄	↗∩
E. du G.		↗		↗

e) dom $f = \mathbb{R} \setminus \{2\}$; A.V. : $x = 2$

$$f'(x) = \frac{2[(x - 2)^4 - 1]}{(x - 2)^3} \text{ et } f''(x) = \frac{2(x - 2)^4 + 6}{(x - 2)^4}$$

x	-∞		1	
$f'(x)$		−	0	+
$f''(x)$		+	+	+
f	+∞	↘∪	2	↗∪
E. du G.		↘	(1, 2)	↗
			min.	

2		3		+∞
∄	−	0	+	
∄	+	+	+	
∄	↘∪	2	↗∪	+∞
	↘	(3, 2)	↗	
		min.		

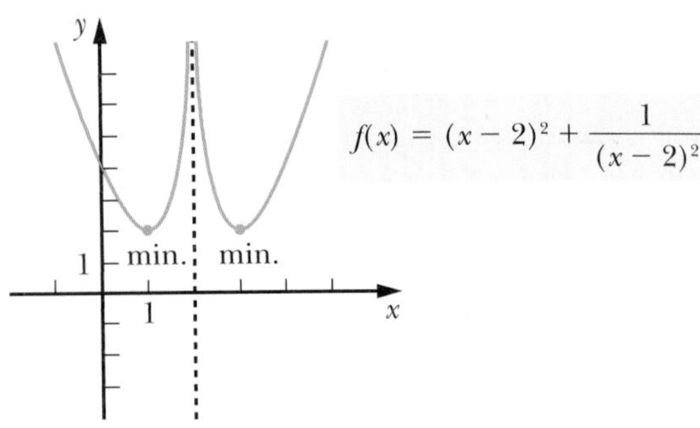

f) dom $f = \mathbb{R} \setminus \{0\}$; A.V. : $x = 0$; A.H. : $y = 1$

$$f'(x) = \frac{2(x + 8)}{x^3} \text{ et } f''(x) = \frac{-4(x + 12)}{x^4}$$

x	$-\infty$		-12		-8		0		$+\infty$
$f'(x)$		$+$	$+$	$+$	0	$-$	$\nexists$	$+$	
$f''(x)$		$+$	0	$-$	$-$	$-$	$\nexists$	$-$	
f	1	$\nearrow\cup$	$\frac{10}{9}$	$\nearrow\cap$	$\frac{9}{8}$	$\searrow\cap$	$\nexists$	$\nearrow\cap$	1
E. du G.		↗	$\left(-12, \frac{10}{9}\right)$	↗	$\left(-8, \frac{9}{8}\right)$	↘		↗	
			inf.		max.				

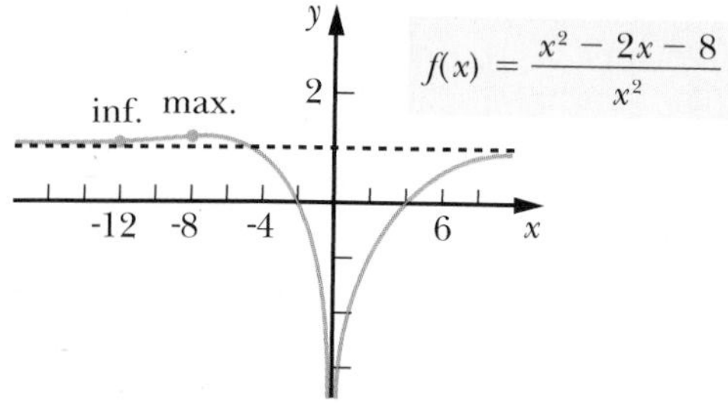

Pour g), h) et i), les tableaux de variation sont laissés à l'élève.

g) dom $f = \mathbb{R}\setminus\{0\}$; A.V. : $x = 0$

$f'(x) = \dfrac{2x^3 - 1}{x^2}$ et $f''(x) = \dfrac{2(x^3 + 1)}{x^3}$

min. rel. : $\left(\sqrt[3]{\dfrac{1}{2}}, \sqrt[3]{\dfrac{1}{4}} + \sqrt[3]{2}\right)$

inf. : $(-1, 0)$

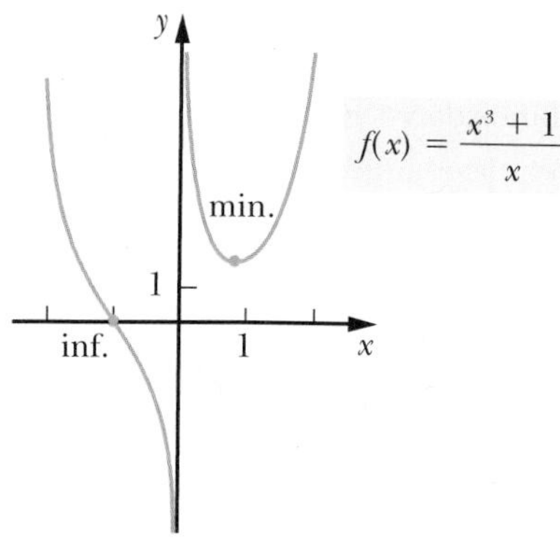

h) dom $f = \mathbb{R}$; A.H. : $y = -1$

$f'(x) = \dfrac{-2x}{(x^2 + 1)^2}$ et $f''(x) = \dfrac{2(3x^2 - 1)}{(x^2 + 1)^3}$

max. abs. : $(0, 0)$

inf. : $\left(\dfrac{-1}{\sqrt{3}}, \dfrac{-1}{4}\right)$ et $\left(\dfrac{1}{\sqrt{3}}, \dfrac{-1}{4}\right)$

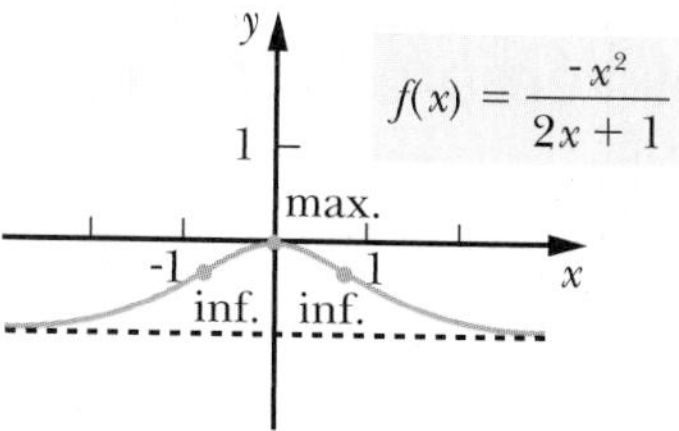

i) dom $f = -\infty, -1[\ \cup\ ]1, +\infty$; A.V. : $x = -1$ et $x = 1$; A.H. : $y = -2$ et $y = 2$

$f'(x) = \dfrac{2}{\sqrt{(x^2 - 1)^3}}$ et $f''(x) = \dfrac{-6x}{\sqrt{(x^2 - 1)^5}}$

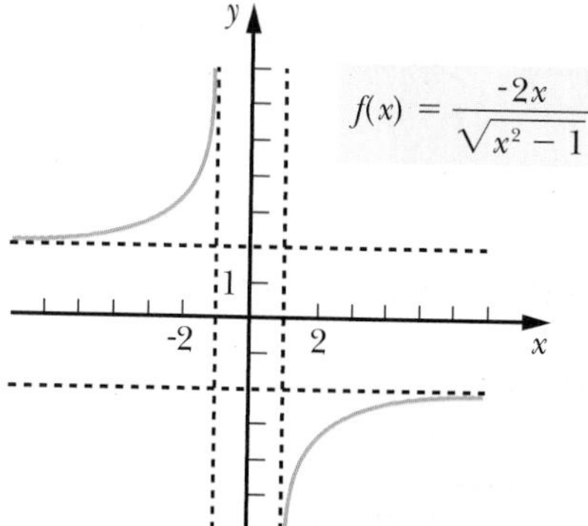

3. a) Le tableau de variation est laissé à l'élève.

dom $f = \mathbb{R}\setminus\{1\}$; A.V. : $x = 1$; A.O. : $y = 4x + 1$

$f'(x) = \dfrac{4x(x - 2)}{(x - 1)^2}$ et $f''(x) = \dfrac{8}{(x - 1)^3}$

min. rel. : $(2, 13)$

max. rel. : $(0, -3)$

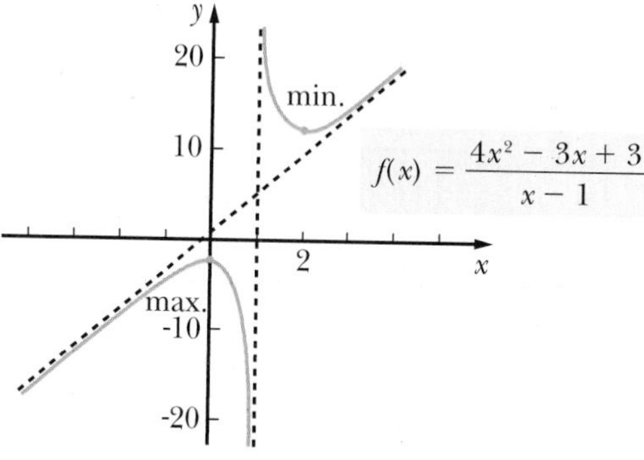

b) dom $h = \mathbb{R}\setminus\{1\}$; A.V. : $x = 1$; A.O. : $y = 4x + 1$ et $y = -4x - 1$

min. rel. et abs. : $(0, 3)$

min. rel. : $(2, 13)$

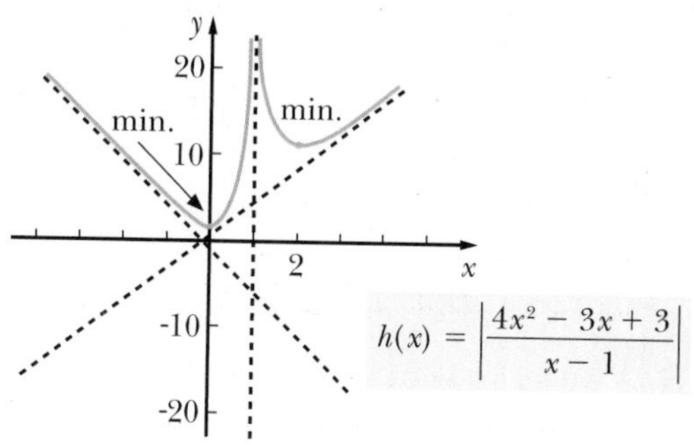

6

Exercices récapitulatifs *(page 284)*

1. a) $f \searrow$ sur $]-\infty, -1] \cup [0, 1]$

$f \nearrow$ sur $[-1, 0] \cup [1, +\infty[$

Max. rel. : (0, 5)

Min. rel. : (-1, 3) et (1, 3)

c) $f \nearrow$ sur $[-1, 1]$

$f \searrow$ sur $]-\infty, -1] \cup [1, +\infty[$

Max. rel. : (1, 3)

Min. rel. : $\left(-1, \frac{1}{3}\right)$

e) f n'est jamais croissante.

$f \searrow$ sur $\mathbb{R}$

Max. : aucun

Min. : aucun

g) $f \nearrow$ sur $[2, 5[$

$f \searrow$ sur $[1, 2]$

Max. rel. : (1 ; 18,5)

Min. rel. : (2 ; 13,5)

2. a) Maximum absolu : 91

Minimum absolu : 3,859...

b) Maximum absolu : aucun

Minimum absolu : -5

4. b) Concavité vers le haut : $\mathbb{R}$

Inf. : aucun

d) Concavité vers le haut : $\left]-\infty, -\sqrt{\frac{1}{3}}\right] \cup \left[\sqrt{\frac{1}{3}}, +\infty\right[$

Concavité vers le bas : $\left[-\sqrt{\frac{1}{3}}, \sqrt{\frac{1}{3}}\right]$

Inf. : $\left(-\sqrt{\frac{1}{3}}, \frac{4}{9}\right)$ et $\left(\sqrt{\frac{1}{3}}, \frac{4}{9}\right)$

f) Concavité vers le bas : $]-\infty, -1] \cup [1, +\infty[$

Inf. : aucun

5. Nous ne donnons que $f'(x)$ et $f''(x)$. Le reste est laissé à l'élève.

a) $f'(x) = 12x(x - 2)(x + 1)$ et $f''(x) = 12(3x^2 - 2x - 2)$;

b) $f'(x) = -15x^2(x^2 - 1)$ et $f''(x) = -30x(2x^2 - 1)$;

c) $f'(x) = 8(4 - x)^2(1 - x)$ et $f''(x) = 24(4 - x)(x - 2)$;

d) $f'(x) = 4x(x - 1)(x - 2)$ et $f''(x) = 12x^2 - 24x + 8$;

e) $f'(x) = \dfrac{3(x + 5)}{2\sqrt{9 + x}}$ et $f''(x) = \dfrac{3(x + 13)}{4(9 + x)^{\frac{3}{2}}}$;

f) $f'(x) = \dfrac{-1}{3(5 - x)^{\frac{2}{3}}}$ et $f''(x) = \dfrac{-2}{9(5 - x)^{\frac{5}{3}}}$;

g) $f'(x) = \dfrac{-2}{3(5 - x)^{\frac{1}{3}}}$ et $f''(x) = \dfrac{-2}{9(5 - x)^{\frac{4}{3}}}$;

h) $f'(x) = \dfrac{5(x - 3)}{3(x - 1)^{\frac{1}{3}}}$ et $f''(x) = \dfrac{10x}{9(x - 1)^{\frac{4}{3}}}$;

i) $f'(x) = \dfrac{5 - x}{2(x - 2)^{\frac{3}{2}}}$ et $f''(x) = \dfrac{x - 11}{4(x - 2)^{\frac{5}{2}}}$;

6.

x	$-\infty$	-1		3		5		6		8	$+\infty$
$f'(x)$	+	0	−	−	−	0	+	∄	+	0	+
$f''(x)$	−	−	−	0	+	+	+	∄	−	∄	+
f	↗∩	$f(-1)$	↘∩	$f(3)$	↘∪	$f(5)$	↗∪	$f(6)$	↗∩	$f(8)$	↗∪
E. du G.	↗	$(-1, f(-1))$	↘	$(3, f(3))$	↘	$(5, f(5))$	↗	$(6, f(6))$	↗	$(8, f(8))$	↗
		max.		inf.		min.		inf.		inf.	

10. a) ① et f'' ② et f' ③ et f.

11. b) Zéros de f : -1,532..., -0,822..., 0,822... et 1,532...

Zéros de g : -4 et 1

Zéros de h : -0,732..., 1 et 2,732...

c) Max. rel. de f : $\left(-\sqrt{\frac{5}{3}}, \frac{240}{27}\right)$ et $\left(\sqrt{\frac{5}{3}}, \frac{240}{27}\right)$

Min. rel. de f : (0, -5)

Max. rel. de g : (-1, 108)

Min. rel. de g : (1, 0)

Max. rel. de h : (0, 2) et (2, 2)

Min. rel. de h : (-0,732... ; 0), (1, 0) et (2,732... ; 0)

d) Points d'inflexion de f : (-1, 4) et (1, 4)

Points d'inflexion de g : (-4, 0), (-2,22... ; 58,17...) et (0,22... ; 45,32...)

Points d'inflexion de h : (-0,732... ; 0) et (2,732... ; 0)

e) Points anguleux de h : (-0,732... ; 0), (1, 0) et (2,732... ; 0)

13. a) $+\infty$

c) $+\infty$

e) $\dfrac{-\sqrt{3}}{2}$

15.

	A.V.	A.H.	A.O.
a)	$x = -2$, $x = 2$	$y = 3$	aucune
b)	$x = -3$	$y = 0$	aucune
c)	$x = -4$, $x = 0$, $x = 1$	aucune	aucune
d)	aucune	$y = -3$, $y = 3$	aucune
e)	$x = -1$	aucune	$y = 4x - 4$
f)	$x = -2$, $x = 2$	$y = -5$, $y = 5$	aucune
g)	$x = -5$, $x = 5$	$y = -4$, $y = 4$	aucune
h)	$x = 2$	aucune	$y = 5x - 3$
i)	$x = -1$, $x = 1$	aucune	$y = -2x - 3$
j)	$x = -1$, $x = 2$	aucune	$y = 2x + 2$
k)	aucune	aucune	$y = -x - 7$, $y = 5x - 7$

16. a) dom $f = -\infty, 2]$

$f'(x) = \dfrac{-3x^2}{2\sqrt{8 - x^3}}$ et $f''(x) = \dfrac{3x(x^3 - 32)}{4(8 - x^3)^{\frac{3}{2}}}$

min. abs. : (2, 0)

inf. : $(0, \sqrt{8})$

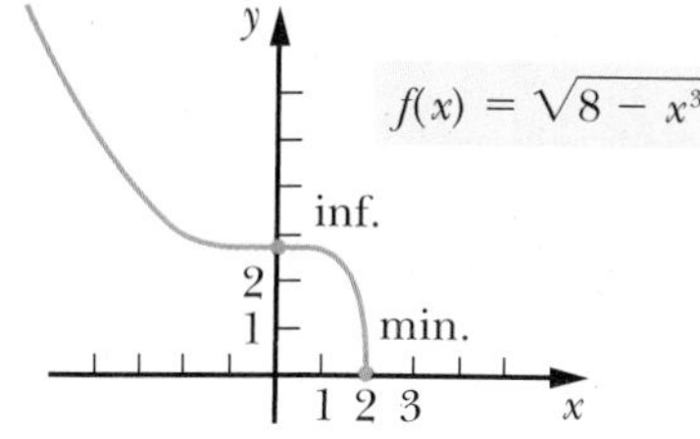

b) dom $f = \mathbb{R}$; A.H. : $y = 2$

$f'(x) = \dfrac{1 - x^2}{(x^2 + 1)^2}$ et $f''(x) = \dfrac{2x(x^2 - 3)}{(x^2 + 1)^3}$

min. abs. : (-1 ; 1,5)

max. abs. : (1 ; 2,5)

inf. : $\left(-\sqrt{3}, \dfrac{8 - \sqrt{3}}{4}\right)$, (0, 2) et $\left(\sqrt{3}, \dfrac{8 + \sqrt{3}}{4}\right)$

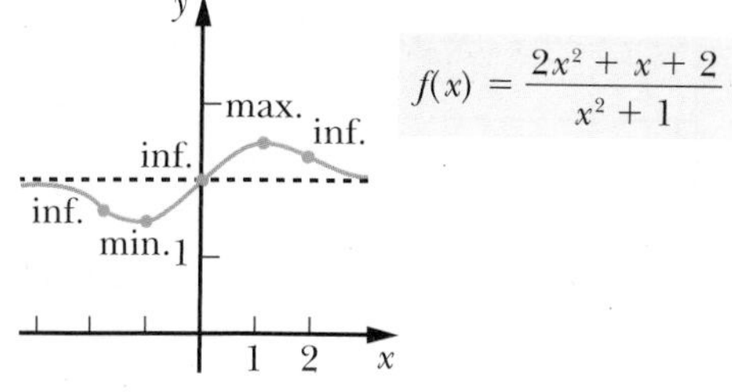

c) dom $f = \mathbb{R}\setminus\{1\}$; A.V. : $x = 1$; A.O. : $y = x - 1$

$f'(x) = \dfrac{(x - 3)(x + 1)}{(x - 1)^2}$ et $f''(x) = \dfrac{8}{(x - 1)^3}$

min. rel. : (3, 4)

max. rel. : (-1, -4)

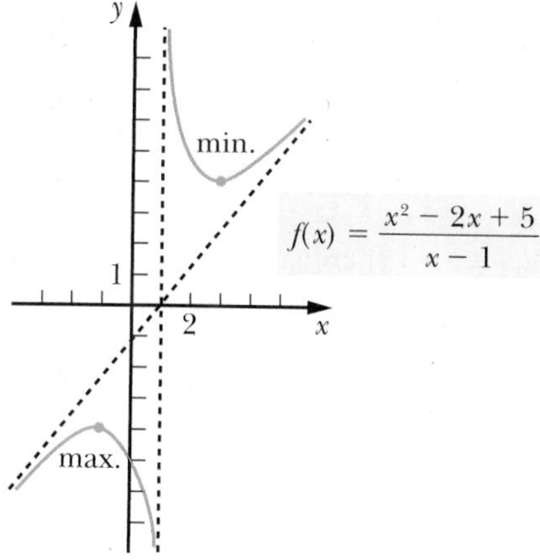

d) dom $f = \mathbb{R}\setminus\{-2, 2\}$; A.V. : $x = -2$ et $x = 2$; A.H. : $y = 0$

$f'(x) = \dfrac{-128x}{(x^2 - 4)^3}$ et $f''(x) = \dfrac{128(5x^2 + 4)}{(x^2 - 4)^4}$

min. rel. : (0, 2)

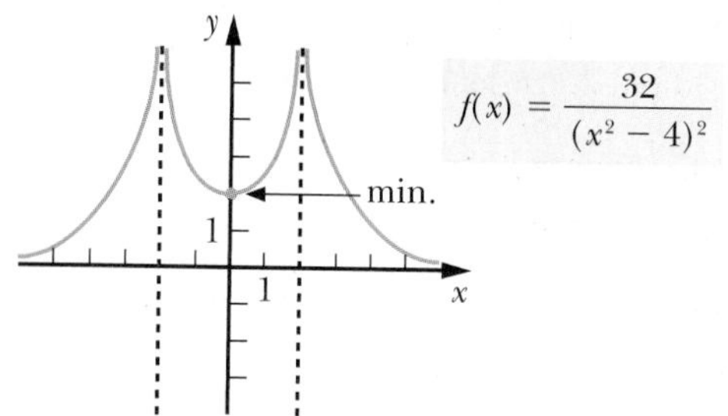

e) dom $f = \mathbb{R}\setminus\{0\}$; A.V. : $x = 0$; A.O. : $y = -x + 4$

$f'(x) = \dfrac{-(x^3 + 64)}{x^3}$ et $f''(x) = \dfrac{192}{x^4}$

min. rel. : (-4, 10)

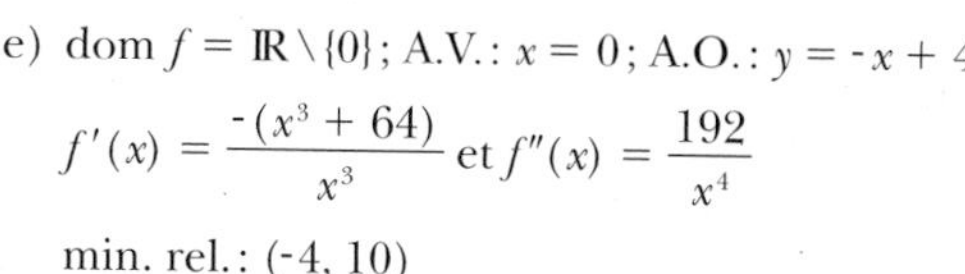

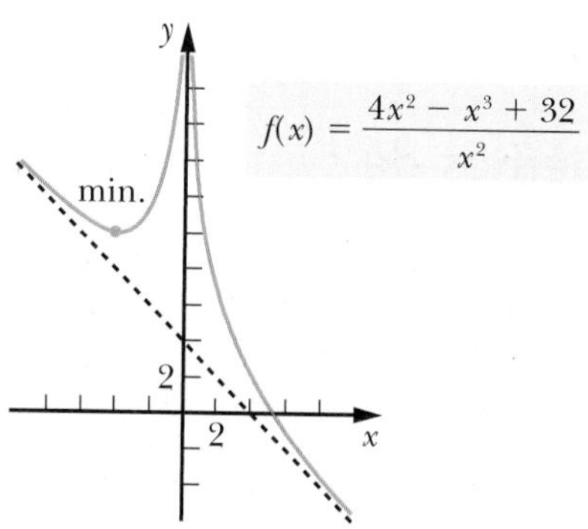

17. a) dom $f = \mathbb{R} \setminus \{0\}$; A.V. : $x = 0$; A.H. : $y = \text{-}1$ et $y = 1$

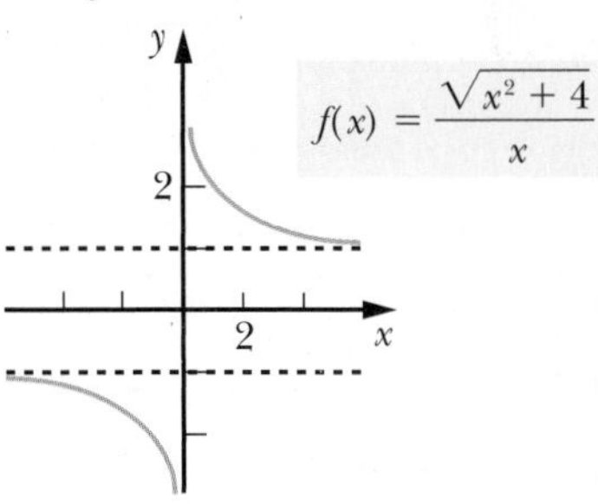

b) dom $g = \text{-}\infty, \text{-}2] \cup [2, +\infty$; A.H. : $y = \text{-}1$ et $y = 1$
min. rel. : (2, 0)
max. rel. : (-2, 0)

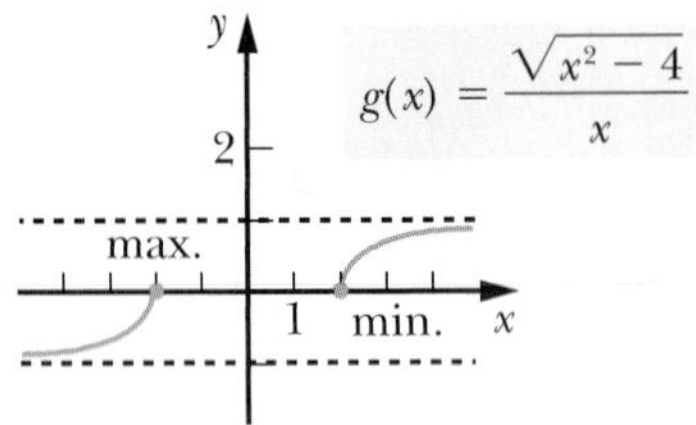

c) dom $h = [\text{-}2, 2] \setminus \{0\}$; A.V. : $x = 0$
min. rel. : (2, 0)
max. rel. : (-2, 0)
inf. : $\left(\text{-}\sqrt{\dfrac{8}{3}}, \dfrac{\text{-}\sqrt{2}}{2}\right)$ et $\left(\dfrac{8}{3}, \dfrac{\sqrt{2}}{2}\right)$

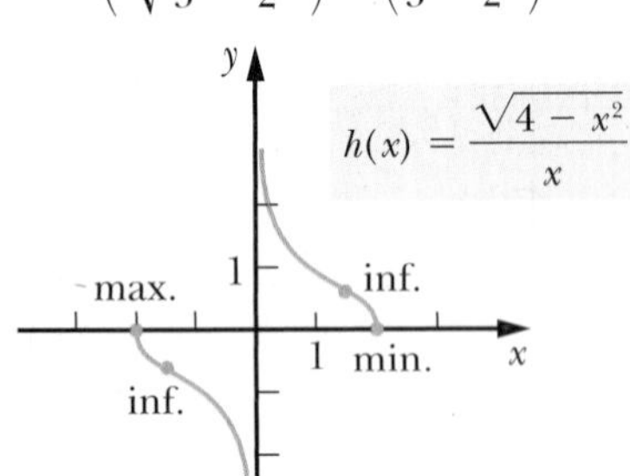

18. a) $\psi(x) = \dfrac{3x}{4 + x^2}$, où dom $\psi =]\text{-}10, 10[$;

$\psi'(x) = \dfrac{3(4 - x^2)}{(4 + x^2)^2}$ et $\psi''(x) = \dfrac{6x(x^2 - 12)}{(4 + x^2)^3}$

x	-10		$\text{-}\sqrt{12}$		-2		0		2		$\sqrt{12}$		10
$\psi'(x)$	∄	−	−	−	0	+	+	+	0	−	−	−	∄
$\psi''(x)$	∄	−	0	+	+	+	0	−	−	−	0	+	∄
ψ	∄	↘∩	$\dfrac{\text{-}3\sqrt{3}}{8}$	↘∪	$\dfrac{\text{-}3}{4}$	↗∪	0	↗∩	$\dfrac{3}{4}$	↘∩	$\dfrac{3\sqrt{3}}{8}$	↘∪	∄
E. du G.	∄	↘	(-3,46… ; -0,64…)	↘	(-2 ; -0,75)	↗	(0, 0)	↗	(2 ; 0,75)	↘	(3,46… ; 0,64…)	↗	∄
			inf.		min.		inf.		max.		inf.		

Problèmes de synthèse *(page 288)*

2. a) $\dfrac{1}{6}$

b) 4

c) $\dfrac{3}{2}$

d) 0

e) -1

f) $\text{-}\infty$

4. a)

k	A.V.	A.H.	A.O.
$k < 0$	$x = 0$, $x = \sqrt{\dfrac{\text{-}1}{k}}$, $x = \text{-}\sqrt{\dfrac{\text{-}1}{k}}$	$y = 0$	aucune
$k = 0$	aucune	aucune	aucune
$k = 1$	aucune	$y = 0$	aucune
$k = 2$	aucune	$y = \dfrac{1}{2}$	aucune
$k = 3$	aucune	aucune	$y = \dfrac{1}{3}x$
$k > 3$	aucune	aucune	aucune

5. a) $a = -6$, $b = -15$ et $c = 24$

7. a) f est continue en $x = 2$.

b) f est non dérivable en $x = 2$.

8. a) f est non continue en $x = 1$.

b) f est non dérivable en $x = -1$ et en $x = 1$.

10. a) max. rel. : $\left(\sqrt{a}, \dfrac{1}{2\sqrt{a}}\right)$; min. rel. : $\left(-\sqrt{a}, \dfrac{-1}{2\sqrt{a}}\right)$;

inf. : $\left(\sqrt{3a}, \dfrac{\sqrt{3}}{4\sqrt{a}}\right)$, $(0, 0)$ et $\left(-\sqrt{3a}, \dfrac{-\sqrt{3}}{4\sqrt{a}}\right)$

b) min. rel. : $(-1, -1)$; max. rel. : aucun

inf. : $\left(-\sqrt{3}, \dfrac{-\sqrt{3}}{2}\right)$, $(0, 0)$ et $\left(\sqrt{3}, \dfrac{\sqrt{3}}{2}\right)$

11.

	A.V.	A.H.	A.O.
a)	$x = 4$	$y = -2$, $y = 2$	aucune
b)	$x = 2$	$y = 4$	$y = 2x + 6$

15. a) $P_1(2 - \sqrt{2}, 2 + \sqrt{2})$ et $P_2(2 + \sqrt{2}, 2 - \sqrt{2})$

Chapitre 7

Test préliminaire (page 293)

Partie A

1. a) $A(x) = x(8 - x)$

b) $P(x) = 2x + \dfrac{40}{x}$

c) $A(x) = \dfrac{x\sqrt{36 - x^2}}{2}$

$P(x) = x + 6 + \sqrt{36 - x^2}$

d) $A(x) = x\sqrt{16 - \dfrac{x^2}{4}}$

$P(x) = 2x + 2\sqrt{16 - \dfrac{x^2}{4}}$

e) $A(x) = \dfrac{7}{4}x(4 - x)$

$P(x) = 2x + \dfrac{7}{2}(4 - x)$

2. a) $A(x) = 2x^2 + \dfrac{128}{x}$

b) $V(x) = \dfrac{x(6 - x^2)}{2}$

c) $A(x) = 2\pi x^2 + \dfrac{200}{x}$

d) $V(x) = \dfrac{x^{\frac{3}{2}}}{3\sqrt{4\pi}} = \dfrac{1}{6}\sqrt{\dfrac{x^3}{\pi}}$

e) $A(x) = \pi x^2 + 10\pi x$

$V(x) = \dfrac{\pi x^2\sqrt{100 - x^2}}{3}$

Partie B

1. a) $f'(x) = \dfrac{-x}{\sqrt{10 - x^2}}$; $f'(x) = 0$ si $x = 0$

b) $f'(x) = \dfrac{100 - 2x^2}{\sqrt{100 - x^2}}$; $f'(x) = 0$ si $x = -5\sqrt{2}$ ou si $x = 5\sqrt{2}$

2. a) … un point de maximum relatif de f.

b) … un point de minimum relatif de f.

c) … $(2, f(2))$… $(7, f(7))$…

Exercices

Exercices 7.1 (page 303)

1. a) **Mathématisation du problème.**

a) Soit x, la largeur du terrain et y, sa longueur.

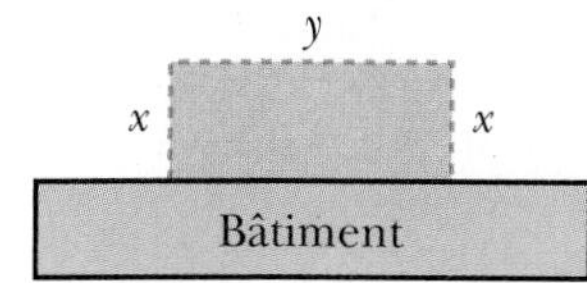

b) $A(x, y) = xy$ doit être maximale.

c) Puisque $2x + y = 400$, alors $y = 400 - 2x$.

d) $A(x) = x(400 - 2x)$, où dom $A = [0, 200]$.

Analyse de la fonction.

1) $A'(x) = 400 - 4x$

$A'(x) = 0$ si $x = 100$; donc, 100 est le seul nombre critique de A sur $[0, 200]$ tel que $A'(x) = 0$.

Utilisons le théorème 6.7, où $A''(x) = -4$, $A'(100) = 0$ et $A''(100) < 0$; donc $(100, A(100))$ est le point de maximum absolu de A.

Formulation de la réponse.

L'aire est maximale lorsque $x = 100$ m.
Ainsi, $A(100) = 100\ (400 - 200)$
D'où l'aire maximale mesure 20 000 m^2.

b) L'aire maximale est de 14 306,25 m^2.

2. a) **Mathématisation du problème.**

a) Soit x, la longueur du terrain et y, sa largeur.

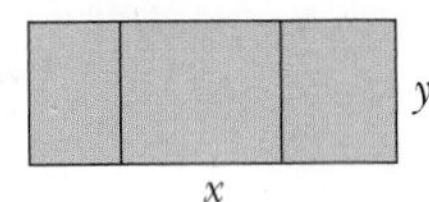

b) $A(x, y) = xy$ doit être maximale.

c) Puisque $2x + 4y = 120$, alors $x = 60 - 2y$.

d) $A(y) = (60 - 2y)y$, où dom $A = [0, 30]$.

Analyse de la fonction.

1) $A'(y) = 60 - 4y$

$A'(y) = 0$ si $y = 15$; donc, 15 est le seul nombre critique de A sur $[0, 30]$ tel que $A'(y) = 0$.

Utilisons le théorème 6.7, où $A''(y) = -4$,
$A'(15) = 0$ et $A''(15) < 0$; donc, $(15, A(15))$ est le point de maximum absolu.

Formulation de la réponse.

Les dimensions du terrain sont
$x = 30$ m et $y = 15$ m.

b) Les dimensions du terrain sont $x = 30$ m et $y = \dfrac{60}{7}$ m.

3. Mathématisation du problème.

a) Soit x, le premier nombre, et y, le second nombre.

b) $P(x, y) = xy$ doit être maximal.

c) Puisque $x + y = 10$, alors $y = 10 - x$.

d) $P(x) = x(10 - x)$, où dom $P = \mathbb{R}$.

Analyse de la fonction.

1) $P'(x) = 10 - 2x$

$P'(x) = 0$ si $x = 5$; donc, 5 est le seul nombre critique de P sur $\mathbb{R}$ tel que $P'(x) = 0$.

Utilisons le théorème 6.7, où $P''(x) = -2$.
$P'(5) = 0$ et $P''(5) < 0$; donc, $(5, P(5))$ est le point de maximum absolu.

Formulation de la réponse.

Les deux nombres cherchés sont $x = 5$ et $y = 5$.

4. Mathématisation du problème.

a) Soit x, le premier nombre, et y, le second nombre.

b) $S(x, y) = x^2 + y$ doit être minimale.

c) Puisque $x + y = 100$, alors $y = 100 - x$.

d) $S(x) = x^2 + (100 - x)$, où dom $S =]0, 100[$.

Analyse de la fonction.

1) $S'(x) = 2x - 1$

$S'(x) = 0$ si $x = \dfrac{1}{2}$; donc, $\dfrac{1}{2}$ est le seul nombre critique de S sur $]0, 100[$ tel que $S'(x) = 0$.

Utilisons le théorème 6.7, où $S''(x) = 2$.

$S'\left(\dfrac{1}{2}\right) = 0$ et $S''\left(\dfrac{1}{2}\right) > 0$; donc, $\left(\dfrac{1}{2}, S\left(\dfrac{1}{2}\right)\right)$ est le point de minimum absolu.

Formulation de la réponse.

Les deux nombres cherchés sont $x = \dfrac{1}{2}$ et $y = \dfrac{199}{2}$.

5. Mathématisation du problème.

a) Soit x, le premier nombre, et y, le second nombre.

b) $S(x, y) = x^3 + 3y$ doit être minimale.

c) Puisque $xy = 16$, alors $y = \dfrac{16}{x}$.

d) $S(x) = x^3 + \dfrac{48}{x}$, où dom $S =]0, +\infty$.

Analyse de la fonction.

1) $S'(x) = 3x^2 - \dfrac{48}{x^2} = \dfrac{3(x^4 - 16)}{x^2} = 0$ si $x = \pm 2$

(-2 à rejeter, car $-2 \notin$ dom S) ; n.c. : 2

2) $S'(x)$ est définie $\forall x \in]0, +\infty$.

x	0		2		$+\infty$
$S'(x)$		$-$	0	$+$	
S		↘	$S(2)$	↗	
			min.		

Formulation de la réponse.

Les deux nombres cherchés sont $x = 2$ et $y = 8$.

6. Mathématisation du problème.

a) Soit x, le premier nombre, et y, le second nombre.

b) $S(x, y) = x^4 + 32y$ doit être maximale.

c) Puisque $x + y = 20$, alors $y = 20 - x$.

d) $S(x) = x^4 + 32(20 - x)$, où dom $S = [0, 20]$.

Analyse de la fonction.

1) $S'(x) = 4x^3 - 32$

$S'(x) = 0$ si $x = 2$; donc, 2 est le seul nombre critique de S sur $[0, 20]$ tel que $S'(x) = 0$.

Utilisons le théorème 6.7, où $S''(x) = 12x^2$.
$S'(2) = 0$ et $S''(2) > 0$; donc, $(2, S(2))$ est le point de minimum absolu.

Or, on cherche un maximum ; il faut donc faire le tableau de variation.

2) $S'(x)$ n'existe pas si $x = 0$ ou $x = 20$; n.c. : 0 et 20.

x	0		2		20
$S'(x)$	$\nexists$	$-$	0	$+$	$\nexists$
S	640	↘	592	↗	20^4
	max.		min.		max.

Après avoir évalué $S(0)$ et $S(20)$, on constate que le maximum absolu est obtenu lorsque $x = 20$.

Formulation de la réponse.

Les deux nombres cherchés sont $x = 20$ et $y = 0$.

7. Mathématisation du problème.

a) Soit x et y, la longueur des côtés de la page.

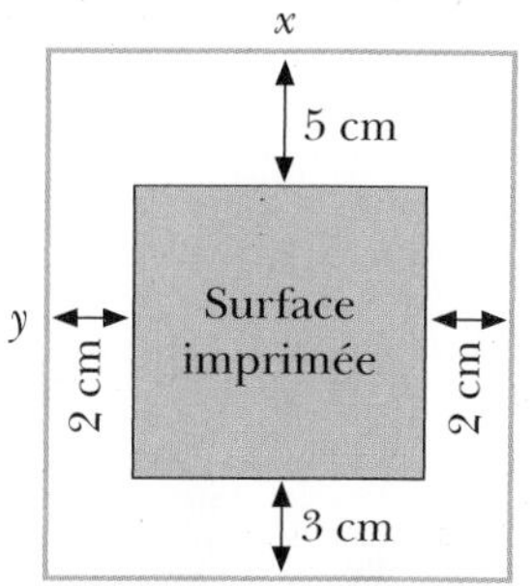

b) $A(x, y) = (x - 4)(y - 8)$ doit être maximale.

c) Puisque $2x + 2y = 100$, alors $y = 50 - x$.

d) $A(x) = (x - 4)(42 - x)$, où dom $A = [4, 42]$.

Analyse de la fonction.

1) $A'(x) = 46 - 2x$

$A'(x) = 0$ si $x = 23$; donc, 23 est le seul nombre critique de A sur $[4, 42]$ tel que $A'(x) = 0$.

Utilisons le théorème 6.7, où $A''(x) = -2$.
$A'(23) = 0$ et $A''(23) < 0$; donc, $(23, A(23))$ est le point de maximum absolu.

Formulation de la réponse.

Les dimensions de la feuille sont de 23 cm de largeur sur 27 cm de hauteur.

8. Mathématisation du problème.

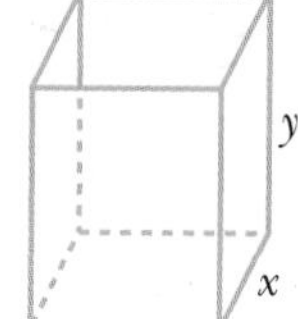

a) Soit x, la longueur des côtés de la base, et y, la longueur de la hauteur.

b) $Q(x, y) = x^2 + 4xy$ doit être minimale.

c) Puisque $x^2y = 32$, alors $y = \dfrac{32}{x^2}$.

d) $Q(x) = x^2 + \dfrac{128}{x}$, où dom $Q =]0, +\infty$.

Analyse de la fonction.

1) $Q'(x) = 2x - \dfrac{128}{x^2} = \dfrac{2(x^3 - 64)}{x^2} = 0$ si $x = 4$; n.c.: 4

2) $Q'(x)$ est définie par $\forall x \in]0, +\infty$.

x	0	4	$+\infty$
$Q'(x)$	$-$	0	$+$
Q	↘	48	↗
		min.	

Formulation de la réponse.

Les dimensions de la boîte sont de 4 m sur 4 m sur 2 m.

La quantité de métal utilisée est égale à 48 m^2.

9. Mathématisation du problème.

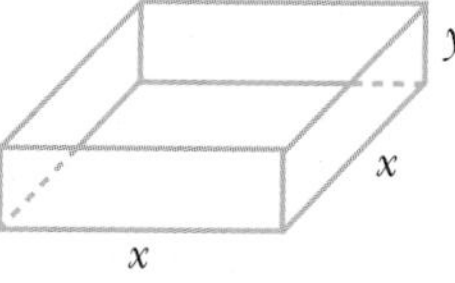

a) Soit x, la longueur des côtés de la base, et y, la hauteur de la boîte.

b) $V(x, y) = x^2y$ doit être maximal.

c) $\underbrace{0{,}03\ \$ \times x^2}_{\text{coût du fond}} + \underbrace{0{,}05\ \$ \times x^2}_{\text{coût du dessus}} + \underbrace{0{,}02\ \$ \times 4xy}_{\text{coût des côtés}} = 24\ \$$.

Puisque $8x^2 + 8xy = 2\,400$, alors $y = \dfrac{300 - x^2}{x}$.

d) $V(x) = 300x - x^3$, où dom $V =]0, 10\sqrt{3}]$.

Analyse de la fonction.

1) $V'(x) = 300 - 3x^2$

$V'(x) = 0$ si $x = \pm 10$ (-10 à rejeter, car $-10 \notin$ dom V) ; donc, 10 est le seul nombre critique de V sur $]0, 10\sqrt{3}]$ tel que $V'(x) = 0$.

Utilisons le théorème 6.7, où $V''(x) = -6x$.
$V'(10) = 0$ et $V''(10) < 0$; donc, $(10, V(10))$ est le point de maximum absolu.

Formulation de la réponse.

Les dimensions de la boîte sont de 10 cm sur 10 cm sur 20 cm.

10. a) **Mathématisation du problème.**

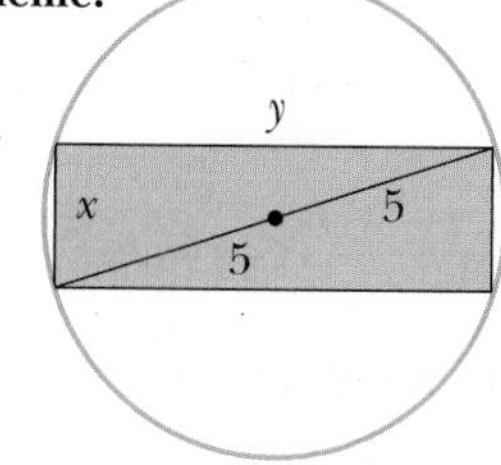

a) Soit x et y, la longueur des côtés du rectangle.

b) $A(x, y) = xy$ doit être maximale.

c) Puisque $x^2 + y^2 = 100$, alors $y = \sqrt{100 - x^2}$.

d) $A(x) = x\sqrt{100 - x^2}$, où dom $A = [0, 10]$.

Analyse de la fonction.

1) $A'(x) = \sqrt{100 - x^2} + \dfrac{x(-2x)}{2\sqrt{100 - x^2}}$

$= \dfrac{100 - 2x^2}{\sqrt{100 - x^2}}$

$A'(x) = 0$ si $x = \pm\sqrt{50} = \pm 5\sqrt{2}$ ($-5\sqrt{2}$ n'est pas un nombre critique, car $-5\sqrt{2} \notin$ dom A) ; n.c.: $5\sqrt{2}$.

2) $A'(x)$ n'existe pas si $x = 0$ ou $x = 10$; n.c.: 0 et 10.

x	0		$5\sqrt{2}$		10
$A'(x)$	$\nexists$	$+$	0	$-$	$\nexists$
A	$A(0)$	↗	$A(5\sqrt{2})$	↘	$A(10)$
	min.		max.		min.

Formulation de la réponse.

Les dimensions du rectangle d'aire maximale sont de $5\sqrt{2}$ cm sur $5\sqrt{2}$ cm.

b) **Mathématisation du problème.**

a) Soit x et y, la longueur des côtés du rectangle.

7

b) $P(x, y) = 2x + 2y$ doit être maximal.

c) Puisque $x^2 + y^2 = 100$, alors $y = \sqrt{100 - x^2}$.

d) $P(x) = 2x + 2\sqrt{100 - x^2}$, où dom $P = [0, 10]$.

Analyse de la fonction.

1) $P'(x) = 2 - \dfrac{2x}{\sqrt{100 - x^2}} = \dfrac{2\sqrt{100 - x^2} - 2x}{\sqrt{100 - x^2}}$

$$P'(x) = 0 \text{ si } 2\sqrt{100 - x^2} - 2x = 0$$
$$\sqrt{100 - x^2} = x$$
$$100 - x^2 = x^2$$
$$x^2 = 50$$

Donc, $x = \pm 5\sqrt{2}$
($-5\sqrt{2}$ à rejeter, car $-5\sqrt{2} \notin$ dom P) ; n.c.: $5\sqrt{2}$.

2) $P'(x)$ n'existe pas si $x = 0$ ou si $x = 10$; n.c.: 0 et 10.

x	0		$5\sqrt{2}$		10
$P'(x)$	∄	+	0	−	∄
P	$A(0)$	↗	$A(5\sqrt{2})$	↘	$A(10)$
	min.		max.		min.

Formulation de la réponse.

Les dimensions du rectangle de périmètre maximal sont de $5\sqrt{2}$ cm sur $5\sqrt{2}$ cm.

11. Mathématisation du problème.

a) Soit un cylindre de rayon x et de hauteur y.

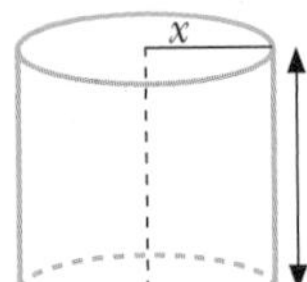

b) $Q(x, y) = 2\pi x^2 + 2\pi xy$ doit être minimale.

c) Puisque $\pi x^2 y = 1\,024\pi$, alors $y = \dfrac{1\,024}{x^2}$.

d) $Q(x) = 2\pi x^2 + \dfrac{2\,048\pi}{x}$, où dom $Q =]0, +\infty$.

Analyse de la fonction.

1) $Q'(x) = 4\pi x - \dfrac{2\,048\pi}{x^2} = \dfrac{4\pi(x^3 - 512)}{x^2} = 0$

si $x = 8$; donc, 8 est le seul nombre critique de Q sur $]0, +\infty$ tel que $Q'(x) = 0$. Utilisons le théorème 6.7, où $Q''(x) = 4\pi + \dfrac{4\,096\pi}{x^3}$.

$Q'(8) = 0$ et $Q''(8) > 0$; donc $(8, Q(8))$ est le point de minimum absolu.

Formulation de la réponse.

Le rayon mesure 8 cm et la hauteur, 16 cm.

12. Mathématisation du problème.

a) Soit un cône dont la base est de rayon x et dont la hauteur est y.

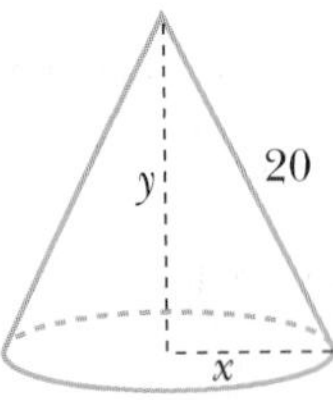

b) $V(x, y) = \dfrac{\pi x^2 y}{3}$ doit être maximal.

c) Puisque $x^2 + y^2 = 400$, alors $x^2 = 400 - y^2$.

d) $V(y) = \dfrac{\pi(400 - y^2)y}{3}$, où dom $V = [0, 20]$.

Analyse de la fonction.

1) $V'(y) = \dfrac{\pi}{3}(400 - 3y^2)$

$V'(y) = 0$ si $y = \pm\dfrac{20\sqrt{3}}{3}$

$\left(\dfrac{-20\sqrt{3}}{3}\right.$ à rejeter, car $\left.\dfrac{-20\sqrt{3}}{3} \notin \text{dom } V\right)$;

donc, $\dfrac{20\sqrt{3}}{3}$ est le seul nombre critique de V sur $[0, 20]$ tel que $V'(y) = 0$. Utilisons le théorème 6.7, où $V''(y) = -2\pi y$.

$V'\left(\dfrac{20\sqrt{3}}{3}\right) = 0$ et $V''\left(\dfrac{20\sqrt{3}}{3}\right) < 0$; donc, $\left(\dfrac{20\sqrt{3}}{3}, V\left(\dfrac{20\sqrt{3}}{3}\right)\right)$ est le point de maximum absolu.

Formulation de la réponse.

La hauteur du cône est égale à $\dfrac{20\sqrt{3}}{3}$ cm.

13. Mathématisation du problème.

a) Soit x, la base du rectangle, et y, sa hauteur.

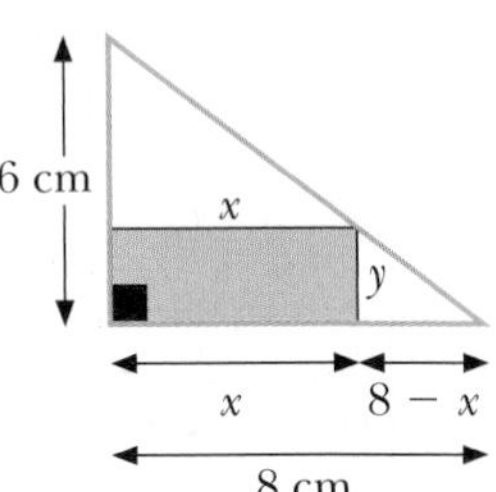

b) $A(x, y) = xy$ doit être maximale.

c) Dans des triangles semblables, les rapports des côtés homologues sont égaux.

Puisque $\dfrac{y}{8 - x} = \dfrac{6}{8}$, alors $y = \dfrac{3}{4}(8 - x)$.

d) $A(x) = \dfrac{3}{4}(8x - x^2)$, où dom $A = [0, 8]$.

Analyse de la fonction.

1) $A'(x) = \dfrac{3}{4}(8 - 2x)$

$A'(x) = 0$ si $x = 4$; donc, 4 est le seul nombre critique de A sur $[0, 8]$ tel que $A'(x) = 0$. Utilisons le théorème 6.7, où $A''(x) = \frac{-3}{2}$.

$A'(4) = 0$ et $A''(4) < 0$; donc, $(4, A(4))$ est le point de maximum absolu.

Formulation de la réponse.

La base du rectangle est égale à 4 cm et la hauteur est égale à 3 cm.

14. Mathématisation du problème.

a) Soit n, le nombre de fois que la société réduit de 2 \$ le prix du billet.

Dans cette situation, n correspond également au nombre de fois que le nombre de passagers et de passagères augmente de 5. Par exemple:

Prix du billet (\$)	Nombre de passagers et de passagères	Revenu (\$)
300	214	300×214
$(300 - 2)$	$(214 + 5)$	298×219
$(300 - 4)$	$(214 + 10)$	296×224
$(300 - 6)$	$(214 + 15)$	294×229
⋮	⋮	⋮
$(300 - 2n)$	$(214 + 5n)$	$(300 - 2n)(214 + 5n)$

b) $R(n) = (300 - 2n)(214 + 5n)$ doit être maximal, où $n \in \{0, 1, 2, 3, \ldots, 150\}$.

Analysons la fonction continue $R(x) = (300 - 2x)(214 + 5x)$, où $x \in [0, 150]$.

Analyse de la fonction.

1) $R'(x) = 1\,072 - 20x$

$R'(x) = 0$ si $x = 53{,}6$; n.c.: 53,6

2) $R'(x)$ n'existe pas si $x = 0$ ou si $x = 150$; n.c.: 0 et 150.

x	0		53,6		150
$R'(x)$	∄	+	0	−	∄
R	$R(0)$	↗	$R(53{,}6)$	↘	$R(150)$
	min.		max.		min.

Formulation de la réponse.

Puisque x doit être entier, on doit calculer le revenu pour $x = 53$ et $x = 54$, les deux valeurs entières les plus près de 53,6.

$R(53) = 92\,926$ \$ et $R(54) = 92\,928$ \$

Puisque $R(54) > R(53)$, alors le nombre de passagers et de passagères est $214 + 5(54)$, c'est-à-dire 484.

15. Mathématisation du problème.

a) Soit un point $P(x, y)$ quelconque sur la courbe de f.

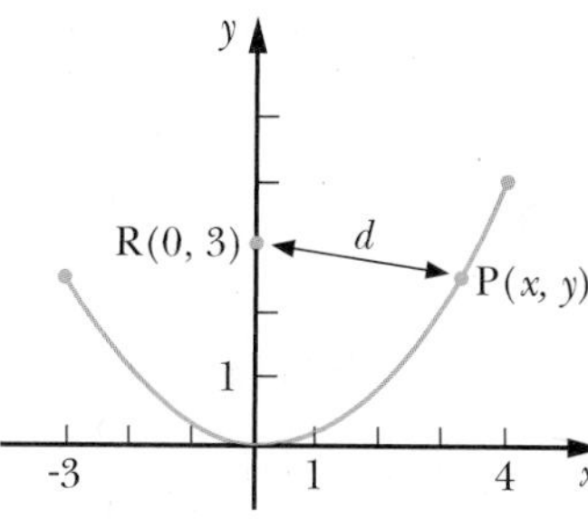

b) $d(x, y) = \sqrt{(x - 0)^2 + (y - 3)^2}$ doit être minimale; doit être maximale.

c) Puisque $f(x) = \frac{x^2}{4}$, alors $y = \frac{x^2}{4}$.

d) $d(x) = \sqrt{x^2 + \left(\frac{x^2}{4} - 3\right)^2}$, où dom $d = [-3, 4]$.

Analyse de la fonction.

1) $d'(x) = \dfrac{2x + x\left(\frac{x^2}{4} - 3\right)}{2\sqrt{x^2 + \left(\frac{x^2}{4} - 3\right)^2}} = \dfrac{x(x^2 - 4)}{8\sqrt{x^2 + \left(\frac{x^2}{4} - 3\right)^2}}$

$d'(x) = 0$ si $x = -2$, 0 ou 2; n.c.: -2, 0 et 2

2) $d'(x)$ n'existe pas si $x = -3$ ou si $x = 4$; n.c.: -3 et 4.

x	-3		-2		0		2		4
$d'(x)$	∄	−	0	+	0	−	0	+	∄
d	$\frac{3}{4}\sqrt{17}$	↘	$2\sqrt{2}$	↗	3	↘	$2\sqrt{2}$	↗	$\sqrt{17}$
	max.		min.		max.		min.		max.

Formulation de la réponse.

Les points de f les plus près de $(0, 3)$ sont $(-2, 1)$ et $(2, 1)$; le point de f le plus loin de $(0, 3)$ est $(4, 4)$.

16. Mathématisation du problème.

a) Soit x, la distance entre O et P, et y, la distance entre A et P.

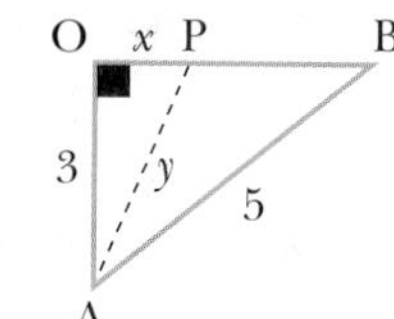

Par Pythagore, $\overline{OB} = 4$.

D'où $\overline{PB} = (4 - x)$.

b) $C(x, y) = 12y + 8(4 - x)$ doit être minimal.

c) Puisque $x^2 + 9 = y^2$, alors $y = \sqrt{x^2 + 9}$.

d) $C(x) = 12\sqrt{9 + x^2} + 8(4 - x)$, où dom $C = [0, 4]$.

Analyse de la fonction.

1) $C'(x) = \dfrac{12x}{\sqrt{9 + x^2}} - 8 = \dfrac{12x - 8\sqrt{9 + x^2}}{\sqrt{9 + x^2}}$

$$C'(x) = 0$$
$$12x - 8\sqrt{9 + x^2} = 0$$
$$12x = 8\sqrt{9 + x^2}$$
$$3x = 2\sqrt{9 + x^2}$$
$$9x^2 = 4(9 + x^2)$$
$$5x^2 = 36$$
$$x^2 = \frac{36}{5}$$

Donc, $x = \pm\frac{6}{\sqrt{5}}$

$\left(\frac{-6}{\sqrt{5}} \text{ à rejeter, car } \frac{-6}{\sqrt{5}} \notin \text{dom } C\right)$; n.c.: $\frac{6}{\sqrt{5}}$.

2) $C'(x)$ n'existe pas si $x = 0$ ou si $x = 4$; n.c.: 0 et 4.

x	0		$\frac{6}{\sqrt{5}}$		4
$C'(x)$	$\nexists$	−	0	+	$\nexists$
C	$C(0)$	↘	$C\left(\frac{6}{\sqrt{5}}\right)$	↗	$C(4)$
	max.		min.		max.

Formulation de la réponse.

Le point P doit être situé à $\frac{6}{\sqrt{5}}$ km, soit environ 2,683 km de O.

Le coût sera alors d'environ 58 832 816 $.

17. a) **Mathématisation du problème.**

a) Soit x, le rayon de la demi-sphère, y, la hauteur du cylindre, et a, le coût de fabrication par m^2 de la surface latérale du cylindre.

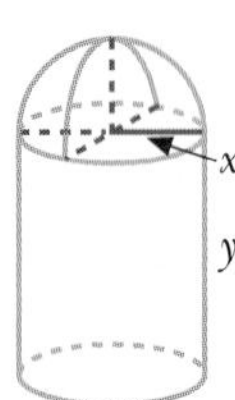

b) $C(x, y) = 4a(2\pi x^2) + a(2\pi xy)$ doit être minimal.

c) Puisque $\frac{2\pi x^3}{3} + \pi x^2 y = 1\,000$, alors $y = \left(\frac{1\,000}{\pi x^2} - \frac{2x}{3}\right)$.

d) $C(x) = a\left(8\pi x^2 + \frac{2\,000}{x} - \frac{4\pi x^2}{3}\right)$

$= a\left(\frac{20\pi x^2}{3} + \frac{2\,000}{x}\right)$, où dom $C = \left]0, \sqrt[3]{\frac{1\,500}{\pi}}\right]$

Analyse de la fonction.

1) $C'(x) = \frac{a(40\pi x^3 - 6\,000)}{3x^2}$

$C'(x) = 0$ si $x = \sqrt[3]{\frac{150}{\pi}}$; n.c.: $\sqrt[3]{\frac{150}{\pi}}$.

2) $C'(x)$ n'existe pas si $x = \sqrt[3]{\frac{1\,500}{\pi}}$; n.c.: $\sqrt[3]{\frac{1\,500}{\pi}}$.

x	0	$\sqrt[3]{\frac{150}{\pi}}$		$\sqrt[3]{\frac{1\,500}{\pi}}$
$C'(x)$	−	0	+	$\nexists$
C	↘	$A\left(\sqrt[3]{\frac{150}{\pi}}\right)$	↗	$A\left(\sqrt[3]{\frac{1\,500}{\pi}}\right)$
		min.		max.

Formulation de la réponse.

Le rayon de la demi-sphère et du cylindre est $\sqrt[3]{\frac{150}{\pi}}$, c'est-à-dire environ 3,63 m, et la hauteur du cylindre est d'environ 21,77 m.

b) Coût $= 80\left[\frac{20\pi\left(\sqrt[3]{\frac{150}{\pi}}\right)^2}{3} + \frac{2\,000}{\sqrt[3]{\frac{150}{\pi}}}\right]$ (car $a = 80$)

$\approx 66\,155$ $

Exercices récapitulatifs *(page 307)*

2. a) Dimensions de la boîte : 5 cm sur 5 cm sur 10 cm
Coût de fabrication : 6 $

3. a) Prix du billet : 170 $; revenu : 46 240 $

4. La base égale $\frac{28\sqrt{5}}{5}$ cm et la hauteur égale $\frac{7\sqrt{5}}{5}$ cm.

6. Le dénominateur est -5 et le numérateur est -50.

7. Les dimensions doivent être de 20 m sur 20 m.

12. La longueur du troisième côté doit être de $5\sqrt{2}$ cm.

13. a) La base du rectangle égale $\left(\frac{12}{4 - \sqrt{3}}\right)$ m, la hauteur du rectangle égale $\left(\frac{12 - 6\sqrt{3}}{4 - \sqrt{3}}\right)$ m et la longueur des côtés du triangle équilatéral égale $\left(\frac{12}{4 - \sqrt{3}}\right)$ m.

b) La base du rectangle égale $\left(\frac{12}{8 - \pi}\right)$ m, la hauteur du rectangle égale $\left(\frac{12 - 3\pi}{8 - \pi}\right)$ m et le rayon du demi-cercle égale $\left(\frac{6}{8 - \pi}\right)$ m.

15. 26 cm de hauteur et 24 cm de largeur.

17. La largeur égale 15 cm et la hauteur égale $15\sqrt{3}$ cm.

18. Dimensions du terrain : 125 m sur $\frac{250}{\pi}$ m, où $\frac{250}{\pi}$ m correspond au diamètre des demi-cercles.

19. a) Les trois côtés mesurent 10 cm.

21. a) P est situé à 1,5 km de H; la longueur du trajet égale $\frac{\sqrt{13} + \sqrt{117}}{2}$, c'est-à-dire environ 7,21 km.

23. a) La hauteur du cylindre égale $4\sqrt{3}$ cm et le rayon égale $2\sqrt{6}$ cm.

b) La hauteur du cône égale 30 cm et le rayon de la base égale 9 cm.

26. a) $L(x) = \dfrac{(x+1)\sqrt{x^2+4}}{x}$; $(\sqrt[3]{4}+1)^{\frac{3}{2}}$ m $\simeq$ 4,16 m

b) $L(x) = x + \dfrac{x}{\sqrt{x^2-4}}$;

$\left(\sqrt{\sqrt[3]{16}+4} + \dfrac{\sqrt{\sqrt[3]{16}+4}}{\sqrt[6]{16}}\right)$ m $\simeq$ 4,16 m

Problèmes de synthèse *(page 311)*

3. a) A(-2, -160) ; B(2, 0)

5. a) 675 $

6. a) Aucun cylindre; deux demi-sphères de rayon

$r = \sqrt[3]{\dfrac{1}{16}}$ cm

b) $r = \sqrt[3]{\dfrac{1}{32}}$ cm et $h = \dfrac{\sqrt[3]{2}}{2}$ cm

9. a) Environ 71,55 m

b) Environ 71,55 m

10. a) Le point le plus près est P(5, 12) ; le point le plus loin est L(-5, -12).

b) Le point le plus près est P(-12,070… ; 4,828…) ; le point le plus loin est L(12,070… ; -4,828…).

12. $t = 8$ s et la distance égale $20\sqrt{5}$ m.

13. La longueur de la tige est d'environ 7,02 m.

15. 1,44 u^2

18. $2a$ m

19. a) Les côtés sont congrus et mesurent $r\sqrt{2}$ unités.

b) Les côtés mesurent respectivement $r\sqrt{2}$ unités et $\dfrac{r\sqrt{2}}{2}$ unités.

20. a) $h = 2r$

b) Non; le rayon devrait être de 3,837… cm et la hauteur devrait être de 7,674… cm.

21. La hauteur du cône égale $\dfrac{4r}{3}$ unités, et son rayon égale $\dfrac{2\sqrt{2}r}{3}$ unités.

24. $x = \dfrac{ac}{a+b}$

Chapitre 8

Test préliminaire *(page 317)*

Partie A

1. a) $f(0) = 0$; $g(0) = 1$

b) $f(1) = 1$; $g(1) = 4$

c) $f(2) = 16$; $g(2) = 16$

d) $f(5) = 625$; $g(5) = 1\,024$

e) $f(-1) = 1$; $g(-1) = 0{,}25$

f) $f\left(\dfrac{1}{2}\right) = 0{,}062\,5$; $g\left(\dfrac{1}{2}\right) = 2$

g) $f\left(\dfrac{-1}{2}\right) = 0{,}062\,5$; $g\left(\dfrac{-1}{2}\right) = 0{,}5$

h) $f(-5) = 625$; $g(-5) \approx 0{,}000\,977$

2. a) a^{x+y} c) a^{xy} e) $\dfrac{a^x}{b^x}$ g) $\dfrac{1}{a^x}$

b) a^{x-y} d) $a^x b^x$ f) 1 h) $x = y$

3. a) 9 e) 6 i) 9 m) 1

b) -3 f) 8 j) 0 n) ±4

c) 5 g) 5 k) 0,5

d) 0 h) -3 l) 5

Partie B

1. $f'(x) = \lim_{h \to 0} \dfrac{f(x+h) - f(x)}{h}$

2. $\dfrac{dy}{dx} = \dfrac{dy}{du}\dfrac{du}{dx}$

3. a) ax^{a-1} c) $\dfrac{u'v - uv'}{v^2}$

b) $u'v + uv'$ d) $g'[f(x)]\,f'(x)$

4. a) … $x = a$ est une asymptote verticale.

b) … $y = b$ est une asymptote horizontale.

8

Exercices

Exercices 8.1 (page 330)

1. a) $x = \log_m s$

b) $x = b^p$

c) $x = \dfrac{\log_3 y - 7}{4}$

d) $x = \dfrac{e^{5(y-2)} + 1}{3}$

2. a) $x^2 = 25$, d'où $x = 5$, car $x > 0$.

b) $144^x = 12$, d'où $x = \dfrac{1}{2}$.

c) $(0{,}01)^{\frac{1}{2}} = x$, d'où $x = 0{,}1$.

d) $\log_3 x = 2$, d'où $x = 3^2 = 9$.

e) $x^2 = 3^4 = 81$, d'où $x = -9$ ou $x = 9$.

f) $\log_{27} B = x \log_{\frac{1}{9}} B$, ainsi

$$x = \frac{\log_{27} B}{\log_{\frac{1}{9}} B} = \frac{\log_{27} B}{\dfrac{\log_{27} B}{\log_{27}\frac{1}{9}}} = \log_{27}\left(\frac{1}{9}\right),$$

d'où $x = \dfrac{-2}{3}$.

3. a) $\log_b 15 = \log_b (3 \times 5) = \log_b 3 + \log_b 5 \approx 1{,}392$

b) $\log_b 0{,}75 = \log_b \dfrac{3}{4} = \log_b 3 - \log_b 4 \approx -0{,}147$

c) $\log_b 2 = \log_b (4)^{\frac{1}{2}} = \dfrac{1}{2} \log_b 4 \approx 0{,}356$

d) $\log_b 60 = \log_b (3 \times 5 \times 4) = \log_b 3 + \log_b 5 + \log_b 4$
$\approx 2{,}104$

e) $\log_b 81 = \log_b 3^4 = 4 \log_b 3 \approx 2{,}26$

f) $\log_b \dfrac{12}{5} = \log_b \left(\dfrac{3 \times 4}{5}\right)$
$= \log_b 3 + \log_b 4 - \log_b 5 \approx 0{,}45$

g) $\log_4 5^2 = 2 \dfrac{\log_b 5}{\log_b 4} \approx 2{,}323$

h) $\log_b \left(\dfrac{9}{20}\right) = \log_b 3^2 - \log_b (4 \times 5)$
$= 2 \log_b 3 - (\log_b 4 + \log_b 5) \approx -0{,}409$

4. a)
$$\log_3\left(\frac{1}{5}\right) \log_{25} 27 = \frac{\ln\left(\frac{1}{5}\right)}{\ln 3} \frac{\ln 27}{\ln 25} = \frac{\ln\left(\frac{1}{5}\right)}{\ln 25} \frac{\ln 27}{\ln 3} = \frac{-\ln 5}{2 \ln 5} \frac{3 \ln 3}{\ln 3} = \frac{-3}{2}$$

b)
$$\log_a A \log_b B = \frac{\ln A}{\ln a} \frac{\ln B}{\ln b} = \frac{\ln A}{\ln b} \frac{\ln B}{\ln a} = \log_b A \log_a B$$

c) $\log_3 16 \log_7 27 \log_2\left(\dfrac{1}{49}\right) = -24$

5. a) dom $f = \mathbb{R}$

ima $f =]-3, +\infty$

Asymptote horizontale : $y = -3$

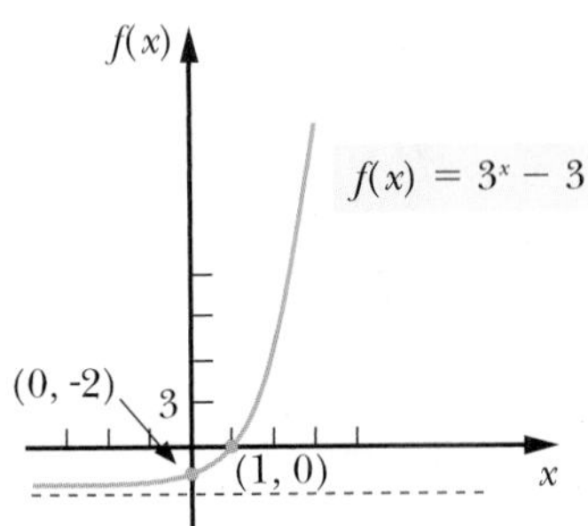

b) dom $g = \mathbb{R}$

ima $g = -\infty, 0[$

Asymptote horizontale : $y = 0$

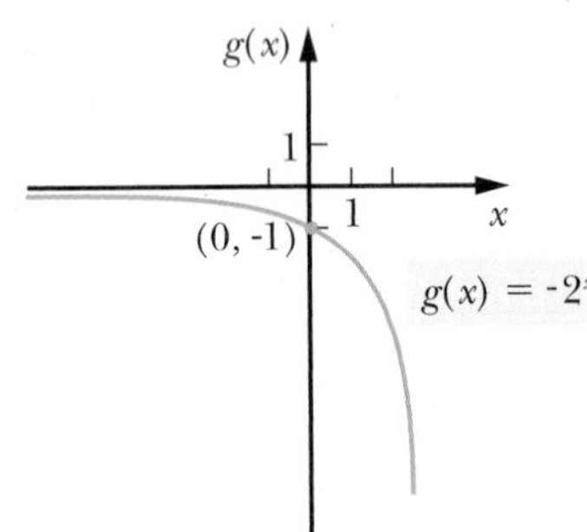

c) dom $f = \mathbb{R}$

ima $f =]-4, +\infty$

Asymptote horizontale : $y = -4$

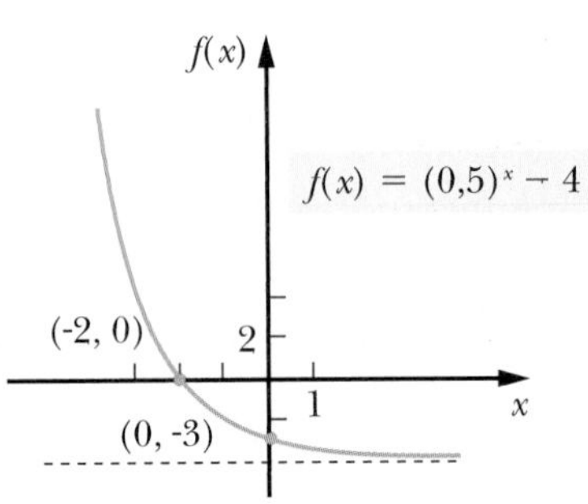

d) dom $f =]0, +\infty$

ima $f = \mathbb{R}$

Asymptote verticale : $x = 0$

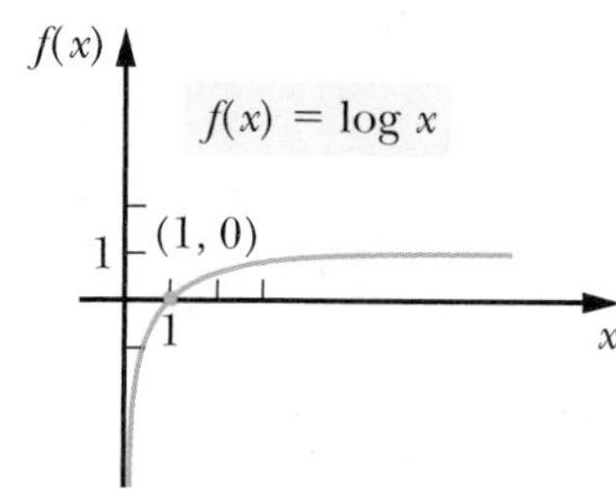

e) dom $h = -\infty, 4[$

ima $h = \mathbb{R}$

Asymptote verticale : $x = 4$

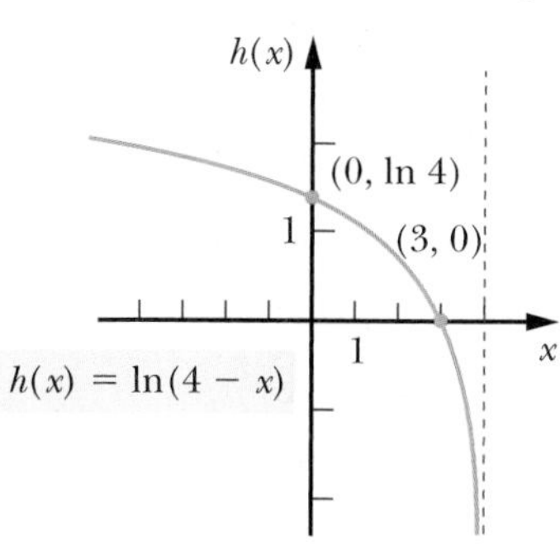

f) dom $v =]3, +\infty$

ima $v = \mathbb{R}$

Asymptote verticale : $t = 3$

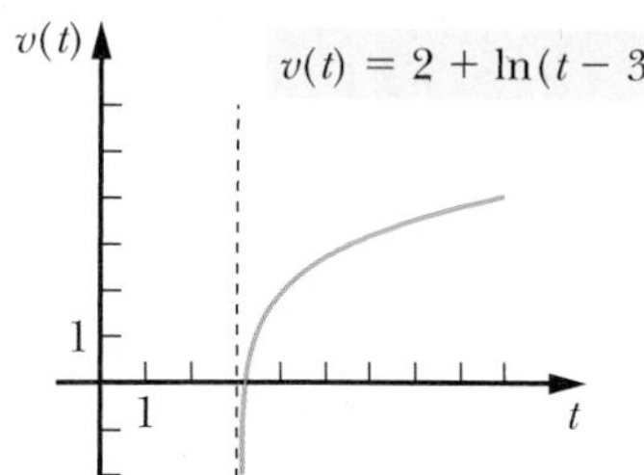

6. a) ② f) ⑥
b) ⑦ g) ⑧
c) ⑤ h) ③
d) ⑩ i) ⑨
e) ① j) ④

7. a) $k = 2$; $a = \dfrac{1}{3}$

b) $k = -1$; $a = 3$

c) Il n'existe aucune valeur de k et de a.

d) $k = \dfrac{2}{3}$; $a = 3$

8. a) $a = 4$ b) $a = \dfrac{1}{2}$ c) $a = e$

9. a) i) $\text{pH} = -\log (4 \times 10^{-7}) \approx 6{,}4$

ii) $\text{pH} = -\log (3{,}16 \times 10^{-3}) \approx 2{,}5$

b) i) $3{,}1 = -\log [H^+]$

$[H^+] = 10^{-3{,}1} \approx 7{,}9 \times 10^{-4}$

ii) $4{,}2 = -\log [H^+]$

$[H^+] = 10^{-4{,}2} \approx 6{,}3 \times 10^{-5}$

10. a) $P(t) = 400 \times 5^{\frac{t}{24}}$

b) $P(5) \approx 559$ bactéries

c) $P(48) \approx 10\,000$ bactéries

d) 72 heures

11. a) $N(0) = 5\,000$ hannetons

b) $\dfrac{1}{3}$ correspond au facteur de décroissance de la population de hannetons.

c) Il faut résoudre $2\,500 = 5\,000\left(\dfrac{1}{3}\right)^{\frac{t}{2}}$.

$$\frac{1}{2} = \left(\frac{1}{3}\right)^{\frac{t}{2}} \Rightarrow \ln\left(\frac{1}{2}\right) = \ln\left(\frac{1}{3}\right)^{\frac{t}{2}}$$

$$\ln\left(\frac{1}{2}\right) = \frac{1}{2}t\ln\left(\frac{1}{3}\right)$$

$$t = \frac{2\ln\left(\frac{1}{2}\right)}{\ln\left(\frac{1}{3}\right)} \approx 1{,}26$$

La population de hannetons aura diminué de moitié après environ 1,26 semaine.

d) $t = \dfrac{2\ln\left(\dfrac{N}{5\,000}\right)}{\ln\left(\dfrac{1}{3}\right)}$

12. a) $V(t) = 16\,000\,(0{,}8)^t$

b) $t = \dfrac{\ln\left(\dfrac{V}{16\,000}\right)}{\ln(0{,}8)}$

c) $V(2) = 10\,240\,\$$

d) $t \approx 3{,}11$ années

e)

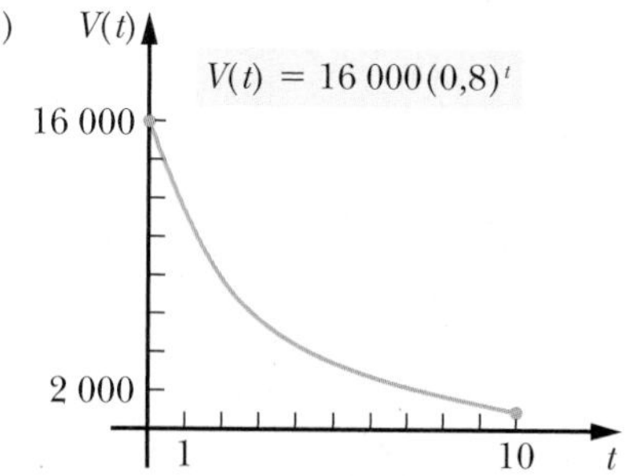

13. a) Si le capital initial A_0 double, alors $A = 2A_0$. Puisque $i = 0{,}10$, nous obtenons

$$2A_0 = A_0e^{0{,}10t}$$
$$2 = e^{0{,}10t}$$
$$\ln 2 = \ln e^{0{,}10t}$$
$$\ln 2 = 0{,}10t\ln e = 0{,}10t$$

D'où $t = \dfrac{\ln 2}{0{,}10} \approx 6{,}93$ années.

b) Nous avons $A = 3A_0$ et $t = 10$.

Alors, $3A_0 = A_0 e^{10i}$

$$i = \frac{\ln 3}{10} \approx 0{,}109\ldots$$

D'où $i \approx 11\,\%$.

14. Soit $Q = Q_0 e^{kt}$.

a) Si $t = 30$, alors $Q = \dfrac{Q_0}{2}$.

De $\dfrac{Q_0}{2} = Q_0 e^{30k}$

$\dfrac{1}{2} = e^{30k}$, d'où $k = \dfrac{\ln 0{,}5}{30}$.

b) Soit $Q = Q_0 e^{\frac{\ln 0{,}5}{30} t}$.

Nous cherchons t lorsque $Q = \dfrac{Q_0}{2^7}$.

De $\dfrac{Q_0}{2^7} = Q_0 e^{\frac{\ln 0{,}5}{30} t}$

$\dfrac{1}{2^7} = e^{\ln(0{,}5)\frac{t}{30}}$

$2^{-7} = 0{,}5^{\frac{t}{30}}$

$\ln 2^{-7} = \dfrac{t}{30} \ln (0{,}5)$

$-7 \ln 2 = \dfrac{t}{30} (-\ln 2)$

D'où $t = 30 \times 7 = 210$ années.

c)

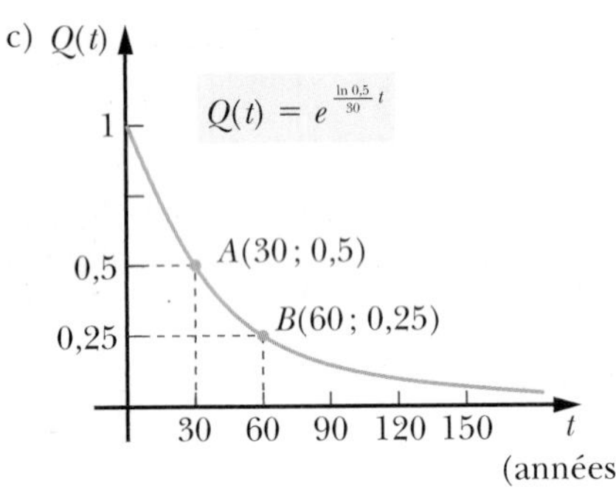

Exercices 8.2 *(page 340)*

1. a) $f'(x) = \dfrac{3x^2e^x - x^3e^x}{(e^x)^2} = \dfrac{x^2(3 - x)}{e^x}$

b) $f'(x) = 8^x + x8^x \ln 8 = 8^x(1 + x \ln 8)$

c) $g'(x) = 12x^2e^x + 4x^3e^x = 4x^2e^x\,(3 + x)$

d) $f'(x) = \dfrac{(3^x + 10^x) - x(3^x \ln 3 + 10^x \ln 10)}{(3^x + 10^x)^2}$

e) $x'(t) = e^t + et^{e-1}$

f) $h'(x) = \dfrac{e^x(e^x - x) - e^x(e^x - 1)}{(e^x - x)^2} = \dfrac{e^x(1 - x)}{(e^x - x)^2}$

g) $v'(u) = 4\left(\dfrac{1}{3}\right)^{\frac{u}{2}} \left[\ln\left(\dfrac{1}{3}\right)\right]\left(\dfrac{1}{2}\right) = 2\sqrt{\left(\dfrac{1}{3}\right)^u} \ln\left(\dfrac{1}{3}\right)$

h) $k'(x) = 5(e^x + 2^x)^4(e^x + 2^x \ln 2)$

2. a) $f'(x) = 3^x \ln 3 - 3^{-x} \ln 3 + 3$

b) $f'(t) = (2^t \ln 2 + 2t)\, 8^{(2^t + t^2)} \ln 8$

c) $g'(x) = 3e^{3x} + 5e^{-5x}$

d) $f'(u) = 4(e^u)^3\, e^u - 4e^{4u}$
$= 4(e^u)^4 - 4(e^u)^4 = 0$

e) $f'(x) = 4x^3\, 4^{(x^4)} \ln 4 - 4(4^x)^3\, 4^x \ln 4$
$= 4x^3\, 4^{(x^4)} \ln 4 - 4(4^x)^4 \ln 4$
$= 4 \ln 4(x^3\, 4^{(x^4)} - (4^x)^4)$

f) $g'(x) = 10xe^{x^2} + 5x^2e^{x^2}(2x)$
$= 10xe^{x^2}(1 + x^2)$

g) $\dfrac{dy}{dx} = \dfrac{1}{2\sqrt{x}}\, e^{\sqrt{x}} + \dfrac{\sqrt{e^x}}{2}$

h) $g'(x) = \dfrac{(e^x + e^{-x})e^{2x} - 2e^{2x}\,(e^x - e^{-x})}{(e^{2x})^2} = \dfrac{-e^x + 3e^{-x}}{e^{2x}}$

i) $f'(t) = 6e^{6t} + e^t\, 6^{e^t} \ln 6$

j) $f'(x) = 4(e^{e^x} + 2^{-8x})^3(e^{e^x}e^x - 8(2^{-8x}) \ln 2)$

3. 1re façon : $[(e^x)^n]' = n(e^x)^{n-1}\, e^x = n(e^x)^n$

2^e^ façon : $[(e^x)^n]' = [e^{nx}]' = ne^{nx} = n(e^x)^n$

4. $f'(x) = 2x\left(\dfrac{1}{3}\right)^x + x^2\left(\dfrac{1}{3}\right)^x \ln\left(\dfrac{1}{3}\right)$

D'où $m_{\tan}$ au point $(1, f(1)) = f'(1) = \dfrac{2}{3} + \dfrac{1}{3} \ln\left(\dfrac{1}{3}\right)$.

5. De $f'(x) = -e^{-x}$, nous obtenons $f'(1) = -e^{-1} = \dfrac{-1}{e}$.

a) $y = \dfrac{-1}{e}x + \dfrac{2}{e}$ b) $y = ex + \left(\dfrac{1}{e} - e\right)$

6. a) Il faut résoudre $f'(x) = 8$

$8e^{2x} = 8$, donc $x = 0$.

Le point cherché est P (0, 3).

b) Il faut résoudre $f'(x) = 0$

$8e^{2x} = 0$

qui n'admet aucune solution.

Donc, il n'existe aucun point.

7. $g'(x) = \dfrac{x(2 - x)}{e^x}$; n.c. : 0 et 2

$g''(x) = \dfrac{x^2 - 4x + 2}{e^x}$

$g'(0) = 0$ et $g''(0) > 0$, d'où $(0, 0)$ est le point de minimum relatif de g.

$g'(2) = 0$ et $g''(2) < 0$, ainsi $\left(2, \dfrac{4}{e^2}\right)$ est le point de maximum relatif de g, d'où $\dfrac{4}{e^2}$ est le maximum relatif de g.

8. a) dom $f = \mathbb{R}$; A.H. : $y = 0$;

$f'(x) = -2xe^{-x^2}$ et $f''(x) = 2e^{-x^2}(2x^2 - 1)$

x	$-\infty$		$\frac{-1}{\sqrt{2}}$		0		$\frac{1}{\sqrt{2}}$		$+\infty$
$f'(x)$		+	+	+	0	−	−	−	
$f''(x)$		+	0	−	−	−	0	+	
f	0	↗∪	$\frac{1}{\sqrt{e}}$	↗∩	1	↘∩	$\frac{1}{\sqrt{e}}$	↘∪	0
E. du G.	- - -	↗	$\left(\frac{-1}{\sqrt{2}}, \frac{1}{\sqrt{e}}\right)$	↗	(0, 1)	↘	$\left(\frac{1}{\sqrt{2}}, \frac{1}{\sqrt{e}}\right)$	↘	- - -
			inf.		max.		inf.		

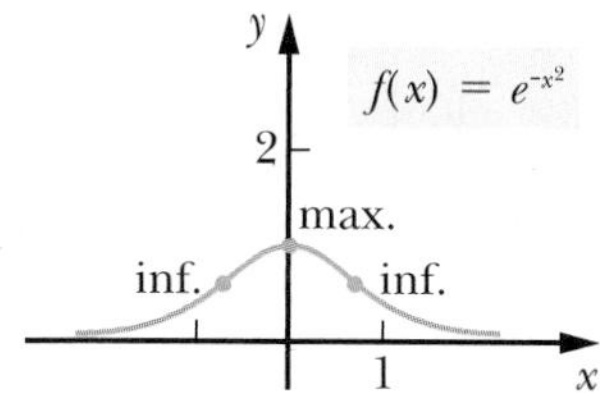

b) dom $f = \mathbb{R}$; A.H. : $y = 0$;

$f'(x) = (x + 1)^2 e^x$ et
$f''(x) = (x + 1)(x + 3)e^x$

x	$-\infty$		-3		-1		$+\infty$
$f'(x)$		+	+	+	0	+	
$f''(x)$		+	0	−	0	+	
f	0	↗∪	$10e^{-3}$	↗∩	$2e^{-1}$	↗∪	$+\infty$
E. du G.	- - -	↗	$\left(-3, \frac{10}{e^3}\right)$	↗	$\left(-1, \frac{2}{e}\right)$	↗	
			inf.		inf.		

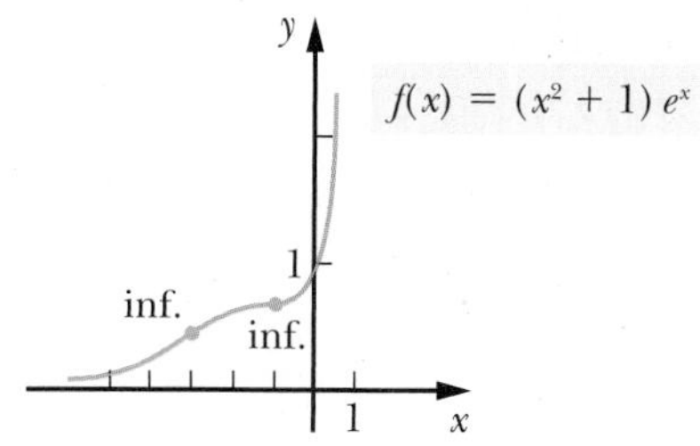

9. Mathématisation du problème.

Soit $(2 - x)$, la longueur de la base, et y, la hauteur du rectangle.

$A(x, y) = (2 - x)y$ doit être maximale.

$y = e^x$

$A(x) = (2 - x)e^x$, où dom $A = {-\infty}, 2]$.

Analyse de la fonction.

$A'(x) = (1 - x)e^x$

1) $A'(x) = 0$, si $x = 1$; donc, 1 est le seul nombre critique de A sur $-\infty, 2]$ tel que $A'(x) = 0$. Utilisons le théorème 6.7, où $A''(x) = -xe^x$.

$A'(1) = 0$ et $A''(1) < 0$, d'où $(1, A(1))$ est le point de maximum absolu.

Formulation de la réponse.

Les dimensions du rectangle sont de 1 unité sur e unités.

10. a) $Q(0) = 100$ t.m.

b) $\text{TVM}_{[0, 5]} = \dfrac{Q(5) - Q(0)}{5 - 0} \approx 172{,}86$ t.m./année

c) $Q'(t) = \dfrac{9\,000 \times 3^t \ln 3}{(9 + 3^t)^2}$;

TVI dans deux ans $= Q'(2) \approx 274{,}65$ t.m./année

d) dom $Q = [0, +\infty$

$\displaystyle\lim_{t \to +\infty} \frac{1\,000 \times 3^t}{9 + 3^t}$ est une indétermination de la forme $\dfrac{+\infty}{+\infty}$.

$$\lim_{t \to +\infty} \frac{1\,000 \times 3^t}{9 + 3^t} = \lim_{t \to +\infty} \frac{3^t(1\,000)}{3^t\left(\frac{9}{3^t} + 1\right)}$$

$$= \lim_{t \to +\infty} \frac{1\,000}{\left(\frac{9}{3^t} + 1\right)} = 1\,000$$

Donc, la droite d'équation $y = 1\,000$ est une asymptote horizontale lorsque $t \to +\infty$.

$Q'(t) = \dfrac{9\,000 \times 3^t \ln 3}{(9 + 3^t)^2}$; aucun nombre critique

$Q''(t) = \dfrac{9\,000 \times 3^t(\ln 3)^2(9 - 3^t)}{(9 + 3^t)^3}$; n.c. : 2

t	0		2		$+\infty$
$Q'(t)$	$\nexists$	+	+	+	
$Q''(t)$	$\nexists$	+	0	−	
Q	100	↗∪	500	↗∩	1 000
E. du G.	(0, 100)	↗	(2, 500)	↗	- - - -
	min.		inf.		

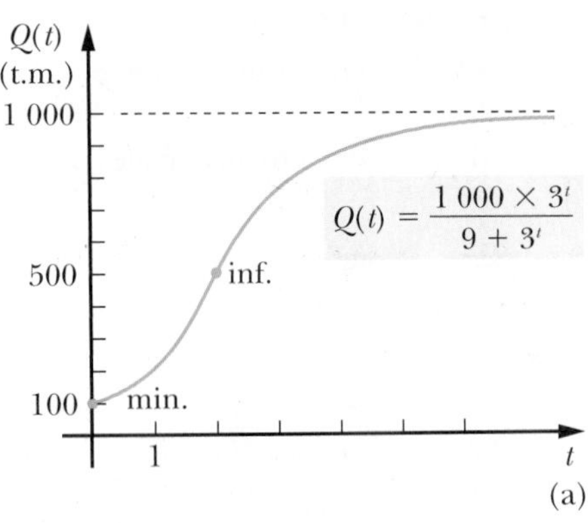

(a)

11. a) En remplaçant E par 12, R par 3 et L par 0,1, nous obtenons

$$I(t) = 4(1 - e^{-30t})$$

i) $I(0{,}01) \approx 1{,}037$ ampère

ii) $I(0{,}1) \approx 3{,}801$ ampères

iii) $I(0{,}5) \approx 4$ ampères

iv) $I(1) \approx 4$ ampères

b)
```
> f:=x->4*(1-exp(-30*t)):
> plot(f(t),t=0..1);
```

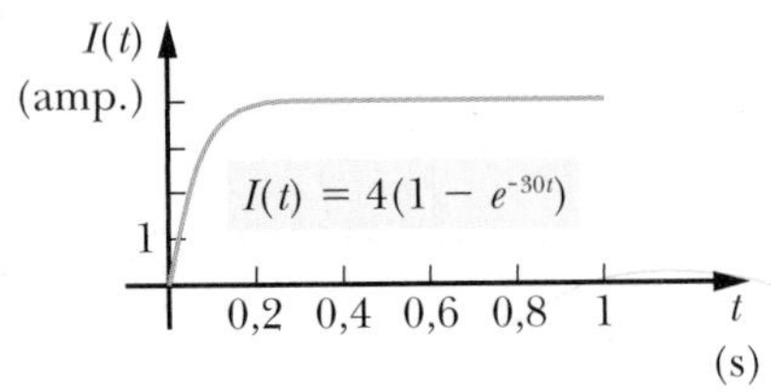

c) $t = \frac{-L}{R} \ln\left(1 - \frac{RI}{E}\right)$;

$t = \frac{-0{,}1}{3} \ln\left(1 - \frac{3(2)}{12}\right) \approx 0{,}023$ seconde

Exercices 8.3 (*page 347*)

1. a) $f'(x) = \frac{1 - \ln x}{x^2}$

b) $\frac{dy}{dx} = 4x^3 \ln^5 x + 5x^3 \ln^4 x = x^3 \ln^4 x\,(4 \ln x + 5)$

c) $v'(t) = \frac{1}{t \ln 3} - \frac{3 \log^2 t}{t \ln 10}$

d) $\frac{dz}{dx} = \frac{\log x}{x} + \frac{\ln x}{x \ln 10}$

e) $\frac{dy}{du} = \frac{1}{2u\sqrt{\ln u}}$

f) $\frac{dy}{dx} = 5(x + \ln^2 x)^4 \left(1 + \frac{2 \ln x}{x}\right)$

g) $g'(x) = \frac{(\ln x + 1)e^x - (x \ln x)e^x}{(e^x)^2} = \frac{\ln x + 1 - x \ln x}{e^x}$

h) $\frac{dx}{dt} = 0$

2. a) $f'(t) = \frac{1}{\sqrt{t}} \frac{1}{2\sqrt{t}} = \frac{1}{2t}$

b) $g'(x) = \frac{12x^3}{(3x^4 + 1) \ln 2}$

c) $\frac{dy}{dx} = \frac{1}{4x\sqrt{\ln \sqrt{x}}}$

d) $f'(x) = \frac{1}{x^3 + \log x}\left(3x^2 + \frac{1}{x \ln 10}\right)$

e) $h'(v) = 5(v + \ln v^2)^4 \left(1 + \frac{2}{v}\right)$

f) $\frac{dy}{dx} = \frac{3^x \ln 3 + \frac{1}{x \ln 3}}{(3^x + \log_3 x) \ln \frac{1}{2}}$

g) $f'(x) = 10 \log^9 x^{10} \left(\frac{10x^9}{x^{10} \ln 10}\right) = \frac{100 \log^9 x^{10}}{x \ln 10}$

h) $f'(x) = \frac{4x^3 - 4x^3 \ln x^4}{x^8} = \frac{4(1 - \ln x^4)}{x^5}$

i) $\frac{dy}{dx} = \frac{8[\ln (xe^x)]^7 (e^x + xe^x)}{xe^x} = \frac{8(1 + x) \ln^7 (xe^x)}{x}$

j) $g'(x) = 0$

k) $h'(w) = 0$

3. Soit $H(x) = y = \ln u$, où $u = f(x)$.

Alors, $\frac{dy}{dx} = \frac{dy}{du} \frac{du}{dx}$ (notation de Leibniz)

$$\frac{d}{dx}(H(x)) = \frac{d}{du}(\ln u) \frac{d}{dx}(f(x))$$

$$H'(x) = \frac{1}{u} f'(x)$$

D'où $H'(x) = \frac{f'(x)}{f(x)}$, car $u = f(x)$.

4. a) Puisque $\ln 1 = 0$, la courbe coupe l'axe des x en $x = 1$.

Ainsi, $\frac{y - f(1)}{x - 1} = f'(1)$

$\frac{y - 0}{x - 1} = 1$ $\left(\text{car } f'(x) = \frac{1}{x}\right)$

D'où $y = x - 1$.

b) Puisque l'équation de la droite est $y = \frac{1}{4}x + 1$,

il faut résoudre $f'(x) = \frac{1}{4}$.

$$\frac{1}{x} = \frac{1}{4}, \text{ donc } x = 4$$

Ainsi, $\frac{y - f(4)}{x - 4} = \frac{1}{4}$

D'où $\quad y = \frac{1}{4}x + \ln 4 - 1$.

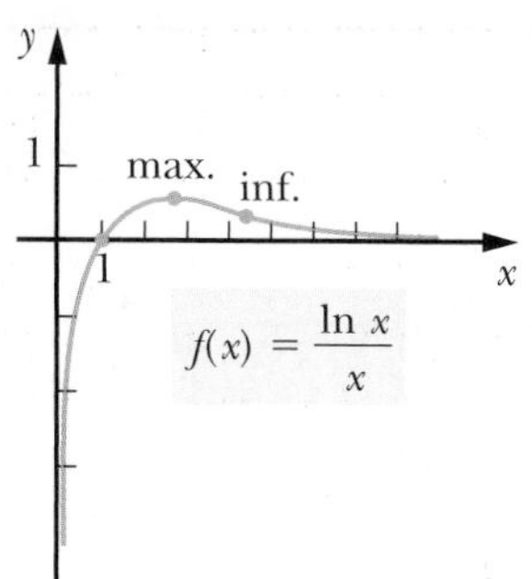

5. $g'(x) = 1 - \frac{8}{x} + \frac{12}{x^2} = \frac{(x-6)(x-2)}{x^2}$

n.c. : 2 et 6 ; puisque dom $g =]0, +\infty$, 0 n'est pas un nombre critique.

x	0		2		6	$+\infty$
$g'(x)$	∄	+	0	−	0	+
g	∄	↗	$-4 - 8 \ln 2$	↘	$4 - 8 \ln 6$	↗
			max.		min.	

max. rel. : $(2, -4 - 8 \ln 2)$ et min. rel. : $(6, 4 - 8 \ln 6)$

6. a) $f'(x) = 1 + \frac{2x}{x^2+1} = \frac{(x+1)^2}{x^2+1} \geqslant 0 \ \forall x \in \mathbb{R}$

D'où f est croissante sur $\mathbb{R}$.

b) $f''(x) = \frac{2(1 - x^2)}{(x^2+1)^2}$; n.c. : -1 et 1

x	$-\infty$	-1		1	$+\infty$
$f''(x)$	−	0	+	0	−
f	∩	$-1 + \ln 2$	∪	$1 + \ln 2$	∩
		inf.		inf.	

f est concave vers le bas sur $-\infty, -1] \cup [1, +\infty$.

f est concave vers le haut sur $[-1, 1]$.

Les points d'inflexion sont $(-1, -1 + \ln 2)$ et $(1, 1 + \ln 2)$.

7. a) dom $f =]0, +\infty$

Puisque $\lim\limits_{x \to 0^+} \frac{\ln x}{x} = -\infty$ forme $\left(\frac{-\infty}{0^+}\right)$, A.V. : $x = 0$.

A.H. : $y = 0$

$f'(x) = \frac{1 - \ln x}{x^2}$ et $f''(x) = \frac{2 \ln x - 3}{x^3}$

x	0		e		$e^{\frac{3}{2}}$		$+\infty$
$f'(x)$	∄	+	0	−	−	−	
$f''(x)$	∄	−	−	−	0	+	
f	∄	↗∩	$\frac{1}{e}$	↘∩	$\frac{3}{2e^{\frac{3}{2}}}$	↘∪	0
E. du G.		↱	$\left(e, \frac{1}{e}\right)$	⤵	$\left(e^{\frac{3}{2}}, \frac{3}{2e^{\frac{3}{2}}}\right)$	↳	
			max.		inf.		

b) dom $g = \mathbb{R}$

$g'(x) = \frac{2x}{x^2+4}$ et $g''(x) = \frac{2(2-x)(2+x)}{(x^2+4)^2}$

x	$-\infty$		-2		0		2		$+\infty$
$g'(x)$		−	−	−	0	+	+	+	
$g''(x)$		−	0	+	+	+	0	−	
g	$+\infty$	↘∩	$\ln 8$	↘∪	$\ln 4$	↗∪	$\ln 8$	↗∩	$+\infty$
E. du G.		⤵	$(-2, \ln 8)$	↳	$(0, \ln 4)$	⤴	$(2, \ln 8)$	↱	
			inf.		min.		inf.		

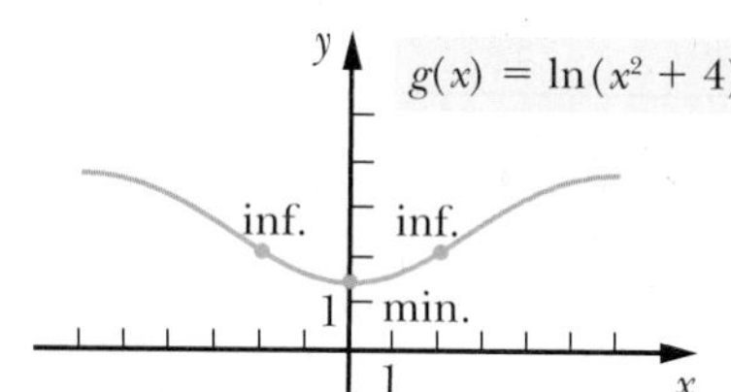

c) dom $f = \mathbb{R} \setminus \{0\}$

$f'(x) = 2 + \ln x^2$ et $f''(x) = \frac{2}{x}$

x	$-\infty$		$\frac{-1}{e}$	
$f'(x)$		+	0	−
$f''(x)$		−	−	−
f	$-\infty$	↗∩	$\frac{2}{e}$	↘∩
E. du G.		↱	$\left(\frac{-1}{e}, \frac{2}{e}\right)$	⤵
			max.	

0		$\frac{1}{e}$		$+\infty$
∄	−	0	+	
∄	+	+	+	
∄	↘∪	$\frac{-2}{e}$	↗∪	$+\infty$
∄	↳	$\left(\frac{1}{e}, \frac{-2}{e}\right)$	↗	
		min.		

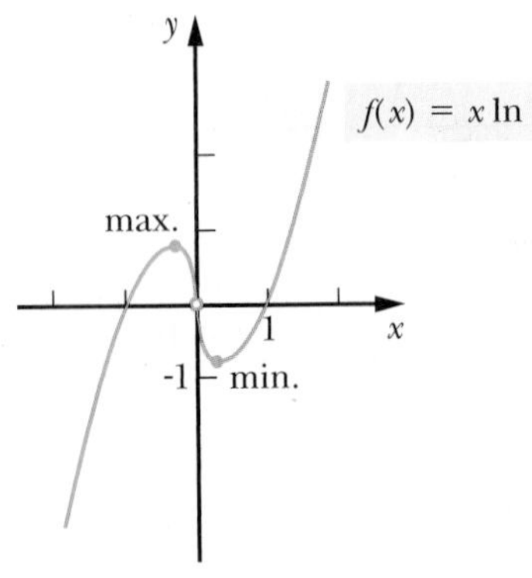

	e		$+\infty$
−	−	−	
−	0	+	
↘∩	1	↘∪	$-\infty$
↷	$(e, 1)$	↳	
	inf.		

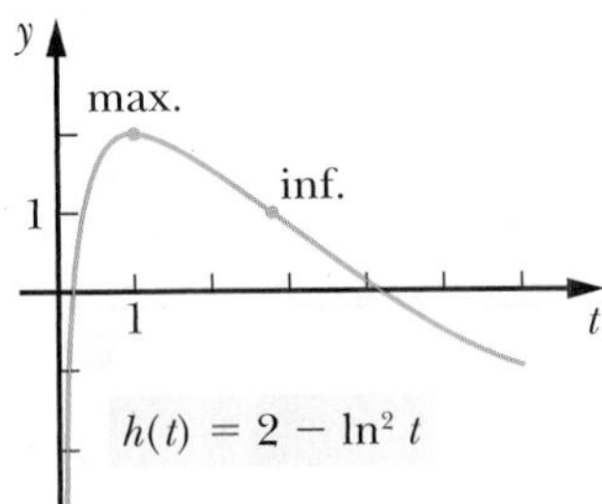

d) dom $h =]0, +\infty$

A.V. : $x = 0$

$h'(t) = \frac{-2 \ln t}{t}$ et $h''(t) = \frac{2(\ln t - 1)}{t^2}$

t	0		1
$h'(t)$	∄	+	0
$h''(t)$	∄	−	−
h	∄	↗∩	2
E. du G.		↗	$(1, 2)$
			max.

8. Mathématisation du problème.

Soit $Q(x, y)$, un point quelconque de la courbe.

$P(x, y) = \frac{y - 0}{x - 0} = \frac{y}{x}$ doit être minimale.

$y = x^4 \ln x$

$P(x) = \frac{x^4 \ln x}{x} = x^3 \ln x$, où dom $P =]0, +\infty$.

Analyse de la fonction.

$P'(x) = x^2(3 \ln x + 1)$

$P'(x) = 0$ si $3 \ln x + 1 = 0$

$3 \ln x = -1$

$\ln x = \frac{-1}{3}$

D'où $x = e^{\frac{-1}{3}}$.

x	0		$e^{\frac{-1}{3}}$	$+\infty$
$P'(x)$	∄	−	0	+
P	∄	↘	$\frac{-1}{3e}$	↗
			min.	

Formulation de la réponse.

Donc, le point cherché est $(e^{\frac{-1}{3}}, f(e^{\frac{-1}{3}}))$,

c'est-à-dire $\left(e^{\frac{-1}{3}}, \frac{-1}{3e^{\frac{4}{3}}}\right)$.

Exercices récapitulatifs *(page 350)*

1. a) $f'(x) = -e^{-x} + 2e^{2x}x^3 + 3e^{2x}x^2$

b) $g'(x) = \frac{2x\,10^{x^2}(\ln 10)\,8^{\sqrt{x}} - \frac{10^{x^2}\,8^{\sqrt{x}}\ln 8}{2\sqrt{x}}}{(8^{\sqrt{x}})^2}$

$= \frac{10x^2(4x\sqrt{x}\ln 10 - \ln 8)}{2\sqrt{x}\,(8^{\sqrt{x}})}$

c) $\frac{dy}{dx} = \frac{4}{x} - \frac{4\ln^3 x}{x} = \frac{4}{x}(1 - \ln^3 x)$

d) $v'(t) = \frac{1}{t \ln t \ln 4}$

e) $h'(x) = e^{(e^x)}\,e^x x^e + e^{(e^x)}\,ex^{e-1} = e^{(e^x)}\,x^{e-1}\,(e^x x + e)$

f) $f'(x) = \pi^{(e^x)}\,e^x \ln \pi + e^{(\pi^x)}\,\pi^x \ln \pi + e^\pi x^{(e^\pi - 1)}$

g) $f'(u) = \ln\left(\frac{1}{u}\right) - 1$

h) $f'(x) = \dfrac{\left(\frac{1}{x}\right)e^x - e^x \ln x}{(e^x)^2} = \dfrac{1 - x\ln x}{xe^x}$

3. a) $\frac{1}{3}$ b) $\frac{-1}{2e^2}$

5. a) $A\left(\frac{-3}{2}, 0\right)$ et $B(0, 3e)$ c) $D\left(\frac{1}{3e^3}, \frac{-1}{e^3}\right)$

b) $C\left(\frac{\ln 2 - 3}{2}, 2\right)$

7. a) dom $f = \mathbb{R}$

A.H.: $y = 0$

$f'(x) = e^x(x^2 + 2x - 3)$ et $f''(x) = e^x(x^2 + 4x - 1)$

inf.: (-4,2…; 0,2…) et (0,2…; -3,7…)

max. rel.: (-3; 0,29…)

min. abs.: (1; -5,4…)

b) dom $f = \mathbb{R} \setminus \{3\}$

A.V.: $x = 3$

$f'(x) = \dfrac{-2}{3 - x}$ et $f''(x) = \dfrac{-2}{(3 - x)^2}$

c) dom $f = \mathbb{R}$

A.H.: $y = 0$

$f'(x) = \dfrac{(1 - x^2)}{e^{\frac{x^2}{2}}}$ et $f''(x) = \dfrac{x(x^2 - 3)}{e^{\frac{x^2}{2}}}$

inf.: $(-\sqrt{3}$; -0,38…), (0, 0) et $(\sqrt{3}$; 0,38…)

min. abs.: (-1; -0,6…)

max. abs.: (1; 0,6…)

d) dom $f = \mathbb{R}$

$f'(x) = \dfrac{(x - 1)^2}{x^2 + 1}$ et $f''(x) = \dfrac{2(x^2 - 1)}{(x^2 + 1)^2}$

inf.: $(-1, -1 - \ln 2)$ et $(1, 1 - \ln 2)$

e) dom $f = \mathbb{R}$

A.H.: $y = 0$

$f'(x) = \dfrac{1 - x\ln 2}{2^x}$ et $f''(x) = \dfrac{\ln 2\,(x\ln 2 - 2)}{2^x}$

max. abs.: $\left(\frac{1}{\ln 2}; 0{,}53\ldots\right)$

inf.: $\left(\frac{2}{\ln 2}; 0{,}39\ldots\right)$

9. a) Pour la courbe f,

i) $\left(\frac{-1}{\sqrt{2}}, \frac{1}{\sqrt{e}}\right)$ ii) $\left(\frac{1}{\sqrt{2}}, \frac{1}{\sqrt{e}}\right)$

Pour la courbe g,

i) $(e, 1)$ ii) aucun

11. $\frac{1}{e}$ unité sur 1 unité

12. a) $\frac{2}{\sqrt{e}}u^2$

15. a) $k = \dfrac{\ln 0{,}4}{3}$

b) $Q'(t) = \dfrac{20 \ln 0{,}4}{3} e^{\frac{\ln 0{,}4}{3}t}$, exprimée en kg/h.

c) Environ -1,33 kg/h; environ 4,34 kg.

16. a) $P(0) = 20\,000$ personnes

b) $P(2) \approx 710\,921$ personnes

c) $t \approx 2{,}85$ jours

d) $P'(t) = \dfrac{99 \times 4\,000\,000}{e^{2t}(99e^{-2t} + 1)^2} > 0, \forall t \in]0, +\infty$.

18. a) Environ 1,95 an

21. a) $T(h) = 32e^{\frac{\ln\left(\frac{35}{32}\right)}{0{,}6}h}$, exprimée en °C.

b) Environ 36,6 °C

c)

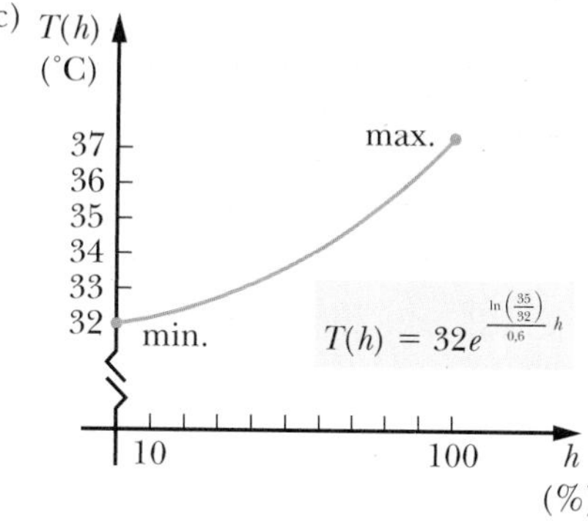

Problèmes de synthèse (page 354)

1. a) $\dfrac{dy}{dx} = \dfrac{xe^x + 1}{xe^y}$ b) $\dfrac{dy}{dx} = y \ln 10\,(1 + \ln x)$

2. 2

3. a) $(\sinh x)' = \cosh x$ et $(\cosh x)' = \sinh x$

7. a) $f(x) = \begin{cases} e^x & \text{si} \quad x < 0 \\ 1 & \text{si} \quad x = 0 \\ e^{-x} & \text{si} \quad x > 0 \end{cases}$

b) f est continue en $x = 0$.

c) f n'est pas dérivable en $x = 0$.

9. a) dom $f = -\infty, -1[\cup]2, +\infty$

$f'(x) = \dfrac{3}{(x-2)(x+1)}$ et $f''(x) = \dfrac{3(1-2x)}{(x-2)^2(x+1)^2}$

A.V. : $x = -1$ et $x = 2$

A.H. : $y = 3$

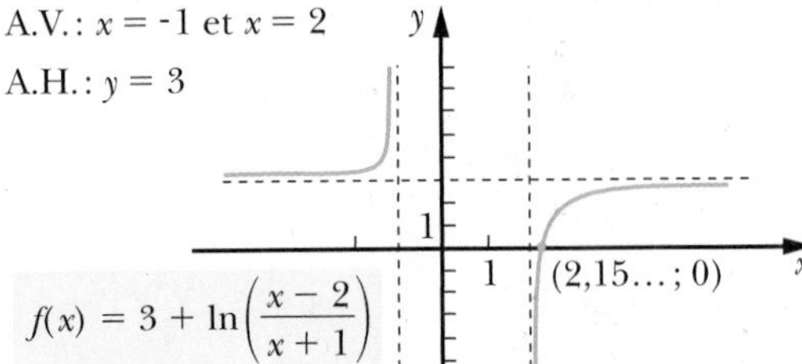

11. dom $f = \mathbb{R}$

$f'(x) = \dfrac{-(x-\mu)}{\sigma^3\sqrt{2\pi}}\, e^{\frac{-1}{2}\left(\frac{x-\mu}{\sigma}\right)^2}$

et $f''(x) = \dfrac{e^{\frac{-1}{2}\left(\frac{x-\mu}{\sigma}\right)^2}}{\sigma^3\sqrt{2\pi}}\left[\left(\dfrac{x-\mu}{\sigma}\right)^2 - 1\right]$

A.H. : $y = 0$

$f(x) = \dfrac{1}{\sigma\sqrt{2\pi}}\, e^{\frac{-1}{2}\left(\frac{x-\mu}{\sigma}\right)^2}$

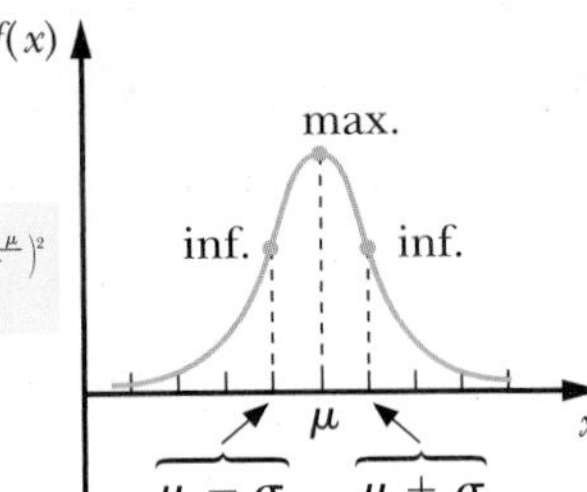

12. a) $k = -1$; f est dérivable en 0.

b) f est continue en 1 ; f est non dérivable en 1.

13. a) $\dfrac{5e^2}{4}$ u^2

15. $\dfrac{e^2 - 1}{2}$ unités^2

18. Environ 14 960 $

19. b) Environ 34 657 $

Chapitre 9

Test préliminaire *(page 359)*

Partie A

1. a) $\sin(x+h) = \sin x \cos h + \cos x \sin h$

b) $\sin(x-h) = \sin x \cos h - \cos x \sin h$

c) $\cos(x+h) = \cos x \cos h - \sin x \sin h$

d) $\cos(x-h) = \cos x \cos h + \sin x \sin h$

e) $\cos^2 x + \sin^2 x = 1$

f) $1 + \tan^2 x = \sec^2 x$

g) $\cot^2 x + 1 = \csc^2 x$

2. a) F b) V c) F d) F

3. a) $\tan x = \dfrac{\sin x}{\cos x}$ c) $\sec x = \dfrac{1}{\cos x}$

b) $\cot x = \dfrac{\cos x}{\sin x}$ d) $\csc x = \dfrac{1}{\sin x}$

4. a) $\sin\theta = \dfrac{b}{c}$ d) $\cot\theta = \dfrac{a}{b}$

b) $\cos\theta = \dfrac{a}{c}$ e) $\sec\theta = \dfrac{c}{a}$

c) $\tan\theta = \dfrac{b}{a}$ f) $\csc\theta = \dfrac{c}{b}$

9

5. a) $\dfrac{\sin A}{a} = \dfrac{\sin B}{b} = \dfrac{\sin C}{c}$

b) $c^2 = a^2 + b^2 - 2ab\cos C$

$b^2 = a^2 + c^2 - 2ac\cos B$

$a^2 = b^2 + c^2 - 2bc\cos A$

6. $A\left(\dfrac{\sqrt{3}}{2}, \dfrac{1}{2}\right)$, $B\left(\dfrac{\sqrt{2}}{2}, \dfrac{\sqrt{2}}{2}\right)$ et $C\left(\dfrac{1}{2}, \dfrac{\sqrt{3}}{2}\right)$

7. a) $P(r, \theta) = 2r + r\theta$ b) $A(r, \theta) = \dfrac{r^2\theta}{2}$

Partie B

1. a) $y' = kf'(x)$

b) $\dfrac{dy}{dx} = f'(x)\,g(x) + f(x)\,g'(x)$

c) $y' = \dfrac{f'(x)\,g(x) - f(x)\,g'(x)}{[g(x)]^2}$

d) $\dfrac{dy}{dx} = \dfrac{dy}{du}\dfrac{du}{dx}$

2. a) … croissante sur $[a, b]$.

b) … concave vers le bas sur $[a, b]$.

c) … un point de maximum relatif de f.

d) … un point de minimum relatif de f.

3. a) … la droite d'équation $x = a$ est une asymptote verticale de la courbe de f.

b) … la droite d'équation $y = 4$ est une asymptote horizontale de la courbe de f.

4. a) $f'(x) = \lim\limits_{h\to 0} \dfrac{f(x+h) - f(x)}{h}$

b) $\lim\limits_{x\to a} g(x) = b$

Exercices

Exercices 9.1 (page 366)

1. a) $f'(x) = 3x^2 \sin x + x^3 \cos x = x^2(3 \sin x + x \cos x)$

b) $g'(x) = \dfrac{(4x^3 + 2) \sin x - (x^4 + 2x) \cos x}{(\sin x)^2}$

c) $x'(t) = \dfrac{\cos t}{2\sqrt{\sin t}}$

d) $\dfrac{dy}{dx} = \dfrac{-x \sin x - \cos x}{x^2}$

e) $f'(x) = e^x + \cos^2 x - \sin^2 x$

f) $f'(x) = \dfrac{1}{\cos^2 x} = \sec^2 x$

g) $f'(x) = \dfrac{-4 \cos x}{5 \sin^2 x} = \dfrac{-4 \csc x \cot x}{5}$

h) $h'(x) = 3 \sin^2 x \cos x + 3 \cos^2 x \sin x$
$= 3 \sin x \cos x (\cos x + \sin x)$

i) $f'(x) = \dfrac{(3x^2 \cos x - x^3 \sin x)\sqrt{x+1} - \dfrac{x^3 \cos x}{2\sqrt{x+1}}}{(x+1)}$
$= \dfrac{2(x+1)(3x^2 \cos x - x^3 \sin x) - x^3 \cos x}{2\sqrt{(x+1)^3}}$

j) $g'(x) = \dfrac{-\sin x}{\cos x} = -\tan x$

2. a) $f'(x) = 7 \cos (7x - 1)$

b) $g'(t) = 3t^2 \sin (3 - t^3)$

c) $f'(x) = 2x \cos x^2 + 4(1 - 2x) \sin (x - x^2)$

d) $g'(u) = \left(\dfrac{3u + 8}{u^3}\right) \sin \left(\dfrac{3u + 4}{u^2}\right)$

e) $f'(x) = -\sin x \cos (\cos x) - \cos x \sin (\sin x)$

f) $f'(x) = \dfrac{\cos x \cos \sqrt{x} + \dfrac{\sin \sqrt{x} \sin x}{2\sqrt{x}}}{(\cos \sqrt{x})^2}$

g) $f'(x) = \dfrac{-3x \sin (3x + 4) - 2 \cos (3x + 4)}{x^3}$

h) $v'(t) = -30t \cos^4 (3t^2 + 4) \sin (3t^2 + 4)$

i) $f'(x) = 3(10x - 7^x \ln 7) \sin^2 (5x^2 - 7^x) \cos (5x^2 - 7^x)$

j) $f'(x) = 7[\cos (x \cos x)]^6 [-\sin (x \cos x)] (\cos x - x \sin x)$

k) $f'(x) = [\sin (x^2 + 1)]^7 + 14x^2 \sin^6 (x^2 + 1) \cos (x^2 + 1)$.

l) $f'(\theta) = 0$

3. a) $f'(x) = \cos x$; $m_{\tan} = f'(0) = \cos 0 = 1$

b) $g'(t) = -\sin t$; $m_{\tan} = g'\left(\dfrac{\pi}{4}\right) = -\sin \left(\dfrac{\pi}{4}\right) = \dfrac{-\sqrt{2}}{2}$

c) $f'(x) = \dfrac{x \cos x - 2 \sin x}{x^3}$; $m_{\tan} = f'(\pi) = \dfrac{-1}{\pi^2}$

d) $h'(t) = 8 \sin^3 \dfrac{t}{3} \cos \dfrac{t}{3}$; $m_{\tan} = h'(\pi) = \dfrac{3\sqrt{3}}{2}$

4. a) Il faut résoudre $f'(x) = 0$, c'est-à-dire $2 \cos 2x = 0$.

Ainsi, $2x = \dfrac{\pi}{2}$ ou $2x = \dfrac{3\pi}{2}$.

Donc, $x = \dfrac{\pi}{4}$ ou $x = \dfrac{3\pi}{4}$.

D'où les points sont $\left(\dfrac{\pi}{4}, 1\right)$ et $\left(\dfrac{3\pi}{4}, -1\right)$.

b) Il faut résoudre $g'(x) = \dfrac{-1}{6}$,

c'est-à-dire $\dfrac{-1}{3} \sin \dfrac{x}{3} = \dfrac{-1}{6}$

$\sin \dfrac{x}{3} = \dfrac{1}{2}$.

Ainsi, $\dfrac{x}{3} = \dfrac{\pi}{6}$ ou $\dfrac{x}{3} = \dfrac{5\pi}{6}$.

Donc, $x = \dfrac{\pi}{2}$ ou $x = \dfrac{5\pi}{2}$.

D'où les points sont $\left(\dfrac{\pi}{2}, \dfrac{\sqrt{3}}{2}\right)$ et $\left(\dfrac{5\pi}{2}, \dfrac{-\sqrt{3}}{2}\right)$.

5. a) $f^{(3)}(x) = -\cos x$ et $g^{(3)}(x) = 4^3 \sin 4x$

b) $f^{(6)}(x) = -\sin x$ et $g^{(6)}(x) = -4^6 \cos 4x$

c) $f^{(21)}(x) = \cos x$ et $g^{(21)}(x) = -4^{21} \sin 4x$

d) $f^{(40)}(x) = \sin x$ et $g^{(40)}(x) = 4^{40} \cos 4x$

6. Toutes les limites sont des indéterminations de la forme $\dfrac{0}{0}$. Il faut lever ces indéterminations.

a) $\lim\limits_{x \to 0} \dfrac{\sin 3x}{x} = \lim\limits_{x \to 0} \dfrac{3 \sin 3x}{3x}$

$= 3 \lim\limits_{x \to 0} \dfrac{\sin 3x}{3x}$

$= 3 \lim\limits_{y \to 0} \dfrac{\sin y}{y}$ (où $y = 3x$)

$= 3 \times 1 = 3$

b) $\lim\limits_{x \to 0} \dfrac{\sin^2 x}{x} = \lim\limits_{x \to 0} \dfrac{\sin x \sin x}{x}$

$= \left(\lim\limits_{x \to 0} \sin x\right)\left(\lim\limits_{x \to 0} \dfrac{\sin x}{x}\right) = 0 \times 1 = 0$

c) $\lim\limits_{x \to 0} \dfrac{\cos^2 x - 1}{x^2} = \lim\limits_{x \to 0} \dfrac{-\sin^2 x}{x^2}$ (car $\cos^2 x + \sin^2 x = 1$)

$= -\lim\limits_{x \to 0} \left(\dfrac{\sin x}{x} \dfrac{\sin x}{x}\right)$

$= -\left(\lim\limits_{x \to 0} \dfrac{\sin x}{x}\right)\left(\lim\limits_{x \to 0} \dfrac{\sin x}{x}\right) = -1$

7. Soit $H(x) = y = \cos u$, où $u = f(x)$.

Alors, $\dfrac{dy}{dx} = \dfrac{dy}{du} \dfrac{du}{dx}$ (notation de Leibniz)

$\dfrac{d}{dx}(H(x)) = \dfrac{d}{du}(\cos u) \dfrac{d}{dx}(f(x))$

9

$$H'(x) = [-\sin u]\, f'(x)$$

D'où $H'(x) = [-\sin f(x)]\, f'(x)$. (car $u = f(x)$)

Exercices 9.2 (page 372)

1. a) $f'(x) = 3x^2 \tan x + x^3 \sec^2 x = x^2 (3 \tan x + x \sec^2 x)$

b) $g'(x) = \dfrac{e^x \sec^2 x - e^x \tan x}{(e^x)^2} = \dfrac{\sec^2 x - \tan x}{e^x}$

c) $f'(t) = \dfrac{-\csc^2 t}{2\sqrt{\cot t}}$

d) $f'(x) = \dfrac{5(1 + 2\cos x)\cot x + 5(x + 2\sin x)\csc^2 x}{25 \cot^2 x}$

e) $h'(x) = \dfrac{(2x + \sec x \tan x)\, x^5 - 5x^4 (x^2 + \sec x)}{x^{10}}$

$= \dfrac{x(2x + \sec x \tan x) - 5(x^2 + \sec x)}{x^6}$

f) $x'(\theta) = \dfrac{2}{3} \sec^{\frac{-1}{3}} \theta \sec\theta \tan\theta = \dfrac{2}{3} \sqrt[3]{\sec^2 \theta} \tan\theta$

g) $f'(x) = (1 - \sin x)\csc x - (x + \cos x)\csc x \cot x$

$= \csc x (1 - \sin x - x \cot x - \cos x \cot x)$

h) $f'(x) = 12 \sec^2 x \sec x \tan x + \dfrac{5 \csc^4 x (-\csc x \cot x)}{7}$

$= 12 \sec^3 x \tan x - \dfrac{5 \csc^5 x \cot x}{7}$

2. a) $f'(x) = (3^x \ln 3 + \sec^2 x) \sec^2(3^x + \tan x)$

b) $f'(x) = 35x^6 \sec (x^7 + 1) \tan (x^7 + 1)$

c) $g'(t) = -9 \csc t \cot t + 7 \csc 7t \cot 7t$

d) $f'(x) = \left(3x^2 + \dfrac{1}{x \ln 10}\right) \cot x^5 - 5x^4(x^3 + \log x) \csc^2 x^5$

e) $\dfrac{dy}{dx} = \dfrac{-6x^5 \csc x^6 \cot x^6 \csc x + \csc x \cot x \csc x^6}{\csc^2 x}$

$= \dfrac{\csc x^6 (-6x^5 \cot x^6 + \cot x)}{\csc x}$

f) $f'(x) = 5x^4 \sec^2 x^5 + 5 \tan^4 x \sec^2 x$

g) $f'(u) = -5 \csc^2 5u + 6u^2 \cot (u^3 + 1) \csc^2(u^3 + 1)$

h) $f'(x) = 3 \sec 3x \tan 3x \csc\left(\dfrac{x}{3}\right) - \dfrac{1}{3} \sec 3x \csc\left(\dfrac{x}{3}\right) \cot\left(\dfrac{x}{3}\right)$

$= \sec 3x \csc\left(\dfrac{x}{3}\right)\left(3 \tan 3x - \dfrac{1}{3} \cot\left(\dfrac{x}{3}\right)\right)$

i) $f'(\theta) = \dfrac{\sec (\sec \sqrt{\theta}) \tan (\sec \sqrt{\theta}) \sec \sqrt{\theta} \tan \sqrt{\theta}}{2\sqrt{\theta}}$

j) $f'(x) = \dfrac{1}{5} (\sec x + \sec x^5)^{\frac{-4}{5}} (\sec x \tan x + 5x^4 \sec x^5 \tan x^5)$

k) $f'(x) = 1 - \csc^2 (\tan x) \sec^2 x$

l) $g'(x) = 1 - \csc^2 x \tan x + \cot x \sec^2 x = 1$

3. a) $f''(x) = 2 \sec^2 x \tan x$

b) $f''(x) = 4 \sec 2x \tan^2 2x + 4 \sec^3 2x$

$= 4 \sec 2x (\tan^2 2x + \sec^2 2x)$

4. a) $f'(x) = \sec^2 x$; $m_{\text{tan}} = f'(0) = 1$

b) $g'(x) = \dfrac{1}{2} \sec\left(\dfrac{x}{2}\right) \tan\left(\dfrac{x}{2}\right)$; $m_{\text{tan}} = g'\left(\dfrac{\pi}{2}\right) = \dfrac{\sqrt{2}}{2}$

c) $x'(t) = \cot t - t \csc^2 t$; $m_{\text{tan}} = x'\left(\dfrac{\pi}{4}\right) = 1 - \dfrac{\pi}{2}$

d) $h'(u) = \dfrac{-u \csc u \cot u - \csc u}{u^2}$;

$m_{\text{tan}} = h'\left(\dfrac{\pi}{6}\right) = \dfrac{-12\pi\sqrt{3} - 72}{\pi^2}$

5. a) $(\cot x)' = \left(\dfrac{\cos x}{\sin x}\right)' = \dfrac{(\cos x)' \sin x - (\sin x)' \cos x}{\sin^2 x}$

$= \dfrac{-\sin x \sin x - \cos x \cos x}{\sin^2 x}$

$= \dfrac{-(\sin^2 x + \cos^2 x)}{\sin^2 x}$

$= \dfrac{-1}{\sin^2 x}$ (car $\sin^2 x + \cos^2 x = 1$)

$= -\csc^2 x$ $\left(\text{car } \dfrac{1}{\sin x} = \csc x\right)$

b) $(\csc x)' = \left(\dfrac{1}{\sin x}\right)'$

$= \dfrac{(1)' \sin x - 1 (\sin x)'}{\sin^2 x}$

$= \dfrac{-\cos x}{\sin^2 x}$

$= \left(\dfrac{-1}{\sin x}\right)\left(\dfrac{\cos x}{\sin x}\right)$

$= -\csc x \cot x$

c) Soit $H(x) = y = \sec u$, où $u = f(x)$.

Alors, $\dfrac{dy}{dx} = \dfrac{dy}{du}\dfrac{du}{dx}$ (notation de Leibniz)

$$\frac{d}{dx}(H(x)) = \frac{d}{du}(\sec u)\, \frac{d}{dx}(f(x))$$

$$H'(x) = [\sec u \tan u]\, f'(x)$$

D'où $H'(x) = [\sec f(x) \tan f(x)]\, f'(x)$.

(car $u = f(x)$)

Exercices 9.3 (page 380)

1. $f''(x) = -\cos x$ sur $\left]\dfrac{-\pi}{2}, \pi\right[$; n.c. : $\dfrac{\pi}{2}$

x	$\frac{-\pi}{2}$		$\frac{\pi}{2}$		π
$f''(x)$	$\nexists$	$-$	0	$+$	$\nexists$
f		$\cap$	3	$\cup$	
			inf.		

Le point $\left(\dfrac{\pi}{2}, 3\right)$ est un point d'inflexion.

2. a) $f'(x) = 1 + \cos x \geq 0$ pour tout $x \in \mathbb{R}$ (car $-1 \leq \cos x \leq 1$), d'où f est toujours croissante. Par conséquent, f ne possède ni minimum ni maximum.

b) La représentation est laissée à l'élève.

3. a) $f'(x) = \sec^2 x - \csc^2 x$

$$= \frac{1}{\cos^2 x} - \frac{1}{\sin^2 x}$$

$$= \frac{\sin^2 x - \cos^2 x}{\sin^2 x \cos^2 x}$$

$f'(x) = 0$ si $x = \frac{\pi}{4}$.

D'où $\left(\frac{\pi}{4}, 2\right)$ est le point stationnaire de f.

b)

x	0		$\frac{\pi}{4}$		$\frac{\pi}{2}$
$f'(x)$	∄	–	0	+	∄
f	∄	↘	2	↗	∄
			min.		

min. abs. : 2

max. abs. : aucun

4. a) $f'(t) = \cos t - \frac{1}{2}$; n.c. : $0, \frac{\pi}{3}, \frac{5\pi}{3}$ et 2π

$f''(t) = -\sin t$; n.c. : π

t	0		$\frac{\pi}{3}$		π		$\frac{5\pi}{3}$		2π
$f'(t)$	∄	+	0	–	–	–	0	+	∄
$f''(t)$	∄	–	–	–	0	+	+	+	∄
f	0	↗∩	0,3…	↘∩	$\frac{-\pi}{2}$	↘∪	-3,4…	↗∪	$-\pi$
E. du G.	(0, 0)	↱	$\left(\frac{\pi}{3}; 0,3\ldots\right)$	↴	$\left(\pi, \frac{-\pi}{2}\right)$	↳	$\left(\frac{5\pi}{3}; -3,4\ldots\right)$	↗	$(2\pi, -\pi)$
	min.		max.		inf.		min.		max.

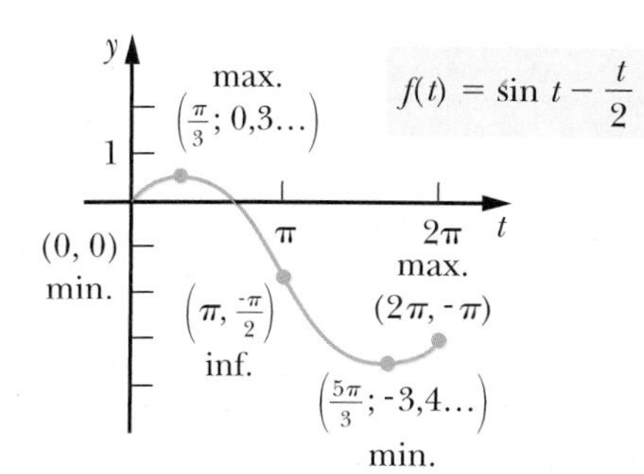

b) $f'(x) = \cos x - 1$; n.c. : $\frac{-\pi}{2}$, 0 et $\frac{3\pi}{2}$

$f''(x) = -\sin x$; n.c. : 0 et π

x	$\frac{-\pi}{2}$		0		π		$\frac{3\pi}{2}$
$f'(x)$	∄	–	0	–	–	–	∄
$f''(x)$	∄	+	0	–	0	+	∄
f	$-1 + \frac{\pi}{2}$	↘∪	0	↘∩	$-\pi$	↘∪	$-1 - \frac{3\pi}{2}$
E. du G.	$\left(\frac{-\pi}{2}, -1 + \frac{\pi}{2}\right)$	↳	(0, 0)	↴	$(\pi, -\pi)$	↳	$\left(\frac{3\pi}{2}, -1 - \frac{3\pi}{2}\right)$
	max.		inf.		inf.		min.

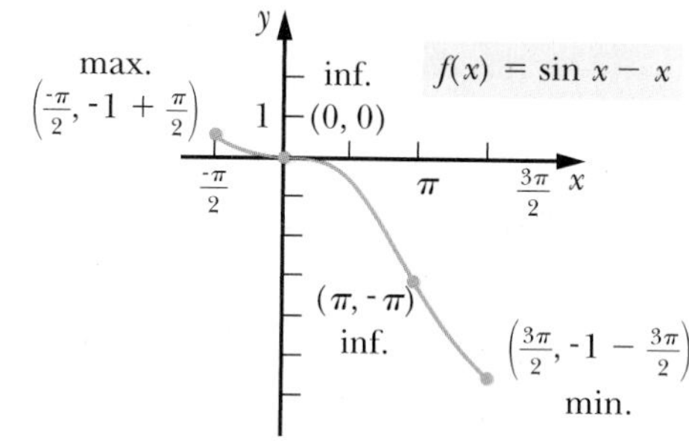

c) $f'(x) = \cos x - \sin x$; n.c. : $0, \frac{\pi}{4}, \frac{5\pi}{4}$ et 2π

$f''(x) = -\sin x - \cos x$; n.c. : $\frac{3\pi}{4}$ et $\frac{7\pi}{4}$

x	0		$\frac{\pi}{4}$		$\frac{3\pi}{4}$
$f'(x)$	∄	+	0	–	–
$f''(x)$	∄	–	–	–	0
f	1	↗∩	$\sqrt{2}$	↘∩	0
E. du G.	(0, 1)	↱	$\left(\frac{\pi}{4}, \sqrt{2}\right)$	↴	$\left(\frac{3\pi}{4}, 0\right)$
	min.		max.		inf.

9

	$\frac{5\pi}{4}$		$\frac{7\pi}{4}$		2π
−	0	+	+	+	∄
+	+	+	0	−	∄
↘∪	$-\sqrt{2}$	↗∪	0	↗∩	1
↳	$\left(\frac{5\pi}{4}, -\sqrt{2}\right)$	⤴	$\left(\frac{7\pi}{4}, 0\right)$	↱	$(2\pi, 1)$
	min.		inf.		max.

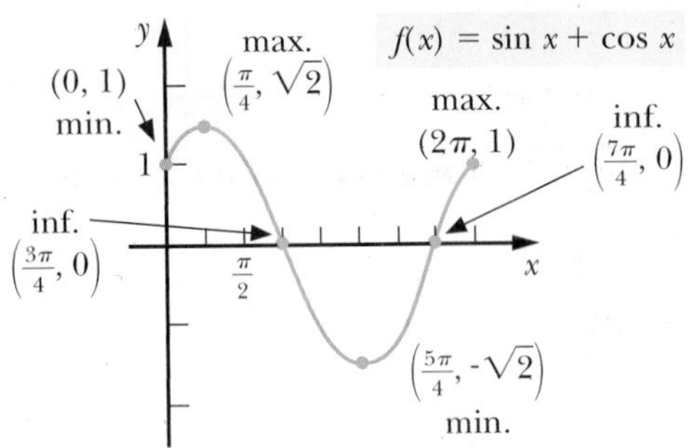

5. Mathématisation du problème.

$R(\theta) = \dfrac{40^2 \sin 2\theta}{9{,}8}$ doit être maximale,

où dom $R = \left]\dfrac{\pi}{18}, \dfrac{\pi}{2}\right[$.

Analyse de la fonction.

$R'(\theta) = \dfrac{2 \times 40^2 \cos 2\theta}{9{,}8}$;

$R'(\theta) = 0$ si $\theta = \dfrac{\pi}{4}$; donc, $\dfrac{\pi}{4}$ est le seul nombre critique de R sur $\left]\dfrac{\pi}{18}, \dfrac{\pi}{2}\right[$ tel que $R'(\theta) = 0$.

Utilisons le théorème 6.7, où

$R''(\theta) = \dfrac{-4 \times 40^2 \sin 2\theta}{9{,}8}$

$R'\left(\dfrac{\pi}{4}\right) = 0$ et $R''\left(\dfrac{\pi}{4}\right) < 0$,

d'où $\left(\dfrac{\pi}{4}, R\left(\dfrac{\pi}{4}\right)\right)$ est le point de maximum absolu de R.

Formulation de la réponse.

$\theta = \dfrac{\pi}{4}$; $R\left(\dfrac{\pi}{4}\right) \approx 163{,}27$ m

6. Mathématisation du problème.

Soit $x + y$, la longueur de l'échelle.

$L(x, y) = x + y$ doit être minimale.

$\sin \theta = \dfrac{2}{y}$, d'où $y = \dfrac{2}{\sin \theta}$

$\cos \theta = \dfrac{1}{x}$, d'où $x = \dfrac{1}{\cos \theta}$

$L(\theta) = \dfrac{1}{\cos \theta} + \dfrac{2}{\sin \theta}$, où dom $L =]0°, 90°[$

Analyse de la fonction.

$L'(\theta) = \dfrac{\sin \theta}{\cos^2 \theta} - \dfrac{2 \cos \theta}{\sin^2 \theta} = \dfrac{\sin^3 \theta - 2 \cos^3 \theta}{\sin^2 \theta \cos^2 \theta}$

$L'(\theta) = 0$ si $\sin^3 \theta = 2 \cos^3 \theta$

$\tan \theta = \sqrt[3]{2}$, d'où $\theta \approx 51{,}56...°$

θ	0°		51,56...°		90°
$L'(\theta)$	∄	−	0	+	∄
L		↘	4,16...	↗	
			min.		

Formulation de la réponse.

$\theta \approx 51{,}56°$; $L \approx 4{,}16$ m

7. Mathématisation du problème.

Soit h, la hauteur, et $(20 + 2x)$, la longueur de la grande base du trapèze.

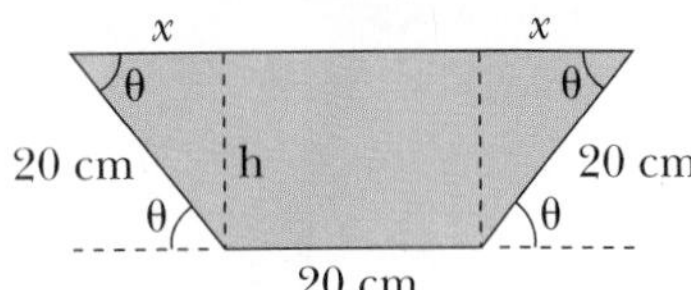

$V(x, h) = 200h\left[\dfrac{(20 + 2x) + 20}{2}\right]$

$= 200h(20 + x)$ doit être maximal.

$x = 20 \cos \theta$ et $h = 20 \sin \theta$

$V(\theta) = 80\,000 \sin \theta\,(1 + \cos \theta)$,

où dom $V = \left]0, \dfrac{\pi}{2}\right[$.

Analyse de la fonction.

$V'(\theta) = 80\,000\,(\cos^2 \theta + \cos \theta - \sin^2 \theta)$

$= 80\,000\,(2 \cos^2 \theta + \cos \theta - 1)$

(car $\sin^2 \theta = 1 - \cos^2 \theta$)

$= 80\,000\,(2 \cos \theta - 1)(\cos \theta + 1)$

$V'(\theta) = 0$ si $\theta = \dfrac{\pi}{3}$, car $\dfrac{\pi}{3} \in \left]0, \dfrac{\pi}{2}\right[$; donc, $\dfrac{\pi}{3}$ est le seul nombre critique de V sur $\left]0, \dfrac{\pi}{2}\right[$ tel que $V'(\theta) = 0$. Utilisons le théorème 6.7, où

$V''(\theta) = 80\,000\,(-4 \sin \theta \cos \theta)$

$V'\left(\dfrac{\pi}{3}\right) = 0$ et $V''\left(\dfrac{\pi}{3}\right) < 0$,

d'où $\left(\dfrac{\pi}{3}, V\left(\dfrac{\pi}{3}\right)\right)$ est le point de maximum absolu de V.

Formulation de la réponse.

$\theta = \dfrac{\pi}{3}$

8. a)

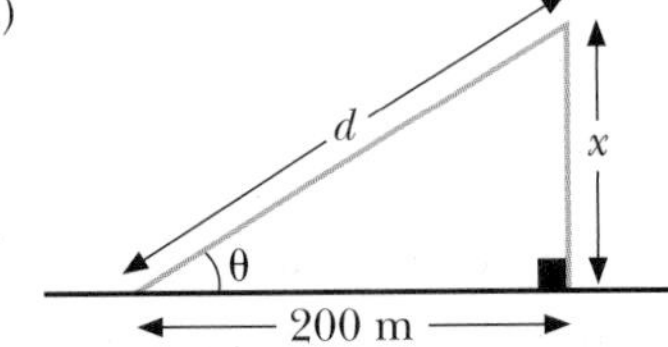

Soit x, la distance entre l'hélicoptère et le sol.

Puisque $\tan\theta = \frac{x}{200}$, alors $x = 200\tan\theta$.

De $\frac{dx}{dt} = \frac{dx}{d\theta}\frac{d\theta}{dt}$

$25 = (200\sec^2\theta)\frac{d\theta}{dt}$, $\left(\text{car } \frac{dx}{dt} = 25 \text{ m/s}\right)$

$\frac{d\theta}{dt} = \frac{1}{8\sec^2\theta}$.

d'où $\frac{d\theta}{dt} = \frac{\cos^2\theta}{8}$

b) $\left.\frac{d\theta}{dt}\right|_{\theta = \frac{\pi}{18}} \approx 0{,}12$ rad/s

c) $\cos\theta = \frac{200}{300}$

$= \frac{2}{3}$,

$\left.\frac{d\theta}{dt}\right|_{d=300} = \frac{\left(\frac{2}{3}\right)^2}{8}$

d'où $\left.\frac{d\theta}{dt}\right|_{d=300} = 0{,}0\overline{5}$ rad/s.

9. a) Puisque la source lumineuse fait six tours par minute, alors $\frac{d\theta}{dt} = 12\pi$ rad/min.

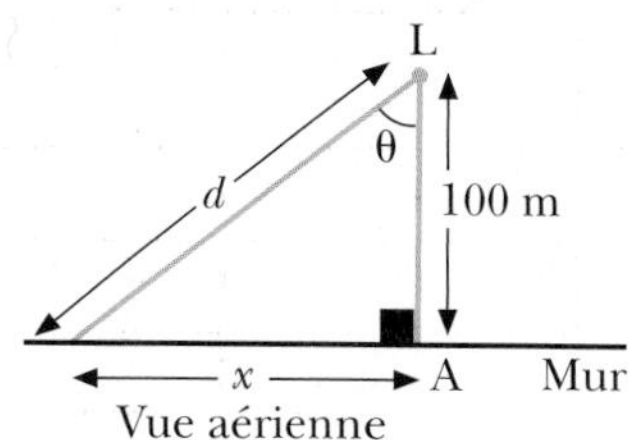

Soit x, la distance séparant la projection lumineuse et le point A, tel qu'il est illustré.

Puisque $\tan\theta = \frac{x}{100}$, alors $x = 100\tan\theta$

$\frac{dx}{dt} = \frac{dx}{d\theta}\frac{d\theta}{dt}$

$= (100\sec^2\theta)\,12\pi$,

d'où $\frac{dx}{dt} = 1\,200\pi\sec^2\theta$, exprimée en m/min.

b) Si $d = 400$, alors $\sec\theta = 4$,

d'où $\left.\frac{dx}{dt}\right|_{d=400} = 19{,}2\pi$ km/min.

c) Puisque $\frac{dx}{dt} = 1\,200\pi\sec^2\theta$ et que $\sec^2\theta \geqslant 1$,

alors $\frac{dx}{dt}$ est minimale lorsque $\sec^2\theta = 1$,

c'est-à-dire $\theta = 0°$.

La vitesse minimale égale $1{,}2\pi$ km/min et la source lumineuse est dirigée à cet instant vers le point A.

Exercices récapitulatifs *(page 383)*

1. a) $f'(x) = 3\cos 3x - 3\cos x$

b) $f'(x) = \frac{-3\sin 3x + 6\cos^2 2x\sin 2x}{\cos 3x - \cos^3 2x}$

c) $g'(x) = (2^x\ln 2 - \sin x)\cos(2^x + \cos x)$

d) $f'(t) = 2t\sec^2 t^2 + 2\tan t\sec^2 t$

e) $f'(u) = -2u\sin(\tan u^2)\sec^2 u^2$

f) $f'(x) = \frac{(12x^3 - 2e^x)\tan(3x^4 - 2e^x)}{\ln 10}$

g) $f'(\theta) = \frac{-3}{2}\csc^2\left(\frac{3\theta}{2}\right) + \frac{3}{2}\csc^2 3\theta$

h) $f'(x) = \frac{-\csc^2\sqrt{x}}{2\sqrt{x}} + \frac{x\sec x^2\tan x^2}{\sqrt{\sec x^2}}$

i) $f'(x) = e^{x^3}3x^2\sec 2x + e^{x^3}2\sec 2x\tan 2x$

$= (e^{x^3}\sec 2x)(3x^2 + 2\tan 2x)$

j) $x'(t) = \frac{-5t^4\csc 5t\cot 5t - 4t^3\csc 5t}{t^8}$

$= \frac{\csc 5t\,(-5t\cot 5t - 4)}{t^5}$

k) $f'(x) = 12\tan^2 4x\sec^2 4x - 35\sec^5 7x\tan 7x$

l) $g'(x) = 36x^2 - 63\cos 7x + 3x^2\csc(1 - x^3)\cot(1 - x^3)$

m) $f'(x) = \sec(\sin x)\tan(\sin x)\cos x + \cos(\sec x)\sec x\tan x$

n) $v'(t) = 5\sec^2 5t\,e^{\tan 5t} - \cos^2 t + \sin^2 t$

o) $f'(x) = 5x^4(1 - \sec^2 x^5)\sec^2(x^5 - \tan x^5)$

p) $f'(x) = \frac{3}{(x-4)^2}\csc^2\left(\frac{x-1}{x-4}\right)$

5. a) Droite tangente : $y = \frac{-4}{\pi^2}x + \frac{4}{\pi}$;

Droite normale : $y = \frac{\pi^2}{4}x + \left(\frac{2}{\pi} - \frac{\pi^3}{8}\right)$

6. a) max. rel. : $\left(\sqrt{\frac{\pi}{2}}, 1\right)$

min. rel. : $(0, 0)$ et $(\sqrt{\pi}, 0)$

7. a) f est croissante sur $]-2, -1] \cup [1, 2[$ et décroissante sur $[-1, 1]$.

b) f est concave vers le haut sur $\left[\frac{-\pi}{2}, \frac{-\pi}{3}\right] \cup \left[0, \frac{\pi}{3}\right]$ et concave vers le bas sur $\left[\frac{-\pi}{3}, 0\right] \cup \left[\frac{\pi}{3}, \frac{\pi}{2}\right]$.

9

9. a) $\frac{2}{3}$

b) $\frac{1}{3}$

c) $\frac{5}{4}$

10. $\frac{\pi}{2}$

11. a) $\frac{d\theta}{dt} = \frac{\cos^2\theta}{4}$, exprimée en rad/s

13. a) Environ 3,06 cm/s

b) Environ 29,54 cm²/s

14. Longueur de la tige : 9,86... m

angle θ : 0,73... rad

16. $\sqrt{2}$ mètre

17. Environ -0,287 rad/s

Problèmes de synthèse *(page 385)*

1. a) $\frac{dy}{dx} = \frac{-\sin x}{\cos y}$

b) $\frac{dy}{dx} = \frac{6xy\cos(3x^2)}{3y^2\sec^2(y^3) - \sin(3x^2)}$

c) $\frac{dy}{dx} = \frac{-(2xe^{x^2} + \csc^2(x+y))}{2y + \csc^2(x+y)}$

4. a) $k = 1$ et $a = 2$

8. a) $A\omega$ m/s ; $A\omega^2$ m/s²

b) $a = -\omega^2 x$

11. a) Environ 1,06 cm/min

b) Environ -1,29 rad/min

12. a) $0,\overline{3}$ rad/min

b) Environ -0,52 cm/min

14. a) Environ 17,44 km/h

15. P(8, 2) ; $\theta \approx 14{,}04°$

16. a) Environ 0,005 rad/s b) Environ 0,001 rad/s

17. a) $x(\theta) = a\cos\theta + \sqrt{d^2 - a^2\sin^2\theta}$

19. a) $\overline{PR} = \sqrt{a^2 + x^2}$ et $\overline{QR} = \sqrt{b^2 + (d-x)^2}$

b) $T_1 = \frac{\overline{PR}}{v_1}$ et $T_2 = \frac{\overline{QR}}{v_2}$

c) $T = \frac{\sqrt{x^2 + a^2}}{v_1} + \frac{\sqrt{b^2 + (d-x)^2}}{v_2}$

20. a) $\frac{d\theta_2}{dt} = \frac{v_2\cos\theta_1}{v_1\cos\theta_2}\frac{d\theta_1}{dt}$ b) Environ 0,14 rad/s

Chapitre 10

Test préliminaire *(page 391)*

Partie A

1. *Voir* le chapitre 9.

2. a) $\{\theta \mid \theta = \frac{\pi}{2} + 2k\pi$, où $k \in \mathbb{Z}\}$

b) $\{\theta \mid \theta = k\pi$, où $k \in \mathbb{Z}\}$

c) $\{\theta \mid \theta = \frac{3\pi}{4} + 2k\pi$, où $k \in \mathbb{Z}\} \cup \{\theta \mid \theta = \frac{5\pi}{4} + 2k\pi$, où $k \in \mathbb{Z}\}$

d) $\{\theta \mid \theta = \frac{\pi}{4} + k\pi$, où $k \in \mathbb{Z}\}$

e) $\{\theta \mid \theta = \pi + 2k\pi$, où $k \in \mathbb{Z}\}$

3. a) $\cos^2 x + \sin^2 x = 1$

b) $1 + \tan^2 x = \sec^2 x$

c) $1 + \cot^2 x = \csc^2 x$

d) $\sin 2\theta = 2\sin\theta\cos\theta$

e) $\cos 2\theta = \cos^2\theta - \sin^2\theta$

4. a) $\sin x = \pm\sqrt{1 - \cos^2 x}$

b) $\cos y = \pm\sqrt{1 - \sin^2 y}$

c) $\tan\theta = \pm\sqrt{\sec^2\theta - 1}$

d) $\cot x = \pm\sqrt{\csc^2 x - 1}$

e) $\sin\left(\frac{\theta}{2}\right) = \pm\sqrt{\frac{1 - \cos\theta}{2}}$

5. a) $\sin(\pi - \theta) = \sin\theta$

b) $\cos(2\pi - \theta) = \cos\theta$

c) $\tan(-\theta) = -\tan\theta$

d) $\tan(\pi - \theta) = -\tan\theta$

Partie B

1. a) $[\sin f(x)]' = [\cos f(x)]\, f'(x)$

b) $[\cos f(x)]' = [-\sin f(x)]\, f'(x)$

c) $[\tan f(x)]' = [\sec^2 f(x)]\, f'(x)$

d) $[\cot f(x)]' = [-\csc^2 f(x)]\, f'(x)$

e) $[\sec f(x)]' = [\sec f(x)\tan f(x)]\, f'(x)$

f) $[\csc f(x)]' = [-\csc f(x)\cot f(x)]\, f'(x)$

10

Exercices

Exercices 10.1 (page 399)

1. a) $\frac{\pi}{6}$ e) Non définie

b) $\frac{-\pi}{3}$ f) 2,498...

c) Non définie g) 0,4

d) π h) -0,9

2. a) $\sin(\text{Arc}\sin x) = x$

b) $\sin(\text{Arc}\cos u) = \sqrt{1 - \cos^2(\text{Arc}\cos u)} = \sqrt{1 - u^2}$

c) $\cos(\text{Arc}\cos t) = t$

d) $\cos(\text{Arc}\sin x) = \sqrt{1 - \sin^2(\text{Arc}\sin x)} = \sqrt{1 - x^2}$

3. a) $f'(x) = \frac{\text{Arc}\sin x}{2\sqrt{x}} + \frac{\sqrt{x}}{\sqrt{1 - x^2}} = \frac{\sqrt{1 - x^2}\,\text{Arc}\sin x + 2x}{2\sqrt{x}\sqrt{1 - x^2}}$

b) $g'(x) = \frac{7x^6 - 3}{\sqrt{1 - (x^7 - 3x)^2}}$

c) $\frac{dy}{dx} = \frac{2x^3}{\sqrt{\text{Arc}\sin x^4}\sqrt{1 - x^8}}$

d) $f'(t) = \frac{\frac{25t}{\sqrt{1 - (5t)^2}} - 5\,\text{Arc}\sin 5t}{(5t)^2}$

$= \frac{5t - \sqrt{1 - 25t^2}\,\text{Arc}\sin 5t}{5t^2\sqrt{1 - 25t^2}}$

e) $f'(x) = \frac{\text{Arc}\cos x + \frac{x}{\sqrt{1 - x^2}}}{(\text{Arc}\cos x)^2}$

$= \frac{\sqrt{1 - x^2}\,\text{Arc}\cos x + x}{(\text{Arc}\cos x)^2\sqrt{1 - x^2}}$

f) $v'(t) = \frac{-(3t^2 - 6t)}{\sqrt{1 - (t^3 - 3t^2 + 1)^2}}$

g) $g'(u) = 3u^2\,\text{Arc}\cos u^2 - \frac{2u^4}{\sqrt{1 - u^4}}$

h) $\frac{dy}{dx} = \frac{\sin x - \frac{2x}{\sqrt{1 - x^4}}}{\sqrt{1 - (\cos x - \text{Arc}\cos x^2)^2}}$

$= \frac{\sqrt{1 - x^4}\sin x - 2x}{\sqrt{1 - x^4}\sqrt{1 - (\cos x - \text{Arc}\cos x^2)^2}}$

i) $h'(v) = 0$

j) $x'(t) = \frac{1}{\sqrt{1 - t^2}\,\text{Arc}\sin t} + \frac{1}{t\sqrt{1 - (\ln t)^2}}$

k) $f'(x) = \frac{\sec^2 x}{\sqrt{1 - \tan^2 x}} + \frac{\csc^2 x}{\sqrt{1 - \cot^2 x}}$

l) $g'(x) = \frac{\frac{-2x\,\text{Arc}\sin x^3}{\sqrt{1 - x^4}} - \frac{3x^2\,\text{Arc}\cos x^2}{\sqrt{1 - x^6}}}{(\text{Arc}\sin x^3)^2}$

4. a) $\text{dom} f = [-1, 1]$;

$f'(x) = (\text{Arc}\sin x)' + (\text{Arc}\cos x)'$

$= \frac{1}{\sqrt{1 - x^2}} - \frac{1}{\sqrt{1 - x^2}}$

$= 0$

b)

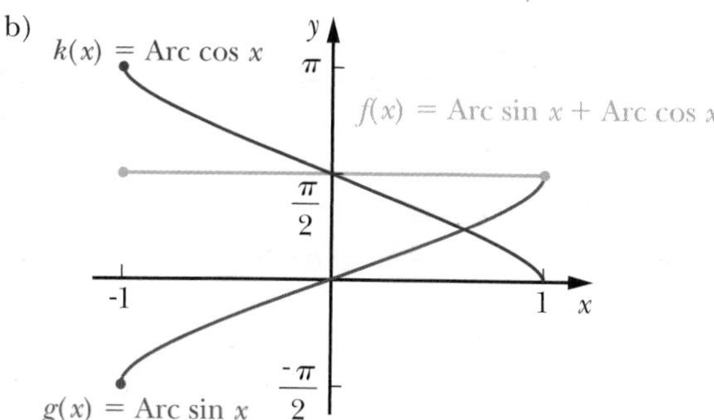

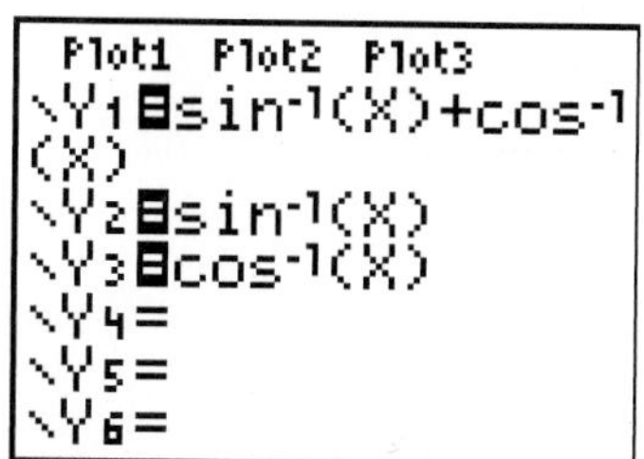

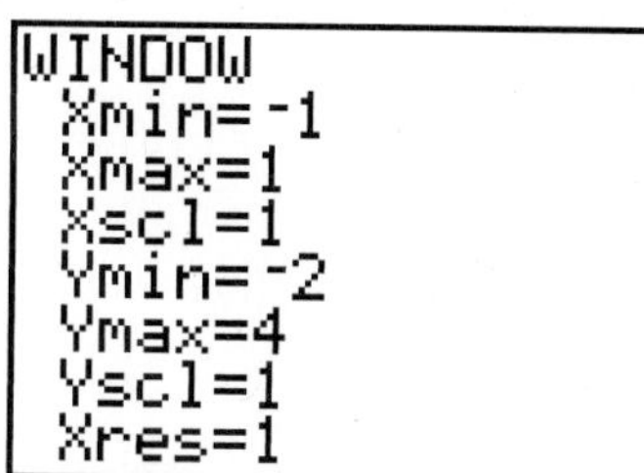

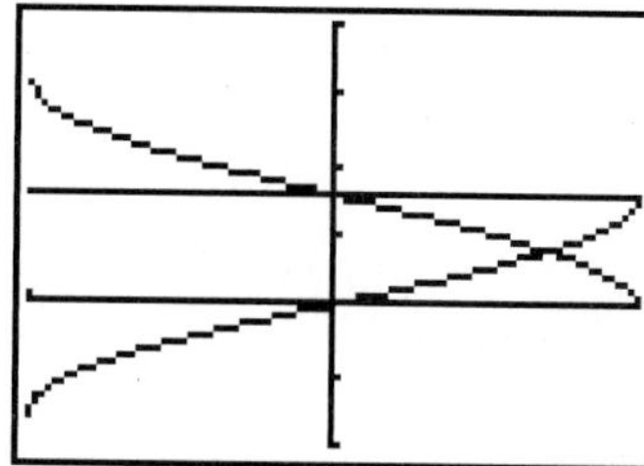

5. a) $f(x) = \text{Arc}\sin 3x$ est définie si $-1 \leq 3x \leq 1$

c'est-à-dire $\frac{-1}{3} \leq x \leq \frac{1}{3}$.

D'où $\text{dom} f = \left[\frac{-1}{3}, \frac{1}{3}\right]$.

b) > plot(arcsin(3*x),x=-1..1);

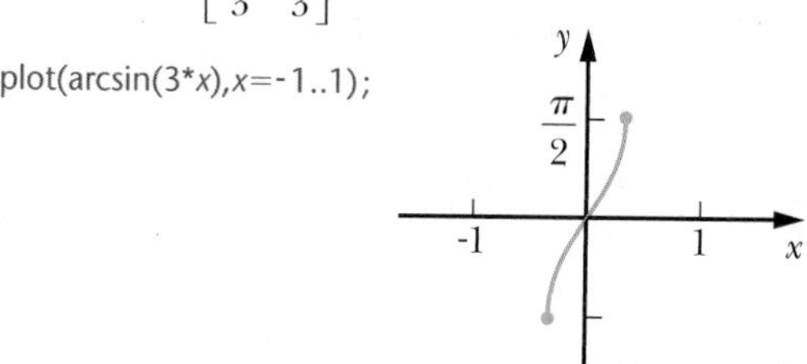

10

c) $f'(x) = \dfrac{3}{\sqrt{1-(3x)^2}}$

$$m_{\tan} \text{ au point } \left(\frac{1}{4}, f\left(\frac{1}{4}\right)\right) = f'\left(\frac{1}{4}\right)$$
$$= \frac{3}{\sqrt{1-\left(\frac{3}{4}\right)^2}}$$
$$= \frac{3}{\sqrt{\frac{7}{16}}}$$
$$= \frac{12}{\sqrt{7}} = \frac{12\sqrt{7}}{7}$$

d) Il faut résoudre $f'(x) = 5$.

$$\frac{3}{\sqrt{1-(3x)^2}} = 5$$
$$\frac{3}{5} = \sqrt{1-9x^2}$$
$$\frac{9}{25} = 1 - 9x^2$$
$$9x^2 = \frac{16}{25}$$
$$3x = \pm\frac{4}{5}$$

ainsi, $x = \dfrac{-4}{15}$ ou $x = \dfrac{4}{15}$

D'où les points $\left(\dfrac{-4}{15}, \text{Arc sin}\,\dfrac{-4}{5}\right)$ et $\left(\dfrac{4}{15}, \text{Arc sin}\,\dfrac{4}{5}\right)$.

6. Soit $H(x) = y = \text{Arc cos}\, u$, où $u = f(x)$.

Alors, $\dfrac{dy}{dx} = \dfrac{dy}{du}\dfrac{du}{dx}$ (notation de Leibniz)

$$\frac{d}{dx}(H(x)) = \frac{d}{du}(\text{Arc cos}\, u)\frac{d}{dx}(f(x))$$
$$H'(x) = \left[\frac{-1}{\sqrt{1-u^2}}\right] f'(x)$$

D'où $H'(x) = \left[\dfrac{-1}{\sqrt{1-[f(x)]^2}}\right] f'(x)$. (car $u = f(x)$)

Exercices 10.2 *(page 406)*

1. a) $\dfrac{\pi}{4}$

b) $\dfrac{-\pi}{6}$

c) 0,615...

d) $\dfrac{\pi}{3}$

e) 0,009 9...

f) $\dfrac{5\pi}{6}$

2. a) $f'(x) = \dfrac{2x + \cos x}{1 + (x^2 + \sin x)^2}$

b) $g'(x) = (\sec^2 x + 3)\,\text{Arc tan}\, x + \dfrac{(\tan x + 3x)}{1 + x^2}$

c) $\dfrac{dy}{dx} = \dfrac{7x^6}{2\sqrt{\text{Arc tan}\,(x^7-1)}\,[1 + (x^7 - 1)^2]}$

d) $g'(t) = 12[\text{Arc tan}\,(\sin t + t^3)]^{11}\,\dfrac{\cos t + 3t^2}{1 + (\sin t + t^3)^2}$

e) $f'(x) = \cos x\,\text{Arc cot}\, x - \dfrac{\sin x - 3}{1 + x^2}$

f) $g'(u) = \dfrac{-(2u - \sec^2 u)}{1 + (u^2 - \tan u)^2}$

g) $\dfrac{d\theta}{dx} = \dfrac{1}{3}(\text{Arc cot}\, x^2)^{\frac{-2}{3}}\,\dfrac{-2x}{1 + x^4}$

h) $f'(x) = \dfrac{-1}{1 + (x^2 + \text{Arc cot}\, x^3)^2}\left[2x - \dfrac{3x^2}{1 + x^6}\right]$

i) $g'(v) = \dfrac{\text{Arc cot}\, v}{1 + v^2} - \dfrac{\text{Arc tan}\, v}{1 + v^2}$

j) $$\frac{dy}{dx} = \frac{\frac{2x}{1 + x^4}\,\text{Arc cot}\, 2x + \frac{2}{1 + 4x^2}\,\text{Arc tan}\, x^2}{(\text{Arc cot}\, 2x)^2}$$
$$= \frac{2x(1 + 4x^2)\,\text{Arc cot}\, 2x + 2(1 + x^4)\,\text{Arc tan}\, x^2}{(1 + x^4)(1 + 4x^2)(\text{Arc cot}\, 2x)^2}$$

k) $f'(x) = \dfrac{e^x}{[1 + (e^x)^2]\,\text{Arc tan}\, e^x}$

l) $f'(\theta) = \dfrac{\cos\theta}{[1 + (\sin\theta)^2][1 + (\text{Arc tan}\,(\sin\theta))^2]}$

3. a) $$f'(x) = \frac{1}{1 + x^2}$$
$$\frac{y - f(0)}{x - 0} = f'(0)$$
$$\frac{y - \text{Arc tan}\, 0}{x} = 1$$
$$\frac{y}{x} = 1$$

D'où $y = x$.

b) $$\frac{y - f(1)}{x - 1} = f'(1)$$
$$\frac{y - \text{Arc tan}\, 1}{x - 1} = \frac{1}{2}$$
$$y - \frac{\pi}{4} = \frac{1}{2}(x - 1)$$

D'où $y = \dfrac{1}{2}x + \left(\dfrac{\pi}{4} - \dfrac{1}{2}\right)$.

c) $$g'(x) = \frac{-2x}{1 + (x^2 - 3)^2}$$
$$\frac{y - g(2)}{x - 2} = g'(2)$$
$$\frac{y - \text{Arc cot}\, 1}{x - 2} = \frac{-4}{2}$$
$$y - \frac{\pi}{4} = -2(x - 2)$$

D'où $y = -2x + \left(4 + \dfrac{\pi}{4}\right)$.

4. $\cot(\text{Arc} \cot x) = x$

(car $y = \text{Arc} \cot x \Leftrightarrow x = \cot y$, définition 10.4)

$[\cot(\text{Arc} \cot x)]' = (x)'$

(en dérivant les deux membres de l'équation)

$[\text{-}\csc^2(\text{Arc} \cot x)](\text{Arc} \cot x)' = 1$

(car $[\cot f(x)]' = [\text{-}\csc^2 f(x)]\, f'(x)$)

Puisque nous cherchons la dérivée de Arc cot x, nous avons

$$(\text{Arc} \cot x)' = \frac{1}{\text{-}\csc^2(\text{Arc} \cot x)}$$

$$= \frac{\text{-}1}{\csc^2 y} \quad \text{(car Arc} \cot x = y)$$

$$= \frac{\text{-}1}{1 + \cot^2 y} \quad (\text{car } \csc^2 y = 1 + \cot^2 y)$$

$$= \frac{\text{-}1}{1 + x^2}. \quad (\text{car } \cot y = x)$$

5. Soit $H(x) = y = \text{Arc} \tan u$, où $u = f(x)$

$$\frac{dy}{dx} = \frac{dy}{du}\frac{du}{dx} \quad \text{(notation de Leibniz)}$$

$$\frac{d}{dx}(H(x)) = \frac{d}{du}(\text{Arc} \tan u)\, \frac{d}{dx}(f(x))$$

$$H'(x) = \left[\frac{1}{1 + u^2}\right] f'(x)$$

D'où $H'(x) = \left[\dfrac{1}{1 + (f(x))^2}\right] f'(x)$. (car $u = f(x)$)

Exercices 10.3 *(page 414)*

1. a) $\dfrac{\pi}{3}$ d) $\dfrac{\pi}{2}$ g) $\dfrac{\pi}{2}$

b) Non définie e) 4,612 2... h) $\dfrac{5\pi}{2}$

c) π f) 3,241 7...

2. a) $$\frac{dy}{dx} = \frac{\dfrac{x^3}{\sqrt{x^2 - 1}} - 4x^3 \text{ Arc sec } x}{x^8}$$

$$= \frac{(1 - 4\sqrt{x^2 - 1}\text{ Arc sec } x)}{x^5\sqrt{x^2 - 1}}$$

b) $f'(\theta) = \dfrac{\cos\theta}{(2 + \sin\theta)\sqrt{(2 + \sin\theta)^2 - 1}}$

c) $f'(x) = \left[\dfrac{1}{(3 - \text{Arc sec } x)\sqrt{(3 - \text{Arc sec } x)^2 - 1}}\right] \dfrac{\text{-}1}{x\sqrt{x^2 - 1}}$

d) $g'(x) = 5(\text{Arc sec } x^3)^4 \dfrac{3}{x\sqrt{x^6 - 1}} = \dfrac{15(\text{Arc sec } x^3)^4}{x\sqrt{x^6 - 1}}$

e) $f'(x) = (3x^2 + \csc^2 x)\text{ Arc csc } x - \dfrac{x^3 - \cot x}{x\sqrt{x^2 - 1}}$

f) $f'(t) = \dfrac{\text{-}5t^4}{(t^5 - 1)\sqrt{(t^5 - 1)^2 - 1}}$

g) $h'(x) = \dfrac{\text{-}1}{(x - \text{Arc csc } x)\sqrt{(x - \text{Arc csc } x)^2 - 1}}\left[1 + \dfrac{1}{x\sqrt{x^2 - 1}}\right]$

h) $f'(x) = \dfrac{\text{-}(3x^2 - \cos x)}{2\sqrt{\text{Arc csc }(x^3 - \sin x)}\,(x^3 - \sin x)\sqrt{(x^3 - \sin x)^2 - 1}}$

i) $\dfrac{dy}{dx} = 7(\text{Arc sec } x^2 - \sec x^3)^6\left[\dfrac{2}{x\sqrt{x^4 - 1}} - 3x^2 \sec x^3 \tan x^3\right]$

j) $f'(u) = \dfrac{\sec u \tan u + 3u^2}{(\sec u + u^3)\sqrt{(\sec u + u^3)^2 - 1}}$

k) $f'(x) = \dfrac{4 \text{ Arc csc } 4^x}{x\sqrt{4x^8 - 1}} - \dfrac{\ln 4 \text{ Arc sec } 2x^4}{\sqrt{(4^x)^2 - 1}}$

l) $v'(\theta) = \dfrac{\cot\theta}{\text{Arc csc }(\csc\theta)\sqrt{\cot^2\theta}}$

3. a) $f'(x) = \dfrac{\text{-}1}{x\sqrt{x^2 - 1}}$

$$\frac{y - f(2)}{x - 2} = f'(2)$$

$$\frac{y - \dfrac{\pi}{6}}{x - 2} = \frac{\text{-}1}{2\sqrt{3}}$$

$$y - \frac{\pi}{6} = \frac{\text{-}1}{2\sqrt{3}}(x - 2)$$

D'où $y = \dfrac{\text{-}1}{2\sqrt{3}}x + \left(\dfrac{\pi}{6} + \dfrac{1}{\sqrt{3}}\right)$.

b) $g'(t) = \dfrac{1}{\sqrt{t}\sqrt{t - 1}}\left(\dfrac{1}{2\sqrt{t}}\right) = \dfrac{1}{2t\sqrt{t - 1}}$

$$\frac{y - g(4)}{t - 4} = g'(4)$$

$$\frac{y - \dfrac{\pi}{3}}{t - 4} = \frac{1}{8\sqrt{3}}$$

$$y - \frac{\pi}{3} = \frac{1}{8\sqrt{3}}(t - 4)$$

D'où $y = \dfrac{1}{8\sqrt{3}}t + \left(\dfrac{\pi}{3} - \dfrac{1}{2\sqrt{3}}\right)$.

4. $\csc(\text{Arc csc } x) = x$

(car $y = \text{Arc csc } x \Leftrightarrow x = \csc y$, définition 10.6)

$[\csc(\text{Arc csc } x)]' = (x)'$

(en dérivant les deux membres de l'équation)

$[\text{-}\csc(\text{Arc csc } x)\cot(\text{Arc csc } x)](\text{Arc csc } x)' = 1$

(car $[\csc f(x)]' = [\text{-}\csc f(x) \cot f(x)]\, f'(x)$)

D'où l'on obtient:

$$(\text{Arc csc } x)' = \frac{1}{\text{-}\csc(\text{Arc csc } x)\cot(\text{Arc csc } x)}$$

$$= \frac{\text{-}1}{\csc y \cot y} \quad (\text{car Arc csc } x = y)$$

$$= \frac{\text{-}1}{x\sqrt{\csc^2 y - 1}}$$

(car $\csc y = x$ et $\cot y = \pm\sqrt{\csc^2 y - 1}$, or $y \in \left]0, \dfrac{\pi}{2}\right] \cup \left]\pi, \dfrac{3\pi}{2}\right]$. D'où $\cot y = \sqrt{\csc^2 y - 1}$.)

$$= \frac{\text{-}1}{x\sqrt{x^2 - 1}} \quad (\text{car } \csc y = x)$$

Exercices 10.4 (*page 419*)

1. a) dom $f = [-1, 1]$

$$f'(x) = \frac{4}{\sqrt{1 - x^2}};\ \text{n.c.}: -1 \text{ et } 1$$

$$f''(x) = \frac{4x}{\sqrt{(1 - x^2)^3}};\ \text{n.c.}: 0$$

x	-1		0		1
$f'(x)$	∄	+	+	+	∄
$f''(x)$	∄	−	0	+	∄
f	$\frac{-7\pi}{2}$	↗∩	$\frac{-3\pi}{2}$	↗∪	$\frac{\pi}{2}$
E. du G.	$\left(-1, \frac{-7\pi}{2}\right)$	↱	$\left(0, \frac{-3\pi}{2}\right)$	↗	$\left(1, \frac{\pi}{2}\right)$
	min.		inf.		max.

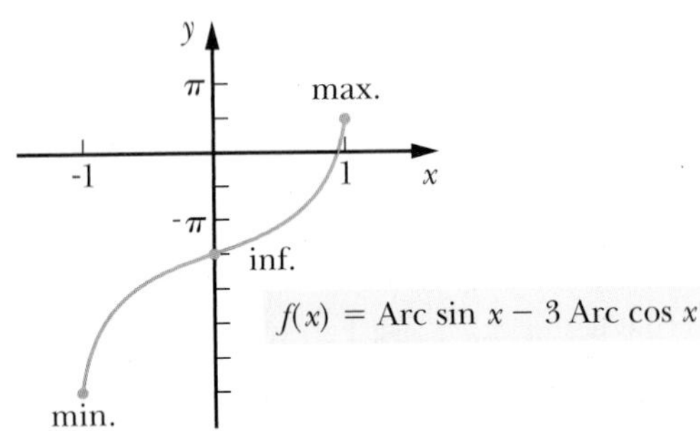

$f(x) = \text{Arc sin } x - 3 \text{ Arc cos } x$

b) dom $g = \mathbb{R}$

$$g'(x) = \frac{2x}{\sqrt{3}\left(1 + \frac{x^4}{3}\right)} = \frac{2\sqrt{3}x}{(3 + x^4)};\ \text{n.c.}: 0$$

$$g''(x) = \frac{6\sqrt{3}(1 - x^4)}{(3 + x^4)^2};\ \text{n.c.}: -1 \text{ et } 1$$

$\lim\limits_{x \to -\infty} g(x) = \frac{\pi}{2}$ et $\lim\limits_{x \to +\infty} g(x) = \frac{\pi}{2}$ } Donc, la droite d'équation $y = \frac{\pi}{2}$ est une asymptote horizontale.

x	-∞		-1		0		1		+∞
$g'(x)$		−	−	−	0	+	+	+	
$g''(x)$		−	0	+	+	+	0	−	
g	$\frac{\pi}{2}$	↘∩	$\frac{\pi}{6}$	↘∪	0	↗∪	$\frac{\pi}{6}$	↗∩	$\frac{\pi}{2}$
E. du G.	- - - -	↴	$\left(-1, \frac{\pi}{6}\right)$	↳	(0, 0)	↗	$\left(1, \frac{\pi}{6}\right)$	↱	- - - -
			inf.		min.		inf.		

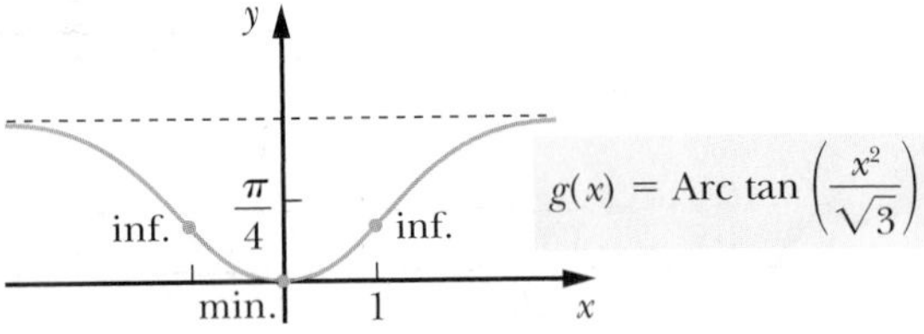

$g(x) = \text{Arc tan}\left(\frac{x^2}{\sqrt{3}}\right)$

c) dom $v = \mathbb{R}$

$$v'(t) = \frac{-3t^2}{1 + t^6};\ \text{n.c.}: 0$$

$$v''(t) = \frac{6t\,(2t^6 - 1)}{(1 + t^6)^2};\ \text{n.c.}: 0, -\sqrt[6]{0,5} \text{ et } \sqrt[6]{0,5}$$

$\lim\limits_{t \to -\infty} v(t) = \pi$. Donc, la droite d'équation $y = \pi$ est une asymptote horizontale lorsque $t \to -\infty$.

$\lim\limits_{t \to +\infty} v(t) = 0$. Donc, la droite d'équation $y = 0$ est une asymptote horizontale lorsque $t \to +\infty$.

t	-∞		$-\sqrt[6]{0,5}$		0		$\sqrt[6]{0,5}$		+∞
$v'(t)$		−	−	−	0	−	−	−	
$v''(t)$		−	0	+	0	−	0	+	
v	π	↘∩	2,18…	↘∪	$\frac{\pi}{2}$	↘∩	0,95…	↘∪	0
E. du G.	- - - -	↴	(-0,89…; 2,18…)	↳	$\left(0, \frac{\pi}{2}\right)$	↴	(0,89…; 0,95…)	↳	- - - -
			inf.		inf.		inf.		

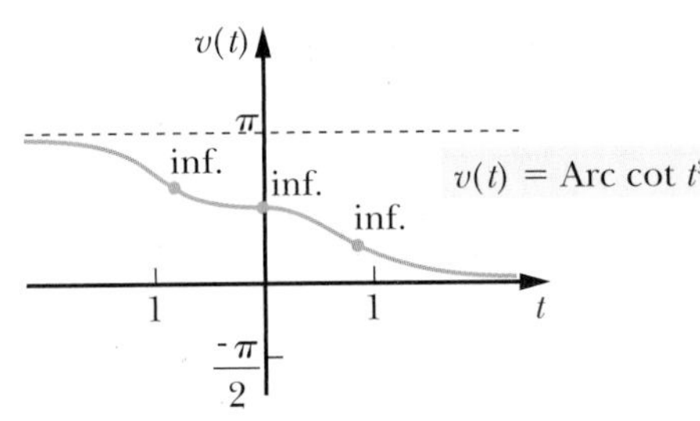

$v(t) = \text{Arc cot } t^3$

10